KARL MARX · FRIEDRICH ENGELS

WERKE · BAND 2

INSTITUT FÜR GESCHICHTE DER ARBEITERBEWEGUNG BERLIN

KARL MARX
FRIEDRICH ENGELS

WERKE

DIETZ VERLAG BERLIN

1990

INSTITUT FÜR GESCHICHTE DER ARBEITERBEWEGUNG BERLIN

KARL MARX FRIEDRICH ENGELS

BAND 2

DIETZ VERLAG BERLIN

1990

Die deutsche Ausgabe der Werke von Marx und Engels
fußt auf der vom Institut für Marxismus-Leninismus
beim ZK der KPdSU besorgten zweiten russischen Ausgabe.

Leitung der Editionsarbeiten:
Ludwig Arnold
Editorische Bearbeitung (Text, Anhang und Register):
Arthur Wilde
unter Mitarbeit von Hilde Schönherr
Verantwortlich für die Redaktion:
Walter Schulz

Marx, Karl: Werke / Karl Marx ; Friedrich Engels.
Inst. für Geschichte d. Arbeiterbew. Berlin. – Berlin : Dietz Verl.
[Sammlung].
Bd. 2. [1844–1846]. – 12. Aufl. – 1990. – XI, 730 S. : 10 Abb., 1 Kt.

Marx/Engels: Werke ISBN 3-320-00611-8
Bd. 2 ISBN 3-320-00201-5

Mit 10 Abbildungen und 1 Karte
12. Auflage 1990
Unveränderter Nachdruck der 1. Auflage 1957

Lizenznummer 1 · LSV 0046
Printed in the German Democratic Republic
Satz: Offizin Andersen Nexö, Graphischer Großbetrieb Leipzig
Druck und Bindearbeit: INTERDRUCK
Graphischer Großbetrieb Leipzig
Fotomechanischer Nachdruck
Best.-Nr. 735 046 2

01000

Vorwort

Der zweite Band der Werke von Karl Marx und Friedrich Engels enthält Arbeiten, die im Zeitraum von September 1844 bis Februar 1846 geschrieben wurden.

Ende August 1844 fand in Paris die Begegnung zwischen Marx und Engels statt, die den Grundstein für ihr schöpferisches Zusammenwirken auf allen Gebieten der revolutionären theoretischen und praktischen Tätigkeit legte. Zu dieser Zeit vollzogen Marx und Engels ihren endgültigen Übergang vom Idealismus zum Materialismus und vom revolutionären Demokratismus zum Kommunismus. Die in diesem Band enthaltenen Werke spiegeln den Prozeß der weiteren Herausbildung ihrer revolutionären materialistischen Weltanschauung wider.

Der Band beginnt mit der ersten gemeinsamen Arbeit von Karl Marx und Friedrich Engels: „Die heilige Familie oder Kritik der kritischen Kritik. Gegen Bruno Bauer und Konsorten". In diesem polemischen Werk treten Marx und Engels als kämpferische Materialisten auf und unterziehen die subjektivistischen Ansichten der Junghegelianer einer vernichtenden Kritik. Marx und Engels kritisieren hier auch die idealistische Philosophie von Hegel selbst; sie räumen dem Rationellen in der Hegelschen Dialektik den ihm gebührenden Platz ein und kritisieren die mystifizierende Seite dieser Dialektik.

In der „Heiligen Familie" werden eine Reihe der wichtigsten Leitsätze des dialektischen und historischen Materialismus formuliert. In dieser Arbeit nähert sich Marx bereits der Grundidee des historischen Materialismus, daß die Produktionsweise die entscheidende Rolle in der Entwicklung der Gesellschaft spielt. Marx und Engels widerlegen die früher herrschenden idealistischen Geschichtsauffassungen, denn „Ideen können nie über einen alten Weltzustand, sondern immer nur über die Ideen des alten Weltzustandes hinausführen. Ideen können überhaupt *nichts ausführen*. Zum Ausführen der

Ideen bedarf es der Menschen, welche eine praktische Gewalt aufbieten" (siehe vorliegenden Band, S. 126). Von großer Bedeutung ist der in der „Heiligen Familie" aufgestellte Satz, daß die Masse, das Volk, der wahre Schöpfer der Geschichte der Menschheit ist. Marx und Engels weisen darauf hin, daß, je breiter und tiefer die Umwälzung in der Gesellschaft ist, desto zahlreicher die Massen, die diese Umwälzung vollziehen. Lenin hat die Bedeutung dieses Gedankens besonders hervorgehoben und ihn als einen der tiefsten und wichtigsten Sätze des historischen Materialismus charakterisiert.

„Die heilige Familie" enthält die fast fertige Auffassung von der welthistorischen Rolle des Proletariats als Klasse. Auf Grund seiner Lage im Kapitalismus „kann und muß das Proletariat sich selbst befreien" und zugleich damit „*alle* unmenschlichen Lebensbedingungen" der bürgerlichen Gesellschaft vernichten, denn: „Es macht nicht vergebens die harte, aber stählende Schule *der Arbeit* durch. Es handelt sich nicht darum, was dieser oder jener Proletarier oder selbst das ganze Proletariat als Ziel sich einstweilen *vorstellt*. Es handelt sich darum, *was* es *ist* und was es diesem *Sein* gemäß geschichtlich zu tun gezwungen sein wird." (S. 38.)

Große Bedeutung hat der Abschnitt „Kritische Schlacht gegen den französischen Materialismus", in dem Marx in einer kurzen Skizze über die Entwicklung des Materialismus in der westeuropäischen Philosophie zeigt, daß der Kommunismus die logische Schlußfolgerung aus der materialistischen Philosophie ist.

„Die heilige Familie" wurde unter dem bedeutenden Einfluß der materialistischen Anschauungen von Ludwig Feuerbach geschrieben, die beim Übergang von Marx und Engels vom Idealismus zum Materialismus eine große Rolle spielten; gleichzeitig enthält diese Arbeit bereits Elemente jener Kritik des metaphysischen und beschaulichen Materialismus Feuerbachs, die Marx im Frühjahr 1845 in den „Thesen über Feuerbach" übte. Später schrieb Engels, als er den Platz der „Heiligen Familie" in der Geschichte des Marxismus bestimmte: „Der Kultus des abstrakten Menschen, der den Kern der Feuerbachschen neuen Religion bildete, mußte ersetzt werden durch die Wissenschaft von den wirklichen Menschen und ihrer geschichtlichen Entwicklung. Diese Fortentwicklung des Feuerbachschen Standpunkts über Feuerbach hinaus wurde eröffnet 1845 durch Marx in der ‚Heiligen Familie'." (F. Engels, „Ludwig Feuerbach und der Ausgang der klassischen deutschen Philosophie".)

In der „Heiligen Familie" sind einige Leitsätze formuliert, auf denen die marxistische politische Ökonomie basiert. Zum Unterschied von den sozialistischen Utopisten begründet Marx die objektive Unvermeidlichkeit des

Sieges des Kommunismus damit, daß das Privateigentum in seiner ökonomischen Entwicklung sich selbst das Grab schaufelt.

Der Band enthält Friedrich Engels' Schrift „Die Lage der arbeitenden Klasse in England", die Lenin für eines der besten Werke der sozialistischen Weltliteratur hielt. Wie später der Verfasser selbst sagte, ist dies ein Frühwerk, das eine der ersten Etappen im Werdegang des Marxismus widerspiegelt. Engels untersucht die ökonomische und politische Struktur Englands und zeigt am Beispiel dieses zu jener Zeit entwickeltsten Landes eine Reihe von Gesetzmäßigkeiten der kapitalistischen Produktion. Er deckt die ganze Tiefe der industriellen Umwälzung auf, die das Entstehen des Fabrikproletariats bedingte, und hebt die Unversöhnlichkeit der Interessen der Arbeiter und der Interessen der Kapitalisten hervor; Engels beweist, daß sich im Kapitalismus unvermeidlich eine industrielle Reservearmee von Arbeitslosen bildet, daß die Wirtschaftskrisen periodisch wiederkehren und daß die Ausbeutung der Arbeiterklasse und der werktätigen Massen im gleichen Verhältnis wie die Steigerung der kapitalistischen Produktion zunimmt. Lenin sagte, das Buch von Engels sei eine „schwere Anklage gegen Kapitalismus und Bourgeoisie". Engels beschreibt die unerträglich schweren Lebens- und Arbeitsbedingungen der Arbeiter in England und zeigt, daß das Proletariat schon durch seine Lage unvermeidlich zum Kampf für seine Befreiung und für den Sturz der kapitalistischen Ordnung getrieben wird. Im Klassenkampf des Proletariats sieht Engels die mächtige Kraft der historischen Entwicklung und kritisiert deshalb die englischen sozialistischen Owenisten für die Propagierung der allgemeinen Liebe und Brüderlichkeit. Bei der Verallgemeinerung der Erfahrung der englischen Arbeiterbewegung kommt Engels zu der Schlußfolgerung, daß Streiks und Verbände wohl ein wirksames Mittel zur Organisierung und Erziehung der Arbeiterklasse sind, jedoch nicht ausreichen, sie aus der Lohnsklaverei zu befreien. Engels schätzt den Chartismus als erste selbständige politische Bewegung des Proletariats hoch ein, doch kritisiert er die Chartisten der Begrenztheit ihrer Ziele wegen und stellt den wichtigen theoretischen Leitsatz von der Notwendigkeit der Vereinigung des Chartismus mit dem Sozialismus auf.

Die in diesem Band veröffentlichten Beiträge „Rascher Fortschritt des Kommunismus in Deutschland" und „Zwei Reden in Elberfeld", beide von Engels, sind von größtem Interesse, obgleich ihnen Spuren des noch nicht überwundenen Einflusses der philosophischen ethischen Ansichten Feuerbachs anhaften. Diese Schriften enthalten wertvolles biographisches Material über Marx und Engels und spiegeln die große agitatorische und organisatorische Arbeit wider, die Engels in der Rheinprovinz im Winter 1844/45 leistete. Lenin hat die Verhältnisse, unter denen Engels' Tätigkeit vor sich ging, wie folgt charakterisiert: „In Deutschland waren damals alle Kommunisten – mit Ausnahme des Proletariats. Der Kommunismus war die Ausdrucksform der oppositionellen Stimmungen bei allen, und besonders bei der Bourgeoisie. Die Hauptverkünder des Kommunismus waren damals ... im Grunde genommen biedere Bourgeois, die mehr oder minder gegen die Regierung aufgebracht waren. Und unter solchen Umständen, inmitten einer unermeßlichen Zahl pseudosozialistischer Richtungen und Fraktionen, verstand es Engels, sich den Weg zum *proletarischen* Sozialismus zu bahnen." (W. I. Lenin, Werke, 4. Ausgabe, Bd. 19, S. 505, russ.)

Nach Engels' Übersiedlung nach Brüssel im April 1845 setzten die Begründer des wissenschaftlichen Sozialismus gemeinsam die Ausarbeitung ihrer neuen Anschauungen fort, wobei von ihnen gleichzeitig Schritte unternommen wurden, sie gedruckt zu propagieren und eine Verbindung mit Vertretern der internationalen proletarischen und demokratischen Bewegung herzustellen. Mit dem Artikel „Das kürzliche Gemetzel in Leipzig. – Die deutsche Arbeiterbewegung", der im September 1845 geschrieben wurde, beginnt Friedrich Engels' systematische Mitarbeit an der Zeitung „The Northern Star", dem Organ der englischen Chartisten, mit deren revolutionärem Flügel Marx und Engels während ihrer Reise nach England im Sommer 1845 feste Verbindungen hergestellt hatten.

In seiner Artikelfolge „Deutsche Zustände", die für dieselbe Zeitung geschrieben wurde, gab Friedrich Engels eine Analyse der Klassenstruktur der deutschen Gesellschaft und zeigte den Einfluß der französischen bürgerlichen Revolution Ende des 18. Jahrhunderts auf die Entwicklung Deutschlands. Engels tritt hier als konsequenter Kämpfer für ein einheitliches, demokratisches Deutschland auf, er geißelt die reaktionären Zustände in den deutschen Staaten, in erster Linie in Preußen, die Herrschaft des Militärs und des Beamtentums, den Despotismus der großen und der kleinen Fürsten. Gleichzeitig deckt Engels den Klassencharakter des bürgerlichen Liberalismus auf und übt scharfe Kritik an der Beschränktheit der bürgerlichen Demokratie.

In der Einleitung und im Nachwort zu „Ein Fragment Fouriers über den Handel" spricht Engels über Fourier als einen der hervorragendsten Vertreter des kritischen utopischen Sozialismus. In dem Artikel „Das Fest der Nationen in London" verkündet Friedrich Engels die Gemeinsamkeit der Interessen der Proletarier aller Länder und entlarvt den bürgerlichen Kosmopolitismus. Diese beiden Arbeiten sowie die „Erklärung" von Karl Marx vom 18. Januar 1846 sind von großem Interesse als erste öffentliche Äußerungen der Begründer des wissenschaftlichen Sozialismus gegen die „wahren" Sozialisten, deren kleinbürgerliche pseudosozialistische Anschauungen ein ernstes Hindernis für die Entwicklung der revolutionären proletarischen und demokratischen Bewegung in Deutschland waren. Um den Boden für die Bildung einer proletarischen Partei vorzubereiten, gründeten Marx und Engels Anfang 1846 in Brüssel das Kommunistische Korrespondenzkomitee, dessen Ziel der ideologische und organisatorische Zusammenschluß der revolutionären Kommunisten und der fortschrittlichen Arbeiter Deutschlands und anderer Länder war, sowie der Kampf gegen Richtungen in der Arbeiterbewegung, die dem Proletariat fremd waren.

Die Arbeiten, die im zweiten Band der Werke enthalten sind, gehören einer Periode an, in der der Prozeß der Herausbildung des Marxismus noch nicht vollendet war. Das fand seinen Ausdruck auch in der von Marx und Engels angewandten Terminologie. Die wissenschaftliche marxistische Terminologie wurde allmählich bei der Herausbildung und weiteren Entwicklung ihrer Lehre ausgearbeitet und präzisiert.

Institut für Marxismus-Leninismus
beim ZK der KPdSU

Nach dem Erscheinen des ersten Bandes unserer Ausgabe der Werke in deutscher Sprache sind des öfteren aus interessierten Kreisen Fragen nach ihrem Charakter gestellt worden, u. a. auch die Frage, ob mit der Herausgabe die 1927 vom Marx-Engels-Institut in Moskau begonnene Edition der „Historisch-kritischen Gesamtausgabe" der Werke, Schriften und Briefe von Karl Marx und Friedrich Engels wiederaufgenommen würde. Diese Frage muß verneint werden. Unsere Aufgabe sehen wir darin, gemäß dem Beschluß des Zentralkomitees der Sozialistischen Einheitspartei Deutschlands dafür Sorge zu tragen, das Lebenswerk der Begründer des wissenschaftlichen Sozialismus in kürzester Frist und in größtmöglicher Vollständigkeit dem deutschen Volke vorzulegen. Eine historisch-kritische Gesamtausgabe bedarf viel umfangreicherer Vorarbeiten hinsichtlich der Bearbeitung und Kommentierung des vorhandenen Materials und erfordert viel Zeit.

Unsere Ausgabe hält sich in engeren Grenzen. Im Unterschied von einer historisch-kritischen Gesamtausgabe wird, von möglichen Ausnahmen abgesehen, auf eine lückenlose Publikation von Exzerpten, Rohentwürfen,

Skizzen – also Vorarbeiten überhaupt, verzichtet. Eine streng wissenschaftliche Gesamtausgabe erfordert zudem eine Wiedergabe der Texte in der Sprache des Originals. Wir würden dem Zweck unserer Ausgabe nicht gerecht werden, wollten wir die vielen englisch und französisch geschriebenen größeren Werke, Artikel und Aufsätze nur in der Sprache des Originals reproduzieren. Wir bringen Übersetzungen und behalten uns die Herausgabe von Supplementbänden vor, in denen der naturgemäß engere Kreis interessierter Leser die Originaltexte finden wird.

Der vorliegende zweite Band der deutschen Ausgabe fußt auf dem vom Institut für Marxismus-Leninismus beim ZK der KPdSU besorgten Band in russischer Sprache, enthält jedoch zusätzlich noch mehrere Artikel von Engels, und zwar: „Beschreibung der in neuerer Zeit entstandenen und noch bestehenden kommunistischen Ansiedlungen", einen kurzen Artikel über den Besuch der Königin Viktoria in Deutschland, ferner den erst vor einiger Zeit entdeckten Artikel „Geschichte der englischen Korngesetze" sowie den Aufsatz „Nachträgliches über die Lage der arbeitenden Klassen in England" aus dem „Westphälischen Dampfboot". Außerdem ist der Umfang des vorliegenden Bandes um einen Anhang erweitert, der Friedrich Engels' Vorrede zur amerikanischen Ausgabe (1887) – ab 5. Auflage des vorliegenden Bandes in der von Engels ins Deutsche übertragenen und unter dem Titel „Die Arbeiterbewegung in Amerika" im Juni 1887 vom „Sozialdemokrat" veröffentlichten Fassung (siehe Band 21 unserer Ausgabe, S. 335–343) – und sein Vorwort zur zweiten deutschen Ausgabe (1892) der „Lage der arbeitenden Klasse in England" enthält – Materialien, die dem Studium des Grundtextes förderlich sind.

Der Text wurde nach den Erstdrucken oder nach Photokopien überprüft, ebenso die von Marx und Engels angeführten Zitate, soweit die Originale zur Verfügung standen. Bei jeder Arbeit ist die zum Abdruck herangezogene Quelle vermerkt.

Die von Marx und Engels angeführten Zitate werden zur leichteren Übersicht in kleinerem Druck gebracht. Fremdsprachige Zitate und im Text vorkommende fremdsprachige Wörter wurden in Fußnoten übersetzt. Die Übersetzungen der fremdsprachigen Artikel wurden überprüft oder neu angefertigt.

Rechtschreibung und Zeichensetzung sind, soweit vertretbar, modernisiert. Der Lautstand der Wörter in den deutschsprachigen Texten wurde nicht verändert. Alle in eckigen Klammern stehenden Wörter und Wortteile stammen von der Redaktion; offensichtliche Druck- oder Schreibfehler wurden stillschweigend korrigiert. In Zweifelsfällen wurde in Fußnoten die Schreibweise des Originals angeführt.

Fußnoten von Marx und Engels sind durch Sternchen gekennzeichnet, Fußnoten der Redaktion durch eine durchgehende Linie vom Text abgetrennt und durch Ziffern kenntlich gemacht.

Zur Erläuterung ist der Band mit Anmerkungen versehen, auf die im Text durch hochgestellte Zahlen in eckigen Klammern hingewiesen wird; außerdem werden ein Personenverzeichnis, Daten aus dem Leben und der Tätigkeit von Marx und Engels, ein Literaturverzeichnis, ein Verzeichnis der Zeitungen und Zeitschriften sowie eine Erklärung der Fremdwörter beigefügt.

Institut für Geschichte der Arbeiterbewegung
Berlin

KARL MARX
und
FRIEDRICH ENGELS

September 1844 – Februar 1846

Die heilige Familie

oder

Kritik der kritischen Kritik

Gegen Bruno Bauer und Konsorten[1]

Von

Friedrich Engels und Karl Marx

Die heilige Familie,

oder

Kritik

der

kritischen Kritik.

Gegen Bruno Bauer & Consorten.

Von

Friedrich Engels und Karl Marx.

Frankfurt a. M.

Literarische Anstalt.

(J. Rütten.)

1845.

Titelseite der Erstausgabe von Engels' und Marx' Schrift „Die heilige Familie"

Vorrede

Der *reale Humanismus* hat in Deutschland keinen gefährlicheren Feind als den *Spiritualismus* oder den *spekulativen Idealismus*, der an die Stelle des *wirklichen individuellen Menschen* das „*Selbstbewußtsein*" oder den „*Geist*" setzt und mit dem Evangelisten lehrt: „Der Geist ist es, der da lebendig macht, das Fleisch ist kein Nütze." Es versteht sich, daß dieser fleischlose Geist nur in seiner Einbildung Geist hat. Was wir in der *Bauerschen* Kritik bekämpfen, ist eben die als *Karikatur* sich reproduzierende *Spekulation*. Sie gilt uns als der vollendetste Ausdruck des *christlich-germanischen* Prinzips, das seinen letzten Versuch macht, indem es „*die Kritik*" selbst in eine transzendente Macht verwandelt.

Unsre Darstellung schließt sich vorzugsweise an die „Allgemeine Literatur-Zeitung"[2] von *Bruno Bauer* an – ihre ersten acht Hefte lagen uns vor –, weil hier die Bauersche Kritik und damit der Unsinn der *deutschen Spekulation überhaupt* den Gipfelpunkt erreicht hat. Die kritische Kritik (die Kritik der „Literatur-Zeitung") ist um so lehrreicher, je mehr sie die Verkehrung der Wirklichkeit durch die Philosophie bis zur anschaulichsten Komödie vollendet. – Man sehe z.B. *Faucher* und *Szeliga*. – Die „Literatur-Zeitung" bietet ein Material, an welchem auch das größere Publikum über die Illusionen der spekulativen Philosophie verständigt werden kann. Dies ist der Zweck unsrer Arbeit.

Unsere Darstellung ist natürlich durch ihren *Gegenstand* bedingt. Die kritische Kritik steht durchgehends *unter* der schon erreichten Höhe der deutschen theoretischen Entwicklung. Es ist also durch die Natur unsres Gegenstandes gerechtfertigt, wenn wir jene Entwicklung selbst *hier* nicht weiter *beurteilen*.

Die kritische Kritik zwingt vielmehr, die schon vorhandenen Resultate *als solche* ihr gegenüber geltend zu machen.

Wir schicken daher diese Polemik den selbständigen Schriften voraus, worin wir – versteht sich, jeder von uns für sich – unsre positive Ansicht und damit unser positives Verhältnis zu den neueren philosophischen und sozialen Doktrinen darstellen werden.

Paris, im September 1844

Engels Marx

I. KAPITEL

„Die kritische Kritik in Buchbindermeister-Gestalt" oder die kritische Kritik als Herr Reichardt

Die kritische Kritik, so erhaben sie sich über die Masse weiß, fühlt doch ein unendliches Erbarmen für dieselbe. Also hat die Kritik die Masse geliebt, daß sie ihren eingebornen Sohn gesandt hat, auf daß alle, die an ihn glauben, nicht verloren werden, sondern das kritische Leben haben. Die Kritik wird Masse und wohnet unter uns, und wir sehen ihre Herrlichkeit als die Herrlichkeit des eingebornen Sohnes vom Vater. D. h. die Kritik wird sozialistisch und spricht „von Schriften über den Pauperismus"[3]. Sie sieht es nicht für einen Raub an, Gott gleich zu sein, sondern entäußert sich selbst und nimmt Buchbindermeister-Gestalt an und erniedrigt sich bis zum Unsinn – ja zum kritischen Unsinn in fremden Sprachen. Sie, deren himmlische jungfräuliche Reinheit von der Berührung mit der sündigen aussätzigen Masse zurückschaudert, sie überwindet sich so weit, daß sie von „*Bodz*"[1] und „*allen* Quellenschriftstellern des Pauperismus" Notiz nimmt und „mit dem Zeitübel seit Jahren Schritt um Schritt tut"; sie verschmäht es, für die Fachgelehrten zu schreiben, sie schreibt für das große Publikum, entfernt alle fremdartigen Ausdrücke, allen „lateinischen Kalkul, allen zunftmäßigen Jargon" – alles das entfernt sie aus den Schriften *anderer*, denn das wäre doch gar zuviel verlangt, wenn die Kritik sich selbst „diesem Reglement der Administration" unterwerfen sollte. Aber selbst das tut sie teilweise, sie entäußert sich, wenn nicht der Worte selbst, doch ihres Inhalts mit bewundernswürdiger Leichtigkeit – und wer wird ihr vorwerfen, daß sie „den großen Haufen unverständlicher Fremdwörter" gebraucht, wenn sie selbst mit systematischer Manifestation die Entwickelung begründet, daß auch ihr diese Wörter unverständlich geblieben sind? Von dieser systematischen Manifestation einige Proben:

„Deshalb sind ihnen die *Institutionen des Bettlertums* ein Greuel."

„Eine Verantwortlichkeits-Lehre, an welcher jede Regung des *Menschengedankens zum Abbild von Lots Weib wird*."

[1] Von Reichardt entstelltes Pseudonym von Charles Dickens: Boz

„Auf den Schlußstein dieses in der Tat *gesinnungsreichen Kunstgebäudes.*"

„Dies der Hauptinhalt von Steins politischem Testamente, welches der große Staatsmann noch vor seinem Austritt aus dem aktiven Dienst der Regierung *und allen ihren Abhandlungen* einhändigte."

„Dieses Volk besaß damals für eine solch ausgedehnte Freiheit *noch keine Dimensionen.*"

„Indem er am Schluß seiner publizistischen Abhandlung mit ziemlicher Sicherheit *parlamentiert*, es fehle bloß noch am Vertrauen."

„Dem staatserhebenden männischen, sich über die Routine und die kleingeistige Furcht erhebenden, an der Geschichte gebildeten und mit lebendiger Anschauung fremden öffentlichen Staatswesens genährten Verstand."

„Die Erziehung einer allgemeinen Nationalwohlfahrt."

„Die Freiheit blieb *in der Brust des preußischen Völkerberufs* unter der Kontrolle der Behörden tot liegen."

„*Volksorganische* Publizistik."

„Dem Volke, dem auch Herr Brüggemann das *Taufzeugnis seiner Mündigkeit* erteilt."

„Ein ziemlich greller Widerspruch gegen die übrigen *Bestimmtheiten*, die in der Schrift für die Berufsfähigkeiten des Volkes ausgesprochen sind."

„Der leidige Eigennutz löst alle *Chimären des Nationalwillens* schnell auf."

„Die Leidenschaft, viel zu erwerben etc., das war der Geist, der die ganze Restaurationszeit durchdrang und der sich mit *einer ziemlichen Quantität Indifferenz* der neuen Zeit *anschloß.*"

„Der dunkle Begriff politischer Bedeutung, welcher in der *landmannschaftlichen preußischen Nationalität* anzutreffen ist, *ruht auf dem Gedächtnis einer großen Geschichte.*"

„Die Antipathie verschwand und ging einem völlig exaltierten Zustand über."

„Jeder in seiner Art *stellte* bei diesem wunderbaren Übergang noch seinen besondern *Wunsch* in *Aussicht.*"

„Ein Katechismus mit gesalbter salomonischer Sprache, dessen Worte sanft wie eine Taube Zirb! Zirb! hinaufsteigen in die Region des Pathos und *donnerähnlicher Aspekten.*"

„Der ganze *Dilettantismus* einer *fünfunddreißigjährigen Vernachlässigung.*"

„Das zu *grelle Verdonnern* der Städtebürger durch einen ihrer ehemaligen Vorstände würde sich noch mit der Gemütsruhe unserer Vertreter hinnehmen lassen, wenn die Bendasche Auffassung der Städteordnung von 1808 nicht an einer *moslemitischen Begriffs-Affektion* über das Wesen und den Gebrauch der Städteordnung laborierte."

Der stilistischen Kühnheit entspricht bei Herrn Reichardt durchgängig die Kühnheit der Entwicklung selbst. Er macht Übergänge wie folgende:

„Herr Brüggemann ... Jahr 1843 ... Staatstheorie ... jeder Redliche ... die große Bescheidenheit unsrer Sozialisten ... natürliche Wunder ... an Deutschland zu stellende Forderungen ... übernatürliche Wunder ... Abraham ... Philadelphia ...

Manna ... Bäckermeister ... *weil* wir aber von *Wundern* sprechen, *so* brachte *Napoleon*" etc.

Nach diesen Proben ist es denn auch gar nicht zu verwundern, daß die kritische Kritik noch eine „Erläuterung" eines Satzes gibt, dem sie selbst „populäre Redeweise" beilegt. Denn sie „waffnet ihre Augen mit organischer Kraft, das Chaos zu durchdringen". Und hier ist zu sagen, daß dann selbst „populäre Redeweise" der kritischen Kritik nicht unverständlich bleiben kann. Sie sieht ein, daß der Literaten-Weg notwendig ein krummer bleibt, wenn das Subjekt, das ihn betritt, nicht stark genug ist, ihn gerade zu machen, und schreibt deshalb natürlich dem Schriftsteller „mathematische Operationen" zu.

Es versteht sich, und die Geschichte, die alles beweist, was sich von selbst versteht, beweist auch dies, daß die Kritik nicht Masse wird, um Masse zu bleiben, sondern um die Masse von ihrer massenhaften Massenhaftigkeit zu erlösen, also die populäre Redeweise der Masse in die kritische Sprache der kritischen Kritik aufzuheben. Es ist die stufenhaftigste Stufe der Erniedrigung, wenn die Kritik die populäre Sprache der Masse erlernt und diesen rohen Jargon in den überschwenglichen Kalkul der kritisch kritischen Dialektik transzendiert.

II. KAPITEL

„Die kritische Kritik" als „Mühleigner"[4] oder die kritische Kritik als Herr Jules Faucher

Nachdem die Kritik durch ihre Erniedrigung bis zum Unsinn in fremden Sprachen dem Selbstbewußtsein die wesentlichsten Dienste geleistet und zu gleicher Zeit die Welt dadurch vom Pauperismus befreit hat, erniedrigt sie sich auch noch bis zum *Unsinn* in der *Praxis* und *Geschichte*. Sie bemächtigt sich der *„englischen Tagesfragen"* und gibt einen *Abriß der Geschichte der englischen Industrie*, welcher echt *kritisch* ist.[5]

Die Kritik, die sich selbst genügt, die in sich vollendet und abgeschlossen ist, darf natürlich die Geschichte, wie sie wirklich passiert ist, nicht anerkennen, denn das hieße ja die schlechte Masse in ihrer ganz massenhaften Massenhaftigkeit anerkennen, während es sich doch gerade um die Erlösung der Masse von der Massenhaftigkeit handelt. Die Geschichte wird daher von ihrer Massenhaftigkeit befreit, und die Kritik, die sich *frei* gegen ihren Gegenstand verhält, ruft der Geschichte zu: *du sollst dich so und so zugetragen haben!* Die Gesetze der Kritik haben alle *rückwirkende* Kraft; *vor* ihren Dekreten trug sich die Geschichte ganz anders zu, als sie sich *nach denselben* zugetragen hat. Daher weicht denn auch die massenhafte, sogenannte *wirkliche* Geschichte bedeutend ab von der *kritischen*, die sich Heft VII der „Literatur-Zeitung" von p. 4 an ereignet.

In der massenhaften Geschichte gab es *keine Fabrikstädte*, ehe es *Fabriken* gab; aber in der kritischen Geschichte, wo der Sohn seinen Vater erzeugt, wie bei *Hegel* schon, sind *Manchester*, *Bolton* und *Preston* aufblühende Fabrikstädte, ehe noch an Fabriken gedacht wurde. In der wirklichen Geschichte wurde die *Baumwollen-Industrie* besonders durch *Hargreaves' „Jenny"* und durch *Arkwrights „Throstle"* (Waterspinnmaschine) begründet, während *Cromptons „Mule"*[6] nur eine Verbesserung der Jenny durch Arkwrights neu entdecktes Prinzip ist; aber die kritische Geschichte weiß zu unterscheiden, verschmäht die Einseitigkeiten der Jenny und Throstle und gibt die Krone der Mule, als der spekulativen Identität der Extreme. In der Wirklichkeit war mit der Erfindung der Throstle und der Mule die *Anwendung der Wasserkraft* auf diese Maschinen sogleich gegeben, aber die kritische Kritik sondert die von der rohen Geschichte zusammengeworfenen Prinzipien und läßt diese Anwendung erst später als etwas ganz Besonderes eintreten. In der Wirklichkeit ging die Erfindung der Dampfmaschine allen anderen obengenannten Erfindungen *voraus*, in der Kritik aber ist sie, als die Krone des Ganzen, auch das *letzte*.

In der Wirklichkeit war die *Geschäftsverbindung* zwischen Liverpool und Manchester in ihrer jetzigen Bedeutung die Folge des Exports englischer Waren, in der Kritik ist diese Geschäftsverbindung die *Ursache* desselben und beides die Folge der benachbarten Lage jener Städte. In der Wirklichkeit gehen fast alle Waren von Manchester über *Hull* nach dem Kontinent, in der Kritik über *Liverpool*.

In der Wirklichkeit gibt es in den englischen Fabriken alle *Abstufungen* des *Arbeitslohns* von anderthalb bis zu 40 und mehr Shillingen, in der Kritik wird nur *ein* Satz, 11 Shilling, ausgezahlt. In der Wirklichkeit ersetzt die *Maschine* die *Handarbeit*, in der Kritik das *Denken*. In der Wirklichkeit ist eine *Verbindung* der Arbeiter zur Erhöhung des Lohns in *England* erlaubt, in der Kritik aber ist sie verboten, denn die Masse hat erst bei der Kritik anzufragen, wenn sie sich etwas erlauben will. In der Wirklichkeit *ermüdet* die *Fabrikarbeit* sehr bedeutend und erzeugt eigentümliche Krankheiten – es gibt sogar ganze medizinische Werke über diese Krankheiten –, in der Kritik kann „übermäßige Anstrengung nicht an der Arbeit hindern, denn die Kraft fällt auf die Seite der Maschine". In der Wirklichkeit ist die Maschine eine Maschine, in der Kritik hat sie einen *Willen*, denn da sie nicht ruht, so kann der Arbeiter auch nicht ausruhen und ist einem fremden Willen untertan.

Das ist aber noch gar nichts. Die Kritik kann sich bei den *massenhaften Parteien* Englands nicht befriedigen, sie schafft neue, sie schafft eine „*Fabrikpartei*", wofür die Geschichte sich bei ihr bedanken mag. Sie wirft dagegen Fabrikanten und Fabrikarbeiter in *einen* massenhaften Haufen – was soll man sich denn um solche Kleinigkeiten kümmern – und dekretiert, daß die Fabrikarbeiter nicht aus bösem Willen und Chartismus, wie die dummen Fabrikanten meinen, sondern bloß aus Armut nicht zum Fonds der Anti-Corn-Law League [7] beigetragen haben. Sie dekretiert ferner, daß bei der Abschaffung der englischen Korngesetze die Ackerbautaglöhner sich eine Herabsetzung des Lohns werden gefallen lassen müssen, wobei wir aber untertänigst bemerken möchten, daß diese elende Klasse keinen Heller mehr entbehren kann, ohne absolut zu verhungern. Sie dekretiert, daß in Englands Fabriken *sechzehn* Stunden gearbeitet wird, obwohl das einfältige, unkritische englische Gesetz dafür gesorgt hat, daß nicht über 12 Stunden gearbeitet werden kann. Sie dekretiert, daß England ein großes Werkhaus für die Welt werden soll, obwohl die unkritischen massenhaften Amerikaner, Deutschen und Belgier den Engländern allmählich einen Markt nach dem andern mit ihrer Konkurrenz verderben. Sie dekretiert endlich, daß die *Zentralisation des Besitzes* und ihre Folgen für die arbeitenden Klassen weder der besitzlosen noch der besitzenden Klasse in England bekannt seien, wenn auch die dummen Chartisten sie sehr gut zu kennen glauben und die *Sozialisten* diese Folgen längst im Detail dargestellt zu haben meinen, ja wenn selbst Tories und Whigs, wie *Carlyle, Alison* und *Gaskell*, diese Kenntnis in eignen Werken bewiesen haben.

Die Kritik dekretiert, daß die *Zehnstundenbill* des Lord *Ashley*[8] eine schlappe juste-milieu-Maßregel und Lord Ashley selbst ein „treues Abbild des konstitutionellen Wirkens" sei, während die Fabrikanten, die Chartisten, die Grundbesitzer, kurz die ganze Massenhaftigkeit Englands bisher diese Maßregel für den allerdings möglichst gelinden Ausdruck eines durchaus radikalen Prinzips angesehen haben, da sie die Axt an die Wurzel des auswärtigen Handels und damit an die Wurzel des Fabriksystems legen – nein, nicht nur daran legen, sondern tief hineinhauen würde. Die kritische Kritik weiß das besser. Sie weiß, daß die Zehnstundenfrage vor einem „Ausschuß" des Unterhauses verhandelt wurde, da doch die unkritischen Zeitungen uns weismachen wollen, daß dieser „Ausschuß" das *Haus selbst*, nämlich ein „*Komitee des ganzes Hauses*" gewesen sei, aber die Kritik muß diese Bizarrerie der englischen Konstitution notwendig aufheben.

Die kritische Kritik, welche die *Dummheit der Masse*, ihren *Gegensatz*, selbst *erzeugt*, erzeugt auch die Dummheit des Sir James Graham und legt ihm vermittelst eines kritischen Verständnisses der englischen Sprache Dinge in den Mund, die der unkritische Minister des Innern nie gesagt hat, bloß damit vor der Dummheit Grahams die Weisheit der Kritik desto heller leuchte. Sie behauptet, Graham sage, die Maschinen in den Fabriken würden in etwa 12 Jahren abgenutzt, einerlei ob sie 10 oder 12 Stunden täglich liefen, und so würde eine Zehnstundenbill dem Kapitalisten unmöglich machen, in 12 Jahren durch die Arbeit der Maschinen das in denselben angelegte Kapital zu reproduzieren. Die Kritik weist nach, daß sie damit dem Sir James Graham einen Trugschluß in den Mund gelegt hat, denn eine Maschine, die täglich ein Sechstel der Zeit weniger arbeitet, wird natürlich auch eine längere Zeit brauchbar bleiben.

So richtig diese Bemerkung der kritischen Kritik gegen ihren eignen Trugschluß ist, so muß doch auch andrerseits dem Sir James Graham zugegeben werden, daß er selbst sagte, die Maschine müsse unter einer Zehnstundenbill um so viel schneller laufen, als sie in der Arbeitszeit beschränkt wird, was auch die Kritik [Heft] VIII, p. 32 selbst zitiert, und daß unter dieser Voraussetzung die Abnutzungszeit dieselbe, nämlich 12 Jahre bleibt. Dies muß anerkannt werden, um so mehr, als diese Anerkennung zum Ruhm und zur Verherrlichung „*der* Kritik" gereicht, da nur *die* Kritik den Trugschluß sowohl selbst gemacht als auch selbst wieder aufgelöst hat. Sie ist ebenso großmütig gegen den Lord *John Russell*, dem sie unterschiebt, er suche eine Veränderung der politischen Staatsform und der Wahlbestimmungen, woraus wir schließen müssen, daß entweder der Trieb der Kritik, Dummheiten zu produzieren, ungemein stark oder der Lord John Russell in den letzten acht Tagen ein kritischer Kritiker geworden sein muß.

Wahrhaft großartig aber wird die Kritik erst in ihrer Verfertigung von Dummheiten, wenn sie entdeckt, daß die Arbeiter Englands – die Arbeiter, die im April und Mai Meetings über Meetings hielten, Petitionen über Petitionen abfaßten, und alles dies für die Zehnstundenbill, die so aufgeregt waren wie seit zwei Jahren nicht, und das von einem Ende der Fabrikdistrikte bis zum andern –, daß diese Arbeiter nur ein „*teilweises* Interesse" an dieser Frage nehmen, obwohl es sich doch zeigt, daß „auch die gesetzliche Beschränkung der Arbeitszeit ihre Aufmerksamkeit beschäftigt hat"; wenn sie vollends die große, die herrliche, die unerhörte Entdeckung macht, daß „die anscheinend näherliegende Hülfe durch Abschaffung der Korngesetze den größten Teil der Wünsche der Arbeiter absorbiert und es tun wird, bis die wohl nicht mehr zu bezweifelnde Erfüllung dieser Wünsche ihnen praktisch die Nutzlosigkeit derselben beweist", – den Arbeitern, die gewohnt sind, in allen öffentlichen Meetings die Korngesetzabschaffer von der Rednerbühne zu werfen, die es durchgesetzt haben, daß in keiner englischen Fabrikstadt die Anti-Korngesetz-League noch ein öffentliches Meeting zu halten wagt, die die League für ihren einzigen Feind ansehen und die während der Zehnstundendiskussion, wie fast immer vorher in ähnlichen Fragen, von den Tories unterstützt wurden. Schön ist es auch, wenn die Kritik auffindet, daß „die Arbeiter sich noch immer von den umfassenden Versprechungen des *Chartismus* locken lassen", der weiter nichts ist als der politische Ausdruck der öffentlichen Meinung unter den Arbeitern; wenn sie gewahr wird in der Tiefe ihres absoluten Geistes, daß „die doppelten Parteiungen, die politische und die des Land- und Mühleigentums, *schon nicht* ineinander aufgehn und sich decken wollen", während es bis jetzt noch nicht bekannt war, daß die Parteiung des Land- und Mühleigentums bei der geringen Anzahl beider Klassen von Eigentümern und bei der gleichen politischen Berechtigung beider (mit Ausnahme der wenigen

Pairs) eine sogar umfassende war, daß sie statt der konsequenteste Ausdruck, die Spitze der politischen Parteien, ganz und gar eins und dasselbe mit den politischen Parteiungen sei. Schön ist es, wenn die Kritik den Korngesetzabschaffern die Zumutung unterschiebt, als wüßten sie nicht, daß ceteris paribus[1] ein Fallen der Brotpreise auch ein Fallen des Arbeitslohns zur Folge haben müsse und alles beim alten bleibe; während diese Leute von diesem zugestandenen Falle des Arbeitslohns und damit der Produktionskosten eine Ausdehnung des Marktes und von ihr eine Verminderung der Konkurrenz unter den Arbeitern erwarten, wodurch der Lohn doch etwas höher, im Verhältnis zu den Brotpreisen, gehalten werde, als er jetzt steht.

Die Kritik, in der freien Schöpfung ihres Gegensatzes, des Unsinns, mit künstlerischer Seligkeit sich bewegend, dieselbe Kritik, die vor zwei Jahren ausrief: „Die Kritik spricht deutsch, die Theologie lateinisch"[9], dieselbe Kritik hat jetzt *Englisch* gelernt und nennt die Grundbesitzer „Landeigner" (land-owners), die Fabrikbesitzer „*Mühleigner*" (mill-owners) – mill heißt im Englischen jede Fabrik, deren Maschinen von Dampf oder Wasserkraft getrieben werden –, die Arbeiter „*Hände*" (hands), sie sagt statt „Einmischung" Interferenz (interference), und in ihrer unendlichen Erbarmung über die von sündhafter Massenhaftigkeit strotzende englische Sprache läßt sie sich sogar herab, sie zu verbessern, und schafft die Pedanterie ab, womit die Engländer den Titel „Sir" der Ritter und Baronets stets vor den *Vornamen* setzen. Die Masse sagt: „Sir James Graham", die Kritik: „Sir Graham".

Daß die Kritik aus *Prinzip* und nicht aus *Leichtsinn* die *englische* Geschichte und Sprache umschafft, wird sogleich die *Gründlichkeit* beweisen, womit sie die *Geschichte des Herrn Nauwerck* behandelt.

[1] wenn die übrigen Bedingungen die gleichen bleiben

III. KAPITEL

„Die Gründlichkeit der kritischen Kritik" oder die kritische Kritik als Herr J. (Jungnitz?)[10]

Der unendlich wichtige Streit des Herrn *Nauwerck* mit der Berliner philosophischen Fakultät darf von der Kritik nicht unberührt bleiben; sie hat ja Ähnliches erlebt und muß Herrn Nauwercks Fata zum Hintergrunde nehmen, um davon ihre *Bonner Entsetzung*[11] desto greller sich abheben zu lassen. Da die Kritik die Bonner Historie als das Ereignis des Jahrhunderts anzusehn gewohnt ist und bereits die „Philosophie der Absetzung der Kritik" geschrieben hat, so war zu erwarten, daß sie in ähnlicher Weise die Berliner „Kollision" philosophisch bis ins Detail konstruieren würde. Sie beweist a priori[1], daß das alles so und nicht anders sich habe zutragen müssen, und zwar:

1. warum die philosophische Fakultät nicht mit einem Logiker und Metaphysiker, sondern mit einem Staatsphilosophen habe „kollidieren" müssen;

2. warum diese Kollision nicht von der Härte und Entscheidung sein konnte als der Konflikt der Kritik mit der Theologie in Bonn;

3. warum die Kollision eigentlich dummes Zeug war, da die Kritik bereits in ihrer Bonner Kollision alle Prinzipien, allen Gehalt konzentriert hatte und nun die Weltgeschichte nur an der Kritik zum Plagiarius werden könnte;

4. warum die philosophische Fakultät sich in Herrn Nauwercks Schriften selbst angegriffen sah;

5. warum Herrn N[auwerck] nichts übrigblieb, als freiwillig zurückzutreten;

6. warum die Fakultät Herrn N[auwerck] verteidigen mußte, wenn sie sich nicht selbst aufgeben wollte;

7. warum die „innere Spaltung im Wesen der Fakultät sich notwendig so darstellen mußte", daß die Fakultät sowohl N[auwerck] wie der Regierung recht und unrecht zu gleicher Zeit gab;

---

[1] von vornherein; unabhängig von Erfahrung

8. warum die Fakultät in N[auwerck]s Schriften kein Motiv zu seiner Entfernung findet;

9. worin die Unklarheit des ganzen Votums bedingt ist;

10. warum die Fakultät sich „als wissenschaftliche Behörde! berechtigt! glaubt! den Kern der Sache ins Auge fassen zu dürfen", und endlich

11. warum dennoch die Fakultät nicht in gleicher Weise wie Herr N[auwerck] schreiben will.

Diese wichtigen Fragen erledigt die Kritik auf vier Seiten mit seltner Gründlichkeit, indem sie aus Hegels Logik beweist, warum das alles so geschehen sei und kein Gott hätte dagegen angehen können. Die Kritik sagt an einem andern Ort, es sei noch keine einzige Geschichtsepoche erkannt; die Bescheidenheit verbietet ihr zu sagen, daß sie wenigstens ihre eigne und die Nauwercksche Kollision, die zwar keine Epochen sind, aber in ihrer Ansicht doch Epoche *machen*, vollständig erkannt hat.

Die kritische Kritik, die das „Moment" der *Gründlichkeit* in sich „aufgehoben" hat, wird zur *„Ruhe des Erkennens"*.

IV. KAPITEL

„Die kritische Kritik“ als die Ruhe des Erkennens oder die „kritische Kritik“ als Herr Edgar

1. „Die Union ouvrière“ der Flora Tristan[12]

Die französischen Sozialisten behaupten: Der Arbeiter macht alles, produziert alles, und dabei hat er kein Recht, keinen Besitz, kurz und gut nichts. Die Kritik antwortet durch den Mund des Herrn *Edgar*, der personifizierten *Ruhe des Erkennens*:

„Um alles schaffen zu können, dazu gehört ein stärkeres als ein Arbeiterbewußtsein. Nur umgekehrt wäre der Satz wahr: Der Arbeiter macht nichts, darum hat er nichts, er macht aber nichts, weil seine Arbeit stets eine einzeln bleibende, auf sein eigenstes Bedürfnis berechnete, tägliche ist.“

Die Kritik vollendet sich hier zu jener Höhe der Abstraktion, in der sie bloß ihre eigenen Gedankenschöpfungen und aller Wirklichkeit widersprechenden Allgemeinheiten für „Etwas“, ja für „*Alles*“ ansieht. Der Arbeiter schafft nichts, weil er bloß „Einzelnes“, d. h. sinnliche, handgreifliche, geist- und kritiklose Gegenstände schafft, die ein Greuel sind vor den Augen der reinen Kritik. Alles Wirkliche, Lebendige ist unkritisch, massenhaft, darum „Nichts“, und nur die idealen, phantastischen Kreaturen der kritischen Kritik sind „*Alles*“.

Der Arbeiter schafft nichts, weil seine Arbeit eine einzeln bleibende, auf sein bloß individuelles Bedürfnis berechnete ist, also weil die einzelnen, zusammengehörigen Zweige der Arbeit in dieser jetzigen Weltordnung getrennt, ja gegeneinander gestellt sind, kurz, weil die Arbeit nicht *organisiert* ist. Der eigne Satz der Kritik, wenn man ihn in dem einzig möglichen vernünftigen Sinn faßt, den er haben kann, verlangt die Organisation der Arbeit. Flora Tristan, bei deren Beurteilung dieser große Satz an den Tag kommt, verlangt dasselbe und wird für diese Insolenz, der kritischen Kritik vorzugreifen, en canaille[1] behandelt. Der Arbeiter schafft Nichts; dieser Satz ist übrigens –

[1] verächtlich

wenn man davon absieht, daß der *einzelne* Arbeiter nichts *Ganzes* produziert, was eine Tautologie ist – total verrückt. Die kritische Kritik schafft Nichts, der Arbeiter schafft Alles, ja so sehr Alles, daß er die ganze Kritik auch in seinen geistigen Schöpfungen beschämt; die englischen und französischen Arbeiter können davon Zeugnis ablegen. Der Arbeiter schafft sogar *den Menschen*; der Kritiker wird stets ein Unmensch bleiben, wofür er freilich die Genugtuung hat, kritischer Kritiker zu sein.

„Flora Tristan gibt uns ein Beispiel jenes weiblichen Dogmatismus, der eine Formel haben will und sich dieselbe aus den Kategorien des Bestehenden bildet."

Die Kritik tut nichts als sich „Formeln aus den Kategorien des Bestehenden bilden", nämlich aus der bestehenden *Hegelschen* Philosophie und den bestehenden sozialen Bestrebungen; Formeln, weiter nichts als Formeln, und trotz allen ihren Invektiven gegen den Dogmatismus verurteilt sie sich selbst zum Dogmatismus, ja zum *weiblichen* Dogmatismus. Sie ist und bleibt ein altes Weib, die verwelkte und verwitwete *Hegelsche* Philosophie, die ihren zur widerlichsten Abstraktion ausgedörrten Leib schminkt und aufputzt und in ganz Deutschland nach einem Freier umherschielt.

2. Béraud über die Freudenmädchen

Herr Edgar, der nun einmal der sozialen Fragen sich erbarmt, mischt sich auch in die „*Hurenverhältnisse*". ([Heft] V, p. 26.)

Er kritisiert des Pariser Polizeikommissärs Béraud Buch über die Prostitution, weil es ihm „auf den *Standpunkt*" ankommt, von dem „Béraud die Stellung der Freudenmädchen zur Gesellschaft auffaßt". Die „Ruhe des Erkennens" wundert sich, wenn sie findet, daß ein Polizeimensch eben einen Polizeistandpunkt hat, und gibt der Masse zu verstehen, das sei ein ganz verkehrter. Ihren eignen Standpunkt gibt sie aber nicht zu verstehen. Natürlich! Wenn die Kritik sich mit Freudenmädchen abgibt, so kann man nicht verlangen, daß dies vor dem Publikum geschehe.

3. Die Liebe

Um sich zur „Ruhe des Erkennens" zu vollenden, muß *die* kritische Kritik vor allem sich der *Liebe* zu entledigen suchen. Die Liebe ist eine Leidenschaft, und nichts gefährlicher für die Ruhe des Erkennens als die Leidenschaft.

Bei Gelegenheit der Romane der Frau v. Paalzow, die er „gründlich *studiert* zu haben" versichert, überwältigt Herr Edgar daher „eine *Kinderei* wie die *sogenannte Liebe*". Solches ist ein Scheuel und Greuel und reget in der kritischen Kritik auf Ingrimmigkeit, machet sie fast gallenerbittert, ja abersinnig.

„Die Liebe ... ist eine grausame Göttin, welche, wie jede Gottheit, den ganzen Menschen besitzen will und nicht eher zufrieden ist, als bis er ihr nicht bloß seine Seele, sondern auch sein physisches Selbst dargebracht hat. Ihr Kultus ist das Leiden, der Gipfel dieses Kultus ist die Selbstaufopferung, der Selbstmord."

Um die Liebe in den „Moloch", in den leibhaftigen Teufel zu verwandeln, verwandelt Herr Edgar sie vorher in eine Göttin. Zur Göttin, d. h. zu einem theologischen Gegenstand geworden, unterliegt sie natürlich der *Kritik der Theologie*, und überdem liegen bekanntlich Gott und Teufel nicht weit auseinander. Herr Edgar verwandelt die Liebe in eine „Göttin", und zwar in eine „grausame Göttin", indem er aus dem *liebenden Menschen*, aus der Liebe *des Menschen* den Menschen *der Liebe* macht, indem er *die „Liebe"* als ein apartes Wesen vom Menschen lostrennt und als solches verselbständigt. Durch diesen einfachen Prozeß, durch diese Verwandlung des Prädikats in das Subjekt, kann man alle Wesensbestimmungen und Wesensäußerungen des Menschen in *Unwesen* und Wesens*entäußerungen* kritisch umformen. So z.B. macht die kritische Kritik aus der Kritik, als einem Prädikat und einer Tätigkeit des Menschen, ein apartes Subjekt, die sich auf sich selbst beziehende und darum *kritische Kritik*: ein „Moloch", dessen Kultus die Selbstaufopferung, der Selbstmord des Menschen, namentlich des menschlichen *Denkvermögens* ist.

„*Gegenstand*", ruft die Ruhe des Erkennens aus, „Gegenstand, das ist der richtige Ausdruck, denn der Geliebte ist dem Liebenden – (das Femininum fehlt) – nur wichtig als *dieses äußere Objekt* seiner *Gemütsaffektion*, als Objekt, in welchem es sein selbstsüchtiges Gefühl befriedigt sehn will."

Gegenstand! Entsetzlich! Es gibt nichts Verwerflicheres, Profaneres, Massenhafteres als ein *Gegenstand* – à bas[1] der Gegenstand! Wie sollte die absolute Subjektivität, der actus purus[2], die *„reine"* Kritik, nicht in der Liebe ihre bête noire, den leibhaftigen Satan erblicken, in der Liebe, die den Menschen erst wahrhaft an die gegenständliche Welt außer ihm glauben lehrt, die nicht nur den Menschen zum Gegenstand, sondern sogar den Gegenstand zum Menschen macht!

[1] nieder – [2] reine Handlung

Die Liebe, fährt die Ruhe des Erkennens, außer sich, fort, beruhigt sich nicht mal dabei, den Menschen in die *Kategorie „Objekt"* für den andern Menschen zu verwandeln, sie macht ihn sogar zu einem *bestimmten, wirklichen* Objekt, zu *diesem*, schlecht-individuellen (siehe Hegel, „Phänomenologie" [13], über das Diese und das Jene, wo auch gegen das schlechte *„Dieses"* polemisiert wird), *äußerlichen*, nicht nur innerlichen, in dem Gehirn steckenbleibenden, sondern sinnlich offenbaren Objekt.

Lieb'
Lebt nicht *allein* vermauert im *Gehirn*.

Nein, die Geliebte ist *sinnlicher Gegenstand*, und die kritische Kritik verlangt zum allermindesten, wenn sie sich zur Anerkennung eines Gegenstandes herablassen soll, einen *sinnlosen* Gegenstand. Die Liebe aber ist ein *unkritischer, unchristlicher Materialist*.

Endlich macht die Liebe gar den einen Menschen zu *„diesem äußern Objekt der Gemütsaffektion"* des andern Menschen, zum Objekt, worin sich das *selbstsüchtige* Gefühl des andern Menschen befriedigt, ein *selbstsüchtiges* Gefühl, weil es *sein eignes Wesen* im andern Menschen *sucht*, und das soll doch nicht sein. Die kritische Kritik ist so *frei* von aller Selbst*sucht*, daß sie den ganzen Umfang des menschlichen Wesens *in* ihrem *eignen Selbst* erschöpft *findet*.

Herr Edgar sagt uns natürlich nicht, wodurch sich die Geliebte unterscheidet von den übrigen „äußerlichen Objekten der Gemütsaffektion, worin sich die selbstsüchtigen Gefühle der Menschen befriedigen". Der geistreiche, vielsinnige, vielsagende Gegenstand der Liebe sagt der Ruhe des Erkennens nur das kategorische Schema: „dieses äußere Objekt der Gemütsaffektion", wie etwa der Komet dem spekulativen Naturphilosophen nichts sagt als die „Negativität". Indem der Mensch den Menschen zum äußeren Objekt seiner Gemütsaffektion macht, legt er ihm zwar nach dem eignen Geständnis der kritischen Kritik „Wichtigkeit" bei, aber eine sozusagen *gegenständliche Wichtigkeit*, während die Wichtigkeit, welche die Kritik den Gegenständen beilegt, nichts anders ist als die Wichtigkeit, die sie sich selbst beilegt, die sich daher auch nicht in dem „schlechten *äußeren Sein*", sondern in dem *„Nichts"* des kritisch wichtigen Gegenstandes bewährt.

Wenn die Ruhe des Erkennens in dem wirklichen Menschen keinen *Gegenstand* besitzt, besitzt sie dagegen in der *Menschheit* eine *Sache*. Die kritische Liebe *„hütet* sich vor allem, über der Person die *Sache* zu vergessen, welche nichts anders ist als die Sache der Menschheit". Die unkritische Liebe trennt die Menschheit nicht von dem persönlichen individuellen Menschen.

„Die Liebe selber, als eine *abstrakte* Leidenschaft, die kommt, man weiß nicht woher, und geht, man weiß nicht wohin, ist des Interesses einer *innern* Entwicklung unfähig."

Die Liebe ist in den Augen der Ruhe des Erkennens eine abstrakte Leidenschaft nach dem *spekulativen* Sprachgebrauch, wonach das Konkrete abstrakt und das Abstrakte konkret heißt.

Sie war nicht in dem Tal geboren,
Man wußte nicht, woher sie kam;
Doch schnell war ihre Spur verloren,
Sobald das Mädchen Abschied nahm.[14]

Die Liebe ist für die Abstraktion „das Mädchen aus der Fremde", ohne dialektischen Paß, und wird dafür von der kritischen Polizei des Landes verwiesen.

Die Leidenschaft der Liebe ist des Interesses einer *innern* Entwickelung unfähig, weil sie nicht a priori konstruiert werden kann, weil ihre Entwicklung eine wirkliche ist, die in der Sinnenwelt und zwischen wirklichen Individuen vorgeht. Das Hauptinteresse der spekulativen Konstruktion ist aber das „Woher" und das „Wohin". Das Woher ist eben die *„Notwendigkeit* eines Begriffs, sein Beweis und Deduktion" (Hegel). Das Wohin ist die Bestimmung, „wodurch jedes einzelne Glied des spekulativen Kreislaufes, als Beseeltes der Methode, zugleich der Anfang eines neuen Gliedes ist" (Hegel). Also nur, wenn ihr Woher und ihr Wohin a priori zu konstruieren wäre, verdiente die Liebe das „Interesse" der spekulativen Kritik.

Was die kritische Kritik hier bekämpft, ist nicht nur die Liebe, sondern alles Lebendige, alles Unmittelbare, alle sinnliche Erfahrung, alle *wirkliche* Erfahrung überhaupt, von der man nie vorher *weiß*, „woher" und „wohin".

Herr Edgar hat durch die Überwältigung der Liebe sich vollständig als „Ruhe des Erkennens" *gesetzt* und kann nun an *Proudhon* sogleich eine große Virtuosität des Erkennens, für welches der *„Gegenstand"* aufgehört hat, *„dieses äußere Objekt"* zu sein, und eine noch größere *Lieblosigkeit* gegen die französische Sprache bewähren.

4. Proudhon

Nicht *Proudhon* selbst, sondern der „Proudhonsche *Standpunkt*" hat nach dem Bericht der kritischen Kritik die Schrift „Qu'est-ce que la propriété?"[15] geschrieben.

„Ich beginne meine Schilderung des Proudhonschen Standpunktes mit der Charakteristik seiner" (des Standpunktes) „Schrift ‚Was ist das Eigentum?'"

Da nur die Schriften des kritischen Standpunktes von selbst Charakter besitzen, so beginnt die kritische Charakteristik notwendig damit, der Proudhonschen Schrift einen Charakter zu geben. Herr Edgar gibt dieser Schrift einen Charakter, indem er sie *übersetzt*. Er gibt ihr natürlich einen *schlechten* Charakter, denn er verwandelt sie in einen *Gegenstand „der* Kritik".

Proudhons Schrift unterliegt also einem doppelten Angriff des Herrn Edgar, einem *stillschweigenden* in seiner charakterisierenden Übersetzung, einem *ausgesprochenen* in seinen kritischen Randglossen. Wir werden finden, daß Herr Edgar vernichtender ist, wenn er übersetzt, als wenn er glossiert.

Charakterisierende Übersetzung Nr. I

„Ich will" (nämlich der kritisch übersetzte Proudhon) „kein System des Neuen geben, ich will nichts als die Abschaffung des Privilegiums, die Vernichtung der Sklaverei ... Gerechtigkeit, nichts als Gerechtigkeit, das ist's, was ich meine."

Der charakterisierte Proudhon beschränkt sich auf Wollen und Meinen, weil der „gute Wille" und die unwissenschaftliche „Meinung" charakteristische Attribute der unkritischen Masse sind. Der charakterisierte Proudhon tritt so demutsvoll auf, wie es der Masse geziemt, und ordnet das, was er will, dem unter, was er *nicht* will. Er versteigt sich nicht dazu, ein System des Neuen geben zu wollen, er will weniger, er will sogar *nichts* als die Abschaffung des Privilegiums etc. Außer dieser kritischen Subordination des Willens, den er hat, unter den Willen, den er nicht hat, zeichnet sich sein erstes Wort sogleich durch einen charakteristischen Mangel an Logik aus. Der Schriftsteller, der sein Buch damit eröffnet, daß er kein System des Neuen geben will, wird nun sagen, was er geben will, sei es ein systematisches Altes oder ein unsystematisches Neues. Aber der charakterisierte Proudhon, der kein System des Neuen *geben* will, will er die Abschaffung der Privilegien geben? Nein. Er *will* sie.

Der *wirkliche* Proudhon sagt: „Je ne fais pas de système; je demande la fin du privilège"[1] etc. Ich mache kein System, ich verlange etc. D. h., der wirkliche Proudhon erklärt, daß er keine abstrakt wissenschaftliche Zwecke verfolgt, sondern unmittelbar praktische Forderungen an die Gesellschaft stellt. Und die Forderung, die er stellt, ist nicht willkürlich. Sie ist motiviert und berechtigt durch die ganze Entwicklung, die er gibt, sie ist das Resumé dieser Entwicklung, denn: „Justice, rien que justice; tel est le resumé de

[1] „Ich mache kein System; ich verlange das Ende des Privilegs"

mon *discours.*"[1] Der charakterisierte Proudhon gerät mit seinem „Gerechtigkeit, nichts als Gerechtigkeit, das ist's, was ich meine" um so bedeutender in Verlegenheit, als er noch vieles andre meint und nach Herrn Edgars Bericht z. B. „*meint*", die Philosophie sei nicht praktisch genug gewesen, „*meint*", den Charles Comte zu widerlegen etc.

Der kritische Proudhon fragt sich: „Soll *der Mensch* denn immer unglücklich sein?", d. h. er fragt, ob das Unglück die moralische Bestimmung des Menschen ist. Der wirkliche Proudhon ist ein leichtsinniger Franzose und fragt, ob das Unglück eine materielle Notwendigkeit, ein *Müssen* ist. (L'homme *doit*-il être éternellement malheureux?[2])

Der massenhafte Proudhon sagt:

„Et sans m'arrêter aux explications à toute fin des entrepreneurs de réformes, accusant de la détresse générale ceux-ci la lâcheté et l'impéritie du pouvoir, ceux-là les conspirateurs et les émeutes, d'autres l'ignorance et la corruption générale", etc.[3]

Weil der Ausdruck à toute fin ein schlechter massenhafter Ausdruck ist, der sich in den massenhaften deutschen Wörterbüchern nicht findet, so läßt der kritische Proudhon natürlich diese nähere Bestimmung der „Auseinandersetzungen" weg. Dieser Terminus ist der massenhaften französischen Jurisprudenz entlehnt, und explications à toute fin bedeuten Auseinandersetzungen, die alle Einreden abschneiden. Der kritische Proudhon beleidigt die „*Reformisten*", eine sozialistische französische Partei[16], der massenhafte Proudhon die Reform-Fabrikanten. Bei dem massenhaften Proudhon gibt es verschiedene Klassen der entrepreneurs de réformes. Diese, ceux-ci, sagen *das*, jene, ceux-là, *das*, andre, d'autres, *das*. Der kritische Proudhon läßt dagegen *dieselben Reformisten* „bald – bald – bald anklagen", was jedenfalls von ihrer Unbeständigkeit zeugt. Der wirkliche Proudhon, der sich nach der massenhaften französischen Praxis richtet, spricht von „les conspirateurs et les émeutes", d. h. erst von den Verschwörern und dann von ihrer Handlung, den Emeuten. Der kritische Proudhon, der die verschiedenen Klassen der Reformisten zusammengeworfen hat, klassifiziert dagegen die Rebellen und sagt daher: die Verschwörer und *Aufrührer*. Der massenhafte Proudhon spricht von der *Unwissenheit* und „*allgemeinen Verdorbenheit*".

[1] „Gerechtigkeit, nichts als Gerechtigkeit; darin faßt sich meine *Darlegung* zusammen." – [2] *Muß* der Mensch ewig unglücklich sein? – [3] „Und ohne mich mit den alle Einreden abschneidenden Auseinandersetzungen der Reform-Fabrikanten aufzuhalten, von denen diese die Feigheit und das Ungeschick der Machthaber, jene die Verschwörer und die Emeuten, andere die Unwissenheit und die allgemeine Verdorbenheit für die allgemeine Notlage verantwortlich machen", usw.

Der kritische Proudhon verwandelt die Unwissenheit in Dummheit, die „Verdorbenheit" in die „Verworfenheit" und macht endlich als kritischer Kritiker die Dummheit *allgemein*. Er selbst gibt unmittelbar von ihr ein Beispiel, indem er générale statt in den Plural in den Singular setzt. Er schreibt: l'ignorance et la corruption générale für: die allgemeine Dummheit und Verworfenheit. Der unkritischen französischen Grammatik gemäß müßte dies heißen: l'ignorance et la corruption général*es*.

Der charakterisierte Proudhon, der anders spricht und denkt wie der massenhafte, hat notwendig auch einen ganz anderen *Bildungsgang* durchgemacht. Er „befragte die Meister der Wissenschaft, las hundert Bände der Philosophie und Rechtswissenschaft etc., und *zuletzt* sah" er „ein, daß wir noch nie den Sinn der Worte Gerechtigkeit, Billigkeit, Freiheit erfaßt haben". Der wirkliche Proudhon glaubte das *von Anfang an* zu erkennen (je crus *d'abord* reconnaître[1]), was der kritische „*zuletzt*" einsah. Die kritische Verwandlung des d'abord in enfin[2] ist notwendig, weil die Masse nichts [von] „vornherein" zu erkennen glauben darf. Der massenhafte Proudhon erzählt ausdrücklich, wie dieses befremdende Resultat seiner Studien ihn erschüttert, wie er ihm nicht getraut habe. Er beschloß daher, eine „*Gegenprobe*" zu machen, er fragte sich: „Ist es möglich, daß die Menschheit über die Prinzipien der Anwendung der Moral sich so lange und so allgemein betrogen hat? Wie und warum hat sie sich betrogen?" etc. Von der Lösung dieser Fragen machte er die Richtigkeit seiner Beobachtungen abhängig. Er fand, daß in der Moral, wie in allen übrigen Zweigen des Wissens, die Irrtümer „*Stufen der Wissenschaft sind*". Der kritische Proudhon dagegen vertraut sogleich dem ersten Eindruck, den seine nationalökonomischen, juristischen und ähnlichen Studien auf ihn gemacht haben. Versteht sich, die Masse darf auf keine *gründliche* Art verfahren, sie muß die ersten Ergebnisse ihrer Studien zu unbestreitbaren Wahrheiten erheben. Sie ist „von vornherein fertig, ehe sie sich mit ihrem Gegensatz gemessen hat", daher „zeigt es sich" hinterher, „daß sie noch nicht bei dem Anfang angekommen ist, wenn sie am Ende zu stehen glaubt".

Der kritische Proudhon fährt daher fort, in der haltlosesten und unzusammenhängendsten Weise zu räsonieren:

> „Unsere Erkenntnis[3] der moralischen Gesetze ist nicht von vornherein vollständig; *so* kann sie einige Zeit dem gesellschaftlichen Fortschritte genügen; auf die Länge aber wird sie uns einen falschen Weg führen."

---

[1] ich glaubte *von Anfang an* zu erkennen – [2] zuerst in zuletzt – [3] in der „Allgemeinen Literatur-Zeitung": Kenntnis

Der kritische Proudhon motiviert nicht, warum eine unvollständige Erkenntnis der moralischen Gesetze dem gesellschaftlichen Fortschritt auch nur für *einen* Tag genügen kann. Der wirkliche Proudhon, nachdem er sich die Frage aufgeworfen, ob und warum die Menschheit sich so allgemein und so lange habe irren können, nachdem er die Lösung gefunden, daß alle Irrtümer Stufen der Wissenschaft sind, daß unsre unvollständigsten Urteile eine Summe von Wahrheiten einschließen, die für eine gewisse Zahl von Induktionen wie für einen bestimmten Kreis des praktischen Lebens ausreichen, über welche Zahl und über welchen Kreis hinaus sie theoretisch ins Absurde und praktisch zum Verfall führen, kann sagen, daß selbst eine unvollkommne Erkenntnis der moralischen Gesetze für einige Zeit dem gesellschaftlichen Fortschritt genügen könne.

Der kritische Proudhon:

„Ist nun aber eine neue Erkenntnis nötig geworden, so erhebt sich ein erbitterter Kampf zwischen den alten Vorurteilen und der neuen Idee."

Wie kann sich ein Kampf erheben gegen einen Gegner, der *noch nicht* existiert? Und der kritische Proudhon hat uns zwar gesagt, daß eine neue Idee nötig geworden, nicht aber, daß sie schon *geworden* ist.

Der massenhafte Proudhon:

„Sobald die höhere Erkenntnis unentbehrlich geworden, *fehlt* sie *nie*", so ist sie vorhanden. „*Alsdann* beginnt der Kampf."

Der kritische Proudhon behauptet, „es sei die Bestimmung des Menschen, sich schrittweise zu unterrichten", als wenn der Mensch nicht eine ganz andre Bestimmung hätte, nämlich die, Mensch zu sein, und als wenn der „schrittweise" Selbstunterricht notwendig einen Schritt weiter führte. Ich kann Schritt vor Schritt gehen und grade auf dem Punkt ankommen, von dem ich ausging. Der unkritische Proudhon spricht nicht von der „Bestimmung", sondern von der *Bedingung* (condition) für den Menschen, nicht sich schrittweise (pas à pas), sondern *stufenweise* (par degrés) zu unterrichten. Der kritische Proudhon sagt zu sich selbst:

„Unter den Prinzipien, auf denen die Gesellschaft beruht, gibt es eins, welches sie nicht versteht, welches durch ihre Unwissenheit verderbt ist und alle Übel verursacht. Und doch ehrt man *dies* Prinzip", und „doch will man es, denn sonst wäre es ohne Einfluß. Dieses Prinzip nun, welches wahr ist seinem *Wesen* nach, falsch aber in unserer Art, es aufzufassen ... welches ist es?"

In dem ersten Satz sagt der kritische Proudhon, daß das Prinzip von der Gesellschaft verdorben, mißverstanden, also an sich selbst richtig ist. Zum

Überfluß gesteht er in dem zweiten Satz, daß es seinem Wesen nach wahr sei, und nichtsdestoweniger wirft er der Gesellschaft vor, daß sie „dieses Prinzip" wolle und verehre. Der massenhafte Proudhon dagegen tadelt nicht, daß dieses Prinzip, sondern daß dieses Prinzip, *so* wie unsre Unwissenheit es verfälscht hat, gewollt und geehrt werde. („Ce principe ... tel que notre ignorance l'a fait, est honoré."[1]) Der kritische Proudhon findet das *Wesen* des Prinzips in seiner unwahren Gestalt *wahr*. Der massenhafte Proudhon findet, daß das Wesen des verfälschten Prinzips unsre falsche Auffassung, daß es aber in seinem *Gegenstand* (objet) wahr ist, ganz in derselben Weise, wie das Wesen der Alchimie und Astrologie unsre Phantasie, ihr Gegenstand aber – die Himmelsbewegung und die chemischen Eigenschaften der Körper – wahr ist.

Der kritische Proudhon fährt fort in seinem Monologe:

„Der Gegenstand unsrer Untersuchung ist das Gesetz, die Bestimmung des sozialen Prinzips. Nun sind die Politiker, d. h. die Männer der sozialen Wissenschaft, in vollständiger Unklarheit [...] befangen: Wie aber jedem Irrtum eine Wirklichkeit zugrund liegt, so wird man in ihren Büchern die Wahrheit finden, die sie ohne ihr Wissen in die Welt gesetzt haben."

Der kritische Proudhon räsoniert in der abenteuerlichsten Weise. Davon, daß die Politiker unwissend und unklar sind, geht er in ganz willkürlicher Weise dazu fort, daß jedem Irrtum eine Wirklichkeit zugrunde liegt, was um so weniger bezweifelt werden kann, da jedem Irrtum in der Person des Irrenden eine Wirklichkeit zugrunde liegt. Davon, daß jedem Irrtum eine Wirklichkeit *zugrunde* liegt, schließt er weiter, daß *in den Büchern* der Politiker die Wahrheit zu finden ist. Und endlich läßt er diese Wahrheit von den Politikern sogar in die *Welt* gesetzt sein. Hätten sie dieselbe in die *Welt* gesetzt, so brauchte man sie nicht in ihren *Büchern* zu suchen.

Der massenhafte Proudhon:

„Die Politiker verstehn sich nicht untereinander (ne s'entendent pas); also ist ihr Irrtum ein subjektiver, in ihnen selbst begründeter" (donc c'est en eux qu'est l'erreur). Ihr wechselseitiges Mißverständnis beweist ihre Einseitigkeit. Sie verwechseln „ihre Privatmeinung mit der gesunden Vernunft", und „da" – nach der früheren Deduktion – „jeder Irrtum eine wahre Wirklichkeit zum *Gegenstand* hat, so muß sich in ihren Büchern die Wahrheit finden, welche sie hier", nämlich in ihre Bücher, „bewußtlos niedergelegt, nicht aber in die Welt gesetzt haben. (Dans leurs livres doit se trouver la vérité, qu'à leur insu ils y auront mise.)"

[1] „Dieses Prinzip ... so, wie unsere Unwissenheit es gemacht hat, wird geehrt."

Der kritische Proudhon fragt sich: „Was ist die Gerechtigkeit, welches ist ihr Wesen, ihr Charakter, ihre Bedeutung?" als wenn sie noch eine vom Wesen und vom Charakter unterschiedene aparte Bedeutung haben sollte. Der unkritische Proudhon fragt: Welches ist ihr Prinzip, ihr Charakter und ihre Formel (formule)? Die Formel ist das Prinzip als Prinzip der wissenschaftlichen Entwicklung. In der massenhaften französischen Sprache sind formule und signification[1] wesentlich unterschieden. In der kritischen französischen Sprache fallen sie zusammen.

Nach seinen allerdings höchst unsachlichen Erörterungen rafft sich der kritische Proudhon zusammen und ruft aus:

„Versuchen wir unserm Gegenstande etwas näherzukommen."

Der unkritische Proudhon, der längst bei seinem Gegenstande angekommen ist, versucht dagegen zu schärferen und positiv[er]en Bestimmungen seines Gegenstandes zu kommen (d'arriver à quelque chose de plus précis et de plus positif).

„Das Gesetz" ist für den kritischen Proudhon eine *„Bestimmung* des Gerechten", für den unkritischen eine *„Erklärung"* (déclaration) desselben. Der unkritische Proudhon bekämpft die Ansicht, daß das Recht vom Gesetz gemacht werde. Eine „Bestimmung des Gesetzes" kann aber ebensosehr bedeuten, daß das Gesetz bestimmt wird, als daß es bestimmt, wie weiter oben der kritische Proudhon selbst von der Bestimmung des sozialen Prinzips in letzterem Sinne sprach. Es ist allerdings eine Ungebührlichkeit des massenhaften Proudhon, so feine Unterscheidungen zu machen.

Nach diesen Differenzen zwischen dem kritisch charakterisierten und dem wirklichen Proudhon ist es gar nicht zu verwundern, daß Proudhon Nr. I ganz andere Dinge zu *beweisen* sucht als Proudhon Nr. II.

Der kritische Proudhon

„sucht durch die *Erfahrungen der Geschichte zu beweisen"*, daß, „wenn die Idee, welche wir uns vom Gerechten und vom Rechten[2] machen, falsch ist, *offenbar"* (trotz dieser Offenbarkeit sucht er zu beweisen) „alle seine Anwendungen im Gesetz schlecht, alle unsre Einrichtungen fehlerhaft sein müssen".

Der massenhafte Proudhon ist weit davon entfernt, beweisen zu wollen, was offenbar ist. Er sagt vielmehr:

„Wenn die Idee, die wir uns vom Gerechten und vom Rechte machen, schlecht bestimmt, wenn sie unvollständig oder selbst falsch wäre, so ist es *evident*, daß alle unsre legislativen Anwendungen schlecht sind" etc.

---

[1] Bedeutung – [2] in der „Allgemeinen Literatur-Zeitung": vom Recht

Was will der unkritische Proudhon nun beweisen?

„Diese Hypothese", fährt er fort, „von der Verkehrung der Gerechtigkeit in unsrer Auffassung und konsequenten Weise in unsren Handlungen wäre eine bewiesene Tatsache, wenn die Meinungen der Menschen in bezug auf den Begriff der Gerechtigkeit und in bezug auf seine Anwendung nicht beständig dieselben gewesen wären, wenn sie zu verschiedenen Zeiten Modifikationen erfahren hätten, mit einem Wort, wenn Fortschritt in den Ideen stattgefunden hätte."

Und eben diese Unbeständigkeit, diese Veränderung, dieser Fortschritt „ist es, den die *Geschichte* durch die eklatantesten Zeugnisse beweist". Der unkritische Proudhon zitiert nun diese eklatanten Zeugnisse der Geschichte. Sein kritischer Doppelgänger, wie er einen ganz andern Satz aus den Erfahrungen der Geschichte beweist, stellt auch diese Erfahrungen selbst anders dar.

Bei dem wirklichen Proudhon sahen „die Weisen" (les sages), bei dem kritischen Proudhon „die Philosophen" den Untergang des römischen Reichs voraus. Der kritische Proudhon darf natürlich nur die Philosophen für weise Männer halten. Nach dem wirklichen Proudhon waren die römischen „Rechte durch eine tausendjährige Rechtspraxis" oder „Justiz geheiligt" (ces droits consacrés par une justice dix fois séculaire), nach dem kritischen Proudhon gab es zu Rom „durch eine tausendjährige *Gerechtigkeit* geheiligte Rechte".

Nach demselben Proudhon Nr. I ward in Rom räsoniert wie folgt:

„Rom... hat durch seine Politik und seine Götter gesiegt, jede Reform im Kultus und öffentlichen Geiste wäre Narrheit und Schändung" (bei dem kritischen Proudhon heißt sacrilège nicht, wie in der massenhaften französischen Sprache, Schändung des Heiligtums oder Heiligtumsentweihung, sondern schlechthin Schändung); „wollte es die Völker befreien, so würde es sein Recht aufgeben." „So hatte Rom das Faktum und das Recht für sich", fügt Proudhon Nr. I. hinzu.

Bei dem unkritischen Proudhon räsoniert man gründlicher in Rom. Man detailliert das *Faktum*:

„Die Sklaven sind die fruchtbarste Quelle seines Reichtums; die Befreiung der Völker wäre also *der Ruin seiner Finanzen*."

Und in bezug auf *das Recht* setzt der massenhafte Proudhon hinzu: „Roms Prätensionen waren gerechtfertigt durch das Völkerrecht (droit des gens)." Diese Art, das Recht der Unterjochung zu beweisen, entspricht durchaus der römischen Rechtsansicht. Siehe die massenhaften Pandekten: „*jure gentium servitus* invasit".[1] (Fr. 4. D. I. 1.)

[1] „*Durch das Völkerrecht* verbreitete sich *die Sklaverei*." („Corpus iuris civilis")

Nach dem kritischen Proudhon bildeten „der Götzendienst, die Sklaverei, die Weichlichkeit die Grundlage der römischen Institutionen", der Institutionen in Bausch und Bogen. Der wirkliche Proudhon sagt: „In der Religion bildete der Götzendienst, im Staat die Sklaverei, im Privatleben der Epikureismus" (épicurisme ist in der profanen französischen Sprache nicht gleichbedeutend mit mollesse, Weichlichkeit) „die Grundlage der Institutionen." Innerhalb dieses römischen Zustandes „erschien" bei dem mystischen Proudhon „Wort Gottes", bei dem wirklichen rationalistischen Proudhon ein „Mann, der sich Wort Gottes *nannte*". Dieser Mann nennt bei dem wirklichen Proudhon die Priester „Nattern" (vipères), bei dem kritischen spricht er galanter mit ihnen und nennt sie „Schlangen". Dort spricht er nach römischer Weise von „Advokaten", hier in deutscher Weise von „Rechtsgelehrten".

Der kritische Proudhon, nachdem er den Geist der französischen Revolution als einen Geist des Widerspruchs bezeichnet hat, fügt hinzu:

„Das reicht hin, um einzusehen, daß das Neue, welches an die Stelle des Alten trat, an sich selber nichts Methodisches und Überlegtes hatte."

Er muß die Lieblingskategorien der kritischen Kritik, das „Alte" und das „Neue", nachbeten. Er muß den Unsinn verlangen, daß das „Neue" *an* sich etwas Methodisches und Überlegtes haben soll, wie man etwa eine Verunreinigung an sich hat. Der wirkliche Proudhon sagt:

„Das reicht hin, um zu beweisen, daß die Ordnung der Dinge, welche an die Stelle der alten gesetzt wurde, *in* sich ohne Methode und Reflexion war."

Der kritische Proudhon, von der Erinnerung an die französische Revolution fortgerissen, *revolutioniert* die französische Sprache so sehr, daß er un fait physique[1] „eine Tatsache der Physik", un fait intellectuel[2] „eine Tatsache der Einsicht" übersetzt. Durch diese Revolution der französischen Sprache gelingt es dem kritischen Proudhon, die Physik in den Besitz aller Tatsachen zu setzen, die sich in der Natur vorfinden. Wenn er so die Naturwissenschaft von der einen Seite über Gebühr erhebt, so erniedrigt er sie ebensosehr von der andern Seite, indem er ihr die Einsicht abspricht und eine Tatsache der Einsicht von einer Tatsache der Physik unterscheidet. Ebensosehr macht er alle ferneren psychologischen und logischen Studien entbehrlich, indem er die intellektuelle Tatsache unmittelbar zur Tatsache der Einsicht erhebt.

Da der kritische Proudhon, der Proudhon Nr. I, nicht einmal ahnt, was der wirkliche Proudhon, der Proudhon Nr. II, mit seiner historischen

[1] eine physische Tatsache – [2] eine intellektuelle Tatsache

Deduktion beweisen will, so existiert für ihn natürlich auch nicht der eigentliche Inhalt dieser Deduktion, nämlich der Beweis von dem Wechsel der Rechtsansichten und von der fortlaufenden *Verwirklichung* der Gerechtigkeit durch die *Negation* des historischen positiven Rechts.

„La société fut sauvée par la *négation* de ses principes ... et la *violation des droits* les plus sacrés."[1]

So beweist der wirkliche Proudhon, wie durch die Negation des römischen Rechts die Erweiterung des Rechts in der christlichen *Vorstellung*, wie durch die Negation des Eroberungsrechts das Recht der Kommunen, wie durch die Negation des gesamten Feudalrechts, durch die französische Revolution, der umfassendere jetzige Rechtszustand herbeigeführt wurde.

Die kritische Kritik durfte dem Proudhon unmöglich den Ruhm lassen, das Gesetz von der Verwirklichung eines Prinzips durch seine Verneinung aufgefunden zu haben. In dieser bewußten Fassung war dieser Gedanke eine wirkliche Enthüllung für die Franzosen.

Kritische Randglosse Nr. I

Wie die erste Kritik jeder Wissenschaft notwendig in Voraussetzungen der Wissenschaft, die sie bekämpft, befangen ist, so ist Proudhons Werk „Qu'est-ce que la propriété?" die Kritik der *Nationalökonomie* vom Standpunkt der Nationalökonomie aus. – Auf die juristische Partie des Buches, welche das Recht vom Standpunkt des Rechts aus kritisiert, brauchen wir hier nicht näher einzugehen, da die Kritik der Nationalökonomie das Hauptinteresse bildet. – Das Proudhonsche Werk wird also wissenschaftlich überschritten durch die Kritik der *Nationalökonomie*, auch der Nationalökonomie, wie sie in der Proudhonschen Fassung erscheint. Diese Arbeit ist erst durch Proudhon selbst möglich geworden, wie Proudhons Kritik die Kritik des Merkantilsystems [17] durch die Physiokraten [18], die der Physiokraten durch Adam Smith, die des Adam Smith durch Ricardo sowie die Arbeiten Fouriers und Saint-Simons zu Voraussetzungen hat.

Alle Entwicklungen der Nationalökonomie haben das *Privateigentum* zur Voraussetzung. Diese Grundvoraussetzung gilt ihr als unumstößliche Tatsache, die sie keiner weiteren Prüfung unterwirft, ja auf welche sie, wie *Say* naiv gesteht, nur „accidentellement"[2] zu sprechen kömmt. Proudhon nun

[1] „Die Gesellschaft wurde durch die *Verneinung* ihrer Prinzipien ... und die *Verletzung* der heiligsten *Rechte* gerettet." – [2] zufällig

unterwirft die Basis der Nationalökonomie, das *Privateigentum*, einer kritischen Prüfung, und zwar der ersten entschiednen, rücksichtslosen und zugleich wissenschaftlichen Prüfung. Dies ist der große wissenschaftliche Fortschritt, den er gemacht hat, ein Fortschritt, der die Nationalökonomie revolutioniert und eine wirkliche Wissenschaft der Nationalökonomie erst möglich macht. Proudhons Schrift „Qu'est-ce que la propriété?" hat dieselbe Bedeutung für die moderne Nationalökonomie, welche Sieyès' Schrift „Qu'est-ce que le tiers état?"[1] für die moderne Politik hat.

Wenn Proudhon die weiteren Gestaltungen des Privateigentums, z.B. Arbeitslohn, Handel, Wert, Preis, Geld etc. nicht, wie es z.B. in den „Deutsch-Französischen Jahrbüchern" geschehen ist (siehe die „Umrisse zu einer Kritik der Nationalökonomie"[19] von F. Engels), selbst als Gestaltungen des Privateigentums faßt, sondern mit diesen nationalökonomischen Voraussetzungen die Nationalökonomen bestreitet, so entspricht dies ganz seinem oben bezeichneten, historisch gerechtfertigten Standpunkt.

Die Nationalökonomie, welche die Verhältnisse des Privateigentums für menschliche und vernünftige Verhältnisse hinnimmt, bewegt sich in einem fortwährenden Widerspruch gegen ihre Grundvoraussetzung, das Privateigentum, in einem analogen Widerspruche wie der Theologe, der die religiösen Vorstellungen beständig menschlich interpretiert und eben dadurch gegen seine Grundvoraussetzung, die Übermenschlichkeit der Religion, beständig verstößt. So tritt in der Nationalökonomie der Arbeitslohn im Anfang als der proportionierte Anteil auf, der der Arbeit am Produkt gebührt. Arbeitslohn und Gewinn des Kapitals stehn im freundschaftlichsten, wechselweise sich fördernden, scheinbar menschlichsten Verhältnisse zueinander. Hinterher zeigt es sich, daß sie in dem feindschaftlichsten, in *umgekehrtem* Verhältnis zueinander stehn. Der Wert ist im Anfang scheinbar vernünftig bestimmt, durch die Produktionskosten einer Sache und durch ihre gesellschaftliche Nützlichkeit. Hinterher zeigt es sich, daß der Wert eine rein zufällige Bestimmung ist, die in gar keinem Verhältnis weder zu den Produktionskosten noch zu der gesellschaftlichen Nützlichkeit zu stehen braucht. Die Größe des Arbeitslohns wird im Anfang durch die *freie* Übereinkunft zwischen dem freien Arbeiter und dem freien Kapitalisten bestimmt. Hinterher zeigt es sich, daß der Arbeiter gezwungen ist, ihn bestimmen zu lassen, wie der Kapitalist gezwungen ist, ihn so niedrig als möglich zu setzen. An die Stelle der *Freiheit* der kontrahierenden Partei ist der *Zwang* getreten. Ebenso verhält es sich mit dem Handel und mit allen übrigen nationalökonomischen

[1] „Was ist der dritte Stand?"

Verhältnissen. Die Nationalökonomen fühlen selbst gelegentlich diese Widersprüche, und die Entwicklung derselben bildet den Hauptgehalt ihrer wechselseitigen Kämpfe. Wo sie ihnen aber zum Bewußtsein kommen, greifen *sie selbst* das *Privateigentum* in irgendeiner *partiellen* Gestalt als Verfälscher des an sich, nämlich in ihrer Vorstellung, vernünftigen Arbeitslohns, des an sich vernünftigen Werts, des an sich vernünftigen Handels an. So polemisiert Adam Smith gelegentlich gegen die Kapitalisten, Destutt de Tracy gegen die Wechsler, so Simonde de Sismondi gegen das Fabriksystem, so Ricardo gegen das Grundeigentum, so fast alle modernen Nationalökonomen gegen die *nichtindustriellen* Kapitalisten, in welchen das Eigentum als bloßer *Konsument* erscheint.

Die Nationalökonomen machen also bald ausnahmsweise – namentlich wenn sie irgendeinen speziellen Mißbrauch angreifen – den Schein des Menschlichen an den ökonomischen Verhältnissen geltend, bald aber und im Durchschnitt fassen sie diese Verhältnisse gerade in ihrem offen ausgesprochenen *Unterschied* vom Menschlichen, in ihrem strikt ökonomischen Sinn. In diesem Widerspruch taumeln sie bewußtlos umher.

Proudhon nun hat dieser Bewußtlosigkeit ein für allemal ein Ende gemacht. Er hat den *menschlichen Schein* der nationalökonomischen Verhältnisse ernst genommen und ihrer *unmenschlichen Wirklichkeit* schroff gegenübergestellt. Er hat sie gezwungen, das in der Wirklichkeit zu sein, was sie in ihrer Vorstellung von sich sind, oder vielmehr ihre Vorstellung von sich aufzugeben und ihre wirkliche Unmenschlichkeit einzugestehen. Er hat daher konsequent nicht diese oder jene Art des Privateigentums, wie die übrigen Nationalökonomen, auf partielle Weise, sondern das Privateigentum schlechthin auf universelle Weise als den Verfälscher der nationalökonomischen Verhältnisse dargestellt. Er hat alles geleistet, was die Kritik der Nationalökonomie von nationalökonomischem Standpunkte aus leisten kann.

Herr Edgar, der den *Standpunkt* der Schrift „Qu'est-ce que la propriété?" *charakterisieren* will, redet natürlich kein Wort weder von der Nationalökonomie noch von dem unterscheidenden Charakter jener Schrift, der eben darin besteht, die Frage nach dem *Wesen des Privateigentums* zur Lebensfrage der Nationalökonomie und Jurisprudenz gemacht zu haben. Der kritischen Kritik versteht sich das alles von selbst. Proudhon hat nichts Neues mit seiner Negation des Privateigentums getan. Er hat nur ein von der kritischen Kritik verschwiegenes Geheimnis ausgeplaudert.

„Proudhon", fährt Herr Edgar unmittelbar nach seiner charakterisierenden Übersetzung fort, „findet also etwas Absolutes, eine ewige Grundlage in der Geschichte, einen Gott, der die Menschheit lenkt, die Gerechtigkeit."

Proudhons französische Schrift vom Jahre 1840 steht nicht auf dem Standpunkt der deutschen Entwicklung vom Jahre 1844. Das ist Proudhons Standpunkt, ein Standpunkt, den eine Unzahl ihm diametral entgegenstehender französischer Schriftsteller teilt, der also der kritischen Kritik den Vorteil gewährt, die entgegengesetztesten Standpunkte mit einem und demselben Federstrich charakterisiert zu haben. Man braucht übrigens nur das von Proudhon selbst aufgestellte Gesetz, die Verwirklichung der Gerechtigkeit durch ihre Negation, konsequent durchzuführen, um auch dieses Absoluten in der Geschichte überhoben zu sein. Wenn Proudhon nicht bis zu dieser Konsequenz fortgeht, so verdankt er dies dem Unglück, als Franzose und nicht als Deutscher geboren zu sein.

Für Herrn Edgar ist Proudhon durch das Absolute in der Geschichte, den Glauben an die Gerechtigkeit, zu einem *theologischen* Gegenstand geworden, und die kritische Kritik, welche ex professo[1] Kritik der Theologie ist, kann sich seiner nun bemächtigen, um sich über die „religiösen Vorstellungen" auszulassen.

„Es ist das Charakteristische jeder religiösen Vorstellung, daß sie das Dogma eines Zustandes aufstellt, in welchem am Ende der eine Gegensatz als der siegreiche und allein wahre dasteht."

Wir werden sehn, wie die religiöse kritische Kritik das Dogma eines Zustandes aufstellt, in welchem am Ende der eine Gegensatz, „*die* Kritik", über den andern, „die Masse", als alleinige Wahrheit den Sieg davonträgt. Proudhon beging aber ein um so größeres Unrecht, in der massenhaften Gerechtigkeit ein Absolutes, einen Gott der Geschichte zu erblicken, als die gerechte Kritik sich selbst die Rolle dieses Absoluten, dieses Gottes in der Geschichte *ausdrücklich* vorbehalten hat.

Kritische Randglosse Nr. II

„Proudhon kommt durch die Tatsache des Elends, der Armut, einseitig zu seinen Betrachtungen, in ihr sieht er einen *Widerspruch* gegen die Gleichheit und Gerechtigkeit; sie leiht ihm seine Waffen. So wird ihm diese Tatsache zu einer absoluten, berechtigten, die Tatsache des Eigentums zu einer unberechtigten."

Die Ruhe des Erkennens sagt uns, daß Proudhon in der Tatsache des Elends einen Widerspruch gegen die Gerechtigkeit, sie also unberechtigt

[1] von Amts wegen

findet, und in demselben Atemzug versichert sie, daß diese Tatsache ihm zu einer absoluten, berechtigten wird.

Die bisherige Nationalökonomie kam von dem *Reichtum*, den die Bewegung des Privateigentums angeblich für die *Nationen* erzeugt, zu ihren das Privateigentum apologisierenden Betrachtungen. Proudhon kommt von der umgekehrten, in der Nationalökonomie sophistisch verdeckten Seite, von der durch die Bewegung des Privateigentums erzeugten Armut, zu seinen das Privateigentum negierenden Betrachtungen. Die erste Kritik des Privateigentums geht natürlich von der Tatsache aus, worin sein widerspruchsvolles Wesen in der sinnfälligsten, schreiendsten, das menschliche Gefühl unmittelbar empörendsten Gestalt erscheint – von der Tatsache der Armut, des Elendes.

„Die Kritik dagegen faßt beide Tatsachen der Armut und des Eigentums zu einer einzigen zusammen, sie erkennt die innere Verbindung beider, macht sie zu einem Ganzen, das sie als solches nach den Voraussetzungen seiner Existenz fragt."

Die Kritik, welche von den Tatsachen des Eigentums und der Armut bisher nichts gefaßt hat, macht „dagegen" ihre in der Einbildung vollbrachte Tat gegen die wirkliche Tat Proudhons geltend. Sie faßt *beide* Tatsachen zu einer *einzigen* zusammen, und nachdem sie aus *beiden* eine *einzige* gemacht hat, erkennt sie nunmehr die innere Verbindung *beider*. Die Kritik kann nicht leugnen, daß auch Proudhon eine innere Verbindung zwischen den Tatsachen der Armut und des Eigentums erkennt, da er eben dieser Verbindung wegen das Eigentum aufhebt, um das Elend aufzuheben. Proudhon hat sogar mehr getan. Er hat im Detail nachgewiesen, *wie* die Bewegung des Kapitals das Elend erzeugt. Die kritische Kritik dagegen läßt sich auf solche Kleinigkeiten nicht ein. Sie erkennt, daß Armut und Privateigentum *Gegensätze* sind: eine ziemlich verbreitete Erkenntnis. Sie *macht* Armut und Reichtum zu *einem Ganzen*, das sie „*als solches* nach den Voraussetzungen seiner Existenz fragt"; eine um so überflüssigere Frage, als sie soeben „das Ganze als solches" *gemacht* hat, also ihr *Machen* selbst die Voraussetzung seiner Existenz ist.

Indem die kritische Kritik „das Ganze als solches" nach den Voraussetzungen seiner Existenz fragt, sucht sie also in echt theologischer Weise *außerhalb* des Ganzen nach den Voraussetzungen seiner Existenz. Die kritische Spekulation bewegt sich außerhalb des Gegenstandes, den sie zu behandeln vorgibt. Während der *ganze Gegensatz* nichts anders ist als die *Bewegung seiner beiden Seiten*, während eben in der Natur dieser beiden Seiten die Voraussetzung der Existenz des Ganzen liegt, überhebt sie sich des Studiums dieser wirklichen, das Ganze bildenden Bewegung, um erklären zu können, daß die kritische Kritik als Ruhe des Erkennens über beide Extreme des Gegensatzes erhaben ist, daß ihre Tätigkeit, welche „das Ganze als solches“ gemacht hat, nun auch allein imstande ist, das von ihr gemachte Abstraktum aufzuheben.

Proletariat und Reichtum sind Gegensätze. Sie bilden als solche ein Ganzes. Sie sind beide Gestaltungen der Welt des Privateigentums. Es handelt sich um die bestimmte Stellung, die beide in dem Gegensatz einnehmen. Es reicht nicht aus, sie für zwei Seiten eines Ganzen zu erklären.

Das Privateigentum als Privateigentum, als Reichtum, ist gezwungen, *sich selbst* und damit seinen Gegensatz, das Proletariat, im *Bestehen* zu erhalten. Es ist die *positive* Seite des Gegensatzes, das in sich selbst befriedigte Privateigentum.

Das Proletariat ist umgekehrt als Proletariat gezwungen, sich selbst und damit seinen bedingenden Gegensatz, der es zum Proletariat macht, das Privateigentum, aufzuheben. Es ist die *negative* Seite des Gegensatzes, seine Unruhe in sich, das aufgelöste und sich auflösende Privateigentum.

Die besitzende Klasse und die Klasse des Proletariats stellen dieselbe menschliche Selbstentfremdung dar. Aber die erste Klasse fühlt sich in dieser Selbstentfremdung wohl und bestätigt, weiß die Entfremdung als *ihre eigne Macht* und besitzt in ihr den *Schein* einer menschlichen Existenz; die zweite fühlt sich in der Entfremdung vernichtet, erblickt in ihr ihre Ohnmacht und die Wirklichkeit einer unmenschlichen Existenz. Sie ist, um einen Ausdruck von Hegel zu gebrauchen, in der Verworfenheit die *Empörung* über diese Verworfenheit, eine Empörung, zu der sie notwendig durch den Widerspruch ihrer menschlichen *Natur* mit ihrer Lebenssituation, welche die offenherzige, entschiedene, umfassende Verneinung dieser Natur ist, getrieben wird.

Innerhalb des Gegensatzes ist der Privateigentümer also die *konservative*, der Proletarier die *destruktive* Partei. Von jenem geht die Aktion des Erhaltens des Gegensatzes, von diesem die Aktion seiner Vernichtung aus.

Das Privateigentum treibt allerdings sich selbst in seiner nationalökonomischen Bewegung zu seiner eignen Auflösung fort, aber nur durch eine von ihm unabhängige, bewußtlose, wider seinen Willen stattfindende, durch die Natur der Sache bedingte Entwicklung, nur indem es das Proletariat *als* Proletariat erzeugt, das seines geistigen und physischen Elends bewußte Elend, die ihrer Entmenschung bewußte und darum sich selbst aufhebende Entmenschung. Das Proletariat vollzieht das Urteil, welches das Privateigentum durch die Erzeugung des Proletariats über sich selbst verhängt, wie es das Urteil vollzieht, welches die Lohnarbeit über sich selbst verhängt, indem sie den fremden Reichtum und das eigne Elend erzeugt. Wenn das

Proletariat siegt, so ist es dadurch keineswegs zur absoluten Seite der Gesellschaft geworden, denn es siegt nur, indem es sich selbst und sein Gegenteil aufhebt. Alsdann ist ebensowohl das Proletariat wie sein bedingender Gegensatz, das Privateigentum, verschwunden.

Wenn die sozialistischen Schriftsteller dem Proletariat diese weltgeschichtliche Rolle zuschreiben, so geschieht dies keineswegs, wie die kritische Kritik zu glauben vorgibt, weil sie die Proletarier für *Götter* halten. Vielmehr umgekehrt. Weil die Abstraktion von aller Menschlichkeit, selbst von dem *Schein* der Menschlichkeit, im ausgebildeten Proletariat praktisch vollendet ist, weil in den Lebensbedingungen des Proletariats alle Lebensbedingungen der heutigen Gesellschaft in ihrer unmenschlichsten Spitze zusammengefaßt sind, weil der Mensch in ihm sich selbst verloren, aber zugleich nicht nur das theoretische Bewußtsein dieses Verlustes gewonnen hat, sondern auch unmittelbar durch die nicht mehr abzuweisende, nicht mehr zu beschönigende, absolut gebieterische *Not* – den praktischen Ausdruck der *Notwendigkeit* – zur Empörung gegen diese Unmenschlichkeit gezwungen ist, darum kann und muß das Proletariat sich selbst befreien. Es kann sich aber nicht selbst befreien, ohne seine eigenen Lebensbedingungen aufzuheben. Es kann seine eigenen Lebensbedingungen nicht aufheben, ohne *alle* unmenschlichen Lebensbedingungen der heutigen Gesellschaft, die sich in seiner Situation zusammenfassen, aufzuheben. Es macht nicht vergebens die harte, aber stählende Schule *der Arbeit* durch. Es handelt sich nicht darum, was dieser oder jener Proletarier oder selbst das ganze Proletariat als Ziel sich einstweilen *vorstellt*. Es handelt sich darum, *was* es *ist* und was es diesem *Sein* gemäß geschichtlich zu tun gezwungen sein wird. Sein Ziel und seine geschichtliche Aktion ist in seiner eignen Lebenssituation wie in der ganzen Organisation der heutigen bürgerlichen Gesellschaft sinnfällig, unwiderruflich vorgezeichnet. Es bedarf hier nicht der Ausführung, daß ein großer Teil des englischen und französischen Proletariats sich seiner geschichtlichen Aufgabe schon *bewußt* ist und beständig daran arbeitet, dies Bewußtsein zur vollständigen Klarheit herauszubilden.

„Die kritische Kritik" darf dies um so weniger anerkennen, als sie sich selbst zum ausschließlich schöpferischen Element der Geschichte proklamiert hat. Ihr gehören die geschichtlichen Gegensätze, ihr die Tätigkeit, sie aufzuheben. Sie erläßt daher durch ihre Inkarnation Edgar folgende *Bekanntmachung:*

„Bildung und Bildungslosigkeit, Besitz und Besitzlosigkeit, diese *Gegensätze* müssen, wenn sie nicht *entweiht* werden sollen, *ganz und gar* der Kritik *anheimfallen*."

Besitz und Besitzlosigkeit haben die metaphysische Weihe kritisch spekulativer Gegensätze erhalten. Nur die Hand der kritischen Kritik kann sie daher antasten, ohne ein Sakrilegium zu begehn. Kapitalisten und Arbeiter haben sich in ihr wechselseitiges Verhältnis nicht einzumischen.

Herr Edgar, weit entfernt zu ahnen, daß man seine kritische Auffassung des Gegensatzes antasten, daß man dies Heiligtum entweihen könne, läßt seinen Gegner eine Einwendung machen, die nur er selbst sich machen konnte.

„Ist es denn möglich", fragt der imaginäre Gegner der kritischen Kritik, „sich anderer Begriffe als der schon bestehenden, Freiheit, Gleichheit usw., zu bedienen? Ich antworte" – man merke auf, was Herr Edgar antwortet –, „daß die griechische, die lateinische Sprache untergingen, als der Gedankenkreis erschöpft war, dem sie zum Ausdruck dienten."

Es ist nun klar, warum die kritische Kritik keinen einzigen Gedanken in *deutscher* Sprache gibt. Die Sprache ihrer Gedanken ist noch nicht gekommen, so sehr Herr Reichardt durch seine kritische Behandlung der Fremdwörter, Herr Faucher durch seine Behandlung der englischen und Herr Edgar durch seine Behandlung der französischen Sprache die *neue kritische* Sprache vorbereitet haben.

Charakterisierende Übersetzung Nr. II

Der kritische Proudhon:

„Die Ackerbauer teilten den Erdboden unter sich; die Gleichheit heiligte nur den Besitz; bei dieser Gelegenheit heiligte sie das Eigentum."

Der kritische Proudhon läßt sogleich mit der Teilung des Erdbodens das Grundeigentum entstehen. Er bewerkstelligt den Übergang vom Besitz zum Eigentum durch die Redensart „bei dieser Gelegenheit".

Der wirkliche Proudhon:

„Der Ackerbau begründete den *Grundbesitz* ... es war nicht genug, dem Arbeiter die Frucht seiner Arbeit zu sichern, wenn man ihm nicht zu gleicher Zeit das Instrument der Produktion sicherte. Um den Schwächeren vor dem Übergriff des Stärkern zu bewahren ... fühlte man die Notwendigkeit, zwischen den Besitzern beständige Grenzlinien zu ziehen."

Also bei dieser Gelegenheit heiligte die Gleichheit zunächst den *Besitz*.

„Jährlich sah man mit der Zunahme der Bevölkerung die Habsucht und die Gier der Kolonisten wachsen; man glaubte den Ehrgeiz durch neue unüberwindliche

Schranken brechen zu müssen. So wurde der Boden zum Eigentum, durch das Bedürfnis der Gleichheit ... ohne Zweifel war die Teilung nie geographisch gleich ... aber das Prinzip blieb nichtsdestoweniger dasselbe; die Gleichheit hatte den Besitz geheiligt, die Gleichheit heiligte das Eigentum."

Bei dem kritischen Proudhon

„übersahen die alten Begründer des Eigentums über der Sorge für ihr Bedürfnis, daß dem Eigentumsrecht zugleich das Recht zu entäußern, zu verkaufen, verschenken, erwerben und verlieren entsprach, was die Gleichheit, von der sie ausgingen, zerstörte".

Bei dem wirklichen Proudhon übersahen die Begründer des Eigentums diesen seinen Entwicklungsgang nicht in der Sorge für ihr Bedürfnis. Sie hatten ihn vielmehr nicht vorhergesehen, aber selbst wenn sie ihn hätten vorhersehn können, selbst dann würde das gegenwärtige Bedürfnis den Sieg davongetragen haben. Der wirkliche Proudhon ist ferner zu massenhaft, um dem *„Eigentumsrecht"* das Recht zu entäußern, verkaufen etc., d. h. um der Gattung ihre Arten entgegenzustellen. Er stellt das „Recht, sein Erbteil zu *erhalten*", dem „Recht, es zu *entäußern* etc." entgegen, was einen wirklichen Gegensatz und Fortschritt bildet.

Kritische Randglosse Nr. III

„Worauf stützt nun Proudhon seinen Beweis für die Unmöglichkeit des Eigentums? Das übersteigt allen Glauben: auf dasselbe Prinzip der Gleichheit!"

Zur Erweckung des Glaubens des Herrn Edgar hätte eine kurze Reflexion ausgereicht. Es kann Herrn Edgar nicht unbekannt sein, daß Herr Bruno Bauer allen seinen Entwicklungen das *„unendliche* Selbstbewußtsein" zugrunde legte und dies Prinzip als das schöpferische Prinzip auch der dem unendlichen Selbstbewußtsein durch ihre unendliche Bewußtlosigkeit scheinbar gradezu widersprechenden Evangelien auffaßte. In derselben Weise faßt Proudhon die Gleichheit als das schöpferische Prinzip des ihr gradezu widersprechenden Privateigentums. Wenn Herr Edgar einen Augenblick die französische *Gleichheit* mit dem deutschen Selbstbewußtsein vergleicht, wird er finden, daß das letztere Prinzip *deutsch*, d. h. im abstrakten Denken, ausdrückt, was das erstere *französisch*, d. h. in der Sprache der Politik und der denkenden Anschauung, sagt. Das Selbstbewußtsein ist die Gleichheit des Menschen mit sich selbst im reinen Denken. Die Gleichheit ist das Bewußtsein des Menschen von sich selbst im Element der Praxis, d. h. also das Bewußtsein des Menschen vom andern Menschen als dem ihm Gleichen und das Verhalten des Menschen zum andern Menschen als dem ihm Gleichen. Die Gleichheit ist der französische Ausdruck für die menschliche Wesenseinheit, für das Gattungsbewußtsein und Gattungsverhalten des Menschen, für die praktische Identität des Menschen mit dem Menschen, d. h. also für die gesellschaftliche oder menschliche Beziehung des Menschen zum Menschen. Wie daher die destruktive Kritik in Deutschland, ehe sie in *Feuerbach* zur Anschauung des *wirklichen Menschen* fortgegangen war, alles Bestimmte und Bestehende durch das Prinzip des *Selbstbewußtseins* aufzulösen suchte, so die destruktive Kritik in Frankreich durch das Prinzip der *Gleichheit*.

„Proudhon eifert gegen die Philosophie, was wir ihm an und für sich nicht verdenken können. Warum aber eifert er? Die Philosophie, meint er, sei bis jetzt noch nicht praktisch genug gewesen; sie habe sich auf das hohe Pferd der *Spekulation* gesetzt, und da seien ihr die *Menschen* gar zu klein vorgekommen. Ich meine, daß die Philosophie überpraktisch ist, d. h. sie war bisher nichts als der abstrakte Ausdruck der bestehenden Zustände, sie war stets in den Voraussetzungen derselben, die sie als absolute hinnahm, befangen."

Die Meinung, daß die Philosophie der abstrakte Ausdruck der bestehenden Zustände sei, gehört ursprünglich nicht Herrn Edgar, sondern *Feuerbach*, der die Philosophie zuerst als spekulative und mystische Empirie bezeichnete und nachwies. Indessen weiß Herr Edgar dieser Meinung eine originelle, kritische Wendung zu geben. Schließt Feuerbach nämlich, daß die Philosophie aus dem Himmel der Spekulation in die Tiefe des menschlichen Elendes herabzusteigen habe, so belehrt uns Herr Edgar dagegen, daß die Philosophie überpraktisch ist. Es scheint aber vielmehr, daß die Philosophie, eben weil sie nur der transzendente, abstrakte Ausdruck der vorhandnen Zustände war, wegen ihrer Transzendenz und Abstraktion, wegen ihres *imaginären Unterschieds* von der Welt die vorhandenen Zustände und die wirklichen Menschen tief unter sich gelassen zu haben wähnen mußte; daß sie andrerseits, weil sie sich nicht *wirklich* von der Welt unterschied, kein *wirkliches Urteil* über sie fällen, keine reale Unterscheidungskraft gegen sie geltend machen, also nicht *praktisch* eingreifen konnte, sondern höchstens mit einer Praxis in abstracto sich begnügen mußte. Überpraktisch war die Philosophie nur in dem Sinne, daß sie über der Praxis schwebte. Von der unendlichen Kleinheit, in welcher die wirklichen Menschen der Spekulation erscheinen, legt die kritische Kritik, der die Menschheit in eine geistlose Masse zusammenfällt, das eklatanteste Zeugnis ab. Die alte Spekulation stimmt hierin mit ihr überein. Man lese z. B. folgenden Satz aus Hegels „Rechtsphilosophie":

„Auf dem Standpunkt der Bedürfnisse ist es das Konkretum der Vorstellung, das man *Mensch* nennt; es ist also hier und *auch eigentlich nur* hier vom Menschen in diesem Sinne die Rede."

Wenn die Spekulation sonst von dem Menschen redet, so meint sie nicht das *Konkretum*, sondern das *Abstraktum*, die *Idee*, den *Geist* etc. Von der Weise, wie die Philosophie die vorhandnen Zustände ausdrückt, gab Herr Faucher in bezug auf die vorhandnen englischen Zustände und Herr Edgar in bezug auf die vorhandnen Zustände der französischen Sprache ergreifende Exempel.

„So ist auch Proudhon praktisch, indem er, den Begriff der Gleichheit den Beweisen für das Eigentum zugrunde liegen findend, aus demselben Begriff gegen das Eigentum doziert."

Proudhon tut hier ganz dasselbe, was die deutschen Kritiker tun, welche aus der Vorstellung des Menschen, den sie den Beweisen für das Dasein Gottes zugrunde liegen finden, grade gegen das Dasein Gottes dozieren.

„Sind die Konsequenzen des Prinzips der Gleichheit stärker als sie selbst, wie will ihm Proudhon zu seiner plötzlichen Stärke verhelfen?"

Allen religiösen Vorstellungen liegt nach Herrn B[runo] Bauer das Selbstbewußtsein zugrunde. Es ist nach ihm das schöpferische Prinzip der Evangelien. Warum waren nun die Konsequenzen des Prinzips des Selbstbewußtseins stärker als es selbst? Weil, antwortet man zu deutsch, zwar das Selbstbewußtsein das schöpferische Prinzip der religiösen Vorstellungen ist, aber als außer sich gekommenes, sich selbst widersprechendes, entäußertes und entfremdetes Selbstbewußtsein. Das zu sich selbst gekommene, das sich selbst verstehende, das sein Wesen erfassende Selbstbewußtsein ist daher die Macht über die Geschöpfe seiner Selbstentäußerung. Ganz in demselben Fall befindet sich Proudhon, natürlich mit dem Unterschied, daß er französisch und daß wir deutsch sprechen, daß er daher auf eine französische Weise ausdrückt, was wir auf eine deutsche Weise ausdrücken.

Proudhon wirft sich selbst die Frage auf, warum die Gleichheit, obgleich sie als schöpferisches Vernunftprinzip der Stiftung des Eigentums und als letzter Vernunftgrund allen Beweisen für das Eigentum zugrunde liegt, dennoch nicht existiere, sondern vielmehr ihre Negation, das Privateigentum? Er betrachtet daher die Tatsache des Eigentums in sich selbst. Er beweist, „daß in Wahrheit das Eigentum als Institution und Prinzip *unmöglich* ist" (p. 34), d.h., daß *es sich selbst widerspricht* und in allen Punkten aufhebt, daß es, deutsch ausgedrückt, das Dasein der entäußerten, sich selbst widersprechenden, der sich selbst entfremdeten Gleichheit ist. Die wirklichen französischen Zustände wie die Erkenntnis dieser Entfremdung deuten dem Proudhon mit Recht auf die wirkliche Aufhebung derselben hin.

Proudhon fühlt das Bedürfnis, in seiner Negation des Privateigentums die Existenz des Privateigentums zugleich *historisch* zu rechtfertigen. Wie alle ersten Entwicklungen dieser Art ist auch seine Entwicklung pragmatisch, d. h. er unterstellt, daß die vergangnen Geschlechter mit Bewußtsein und Reflexion in ihren Institutionen die Gleichheit, die ihm das menschliche Wesen repräsentiert, verwirklichen wollten.

„Wir kommen immer wieder darauf zurück ... Proudhon schreibt im Interesse der Proletarier."

Er schreibt nicht aus dem Interesse der selbstgenügsamen Kritik, aus keinem abstrakten, selbstgemachten Interesse, sondern aus einem massenhaften, wirklichen, historischen Interesse, aus einem Interesse, das es weiter als zur *Kritik*, nämlich zur *Krise* bringen wird. Proudhon schreibt nicht nur im Interesse der Proletarier; er selbst ist Proletarier, Ouvrier[1]. Sein Werk ist ein wissenschaftliches Manifest des französischen Proletariats und hat daher eine ganz andre historische Bedeutung als das literarische Machwerk irgendeines kritischen Kritikers.

„Proudhon schreibt im Interesse derer, die nichts haben; Haben und Nichtshaben sind ihm absolute Kategorien. Das Haben ist ihm das Höchste, weil ihm zugleich das Nichthaben als höchster Gegenstand des Nachdenkens dasteht. Jeder Mensch soll haben, aber gleich viel wie der andre, meint Proudhon. Man bedenke aber, daß mir an dem, was ich habe, nur das interessant ist, was ich ausschließlich, was ich mehr habe als der andre. Bei der Gleichheit wird mir das Haben und die Gleichheit selber etwas Gleichgültiges."

Nach Herrn Edgar sind *Haben* und *Nichthaben* für Proudhon absolute *Kategorien*. Die kritische Kritik erblickt überall nur Kategorien. So sind nach Herrn Edgar Haben und Nichthaben, Arbeitslohn, Besoldung, Not und Bedürfnis, Arbeit für das Bedürfnis nichts anders als Kategorien.

Wenn die Gesellschaft sich nur von den *Kategorien* des Habens und Nichthabens zu befreien hätte, wie leicht würde ihr jeder selbst noch schwächere Dialektiker als Herr Edgar die „Überwindung" und „Aufhebung" dieser Kategorien machen! Herr Edgar unterstellt dies auch als eine solche Kleinigkeit, daß er es nicht einmal der Mühe wert achtet, dem Proudhon gegenüber sogar nur eine *Erklärung* der Kategorien des Habens und Nichthabens zu

[1] Arbeiter

geben. Da aber das Nichthaben nicht bloß eine Kategorie, sondern eine ganz trostlose Wirklichkeit ist, da der Mensch, der nichts hat, heutzutage nichts ist, da er, wie von der Existenz überhaupt, so noch mehr von einer menschlichen Existenz abgeschnitten ist, da der Zustand des Nichthabens der Zustand der völligen Trennung des Menschen von seiner Gegenständlichkeit ist, so scheint das Nichthaben durchaus berechtigt, als höchster Gegenstand des Nachdenkens für Proudhon dazustehn, um so mehr, je weniger man vor ihm und den sozialistischen Schriftstellern überhaupt über diesen Gegenstand nachgedacht hatte. Das Nichthaben ist der verzweifeltste *Spiritualismus*, eine völlige Unwirklichkeit des Menschen, eine völlige Wirklichkeit des Unmenschen, ein sehr positives Haben, ein Haben von Hunger, von Kälte, von Krankheiten, von Verbrechen, von Erniedrigung, von Hebetismus, von aller Unmenschlichkeit und Widernatürlichkeit. Jeder Gegenstand aber, der zum erstenmal mit dem vollen Bewußtsein seiner Wichtigkeit zum Gegenstand des Nachdenkens gemacht wird, steht als *höchster Gegenstand des Nachdenkens* da.

Daß Proudhon das Nichthaben und die alte Weise des Habens aufheben will, ist ganz identisch damit, daß er das praktisch entfremdete Verhältnis des Menschen zu seinem *gegenständlichen Wesen*, daß er den *nationalökonomischen* Ausdruck der menschlichen Selbstentfremdung aufheben will. Weil aber seine Kritik der Nationalökonomie noch in den Voraussetzungen der Nationalökonomie befangen ist, so wird die Wiederaneignung der gegenständlichen Welt selbst noch unter der nationalökonomischen Form des *Besitzes* gefaßt.

Proudhon stellt nämlich nicht, wie die kritische Kritik ihn tun läßt, dem Nichthaben das Haben, sondern der alten Weise des Habens, dem *Privateigentum*, den *Besitz* gegenüber. Den Besitz erklärt er für eine *„gesellschaftliche Funktion"*. In einer Funktion aber ist es nicht das „Interessante", den andern „auszuschließen", sondern meine eignen Wesenskräfte zu betätigen und zu verwirklichen.

Es ist Proudhon nicht gelungen, diesem Gedanken eine entsprechende Ausführung zu geben. Die Vorstellung des *„gleichen* Besitzes" ist der nationalökonomische, also selbst noch entfremdete Ausdruck dafür, daß der *Gegenstand* als *Sein für den Menschen*, als *gegenständliches Sein des Menschen*, zugleich das *Dasein des Menschen für den andern Menschen*, seine *menschliche Beziehung zum andern Menschen*, das *gesellschaftliche Verhalten des Menschen zum Menschen* ist. Proudhon hebt die nationalökonomische Entfremdung *innerhalb* der nationalökonomischen Entfremdung auf.

Charakterisierende Übersetzung Nr. III

Der kritische Proudhon besitzt auch einen *kritischen Eigentümer*, nach dessen

„*eigenem* Geständnis die, welche für ihn arbeiten mußten, verloren, was er sich aneignete".

Der massenhafte Proudhon spricht zum massenhaften Eigentümer:

„Du hast gearbeitet! Solltest du nie andre für dich haben arbeiten lassen? Wie haben sie also, während sie für dich arbeiteten, verloren, was du zu erwerben gewußt hast, während du nicht für sie arbeitetest?"

Der kritische Proudhon läßt den Say unter „richesse naturelle"[1] „natürliche *Besitztümer*" verstehen, obgleich Say, um jeden Irrtum abzuschneiden, im Epitomé[2] zu seinem „Traité d'économie politique"[3] ausdrücklich erklärt, daß er unter richesse weder Eigentum noch Besitztum, sondern eine „Summe von Werten" versteht. Natürlich, wie der kritische Proudhon durch Herrn Edgar reformiert wird, so reformiert er seinerseits wieder den Say. So „folgert" nach ihm Say „sogleich auf ein Recht", sich „ein Feld als Eigentum zu nehmen", weil die Ländereien leichter anzueignen sind als Luft und Wasser. Say, weit entfernt, aus der größern Möglichkeit der Aneignung des Grund und Bodens auf ein Eigentums*recht* an demselben zu folgern, sagt vielmehr ausdrücklich: „Les *droits* des propriétaires de terres – remontent à une *spoliation*."[4] („Traité d'économie politique", édition III, t. I., p. 136, Nota.) Deswegen bedarf es nach Say des „concours de la législation"[5] und des „droit positif"[6] zur Gründung des *Rechts* am Grundeigentum. Der wirkliche Proudhon läßt den Say nicht „sogleich" aus der leichtern Aneignung des Grund und Bodens das Recht des Grundeigentums *folgern*, er wirft ihm vor, daß er die Möglichkeit *statt* des Rechts gelten lasse und die Frage nach der Möglichkeit mit der Frage nach dem Recht *verwechsle*:

„Say prend la possibilité *pour* le droit. On ne demande pas pourquoi la terre a été plutôt appropriée que la mer et les airs; on veut savoir, en vertu de quel *droit* l'homme s'est approprié cette richesse."[7]

---

[1] „natürlichem Reichtum" – [2] Auszug – [3] „Darstellung der Nationalökonomie" – [4] „Die *Rechte* der Grundbesitzer gehen auf einen *Raub* zurück" – [5] „Mitwirkung der Gesetzgebung" – [6] „positiven Rechts" – [7] „Say nimmt die Möglichkeit *für* das Recht. Man fragt nicht, warum die Erde eher angeeignet worden ist als das Meer und die Lüfte; man will wissen, kraft welchen *Rechts* sich der Mensch diesen Reichtum angeeignet hat."

Der kritische Proudhon fährt fort:

„Hierzu ist *nur* zu bemerken, daß mit Aneignung eines Stück Landes auch die übrigen Elemente, Luft, Wasser, Feuer, angeeignet werden: Terra, aqua, aere et igne interdicti sumus[1]."

Weit entfernt, daß der wirkliche Proudhon „*nur*" dies bemerkt hat, sagt er vielmehr, daß er nebenbei (en passant) auf die Appropriation von Luft und Wasser „aufmerksam" macht. Bei dem kritischen Proudhon findet sich die römische Bannformel auf eine unbegreifliche Weise ein. Er vergißt zu sagen, wer die „*wir*" sind, die interdiziert sind. Der wirkliche Proudhon redet die Nichteigentümer an:

„Proletarier ... das Eigentum *exkommuniziert* uns, terra etc. interdicti sumus."

Der kritische Proudhon polemisiert gegen Charles Comte wie folgt:

„Charles Comte meint, der Mensch bedürfe, um zu leben, der Luft, der Nahrung, der Kleidung. Einige dieser Dinge, wie Luft und Wasser, seien unerschöpflich, bleiben also immer Gemeineigentum, andere seien in geringerer Masse vorhanden und würden Privateigentum. Charles Comte beweist also von den Begriffen der Begrenztheit und Unbegrenztheit aus; er wäre vielleicht zu einem andern Resultat gekommen, wenn er die Begriffe der Entbehrlichkeit und Unentbehrlichkeit zu Hauptkategorien gemacht hätte."

Welch kindische Polemik des kritischen Proudhon! Er mutet dem Charles Comte zu, die Kategorien, von denen aus er beweist, aufzugeben und zu andern Kategorien überzuspringen, um nicht zu seinen eignen Resultaten, sondern „*vielleicht*" zu den Resultaten des kritischen Proudhon zu kommen.

Der wirkliche Proudhon stellt keine ähnlichen Zumutungen an Charles Comte; er findet ihn nicht ab mit einem „Vielleicht", er schlägt ihn mit seinen eignen Kategorien.

Charles Comte, sagt Proudhon, geht aus von der Unentbehrlichkeit der Luft, der Nahrung und für gewisse Klimate der Kleidung, nicht um zu leben, sondern um nicht aufzuhören zu leben. Um sich zu erhalten, bedarf der Mensch daher (nach Charles Comte) unaufhörlich der Aneignung von Sachen verschiedener Art. Diese Sachen existieren nicht alle in demselben Verhältnis.

„Das Licht der Himmelskörper, Luft, Wasser sind in so großer Quantität vorhanden, daß der Mensch sie nicht merklich vermehren oder vermindern kann; jeder kann sich daher so viel von ihnen aneignen, als seine Bedürfnisse erheischen, *ohne in etwas dem Genusse der andern zu schaden*." [20]

[1] Von Erde, Wasser, Luft und Feuer sind wir ausgeschlossen

Proudhon geht nun von Comtes eignen Bestimmungen aus. Zunächst beweist er ihm, daß die Erde ebenfalls ein Gegenstand des ersten Bedürfnisses ist, dessen Nutznießung also jedem freistehen muß, innerhalb der Klausel des Comte nämlich: *„ohne dem Genusse des andern zu schaden"*. Warum ist die Erde also zum Privateigentum geworden? Charles Comte antwortet, weil sie *nicht unbegrenzt* ist. Er mußte aber im Gegenteil schließen: Weil sie *begrenzt* ist, kann sie nicht angeeignet werden. Aus der Aneignung von Luft und Wasser geht für keinen ein Schaden hervor, weil immer genug davon übrigbleibt, weil sie unbegrenzt sind. Die willkürliche Aneignung der Erde dagegen schadet dem Genuß des andern, eben weil die Erde *begrenzt* ist. Ihr Genuß muß also im *allgemeinen* Interesse geregelt werden. Die Beweisführung von Charles Comte beweist gegen seine These.

„Charles Comte, so deduziert Proudhon" (nämlich der kritische Proudhon), „geht von der Ansicht aus, daß eine Nation Eigentümerin eines Landes sein kann, während man doch, wenn das Eigentum das Recht zu brauchen und zu mißbrauchen mit sich führt – jus utendi et abutendi re sua[1] – auch einer Nation nicht das Recht, ein Land zu brauchen und zu mißbrauchen, zusprechen kann."

Der wirkliche Proudhon spricht nicht von dem jus utendi et abutendi, was das Eigentumsrecht *„mit sich führe"*. Er ist zu massenhaft, um von dem Eigentumsrecht zu sprechen, welches das Eigentumsrecht mit sich führt. Das jus utendi et abutendi re sua ist nämlich das Eigentumsrecht selbst. Proudhon spricht daher direkt einem Volk das Eigentumsrecht auf sein Territorium ab. Denen, welche dies übertrieben finden, erwidert er, daß von dem eingebildeten Recht des Nationaleigentums zu allen Epochen die Oberherrlichkeit, Tribute, Regalien, Fronden etc. hergeleitet wurden.

Der wirkliche Proudhon deduziert gegen Charles Comte wie folgt: Comte will entwickeln, wie das Eigentum entsteht, und beginnt damit, eine Nation als Eigentümerin vorauszusetzen, er fällt in die petitio principii[2]. Er läßt den Staat Ländereien verkaufen, er läßt einen Industriellen diese Güter kaufen, d. h. er unterstellt die *Eigentums*verhältnisse, die er beweisen will.

Der kritische Proudhon wirft das französische *Dezimalsystem* über den Haufen. Er behält den *Franc* bei, setzt aber an die Stelle des *Centime* den *„Dreier"*.

„Wenn ich, setzt Proudhon" (der kritische Proudhon) „hinzu, ein Stück Land abtrete, so beraube ich mich nicht bloß einer Ernte, sondern ich entziehe meinen Kindern und Kindeskindern ein bleibend Gut. Der Boden hat nicht bloß heute einen Wert, er hat auch einen Fähigkeits- und Zukunftswert."

---

[1] das Recht, das Seinige zu gebrauchen und zu mißbrauchen (*auch*: verbrauchen) – [2] Beweisfehler durch Verwendung eines noch unbewiesenen Satzes als Beweisgrund

Der wirkliche Proudhon spricht nicht davon, daß der Boden nicht bloß heute, sondern auch morgen einen Wert hat; er stellt den vollen, gegenwärtigen Wert dem Fähigkeits- und Zukunftswert entgegen, der von meiner Geschicklichkeit, den Boden zu verwerten, abhängt. Er sagt:

„Zerstört die Erde, oder was für euch dasselbe ist, verkauft sie: ihr entäußert euch nicht nur einer, zweier oder mehrerer Ernten, sondern ihr vernichtet alle Produkte, welche ihr davon ziehen konntet, ihr, eure Kinder und Kindeskinder."

Es handelt sich für Proudhon nicht darum, den Gegensatz zwischen einer Ernte und dem bleibenden Gut hervorzuheben – auch das Geld, das ich für den Acker löse, kann als Kapital zu einem „bleibenden Gute" werden –, sondern von dem Gegensatz des gegenwärtigen Werts und des Werts, den der Boden durch eine fortdauernde Bebauung erhalten kann.

„Der neue Wert, sagt Charles Comte, den ich einer Sache durch meine Arbeit beilege, ist mein Eigentum. Proudhon" (der kritische Proudhon) „will ihn auf folgende Weise widerlegen: *Da* müßte *also* der Mensch aufhören, Eigentümer zu sein, sowie er zu arbeiten aufhört. Das Eigentum des Produkts kann nimmermehr das Eigentum des zugrunde liegenden Stoffes mit sich führen."

Der wirkliche Proudhon:

„Der Arbeiter mag sich die Produkte seiner Arbeit aneignen, aber ich begreife nicht, daß das Eigentum der Produkte das der Materie nach sich zieht. Der Fischer, der an demselben Ufer mehr Fische als die übrigen Fischer zu fangen weiß, wird er durch diese Geschicklichkeit Eigentümer des Striches, worin er fischt? Wurde die Geschicklichkeit eines Jägers jemals als ein Eigentumstitel auf das Wild eines Kantons betrachtet? Ähnlich verhält es sich mit dem Ackerbauer. Um den *Besitz* in *Eigentum* zu verwandeln, ist *noch* eine *andere Bedingung* nötig als die bloße Arbeit, sonst würde der Mensch aufhören, Eigentümer zu sein, sobald er aufhören würde, Arbeiter zu sein."

Cessante causa cessat effectus.[1] Wenn der Eigentümer *nur* als Arbeiter Eigentümer ist, so hört er auf, Eigentümer zu sein, sobald er aufhört, Arbeiter zu sein.

„Nach dem *Gesetz* ist es daher die *Verjährung*, welche das Eigentum schafft; die *Arbeit* ist nur das sinnfällige Zeichen, der materielle Akt, wodurch die Okkupation sich *kundtut*."

„Das System der Aneignung durch die Arbeit", fährt Proudhon fort, „*widerspricht* also dem *Gesetz*; und wenn die Anhänger dieses Systems sich desselben zu bedienen vorschützen, um die Gesetze zu erklären, so *widersprechen* sie *sich selbst*."

Wenn ferner nach dieser Meinung z. B. die Urbarmachung des Landes „das vollständige Eigentum desselben schafft", so ist das eine petitio prin-

[1] Wenn die Ursache aufhört, hört die Wirkung auf.

cipii. Faktisch ist es, daß eine neue produktive Fähigkeit der Materie geschaffen ist. Zu beweisen wäre eben, daß damit das Eigentum der Materie selbst geschaffen ist. Die Materie selbst hat der Mensch nicht geschaffen. Er schafft sogar jede produktive Fähigkeit der Materie nur unter der Voraussetzung der Materie.

Der kritische Proudhon macht den *Gracchus Babeuf* zum Parteigänger der *Freiheit*, bei dem massenhaften Proudhon ist es ein Parteigänger der *Gleichheit* (partisan de l'égalité).

Der *kritische Proudhon*, der das Honorar *Homers* für die Iliade taxieren soll, sagt:

„Das Honorar, welches ich dem Homer gebe, und das, was er *mir leistet*, soll gleich sein. Wie ist der Wert seiner Leistung zu bestimmen?"

Der kritische Proudhon ist zu sehr über die nationalökonomischen Kleinigkeiten erhaben, um zu wissen, daß der *Wert* einer Sache und das, was sie einem andern *leistet*, sehr verschiedne Dinge sind. Der wirkliche Proudhon sagt:

„Das Honorar des Dichters soll gleich sein seinem *Produkt*, welches ist also der Wert dieses Produkts?"

Der wirkliche Proudhon unterstellt, daß die Iliade einen unendlichen *Preis* (oder Tauschwert, prix), der kritische, daß sie einen unendlichen *Wert* habe. Der wirkliche Proudhon stellt den Wert der Iliade, *ihren Wert* im *nationalökonomischen* Sinne (valeur intrinsèque), ihrem Tauschwert (valeur échangeable), der kritische Proudhon ihrem „innern Wert", nämlich ihrem Wert als Gedicht, den „Wert für den Umtausch" entgegen.

Der wirkliche Proudhon:

„Zwischen einer materiellen Belohnung und dem Talent existiert kein gemeinschaftliches Maß. In *dieser* Beziehung ist die Lage aller Produzenten gleich. Folglich ist jede Vergleichung unter ihnen und jede Vermögensklassifikation unmöglich." („Entre une récompense matérielle et le talent il n'existe pas de commune mesure; sous ce rapport la condition de tous les producteurs est égale; conséquemment toute comparaison entre eux et toute distinction de fortunes est impossible.")

Der kritische Proudhon:

„*Relativerweise* ist das Verhältnis der Produzenten gleich. Das Talent ... kann nicht materiell aufgewogen werden ... Jede Vergleichung der Produzenten untereinander, jede *äußerliche Auszeichnung* ist unmöglich."

Bei dem kritischen Proudhon muß

„der Mann der Wissenschaft sich *gleichfühlen* in der Gesellschaft, weil sein Talent und seine Einsicht *nur* ein Produkt der gesellschaftlichen Einsicht sind".

Der wirkliche Proudhon spricht nirgends von den Gefühlen des Talents. Er sagt, das Talent müsse sich beugen unter das gesellschaftliche Niveau. Er behauptet ebensowenig, daß der Mann von Talent *nur* ein Produkt der Gesellschaft sei, er behauptet vielmehr:

„Der Mann von Talent hat dazu beigetragen, in sich selbst ein nützliches Werkzeug zu produzieren ... es gibt in ihm einen freien Arbeiter *und* ein akkumuliertes gesellschaftliches Kapital."

Der kritische Proudhon fährt fort:

„Er muß überdies der Gesellschaft dankbar sein dafür, daß sie ihn, damit er der Wissenschaft obliegen könne, von den übrigen Arbeiten entbindet."

Der wirkliche Proudhon nimmt nirgends zu der Dankbarkeit des Mannes von Talent seine Zuflucht. Er sagt:

„Der Künstler, der Gelehrte, der Poet empfangen ihre gerechte Belohnung dadurch allein, daß die Gesellschaft ihnen erlaubt, sich ausschließlich der Wissenschaft und der Kunst hinzugeben."

Schließlich bringt der kritische Proudhon das Wunder zuwege, daß eine Gesellschaft von 150 Arbeitern einen *„Marschall"*, also wohl auch eine *Armee* erhalten kann. Bei dem wirklichen Proudhon ist der Marschall ein *„Hufschmied"* (maréchal).

Kritische Randglosse Nr. IV

„Wenn er" (Proudhon) „einmal den Begriff des Salärs beibehält, wenn er einmal in der Gesellschaft eine Einrichtung sieht, die uns zu arbeiten gibt und uns dafür bezahlt, so kann er die Zeit um so weniger als das Maß für die Bezahlung annehmen, als er kurz vorher, dem *Hugo Grotius* beistimmend, durchführt, daß die Zeit in Beziehung auf die *Geltung* eines Gegenstandes gleichgültig sei."

Hier ist der einzige Punkt, wo die kritische Kritik den Versuch macht, ihre Aufgabe zu lösen und dem Proudhon nachzuweisen, daß er vom nationalökonomischen Standpunkt aus falsch gegen die Nationalökonomie operiert. Hier *blamiert* sie sich in wahrhaft kritischer Weise.

Proudhon hatte mit Hugo Grotius übereinstimmend entwickelt, die *Verjährung* sei kein Titel, um den *Besitz in Eigentum*, um ein *„Rechtsprinzip"* in ein anderes zu verwandeln, so wenig wie die Zeit die Wahrheit, daß die Winkel eines Dreiecks gleich zwei rechten sind, in die Wahrheit, daß sie gleich drei rechten sind, verwandeln kann.

„Ihr werdet es nie zustande bringen", ruft Proudhon aus, „daß die Zeitdauer, die durch sich selbst nichts schafft, nichts wechselt, nichts modifiziert, den *Nutznießer* in einen *Eigentümer verwandeln* kann."

Herr Edgar schließt: Weil Proudhon sagte, die bloße Zeitdauer könne ein Rechtsprinzip nicht in ein anderes *verwandeln*, sie könne überhaupt für sich nichts wechseln, nichts modifizieren, darum begeht er eine Inkonsequenz, wenn er die *Arbeitszeit* zum Maß des nationalökonomischen *Wertes* des Arbeitsprodukts macht. Es gelingt Herrn Edgar, diese kritisch-kritische Bemerkung zustande zu bringen dadurch, daß er „valeur"[1] mit „Geltung" übersetzt und so auf die Geltung eines Rechtsprinzips wie auf den kommerziellen Wert eines Arbeitsprodukts in demselben Sinne anwenden kann. Es gelingt ihm, indem er die leere Zeitdauer mit der erfüllten Arbeitszeit identifiziert. Wenn Proudhon gesagt hätte, die Zeit könne eine Mücke nicht in einen Elefanten verwandeln, so könnte die kritische Kritik mit demselben Recht schließen: Also darf er die Arbeitszeit nicht zum Maß des Arbeitslohnes machen.

Daß die *Arbeitszeit*, welche die Produktion eines Gegenstandes *kostet*, zu den *Produktionskosten* des Gegenstandes gehört, daß die *Produktionskosten* eines Gegenstandes das sind, was er *kostet*, wofür er also, von den Einflüssen der *Konkurrenz* abstrahiert, *verkauft* werden kann, dieser Einsicht muß selbst die kritische Kritik sich bemächtigen können. Bei den Nationalökonomen gehört außer der Arbeitszeit und dem Material der Arbeit zu den Produktionskosten auch noch die Rente des Grundeigentümers, wie Zinsen und Gewinn des Kapitalisten. Letztere fallen bei Proudhon fort, weil das Privateigentum bei ihm fortfällt. Es bleiben also nur noch die Arbeitszeit und die Auslagen übrig. Proudhon, indem er die Arbeitszeit, das unmittelbare Dasein der menschlichen Tätigkeit als Tätigkeit, zum Maß des Arbeitslohnes und der Wertbestimmung des Produkts macht, macht die menschliche Seite zum Entscheidenden, wo in der alten Nationalökonomie die sachliche Macht des Kapitals und des Grundeigentums entschied, d. h. Proudhon setzt in noch nationalökonomischer, darum widerspruchsvoller Weise den Menschen wieder in seine Rechte ein. Wie richtig er vom Standpunkt der Nationalökonomie aus verfährt, mag man daraus ersehn, daß der Stifter der neuen Nationalökonomie, *Adam Smith*, gleich auf den ersten Seiten seines Werks „An Inquiry into the Nature and Causes of the Wealth of Nations" entwickelt, daß *vor* der Erfindung des Privateigentums, also unter der Voraussetzung der *Nichtexistenz des Privateigentums*, *die Arbeitszeit* das Maß

[1] „Wert"

des *Arbeitslohns* und des von ihm noch nicht unterschiedenen *Wertes des Arbeitsprodukts* war.

Die kritische Kritik unterstelle aber selbst einen Augenblick, Proudhon sei nicht von der Voraussetzung des Arbeitslohnes ausgegangen. Glaubt sie, daß *jemals die Zeit*, welche die Produktion eines Gegenstands erfordert, nicht ein wesentliches Moment in der *„Geltung"* des Gegenstandes sein, glaubt sie, daß die Zeit ihre *Kostbarkeit* verlieren werde?

In bezug auf die unmittelbar materielle Produktion wird die Entscheidung, ob ein Gegenstand produziert werden soll oder nicht, d. h. die Entscheidung über den *Wert* des Gegenstandes, wesentlich von der Arbeitszeit abhängen, die seine Produktion kostet. Denn von der Zeit hängt es ab, ob die Gesellschaft die Zeit hat, sich menschlich auszubilden.

Und selbst was die *geistige* Produktion betrifft, muß ich nicht, wenn ich anders verständig verfahre, bei dem Umfang, der Anlage und dem Plan eines geistigen Werks die Zeit, die zu seiner Produktion erforderlich ist, in Anschlag bringen? Ich setze mich sonst wenigstens der Gefahr aus, daß mein Gegenstand in der Idee nie zu einem Gegenstand in der Wirklichkeit wird, also nur den Wert eines imaginären Gegenstandes, d. h. *einen imaginären Wert* sich erwerben kann.

Die Kritik der Nationalökonomie auf nationalökonomischem Standpunkte erkennt alle Wesensbestimmungen der menschlichen Tätigkeit an, aber nur in entfremdeter, entäußerter Form, wie sie hier z. B. die Bedeutung der Zeit für die *menschliche Arbeit* in ihre Bedeutung für den *Arbeitslohn*, für die Lohnarbeit verwandelt.

Herr Edgar fährt fort:

„Damit nun das Talent gezwungen werde, jenes Maß anzunehmen, *mißbraucht* Proudhon den Begriff des *freien Handels* und behauptet, der Gesellschaft und ihren einzelnen Mitgliedern stehe ja das Recht zu, die Erzeugnisse des Talents zurückzuweisen."

Dem Talent, das auf nationalökonomischem Grund und Boden bei den *Fourieristen* und *Saint-Simonisten* übertriebene *Honorarforderungen* macht und seine Einbildung von seinem unendlichen Wert als Maß an den *Tauschwert* seiner Produkte anlegt, antwortet Proudhon ganz so, wie die Nationalökonomie jeder Prätention eines Preises, der sich weit über den sogenannten natürlichen Preis, d. h. über die Produktionskosten des dargebotenen Gegenstands erheben will, antwortet – durch den freien Handel. Nur *mißbraucht* Proudhon nicht dieses Verhältnis im Sinn der Nationalökonomie, er unterstellt vielmehr als wirklich, was bei den Nationalökonomen nur nominell und illusorisch ist, *die Freiheit* der kontrahierenden Teile.

Charakterisierende Übersetzung Nr. IV

Der kritische Proudhon reformiert schließlich die *französische Gesellschaft*, indem er ebensosehr die französischen Proletarier als die französische Bourgeoisie umschafft.

Den französischen Proletariern spricht er die „*Kraft*" ab, weil der wirkliche Proudhon ihnen den Mangel an *Tugend* (vertu) vorwirft. Er macht ihre *Geschicklichkeit* zur Arbeit zu einer problematischen Geschicklichkeit – „ihr seid *vielleicht* zur Arbeit geschickt" –, weil der wirkliche Proudhon ihr Geschick zur Arbeit unbedingt anerkennt (*prompts* au travail vous êtes[1] etc.). Er verwandelt die französischen Bourgeois in *geistlose* Bürger, wo der wirkliche Proudhon die unedlen bourgeois (bourgeois ignobles) den gebrandmarkten Edlen (nobles flétris) entgegenstellt. Er verwandelt den Bourgeois aus einem juste-milieu-Bürger (bourgeois juste-milieu) in „unsere *guten* Bürger", wofür sich die französische Bourgeoisie bei ihm bedanken mag. Wo der wirkliche Proudhon daher den „*bösen* Willen" (la malveillance de nos bourgeois) der französischen Bourgeois „*wachsen*" läßt, läßt er konsequenterweise die „*Sorglosigkeit* unserer Bürger" wachsen. Der Bourgeois des wirklichen Proudhon ist so wenig sorglos, daß er sich selbst zuruft: „N'ayons pas peur! N'ayons pas peur!"[2] So spricht einer, der sich die Furcht und die Sorge wegräsonieren will.

Die kritische Kritik hat in der Schöpfung des kritischen Proudhon durch die Übersetzung des wirklichen Proudhon der Masse offenbart, was eine kritisch vollendete Übersetzung ist. Sie hat eine Anweisung gegeben zu der „Übersetzung, wie sie sein soll". Sie bekämpft daher mit Recht die schlechten, massenhaften Übersetzungen:

„Das deutsche Publikum will die buchhändlerische Ware zu einem Spottpreise, der Verleger will also eine billige Übersetzung, der Übersetzer will bei seiner Arbeit nicht verhungern, er kann sie sogar nicht mit reiflicher Bedächtigkeit" (mit aller Ruhe des Erkennens) „machen, weil der Verleger durch schnelle Lieferung der Übersetzungen Konkurrenten den Rang ablaufen muß; ja sogar der Übersetzer muß die Konkurrenz fürchten, muß fürchten, daß ein anderer sich erbiete, die Ware billiger und schneller herzustellen – und so diktiert er sein Manuskript irgendeinem armen Schreiber frisch drauflos – und zwar diktiert er so schnell wie möglich, damit er nicht den nach Stunden gezahlten Schreiberlohn umsonst gebe – überfroh, wenn er am nächsten Tag den mahnenden Setzer gehörig befriedigen kann. Übrigens sind die

---

[1] *behend* bei der Arbeit seid ihr – [2] „Laßt uns keine Furcht haben! Laßt uns keine Furcht haben!"

Übersetzungen, mit denen man uns überflutet, nur ein Ausdruck der jetzigen *Impotenz* der deutschen Literatur" etc. (Heft VIII, p. 54, „Allgemeine Literatur-Zeitung".)

Kritische Randglosse Nr. V

„Dem Beweise für die Unmöglichkeit des Eigentums, welchen Proudhon daraus führt, daß die Menschheit sich besonders durch das Zinsen- und Profitsystem und durch die Unverhältnismäßigkeit der Konsumtion zur Produktion aufzehre, fehlt das Gegenstück, die Aufweisung nämlich, daß das Privateigentum [1] historisch möglich sei."

Die kritische Kritik besitzt den glücklichen Instinkt, auf Proudhons Entwicklungen über das Zinsen- und Profitsystem usw., d. h. auf die bedeutendsten Entwickelungen Proudhons, nicht einzugehn. An diesem Punkte kann nämlich die Kritik Proudhons auch selbst zum Schein nicht mehr geliefert werden ohne ganz positive Kenntnisse über die Bewegung des Privateigentums. Die kritische Kritik sucht sich für ihre Ohnmacht durch die Bemerkung zu entschädigen, daß Proudhon nicht den Beweis für die historische Möglichkeit des Eigentums geliefert hat. Warum verlangt die nichts als Worte gebende Kritik, daß andere ihr *alles* geben?

„Proudhon beweist die Unmöglichkeit des Eigentums daraus, daß der Arbeiter sein Produkt aus dem Lohn seiner Arbeit nicht wiederkaufen könne. Proudhon gibt nicht den erschöpfenden Grund hiefür an, indem er das Wesen des Kapitals herbeiholt. Der Arbeiter kann sein Produkt nicht wiederkaufen, weil es stets ein gemeinschaftliches, er selbst aber nichts als ein einzelner bezahlter Mensch ist."

Herr Edgar hätte im Gegensatz zur Proudhonschen Deduktion sich noch erschöpfender dahin äußern können, daß der Arbeiter sein Produkt nicht wiederkaufen *kann*, weil er es überhaupt *wiederkaufen* muß. In der Bestimmung des Kaufens ist es schon enthalten, daß er sich zu seinem Produkt als einem ihm abhanden gekommenen, entfremdeten Gegenstand verhält. Der erschöpfende Grund des Herrn Edgar erschöpft unter anderen nicht, warum der Kapitalist, der selbst *nichts* als ein *einzelner* Mensch und dazu ein durch den Profit und die Zinsen *bezahlter* Mensch ist, nicht nur das Produkt der Arbeit, sondern noch mehr als dieses Produkt wiederkaufen kann. Um dies zu erklären, wird Herr Edgar das Verhältnis von Arbeit und Kapital erklären, d. h. das Wesen des Kapitals herbeiholen müssen.

Die angeführte kritische Stelle zeigt in der sinnfälligsten Weise, wie die kritische Kritik das, was sie soeben aus einem Schriftsteller gelernt hat, sogleich benutzt, um es als selbsterfundene Weisheit gegen denselben Schrift-

[1] In der „Allgemeinen Literatur-Zeitung": wie das Eigentum

steller mit einer kritischen Wendung geltend zu machen. Aus Proudhon selbst hat nämlich die kritische Kritik den von Proudhon nicht angegebenen und von Herrn Edgar angegebenen Grund geschöpft. Proudhon sagt:

„Divide et impera[1] … trennt die Arbeiter voneinander, und es ist sehr möglich, daß der Taglohn, der jedem Einzelnen gezahlt wird, den Wert jeden individuellen Produkts übersteigt; aber das ist es nicht, worum es sich handelt … Wenn ihr alle individuellen Kräfte gezahlt habt, so habt ihr noch nicht die Kollektivkraft gezahlt."

Proudhon machte *zuerst* darauf aufmerksam, daß die Summe der Saläre der einzelnen Arbeiter, selbst wenn jede individuelle Arbeit vollständig bezahlt würde, nicht die Kollektivkraft zahlt, welche sich in ihrem Produkt vergegenständigt, daß also der Arbeiter nicht als ein *Teil* der *gemeinschaftlichen Arbeitskraft* bezahlt wird, was Herr Edgar dahin travestiert, daß der Arbeiter nichts als ein einzelner, bezahlter Mensch ist. Die kritische Kritik macht also einen *allgemeinen* Gedanken Proudhons gegen die weitere *konkrete* Entwicklung geltend, die derselbe Proudhon demselben Gedanken gibt. Sie bemächtigt sich dieses Gedankens in kritischer Weise und spricht in folgendem Satze das Geheimnis *des kritischen Sozialismus* aus:

„Der heutige Arbeiter *denkt* nur an sich, d. h. er läßt sich für seine Person bezahlen. Er *selber* ist es, der die ungeheure und unermeßliche Kraft, welche aus seinem Zusammenwirken mit andern Kräften entsteht, nicht in Anschlag bringt."

Der kritischen Kritik zufolge liegt das ganze Übel nur am „*Denken*" der Arbeiter. Nun haben zwar die englischen und französischen Arbeiter Assoziationen gebildet, in welchen nicht nur ihre unmittelbaren Bedürfnisse als *Arbeiter*, sondern ihre Bedürfnisse als *Menschen* den Gegenstand ihrer wechselseitigen Belehrung bilden, worin sie überdem ein sehr gründliches und umfassendes Bewußtsein über die „ungeheure" und „unermeßbare" Kraft äußern, welche aus ihrem Zusammenwirken entsteht. Aber diese *massenhaften*, kommunistischen Arbeiter, welche in den Ateliers[2] von Manchester und Lyon z. B. tätig sind, glauben nicht durch „*reines Denken*" ihre Industrieherren und ihre eigne praktische Erniedrigung wegräsonieren zu können. Sie empfinden sehr schmerzlich den *Unterschied* zwischen *Sein* und *Denken*, zwischen *Bewußtsein* und *Leben*. Sie wissen, daß Eigentum, Kapital, Geld, Lohnarbeit u. dgl. durchaus keine ideellen Hirngespinste, sondern sehr praktische, sehr gegenständliche Erzeugnisse ihrer Selbstentfremdung sind, die also auch auf eine praktische, gegenständliche Weise aufgehoben werden

[1] Teile und herrsche – [2] Werkstätten

müssen, damit nicht nur im *Denken*, im *Bewußtsein*, sondern im massenhaften *Sein*, im Leben der Mensch zum Menschen werde. Die kritische Kritik belehrt sie dagegen, daß sie in der Wirklichkeit aufhören, Lohnarbeiter zu sein, wenn sie den Gedanken der Lohnarbeit im Gedanken aufheben, wenn sie im Gedanken aufhören, sich als Lohnarbeiter zu gelten, und dieser überschwenglichen Einbildung gemäß sich nicht mehr für ihre Person bezahlen lassen. Als absolute Idealisten, als ätherische Wesen können sie hinterher auch natürlich vom Äther des reinen Gedankens leben. Die kritische Kritik belehrt sie, daß sie das wirkliche Kapital aufheben, wenn sie die Kategorie des Kapitals im *Denken* überwältigen, daß sie sich *wirklich* verändern und zu wirklichen Menschen machen, wenn sie ihr *„abstraktes Ich"* im Bewußtsein verändern und jede *wirkliche* Veränderung ihres wirklichen Daseins, der wirklichen Bedingungen ihres Daseins, d. h. also ihres *wirklichen Ichs*, als eine unkritische Operation verschmähen. *Der „Geist"*, der in der Wirklichkeit nur Kategorien erblickt, reduziert natürlich auch alle menschliche Tätigkeit und Praxis auf den dialektischen Denkprozeß der kritischen Kritik. Eben das unterscheidet *ihren* Sozialismus von dem *massenhaften* Sozialismus und Kommunismus.

Nach seinen großen Entwicklungen muß Herr Edgar natürlich der Kritik Proudhons „das Bewußtsein absprechen".

„Proudhon will *aber auch praktisch* sein." „Er glaubt eben erkannt zu haben." „Und doch", ruft die Ruhe des Erkennens triumphierend aus, „wir müssen ihm auch jetzt noch die *Ruhe des Erkennens* absprechen." „Wir nehmen einige Stellen, um zu zeigen, wie wenig er seine Stellung zur Gesellschaft durchdacht hat."

Wir werden später noch einige Stellen aus den Werken der kritischen Kritik nehmen (siehe die Armenbank und die Musterwirtschaft), um zu zeigen, wie sie die allerersten nationalökonomischen Verhältnisse noch nicht kennengelernt, viel weniger durchdacht hat und also mit dem ihr eigentümlichen kritischen Takt sich dazu berufen fühlte, den Proudhon ihrer Beurteilung zu unterwerfen.

Nachdem nun der kritischen Kritik als der Ruhe des Erkennens *alle massenhaften „Gegensätze anheimgefallen"* sind, nachdem sie aller Wirklichkeit unter der Form von Kategorien sich bemächtigt und alle menschliche Tätigkeit in die spekulative Dialektik aufgelöst hat, werden wir sie aus der spekulativen Dialektik die Welt wiedererzeugen sehn. Es versteht sich, daß die Wunder der kritisch spekulativen Weltschöpfung, sollen sie anders nicht „entweiht" werden, der profanen Masse nur unter der Form von *Mysterien* mitgeteilt werden können. Die kritische Kritik tritt daher in der Inkarnation Wischnu-Szeliga als *Geheimniskrämer* auf.[21]

V. KAPITEL

Die „kritische Kritik" als Geheimniskrämer oder die „kritische Kritik" als Herr Szeliga

Die „kritische Kritik" in der Inkarnation *Szeliga-Wischnu* liefert eine Apotheose der „Mystères de Paris". Eugen Sue wird für einen „kritischen Kritiker" erklärt. Sobald er dies erfährt, kann er ausrufen wie der Bourgeois gentilhomme im Molière:

„Par ma foi, il y a plus de quarante ans que je dis de la prose, sans que j'en susse rien: et je vous suis le plus obligé du monde de m'avoir appris cela."[1] [22]

Herr Szeliga schickt seiner Kritik einen *ästhetischen* Prolog voraus. „Der ästhetische Prolog" erklärt die allgemeine Bedeutung des „kritischen" Epos und namentlich der „Mystères de Paris" dahin:

„Das Epos schafft den Gedanken, daß die Gegenwart an sich nichts sei, auch nicht bloß" – *nichts*, auch nicht bloß! – „die ewige *Scheide* zwischen *Vergangenheit* und *Zukunft*, sondern" – nichts, auch nicht bloß, sondern – „sondern der immer wieder *zusammenzufügende Riß*, der die *Unsterblichkeit* von der *Vergänglichkeit* trennt ... *Dies* ist die *allgemeine Bedeutung* der ‚Geheimnisse von Paris'."

Der „ästhetische Prolog" behauptet ferner, daß „der *Kritiker*, wenn er wolle, auch *Dichter* sein könne".

Herrn Szeligas ganze Kritik wird diese Behauptung beweisen. Sie ist in allen ihren Momenten „*Dichtung*".

Sie ist auch ein Produkt der „*freien* Kunst", wie letztere von dem „ästhetischen Prolog" bestimmt wird, d. h., sie „erfindet *ganz was Neues, absolut noch nie Dagewesenes*".

Sie ist endlich sogar ein *kritisches Epos*, denn sie ist ein „immer wieder zusammenzufügender Riß", der die „Unsterblichkeit" – die kritische Kritik des Herrn Szeliga – von der „Vergänglichkeit", dem Roman des Herrn Eugen Sue, „trennt".

---

[1] „Meiner Treu, seit mehr als vierzig Jahren spreche ich Prosa, ohne es zu wissen; und ich bin Ihnen aufs höchste verbunden, daß Sie mich darüber belehrt haben."

1. „Das Geheimnis der Verwilderung in der Zivilisation" und „das Geheimnis der Rechtslosigkeit im Staate"

Feuerbach hat bekanntlich die christlichen Vorstellungen der Inkarnation, der Dreieinigkeit, der Unsterblichkeit etc. als das Geheimnis der Inkarnation, das Geheimnis der Dreieinigkeit, das Geheimnis der Unsterblichkeit gefaßt. Herr Szeliga faßt alle jetzigen Weltzustände als Geheimnisse. Wenn aber *Feuerbach wirkliche Geheimnisse* enthüllt hat, so verwandelt Herr *Szeliga* wirkliche *Trivialitäten* in *Geheimnisse*. Seine Kunst besteht nicht darin, das Verborgne zu enthüllen, sondern das Enthüllte zu verbergen.

So erklärt er die Verwilderung (die Verbrecher) innerhalb der Zivilisation wie die Rechtslosigkeit und Ungleichheit im Staat für *Geheimnisse.* Die sozialistische Literatur, welche diese Geheimnisse verraten hat, ist also für Herrn Szeliga entweder ein Geheimnis geblieben, oder er möchte die bekanntesten Resultate derselben in das Privatgeheimnis der „kritischen Kritik" verwandeln.

Wir brauchen daher nicht auf Herrn Szeligas Auseinandersetzung über diese Geheimnisse näher einzugehn. Wir heben nur einige Glanzpunkte hervor.

„Vor dem Gesetz und dem Richter ist alles *gleich*, hoch und niedrig, reich und arm. Dieser Satz steht ganz obenan im Glaubensbekenntnis *des Staats*."

Des Staats? Das Glaubensbekenntnis der meisten Staaten beginnt im Gegenteil damit, hoch und niedrig, reich und arm vor dem *Gesetz ungleich* zu setzen.

„Der Steinschneider Morel spricht in seiner naiven Rechtschaffenheit das Geheimnis" (nämlich das Geheimnis des Gegensatzes von arm und reich) „sehr klar aus; er sagt: Wenn es die Reichen nur wüßten! Wenn es die Reichen nur wüßten! Das Unglück besteht darin, daß sie nicht wissen, was Armut ist."

Herr Szeliga weiß nicht, daß Eugen Sue aus Höflichkeit gegen die französische Bourgeoisie einen *Anachronismus* begeht, wenn er das Motto der Bürger aus der Zeit Ludwigs XIV.: „Ah! si le roi le savait!"[1] in der modifizierten Form: „Ah! si le riche le savait!"[2] dem Arbeiter Morel aus der Zeit der Charte vérité[23] in den Mund legt. In England und Frankreich wenigstens hat dies *naive* Verhältnis zwischen reich und arm aufgehört. Die wissenschaftlichen Repräsentanten des Reichtums, die Nationalökonomen, haben hier eine sehr detaillierte Einsicht in das physische und moralische

[1] „Ah! wenn es der König wüßte!" – [2] „Ah! wenn es der Reiche wüßte!"

Elend der Armut verbreitet. Zum Ersatz haben sie bewiesen, daß es bei diesem Elend sein Bewenden haben müsse, weil es bei den heutigen Zuständen sein Bewenden haben müsse. Ja sie haben in ihrer Sorglichkeit sogar die *Proportionen* berechnet, worin die Armut zum Wohl des Reichtums und zu ihrem eignen Wohl sich durch Todesfälle dezimieren muß.

Wenn Eugen Sue Kneipen, Schlupfwinkel und Sprache der *Verbrecher* schildert, so entdeckt Herr Szeliga das „*Geheimnis*", daß es dem „Verfasser" nicht um die Schilderung dieser Sprache und dieser Schlupfwinkel zu tun ist, sondern darum,

„das Geheimnis der Triebfedern zum Bösen etc. kennen zu lehren". „An den Orten des lebendigsten Verkehrs ... sind die Verbrecher ja gerade zu *Hause*."

Was würde ein Naturforscher dazu sagen, wenn man ihm bewiese, die Zelle der Biene interessiere ihn nicht als Bienenzelle, sie sei kein Geheimnis für den, der sie nicht studiert hat, weil die Biene „ja grade" in der freien Luft und auf der Blume „erst recht zu Hause sei"? In den Schlupfwinkeln der Verbrecher und der Verbrechersprache spiegelt sich der Charakter des Verbrechers ab, sie sind ein Stück von seinem Dasein, ihre Schilderung gehört zu seiner Schilderung, wie die Schilderung der petite maison[1] zur Schilderung der femme galante[2] gehört.

Die Schlupfwinkel der Verbrecher sind ein solches „Geheimnis" nicht nur für die Pariser überhaupt, sondern sogar für die Pariser Polizei, daß noch in diesem Augenblicke helle und breite Straßen in der Cité[3] gebrochen werden, um der Polizei diese Winkel zugänglich zu machen.

Endlich erklärt Eugen Sue selbst, daß er bei den obenerwähnten Schilderungen „sur la curiosité craintive"[4] der Leser rechne. Herr Eugen Sue hat in allen seinen Romanen auf diese ängstliche Neugierde der Leser gerechnet. Man erinnere sich nur an Atar Gull, den Salamandre, Plick und Plock etc.

2. Das Geheimnis der spekulativen Konstruktion

Das Geheimnis der kritischen Darstellung der „Mystères de Paris" ist das Geheimnis der *spekulativen*, der *Hegelschen Konstruktion*. Nachdem Herr Szeliga die „Verwilderung innerhalb der Zivilisation" und die Rechtslosigkeit im Staat für „Geheimnisse" erklärt, d. h. in die Kategorie „*das Geheimnis*" aufgelöst hat, läßt er nun „das Geheimnis" seinen *spekulativen*

[1] des Hauses für geheime Vergnügungen – [2] gefälligen Dame – [3] Altstadt – [4] „auf die ängstliche Neugierde"

Lebenslauf beginnen. Wenige Worte werden hinreichen, um die spekulative Konstruktion im *allgemeinen* zu charakterisieren. Die Behandlung der „Mystères de Paris" durch Herrn Szeliga wird die Anwendung im *einzelnen* geben.

Wenn ich mir aus den wirklichen Äpfeln, Birnen, Erdbeeren, Mandeln die allgemeine Vorstellung „*Frucht*" bilde, wenn ich weitergehe und mir *einbilde*, daß meine aus den wirklichen Früchten gewonnene abstrakte Vorstellung „*die* Frucht" ein außer mir existierendes Wesen, ja das *wahre* Wesen der Birne, des Apfels etc. sei, so erkläre ich – *spekulativ* ausgedrückt – „*die* Frucht" für die „*Substanz*" der Birne, des Apfels, der Mandel etc. Ich sage also, der Birne sei es unwesentlich, Birne, dem Apfel sei es unwesentlich, Apfel zu sein. Das Wesentliche an diesen Dingen sei nicht ihr wirkliches, sinnlich anschaubares Dasein, sondern das von mir aus ihnen abstrahierte und ihnen untergeschobene Wesen, das Wesen meiner Vorstellung, „*die* Frucht". Ich erkläre dann Apfel, Birne, Mandel etc. für bloße Existenzweisen, *Modi* „*der* Frucht". Mein endlicher, von den Sinnen unterstützter Verstand *unterscheidet* allerdings einen Apfel von einer Birne und eine Birne von einer Mandel, aber meine spekulative Vernunft erklärt diese sinnliche Verschiedenheit für unwesentlich und gleichgültig. Sie sieht in dem Apfel *dasselbe* wie in der Birne und in der Birne dasselbe wie in der Mandel, nämlich „*die* Frucht". Die besondern wirklichen Früchte gelten nur mehr als *Schein*früchte, deren wahres Wesen „*die* Substanz", „*die* Frucht" ist.

Man gelangt auf diese Weise zu keinem besondern *Reichtum* an *Bestimmungen*. Der Mineraloge, dessen ganze Wissenschaft sich darauf beschränkt, daß alle Mineralien in Wahrheit *das* Mineral sind, wäre ein Mineraloge – in *seiner Einbildung*. Bei jedem Mineral sagt der spekulative Mineraloge „*das* Mineral", und seine Wissenschaft beschränkt sich darauf, dies Wort so oft zu wiederholen, als es wirkliche Minerale gibt.

Die Spekulation, welche aus den verschiednen wirklichen Früchten *eine* „Frucht" der Abstraktion – *die* „Frucht" gemacht hat, muß daher, um zu dem Schein eines wirklichen Inhaltes zu gelangen, auf irgendeine Weise versuchen, von *der* „Frucht", von der *Substanz* wieder zu den wirklichen *verschiedenartigen* profanen Früchten, zu der Birne, dem Apfel, der Mandel etc. zurückzukommen. So leicht es nun ist, aus wirklichen Früchten die abstrakte Vorstellung „*die* Frucht" zu erzeugen, so schwer ist es, aus der abstrakten Vorstellung „*die* Frucht" wirkliche Früchte zu erzeugen. Es ist sogar unmöglich, von einer Abstraktion zu dem *Gegenteil* der Abstraktion zu kommen, wenn ich die Abstraktion nicht *aufgebe*.

Der spekulative Philosoph gibt daher die Abstraktion *der* „Frucht" wieder auf, aber er gibt sie auf eine *spekulative, mystische* Weise auf, nämlich mit dem

Schein, als ob er sie *nicht* aufgebe. Er geht daher auch wirklich nur zum Scheine über die Abstraktion hinaus. Er räsoniert etwa wie folgt:

Wenn der Apfel, die Birne, die Mandel, die Erdbeere in Wahrheit nichts anders als „*die* Substanz", „*die* Frucht" sind, so fragt es sich, wie kommt es, daß „*die* Frucht" sich mir bald als Apfel, bald als Birne, bald als Mandel zeigt, woher kommt dieser *Schein* der *Mannigfaltigkeit*, der meiner spekulativen Anschauung von der *Einheit*, von „*der* Substanz", von „*der* Frucht" so sinnfällig widerspricht?

Das kommt daher, antwortet der spekulative Philosoph, weil „*die* Frucht" kein totes, unterschiedsloses, ruhendes, sondern ein lebendiges, sich in sich unterscheidendes, bewegtes Wesen ist. Die Verschiedenheit der profanen Früchte ist nicht nur für *meinen* sinnlichen Verstand, sondern für „*die* Frucht" selbst, für die spekulative Vernunft, von Bedeutung. Die verschiednen profanen Früchte sind verschiedne Lebensäußerungen der „*einen* Frucht", sie sind Kristallisationen, welche „*die* Frucht" selbst bildet. Also z.B. in dem Apfel gibt sich „*die* Frucht" ein apfelhaftes, in der Birne ein birnenhaftes Dasein. Man muß also nicht mehr sagen, wie auf dem Standpunkt der Substanz: die Birne ist „*die* Frucht", der Apfel ist „die Frucht", die Mandel ist „die Frucht", sondern vielmehr: „*die* Frucht" setzt sich als Birne, „*die* Frucht" setzt sich als Apfel, „*die* Frucht" setzt sich als Mandel, und die Unterschiede, welche Apfel, Birne, Mandel voneinander trennen, sind eben die Selbstunterscheidungen „*der Frucht*" und machen die besondern Früchte eben zu unterschiednen Gliedern im Lebensprozesse „*der* Frucht". „*Die* Frucht" ist also keine inhaltslose, unterschiedslose Einheit mehr, sie ist die Einheit als *Allheit*, als „*Totalität*" der Früchte, die eine „*organisch gegliederte Reihenfolge*" bilden. In jedem Glied dieser Reihenfolge gibt „*die* Frucht" sich ein entwickelteres, ausgesprocheneres Dasein, bis sie endlich als die „Zusammenfassung" aller Früchte zugleich die lebendige *Einheit* ist, welche jeder derselben ebenso in sich aufgelöst enthält als aus sich erzeugt, wie z.B. alle Glieder des Körpers beständig in Blut sich auflösen und beständig aus dem Blut erzeugt werden.

Man sieht: wenn die christliche Religion nur von *einer* Inkarnation Gottes weiß, so besitzt die spekulative Philosophie soviel Inkarnationen, als es Dinge gibt, wie sie hier in jeder Frucht eine Inkarnation der Substanz, der absoluten Frucht besitzt. Das Hauptinteresse für den spekulativen Philosophen besteht also darin, die *Existenz* der wirklichen profanen Früchte zu erzeugen und auf geheimnisvolle Weise zu sagen, daß es Äpfel, Birnen, Mandeln und Rosinen gibt. Aber die Äpfel, Birnen, Mandeln und Rosinen, die wir in der spekulativen Welt wiederfinden, sind nur mehr *Schein*äpfel, *Schein*birnen,

*Schein*mandeln und *Schein*rosinen, denn sie sind Lebensmomente „*der* Frucht", dieses abstrakten *Verstandeswesens*, also selbst abstrakte *Verstandeswesen*. Was sich daher in der Spekulation freut, ist, alle wirklichen Früchte wiederzufinden, aber als Früchte, die eine höhere mystische Bedeutung haben, die, aus dem Äther deines Gehirns und nicht aus dem materiellen Grund und Boden herausgewachsen, die Inkarnationen „*der* Frucht", des *absoluten Subjekts* sind. Wenn du also aus der Abstraktion, dem *übernatürlichen* Verstandeswesen „*die* Frucht", zu den wirklichen *natürlichen* Früchten zurückkehrst, so gibst du dagegen den natürlichen Früchten auch eine übernatürliche Bedeutung und verwandelst sie in lauter Abstraktionen. Dein Hauptinteresse ist es eben, die *Einheit* „*der* Frucht" in allen diesen ihren Lebensäußerungen, dem Apfel, der Birne, der Mandel, nachzuweisen, also den *mystischen Zusammenhang* dieser Früchte, und wie in jeder derselben „*die* Frucht" sich *stufenweise* verwirklicht und *notwendig*, z.B. aus ihrem Dasein als Rosine, zu ihrem Dasein als Mandel fortgeht. Der Wert der profanen Früchte besteht daher auch *nicht mehr* in ihren *natürlichen* Eigenschaften, *sondern* in ihrer *spekulativen* Eigenschaft, wodurch sie eine bestimmte Stelle im Lebensprozesse „*der* absoluten Frucht" einnehmen.

Der gewöhnliche Mensch glaubt nichts Außerordentliches zu sagen, wenn er sagt, daß es Äpfel und Birnen gibt. Aber der Philosoph, wenn er diese Existenzen auf spekulative Weise ausdrückt, hat etwas *Außerordentliches* gesagt. Er hat ein *Wunder* vollbracht, er hat aus dem unwirklichen *Verstandeswesen* „*die* Frucht" die wirklichen *Naturwesen*, den Apfel, die Birne etc. erzeugt, d.h. er hat aus seinem *eignen abstrakten Verstand*, den er sich als ein absolutes Subjekt außer sich, hier als „*die* Frucht" vorstellt, diese Früchte *geschaffen*, und in jeder Existenz, die er ausspricht, vollzieht er einen Schöpfungsakt.

Es versteht sich, daß der spekulative Philosoph diese fortwährende Schöpfung nur zuwege bringt, indem er allgemein bekannte, in der wirklichen Anschauung sich vorfindende Eigenschaften des Apfels, der Birne etc. als von ihm *erfundne* Bestimmungen einschiebt, indem er dem, was allein der abstrakte Verstand schaffen kann, nämlich den abstrakten Verstandesformeln, die *Namen* der wirklichen Dinge gibt; indem er endlich seine *eigne* Tätigkeit, wodurch *er* von der Vorstellung Apfel zu der Vorstellung Birne *übergeht*, für die *Selbsttätigkeit* des absoluten Subjekts, „*der* Frucht", erklärt.

Diese Operation nennt man in spekulativer Redeweise: die *Substanz* als *Subjekt*, als *inneren Prozeß*, als *absolute Person* begreifen, und dies Begreifen bildet den wesentlichen Charakter der *Hegelschen* Methode.

Es war nötig, diese Bemerkungen voranzuschicken, um Herrn Szeliga begreiflich zu machen. Wenn Herr Szeliga bisher wirkliche Verhältnisse, wie z.B. das Recht und die Zivilisation, in die Kategorie des Geheimnisses aufgelöst und so „*das* Geheimnis" zur Substanz gemacht hat, so erhebt er sich jetzt erst auf die wahrhaft spekulative, auf die *Hegelsche* Höhe und verwandelt „*das* Geheimnis" in ein selbständiges Subjekt, das sich in den wirklichen Zuständen und Personen *inkarniert* und dessen Lebensäußerungen Gräfinnen, Marquisen, Grisetten, Portiers, Notare, Charlatans und Liebesintrigen, Bälle, hölzerne Türen etc. sind. Nachdem er die Kategorie „*das* Geheimnis" aus der wirklichen Welt erzeugt hat, erzeugt er die wirkliche Welt aus dieser Kategorie.

Um so *augenscheinlicher* werden sich die Geheimnisse der *spekulativen Konstruktion* in Herrn Szeligas Darstellung enthüllen, als er unbestreitbar einen *doppelten* Vorzug vor *Hegel* hat. Einmal weiß Hegel den Prozeß, wodurch der Philosoph vermittelst der sinnlichen Anschauung und der Vorstellung von einem Gegenstand zum andern übergeht, mit sophistischer Meisterschaft als Prozeß des imaginierten Verstandeswesens selbst, des absoluten Subjekts, darzustellen. Dann aber gibt Hegel sehr oft innerhalb der *spekulativen* Darstellung eine *wirkliche*, die *Sache* selbst ergreifende Darstellung. Diese wirkliche Entwickelung *innerhalb* der spekulativen Entwicklung verleitet den Leser dazu, die spekulative Entwicklung für wirklich und die wirkliche Entwickelung für spekulativ zu halten.

Bei Herrn Szeliga fallen beide Schwierigkeiten weg. Seine Dialektik ist ohne alle Heuchelei und Verstellung. Er macht sein Kunststück mit einer lobenswerten Ehrlichkeit und der biedermännigsten Gradheit. Dann aber entwickelt er *nirgendwo* einen *wirklichen Inhalt*, so daß bei ihm die spekulative Konstruktion ohne alles störende Beiwerk, ohne alle doppelsinnige Verhüllung in ihrer nackten Schöne zu dem Auge spricht. Bei Herrn Szeliga zeigt es sich auch glänzend, wie die Spekulation einerseits scheinbar frei aus sich heraus ihren Gegenstand *a priori*[1] schafft, anderseits aber, eben weil sie die vernünftige und natürliche Abhängigkeit vom *Gegenstand* wegsophistisieren will, in die unvernünftigste und unnatürlichste *Knechtschaft* unter den Gegenstand gerät, dessen zufälligste, individuellste Bestimmungen sie als absolut notwendig und allgemein konstruieren muß.

3. „*Das Geheimnis der gebildeten Gesellschaft*"

Nachdem Eugen Sue uns durch die niedrigsten Schichten der Gesellschaft, z.B. die Verbrecherkneipen, geführt hat, versetzt er uns in die haute volée[2], auf einen *Ball* im Quartier Saint-Germain.

[1] von vornherein – [2] vornehme Gesellschaft

Herr Szeliga konstruiert diesen *Übergang* wie folgt:

„*Das* Geheimnis sucht *sich* der Betrachtung mit einer ... Wendung zu entziehen, bisher stand es als das absolut Rätselhafte, aller Halt- und Faßbarkeit Entschlüpfende, Negative, dem Wahrhaften, Realen, Positiven gegenüber, jetzt zieht es sich in dasselbe als dessen *unsichtbaren Inhalt* hinein. Damit gibt es aber auch die unbedingte Möglichkeit[1], erkannt zu werden, auf."

„Das Geheimnis", welches bisher dem „Wahrhaften", „Realen", „Positiven", nämlich dem Recht und der Bildung gegenüberstand, „zieht sich jetzt in dasselbe", nämlich in die Region der Bildung hinein. Daß die haute volée die ausschließliche Region der Bildung ist, ist ein mystère[2], wenn nicht *von*, so doch *für* Paris. Herr Szeliga geht nicht von den Geheimnissen der Verbrecherwelt zu den Geheimnissen der aristokratischen Gesellschaft über, sondern „*das* Geheimnis" wird der „unsichtbare Inhalt" der gebildeten Gesellschaft, ihr *eigentliches Wesen*. Es ist „*keine neue Wendung*" des Herrn Szeliga, um weitere Betrachtungen anknüpfen zu können, sondern „*das* Geheimnis" nimmt diese „neue Wendung", um *sich* der Betrachtung zu entziehen.

Herr Szeliga, ehe er wirklich dem Eugen Sue dahin folgt, wohin ihn sein Herz treibt, nämlich auf den aristokratischen Ball, gebraucht vorher noch die *heuchlerischen* Wendungen der Spekulation, die *a priori* konstruiert.

„*Freilich* ist *vorauszusehn*, welch ein festes Gehäuse *sich* ‚das Geheimnis' zu seiner Verhüllung *wählen* wird, und *in der Tat, es scheint*, als sei es eine *unüberwindliche Undurchdringlichkeit* ... daß ... läßt sich *daraus erwarten*, daß *überhaupt* ... *dennoch* ist ein neuer Versuch, den Kern auszubrechen, *hier unerläßlich*."

Genug, Herr Szeliga ist so weit, daß das

„*metaphysische* Subjekt, *das* Geheimnis – jetzt leicht, ungeniert, kokett auftritt".

Um nun die aristokratische Gesellschaft in ein „Geheimnis" zu verwandeln, stellt Herr Szeliga einige Reflexionen über die „*Bildung*" an. Er setzt lauter Eigenschaften der aristokratischen Gesellschaft voraus, die kein Mensch in ihr sucht, um hinterher das „Geheimnis" zu finden, daß sie diese Eigenschaften nicht besitzt. Er gibt sodann diese Entdeckung für das „Geheimnis" der gebildeten Gesellschaft aus. So fragt sich Herr Szeliga z.B., ob „die *allgemeine* Vernunft" – etwa die spekulative Logik? – den Inhalt ihrer „*geselligen Unterhaltungen*" bilde, ob „der *Rhythmus* und das *Maß* der Liebe *allein*" sie zu einem „harmonischen Ganzen macht", ob das, „was wir *all-*

[1] In der „Allgemeinen Literatur-Zeitung": Unmöglichkeit – [2] Geheimnis

gemeine Bildung nennen, die Form des *Allgemeinen, Ewigen, Idealen* ist", d. h. ob das, was wir Bildung nennen, eine metaphysische Einbildung ist? Auf seine Fragen hat Herr Szeliga leicht a priori prophezeien:

„Daß die Antwort *übrigens* verneinend ausfallen werde ... läßt sich *erwarten*."

In dem Roman Eugen Sues ist der Übergang aus der niedrigen in die vornehme Welt ein gewöhnlicher Romanübergang. Die *Verkleidungen Rudolphs*, Fürsten von Geroldstein[1], führen ihn in die unteren Schichten der Gesellschaft, wie sein Rang ihm die höhern Kreise derselben zugänglich macht. Auf dem Wege nach dem aristokratischen Ball sind es auch keinesweges die Kontraste der jetzigen Weltzustände, worüber er reflektiert; es sind seine *eignen* kontrastierenden Vermummungen, die ihm *pikant* erscheinen. Er teilt seinen gehorsamsten Begleitern mit, wie überaus interessant er sich selbst in den verschiednen Situationen finde.

„Je trouve", sagt er, „assez de piquant dans ces contrastes: un jour peintre en éventails, m'établant dans un bouge de la rue aux Fèves; ce matin commis marchand offrant un verre de cassis à Madame Pipelet, et ce soir ... un des privilégiés par la grâce de dieu, qui règnent sur ce monde."[2]

Auf den Ball eingeführt, singt die kritische Kritik:

Sinn und Verstand vergeht mir schier,
Seh ich mich unter Potentaten hier![24]

Sie ergießt sich in *Dithyramben* wie folgt:

„Hier ist Sonnenglanz in die Nacht, Frühlingsgrün und die Pracht des Sommers in den Winter hineingezaubert. Wir fühlen uns sogleich in der Stimmung, an das Wunder der göttlichen Gegenwart im Menschenbusen zu glauben, zumal wenn Schönheit und Grazie die Überzeugung unterstützen, daß wir uns in der unmittelbaren Nähe von Idealen befinden." (!!!)

Unerfahrner, leichtgläubiger, *kritischer Landpfarrer*! Nur deine kritische Einfalt kann sich von einem eleganten Pariser Ballsaal sogleich in die abergläubige „Stimmung versetzen lassen", an „das Wunder der göttlichen Gegenwart im Menschenbusen" zu glauben und in Pariser Löwinnen „unmittelbare Ideale", leibhafte Engel zu erblicken!

[1] In Eugen Sues Roman „Die Geheimnisse von Paris": Gerolstein – [2] „Ich finde etwas Pikantes in diesen Kontrasten: eines Tages Fächermaler in einer gemeinen Kneipe in der Bohnenstraße; diesen Morgen Kommis, der der Frau Pipelet ein Glas Likör anbietet, und heute abend einer der Bevorzugten, die von Gottes Gnaden über die Welt hienieden herrschen."

In seiner *salbungsvollen* Naivität belauscht der kritische Pfarrer die zwei „Schönsten unter den Schönen", die Clémence von Harville und die Gräfin Sarah MacGregor. Man errate, was er von ihnen „*ablauschen*" will:

„auf welche Weise wir den *Segen* geliebter Kinder, *die ganze Fülle* des Glücks eines Gatten zu sein, fähig sein können"! ... „Wir hören ... wir staunen ... wir trauen unseren Ohren nicht."

Wir empfinden eine geheime Schadenfreude, wenn der lauschende Pastor enttäuscht wird. Die Damen unterhalten sich weder von „dem Segen" noch „von der Fülle", noch von der „allgemeinen Vernunft", es ist vielmehr „auf eine Untreue gegen den Gatten der Frau von Harville abgesehn".

Über die eine der Damen, die Gräfin MacGregor, erhalten wir folgenden naiven Aufschluß:

Sie war „*unternehmend genug*, um *infolge* einer geheimen Ehe *Mutter eines Kindes* zu werden".

Von diesem *Unternehmungsgeist* der Gräfin unangenehm berührt, liest ihr Herr Szeliga den Text.

„Wir finden das ganze Streben der Gräfin auf individuellen, egoistischen Vorteil gerichtet."

Ja, von der Erreichung ihres Zweckes, der Heirat mit dem Fürsten von Geroldstein, verspricht er sich gar nichts Gutes:

„wovon wir uns *gar nicht* versprechen dürfen, daß sie ihn für das *Glück der Untertanen* des Fürsten von Geroldstein anwenden wird".

Mit „gesinnungsreichem Ernst" schließt der Puritaner seinen Strafsermon:

„Sarah" (die *unternehmende* Dame) „ist *übrigens nicht etwa* eine Ausnahme in diesen glänzenden Zirkeln, *wenn auch* eine *Spitze*."

Übrigens nicht etwa! Wenn auch! Und die „Spitze" eines Zirkels wäre keine Ausnahme?

Über den Charakter zweier andern Ideale, der Marquise von Harville und der Herzogin von Lucenay, erfahren wir:

Ihnen „‚fehlt die Befriedigung des Herzens'. Sie haben in der Ehe nicht den Gegenstand der Liebe gefunden, so suchen sie nun außerhalb der Ehe den Gegenstand der Liebe. Die Liebe ist ihnen in der Ehe ein *Geheimnis* geblieben, welches gleichfalls zu enthüllen sie von dem gebieterischen Drange des Herzens angetrieben werden. *So* ergeben sie sich *denn* der *geheimnisvollen Liebe*. Diese ‚Opfer' der ‚lieblosen Ehe' werden ‚unwillkürlich dahin gedrängt, die Liebe selbst zu einem Äußeren, einem sogenannten

Verhältnis, herabzusetzen und für das Innere, Belebende, Wesentliche der Liebe das Romantische, das *Geheimnis* zu halten'."

Das Verdienst dieser dialektischen Entwickelung ist um so höher anzuschlagen, je mehr sie sich einer allgemeinen Anwendbarkeit erfreut.

Z.B. wer in seinem eigenen Hause nicht *trinken* darf und doch das Bedürfnis des Trinkens in sich fühlt, sucht den „Gegenstand" des Trunkes „*außerhalb*" des Hauses und ergibt sich „denn so" dem *geheimnisvollen Trunke*. Ja, er wird dahin getrieben, das Geheimnis für ein wesentliches Ingredienz des Trinkens anzusehen, obgleich er den Trunk nicht zu einem bloß „Äußern", Gleichgültigen herabsetzen wird, so wenig wie jene Damen die Liebe. Sie setzen ja nach der Erklärung des Herrn Szeliga selbst nicht die Liebe, sondern die lieblose Ehe zu dem herab, was sie wirklich ist, zu einem Äußern, zu einem sogenannten Verhältnis.

„Was ist", heißt es nun weiter, „das ‚*Geheimnis*' der Liebe?"

Wir hatten soeben schon konstruiert, daß „das Geheimnis" das „*Wesen*" dieser Art von Liebe ist. Wie kommen wir nun dazu, nach dem Geheimnis des Geheimnisses, nach dem Wesen des Wesens zu suchen?

„Nicht", deklamiert der Pfarrer, „nicht die schattigen Gänge in den Gebüschen, nicht das *natürliche* Halbdunkel der Mondnacht, nicht das künstliche, welches von köstlichen Gardinen und Vorhängen erzeugt wird, nicht der sanfte und betäubende Ton der Harfen und Orgeln, nicht die Macht des Verbotnen ..."

Gardinen *und* Vorhänge! Ein sanfter *und* betäubender Ton! Und nun gar die *Orgeln*! Schlage sich der Herr Pfarrer doch die *Kirche* aus dem Sinn! Wer wird Orgeln zu einem Liebesrendezvous mitbringen?

„Dies alles" (Gardinen und Vorhänge und Orgeln) „ist nur das *Geheimnisvolle*."

Und das *Geheimnisvolle* wäre nicht das „Geheimnis" der geheimnisvollen Liebe? Keineswegs:

„Das Geheimnis darin ist das Erregende, Berauschende, Betäubende, die *Gewalt* der *Sinnlichkeit*."

In dem „sanften und *betäubenden*" Ton besaß der Pfarrer schon das Betäubende. Hätte er nun statt der Gardinen und Orgeln Schildkrötensuppe und Champagner zu seinem Liebesrendezvous mitgebracht, so fehlte auch das „*Erregende* und *Berauschende*" nicht.

„Die Gewalt der Sinnlichkeit", doziert der heilige Herr, „wollen wir uns zwar nicht eingestehen; sie hat aber nur darum eine so ungeheure Macht über uns, weil wir sie aus uns herausbannen, nicht als unsre eigne Natur anerkennen – unsre eigne Natur, welche wir dann auch zu bewältigen imstande wären, sobald sie sich auf Kosten der Vernunft, der wahren Liebe, der Kraft des Willens geltend zu machen strebt."

Nach der Weise der spekulativen Theologie rät uns der Pastor, die Sinnlichkeit als unsre *eigne* Natur *anzuerkennen*, um imstande zu sein, sie hinterher zu *bewältigen*, d. h. um ihre *An*erkennung zurückzunehmen. Er will sie zwar nur bewältigen, sobald sie sich auf Kosten *der* Vernunft – die Willenskraft und die Liebe im *Gegensatz* zur Sinnlichkeit sind nur die Willenskraft und die Liebe *der* Vernunft – geltend machen will. Auch der unspekulative Christ erkennt die *Sinnlichkeit* an, soweit sie sich nicht auf Kosten der wahren Vernunft, nämlich des Glaubens, der wahren Liebe, nämlich der Liebe zu Gott, der wahren Willenskraft, nämlich des Willens in Christo, geltend macht.

Der Pfarrer verrät uns sogleich seine wahre Meinung, wenn er fortfährt:

„Hört also die Liebe auf, das Wesentliche der Ehe, der Sittlichkeit überhaupt zu sein, so wird die *Sinnlichkeit* das Geheimnis der Liebe, der Sittlichkeit, der gebildeten Gesellschaft – Sinnlichkeit sowohl in ihrer *ausschließlichen* Bedeutung, wo sie das *Zittern der Nerven*, der *glühende Strom* in den Adern ist, als auch in der umfassenderen, als welche sie sich zu einem *Schein* geistiger Macht steigert, zu Herrschsucht, Ehrgeiz, Ruhmbegier sich erhebt ... Die Gräfin MacGregor repräsentiert" die letztere Bedeutung „der Sinnlichkeit, als des Geheimnisses der gebildeten Gesellschaft."

Der Pfarrer trifft den Nagel auf den Kopf. Um die *Sinnlichkeit* zu überwältigen, muß er vor allem die *Nervenströmungen* und den raschen *Blutumlauf* überwältigen. – Herr Szeliga glaubt im „ausschließlichen" Sinne, daß die größere Körperwärme von dem Glühen des Bluts in den Adern herkömmt, er weiß nicht, daß die *warmblütigen Tiere* warmblütig heißen, weil ihre Blutwärme, geringe Modifikationen abgerechnet, sich immer auf derselben Höhe erhält. – Sobald die Nerven nicht mehr strömen und das Blut in den Adern nicht mehr glüht, ist der *sündige Leib*, dieser Sitz der sinnlichen Gelüste, zu einem *stillen Mann* gemacht, und die Seelen könnnen sich ungehindert von der „allgemeinen Vernunft", der „wahren Liebe" und der „reinen Moral" unterhalten. Der Pastor degradiert die Sinnlichkeit so sehr, daß er grade die Momente der sinnlichen Liebe aufhebt, die sie begeistern – den raschen Blutumlauf, welcher beweist, daß der Mensch nicht mit sinnlosem Phlegma liebt, die Nervenströmungen, welche das Organ, das den Hauptsitz der Sinnlichkeit bildet, mit dem Gehirne verbinden. Er reduziert die wahre sinnliche Liebe auf die *mechanische* secretio seminis[1] und lispelt mit einem berüchtigten deutschen Theologen:

„Nicht um sinnlicher Liebe halber, nicht um fleischlicher Gelüste willen, sondern weil der Herr gesagt hat: Seid fruchtbar und mehret euch."

---

[1] Samenabsonderung

Vergleichen wir nun die spekulative Konstruktion mit dem Roman Eugen Sues. Es ist nicht die *Sinnlichkeit*, welche für das Geheimnis der Liebe ausgegeben wird, es sind Mysterien, Abenteuer, Hindernisse, Ängste, Gefahren und namentlich die Macht des Verbotnen.

„Pourquoi", heißt es, „beaucoup de femmes prennent-elles pourtant des hommes qui ne valent pas leurs maris? Parce que le *plus grand charme de l'amour* est l'attrait affriandant *du fruit défendu* ... avancez que, en retranchant de cet amour les craintes, les angoisses, les difficultés, les mystères, les dangers, il ne reste rien ou peu de chose, c'est-à-dire, l'amant ... dans sa simplicité première ... en un mot, ce serait toujours plus ou moins l'aventure de cet homme à qui l'on disait: ‚Pourquoi n'épousez-vous donc pas cette veuve, votre maîtresse?' – ‚Hélas, j'y ai bien pensé' – répondit-il – ‚mais alors je ne saurais plus où aller passer mes soirées.'"[1]

Während Herr Szeliga ausdrücklich die *Macht des Verbotnen* nicht für das Geheimnis der Liebe erklärt, erklärt Eugen Sue sie ebenso ausdrücklich für „den größten Reiz der Liebe" und für den Grund der Liebesabenteuer extra muros[2].

„La prohibition et la contrebande sont inséparables en amour comme en marchandise."[3][25]

Ebenso behauptet Eugen Sue im Gegensatz zu seinem spekulativen Exegeten, daß

„der Hang zur Verstellung und zur List, der Geschmack für die Geheimnisse und für die Intrigen, eine wesentliche Eigenschaft, ein natürlicher Hang und ein gebieterischer Instinkt der weiblichen Natur sei".

Nur die Richtung dieses Hanges und dieses Geschmacks gegen die *Ehe* geniert Herrn Eugen Sue. Er will den Trieben der weiblichen Natur eine harmlosere, nützlichere Anwendung geben.

Während Herr Szeliga die Gräfin MacGregor zur Repräsentantin jener *Sinnlichkeit* macht, die sich zum „Schein einer geistigen Macht steigert", ist sie bei Eugen Sue ein *abstrakter Verstandesmensch*. Ihr „Ehrgeiz" und ihr

[1] „Warum wählen sich viele Frauen Liebhaber, die ihren Männern bei weitem nicht gleichkommen? Weil *der größte Zauber der Liebe* der Reiz *der verbotenen Frucht* ist. Sie werden gestehen müssen, daß, wenn man dieser Liebe die Besorgnisse, die Angst, die Schwierigkeiten, das Geheimnisvolle, die Gefahren nähme, nichts oder doch nur sehr wenig übrigbleiben würde, das heißt – der Liebhaber in seiner ursprünglichen Einfachheit; es würde mit einem Worte immer mehr oder weniger das Abenteuer jenes Mannes sein, zu dem man sagte: ‚Warum heiraten Sie aber diese Witwe, Ihre Geliebte, nicht?' – ‚Ich habe auch daran gedacht', antwortete er, ‚aber wo sollte ich dann meine Abende zubringen?'" – [2] außer Hause – [3] „Verbot und Schmuggelei sind in der Liebe wie im Handel nicht voneinander zu trennen."

„Stolz", weit entfernt, Formen der Sinnlichkeit zu sein, sind Ausgeburten eines von der Sinnlichkeit völlig unabhängigen, abstrakten Verstandes. Eugen Sue bemerkt daher ausdrücklich, daß

„nie die feurigen Eingebungen der Liebe ihren *eiskalten* Busen schlagen ließen, daß *keine* Überraschung des *Herzens* oder der *Sinne* die unbarmherzigen Berechnungen dieser verschlagnen, egoistischen und ehrsüchtigen Frau stören konnten".

Der Egoismus des abstrakten, von den sympathetischen Sinnen nicht leidenden, mit Blut nicht durchtränkten *Verstandes* bildet den wesentlichen Charakter dieser Frau. Ihre Seele wird daher als „trocken-hart", ihr Geist als „gewandt-boshaft", ihr Charakter als „heimtückisch" und – sehr bezeichnend für den abstrakten Verstandesmenschen – als „absolut", ihre Verstellung als „tief" geschildert. – Nebenbei bemerkt, motiviert Eugen Sue den Lebenslauf der Gräfin so albern wie der meisten seiner Romancharaktere. Eine alte Amme bildet ihr ein, daß sie ein „gekröntes Haupt" werden muß. Sie begibt sich in dieser Einbildung auf Reisen, um eine Krone zu erheiraten. Sie begeht endlich die Inkonsequenz, einen kleinen deutschen Serenissimus für ein „gekröntes Haupt" zu halten.

Nach seinen Expektorationen gegen die *Sinnlichkeit* muß unser kritischer Heiliger noch demonstrieren, warum Eugen Sue auf einem Ball in die haute volée einführt, eine Einführungsmethode, die sich fast bei allen französischen Romanschreibern findet, während die *englischen* häufiger auf einer Jagdpartie oder auf einem Landschloß in die schöne Welt einführen.

„Es kann für diese" (nämlich Herrn Szeligas) „Auffassung nicht gleichgültig und da" (in Szeligas Konstruktion) „bloß zufällig sein, daß Eugen Sue uns gerade auf einem Balle in die große Welt einführt."

Nun ist dem Roß der Zügel schießen gelassen, und es trabt frisch in einer Reihe von Konklusionen, alt-Wolfischen Angedenkens, der Notwendigkeit zu.

„Der *Tanz* ist die allgemeinste Erscheinung der *Sinnlichkeit als Geheimnis*. Die unmittelbare *Berührung*, die Umschließung der beiden Geschlechter (?), welche das Paar bedingt, werden im Tanze gestattet, weil sie trotz des Augenscheins und der dabei sich wirklich" – wirklich, Herr Pfarrer? – „fühlbar machenden süßen Empfindung doch nicht als *sinnliche*" – sondern wohl als allgemein vernünftige? – „Berührung und Umschließung gelten."

Und nun ein Schlußsatz, der höchstens auf der Hacke tanzt:

„*Denn* gälte sie *in der Tat dafür, so wäre nicht einzusehn, warum* die Gesellschaft bloß beim Tanze diese Nachsicht übte, *während sie umgekehrt* mit so harter Verdammung verfolgt, *was, wenn es sich anderwärts* mit gleicher Freiheit zeigen wollte, als unverzeihlichster Verstoß gegen Sitte und Scham, Brandmarkung und unbarmherzigste Ausstoßung nach sich zieht."

Der Herr Pfarrer spricht weder von dem *Cancan* noch von der *Polka*, *sondern* von *dem* Tanze schlechthin, von der *Kategorie* des Tanzes, die nirgends getanzt wird als unter seinem kritischen Hirnschädel. Er sehe sich einmal einen Tanz auf dem Pariser Chaumière an, und sein christlich-germanisches Gemüt wird sich empören über diese Keckheit, diese Offenherzigkeit, diesen graziösen Mutwillen, diese Musik der sinnlichsten Bewegung. Seine eigne „sich wirklich fühlbar machende süße Empfindung" würde ihm „fühlbar" machen, daß „in der Tat nicht einzusehen wäre, warum die Tanzenden selbst, während sie umgekehrt" auf den Zuschauer den erhebenden Eindruck einer offenherzigen, menschlichen Sinnlichkeit machen, „was, wenn es sich anderwärts", namentlich in Deutschland, „in gleicher Weise äußerte, als unverzeihlicher Verstoß" etc. etc. Nicht um auch, wenigstens sozusagen, in ihren eignen Augen offenherzig sinnliche Menschen nicht nur sein sollen und dürfen, sondern auch können und müssen müssen!!

Der Kritiker läßt uns, dem *Wesen* des *Tanzes* zulieb, auf dem *Ball* eingeführt werden. Er findet eine große Schwierigkeit. Auf diesem Ball wird zwar getanzt, aber nur in der Einbildung. Eugen Sue schildert den Tanz nämlich mit keinem Worte. Er mischt sich nicht unter das Gewühl der Tanzenden. Er benutzt den Ball nur als Gelegenheit, um die aristokratische Vordergruppe zusammenzubringen. In ihrer Verzweiflung greift „die Kritik" dem Dichter *ergänzend* unter die Arme, und ihre eigne „Phantasie" zeichnet mit Leichtigkeit Ballerscheinungen etc. Wenn Eugen Sue nach kritischer Vorschrift bei der Schilderung der Verbrecherschlupfwinkel und Verbrechersprache kein unmittelbares Interesse an der Schilderung dieser Schlupfwinkel und dieser Sprache hatte, so ist ihm dagegen der Tanz, den nicht *er selbst*, sondern sein „phantasievoller" Kritiker zeichnet, notwendig von unendlichem Interesse.

Weiter!

„*In der Tat*, das Geheimnis des geselligen Tons und Takts – das Geheimnis dieser äußersten Unnatur – ist die Sehnsucht, zur Natur zurückzukehren. Darum wirkt eine Erscheinung wie die *Cecilys* in der gebildeten Gesellschaft auch so elektrisch, ist von so ungemeinen Erfolgen gekrönt. Ihr, aufgewachsen als Sklavin unter Sklaven, ohne Bildung, allein angewiesen auf ihre Natur – ist diese Natur der alleinige Lebensquell. Plötzlich nun an einen Hof unter Zwang und Sitte versetzt, lernt sie das Geheimnis derselben bald durchschauen … In dieser Sphäre, die sie unbedingt beherrschen kann, da ihre Macht, die Macht ihrer Natur, für einen rätselhaften Zauber gilt, muß Cecily notwendig ins Maßlose verirren, während einst, als sie noch Sklavin war, dieselbe Natur sie lehrte, jedem unwürdigen Ansinnen des mächtigen Herrn Widerstand zu leisten und ihrer Liebe die Treue zu bewahren. *Cecily* ist das *enthüllte Geheimnis der gebildeten Gesellschaft*. Die verachteten Sinne durchbrechen am Ende die Dämme und schießen in gänzlicher Zügellosigkeit dahin" etc.

Der Leser Herrn Szeligas, dem der Suesche Roman unbekannt ist, glaubt unfehlbar, Cecily sei die Löwin des geschilderten Balles. In dem Roman sitzt sie in einem deutschen Zuchthaus, während in Paris getanzt wird.

Cecily bleibt als Sklavin dem Negerarzte David treu, weil sie ihn „leidenschaftlich" liebt und weil ihr Eigentümer, Herr Willis, „*brutal*" um sie wirbt. Ihr Übergang zu einer ausschweifenden Lebensart wird sehr einfach motiviert. In die „europäische Welt" versetzt, „errötet" sie darüber, mit „einem Neger verehlicht zu sein". Nachdem sie in Deutschland angekommen ist, wird sie „*sogleich*" von einem schlechten Subjekt depraviert, und ihr „indianisches Blut" macht sich geltend, das der heuchlerische Herr Sue, der douce morale[1] und dem doux commerce[2] zuliebe, als eine „perversité naturelle"[3] charakterisieren muß.

Das Geheimnis der Cecily ist die *Mestize*. Das Geheimnis ihrer Sinnlichkeit ist die *tropische Glut*. Parny in seinen schönen Gedichten an die Eleonore hat die Mestize gefeiert. Wie gefährlich sie dem französischen Matrosen ist, ist in mehr als hundert Reisebeschreibungen zu lesen.

„Cecily était le type incarné de la sensualité brûlante, qui ne s'allume qu'au feu des tropiques ... Tout le monde a entendu parler de ces filles de couleur, pour ainsi dire mortelles aux Européens, de ces vampyrs enchanteurs, qui, enivrant leurs victimes de séductions terribles ... ne lui laissent, selon l'énergique expression du pays, que ses larmes à boire, que son coeur à ronger."[4]

Weit entfernt, daß Cecily grade auf aristokratisch-gebildete, blasierte Leute so magisch einwirkte ...

„les femmes de l'espèce de Cecily exercent une action soudaine, une omnipotence magique sur les hommes de *sensualité brutale* tels que *Jacques Ferrand*."[5]

Und seit wann repräsentieren Leute wie Jacques Ferrand die feine Gesellschaft? Aber die kritische Kritik mußte *Cecily* als ein Moment im Lebensprozesse des absoluten Geheimnisses konstruieren.

[1] sanften Moral – [2] sanften Geschäft – [3] natürliche Verderbtheit – [4] „Cecily war der wahre Typus der glühenden Sinnlichkeit, die nur in dem Sonnenbrand der Tropen sich entzünden kann ... Jedermann hat von jenen für die Europäer fast tödlichen farbigen Mädchen, von jenen zauberischen Vampyren gehört, welche ihr Opfer mit schrecklicher Wonne berauschen ... und ihm, wie man dort bezeichnend genug sagt, nur seine Tränen zum Tranke, sein Herz zum Nagen übriglassen." – [5] „die Frauen wie Cecily üben eine zauberische Allgewalt auf die *rohsinnlichen* Männer wie *Jacques Ferrand* aus."

4. „Das Geheimnis der Rechtschaffenheit und Frömmigkeit"

„*Das* Geheimnis als *das* der gebildeten Gesellschaft zieht sich *zwar* aus dem *Gegensatz* in *das Innere* hinein. *Dennoch* hat die große Welt *wiederum* ausschließlich *ihre* Zirkel, in denen sie das Heiligtum bewahrt. Sie ist *gleichsam* die Kapelle für dieses Allerheiligste. *Aber* für die im Vorhofe ist die Kapelle selbst *das* Geheimnis. Die Bildung ist *also* in ihrer exklusiven Stellung für das Volk dasselbe ... was die Roheit für den Gebildeten ist."

Zwar – dennoch, wiederum – gleichsam – aber – also – das sind die magischen Haken, welche die Ringe der *spekulativen Entwickelungskette* zusammenschließen. Herr Szeliga hat *das* Geheimnis aus der Sphäre der Verbrecher in die haute volée sich hineinziehen lassen. Jetzt muß er das Geheimnis konstruieren, daß die vornehme Welt ihre *ausschließlichen* Zirkel hat und daß die Geheimnisse dieser Zirkel Geheimnisse für das Volk sind. Zu dieser Konstruktion bedarf es außer den schon angeführten Zauberhaken der Verwandlung eines *Zirkels* in eine *Kapelle* und der Verwandlung der nichtaristokratischen Welt in einen *Vorhof* zu dieser Kapelle. Es ist abermals ein Geheimnis *für* Paris, daß alle Sphären der bürgerlichen Gesellschaft nur einen Vorhof für die Kapelle der haute volée bilden.

Herr Szeliga verfolgt zwei Zwecke. Einmal soll *das* Geheimnis, welches sich in dem exklusiven Zirkel der haute volée inkarniert hat, zum „*Gemeingut der Welt*" fortbestimmt werden. Zweitens soll der *Notar Jacques Ferrand* als Lebensglied des Geheimnisses konstruiert werden. Er verfährt wie folgt:

„Die Bildung kann und will in ihren Kreis noch nicht alle Stände und Unterschiede hereinziehen. Erst das *Christentum* und die *Moral* sind imstande, Universalreiche auf dieser Erde zu gründen."

Für Herrn Szeliga ist die Bildung, die Zivilisation, identisch mit der *aristokratischen* Bildung. Er kann daher nicht sehen, daß *Industrie und Handel* ganz andre Universalreiche gründen als Christentum und Moral, Familienglück und Bürgerwohl. Aber wie kommen wir zum *Notar Jacques Ferrand*? Höchst einfach!

Herr Szeliga verwandelt das *Christentum* in eine *individuelle* Eigenschaft, in die „*Frömmigkeit*", und die *Moral* in eine andre *individuelle* Eigenschaft, in die „*Rechtschaffenheit*". Er faßt diese beiden Eigenschaften in *ein* Individuum zusammen, das er *Jacques Ferrand* tauft, weil Jacques Ferrand beide Eigenschaften nicht besitzt, sondern heuchelt. Jacques Ferrand ist nun das „Geheimnis der Rechtschaffenheit und Frömmigkeit". Das „Testament"

Ferrands ist dagegen „das Geheimnis der *scheinenden* Frömmigkeit und Rechtschaffenheit", also nicht mehr der Frömmigkeit und Rechtschaffenheit selbst. Wollte die kritische Kritik dies Testament als Geheimnis konstruieren, so mußte sie die scheinende Rechtschaffenheit und Frömmigkeit für das Geheimnis dieses Testamentes, nicht umgekehrt dies Testament für das Geheimnis der scheinenden Rechtschaffenheit erklären.

Während das Pariser Notariat in Jacques Ferrand ein bittres Pasquill auf sich erblickte und die Entfernung dieser Person aus den in Szene gesetzten „Mystères de Paris" von der Theaterzensur erwirkte, sieht die kritische Kritik in demselben Moment, wo sie gegen das *„Luftreich der Begriffe polemisiert"*, in einem Pariser Notar keinen Pariser Notar, sondern Religion und Moral, Rechtschaffenheit und Frömmigkeit. Der Prozeß des Notars *Lehon* hätte sie aufklären müssen. Die Stellung, welche der *Notar* in dem Roman Eugen Sues behauptet, hängt genau mit seiner offiziellen Stellung zusammen.

„Les notaires sont au temporel ce qu'au spirituel sont les curés; ils sont les *dépositaires de nos secrets*."[1] (Monteil, „Hist[oire] des français des div[ers] états" etc., t. IX, p. 37.)

Der Notar ist der weltliche Beichtvater. Er ist *Puritaner* von Profession, und „Ehrlichkeit", sagt Shakespeare, „ist kein Puritaner"[26]. Er ist zugleich der Kuppler für alle möglichen Zwecke, der Lenker der bürgerlichen Intrigen und Kabalen.

Mit dem Notar Ferrand, dessen ganzes Geheimnis die Heuchelei und das Notariat ist, sind wir, wie es scheint, noch keinen Schritt weitergekommen, doch man höre!

„Ist dem Notar die Heuchelei nun Sache des vollständigsten Bewußtseins, der Madame Roland aber *gleichsam* Instinkt, *so* steht zwischen ihnen die große Masse derer, die hinter das Geheimnis nicht kommen können und doch sich unwillkürlich gedrungen fühlen, daß sie es möchten. So ist es denn nicht Aberglauben, welcher hoch und niedrig in die unheimliche Behausung des Charlatans Bradamanti (Abbé Polidori) führt, nein, es ist das Suchen *des* Geheimnisses, um vor der Welt gerechtfertigt zu stehn."

„Hoch und niedrig" strömt nicht zu Polidori, um ein bestimmtes Geheimnis zu finden, welches vor aller Welt gerechtfertigt dasteht, „hoch und niedrig" sucht bei ihm *das* Geheimnis schlechthin, das Geheimnis als absolutes Subjekt, *um* vor der Welt gerechtfertigt dazustehen, wie wenn man

[1] „Die Notare sind im Weltlichen das, was im Geistlichen die Priester sind; sie sind die *Mitwisser unserer Geheimnisse.*"

nicht eine Axt, sondern *das* Instrument in abstracto[1] suchte, um Holz zu spalten.

Alle Geheimnisse, die Polidori besitzt, beschränken sich auf ein Mittel zum Abortieren für Schwangere und ein Gift zum Töten. – Herr Szeliga in spekulativer Wut läßt den „*Mörder*" zum Gift Polidoris seine Zuflucht nehmen, „weil er nicht Mörder, sondern geachtet, geliebt, geehrt sein will", als wenn es sich bei einer Mordtat um Achtung, Liebe, Ehre und nicht um den *Kopf* handelte! Aber der *kritische* Mörder bemüht sich nicht um seinen Kopf, sondern um „*das* Geheimnis". – Da nicht alle Welt mordet und polizeiwidrig schwanger ist, wie soll Polidori *jeden* in den gewünschten Besitz des Geheimnisses setzen? Herr Szeliga verwechselt den Charlatan Polidori wahrscheinlich mit dem gelehrten *Polydorus Virgilius*, der im 16. Jahrhundert lebte und zwar keine Geheimnisse entdeckt hat, wohl aber die Geschichte der Entdecker der Geheimnisse, der *Erfinder* – zum „Gemeingut der Welt" zu machen strebte. (Siehe Polidori Virgilii liber de rerum inventoribus, Lugduni MDCCVI.)

Das Geheimnis, das absolute Geheimnis, wie es sich zuletzt als „Gemeingut der Welt" etabliert, besteht also in dem Geheimnis zu abortieren und zu vergiften. *Das* Geheimnis konnte sich nicht geschickter zum „Gemeingut der Welt" machen, als indem es sich in Geheimnisse verwandelte, die für niemand Geheimnisse sind.

5. „*Das Geheimnis ein Spott*"

„*Jetzt* ist *das* Geheimnis Gemeingut geworden, das Geheimnis aller Welt und jedes Einzelnen. Entweder ist es meine Kunst oder mein Instinkt, oder ich kann es mir als eine käufliche Ware kaufen."

Welches Geheimnis ist jetzt zum Gemeingut der Welt geworden? Das Geheimnis der Rechtslosigkeit im Staat oder das Geheimnis der gebildeten Gesellschaft oder das Geheimnis der Warenverfälschung oder das Geheimnis, Kölnisches Wasser zu fabrizieren, oder das Geheimnis der „kritischen Kritik"? Dies alles nicht, sondern *das* Geheimnis in abstracto, die Kategorie des Geheimnisses!

Herr Szeliga beabsichtigt, die *Dienstboten* und den *Portier Pipelet nebst Frau* als Inkarnation des absoluten Geheimnisses darzustellen. Er will den *Dienstboten* und *den Portier des* „Geheimnisses" konstruieren. Wie stellt er

[1] im allgemeinen

es nun an, um aus der *reinen Kategorie* bis zum „*Bedienten*", der vor der „*verschlossenen Tür spioniert*", um aus dem *Geheimnis als absolutem Subjekt*, das über dem *Dach* in dem Wolkenhimmel der Abstraktion thront, bis zum Erdgeschoß, wo die Portierloge liegt, herabzustürzen?

Zunächst läßt er die Kategorie des Geheimnisses einen spekulativen Prozeß durchmachen. Nachdem das Geheimnis durch die Mittel, zu abortieren und zu vergiften, Gemeingut der Welt geworden ist, ist es

„*also durchaus nicht mehr* die *Verborgenheit* und *Unzugänglichkeit selbst*, sondern, *daß es sich verbirgt*, oder noch besser" – immer besser! – „daß ich's verberge, *daß ich's unzugänglich mache*".

Mit dieser Umwandlung des absoluten Geheimnisses aus dem *Wesen* in den *Begriff*, aus dem *objektiven* Stadium, worin es die Verborgenheit selbst ist, in das *subjektive* Stadium, worin es sich verbirgt, oder noch besser, worin „*ich's*" verberge, sind wir noch keinen Schritt weitergekommen. Die Schwierigkeit scheint im Gegenteil zu wachsen, da ein Geheimnis im menschlichen Kopf und in der menschlichen Brust unzugänglicher und verborgner ist als auf dem Meeresgrunde. Herr Szeliga greift daher seinem *spekulativen* Fortschritt *unmittelbar* durch einen *empirischen* Fortschritt unter die Arme.

„*Die verschloßnen Türen*" – hört! hört! – „sind's *nunmehr*" – nunmehr! – „hinter denen *das* Geheimnis ausgebrütet, gebrauet, verübt wird."

Herr Szeliga hat das spekulative *Ich* des Geheimnisses „*nunmehr*" in eine sehr empirische, sehr *hölzerne* Wirklichkeit, in eine *Türe* verwandelt.

„*Damit*" – nämlich mit der verschlossenen Türe und nicht mit dem Übergang aus dem verschlossenen Wesen in den Begriff – „ist *aber auch* die *Möglichkeit* gegeben, daß ich es belauschen, behorchen, ausspionieren kann."

Es ist kein von *Herrn Szeliga* entdecktes „Geheimnis", daß man vor verschlossenen Türen lauschen kann. Das massenhafte Sprichwort verleiht sogar den Wänden Ohren. Es ist dagegen ein ganz kritisch spekulatives Geheimnis, daß erst „nunmehr", nach der Höllenfahrt durch die Verbrecherschlupfwinkel, nach der Himmelfahrt in die gebildete Gesellschaft und nach den Wundern Polidoris, Geheimnisse *hinter* verschlossenen Türen gebrauet und *vor* geschlossenen Türen belauscht werden können. Es ist ein ebenso großes kritisches Geheimnis, daß verschlossene Türen eine *kategorische Notwendigkeit* sind, sowohl um Geheimnisse zu brüten, zu brauen und zu verüben – wie viele Geheimnisse werden nicht hinter Gebüschen gebrütet, gebraut und verübt! – als um sie auszuspionieren.

Nach dieser glänzenden dialektischen Waffentat gerät Herr Szeliga natürlich von dem *Ausspionieren* zu den *Gründen des Ausspionierens*. Hier teilt er das Geheimnis mit, daß die *Schadenfreude* der Grund des Ausspionierens sei. Von der Schadenfreude geht er weiter zu dem *Grund der Schadenfreude*.

„Besser sein will jeder", sagt er, „als der andre, weil er nicht allein die Triebfedern seiner guten Taten geheimhält, sondern seine schlechten ganz und gar in undurchdringliches Dunkel zu hüllen sucht."

Der Satz müßte umgekehrt heißen: Jeder hält nicht allein die Triebfedern seiner guten Taten geheim, sondern sucht seine schlechten ganz und gar in undurchdringliches Dunkel zu hüllen, weil er besser sein will als der andre.

Wir wären nun von dem *Geheimnis, das sich selbst verbirgt*, zu dem *Ich*, das verbirgt, von dem *Ich* zur *verschlossenen Türe*, von der *verschlossenen Türe* zum *Ausspionieren*, von dem *Ausspionieren* zum *Grund* des *Ausspionierens*, der Schadenfreude, von der *Schadenfreude* zum *Grund der Schadenfreude*, zum *Besserseinwollen* gelangt. Nun werden wir auch bald die Freude erleben, den *Bedienten* vor der verschlossenen Türe stehen zu sehen. Das allgemeine Besserseinwollen führt uns nämlich direkt dahin, daß „jedermann den Hang hat, hinter des andern Geheimnisse zu kommen", und hieran schließt sich ungezwungen die geistreiche Bemerkung an:

„Am *günstigsten* in dieser Hinsicht sind die *Dienstboten* gestellt."

Wenn Herr Szeliga die Memoiren aus den Archiven der Pariser Polizei, Vidocqs Memoiren, das „Livre noir"[1] und dergleichen gelesen hätte, so wüßte er, daß die *Polizei* in dieser Hinsicht noch günstiger gestellt ist als die „am günstigsten" gestellten Dienstboten, daß sie die Dienstboten nur zum groben Dienste gebraucht, daß sie nicht vor der Tür noch bei dem Negligé der Herrschaft stehenbleibt, sondern unter die Bettleinwand an ihren nackten Leib in der Gestalt einer femme galante oder selbst einer Ehefrau hinankriecht. In Sues Roman selbst ist der Polizeispion Bras rouge ein Hauptträger der Entwickelung.

Was Herrn Szeliga „nunmehr" an den Dienstboten stört, ist, daß sie nicht „*interesselos*" genug sind. Dieses *kritische Bedenken* bahnt ihm den Weg zum *Portier Pipelet nebst Frau*.

„Die Stellung des Portiers gewährt dagegen die verhältnismäßige Unabhängigkeit, um über die Geheimnisse des Hauses freien, interesselosen, wenn auch derben und verletzenden Spott auszuschütten."

---

[1] „Schwarze Buch"

Zunächst gerät diese spekulative Konstruktion des Portiers dadurch in große Verlegenheit, daß in sehr vielen Häusern von Paris der Dienstbote und der Portier für einen Teil der Mieter zusammenfallen.

Was die kritische Phantasie über die relativ unabhängige interesselose Stellung des Portiers betrifft, so mag man sie aus folgenden Tatsachen beurteilen. Der Pariser Portier ist der Repräsentant und der Spion des Hauseigentümers. Er wird meistens nicht vom Hauseigentümer, sondern von den Mietsleuten besoldet. Dieser prekären Stellung wegen verbindet er häufig das Geschäft des Kommissionärs mit seinem offiziellen Amt. Während des Terrorismus, der Kaiserzeit und der Restauration war der Portier ein Hauptagent der geheimen Polizei. So wurde z.B. der General Foy von seinem Portier überwacht, der die an ihn gerichteten Briefe einem in der Nähe verweilenden Polizeiagenten zum Durchlesen überlieferte. (Siehe Froment, „La police dévoilée".) „Portier" und „Epicier"[1] sind daher zwei Schimpfnamen, und der Portier selbst will „Concierge"[2] angeredet sein.

Eugen Sue ist so weit davon entfernt, die Madame Pipelet als „interesselos" und harmlos zu schildern, daß sie vielmehr den Rudolph sogleich beim Geldwechseln betrügt, daß sie ihm die betrügerische Pfandleiherin, die in ihrem Hause wohnt, rekommandiert, daß sie ihm die Rigolette als eine Bekanntschaft, die angenehm werden kann, schildert, daß sie den Kommandanten neckt, weil er schlecht zahlt, weil er mit ihr marktet – in ihrem Ärger nennt sie ihn „Commandant de deux liards"[3], „ça t'apprendra à ne donner que douze francs par mois pour ton ménage"[4] – weil er die „petitesse"[5] besitzt, auf sein Holz ein Augenmerk zu haben etc. Sie selbst teilt den Grund ihres „unabhängigen" Benehmens mit. Der Kommandant zahlt nur zwölf Francs monatlich.

Bei Herrn Szeliga hat die „Anastasia Pipelet *gewissermaßen* den kleinen Krieg gegen *das* Geheimnis zu eröffnen".

Bei Eugen Sue repräsentiert Anastasia Pipelet die *Pariser Portière*. Er will „die von Herrn Henry Monier meisterhaft gezeichnete Portière dramatisieren". Herr Szeliga aber muß eine der Eigenschaften der Madame Pipelet, die *„médisance"*[6], in ein apartes Wesen und hinterher die Madame Pipelet in die Repräsentantin dieses Wesens verwandeln.

„Der Mann", fährt Herr Szeliga fort, „der Portier Alfred Pipelet, steht ihr mit wenigerm Glück zur Seite."

---

[1] „Krämer" – [2] „Hausmeister" – [3] *etwa:* „Pfennigkommandant" – [4] „das wird dich lehren, nur zwölf Francs monatlich für die Wirtschaft zu geben" – [5] „Kleinlichkeit" – [6] *„Schmähsucht"*

Um ihn für dies Unglück zu trösten, macht ihn Herr Szeliga ebenfalls zu einer *Allegorie*. Er repräsentiert die *„objektive"* Seite des Geheimnisses, das *„Geheimnis als Spott"*.

„Das Geheimnis, dem er unterliegt, ist ein Spott, ein Streich, der ihm gespielt wird."

Ja, in ihrem unendlichen Erbarmen macht die göttliche Dialektik den „unglücklichen, alten, kindischen Mann" zu einem *„starken Mann"* im *metaphysischen Sinne*, indem er ein sehr würdiges, sehr glückliches und sehr entscheidendes Moment im Lebensprozeß des absoluten Geheimnisses darstellt. Der Sieg über Pipelet ist

„des Geheimnisses entschiedenste Niederlage". „Ein Gescheuterer, Mutiger wird sich durch die *Posse* nicht täuschen lassen."

6. Lachtaube (Rigolette)

„Ein Schritt bleibt noch übrig. Das Geheimnis ist durch *seine eigne Konsequenz*, wie wir an Pipelet und durch Cabrion gesehen haben, dahin getrieben worden, sich zum bloßen Possenspiel herabzuwürdigen. Es kommt *nur noch* darauf an, daß sich das Individuum nicht mehr dazu hergibt, die alberne Komödie zu spielen. *Lachtaube* tut diesen Schritt auf die unbefangenste Weise von der Welt."

Jeder kann in einem Zeitraum von zwei Minuten das Geheimnis dieses spekulativen Possenspiels durchschauen und selbst anwenden lernen. Wir wollen eine kurze Anweisung geben.

Aufgabe: Du sollst mir konstruieren, wie der Mensch Herr über die Tiere wird?

Spekulative Lösung: Gegeben sei ein halb Dutzend Tiere, etwa der Löwe, der Haifisch, die Schlange, der Stier, das Pferd und der Mops. Abstrahiere dir aus diesen sechs Tieren die Kategorie: *das* „Tier". Stelle dir *das* „Tier" als ein selbständiges Wesen vor. Betrachte den Löwen, den Haifisch, die Schlange etc. als Verkleidungen, als Inkarnationen *des* „Tiers". Wie du deine Einbildung, *das* „Tier" deiner Abstraktion, zu einem wirklichen Wesen gemacht hast, so mache nun die wirklichen Tiere zu Wesen der Abstraktion, deiner Einbildung. Du siehst, daß das „Tier", welches im *Löwen* den Menschen zerreißt, im *Haifisch* ihn verschlingt, in der *Schlange* ihn vergiftet, im *Stier* mit dem Horn auf ihn losstößt und im *Pferd* nach ihm ausschlägt, in seinem Dasein als *Mops* ihn nur mehr anbellt und den Kampf gegen den Menschen in ein bloßes *Scheingefecht* verwandelt. *Das* „Tier" ist durch seine *eigne Konsequenz*, wie wir im *Mops* gesehen haben, dahin getrieben worden, sich zum *bloßen Possenspieler* herabzuwürdigen. Wenn nun ein Kind oder ein kindischer Mann vor dem Mops davonläuft, so kommt es nur noch darauf an, daß sich das Individuum nicht mehr dazu hergibt, die alberne Komödie zu spielen. Das Individuum X tut diesen Schritt auf die unbefangenste Weise von der Welt, indem es sein Bambusrohr gegen den Mops agieren läßt. Du siehst, wie *der* Mensch vermittelst des Individuums X und des Mopses Herr über *das* „Tier", also auch über die Tiere geworden ist und in dem *Tiere als Mops* den *Löwen als Tier* überwältigt hat.

In ähnlicher Weise besiegt die „Lachtaube" des Herrn Szeliga durch die Vermittlung des Pipelet und des Cabrion die Geheimnisse des heutigen Weltzustandes. Noch mehr! Sie selbst ist eine Realisation der Kategorie: *das* „Geheimnis".

„Sie ist sich selbst ihres hohen sittlichen Werts noch nicht bewußt, darum ist sie sich selbst noch Geheimnis."

Das Geheimnis der *nicht*spekulativen Rigolette läßt Eugen Sue durch Murph aussprechen. Sie ist „une fort jolie *grisette*"[1]. Eugen Sue hat in ihr den liebenswürdigen, menschlichen Charakter der Pariser Grisette geschildert. Nur mußte er wieder aus Devotion vor der Bourgeoisie und aus höchsteigner Überschwenglichkeit die Grisette *moralisch* idealisieren. Er mußte ihrer Lebenssituation und ihrem Charakter die Pointe ausbrechen, nämlich ihre Hinwegsetzung über die Form der Ehe, ihr naives Verhältnis zum Etudiant[2] oder zum Ouvrier[3]. Grade in diesem Verhältnis bildet sie einen wahrhaft menschlichen Kontrast gegen die scheinheilige, engherzige und selbstsüchtige Ehefrau des Bourgeois, gegen den ganzen Kreis der Bourgeoisie, d. h. gegen den offiziellen Kreis.

7. *Der Weltzustand der Geheimnisse von Paris*

„Diese Welt der Geheimnisse ist *nun* der allgemeine Weltzustand, in welchen die individuelle Handlung der ‚Geheimnisse von Paris' versetzt ist."

Ehe Herr Szeliga „indes" zu der „*philosophischen Reproduktion* der epischen Begebenheit übergeht", hat er noch „die im vorigen hingeworfenen einzelnen Umrisse zu einem Gesamtbilde zusammenzufassen".

Es ist als ein wirkliches Geständnis, als eine Enthüllung seines kritischen Geheimnisses zu betrachten, wenn Herr Szeliga sagt, daß er zu der „philo-

[1] „eine sehr hübsche *Grisette*" – [2] Student – [3] Arbeiter

sophischen Reproduktion" der epischen Begebenheit übergehen will. Er hat bisher den Weltzustand „philosophisch reproduziert".

Herr Szeliga fährt in seinem Geständnis fort:

„Aus seiner Darstellung ergebe sich, daß die einzelnen abgehandelten Geheimnisse ihren Wert nicht für sich, jedes abgetrennt von dem andern haben, keine großartigen Klatschneuigkeiten seien, sondern daß ihr Wert darin bestehe, daß sie in sich eine *organisch gegliederte Folge* bilden, deren *Totalität* das ‚*Geheimnis*' ist."

In seiner aufrichtigen Laune geht Herr Szeliga noch weiter. Er gesteht, daß die „*spekulative Folge*" nicht die *wirkliche* Folge der „Mystères de Paris" sei.

„Zwar treten die Geheimnisse in unserm Epos nicht im Verhältnisse dieser *von sich selbst wissenden Folge*" (zu kostenden Preisen?) „auf. Wir haben es *aber auch nicht* mit dem *logischen*, offen daliegenden *freien Organismus der Kritik* zu tun, sondern mit einem *geheimnisvollen Pflanzendasein*."

Wir überschlagen die Zusammenfassung des Herrn Szeliga und gehen sogleich zu dem Punkte über, der den „Übergang" bildet. Wir haben an Pipelet die „Selbstverspottung des Geheimnisses" erfahren.

„In der Selbstverspottung richtet das Geheimnis sich selber. *Damit* fordern die Geheimnisse, sich selbst in ihrer letzten Konsequenz vernichtend, jeden kräftigen Charakter zur selbständigen Prüfung auf."

Rudolph, Fürst von Geroldstein, *der Mann der „reinen Kritik"*, ist zu dieser Prüfung und zur „*Enthüllung der Geheimnisse*" berufen.

Wenn wir auf Rudolph und seine Taten erst später, nachdem wir Herrn Szeliga für einige Zeit aus dem Gesicht verloren haben, eingehn werden, so ist so viel vorauszusehn und kann gewissermaßen vom Leser geahnt, ja unmaßgeblicherweise vermutet werden, daß wir an die Stelle des „*geheimnisvollen Pflanzendaseins*", welches er in der kritischen „Literatur-Zeitung" einnimmt, ihn vielmehr zu einem „*logischen*, offen daliegenden, *freien* Glied" im „*Organismus der kritischen Kritik*" machen werden.

VI. KAPITEL

Die absolute kritische Kritik oder die kritische Kritik als Herr Bruno

1. Erster Feldzug der absoluten Kritik

a) Der „Geist" und die „Masse"

Bisher schien die kritische Kritik mehr oder minder mit der kritischen Bearbeitung verschiedenartiger *massen*hafter Gegenstände beschäftigt. Jetzt finden wir sie mit dem absolut kritischen Gegenstand, *mit sich selbst*, beschäftigt. Sie schöpfte bisher ihren relativen Ruhm aus der kritischen Erniedrigung, Verwerfung und Verwandlung *bestimmter* massenhafter Gegenstände und Personen. Jetzt schöpft sie ihren *absoluten* Ruhm aus der kritischen Erniedrigung, Verwerfung und Verwandlung der Masse im allgemeinen. Der relativen Kritik standen relative Schranken gegenüber. Der absoluten Kritik steht die absolute Schranke gegenüber, die Schranke der Masse, die Masse als Schranke. Die relative Kritik in ihrem Gegensatz zu bestimmten Schranken war notwendig selbst ein *beschränktes* Individuum. Die absolute Kritik im Gegensatz zu der *allgemeinen* Schranke, zu der Schranke schlechthin, ist notwendig *absolutes* Individuum. Wie die verschiedenartigen, massenhaften Gegenstände und Personen in dem *unreinen* Brei *der „Masse"* zusammengefallen sind, so hat sich die noch scheinbar gegenständliche und persönliche Kritik in die *„reine Kritik"* verwandelt. Bisher schien die Kritik mehr oder minder eine *Eigenschaft* der kritischen Individuen Reichardt, Edgar, Faucher etc. Jetzt ist sie *Subjekt* und Herr Bruno ihre Inkarnation.

Bisher schien die *Massenhaftigkeit* mehr oder minder die Eigenschaft der kritisierten Gegenstände und Personen; jetzt sind Gegenstände und Personen zur *„Masse"* und die *„Masse"* Gegenstand und Person geworden. In das Verhältnis der absoluten kritischen Weisheit zu der absoluten massenhaften Dummheit haben sich alle bisherigen kritischen Verhältnisse aufgelöst. Dies

Grundverhältnis erscheint als der *Sinn*, die *Tendenz*, das *Lösungswort* der bisherigen kritischen Taten und Kämpfe.

Ihrem absoluten Charakter gemäß wird die „reine" Kritik sogleich bei ihrem Auftreten das unterscheidende „*Stichwort*" aussprechen, nichtsdestoweniger aber als absoluter Geist einen dialektischen Prozeß durchlaufen müssen. Erst am Ende ihrer Himmelsbewegung wird ihr ursprünglicher Begriff wahrhaft verwirklicht sein. (Siehe Hegel, „Enzyklopädie".)

„Noch vor wenigen Monaten", verkündet die absolute Kritik, „glaubte sich die Masse riesenstark und zu einer Weltherrschaft bestimmt, deren Nähe sie an den Fingern abzählen zu können meinte." [27]

Herr *Bruno Bauer* in der „Guten Sache der Freiheit" (versteht sich, seiner „*eignen*" Sache), in der „Judenfrage" [28] usw., war es eben, der die Nähe der herannahenden Weltherrschaft an den Fingern abzählte, wenn er auch das Datum nicht exakt angeben zu können gestand. Zum Sündenregister der Masse schlägt er die Masse seiner eignen Sünden.

„Die Masse glaubte sich im Besitze so vieler Wahrheiten, die sich ihr von selbst verstanden." „Eine *Wahrheit* aber *besitzt* man erst vollständig ... wenn man ihr durch *ihre* Beweise hindurchfolgt."

Die Wahrheit ist für Herrn Bauer wie für Hegel ein *Automaton*, das sich selbst beweist. Der Mensch hat ihr zu *folgen*. Wie bei Hegel ist das Resultat der wirklichen Entwickelung nichts anderes als die *bewiesene*, d. h. zum *Bewußtsein* gebrachte *Wahrheit*. Die absolute Kritik kann daher mit dem borniertesten Theologen fragen:

„*Wozu* wäre *die Geschichte*, wenn es nicht ihre Aufgabe wäre, grade diese einfachsten aller Wahrheiten (wie die Bewegung der Erde um die Sonne) *zu beweisen*?"

Wie nach den frühern Teleologen die Pflanzen da sind, um von den Tieren, die Tiere, um von den Menschen gegessen zu werden, so ist die Geschichte da, um zum Konsumtionsakt des theoretischen Essens, des *Beweisens* zu dienen. Der Mensch ist da, damit die Geschichte, und die Geschichte ist da, damit der *Beweis der Wahrheiten* da ist. In dieser *kritisch* trivialisierten Form wiederholt sich die spekulative Weisheit, daß der Mensch, daß die Geschichte da ist, damit die *Wahrheit* zum *Selbstbewußtsein* komme.

Die Geschichte wird daher, wie *die Wahrheit*, zu einer aparten Person, einem metaphysischen Subjekt, dessen bloße Träger die wirklichen menschlichen Individuen sind. Die absolute Kritik bedient sich daher der Phrasen.

„*Die* Geschichte läßt ihrer nicht spotten, *die* Geschichte hat *ihre* größten Anstrengungen darauf verwandt, *die* Geschichte ist beschäftigt worden, wozu wäre die

Geschichte da? *die* Geschichte liefert uns ausdrücklich den Beweis; *die* Geschichte bringt Wahrheiten auf das Tapet etc."

Wenn nach der Behauptung der absoluten Kritik nur ein *paar* solcher – allereinfachsten – Wahrheiten, die sich am Ende von selbst verstehn, die Geschichte bisher beschäftigt haben, so beweist diese Dürftigkeit, worauf sie die bisherigen menschlichen Erfahrungen reduziert, zunächst nur ihre *eigne* Dürftigkeit. Vom unkritischen Gesichtspunkte aus hat die Geschichte vielmehr das Resultat, daß die komplizierteste Wahrheit, daß der Inbegriff aller Wahrheit, die *Menschen*, sich am Ende von selbst verstehen.

„Wahrheiten aber", demonstriert die absolute Kritik weiter, „die der Masse so sonnenklar zu sein *scheinen*, daß sie sich von *vornherein* von selber verstehen ... daß sie den Beweis für überflüssig hält, sind nicht wert, daß die Geschichte noch ausdrücklich ihren Beweis liefert; sie bilden überhaupt keinen Teil der Aufgabe, mit deren Lösung sich die Geschichte beschäftigt."

In heiligem Eifer gegen die Masse sagt ihr die absolute Kritik die feinste Schmeichelei. Wenn eine Wahrheit sonnenklar *ist*, weil sie der Masse sonnenklar *scheint*, wenn die Geschichte nach dem *Dafürhalten* der Masse sich zu den Wahrheiten *verhält*, so ist also das Urteil der Masse absolut, unfehlbar, das *Gesetz* der Geschichte, die nur beweist, was der Masse *nicht* sonnenklar, daher des Beweises bedürftig scheint. Die Masse schreibt also der Geschichte ihre „Aufgabe" und ihre „Beschäftigung" vor.

Die absolute Kritik spricht von „Wahrheiten, die sich von *vornherein* von selbst verstehen". In ihrer kritischen Naivität erfindet sie ein absolutes „*von vornherein*" und eine abstrakte, unveränderliche „*Masse*". Das „von vornherein" der Masse des 16. Jahrhunderts und das „von vornherein" der Masse des 19. Jahrhunderts sind vor den Augen der absoluten Kritik ebensowenig unterschieden als diese Massen selbst. Es ist eben das Charakteristische einer *wahr, offenbar* gewordnen, sich von selber verstehenden Wahrheit, daß sie sich „*von vornherein* von selber versteht". Die Polemik der absoluten Kritik gegen die Wahrheiten, die sich von vornherein von selber verstehen, ist die Polemik gegen die Wahrheiten, die sich überhaupt „von selber verstehn".

Eine Wahrheit, die sich von selber versteht, hat für die absolute Kritik, wie für die göttliche *Dialektik*, ihr Salz, ihren Sinn, ihren *Wert* verloren. Sie ist fad geworden wie abgestandnes Wasser. Die absolute Kritik beweist daher einerseits alles, was sich von selbst versteht, und außerdem viele Dinge, die das Glück haben, unverständig zu sein, sich also niemals von selbst verstehen werden. Andrerseits versteht sich ihr alles das von selbst, was einer Entwickelung bedarf. Warum? Weil es sich bei *wirklichen Aufgaben von selber* versteht, daß sie sich *nicht* von selber verstehn.

Weil *die* Wahrheit, wie die Geschichte, ein ätherisches, von der materiellen Masse getrenntes Subjekt ist, adressiert sie sich nicht an die empirischen Menschen, sondern an das „*Innerste der Seele*", rückt sie, um „*wahrhaft erfahren*" zu werden, dem Menschen nicht auf seinen *groben*, etwa in der Tiefe eines englischen Kellers oder in der Höhe einer französischen Speicherwohnung hausenden *Leib*, sondern „zieht" sich „durch und durch" durch seine idealistischen Darmkanäle. Die absolute Kritik stellt nun zwar „der Masse" das Zeugnis aus, daß sie bisher in ihrer Weise, d. h. oberflächlich, von den Wahrheiten, welche die Geschichte so gnädig war, „aufs Tapet zu bringen", berührt worden sei; zugleich aber prophezeit sie, daß

„das *Verhältnis* der *Masse* zum *geschichtlichen Fortschritt* sich *völlig ändern* werde".

Der geheime Sinn dieser kritischen Prophezeiung wird nicht anstehn, uns „sonnenklar" zu werden.

„Alle großen Aktionen der bisherigen Geschichte", erfahren wir, „waren deshalb *von vornherein* verfehlt und ohne eingreifenden Erfolg, weil die Masse sich für sie *interessiert* und *enthusiasmiert* hatte – oder sie mußten ein klägliches Ende nehmen, weil die Idee, um die es sich in ihnen handelte, von der Art war, daß sie sich mit einer oberflächlichen Auffassung begnügen, also auch auf den Beifall der Masse rechnen mußte."

Es scheint, daß eine Auffassung, welche für eine Idee genügt, also einer Idee entspricht, aufhört, oberflächlich zu sein. Herr Bruno bringt nur zum *Schein* ein *Verhältnis* zwischen der *Idee* und ihrer *Auffassung* hervor, wie er nur *zum Schein* ein *Verhältnis* der verfehlten geschichtlichen *Aktion* zur *Masse* hervorbringt. Wenn die absolute Kritik daher irgend etwas als „oberflächlich" verdammt, so ist es die bisherige Geschichte schlechthin, deren Aktionen und Ideen die Ideen und Aktionen von „Massen" waren. Sie verwirft die *massenhafte* Geschichte, an deren Stelle (man sehe Herrn Jules Faucher über die englischen Tagesfragen) sie die *kritische* Geschichte setzen wird. Nach der bisherigen *unkritischen*, also nicht im Sinn der absoluten Kritik verfaßten Geschichte ist ferner genau zu unterscheiden, inwieweit die *Masse* sich für Zwecke „*interessierte*" und wieweit sie sich für dieselben „*enthusiasmierte*". Die „*Idee*" blamierte sich immer, soweit sie von dem „*Interesse*" unterschieden war. Anderseits ist es leicht zu begreifen, daß jedes massenhafte, geschichtlich sich durchsetzende „*Interesse*", wenn es zuerst die Weltbühne betritt, in der „*Idee*" oder „*Vorstellung*" weit über seine wirklichen Schranken hinausgeht und sich mit dem *menschlichen* Interesse schlechthin verwechselt. Diese *Illusion* bildet das, was *Fourier* den *Ton* einer jeden Geschichtsepoche nennt. Das *Interesse* der Bourgeoisie in der Revolution von

1789, weit entfernt, „*verfehlt*“ zu sein, hat alles „*gewonnen*“ und hat „*den eingreifendsten Erfolg*“ gehabt, so sehr der „*Pathos*“ verraucht und so sehr die „*enthusiastischen*“ Blumen, womit dieses Interesse seine Wiege bekränzte, verwelkt sind. Dieses *Interesse* war so mächtig, daß es die Feder eines Marat, die Guillotine der Terroristen, den Degen Napoleons wie das Kruzifix und das Vollblut der Bourbonen siegreich überwand. „Verfehlt“ ist die Revolution nur für *die* Masse, die in der *politischen* „Idee“ nicht die Idee ihres wirklichen „*Interesses*“ besaß, deren wahres Lebensprinzip also mit dem Lebensprinzip der Revolution nicht zusammenfiel, deren reale Bedingungen der Emanzipation wesentlich verschieden sind von den Bedingungen, innerhalb deren die Bourgeoisie sich und die Gesellschaft emanzipieren konnte. Ist also die Revolution, die alle großen geschichtlichen „Aktionen“ repräsentieren kann, verfehlt, so ist sie verfehlt, weil die Masse, innerhalb deren Lebensbedingungen sie wesentlich stehenblieb, eine *exklusive*, nicht die Gesamtheit umfassende, eine *beschränkte* Masse war. Nicht weil die Masse sich für die Revolution „*enthusiasmierte*“ und „*interessierte*“, sondern weil der zahlreichste, der von der Bourgeoisie unterschiedne Teil der Masse in dem Prinzip der Revolution nicht sein *wirkliches* Interesse, nicht *sein eigentümliches* revolutionäres Prinzip, sondern *nur* eine „*Idee*“, also nur einen Gegenstand des momentanen *Enthusiasmus* und einer nur scheinbaren *Erhebung* besaß.

Mit der Gründlichkeit der geschichtlichen Aktion wird also der Umfang der Masse zunehmen, deren Aktion sie ist. In der kritischen Geschichte, nach welcher es sich bei geschichtlichen Aktionen nicht um die agierenden Massen, nicht um die empirische Handlung noch um das empirische *Interesse* dieser Handlung, sondern „*in ihnen*“ vielmehr nur „*um eine Idee handelt*“, muß sich die Sache allerdings anders zutragen.

„*In der Masse*“, belehrt sie uns, „*nicht anderwärts*, wie ihre früheren liberalen Wortführer meinen, *ist der wahre Feind des Geistes zu suchen.*“

Die Feinde des Fortschritts *außer* der Masse sind eben die verselbständigten, mit *eignem* Leben begabten *Produkte* der *Selbsterniedrigung*, der *Selbstverwerfung*, der *Selbstentäußerung* der *Masse*. Die Masse richtet sich daher gegen ihren *eignen* Mangel, indem sie sich gegen die selbständig existierenden *Produkte* ihrer *Selbsterniedrigung* richtet, wie der Mensch, indem er sich gegen das Dasein Gottes kehrt, sich gegen seine *eigne Religiosität* kehrt. Weil aber jene *praktischen* Selbstentäußerungen der Masse in der wirklichen Welt auf eine äußerliche Weise existieren, so muß sie dieselben zugleich auf eine *äußerliche* Weise bekämpfen. Sie darf diese Produkte ihrer Selbstentäußerung keineswegs für nur *ideale* Phantasmagorien, für bloße *Entäußerungen des Selbstbewußtseins* halten und die *materielle* Entfremdung durch eine rein *innerliche spiritualistische* Aktion vernichten wollen. Schon die Zeitschrift Loustalots vom Jahre 1789 führt das Motto[29]:

Les grands ne nous paraissent grands
Que parce que nous sommes à genoux
– – – Levons nous! – –[1]

Aber um sich zu heben, genügt es nicht, sich in *Gedanken* zu heben und über dem *wirklichen, sinnlichen* Kopf das *wirkliche, sinnliche* Joch, das nicht mit Ideen wegzuspintisieren ist, schweben zu lassen. Die *absolute Kritik* jedoch hat von der Hegelschen *Phänomenologie* wenigstens *die* Kunst erlernt, *reale, objektive, außer mir* existierende Ketten in *bloß ideelle,* bloß *subjektive,* bloß *in mir* existierende Ketten und daher alle *äußerlichen,* sinnlichen Kämpfe in reine Gedankenkämpfe zu verwandeln.

Diese kritische Verwandlung begründet die *prästabilierte Harmonie* der *kritischen Kritik* und der *Zensur.* Von kritischem Gesichtspunkte aus ist der Kampf des Schriftstellers mit dem Zensor kein Kampf „Mann gegen Mann". Der Zensor ist vielmehr nichts als *mein eigner,* von der vorsorglichen Polizei mir *personifizierte Takt,* mein eigner Takt, der mit meiner Taktlosigkeit und Kritiklosigkeit im Kampf ist. Der Kampf des Schriftstellers mit dem Zensor ist nur scheinbar, nur für die schlechte Sinnlichkeit etwas anderes als der *innerliche* Kampf des Schriftstellers *mit sich selbst.* Der Zensor, *insofern* er ein von mir *wirklich individuell unterschiedener,* mein Geistesprodukt nach äußerlichem, der Sache fremdem Maßstab mißhandelnder *Polizeischerge* ist, ist eine bloß *massenhafte* Einbildung, ein *unkritisches Hirngespinst.* Wenn Feuerbachs „Thesen zur Reform der Philosophie"[30] von der Zensur exiliert wurden, so lag die Schuld nicht an der offiziellen Barbarei der Zensur, sondern an der Unkultur der Feuerbachschen Thesen. Die von aller Masse und Materie ungetrübte, die *„reine"* Kritik besitzt auch im Zensor eine reine, „ätherische", von aller massenhaften Wirklichkeit losgetrennte Gestalt.

Die absolute Kritik hat die *„Masse"* für *den wahren Feind* des *Geistes* erklärt. Sie führt dies näher dahin aus:

„Der Geist weiß jetzt, wo er *seinen* einzigen *Widersacher* zu *suchen* hat, in den Selbsttäuschungen und in der Kernlosigkeit der Masse."

Die absolute Kritik geht von dem *Dogma* der absoluten Berechtigung *des „Geistes"* aus. Sie geht ferner von dem *Dogma* der *außerweltlichen,* d. h. außer

[1] Die Großen erscheinen uns nur groß, weil wir auf den Knien liegen. Erheben wir uns!

der Masse der Menschheit hausenden Existenz des Geistes aus. Sie verwandelt endlich einerseits „*den* Geist“, „*den* Fortschritt“, andrerseits „*die* Masse“ in *fixe* Wesen, in Begriffe, und bezieht sie dann als solche gegebne feste Extreme aufeinander. Es fällt der absoluten Kritik nicht ein, *den* „*Geist*“ selbst zu untersuchen, zu untersuchen, ob nicht in seiner eigenen spiritualistischen Natur, in seinen windigen Prätentionen, „die Phrase“, „die Selbsttäuschung“, „die Kernlosigkeit“ begründet sind. Er ist vielmehr *absolut*, aber zugleich schlägt er leider beständig in *Geistlosigkeit* um: seine Rechnungen sind beständig ohne den Wirt gemacht. Er muß also notwendigerweise *einen Widersacher* haben, der gegen ihn intrigiert. Die Masse ist dieser *Widersacher*.

Ebenso verhält es sich mit dem „*Fortschritt*“. Trotz der Prätentionen „*des Fortschrittes*“ zeigen sich beständige *Rückschritte* und *Kreisbewegungen*. Die absolute Kritik, weit entfernt zu vermuten, daß die Kategorie „*des Fortschrittes*“ völlig gehaltlos und abstrakt ist, ist vielmehr so sinnreich, „*den Fortschritt*“ als absolut anzuerkennen, um, zur Erklärung des Rückschritts, einen „*persönlichen Widersacher*“ des Fortschritts, *die Masse*, zu unterstellen. Weil „*die Masse*“ nichts ist als der „*Gegensatz des Geistes*“, *des* Fortschritts *der* „Kritik“, so kann sie auch nur durch diesen imaginären Gegensatz bestimmt werden, und absehend von diesem Gegensatz weiß die Kritik über den *Sinn* und das Dasein der Masse nur das *Sinnlose*, weil völlig Unbestimmte, zu sagen:

„Die Masse in *jenem Sinn*, in welchem das ‚*Wort*‘ *auch* die *sogenannte* gebildete Welt umfaßt.“

Ein „auch“, ein „sogenannt“ reicht zu einer kritischen Definition aus. *Die* Masse ist also unterschieden von den *wirklichen* Massen und existiert als *die* „*Masse*“ nur für *die* „*Kritik*“.

Alle kommunistischen und sozialistischen Schriftsteller gingen von der Beobachtung aus, einerseits, daß selbst die günstigsten Glanztaten ohne glänzende Resultate zu bleiben und in Trivialitäten auszulaufen scheinen, andrerseits, daß *alle Fortschritte des Geistes* bisher *Fortschritte gegen* die *Masse der Menschheit* waren, die in eine immer *entmenschtere* Situation hineingetrieben wurde. Sie erklärten daher (siehe *Fourier*) „den *Fortschritt*“ für eine ungenügende, abstrakte *Phrase*, sie vermuteten (siehe unter andern *Owen*) ein Grundgebrechen der zivilisierten Welt; sie unterwarfen daher die *wirklichen* Grundlagen der jetzigen Gesellschaft einer einschneidenden *Kritik*. Dieser kommunistischen Kritik entsprach praktisch sogleich die Bewegung der *großen Masse*, im Gegensatz zu welcher die bisherige geschichtliche

Entwickelung stattgefunden hatte. Man muß das Studium, die Wißbegierde, die sittliche Energie, den rastlosen Entwicklungstrieb der französischen und englischen Ouvriers kennengelernt haben, um sich von dem *menschlichen* Adel dieser Bewegung eine Vorstellung machen zu können.

Wie unendlich *geistreich* ist nun die „absolute Kritik", welche angesichts dieser intellektuellen und praktischen Tatsachen nur die *eine* Seite des Verhältnisses, den beständigen Schiffbruch des Geistes, einseitig auffaßt und in ihrem Verdruß hierüber noch einen *Widersacher des* „Geistes" sucht, den sie in *der* „Masse" findet! Schließlich läuft diese große kritische *Entdeckung* auf eine *Tautologie* hinaus. *Der* Geist hatte nach ihrer Ansicht bisher eine Schranke, ein Hindernis, d. h. einen *Widersacher*, *weil* er einen *Widersacher* hatte. Wer ist nun der Widersacher des *Geistes*? *Die Geistlosigkeit*. Die Masse ist nämlich nur als „Gegensatz" des Geistes bestimmt, als *Geistlosigkeit* und als die näheren Bestimmungen der Geistlosigkeit, als „Indolenz", „Oberflächlichkeit", „Selbstzufriedenheit". Welche gründliche Überlegenheit über die kommunistischen Schriftsteller, Geistlosigkeit, Indolenz, Oberflächlichkeit, Selbstzufriedenheit nicht in ihre Zeugungsstätten verfolgt, sondern *moralisch* abgekanzelt und als Gegensatz des Geistes, des Fortschrittes, *entdeckt* zu haben! Wenn diese Eigenschaften für Eigenschaften *der* Masse, als eines noch von ihnen unterschiedenen *Subjekts*, erklärt werden, so ist diese Unterscheidung nichts als eine „kritische" *Schein*unterscheidung. Nur zum *Schein* besitzt die absolute Kritik außer den abstrakten Eigenschaften der Geistlosigkeit, Indolenz etc. noch ein *bestimmtes* konkretes Subjekt, denn „*die Masse*" ist in der kritischen Auffassung *nichts* anderes als jene abstrakten Eigenschaften, ein anderes *Wort* für dieselben, eine *phantastische Personifikation* derselben.

Das Verhältnis von „Geist und Masse" hat indes noch einen *versteckten* Sinn, der sich im Lauf der Entwickelungen vollständig enthüllen wird. Wir deuten ihn hier nur an. Jenes von Herrn Bruno *entdeckte* Verhältnis ist nämlich nichts anderes als die *kritisch karikierte Vollendung* der *Hegelschen Geschichtsauffassung*, welche wieder nichts anderes ist als der *spekulative* Ausdruck des *christlich-germanischen* Dogmas vom Gegensatze des *Geistes* und der *Materie*, *Gottes* und der *Welt*. Dieser Gegensatz drückt sich nämlich innerhalb der Geschichte, innerhalb der Menschenwelt selbst so aus, daß wenige auserwählte *Individuen* als *aktiver* Geist der übrigen Menschheit als der *geistlosen Masse*, als der *Materie* gegenüberstehen.

Hegels Geschichtsauffassung setzt einen *abstrakten* oder *absoluten Geist* voraus, der sich so entwickelt, daß die Menschheit nur eine *Masse* ist, die ihn unbewußter oder bewußter trägt. Innerhalb der *empirischen*, exoterischen

Geschichte läßt er daher eine *spekulative*, esoterische Geschichte **vorgehn**. Die Geschichte der Menschheit verwandelt sich in die Geschichte des *abstrakten*, daher dem wirklichen Menschen *jenseitigen Geistes* der Menschheit.

Parallel mit dieser Hegelschen Doktrin entwickelte sich in Frankreich die Lehre der *Doktrinäre*[31], welche die *Souveränität der Vernunft* im Gegensatz zur *Souveränität des Volkes* proklamierten, um die Massen auszuschließen und *allein* zu herrschen. Es ist dies konsequent. Wenn die Tätigkeit der *wirklichen* Menschheit nichts als die Tätigkeit einer *Masse* von menschlichen Individuen ist, so muß dagegen die *abstrakte Allgemeinheit*, *die* Vernunft, *der* Geist im Gegenteil einen abstrakten, in wenigen Individuen erschöpften Ausdruck besitzen. Es hängt dann von der Position und der Einbildungskraft eines jeden Individuums ab, ob es sich für diesen Repräsentanten „*des* Geistes" ausgeben will.

Schon bei *Hegel* hat der *absolute Geist* der Geschichte an der *Masse* sein Material und seinen entsprechenden Ausdruck erst in der *Philosophie*. *Der* Philosoph erscheint indessen nur als das Organ, in dem sich der absolute Geist, der die Geschichte macht, nach Ablauf der Bewegung *nachträglich* zum Bewußtsein kömmt. Auf dieses nachträgliche Bewußtsein des Philosophen reduziert sich sein Anteil an der Geschichte, denn die wirkliche Bewegung vollbringt der absolute Geist *unbewußt*. Der Philosoph kommt also post festum[1].

Hegel macht sich einer doppelten Halbheit schuldig, einmal indem er die Philosophie für das Dasein des absoluten Geistes erklärt und sich zugleich dagegen verwehrt, das *wirkliche philosophische Individuum* für den *absoluten* Geist zu erklären; dann aber, indem er den absoluten Geist als absoluten Geist nur zum *Schein* die Geschichte machen läßt. Da der absolute Geist nämlich erst *post festum* im Philosophen als schöpferischer Weltgeist zum *Bewußtsein* kommt, so existiert seine Fabrikation der Geschichte nur im Bewußtsein, in der Meinung und Vorstellung des Philosophen, nur in der spekulativen Einbildung. Herr Bruno hebt Hegels Halbheit auf.

Einmal erklärt er *die* Kritik für den absoluten Geist und *sich selbst* für *die* Kritik. Wie das Element der Kritik aus der Masse verbannt ist, so ist das Element der Masse aus der Kritik verbannt. *Die* Kritik weiß sich daher nicht in einer *Masse*, sondern in einem geringen *Häuflein* auserwählter Männer, in Herrn *Bauer* und seinen Jüngern, ausschließlich inkarniert.

Herr Bruno hebt ferner die andere Halbheit Hegels auf, indem er nicht mehr wie der Hegelsche Geist post festum in der Phantasie die Geschichte

---

[1] hinterher

macht, sondern mit *Bewußtsein* im Gegensatz zu der Masse der übrigen Menschheit die Rolle des *Weltgeistes* spielt, in ein gegenwärtiges *dramatisches* Verhältnis zu ihr tritt und die Geschichte mit Absicht und nach reiflicher Überlegung erfindet und vollzieht.

Auf der einen Seite steht die Masse als das passive, geistlose, geschichtslose, *materielle* Element der Geschichte; auf der andern Seite steht: *der* Geist, *die* Kritik, Herr Bruno & Comp. als das aktive Element, von welchem alle *geschichtliche* Handlung ausgeht. Der Umgestaltungsakt der Gesellschaft reduziert sich auf die *Hirntätigkeit* der kritischen Kritik.

Ja, das Verhältnis der Kritik, also auch der inkarnierten Kritik, Herrn Brunos & Comp., zur Masse ist in Wahrheit das *einzige* geschichtliche Verhältnis der Gegenwart. Auf die Bewegung dieser beiden Seiten gegeneinander reduziert sich die ganze jetzige Geschichte. Alle Gegensätze haben sich in diesem *kritischen* Gegensatz aufgelöst.

Die kritische Kritik, welche sich nur an ihrem Gegensatz, der Masse, der *Dummheit, gegenständlich* wird, muß sich daher beständig diesen Gegensatz *erzeugen*, und die Herren Faucher, Edgar und Szeliga haben hinreichende Proben geliefert von [der] Virtuosität, welche sie in ihrem Fache, in der *massenhaften Verdummung* der Personen und Sachen, besitzt.

Begleiten wir nun die absolute Kritik in ihren *Feldzügen* gegen die *Masse*.

b) Die Judenfrage Nr. I. Die Stellung der Fragen

Der „Geist" im Gegensatz zur Masse benimmt sich sogleich *kritisch*, indem er sein eignes borniertes Werk, Bruno Bauers *„Judenfrage"*, als absolut und nur die Gegner desselben als Sünder betrachtet. In der Replike Nr. I [32] auf die Angriffe wider diese Schrift verrät er keine Ahnung über ihre Mängel, er behauptet vielmehr noch, die „wahre", *„allgemeine"* (!) Bedeutung der Judenfrage entwickelt zu haben. In späteren Repliken werden wir ihn gezwungen sehen, seine *„Versehen"* einzugestehen.

„Die Aufnahme, die meine Arbeit gefunden hat, ist der *Anfang* des Beweises, daß grade diejenigen, die bis jetzt für Freiheit gesprochen haben und noch jetzt dafür reden, gegen den Geist am meisten sich auflehnen müssen, und die Verteidigung, die ich ihr jetzt widmen werde, wird den weiteren Beweis liefern, wie gedankenlos die *Wortführer der Masse* sind, die sich wunder wie groß damit wissen, daß sie für die Emanzipation und für das Dogma von den ‚*Menschenrechten*' aufgetreten sind."

Die „Masse" muß notwendig bei Gelegenheit einer Schrift der absoluten Kritik *angefangen* haben, ihren Gegensatz gegen den Geist zu beweisen, da ihre *Existenz* sogar durch den Gegensatz zur absoluten Kritik *bedingt und bewiesen* ist.

Die Polemik einiger liberalen und rationalistischen Juden gegen Herrn Brunos „Judenfrage" hat natürlich einen ganz andern kritischen Sinn als die massenhafte Polemik der Liberalen gegen die Philosophie und der Rationalisten gegen Strauß. Von welcher Originalität übrigens die oben zitierte Wendung ist, mag man aus folgender Stelle *Hegels* entnehmen:

„Die besondere Form des übeln Gewissens, welche sich in der Art der Beredsamkeit, zu der sich jene" (die liberale) „Seichtigkeit aufspreizt, kundtut, kann hierbei bemerklich gemacht werden, und zwar zunächst, daß sie da, wo sie am *geistlosesten* redet, am meisten vom *Geiste* spricht, wo sie am totesten und ledernsten ist, das Wort *Leben*" etc. „im Munde führt."

Was die *„Menschenrechte"* betrifft, so ist Herrn Bruno bewiesen worden („Zur Judenfrage" [33], „Deutsch-Französische Jahrbücher"), daß nicht die *Wortführer der Masse*, sondern vielmehr *„er selbst"* ihr Wesen verkannt und dogmatisch mißhandelt hat. Gegen seine Entdeckung, daß die Menschenrechte nicht *„angeboren"* sind, eine Entdeckung, die in England seit mehr als 40 Jahren unendlichemal entdeckt worden ist, ist Fouriers Behauptung, daß Fischen, Jagen etc. angeborene Menschenrechte seien, genial zu nennen.

Wir geben nur einige Beispiele von dem Kampf Herrn Brunos mit *Philippson, Hirsch* etc. Selbst diese tristen Gegner werden der absoluten Kritik nicht unterliegen. Herr *Philippson* sagt keinesweges, wie die absolute Kritik behauptet, eine Ungereimtheit, wenn er ihr vorwirft:

„Bauer denke sich einen Staat von eigner Art ... ein *philosophisches Ideal* von einem *Staat*."

Herr Bruno, der den Staat mit der Menschheit, die Menschenrechte mit dem Menschen, die politische Emanzipation mit der menschlichen verwechselte, mußte sich notwendigerweise einen Staat von eigner Art, ein philosophisches Ideal von einem Staate, wenn auch nicht denken, so doch einbilden.

„Hätte der Deklamator" (Herr Hirsch) „lieber, statt seinen anstrengenden Satz niederzuschreiben, meinen Beweis widerlegt, *daß der christliche Staat*, weil sein Lebensprinzip eine bestimmte Religion ist, den Anhängern einer andern bestimmten Religion ... keine vollkommene Gleichartigkeit mit seinen Ständen zuzugestehen vermag."

Hätte der Deklamator *Hirsch* wirklich den Beweis des Herrn Bruno widerlegt und, wie es in den „Deutsch-Französischen Jahrbüchern" geschehen ist, gezeigt, daß der Staat der Stände und des exklusiven Christentums nicht nur der unvollendete Staat, sondern der unvollendete *christliche* Staat sei, so hätte Herr Bruno geantwortet, wie er jener Widerlegung antwortet:

„Vorwürfe sind in dieser Angelegenheit bedeutungslos."

Gegen Herrn Brunos Satz:

„Die Juden haben durch den Druck gegen die Springfedern der Geschichte den Gegendruck hervorgerufen",

erinnert Herr Hirsch ganz richtig:

„So müßten sie also für die Bildung der Geschichte etwas gewesen sein, und wenn B[auer] dies selbst behaupte, so hätte er andrerseits unrecht zu behaupten, daß sie nichts für die Bildung der neueren Zeit beigetragen hätten."

Herr Bruno antwortet:

„Ein Dorn im Auge ist auch etwas – trägt er deshalb zur Entwickelung meines Gesichtssinnes bei?"

Ein Dorn, der mir – wie das Judentum der christlichen Welt – von der Stunde der Geburt im Auge sitzt, sitzen bleibt, mit ihm wächst und sich gestaltet, ist kein gewöhnlicher, sondern ein wunderbarer, ein zu meinem Auge gehöriger Dorn, der sogar zu einer höchst originellen Entwickelung meines Gesichtssinnes beitragen müßte. Der kritische *„Dorn"* spießt also nicht den deklamierenden *„Hirsch"*. Übrigens ist Herrn Bruno in der oben zitierten Kritik die Bedeutung des Judentums für „die *Bildung* der neueren Zeit" enthüllt worden.

Das theologische Gemüt der absoluten Kritik fühlt sich von dem Ausspruche eines *rheinischen Landtagsabgeordneten*, „daß die Juden nach ihrer jüdischen und nicht nach unserer sogenannten christlichen Weise *verschroben* sind", dermaßen verletzt, daß sie ihn noch nachträglich „für den Gebrauch dieses Arguments zur *Ordnung* verweist".

Auf die Behauptung eines andern Abgeordneten: *„Bürgerliche* Gleichstellung der Juden kann nur da statthaben, wo das Judentum selbst nicht mehr existiert", bemerkt Herr Bruno:

„Richtig! dann nämlich richtig, wenn die andere Wendung der Kritik nicht fehlt, die ich in meiner Schrift durchgeführt habe",

nämlich die Wendung, daß auch das Christentum aufgehört haben müsse zu existieren.

Man sieht, daß die absolute Kritik in Nr. I ihrer Replike auf die Angriffe gegen die Judenfrage noch immer die Aufhebung der Religion, den

Atheismus, als Bedingung der *bürgerlichen* Gleichheit betrachtet, also in ihrem ersten Stadium *noch* keine weitere Einsicht in das Wesen des Staates wie in das „*Versehen*" ihres „*Werkes*" erworben hat.

Die absolute Kritik fühlt sich verstimmt, wenn eine von ihr *vorgehabte* wissenschaftliche „neueste" Entdeckung als eine schon allgemein verbreitete Einsicht verraten wird. Ein rheinischer Abgeordneter bemerkt,

„daß Frankreich und Belgien bei der Organisation ihrer politischen Verhältnisse gerade durch besondere Klarheit im Erkennen der Prinzipien ausgezeichnet wären, ist noch von niemandem behauptet worden".

Die absolute Kritik konnte erwidern, daß diese Behauptung die Gegenwart in die Vergangenheit versetze, indem sie die heute trivial gewordene Ansicht von der Unzulänglichkeit der französischen politischen Prinzipien für die traditionelle Ansicht ausgebe. Die absolute Kritik fände bei dieser sachgemäßen Erwiderung nicht ihre Rechnung. Sie muß vielmehr die verjährte Ansicht als die gegenwärtig herrschende Ansicht und die gegenwärtig herrschende Ansicht als ein kritisches Geheimnis behaupten, das noch durch *ihre* Studien der Masse zu offenbaren bleibe. Sie muß daher sagen.

„Es" (das antiquierte Vorurteil) „ist *von sehr vielen*" (der Masse) „behauptet worden: *aber* eine *gründliche Erforschung* der Geschichte *wird* den Beweis führen, daß *auch* nach den großen Arbeiten Frankreichs für die Erkenntnis der Prinzipien *noch viel zu leisten* ist."

Also die gründliche Geschichtsforschung wird nicht selbst die Erkenntnis der Prinzipien „*leisten*". Sie wird in ihrer Gründlichkeit nur *beweisen*, daß „*noch viel zu leisten ist*". Eine große, namentlich nach den sozialistischen Arbeiten große Leistung! Für die Erkenntnis des jetzigen gesellschaftlichen Zustandes leistet Herr Bruno indes *schon viel* mit der Bemerkung:

„Die gegenwärtig herrschende *Bestimmtheit* ist die *Unbestimmtheit*."

Wenn Hegel sagt, die herrschende *chinesische* Bestimmtheit sei das „Sein", die herrschende *indische* Bestimmtheit sei das „Nichts" etc., so schließt sich die absolute Kritik in „reiner" Weise an, wenn sie den Charakter der jetzigen Zeit in die logische Kategorie der „*Unbestimmtheit*" auflöst, um so reiner, als auch die „Unbestimmtheit", gleich dem „Sein" und dem „Nichts", in das erste Kapitel der spekulativen Logik, in das Kapitel von der „*Qualität*" gehört.

Wir können uns nicht ohne eine allgemeine Bemerkung von Nr. I der „*Judenfrage*" trennen.

Ein Hauptgeschäft der absoluten Kritik besteht darin, alle Zeitfragen erst in ihre *richtige Stellung* zu bringen. Sie beantwortet nämlich nicht die *wirklichen* Fragen, sondern schiebt *ganz andere* Fragen unter. Wie sie alles macht, muß sie auch die „Zeitfragen" erst *machen*, sie zu *ihren*, zu kritischkritischen Fragen machen. Handelte es sich um den „Code Napoléon"[1], sie würde beweisen, daß es sich *eigentlich* um den „*Pentateuch*"[2] handle. Ihre *Stellung* der „Zeitfragen" ist die kritische *Entstellung* und *Verstellung* derselben. So verdrehte sie auch die „Judenfrage" dergestalt, daß sie die *politische Emanzipation*, um welche es sich in jener Frage handelt, nicht zu untersuchen brauchte, sondern vielmehr mit einer Kritik der jüdischen Religion und einer Schilderung des christlich-germanischen Staats sich begnügen konnte.

Auch diese Methode ist, wie jede Originalität der absoluten Kritik, die Wiederholung eines *spekulativen* Witzes. Die *spekulative* Philosophie, namentlich die *Hegelsche* Philosophie, mußte alle Fragen aus der Form des gesunden Menschenverstandes in die Form der spekulativen Vernunft übersetzen und die wirkliche Frage in eine *spekulative* Frage verwandeln, um sie beantworten zu können. Nachdem die Spekulation mir *meine* Frage im Munde verdreht und mir, wie der Katechismus, *ihre* Frage in den Mund gelegt hatte, konnte sie natürlich, wie der Katechismus, auf jede meiner Fragen ihre Antwort bereit haben.

c) Hinrichs Nr. I. Geheimnisvolle Andeutungen über Politik, Sozialismus und Philosophie

„*Politisch!*" Über das Dasein dieses Wortes in den Vorlesungen des Prof. *Hinrichs* entsetzt sich die absolute Kritik förmlich.[34]

> „Wer der Entwicklung der neueren Zeit gefolgt ist und die Geschichte kennt, wird es *auch* wissen, daß die politischen Regungen, die in der Gegenwart vorgehen, eine *ganz andere* (!) Bedeutung haben als eine *politische* – sie haben im Grunde" (im Grunde! nun die gründliche Weisheit) „eine *gesellschaftliche* (!), die bekanntlich (!) von der Art (!) ist, daß *alle* politischen Interessen vor ihr als *bedeutungslos* (!) erscheinen."

Wenige Monate vor dem Erscheinen der kritischen „Literatur-Zeitung" erschien *bekanntlich* (!) die phantastische politische Schrift Herrn Brunos „*Staat, Religion und Parthei*"!

[1] Französisches bürgerliches Gesetzbuch von 1804, auf Veranlassung Napoleons I. geschaffen – [2] die „*fünf Bücher*" Mosis

Wenn die *politischen* Regungen eine *gesellschaftliche Bedeutung haben*, wie können die politischen Interessen vor ihrer eignen gesellschaftlichen Bedeutung als „*bedeutungslos*" erscheinen?

„Herr Hinrichs weiß weder bei sich zu Hause noch sonstwo anders in der Welt Bescheid. – Er konnte nirgends zu Hause sein, *weil* – *weil* die Kritik, die in den letzten vier Jahren ihr *keineswegs ‚politisches'*, sondern – *gesellschaftliches* (!) Werk begonnen und betrieben hat, ihm *völlig* (!) unbekannt geblieben ist."

Die Kritik, die nach der Meinung der Masse ein „keineswegs *politisches*", sondern „*allerwege theologisches*" Werk betrieb, begnügt sich selbst jetzt noch, wo sie nicht nur seit vier Jahren, sondern seit ihrer literarischen Geburt zum ersten Male das Wort „*gesellschaftlich*" ausspricht, mit diesem *Worte*!

Seitdem die sozialistischen Schriften die Einsicht in Deutschland verbreitet haben, daß *alle* menschlichen Bestrebungen und Werke, alle ohne Ausnahme, eine *gesellschaftliche* Bedeutung haben, kann Herr Bruno seine theologischen Werke ebenfalls *gesellschaftliche* Werke nennen. Aber welch *kritisches* Verlangen, daß Prof. Hinrichs aus der *Kenntnisnahme* der *Bauerschen* Schriften den Sozialismus schöpfen sollte, da alle bis zur Publikation der Hinrichsschen Vorlesungen erschienenen Werke B[runo] Bauers, wo sie praktische Konsequenzen ziehen, *politische* Konsequenzen ziehen! Prof. Hinrichs konnte, unkritisch zu sprechen, die erschienenen Werke des Herrn Bruno durch seine noch nicht erschienenen Werke unmöglich ergänzen. Kritisch betrachtet, ist die Masse allerdings verpflichtet, wie „die politischen", so alle massenhaften „Regungen" der absoluten Kritik im Sinne der Zukunft und des absoluten Fortschritts zu deuten! Damit Herr Hinrichs aber nach seiner Kenntnisnahme von der „Literatur-Zeitung" nie mehr das Wort „*gesellschaftlich*" vergesse und nie mehr den „*gesellschaftlichen*" Charakter *der* Kritik verkenne, *verpönt* sie angesichts der Welt das *Wort* „*politisch*" zum drittenmal und wiederholt feierlich zum drittenmal das Wort „*gesellschaftlich*".

„Von *politischer* Bedeutung ist *keine Rede* mehr, wenn auf die *wahre* Tendenz der neueren Geschichte gesehen wird: *aber* – aber *gesellschaftliche* Bedeutung" etc.

Wie der Prof. Hinrichs das Sühnopfer für die früheren „politischen" Regungen, so ist er das Sühnopfer für die bis zur Erscheinung der „Literatur-Zeitung" absichtlich und in derselben unabsichtlich fortlaufenden „*Hegelschen*" Regungen und Redensarten der absoluten Kritik.

Einmal wird „*echter Hegelianer*" und zweimal wird der „*Hegelsche Philosoph*" als Stichwort gegen Hinrichs geschleudert. Ja Herr Bruno „*hofft*", daß die „banalen Redensarten, die nun einen so ermüdenden Kreislauf durch alle Bücher der *Hegelschen* Schule" (namentlich durch seine eignen Bücher) „gemacht haben", *bei der* großen „*Ermattung*", in der wir sie in den Vorlesungen des Prof. Hinrichs antreffen, auf ihrer weitern Reise bald ein Ziel finden werden. Herr Bruno hofft von der *Ermattung* des *Prof. Hinrichs* die Auflösung der *Hegel*schen *Philosophie* und *seine eigene Erlösung* von ihr.

In ihrem *ersten Feldzug* stürzt also die absolute Kritik die eigenen lang angebeteten Götter „*Politik*" und „*Philosophie*", indem sie dieselben für Götzen des Prof. Hinrichs erklärt.

Glorreicher erster Feldzug!

2. Zweiter Feldzug der absoluten Kritik

a) Hinrichs Nr. II. Die „Kritik" und „Feuerbach". Verdammung der Philosophie

Nach dem Ergebnis des ersten Feldzugs kann die *absolute Kritik* die „*Philosophie*" als abgemacht betrachten und gradezu als einen Bundesgenossen der „*Masse*" bezeichnen.

„Die *Philosophen* waren dazu prädestiniert, den Herzenswunsch der ‚*Masse*' zu erfüllen." „Die Masse *will*" nämlich „einfache Begriffe, um mit der Sache nichts zu tun zu haben, Schibboleths, um mit allem von vornherein fertig zu sein, Redensarten, um mit ihnen *die* Kritik zu vernichten."

Und die „Philosophie" erfüllt dieses Gelüste der „Masse"!

Taumelnd von ihren Siegertaten bricht die absolute Kritik in eine *pythische* Raserei gegen die Philosophie aus. Der verborgene Feuerkessel, dessen Dämpfe das siegestrunkene Haupt der absoluten Kritik zur Raserei begeistern, ist *Feuerbachs* „*Philosophie der Zukunft*". Im Monat März hatte sie Feuerbachs Schrift gelesen. Die Frucht dieser Lektüre, zugleich das Kriterium des Ernstes, womit sie betrieben wurde, ist der Artikel Nr. II gegen den Prof. Hinrichs.

Die absolute Kritik, die nie aus dem Käfig der Hegelschen Anschauungsweise herausgekommen ist, tobt hier gegen die Eisenstange und Wände des Gefängnisses. Der „einfache Begriff", die Terminologie, die ganze Denkweise der Philosophie, ja alle Philosophie wird mit Abscheu zurückgestoßen. An ihre Stelle treten plötzlich „*der wirkliche Reichtum der menschlichen Verhältnisse*", der „*ungeheure Inhalt der Geschichte*", „*die Bedeutung des Menschen*" etc. „*Das Geheimnis des Systems*" wird für „*aufgedeckt*" erklärt.

Aber wer hat denn das Geheimnis des „Systems" aufgedeckt? *Feuerbach.* Wer hat die Dialektik der Begriffe, den Götterkrieg, den die Philosophen allein kannten, vernichtet? *Feuerbach.* Wer hat, zwar nicht *„die Bedeutung des Menschen"* – als ob der Mensch noch eine andere Bedeutung habe, als die, daß er Mensch ist! – aber doch *„den Menschen"* an die Stelle des alten Plunders, auch des „unendlichen Selbstbewußtseins", gesetzt? *Feuerbach* und nur *Feuerbach.* Er hat noch mehr getan. Er hat dieselben Kategorien, womit *die* „Kritik" jetzt um sich wirft, den „wirklichen Reichtum der menschlichen Verhältnisse, den ungeheuren Inhalt der Geschichte, den Kampf der Geschichte, den Kampf der Masse mit dem Geist" etc. etc. längst vernichtet.

Nachdem der Mensch einmal als das Wesen, als die Basis aller menschlichen Tätigkeit und Zustände erkannt ist, kann nur noch *die* „Kritik" *neue Kategorien* erfinden und den *Menschen* selbst, wie sie es eben tut, wieder in eine Kategorie und in das Prinzip einer ganzen Kategorienreihe verwandeln, womit sie allerdings den letzten Rettungsweg einschlägt, der der geängsteten und verfolgten *theologischen* Unmenschlichkeit noch übrigblieb. *Die Geschichte* tut *nichts,* sie „besitzt *keinen* ungeheuren Reichtum", sie „kämpft *keine* Kämpfe"! Es ist vielmehr *der Mensch,* der wirkliche, lebendige Mensch, der das alles tut, besitzt und kämpft; es ist nicht etwa die „Geschichte", die den Menschen zum Mittel braucht, um *ihre* – als ob sie eine aparte Person wäre – Zwecke durchzuarbeiten, sondern sie ist *nichts* als die Tätigkeit des seine Zwecke verfolgenden Menschen. Wenn die *absolute* Kritik sich nach *Feuerbachs* genialen Entwickelungen noch untersteht, uns den ganzen alten Kram in neuer Gestalt wieder herzustellen, und zwar in demselben Augenblick, wo sie auf ihn als *„massenhaften"* Kram losschimpft, wozu sie um so weniger ein Recht hat, als sie zur Auflösung der Philosophie nie einen Finger rührte, so reicht diese einzige Tatsache hin, um das *„Geheimnis" der* Kritik zutage zu fördern, um die kritische Naivität zu würdigen, womit sie dem Prof. Hinrichs, dessen *Ermattung* ihr schon einmal einen so großen Dienst erwiesen, sagen kann:

> „Den *Schaden* tragen diejenigen, die keine Entwickelung durchgemacht haben, also *auch selbst wenn sie wollten* sich *nicht ändern können,* und wenn es hoch kommt, das *neue* Prinzip – doch nein! das Neue *kann nicht einmal zur Redensart* gemacht, es *können ihm nicht einzelne Wendungen entlehnt* werden."

Die absolute Kritik brüstet sich dem Prof. Hinrichs gegenüber mit der Auflösung *„des Geheimnisses der Fakultätswissenschaften"*. Hat sie etwa das „Geheimnis" der Philosophie, der Jurisprudenz, der Politik, der Medizin, der Nationalökonomie usw. aufgelöst? Keineswegs. Sie hat – man merke auf! – sie hat in der „Guten Sache der Freiheit" gezeigt, daß Brotstudium und freie Wissenschaft, Lehrfreiheit und Fakultäts-Statute sich widersprechen.

Wäre „die absolute Kritik" ehrlich, sie hätte gestanden, woher ihre angebliche Erleuchtung über das „Geheimnis der Philosophie" herstammt, obwohl es wieder gut ist, daß sie nicht, wie sie es andern Leuten getan hat, dem *Feuerbach* solchen Unsinn, wie die mißverstandenen und entstellten Sätze, die sie ihm abborgte, in den Mund legt. Bezeichnend ist es übrigens für den *theologischen* Standpunkt der „absoluten Kritik", daß, während jetzt die deutschen Philister den *Feuerbach* zu verstehen und seine Resultate sich anzueignen beginnen, sie dagegen außerstande ist, einen einzigen Satz aus ihm richtig aufzufassen und geschickt zu benutzen.

Den wahren Fortschritt über ihre Taten des ersten Feldzugs vollbringt die Kritik, wenn sie den Kampf „*der Masse*" mit dem „*Geist*" als „*das Ziel*" der ganzen bisherigen Geschichte „bestimmt", wenn sie „*die Masse*" für „das *reine Nichts*" der „Erbärmlichkeit" erklärt, wenn sie geradezu die Masse die „*Materie*" nennt und „*den Geist*" als das Wahre „der Materie" gegenüberstellt. Ist also die absolute Kritik nicht *echt christlich-germanisch*? Nachdem der alte Gegensatz des Spiritualismus und Materialismus nach allen Seiten hin ausgekämpft und von *Feuerbach* ein für allemal überwunden ist, macht „*die* Kritik" ihn wieder in der ekelhaftesten Form zum Grunddogma und läßt den „*christlich-germanischen Geist*" siegen.

Als eine Entwickelung ihres im ersten Feldzug noch versteckten Geheimnisses ist es endlich zu betrachten, wenn sie hier den Gegensatz von *Geist* und *Masse* mit dem Gegensatz „*der Kritik*" und der Masse identifiziert. Sie wird später dazu fortgehen, *sich selbst* mit „*der* Kritik" zu identifizieren und sich damit als „*den Geist*", als das Absolute und Unendliche, die Masse dagegen als endlich, roh, brutal, tot und unorganisch – denn das versteht „*die* Kritik" unter Materie – hinzustellen.

Welch ungeheurer Reichtum der Geschichte, der in dem Verhältnis der Menschheit zu *Herrn Bauer* sich erschöpft!

b) Die Judenfrage Nr. II. Kritische Entdeckungen über Sozialismus, Jurisprudenz und Politik (Nationalität)

Den massenhaften, materiellen Juden wird die *christliche* Lehre von der *geistigen Freiheit*, *von der Freiheit in der Theorie* gepredigt, jene *spiritualistische* Freiheit, die sich auch in den Ketten *einbildet*, frei zu sein, die seelenvergnügt ist in „*der Idee*" und von aller massenhaften Existenz nur geniert wird.

„So weit die Juden jetzt in der *Theorie* sind, so weit *sind* sie emanzipiert, so weit sie *frei sein wollen*, so weit *sind* sie *frei*.“ [35]

Aus diesem Satze kann man sogleich die kritische Kluft ermessen, welche den *massenhaften*, profanen Kommunismus und Sozialismus von dem *absoluten* Sozialismus scheidet. Der erste Satz des profanen Sozialismus verwirft die Emanzipation *in der bloßen Theorie* als eine Illusion und verlangt für die *wirkliche* Freiheit, außer dem idealistischen „*Willen*“, noch sehr handgreifliche, sehr materielle Bedingungen. Wie tief steht „*die* Masse“ unter der heiligen Kritik, die Masse, welche materielle, praktische Umwälzungen für nötig hält, selbst um die Zeit und die Mittel zu erobern, welche auch nur zur Beschäftigung mit „*der Theorie*“ erheischt werden!

Springen wir für einen Augenblick aus dem rein geistigen Sozialismus in die *Politik*!

Herr *Riesser* behauptet gegen B[runo] Bauer, *sein* Staat (sc. der *kritische* Staat) müsse „Juden“ und „Christen“ ausschließen. Herr Riesser befindet sich im Rechte. Da Herr Bauer die *politische* Emanzipation mit der *menschlichen* Emanzipation verwechselt, da der Staat gegen widerstrebende Elemente – Christentum und Judentum werden aber in der „Judenfrage“ als hochverräterische Elemente qualifiziert – nur durch gewaltsame Ausschließung der *Personen*, die sie vertreten, zu reagieren weiß, wie z. B. der Terrorismus die Akkaparation durch das Köpfen der Akkapareurs vernichten wollte, so mußte Herr Bauer Juden und Christen in seinem „kritischen Staat“ aufhängen lassen. Wenn er die politische Emanzipation mit der menschlichen verwechselte, so mußte er konsequenterweise auch die *politischen Mittel* der Emanzipation mit den *menschlichen Mitteln* derselben verwechseln. Sobald man aber der absoluten Kritik den *bestimmten* Sinn ihrer Deduktion ausspricht, erwidert sie ganz dasselbe, was *Schelling* einst allen Gegnern erwiderte, die an die Stelle seiner Phrasen *wirkliche* Gedanken setzten:

„Die Gegner *der* Kritik sind deshalb ihre Gegner, weil sie dieselbe nicht nur nach ihrem *dogmatischen* Maße nehmen, sondern selbst für *dogmatisch* halten, oder sie bekämpfen die Kritik, weil sie ihre dogmatischen Unterscheidungen, Definitionen und Ausflüchte nicht anerkennt.“

Man verhält sich allerdings dogmatisch zu der absoluten Kritik, wie zu Herrn *Schelling*, wenn man *bestimmten*, wirklichen Sinn, Gedanken, Ansicht bei ihr voraussetzt. Aus Akkommodation und um dem Herrn Riesser ihre Humanität zu beweisen, entschließt sich „*die* Kritik“ indessen zu dogmatischen Unterscheidungen, Definitionen und namentlich zu „*Ausflüchten*“.

So heißt es:

„Hätte ich in jener Arbeit" (der „Judenfrage") *„über* die Kritik hinausgehen *wollen* oder *dürfen*, so hätte ich nicht vom *Staat*, sondern von *‚der Gesellschaft'* *reden* (!) *müssen* (!), die niemanden ausschließt, sondern von der sich nur diejenigen ausschließen, die an ihrer Entwickelung nicht teilnehmen wollen."

Die absolute Kritik macht hier eine *dogmatische Unterscheidung* zwischen dem, was sie hätte tun müssen, wenn sie nicht das Gegenteil getan hätte, und dem, was sie wirklich getan hat. Sie erklärt die Borniertheit ihrer „Judenfrage" durch die *„dogmatischen Ausflüchte"* eines *Wollens* und *Dürfens*, die ihr *„über die Kritik"* hinauszugehn verboten. Wie? *„Die* Kritik" soll *über* die *„Kritik"* hinausgehen? Dieser ganz *massenhafte* Einfall entsteht der absoluten Kritik durch die dogmatische Notwendigkeit, einerseits ihre Fassung der Judenfrage als absolut, als *„die* Kritik" behaupten, andrerseits die Möglichkeit einer weitergreifenden Fassung zugestehen zu müssen.

Das *Geheimnis* ihres *„Nichtwollens"* und *„Nichtdürfens"* wird sich später als das kritische *Dogma* enthüllen, wonach alle scheinbaren Beschränktheiten „der Kritik" nichts anderes als notwendige, dem Fassungsvermögen der Masse angemessene *Akkommodationen* sind.

Sie *wollte* nicht! sie *durfte* nicht über ihre bornierte Fassung der Judenfrage hinausgehen! Wenn sie aber *gewollt* oder *gedurft* hätte, was hätte sie getan? – Sie hätte eine *dogmatische Definition* gegeben. Sie hätte statt von dem „Staate" von *„der Gesellschaft"* geredet, also nicht das *wirkliche* Verhältnis des Judentums zu der *heutigen bürgerlichen* Gesellschaft untersucht! Sie hätte *die „Gesellschaft"* im Unterschiede vom „Staat" *dogmatisch* dahin *definiert*, daß, wenn der *Staat* ausschließt, von der Gesellschaft hingegen sich *diejenigen ausschließen*, die nicht an ihrer Entwickelung teilnehmen wollen!

Die Gesellschaft verfährt ebenso exklusiv wie der Staat, nur in der höflicheren Form, daß sie dich nicht zur Tür hinauswirft, sondern dir es vielmehr in ihrer Gesellschaft so unbequem macht, daß du selbst zur Türe freiwillig hinausgehst.

Der Staat verfährt im Grunde genommen nicht anders, denn er schließt niemanden aus, der allen *seinen* Anforderungen und Geboten, der *seiner* Entwickelung genügt. In seiner *Vollendung* drückt er sogar die Augen zu und erklärt *wirkliche* Gegensätze für *unpolitische*, ihn nicht genierende Gegensätze. Überdem hat die absolute Kritik selbst entwickelt, daß der Staat die Juden ausschließt, weil und insofern die Juden den Staat ausschließen, also *sich selbst* vom Staat ausschließen. Wenn nun diese Wechselbeziehung in der *kritischen* „Gesellschaft" eine galantere, scheinheiligere, heimtückischere Form erhält, so beweist dies nur die größere Heuchelei und unentwickeltere Bildung *der „kritischen" „Gesellschaft"*.

Folgen wir der absoluten Kritik weiter in ihren „dogmatischen Unterscheidungen", „Definitionen" und namentlich in ihren *„Ausflüchten"*.

So verlangt Herr Riesser vom Kritiker, „*er* solle dasjenige, was dem Boden des Rechts angehört", von dem *„unterscheiden,* was jenseits seines Gebietes liegt".

Der Kritiker ist indigniert über die Impertinenz dieser *juristischen* Forderung.

„Bis jetzt", erwidert er, „haben *aber* Gemüt und Gewissen in das Recht eingegriffen, immer es ergänzt und wegen der Beschaffenheit, die in seiner *dogmatischen Form*" – also nicht in seinem dogmatischen *Wesen*? – „begründet ist, immer ergänzen müssen."

Der Kritiker vergißt nur, daß *das Recht* sich anderseits *selbst* sehr ausdrücklich von „Gemüt und Gewissen" *unterscheidet*, daß diese Unterscheidung in dem einseitigen *Wesen* des *Rechts* wie in seiner dogmatischen *Form* begründet ist und sogar zu den *Hauptdogmen* des Rechts gehört, daß endlich die praktische Ausführung dieser Unterscheidung ebensosehr den Gipfel der *Rechtsentwickelung* bildet, wie die Trennung der Religion von allem profanen Inhalt sie zur *abstrakten, absoluten* Religion macht. Daß „Gemüt und Gewissen" in das Recht eingreifen, ist für *den* „Kritiker" ein hinreichender Grund, um da, wo es sich vom *Recht* handelt, vom Gemüt und vom Gewissen, und da, wo es sich um die *juristische* Dogmatik handelt, von der *theologischen* Dogmatik zu handeln.

Durch die „Definitionen und Unterscheidungen der absoluten Kritik" sind wir hinlänglich vorbereitet, ihre neuesten *„Entdeckungen"* über *„die Gesellschaft"* und *„das Recht"* zu vernehmen.

„Diejenige Weltform, welche *die Kritik* vorbereitet und deren *Gedanken* sie *sogar erst* vorbereitet, ist keine *bloß rechtliche*, sondern" – der Leser sammle sich – „eine *gesellschaftliche*, von der *wenigstens* so viel" – so wenig? – „gesagt werden *kann*, daß, wer zu ihrer Ausbildung nicht das Seinige beigetragen hat, nicht mit seinem Gewissen und Gemüt in ihr lebt, sich in ihr nicht zu Hause fühlen und an ihrer Geschichte nicht teilnehmen kann."

Die von *der* Kritik vorbereitete Weltform wird als eine *nicht bloß* rechtliche, *sondern* gesellschaftliche bestimmt. Diese Bestimmung kann doppelt gedeutet werden. Entweder ist der zitierte Satz zu deuten durch „*nicht* rechtlich, *sondern* gesellschaftlich", oder durch „nicht bloß rechtlich, sondern *auch* gesellschaftlich". Betrachten wir seinen Gehalt nach beiden Lesarten, zunächst nach der ersteren. Die absolute Kritik hat weiter oben die vom „*Staat*" unterschiedene neue „Weltform" als „Gesellschaft" bestimmt. Sie bestimmt jetzt das Hauptwort „*Gesellschaft*" durch das Eigenschaftswort „*gesellschaftlich*". Empfing Herr Hinrichs im Gegensatz zu seinem „*politisch*" dreimal das *Wort* „*gesellschaftlich*", so empfängt Herr Riesser im Gegensatz zu seinem „*rechtlich*" die *gesellschaftliche Gesellschaft*. Reduzierten sich die *kritischen* Aufschlüsse an Herrn Hinrichs auf „gesellschaftlich" + „gesellschaftlich" + „gesellschaftlich" = 3a, so geht die absolute Kritik in ihrem zweiten Feldzug von der *Addition* zur *Multiplikation* fort, und Herr Riesser wird auf die mit sich selbst multiplizierte Gesellschaft, die *zweite* Potenz des Gesellschaftlichen, die gesellschaftliche Gesellschaft = a^2, verwiesen. Es bleibt der absoluten Kritik nun noch übrig, um ihre Aufschlüsse über die Gesellschaft zu vervollständigen, in die Brüche zu gehen, die *Quadratwurzel* aus der Gesellschaft zu ziehen usw.

Lesen wir dagegen nach der zweiten Glosse: „die *nicht bloß* rechtliche, *sondern auch* gesellschaftliche" Weltform, so ist diese Zwitter-Weltform keine andere als die *heutzutag* existierende *Weltform*, die Weltform der *heutigen Gesellschaft*. Daß *die* „Kritik" das *zukünftige* Dasein der *heutzutage existierenden* Weltform in ihrem vorweltlichen Denken erst *vorbereitet*, ist ein großes, ein ehrwürdiges *kritisches Mirakel*. Wie es sich aber auch mit der „nicht bloß rechtlichen, sondern gesellschaftlichen Gesellschaft" verhalte, *die* Kritik kann einstweilen nicht mehr von ihr verraten als das „fabula docet"[1], die *moralische* Nutzanwendung. In dieser Gesellschaft wird sich „derjenige nicht zu Hause *fühlen*", der mit seinem Gemüt und Gewissen nicht in ihr lebte. Schließlich wird niemand in dieser Gesellschaft leben als das „reine Gemüt" und das „reine Gewissen", nämlich „der Geist", „*die* Kritik" und die *Ihrigen*. Die *Masse* wird auf die eine oder die andere Weise von ihr ausgeschlossen sein, so daß die „massenhafte Gesellschaft" außerhalb der „gesellschaftlichen Gesellschaft" haust.

Mit einem Worte, diese Gesellschaft ist nichts anderes als der *kritische Himmel*, von welchem die wirkliche Welt als die *unkritische Hölle* ausgeschlossen ist. Die absolute Kritik bereitet diese verklärte *Weltform* des Gegensatzes von „*Masse*" und „*Geist*" in ihrem reinen Denken vor.

Von derselben *kritischen* Tiefe wie diese Aufschlüsse über *die* „Gesellschaft" sind die Aufschlüsse, die Herr Riesser über das Schicksal der *Nationen* erhält.

[1] „die Fabel lehrt"

Die absolute Kritik gelangt von der Emanzipationssucht der Juden und von der Sucht der christlichen Staaten, sie in „ihrem Gouvernements-Schematismus einzurubrizieren“ – als ob sie nicht längst schon in den christlichen Gouvernements-Schematismus einrubriziert wären! – zu Prophezeiungen über den *Verfall der Nationalitäten.* Man sieht, auf welchem komplizierten Umweg die absolute Kritik bei der gegenwärtigen geschichtlichen Bewegung ankommt, nämlich auf dem *Umwege der Theologie.* Wie große Resultate sie auf diese Weise erhält, davon zeugt der lichtverbreitende Orakelspruch:

„Die *Zukunft* aller Nationalitäten – *ist – eine – sehr – dunkle!*“

Die Zukunft der Nationalitäten mag aber von wegen der Kritik so dunkel sein, als sie will. Das eine, was not tut, ist *klar*: die *Zukunft* ist *ihr Werk.*

„Das *Schicksal*“, ruft sie aus, „mag entscheiden, wie es will; wir wissen jetzt, daß es *unser Werk* ist.“

Wie Gott *seinem Werke,* dem Menschen, so läßt *die* Kritik *ihrem Werke,* dem Schicksal, seinen *Eigenwillen. Die* Kritik, deren Werk das Schicksal ist, ist *allmächtig* wie Gott. Sogar der „Widerstand“, den sie außer sich *„findet“*, ist ihr eignes Werk. *„Die* Kritik *macht* ihre Gegner.“ Die *„massenhafte Empörung“* gegen sie ist daher nur für „die Masse“ selbst „gefahrdrohend“.

Ist aber die Kritik wie Gott *allmächtig,* so ist sie auch *allweise* wie Gott und versteht es, ihre Allmacht mit der *Freiheit,* dem *Willen* und der *Naturbestimmung* der menschlichen Individuen zn vereinigen.

„Sie wäre nicht die *epochemachende* Kraft, wenn sie nicht diese Wirkung hätte, daß sie aus *jedem das macht,* was er sein *will,* und jedem unwiderruflich den Standpunkt anweist, der *seiner Natur* und *seinem Willen entspricht.*“

Leibniz könnte auf keine glücklichere Weise die prästabilierte Harmonie der göttlichen Allmacht mit der menschlichen Freiheit und Naturbestimmung herstellen.

Wenn *„die* Kritik“ gegen die Psychologie dadurch zu verstoßen scheint, daß sie den *Willen,* etwas zu sein, nicht von der *Fähigkeit,* etwas zu sein, *unterscheidet,* so muß man bedenken, daß sie entscheidende Gründe besitzt, diese *„Unterscheidung“* für *„dogmatisch“* zu erklären.

Stärken wir uns zum dritten Feldzug! Rufen wir uns noch einmal in das Gedächtnis, daß *„die* Kritik *ihren* Gegner *macht“*! Wie könnte sie aber ihren Gegner – *die „Phrase“* machen, wenn sie nicht Phrasen machte?

3. Dritter Feldzug der absoluten Kritik

a) Selbstapologie der absoluten Kritik
Ihre „politische" Vergangenheit

Die *absolute* Kritik beginnt ihren dritten Feldzug gegen die „*Masse*" mit der Frage:

„*Was ist jetzt der Gegenstand der Kritik?*" [36]

In demselben Heft der „Literatur-Zeitung" finden wir die Belehrung:

„Daß *die* Kritik *nichts* will als *die Dinge* kennenlernen."

Die Kritik hätte hiernach alle Dinge zum *Gegenstande*. Die Frage nach einem aparten, eigens für die Kritik bestimmten Gegenstand wäre sinnlos. Der Widerspruch löst sich einfach, wenn man bedenkt, daß alle Dinge in kritische Dinge und alle kritischen Dinge in *die Masse*, als *den „Gegenstand"* der *absoluten Kritik*, „zusammenfallen".

Zunächst schildert Herr Bruno sein *unendliches Erbarmen* mit der „*Masse*". Er macht „*die Kluft*, die ihn von der *Menge* scheidet", zum Gegenstand eines „*anhaltenden Studiums*". Er will „die *Bedeutung* dieser *Kluft* für die *Zukunft kennenlernen*" (eben dies ist das obenerwähnte Kennenlernen „*aller*" Dinge) und zugleich „*sie aufheben*". Er kennt also in Wahrheit schon die *Bedeutung* jener Kluft. Sie besteht eben darin, von ihm *aufgehoben* zu werden.

Weil nun jeder sich selbst der Nächste ist, beschäftigt sich *die* „Kritik" zunächst damit, ihre *eigene Massenhaftigkeit* aufzuheben, gleich den christlichen Asketen, die den Feldzug des Geistes gegen das Fleisch mit der Abtötung ihres *eigenen* Fleisches beginnen. Das „*Fleisch*" der absoluten Kritik ist ihre *wirklich massenhafte* – 20 bis 30 Bände belaufende – literarische *Vergangenheit*. Herr Bauer muß daher die literarische Lebensgeschichte *der* „Kritik" – die genau mit seiner eigenen literarischen Lebensgeschichte zusammenfällt – von ihrem *massenhaften Schein* befreien, nachträglich *verbessern* und *erläutern* und durch diesen *apologetischen* Kommentar „*ihre früheren Arbeiten sicherstellen*".

Er beginnt damit, den Irrtum der *Masse*, die bis zum Untergang der „Deutschen Jahrbücher" [37] und der „Rheinischen Zeitung" [38] Herrn Bauer für einen der *Ihrigen* hielt, aus einem doppelten Grunde zu erklären. Einmal beging man das Unrecht, daß man die literarische Bewegung *nicht „rein als literarische"* auffaßte. In demselben Moment beging man das umgekehrte Unrecht, die literarische Bewegung als „eine bloß" oder „rein" *literarische*

Bewegung aufzufassen. Daß die „Masse" jedenfalls im Unrecht war, schon darum, weil sie zwei sich wechselseitig ausschließende Irrtümer in *demselben* Augenblicke beging, unterliegt keinem Zweifel.

Bei dieser Gelegenheit ruft die absolute Kritik denen, welche die „deutsche Nation" als eine „*Literatin*" bespöttelt haben, zu:

„Nennt auch die einzige geschichtliche Epoche, die nicht von der ‚*Feder*' gebieterisch *vorgezeichnet* war und ihre Erschütterung nicht mit einem Federstrich beschließen lassen mußte."

Herr Bruno trennt in seiner kritischen Naivität „*die Feder*" vom *schreibenden Subjekt* und das schreibende Subjekt als „abstrakter *Schreiber*" von dem lebendigen *geschichtlichen Menschen*, welcher schrieb. Auf diese Weise vermag er sich über die *wundertätige* Kraft der „*Feder*" zu exaltieren. Er konnte ebensogut verlangen, man solle ihm eine geschichtliche Bewegung nennen, die nicht vom „Federvieh" und der „Gänsemagd" vorgezeichnet war.

Späterhin werden wir von demselben Herrn Bruno erfahren, daß bisher noch nicht eine, nicht eine einzige geschichtliche Epoche erkannt ist. Wie sollte die „*Feder*", welche bisher „*keine einzige*" geschichtliche Epoche *nachzuzeichnen* wußte, imstande gewesen sein, sie *alle vorzuzeichnen*?

Herr Bruno beweist nichtsdestoweniger die Richtigkeit seiner Ansicht durch die *Tat*, indem er selbst seine eigene „Vergangenheit" mit *apologetischen* „*Federstrichen*" sich „*vorzeichnet*".

Die Kritik, welche nach allen Seiten hin nicht nur in die *allgemeine* Borniertheit der Welt, der Zeitepoche, sondern in ganz aparte, persönliche Borniertheiten verwickelt war, welche nichtsdestoweniger seit Menschengedenken in allen ihren Werken „*absolute, vollendete, reine*" Kritik zu sein beteuerte, hatte sich nur den *Vorurteilen* und dem *Fassungsvermögen* der Masse *akkommodiert*, wie Gott in seinen Offenbarungen an die Menschen zu tun pflegt.

„Es mußte", berichtet die absolute Kritik, „zum Bruch *der* Theorie mit ihrem *scheinbar Verbündeten* kommen."

Weil aber *die* Kritik – die hier zur Abwechslung einmal die *Theorie* heißt – zu *nichts* kommt, vielmehr alles von ihr kommt, weil sie nicht innerhalb, sondern *außerhalb* der Welt sich entwickelt und in ihrem göttlichen, sich stets gleichbleibenden Bewußtsein alles vorherbestimmt hat, so war auch der *Bruch* mit ihrem ehemaligen Verbündeten nur dem *Schein* nach, nur für andere, nicht an sich, nicht für sie selbst eine „*neue* Wendung".

„Diese Wendung war aber nicht einmal ‚*eigentlich*' neu. *Die* Theorie hatte beständig an der *Kritik ihrer selbst* gearbeitet" (man weiß, wie auf sie losgearbeitet worden ist, um sie zur Kritik ihrer selbst zu treiben), „sie hatte der Masse nie geschmeichelt" (desto mehr sich selbst), „sie hatte sich immer davor *gehütet*, sich in die Voraussetzungen ihres Gegners zu verstricken."

„Der christliche Theologe muß *behutsam* auftreten." („Entdecktes Christentum" von Bruno Bauer, p. 99.) Und wie kam es, daß die „behutsame" Kritik sich dennoch verstrickte und nicht schon damals deutlich und vernehmbar ihre „eigentliche" Meinung aussprach? Warum redete sie nicht frisch von der Leber weg? Warum ließ sie den Wahn der Geschwisterschaft mit der Masse bestehen?

„Warum hast du mir das getan? sagte Pharao zu Abraham, als er ihm sein Weib Sara zurückgab. Warum sprachest du denn, sie sei deine Schwester?" („Entdeckt[es] Christ[entum]" von B. B[auer], p. 100.)

„Weg mit der Vernunft und Sprache! sagt der Theologe; dann wäre ja Abraham ein Lügner! Die Offenbarung wäre dann tödlich beleidigt!" (l. c.)

„Weg mit der Vernunft und Sprache!" sagt der Kritiker: wäre Herr Bauer *wirklich* und nicht nur zum Schein mit der Masse verstrickt gewesen, dann wäre ja die absolute Kritik in ihren Offenbarungen nicht absolut, also tödlich beleidigt!

„Man hatte", fährt die absolute Kritik fort, „ihr" (der absoluten Kritik) „Bemühen *nur nicht gemerkt*, und *es gab außerdem* ein Stadium der Kritik, wo sie *gezwungen* war, sich auf die Voraussetzungen ihres Gegners *aufrichtig* einzulassen und sie für einen Augenblick ernst zu nehmen, kurz, wo sie *noch nicht vollständig* die Fähigkeit hatte, der Masse die Überzeugung zu nehmen, daß sie mit ihr eine Sache und ein Interesse habe."

Man hatte das Bemühen *der* „Kritik" nur nicht bemerkt; also lag die Schuld auf Seite der Masse. Andrerseits gesteht die Kritik, daß man ihr Bemühen nicht merken *konnte*, weil sie selbst noch nicht die „*Fähigkeit*" besaß, es *bemerkbar zu machen*. *Also scheint* die Schuld auf Seite der Kritik.

Bewahre Gott! *Die* Kritik war „gezwungen" – es wurde ihr eine Gewalt angetan – „sich auf die Voraussetzungen ihres Gegners aufrichtig einzulassen und sie für einen Augenblick ernst zu nehmen". Eine schöne Aufrichtigkeit, eine recht theologische Aufrichtigkeit, welcher es nicht wirklicher Ernst mit einer Sache ist, sondern welche sie nur „*für einen Augenblick* ernst *nimmt*", welche sich immer, also *jeden Augenblick*, davor gehütet hat, sich in die Voraussetzungen ihres Gegners zu verstricken – und dennoch „für *einen Augenblick*" auf dieselben Voraussetzungen „aufrichtig" eingeht. Die „Aufrichtigkeit" wird noch vergrößert im Nachsatze. In demselben Augenblicke, wo die Kritik „aufrichtig auf die Voraussetzungen der Masse einging, war es *auch*", wo sie „noch nicht vollständig die *Fähigkeit* hatte", die Illusion über die Einheit *ihrer* Sache und der *massenhaften* Sache zu zerstören. Sie hatte *noch nicht* die *Fähigkeit*, aber sie hatte schon den *Willen* und den *Gedanken*. Sie *konnte* noch nicht *äußerlich* mit der Masse brechen, aber der Bruch war schon in *ihrem Innern*, in ihrem *Gemüte* vollzogen, vollzogen in demselben Moment, wo sie *aufrichtig* mit der Masse sympathisierte!

Die Kritik, in ihrer Verwickelung mit den Vorurteilen der Masse, war nicht *wirklich* in *dieselben* verwickelt; sie war vielmehr *eigentlich* frei von ihrer eignen Beschränktheit und besaß nur *„noch nicht vollständig"* die „Fähigkeit", dies der Masse kundzutun. Die ganze Beschränktheit „der Kritik" war also purer *Schein*, ein Schein, der ohne die Beschränktheit der Masse überflüssig und also gar nicht vorhanden gewesen wäre. Die Schuld liegt also *wieder* auf den Schultern der Masse.

Insofern dieser *Schein* indessen durch „die Unfähigkeit", durch die „Impotenz" der Kritik, sich auszusprechen, unterstützt wurde, war die Kritik selbst *unvollkommen*. Sie gesteht dies in der ihr eigentümlichen, ebenso aufrichtigen als apologetischen Weise.

„Trotzdem daß sie" (die Kritik) „den Liberalismus selbst einer auflösenden Kritik unterwarf, durfte man sie *noch* für eine besondere Art desselben, *vielleicht* für seine extreme Durchführung halten; *trotzdem* daß ihre wahren und entscheidenden Entwicklungen über die Politik hinausgingen, mußte sie *doch noch* dem *Schein* verfallen, daß sie *politisiere*, und dieser *unvollkommene Schein* hatte ihr die meisten ihrer oben bezeichneten Freunde gewonnen."

Die Kritik hatte ihre Freunde durch den *unvollkommnen Schein*, als politisiere sie, gewonnen. Hätte sie *vollkommen* zu politisieren *geschienen*, so hätte sie die *politischen* Freunde unfehlbar verloren. In ihrer *apologetischen Angst*, sich von aller Sünde loszuwaschen, klagt sie den *falschen Schein* an, ein *unvollkommner* und kein *vollkommner falscher Schein* gewesen zu sein. Einen Schein für den andern, kann sich „die Kritik" damit vertrösten, daß, wenn sie den „vollkommnen Schein" besaß, politisieren zu wollen, sie dagegen auch nicht einmal den „unvollkommnen Schein" besitzt, irgendwo und irgendwann die Politik aufgelöst zu haben.

Die absolute Kritik, nicht vollständig befriedigt von dem „unvollkommnen Schein", fragt sich noch einmal:

„Wie kam es, daß *die Kritik* damals in die ‚massenhaften, politischen' Interessen hineingezogen wurde, daß *sie – sogar! – politisieren! – mußte!*"

Dem *Theologen* Bauer versteht es sich *ganz* von *selbst*, daß *die* Kritik unendlich lang *spekulative Theologie* treiben mußte, denn *er*, die „Kritik", ist ja Theologe ex professo[1]. Aber *politisieren*? Das muß durch ganz besondere, politische, persönliche Umstände motiviert sein!

Warum mußte also *die* „Kritik" sogar *politisieren*? „Sie war angeklagt – *damit ist die Frage beantwortet.*" Wenigstens ist damit das „Geheimnis" der „*Bauerschen Politik*" enthüllt, und man wird den *Schein*, der in der „*Guten Sache der Freiheit* und *meiner eignen Sache*", von Bruno Bauer an die *massenhafte* „Sache der Freiheit" die „*eigne* Sache" durch ein „*und*" anschließt, wenigstens nicht *unpolitisch* nennen. Wenn aber die Kritik ihre „eigne *Sache*" nicht im *Interesse der Politik*, sondern *die Politik* im *Interesse ihrer eignen Sache* betrieb, so muß zugegeben werden, daß nicht die Kritik von der Politik, sondern vielmehr die Politik von der Kritik angeführt wurde.

Bruno Bauer also sollte von seinem theologischen Lehrstuhl entfernt werden: er war *angeklagt*; *die* „Kritik" mußte politisieren, d. h. „*ihren*", d. h. Bruno Bauers Prozeß *führen*. Herr Bauer führte nicht den Prozeß der Kritik, *die* „Kritik" führte den Prozeß des Herrn Bauer. Warum *mußte* „die Kritik" ihren Prozeß führen?

„Um sich zu verantworten!" *Wohl auch*; allein *die* „Kritik" ist weit entfernt, sich auf einen so persönlichen, profanen Grund zu beschränken. Wohl auch; aber *nicht allein* deswegen, „*sondern hauptsächlich*, um die Widersprüche ihrer Gegner zu entwickeln", und, konnte die Kritik hinzufügen, um überdem alte Aufsätze gegen verschiedene Theologen – siehe u. a. die weitläufige Zänkerei mit *Planck*, diese Familienangelegenheit zwischen der Theologie-Bauer und der Theologie-Strauß – in ein *Buch* binden zu lassen.

Nachdem die absolute Kritik durch das Geständnis über das wahre Interesse ihrer „*Politik*" ihr Herz erleichtert hat, kaut sie abermals, bei der Erinnerung an ihren „*Prozeß*", den alten *Hegelschen* (siehe in der „Phänomenologie" den Kampf der Aufklärung und des Glaubens, siehe die *ganze* „Phänomenologie"), in der „Guten Sache der Freiheit" schon weitläufig wiedergekauten Kohl wieder, daß „das Alte, welches sich dem Neuen widersetzt, nicht mehr wirklich das Alte ist". Die kritische Kritik ist ein wiederkäuendes Tier. Einige abgefallene Hegelsche Brocken wie der oben erwähnte Satz vom „Alten" und „Neuen" oder auch wie „die Entwicklung des Extrems aus seinem gegenteiligen Extrem" u. dgl. werden unaufhörlich aufgewärmt, ohne daß sie jemals auch nur das Bedürfnis empfände, sich mit der „*spekulativen Dialektik*" anders als durch die Ermattung des Prof. Hinrichs auseinanderzusetzen. Dagegen geht sie aber beständig „kritisch" *über* Hegel hinaus, indem sie ihn wiederholt, zum Beispiel:

---

[1] von Amts wegen

„Indem die Kritik auftritt und der Forschung eine neue Form, d. h. *die* Form gibt, die sich nicht *mehr* zu einer *äußern Begrenzung umwandeln* läßt" etc.

Wenn ich etwas *umwandle*, mache ich es zu einem wesentlich andern. Da eine jede Form nun auch eine *„äußere Begrenzung"* ist, so „läßt" sich *keine* Form in eine „äußere Begrenzung" *umwandeln*, so wenig als sich ein Apfel in einen Apfel „umwandeln" läßt. Die Form allerdings, welche „die Kritik" der Forschung gibt, läßt sich aus einem *andern* Grunde in keine „äußere Begrenzung" umwandeln. Über jede „äußere Begrenzung" hinaus, ist sie ein Verschwimmen im aschgrauen, dunkelblauen Dunst des Unsinns.

„Er" (der Kampf des Alten und Neuen) „wäre *aber auch da*" (nämlich im Augenblicke, wo die Kritik der Forschung „die neue Form gibt") – *„nicht einmal möglich*, wenn das Alte die Frage nach der Verträglichkeit oder Unverträglichkeit ... *theoretisch* behandelte."

Warum behandelt das Alte diese Frage nun nicht theoretisch? Weil „dies ihm *aber* im Anfang *am wenigsten* möglich ist, *da* es im *Augenblick der Überraschung*", d. h. im Anfang, „weder sich noch das Neue kennt", d. h. weder sich noch das Neue *theoretisch* behandelt. Nicht einmal möglich, wenn die „Unmöglichkeit" leider nicht unmöglich wäre!

Wenn *der* „Kritiker" der theologischen Fakultät weiter „gesteht, daß er *absichtlich* gefehlt, mit freiem Vorbedacht und nach reiflicher Überlegung den Irrtum begangen" – alles, was die Kritik erlebt, erfahren, getan hat, *wandelt* sich ihr in ein freies, reines, beabsichtigtes Produkt ihrer Reflexion um –, so hat dies Geständnis des Kritikers nur einen „unvollkommnen Schein" von Wahrheit. Da die *„Kritik der Synoptiker"* [39] durch und durch auf *theologischem* Grund und Boden steht, da sie durchaus *theologische* Kritik ist, so konnte Herr Bauer, der Privatdozent der Theologie, sie schreiben und lehren, „ohne Fehl und Irrtum" zu begehen. Der Fehler und der Irrtum waren vielmehr auf Seite der theologischen Fakultäten, welche nicht einsahen, wie streng Herr Bauer sein Versprechen gehalten hatte, sein in der „Krit[ik] d[er] Synopt[iker]", Bd. I., Vorrede, p. XXIII gegebenes Versprechen.

„Wenn die *Negation* auch in diesem ersten Bande noch zu kühn und weitgreifend erscheinen möchte, so erinnern wir daran, daß das wahrhaft *Positive* erst dann geboren werden kann, wenn die Negation ernstlich und allgemein war ... *Am Ende* wird sich zeigen, daß erst die verzehrendste Kritik der Welt die schöpferische *Kraft Jesu* und seines *Prinzips* lehren wird."

Herr Bauer trennt absichtlich den Herrn „Jesum" und sein „Prinzip", um den *positiven* Sinn seines Versprechens über jeden Schein der Zweideutigkeit zu erheben. Und Herr Bauer hat wirklich die „*schöpferische*" Kraft des Herrn Jesus und seines Prinzips so augenfällig gelehrt, daß sein „*unendliches Selbstbewußtsein*" und der „*Geist*" nichts anderes als christliche *Geschöpfe* sind.

So sehr der Streit der kritischen Kritik mit der theologischen Fakultät zu Bonn ihre damalige „Politik" erklärt, warum fuhr sie fort, nach der Entscheidung dieses Streits zu politisieren? Man höre:

„An diesem Punkte hätte ‚die Kritik' entweder *stehenbleiben* oder sogleich *weiter vorschreiten*, das politische Wesen untersuchen und als ihren Gegner darstellen *sollen* – wenn es nur möglich gewesen wäre, daß sie im damaligen Kampfe hätte stehenbleiben können, und wenn es nur auf der *andern* Seite nicht ein gar zu strenges geschichtliches Gesetz wäre, daß ein Prinzip, indem es sich mit seinem Gegensatze zum erstenmal mißt, sich von ihm herabdrücken lassen ... muß."

Köstliche apologetische Phrase! „Die Kritik hätte stehnbleiben *sollen*", wenn es nur möglich gewesen wäre ... „stehnbleiben zu können"! Wer „*soll*" stehenbleiben? Und wer hätte sollen, was nicht „möglich gewesen wäre ... zu können"? Andrerseits! Die Kritik hätte vorschreiten sollen, „wenn es *nur* auf der andern Seite *nicht* ein *gar zu* strenges, geschichtliches Gesetz wäre etc." Die geschichtlichen Gesetze sind gegen die absolute Kritik auch „*gar zu streng*"! Ständen sie *nur nicht* auf einer *andern* Seite als die kritische Kritik, wie glänzend würde sie weiter vorschreiten! Aber à la guerre comme à la guerre[1]! In der Geschichte muß sie eine traurige „Geschichte" aus sich machen lassen!

„Wenn die Kritik" (immer Herr Bauer) „... mußte, so wird man doch *zugleich zugeben*, daß sie sich immer *unsicher* fühlte, wenn sie sich auf Forderungen dieser" (politischen) „Art einließ, und daß sie durch diese Forderungen mit ihren *wahren Elementen* in einen Widerspruch trat, der in jenen *Elementen bereits* seine *Auflösung* gefunden hatte."

Die Kritik war durch die allzustrengen Gesetze der Geschichte zu politischen Schwächen gezwungen worden, aber – fleht sie – man wird *doch zugleich zugeben*, daß sie, wenn auch nicht wirklich, doch *an sich* über jene Schwächen erhaben war. Einmal hatte sie dieselben „*im Gefühl*" überwunden, denn „sie fühlte sich immer unsicher in ihren Forderungen", es war ihr in der Politik *übel* zumute, sie wußte nicht, wie ihr war. Noch mehr! Sie trat mit ihren *wahren Elementen* in Widerspruch. Endlich das Allergrößeste! Der Widerspruch, in den sie mit ihren wahren *Elementen* trat, fand seine Auflösung nicht im Lauf ihrer *Entwicklung*, sondern „*hatte*" vielmehr „*bereits*" in ihren unabhängig von dem Widerspruch existierenden wahren *Elementen*

[1] im Kriege ist es einmal nicht anders

seine Auflösung gefunden! Diese kritischen Elemente dürfen von sich rühmen: Ehe denn Abraham war, waren wir. Ehe die Entwicklung den Gegensatz zu uns erzeugte, lag der *ungeborne* in unserem chaotischen Schoß aufgelöst, gestorben, verdorben. Da nun in den wahren Elementen der Kritik ihr Widerspruch gegen ihre wahren Elemente „*bereits* seine Auflösung gefunden hatte", da aber ein *aufgelöster* Widerspruch *kein* Widerspruch ist, befand sie sich also, genau zu reden, in *keinem* Widerspruch mit ihren wahren Elementen, in *keinem* Widerspruch mit sich selbst, und – der allgemeine Zweck der Selbstapologie wäre erreicht.

Die Selbstapologie der absoluten Kritik verfügt über ein ganzes *apologetisches* Wörterbuch:

„nicht einmal eigentlich", „nur nicht gemerkt", „es gab außerdem", „noch nicht vollständig", „trotzdem – dennoch", „nicht nur – sondern hauptsächlich", „ebensosehr eigentlich erst", „die Kritik hätte sollen, wenn es nur möglich gewesen wäre und wenn es auf der andern Seite ...", „*wenn* ... so wird man *doch zugleich* zugeben", „war es nun nicht natürlich, war es nicht unvermeidlich", „auch nicht" etc.

Vor nicht gar zu langer Zeit äußerte sich die absolute Kritik über ähnliche apologetische Wendungen wie folgt:

„‚Obgleich' und ‚dennoch', ‚zwar' und ‚aber', ein himmlisches Nein und ein irdisches Ja sind die Grundsäulen der neueren Theologie, die Stelzen, auf denen sie einherschreitet, der Kunstgriff, auf den sich ihre ganze Weisheit beschränkt, die Wendung, die in allen ihren Wendungen wiederkehrt, ihr A und O." („Entdeckt[es] Christ[entum]", p. 102.)

b) Die Judenfrage Nr. III

Die „absolute Kritik" bleibt nicht dabei stehen, ihre eigentümliche Allmacht, die „*das Alte ebensosehr eigentlich erst schafft* wie das *Neue*", durch ihre Selbstbiographie zu beweisen. Sie bleibt nicht dabei stehen, die Apologie ihrer Vergangenheit *höchstselbst* zu schreiben. An dritte Personen, an die übrige profane Welt stellt sie jetzt die absolute „Aufgabe", die „Aufgabe, auf die es *vielmehr nun* ankommt", nämlich die *Apologie* der Bauerschen Taten und „Werke".

Die „*Deutsch-Französischen Jahrbücher*" brachten eine Kritik von Herrn Bauers „*Judenfrage*"[40]. Sein Grundirrtum, die Verwechselung der „*politischen*" mit der „*menschlichen* Emanzipation", wurde aufgedeckt. Die alte Judenfrage wurde zwar nicht erst in ihre „*richtige Stellung*" gebracht, sondern die „Judenfrage" wurde in der Stellung behandelt und gelöst, welche die neuere Entwickelung *den alten Zeitfragen* gegeben hat und wodurch letztere eben aus „Fragen" der Vergangenheit zu „Fragen" der Gegenwart geworden sind.

Im *dritten* Feldzug der absoluten Kritik soll, wie es scheint, den „Deutsch-Französischen Jahrbüchern" repliziert werden. Zunächst *gesteht* die absolute Kritik:

„In der Judenfrage wurde dasselbe ‚*Versehn*' begangen, das *menschliche* und das *politische* Wesen identifiziert."

Die Kritik bemerkt, daß:

„es zu spät sein würde, wenn man der Kritik wegen der Stellung, die sie vor *zwei* Jahren noch zum Teil einnahm, einen *Vorwurf* machen wollte". „*Es kommt vielmehr darauf an*, die *Erklärung* davon zu geben, daß *die* Kritik ..: sogar politisieren mußte!"

„Vor *zwei* Jahren"? Zählen wir nach der *absoluten* Zeitrechnung, nach der *Geburt* des kritischen Weltheilands, der Bauerschen „Literatur-Zeitung"! Der kritische Welterlöser wurde geboren Anno *1843*. In demselben Jahre erblickte die zweite, vermehrte Ausgabe der „Judenfrage" das Licht der Welt. Die „kritische" Behandlung der „Judenfrage" in den „Einundzwanzig Bogen aus der Schweiz" [41] erschien noch später, in demselben Jahre 1843 alten Stils. *Nach* dem *Untergang* der „Deutschen Jahrbücher" und der „Rheinischen Zeitung" in demselben bedeutungsvollen Jahre 1843 alten Stils oder Jahr I der kritischen Zeitrechnung erschien Herrn Bauers phantastisch-politische Schrift „*Staat, Religion und Parthei*", welche genau seine alten Irrtümer über das „*politische* Wesen" wiederholt. Der Apologet ist gezwungen, die *Chronologie* zu verfälschen.

Die „*Erklärung*", warum Herr Bauer „*sogar*" politisieren „*mußte*", gewährt nur unter gewissen Bedingungen ein allgemeines Interesse. Setzt man nämlich die Unfehlbarkeit, Reinheit und Absolutheit der kritischen Kritik als *Grunddogma* voraus, so verwandeln sich allerdings die Tatsachen, welche diesem Dogma widersprechen, in ebenso schwierige, denkwürdige, geheimnisvolle Rätsel, als es die scheinbar ungöttlichen Handlungen Gottes für den Theologen sind.

Betrachtet man dagegen „*den Kritiker*" als ein endliches Individuum, trennt man ihn nicht von der *Schranke* seiner Zeit, so ist man der Antwort, *warum er sogar* innerhalb der Welt sich entwickeln mußte, überhoben, weil die *Frage* selbst nicht existiert.

Beharrt indessen die absolute Kritik auf ihrer Forderung, so erbietet man sich, ein scholastisches Traktätlein zu liefern, welches folgende *Zeitfragen* behandeln soll:

„Warum die Empfängnis der Jungfrau Maria durch den heiligen Geist grade von Herrn Bruno Bauer bewiesen werden mußte?" „Warum Herr Bauer beweisen mußte, daß der Engel, der dem Abraham erschien, eine *wirkliche* Emanation Gottes war, eine Emanation, der indessen noch die zur *Verdauung* von *Speisen* notwendige Konsistenz abging?" „Warum Herr Bauer die Apologie des preußischen Königshauses liefern und den preußischen Staat zum *absoluten* Staat erheben mußte?" „Warum Herr Bauer in der ‚Kritik der Synoptiker' das ‚*unendliche Selbstbewußtsein*' an die Stelle des *Menschen* setzen mußte?" „Warum Herr Bauer in seinem ‚*Entdeckten Christentum*' *die christliche Kreationstheorie* in *Hegelscher* Form wiederholen mußte?" „Warum Herr Bauer die ‚*Erklärung*' des Wunders, daß er irren mußte, von sich und andern verlangen mußte?"

Bis zum Nachweis dieser ebenso „kritischen" als „absoluten" Notwendigkeiten lauschen wir noch einstweilen den apologetischen Ausflüchten *der* „Kritik".

„Die Judenfrage ... mußte ... erst in ihre *richtige* Stellung gebracht werden, als eine *religiöse* und eine *theologische* und als eine *politische* Frage." „Als die Behandlung und Lösung beider Fragen *ist die* ‚Kritik' *weder religiös* noch *politisch*."

In den „Deutsch-Französischen Jahrbüchern" wird nämlich die Bauersche Behandlung der „Judenfrage" für eine *wirklich* theologische und *phantastisch*-politische erklärt.

Zunächst in bezug auf den „Vorwurf" ihrer *theologischen* Beschränktheit antwortet *die „Kritik"*:

„Die Judenfrage *ist* eine *religiöse*. Die *Aufklärung* glaubte sie zu lösen, indem sie den *religiösen Gegensatz* als einen *gleichgültigen* bezeichnete oder sogar leugnete. *Die Kritik* mußte ihn dagegen in seiner Reinheit darstellen."

Bei der *politischen* Partie der Judenfrage angekommen, werden wir sehn, wie der Theologe, Herr Bauer, auch in der Politik nicht mit der Politik, sondern mit der Theologie beschäftigt ist.

Wurde aber in den „Deutsch-Französischen Jahrbüchern" seine Behandlung der Judenfrage als eine „*rein religiöse*" angegriffen, so handelt es sich speziell um seinen Aufsatz in den „Einundzwanzig Bogen":

„Die Fähigkeit der heutigen Juden und Christen, frei zu werden."

Dieser Aufsatz hat mit der alten „Aufklärung" nichts zu schaffen. Er enthält die *positive* Ansicht des Herrn Bauer über die Emanzipationsfähigkeit der heutigen Juden, also über die Möglichkeit ihrer Emanzipation.

„Die Kritik" sagt:

„Die Judenfrage ist eine *religiöse* Frage."

Es fragt sich eben, *was* eine *religiöse* Frage *ist* und namentlich, *was* sie heutzutage *ist*?

Der *Theologe* wird nach dem *Schein* urteilen und in einer *religiösen* Frage eine *religiöse* Frage erblicken. Aber „die Kritik" erinnere sich ihrer Erklärung gegen Prof. *Hinrichs*, daß die *politischen* Interessen der Gegenwart eine *gesellschaftliche* Bedeutung haben: von *politischen Interessen* sei *„nicht mehr* die Rede".

Mit demselben Rechte sagten ihr die „Deutsch-Franz[ösischen] Jahrbücher": Die *religiösen* Tagesfragen haben heutzutage eine *gesellschaftliche* Bedeutung. Von *religiösen* Interessen als *solchen* ist nicht mehr die Rede. Nur noch der *Theologe* kann glauben, daß es sich um die Religion als Religion handle. Allerdings begingen die etc. Jahrbücher das *Unrecht*, nicht bei dem *Worte „gesellschaftlich"* stehenzubleiben. Die *wirkliche* Stellung des Judentums in der heutigen bürgerlichen Gesellschaft wurde charakterisiert. Nachdem das Judentum aus der *religiösen* Vermummung losgeschält und in seinen empirischen, weltlichen, praktischen Kern aufgelöst war, konnte die praktische, *wirklich gesellschaftliche* Weise, in welcher nun dieser Kern aufzulösen ist, angedeutet werden. Herr Bauer beruhigt sich dabei, daß „eine religiöse Frage" eine „religiöse Frage" ist.

Es wurde keineswegs, wie Herr Bauer den *Schein* vormacht, geleugnet daß die Judenfrage auch eine *religiöse* Frage ist. Es wurde vielmehr gezeigt: Herr Bauer begreift *nur* das *religiöse* Wesen des Judentums, nicht aber die *weltliche, reale Grundlage* dieses religiösen Wesens. Er bekämpft das *religiöse Bewußtsein* als ein selbständiges Wesen. Herr Bauer erklärt daher die *wirklichen* Juden aus der *jüdischen Religion*, statt das Geheimnis der jüdischen Religion aus den *wirklichen Juden* zu erklären. Herr Bauer versteht den Juden also nur, insoweit er unmittelbarer Gegenstand der *Theologie* oder *Theologe* ist.

Herr Bauer ahnt daher nicht, daß das wirkliche, *weltliche* Judentum und darum *auch* das *religiöse* Judentum fortwährend von dem *heutigen bürgerlichen Leben* erzeugt wird und im *Geldsystem* seine letzte Ausbildung erhält. Er konnte dies nicht ahnen, weil er das Judentum nicht als Glied der wirklichen Welt, sondern nur als Glied *seiner* Welt, *der Theologie*, kannte, weil er als ein frommer und gottergebener Mann nicht im tätigen *Werkeltagsjuden*, sondern im scheinheiligen *Sabbatjuden* den *wirklichen* Juden erblickte. Für Herrn Bauer, als *christgläubigen* Theologen, mußte die *weltgeschichtliche* Bedeutung des Judentums von der *Geburtsstunde* des Christentums an aufhören.

Die alte orthodoxe Ansicht, daß es sich *trotz* der Geschichte erhalten habe, mußte daher von ihm wiederholt werden, und der alte theologische Aberglaube, daß das Judentum nur existiere als *Bestätigung* des göttlichen Fluchs, als *sinnfälliger Beweis* der christlichen Offenbarung, mußte bei ihm in der *kritisch-theologischen* Form wiederkehren, daß es nur existiere und existiert habe als *roher religiöser Zweifel* an der überweltlichen Abkunft des Christentums, d. h. als *sinnfälliger Beweis* wider die christliche Offenbarung.

• Man bewies dagegen, daß das Judentum *durch* die Geschichte, *in* und *mit* der Geschichte sich erhalten und entwickelt habe, daß aber nicht mit dem Auge des Theologen, sondern nur mit dem Auge des Weltmannes, weil nicht in der *religiösen Theorie*, sondern nur in der *kommerziellen* und *industriellen Praxis* diese Entwickelung zu finden sei. Man erklärte, *warum* das praktische Judentum seine Vollendung erst in der vollendeten *christlichen* Welt erreicht, ja die vollendete *Praxis* der *christlichen Welt selber* ist. Man erklärte das Dasein des *heutigen* Juden nicht aus seiner Religion – als ob diese ein apartes, für sich existierendes Wesen wäre –, man erklärte das zähe Leben der jüdischen Religion aus praktischen Elementen der bürgerlichen Gesellschaft, welche in jener Religion einen *phantastischen* Reflex finden. Die Emanzipation der Juden zu Menschen oder die menschliche Emanzipation vom Judentum wurde daher nicht, wie von Herrn Bauer, als die spezielle Aufgabe des Juden, sondern als allgemeine praktische Aufgabe der heutigen Welt, die bis in ihr innerstes Herz *jüdisch* sei, gefaßt. Man bewies, daß die Aufgabe, das jüdische Wesen aufzuheben, in Wahrheit die Aufgabe sei, das *Judentum der bürgerlichen Gesellschaft*, die Unmenschlichkeit der heutigen Lebenspraxis, die im *Geldsystem* ihre Spitze erhält, aufzuheben.

Herr Bauer, als *echter*, wenn auch *kritischer Theologe* oder *theologischer Kritiker*, konnte über den *religiösen Gegensatz* nicht hinauskommen. Er konnte in dem Verhältnis der Juden zur christlichen Welt *nur* das Verhältnis der *jüdischen Religion* zur *christlichen Religion* erblicken. Er mußte sogar den religiösen Gegensatz *kritisch* wiederherstellen, in dem *Gegensatz* zwischen dem Verhältnis des Juden und des Christen zur *kritischen* Religion – dem *Atheismus*, der letzten Stufe des *Theismus*, der *negativen* Anerkennung Gottes. Er mußte endlich in seinem *theologischen Fanatismus* die Fähigkeit der „heutigen Juden und Christen", d. h. der heutigen Welt, „frei zu werden", auf ihre Fähigkeit, „die Kritik" der Theologie aufzufassen und selbst auszuüben, *beschränken*. Wie nämlich dem orthodoxen Theologen die ganze Welt in „Religion und Theologie" sich auflöst (er könnte sie ebensogut in Politik, Nationalökonomie etc. auflösen und die *Theologie* z.B. als die himmlische *Nationalökonomie* bezeichnen, da sie die Lehre von der Produktion, Distribution, Austauschung und Konsumtion des *„geistlichen Reichtums"* und der Schätze im Himmel ist!), so löst sich dem radikalen, dem kritischen Theologen die *Fähigkeit* der Welt, sich zu befreien, in die *einzige* abstrakte Fähigkeit auf, „Religion und Theologie" als „Religion und Theologie" zu kritisieren. Der einzige Kampf, den er kennt, ist der Kampf gegen die *religiöse* Befangenheit des Selbstbewußtseins, dessen kritische *„Reinheit"* und *„Unendlichkeit"* nicht minder eine theologische Befangenheit ist.

Herr Bauer behandelte also die *religiöse* und *theologische* Frage in *religiöser und theologischer* Weise, schon darum, weil er in der „religiösen" Zeitfrage eine *„rein religiöse"* Frage sah. Seine *„richtige Stellung* der Frage" stellte die Frage nur in eine „richtige" Stellung zu seiner *„eigenen Fähigkeit"* – zu antworten!

Nun zur politischen Partie der *Judenfrage*!

Die *Juden* (wie die Christen) *sind* in verschiednen Staaten vollständig *politisch emanzipiert*. Die Juden und Christen sind weit davon entfernt, *menschlich* emanzipiert zu sein. Es muß also ein *Unterschied* zwischen der *politischen* und der *menschlichen* Emanzipation stattfinden. Das Wesen der *politischen* Emanzipation, d. h. des ausgebildeten, modernen Staats, ist daher zu untersuchen. Die Staaten dagegen, welche den Juden noch nicht *politisch* emanzipieren können, sind wieder am vollendeten politischen Staate zu messen und als unentwickelte Staaten nachzuweisen.

Das war der Standpunkt, von dem die *„politische* Emanzipation" der Juden zu behandeln war und in den „Deutsch-Französischen Jahrbüchern" behandelt ist.

Herr Bauer verteidigt die „Judenfrage" der „Kritik" wie folgt:

> „Den Juden wird gezeigt, daß sie über *den Zustand*, von dem sie Freiheit verlangten, in einer Illusion befangen waren."

Herr Bauer hat die Illusion *der deutschen* Juden, in einem Lande, wo kein politisches Gemeinwesen existiert, Teilnahme an dem politischen Gemeinwesen – wo nur politische Privilegien existieren, *politische Rechte* zu verlangen, allerdings gezeigt. Man hat dagegen Herrn Bauer gezeigt, daß er selbst, nicht minder als die Juden, über den „deutschen politischen Zustand" in „Illusionen" befangen war. Er erklärte nämlich das Verhältnis der Juden in den deutschen Staaten daraus, daß *„der christliche Staat"* die Juden nicht politisch emanzipieren könne. Er schlug der Tatsache ins Gesicht, er konstruierte den Staat der *Privilegien*, den *christlich-germanischen* Staat, als den absoluten christlichen Staat. Man bewies ihm dagegen, daß der politisch vollendete, moderne Staat, der keine religiösen Privilegien kennt, auch der vollendete *christliche* Staat sei, daß also der vollendete christliche Staat die Juden nicht nur emanzipieren *kann*, sondern emanzipiert hat und seinem Wesen nach emanzipieren muß.

„Den Juden wird gezeigt ... daß sie sich über sich selbst die größten Illusionen machen, wenn sie *Freiheit* und Anerkennung der *freien Menschlichkeit* zu verlangen meinten, während es ihnen nur um ein besonderes *Privilegium* zu tun sei und zu tun sein könne."

Freiheit! Anerkennung der freien Menschlichkeit! Besonderes Privilegium! Erbauliche Worte, um bestimmte Fragen apologetisch zu umgehen!

Freiheit? Es handelte sich um die *politische* Freiheit. Man hat Herrn Bauer gezeigt, daß der Jude, wenn er Freiheit verlangt und dennoch seine Religion nicht aufgeben will, *„politisiert"* und keine der *politischen* Freiheit widersprechende Bedingung stellt. Man zeigte Herrn Bauer, wie die *Zersetzung* des Menschen in den nichtreligiösen *Staatsbürger* und den religiösen *Privatmenschen* keineswegs der politischen Emanzipation widerspricht. Man zeigte ihm, daß, wie der Staat sich von der Religion emanzipiert, indem er sich von der *Staatsreligion* emanzipiert, innerhalb der bürgerlichen Gesellschaft aber die Religion sich selbst überläßt, so der einzelne Mensch sich *politisch* von der Religion emanzipiert, indem er sich zu ihr nicht mehr als zu einer *öffentlichen* Angelegenheit, sondern als zu seiner *Privatangelegenheit* verhält. Man zeigte endlich, daß das *terroristische* Verhalten der französischen *Revolution* zur *Religion*, weit entfernt, diese Auffassung zu widerlegen, sie vielmehr bestätigt.

Statt das wirkliche Verhältnis des *modernen* Staats zur Religion zu untersuchen, mußte Herr Bauer einen *kritischen* Staat imaginieren, einen Staat, der nichts anders ist als der in seiner Phantasie *zum Staat aufgeblähete Kritiker der Theologie*. Wenn Herr Bauer in der *Politik* befangen ist, so nimmt er stets wieder die Politik unter seinen Glauben, den *kritischen* Glauben, gefangen. Soweit er sich mit dem Staat beschäftigte, verwandelte er ihn immer in *ein Argument* gegen *„den* Gegner", die *unkritische* Religion und Theologie. Der Staat dient als Exekutor der *kritisch-theologischen* Herzenswünsche.

Als Herr Bauer zuerst von der *orthodoxen* unkritischen *Theologie* sich befreit hatte, trat ihm die *politische Autorität* an die Stelle der *religiösen Autorität*. Sein Glaube an Jehova verwandelte sich in den Glauben an den preußischen Staat. In der Schrift *„Evangelische Landeskirche"* von Bruno Bauer wurde nicht nur der preußische Staat, sondern, was konsequent war, auch das preußische Königshaus als *absolut* konstruiert. In Wahrheit aber nahm Herr Bauer kein *politisches* Interesse an diesem Staat, dessen Verdienst vor den Augen der „Kritik" vielmehr in der Auflösung der Dogmen durch die *Union* und in der polizeilichen Unterdrückung der dissentierenden Sekten bestand.

Die politische Bewegung, welche in dem Jahre 1840 begann, erlöste Herrn Bauer von *seiner konservativen Politik* und erhob ihn für einen Augenblick zur *liberalen* Politik. Es war aber wieder die Politik eigentlich nur ein *Prätext* für die Theologie. In der Schrift „Die gute Sache der Freiheit und meine eigne Sache" ist der freie Staat der Kritiker der theologischen Fakultät zu Bonn und ein Argument gegen die Religion. In der „Judenfrage" bildet der Gegensatz des Staats und der Religion das Hauptinteresse, so daß die Kritik der politischen Emanzipation sich in eine Kritik der jüdischen Religion verwandelt. In der letzten politischen Schrift „Staat, Religion und Parthei" wird endlich der geheimste Herzenswunsch des zum Staat aufgebläheten Kritikers ausgesprochen. Die *Religion* wird dem *Staatswesen geopfert*, oder vielmehr, das Staatswesen ist nur das *Mittel*, um den Gegner „*der* Kritik", die unkritische Religion und Theologie, um ihr Leben zu bringen. Endlich, nachdem *die* Kritik durch die seit 1843 in Deutschland sich ausbreitenden sozialistischen Gedanken von aller Politik, wenn auch nur scheinbar, erlöst worden ist, wie sie durch die politische Bewegung nach 1840 von ihrer konservativen Politik erlöst wurde, endlich kann sie ihre Schriften gegen die *unkritische* Theologie für gesellschaftlich erklären und ihre eigne *kritische* Theologie, den Gegensatz von Geist und Masse, wie die Verkündung des kritischen Heilands und Welterlösers, ungehindert betreiben.

Zu unserm Thema zurück!

Anerkennung der freien Menschlichkeit? Die „freie Menschlichkeit", deren Anerkennung die Juden nicht zu begehren meinten, sondern wirklich begehrten, ist dieselbe „freie Menschlichkeit", welche ihre *klassische* Anerkennung in den sogenannten allgemeinen *Menschenrechten* gefunden hat. Herr Bauer selbst behandelte das Streben der Juden nach Anerkennung ihrer freien Menschlichkeit ausdrücklich als ihr Streben nach dem Empfangen der allgemeinen *Menschenrechte.*

In den „Deutsch-Französischen Jahrbüchern" wurde nun dem Herrn Bauer entwickelt, daß diese „freie Menschlichkeit" und ihre „Anerkennung" nichts anders ist als die Anerkennung des *egoistischen, bürgerlichen Individuums* und *der zügellosen* Bewegung der geistigen und materiellen Elemente, welche den Inhalt seiner Lebenssituation, den Inhalt des *heutigen* bürgerlichen Lebens bilden, daß die *Menschenrechte* den Menschen daher nicht von der Religion befreien, sondern ihm die *Religionsfreiheit* geben, ihn nicht von dem Eigentum befreien, sondern ihm die *Freiheit des Eigentums* verschaffen, ihn nicht von dem Schmutz des Erwerbs befreien, sondern ihm vielmehr die *Gewerbefreiheit* verleihen.

Man zeigte nach, wie die *Anerkennung der Menschenrechte* durch den *modernen Staat* keinen andern Sinn hat als die *Anerkennung der Sklaverei* durch den *antiken Staat*. Wie nämlich der antike Staat das Sklaventum, so hat der *moderne Staat* die bürgerliche Gesellschaft zur *Naturbasis*, sowie den *Menschen* der bürgerlichen Gesellschaft, d. h. den unabhängigen, nur durch das Band des Privatinteresses und der *bewußtlosen* Naturnotwendigkeit mit dem Menschen zusammenhängenden Menschen, den *Sklaven* der Erwerbsarbeit und seines eignen wie des fremden *eigennützigen* Bedürfnisses. Der moderne Staat hat diese seine Naturbasis als solche anerkannt in den *allgemeinen Menschenrechten*. Und er schuf sie nicht. Wie er das Produkt der durch ihre eigne Entwickelung über die alten politischen Bande hinausgetriebnen bürgerlichen Gesellschaft war, so erkannte er nun seinerseits die eigne Geburtsstätte und Grundlage durch die *Proklamation* der *Menschenrechte* an. Daß die Juden also *politisch* emanzipiert und daß ihnen die „*Menschenrechte*" verliehen werden, ist ein sich wechselseitig bedingender Akt. Herr *Riesser* drückt den Sinn, welchen das Begehren der Juden nach Anerkennung der freien Menschlichkeit hat, richtig aus, wenn er unter andern das freie Gehen, Verweilen, Reisen, Gewerbtreiben und dgl. begehrt. Diese Äußerungen der „*freien Menschlichkeit*" werden ausdrücklich in der französischen Proklamation der Menschenrechte als solche anerkannt. Der Jude hat ein um so größeres Recht auf diese Anerkennung seiner „freien Menschlichkeit", als die „freie bürgerliche Gesellschaft" durchaus kommerziellen jüdischen Wesens und er von vornherein ihr notwendiges Glied ist. Man entwickelte ferner in den „Deutsch-Franz[ösischen] Jahrbüchern", warum das Mitglied der bürgerlichen Gesellschaft par excellence[1] „der Mensch" genannt wird und warum die Menschenrechte „angeborne Rechte" heißen.

Die „Kritik" wußte nämlich nichts Kritisches über die Menschenrechte zu sagen, als daß sie *nicht* angeboren, sondern geschichtlich entstanden sind, was schon *Hegel* zu sagen wußte. Ihrer Behauptung endlich, daß Juden und Christen, um die allgemeinen Menschenrechte zu verleihen und zu empfangen, das *Privilegium* des *Glaubens aufopfern müßten* – der kritische Theologe legt allen Dingen seine *einzige* fixe Idee unter –, stellte man speziell die in allen unkritischen Proklamationen der Menschenrechte vorliegende Tatsache gegenüber, daß das *Recht*, zu glauben, was man will, das Recht, den Kultus einer beliebigen Religion auszuüben, ausdrücklich als *allgemeines Menschenrecht* anerkannt ist. *Die* „Kritik" konnte überdem wissen, daß die Partei Hébert namentlich, unter dem Vorwand eines Angriffs auf die Men-

[1] vorzugsweise

schenrechte, weil auf die *Religionsfreiheit*, gestürzt wurde, daß ebenso bei der späteren Wiederherstellung der Kultusfreiheit auf die Menschenrechte provoziert wurde.

„Was das *politische* Wesen betrifft, so folgte *die* Kritik den Widersprüchen desselben bis zu dem Punkte, wo der *Widerspruch zwischen Theorie und Praxis* seit 50 Jahren am gründlichsten durchgearbeitet war – bis zum *französischen Repräsentativsystem*, wo die Freiheit der Theorie von der Praxis desavouiert wird und die Freiheit des praktischen Lebens in der Theorie vergeblich ihren Ausdruck sucht.

Nachdem nun noch die Grundtäuschung aufgehoben war, hätte *der Widerspruch*, der in den *Verhandlungen der französischen Kammer* nachgewiesen war, der Widerspruch der *freien Theorie* und der *praktischen Geltung der Privilegien*, der gesetzlichen Geltung der Privilegien und eines *öffentlichen Zustandes*, in welchem der *Egoismus des reinen Individuums* der *privilegierten Abgeschlossenheit* Meister zu werden sucht, als ein *allgemeiner Widerspruch* auf diesem Gebiete gefaßt werden müssen."

Der Widerspruch, den *die* Kritik in den Verhandlungen der französischen Kammer nachwies, war nichts anders als ein Widerspruch des *Konstitutionalismus*. Hätte sie ihn als *allgemeinen* Widerspruch gefaßt, so hätte sie den allgemeinen Widerspruch des Konstitutionalismus gefaßt. Wäre sie noch weiter gegangen, als sie nach ihrer Meinung „hätte" gehn „müssen", wäre sie nämlich bis zur *Aufhebung* dieses allgemeinen Widerspruchs fortgegangen, so wäre sie von der konstitutionellen *Monarchie* richtig bei dem *demokratischen Repräsentativstaat*, bei dem vollendeten modernen Staat angekommen. Weit entfernt, das Wesen der politischen Emanzipation kritisiert und sein bestimmtes Verhältnis zum menschlichen Wesen ergründet zu haben, wäre sie erst bei dem *Faktum* der politischen Emanzipation, bei dem entwickelten modernen Staat angelangt, also erst da, wo die Existenz des modernen Staats seinem Wesen entspricht, wo daher auch die nicht nur relativen, sondern absoluten, die sein Wesen selbst konstituierenden *Gebrechen* angeschaut und charakterisiert werden können.

Die oben zitierte „*kritische*" Stelle ist um so wertvoller, je mehr sie bis zur Evidenz beweist, daß *die* Kritik in demselben Augenblicke, wo sie das „*politische Wesen*" tief unter sich erblickt, vielmehr tief unter ihm steht, im politischen Wesen noch die Auflösung *ihrer* Widersprüche finden muß und noch immer bei ihrer völligen Gedankenlosigkeit über das *moderne Staatsprinzip* verharrt.

Die Kritik stellte der „*freien Theorie*" die „*praktische Geltung der Privilegien*" und der „*gesetzlichen Geltung der Privilegien*" den „*öffentlichen Zustand*" gegenüber.

Um die Meinung *der* Kritik nicht zu mißdeuten, rufen wir uns den in den französischen Kammerverhandlungen von ihr nachgewiesenen Widerspruch ins Gedächtnis, denselben Widerspruch, der als ein *allgemeiner* „hätte gefaßt werden müssen". Es handelte sich unter anderm darum, einen Tag in der Woche zu bestimmen, an welchem die Kinder von der Arbeit befreit bleiben sollten. Der *Sonntag* wurde als dieser Tag vorgeschlagen. Ein Deputierter trug darauf an, die Erwähnung des Sonntags, als inkonstitutionell, im Gesetz zu unterlassen. Der Minister Martin (du Nord) erblickte in diesem Antrag den Antrag auf die Erklärung, das Christentum habe aufgehört zu existieren. Herr Crémieux erklärte im Namen der französischen Juden, daß die Juden, aus Achtung für die Religion der großen Majorität der Franzosen, nichts gegen die Erwähnung des Sonntags einzuwenden hätten. Nach der freien Theorie nun stehn sich Juden und Christen gleich, nach dieser Praxis besitzen die Christen ein Privilegium vor den Juden, denn wie könnte sonst der christliche Sonntag seine Stelle in einem Gesetze finden, das für alle Franzosen gegeben ist? Und hätte der jüdische Sabbat nicht dasselbe Recht etc.? Oder auch im praktischen französischen Leben, wird der Jude nicht wirklich von christlichen Privilegien unterdrückt, aber das Gesetz wagt diese praktische Gleichheit nicht auszusprechen. Von dieser Art sind alle Widersprüche des politischen Wesens, die Herr Bauer in der Judenfrage entwickelt, Widersprüche des *Konstitutionalismus*, der im allgemeinen der Widerspruch zwischen dem modernen Repräsentativstaat und dem alten Staat der Privilegien ist.

Herr Bauer begeht nun ein sehr gründliches Versehen, wenn er durch die Fassung und Kritik dieses Widerspruchs als eines „allgemeinen" von dem *politischen* Wesen zum *menschlichen* Wesen sich zu erheben meint. Er hätte sich nur von der halben zur ganzen politischen Emanzipation, von dem konstitutionellen zum demokratischen Repräsentativstaat erhoben.

Herr Bauer glaubt mit der Aufhebung des *Privilegiums* den *Gegenstand* des Privilegiums aufzuheben. Er sagt in bezug auf die Äußerung des Herrn Martin (du Nord):

> „*Es gibt keine Religion mehr*, wenn es *keine privilegierte Religion* mehr *gibt*. Nehmt der Religion ihre ausschließende Kraft, und sie existiert nicht mehr."

Wie aber die *Gewerbtätigkeit* nicht aufgehoben wird, sobald man die *Privilegien* der *Gewerbe*, der Zünfte und Korporationen aufhebt, vielmehr erst nach Aufhebung dieser Privilegien die wirkliche *Industrie* beginnt: wie das *Grundeigentum* nicht aufgehoben wird, sobald man den *privilegierten* Grundbesitz aufhebt, vielmehr erst mit Aufhebung seiner Privilegien, in der freien Parzellierung und der freien Veräußerung, seine universelle Bewegung beginnt: wie der *Handel* durch die Aufhebung der *Handelsprivilegien* nicht aufgehoben, sondern im freien Handel erst wahrhaft verwirklicht wird, so entfaltet sich die Religion in ihrer *praktischen* Universalität (man denke an die nordamerikanischen Freistaaten) erst da, wo es keine *privilegierte* Religion gibt.

Der moderne *„öffentliche Zustand"*, das ausgebildete moderne Staatswesen, hat nicht, wie *die* Kritik meint, die Gesellschaft der Privilegien, sondern die Gesellschaft der *aufgehobnen* und *aufgelösten Privilegien*, die entwickelte *bürgerliche Gesellschaft*, worin die in den Privilegien noch politisch gebundenen Lebenselemente freigelassen sind, zugrunde liegen. *Keine „privilegierte Abgeschlossenheit"* steht hier weder der andern noch dem öffentlichen Zustande gegenüber. Wie die freie Industrie und der freie Handel die privilegierte Abgeschlossenheit und damit den Kampf der privilegierten Abgeschlossenheiten untereinander aufheben, dagegen an ihre Stelle den vom Privilegium – welches von der allgemeinen Gesamtheit abschließt, aber zugleich zu einer kleineren exklusiven Gesamtheit zusammenschließt – losgebundenen, selbst nicht mehr durch den *Schein* eines allgemeinen Bandes an den andern Menschen geknüpften Menschen setzen und den allgemeinen Kampf von Mann wider Mann, Individuum wider Individuum erzeugen, so ist die ganze *bürgerliche Gesellschaft* dieser Krieg aller nur mehr durch ihre *Individualität* voneinander abgeschlossenen Individuen gegeneinander und die allgemeine zügellose Bewegung der aus den Fesseln der Privilegien befreiten elementarischen Lebensmächte. Der Gegensatz von *demokratischem Repräsentativstaat* und *bürgerlicher Gesellschaft* ist die Vollendung des *klassischen* Gegensatzes von öffentlichem *Gemeinwesen* und *Sklaventum*. In der modernen Welt ist jeder *zugleich* Mitglied des Sklaventums und des Gemeinwesens. Eben das *Sklaventum der bürgerlichen Gesellschaft* ist dem *Schein* nach die größte *Freiheit*, weil die scheinbar vollendete *Unabhängigkeit* des Individuums, welches die zügellose, nicht mehr von allgemeinen Banden und nicht mehr vom Menschen gebundne Bewegung seiner entfremdeten Lebenselemente, wie z.B. des Eigentums, der Industrie, der Religion etc., für seine *eigne* Freiheit nimmt, während sie vielmehr seine vollendete Knechtschaft und Unmenschlichkeit ist. An die Stelle des *Privilegiums* ist hier das *Recht* getreten.

Also erst hier, wo kein Widerspruch zwischen der freien Theorie und der praktischen Geltung der Privilegien stattfindet, vielmehr die praktische Vernichtung der Privilegien, die *freie* Industrie, der *freie* Handel etc. der „freien Theorie" entspricht, wo dem öffentlichen Zustand *keine* privilegierte Abgeschlossenheit entgegensteht, wo der von der Kritik entwickelte Widerspruch *aufgehoben* ist, ist das *vollendete moderne Staatswesen vorhanden.*

Hier herrscht auch gradezu die *Umkehrung* des Gesetzes, das Herr Bauer, bei Gelegenheit der französischen Kammerdebatten, mit Herrn Martin (du Nord) übereinstimmend ausspricht.

„So gut wie Herr Martin (du Nord) in dem Vorschlag, die Erwähnung des *Sonntags* im *Gesetze* zu unterlassen, den Antrag auf die Erklärung sah, daß das Christentum aufgehört habe zu existieren, mit demselben Rechte, *und dies Recht ist vollkommen begründet*, würde die Erklärung, daß das *Sabbatsgesetz* für den Juden keine Verbindlichkeit mehr habe, die *Proklamation der Auflösung des Judentums sein*."

In dem entwickelten modernen Staat verhält es sich grade *umgekehrt*. Der Staat erklärt, daß die Religion, wie die übrigen bürgerlichen Lebenselemente, erst in ihrem vollen Umfang zu existieren *begonnen* haben, sobald er sie für *unpolitisch* erklärt und daher sich selbst überläßt. Der Auflösung ihres *politischen* Daseins, wie etwa der Auflösung des *Eigentums* durch die Aufhebung des *Wahlzensus*, der Auflösung der *Religion* durch die Aufhebung der *Staatskirche*, eben dieser Proklamation ihres staatsbürgerlichen Todes entspricht ihr gewaltigstes Leben, das nun ungestört seinen eignen Gesetzen gehorcht und die ganze Breite seiner Existenz auseinanderlegt.

Die *Anarchie* ist das Gesetz der von den gliedernden *Privilegien* emanzipierten bürgerlichen Gesellschaft, und die *Anarchie* der *bürgerlichen Gesellschaft* ist die Grundlage des modernen *öffentlichen Zustandes*, wie der öffentliche Zustand wieder seinerseits die Gewähr dieser Anarchie ist. So sehr sich beide entgegengesetzt sind, so sehr bedingen sie sich wechselseitig.

Man sieht, wie weit *die* Kritik befähigt ist, sich das „Neue" anzueignen. Bleiben wir aber innerhalb der Grenzen der „reinen Kritik" stehen, so fragt es sich, warum hat sie ihren bei Gelegenheit der französischen Kammerdebatten entwickelten Widerspruch nicht als *allgemeinen* Widerspruch gefaßt, was nach ihrer eignen Meinung „hätte" geschehen *„müssen"*?

„Der Schritt *war* aber damals *unmöglich* – nicht nur weil ... nicht nur weil ... *sondern auch*, weil die Kritik ohne diesen *letzten Rest* innerer Verwickelung mit ihrem Gegensatze *unmöglich war* und zu *dem Punkte*, wo nur noch *ein Schritt* übrigblieb, *nicht hätte kommen können*."

War unmöglich ... weil ... unmöglich war! *Die* Kritik versichert zudem, daß der verhängnisvolle *„eine Schritt"* unmöglich war, „um zu dem Punkte, wo nur noch *ein Schritt* übrigblieb, kommen zu können". Und wer wird es bestreiten? Um zu einem Punkte kommen zu können, wo nur noch *„ein Schritt"* übrigbleibt, ist es absolut unmöglich, den *„einen Schritt"* noch zu machen, der über den Punkt hinausführt, hinter welchem noch *„ein Schritt"* übrigbleibt.

Ende gut, alles gut! Am Schlusse des Treffens gegen die ihrer „Judenfrage" feindliche *Masse* gesteht *die* Kritik, daß *ihre* Fassung der *„Menschenrechte"*, *ihre*

„Würdigung der Religion in der französischen Revolution", das „freie politische Wesen, auf welches *sie am Schluß ihrer* Erörterungen zuweilen hinwies", kurz, die ganze „Zeit der französischen Revolution für *die* Kritik nichts mehr und nichts minder war als ein Symbol – also nicht genau und im prosaischen Sinne jene Zeit der revolutionären Versuche der Franzosen – ein Symbol, also auch nur ein phantastischer Ausdruck für die Gestalten war, die sie am Ende sah".

Wir wollen *der* Kritik den Trost nicht rauben, daß, wenn sie sich politisch versündigte, es nur am „Schluß" und am „Ende" ihrer Werke geschah. Ein bekannter Trunkenbold pflegte sich dabei zu beruhigen, daß er nie vor Mitternacht betrunken sei.

Auf dem Terrain der „Judenfrage" hat *die* Kritik unstreitig *dem* Feinde immer mehr Raum abgewonnen. Nr. 1 der „Judenfrage" war die von Herrn Bauer verteidigte Schrift *der* Kritik noch absolut und hatte die *„wahre"* und *„allgemeine"* Bedeutung der „Judenfrage" enthüllt. Nr. 2 *„wollte und durfte" die* Kritik nicht über *die* Kritik hinausgehen. Nr. 3 hätte sie noch *„einen Schritt"* machen *müssen*, aber er war „unmöglich" – weil – „unmöglich". Nicht ihr „Wollen und Dürfen", sondern die Verstrickung in ihrem „Gegensatz" hinderte sie an diesem *„einen Schritt"*. Sie hätte gar zu gern über die letzte Barriere hinübergesetzt, aber unglücklicherweise war ein *letzter Rest* von *Masse* an ihren kritischen Meilenstiefeln hängengeblieben.

c) Kritische Schlacht gegen die französische Revolution

Die *Beschränktheit der Masse* hatte *den* „Geist", *die* Kritik, Herrn Bauer gezwungen, die *französische Revolution* nicht für jene Zeit der revolutionären Versuche der Franzosen im *„prosaischen* Sinne", sondern *„nur"* für das *„Symbol* und den *phantastischen Ausdruck"* seiner eignen kritischen Hirngespinste zu halten. *Die* Kritik tut *Buße* für ihr *„Versehn"*, indem sie *die Revolution* einer *neuen Prüfung* unterwirft. Sie bestraft zugleich den Verführer ihrer Unschuld – „die Masse", indem sie derselben die Resultate dieser „neuen Prüfung" mitteilt.

„Die *französische Revolution* war ein Experiment, welches durchaus noch dem achtzehnten Jahrhundert angehörte."

Daß ein Experiment des achtzehnten Jahrhunderts, wie die französische Revolution, durchaus noch ein Experiment des achtzehnten Jahrhunderts ist und nicht etwa ein Experiment des neunzehnten, diese chronologische Wahrheit scheint „durchaus noch" den Wahrheiten anzugehören, die „sich von vornherein von selber verstehen". Eine solche Wahrheit heißt aber in der Terminologie *der* Kritik, welche sehr gegen die „sonnenklare" Wahrheit eingenommen ist, eine „*Prüfung*" und findet daher ihren natürlichen Platz in einer „neuen Prüfung der Revolution".

„Die Ideen, welche die französische Revolution hervorgetrieben hatte, führten aber über den *Zustand*, den sie mit Gewalt aufheben wollte, nicht hinaus."

Ideen können nie über einen alten Weltzustand, sondern immer nur über die Ideen des alten Weltzustandes hinausführen. Ideen können überhaupt *nichts ausführen*. Zum Ausführen der Ideen bedarf es der Menschen, welche eine praktische Gewalt aufbieten. In seinem wörtlichen *Sinn* ist also der kritische Satz wieder eine Wahrheit, die sich von selbst versteht, also abermals eine „*Prüfung*".

Von dieser Prüfung unangefochten, hat die französische Revolution Ideen hervorgetrieben, welche über die *Ideen* des ganzen alten Weltzustandes hinausführen. Die revolutionäre Bewegung, welche 1789 im *Cercle social*[42] begann, in der Mitte ihrer Bahn *Leclerc* und *Roux* zu ihren Hauptrepräsentanten hatte und endlich mit *Babeufs* Verschwörung für einen Augenblick unterlag, hatte die *kommunistische* Idee hervorgetrieben, welche *Babeufs* Freund, *Buonarroti*, nach der Revolution von 1830 wieder in Frankreich einführte. Diese Idee, konsequent ausgearbeitet, ist die *Idee* des *neuen Weltzustandes*.

„Nachdem die Revolution daher (!) die feudalistischen Abgrenzungen innerhalb des Volkslebens aufgehoben hatte, war sie gezwungen, den reinen Egoismus der Nationalität zu befriedigen und selbst anzufeuern, sowie auf der andern Seite durch seine notwendige Ergänzung die Anerkennung eines höchsten Wesens, durch diese höhere Bestätigung des allgemeinen Staatswesens, welches die einzelnen selbstsüchtigen Atome zusammenhalten muß, zu zügeln."

Der Egoismus der Nationalität ist der naturwüchsige Egoismus des allgemeinen Staatswesens, im Gegensatz zum Egoismus der feudalistischen Abgrenzungen. Das höchste Wesen ist die höhere Bestätigung des allgemeinen Staatswesens, also auch der Nationalität. Das höchste Wesen soll nichtsdestoweniger den Egoismus der Nationalität, d. i. des allgemeinen Staatswesens, *zügeln*! Eine wahrhaft kritische Aufgabe, einen Egoismus durch seine Bestätigung und gar durch seine *religiöse* Bestätigung, d. h. durch die Anerkennung desselben als eines übermenschlichen und darum auch von menschlichen Zügeln befreiten Wesens zu zügeln! Die Schöpfer des höchsten Wesens wußten nichts von dieser ihrer kritischen Intention.

Herr *Buchez*, der den Fanatismus der Nationalität auf den Fanatismus der Religion stützt, versteht seinen Helden *Robespierre* besser.

Rom und Griechenland scheiterten an der Nationalität. *Die* Kritik sagt also nichts Spezifisches über die französische Revolution, wenn sie dieselbe an der Nationalität scheitern läßt. Sie sagt ebensowenig über die Nationalität, wenn sie den Egoismus derselben als *rein* bestimmt. Dieser reine Egoismus erscheint vielmehr als ein sehr dunkler, mit Fleisch und Blut versetzter, naturwüchsiger Egoismus, wenn man ihn etwa mit dem reinen Egoismus des *Fichteschen Ich* vergleicht. Ist aber seine Reinheit nur relativ, im Gegensatz zu dem Egoismus der feudalistischen Abgrenzungen, so bedurfte es keiner „neuen Prüfung der Revolution", um zu finden, daß der Egoismus, der eine Nation zum Inhalt hat, allgemeiner oder reiner ist als der Egoismus, der einen besonderen Stand und eine besondere Korporation zum Inhalt hat.

Die Aufschlüsse *der* Kritik über das allgemeine Staatswesen sind nicht minder unterrichtend. Sie beschränken sich darauf, daß das allgemeine Staats wesen die einzelnen selbstsüchtigen Atome zusammenhalten muß.

Genau und im prosaischen Sinne zu reden, sind die Mitglieder der bürgerlichen Gesellschaft keine *Atome*. Die *charakteristische Eigenschaft* des Atoms besteht darin, *keine* Eigenschaften und darum keine durch seine eigne *Naturnotwendigkeit* bedingte Beziehung zu andern Wesen außer ihm zu haben. Das Atom ist *bedürfnislos, selbstgenügsam*; die Welt außer ihm ist die absolute *Leere*, d. h. sie ist inhaltslos, sinnlos, nichtssagend, eben weil es *alle Fülle* in sich selbst besitzt. Das egoistische Individuum der bürgerlichen Gesellschaft mag sich in seiner unsinnlichen Vorstellung und unlebendigen Abstraktion zum *Atom* aufblähen, d. h. zu einem beziehungslosen, selbstgenügsamen, bedürfnislosen, *absolut vollen*, seligen Wesen. Die unselige *sinnliche Wirklichkeit* kümmert sich nicht um seine Einbildung, jeder seiner Sinne zwingt es, an den Sinn[1] der Welt und der Individuen außer ihm zu glauben, und selbst sein *profaner* Magen erinnert es täglich daran, daß die Welt *außer* ihm nicht *leer*, sondern das eigentlich *Erfüllende* ist. Jede seiner Wesenstätigkeiten und Eigenschaften, jeder seiner Lebenstriebe wird zum *Bedürfnis*, zur *Not*, die seine *Selbstsucht* zur Sucht nach andern Dingen und Menschen außer ihm macht. Da aber das Bedürfnis des einen Individuums keinen sich von selbst verstehenden Sinn für das andere egoistische Individuum, das die Mittel, jenes Bedürfnis zu befriedigen, besitzt, also keinen unmittelbaren Zusammenhang mit der Befriedigung hat, so muß jedes Individuum diesen Zusammenhang schaffen, indem es gleichfalls zum Kuppler zwischen dem

[1] soll wahrscheinlich heißen: an das Sein

fremden Bedürfnis und den Gegenständen dieses Bedürfnisses wird. Die *Naturnotwendigkeit* also, die *menschlichen Wesenseigenschaften*, so entfremdet sie auch erscheinen mögen, das *Interesse* halten die Mitglieder der bürgerlichen Gesellschaft zusammen, das *bürgerliche* und nicht das *politische* Leben ist ihr *reales* Band. Nicht also der *Staat* hält die *Atome* der bürgerlichen Gesellschaft zusammen, sondern dies, daß sie *Atome* nur in der *Vorstellung* sind, im *Himmel* ihrer Einbildung – in der *Wirklichkeit* aber gewaltig von den Atomen unterschiedene Wesen, nämlich keine *göttliche Egoisten*, sondern *egoistische Menschen*. Nur der *politische Aberglaube* bildet sich noch heutzutage ein, daß das bürgerliche Leben vom Staat zusammengehalten werden müsse, während umgekehrt in der Wirklichkeit der Staat von dem bürgerlichen Leben zusammengehalten wird.

„*Robespierres* und *Saint-Justs* kolossale Idee, ein ‚*freies Volk*' zu bilden, welches nur nach den Regeln der *Gerechtigkeit* und *Tugend* lebt – siehe zum Beispiel Saint-Justs Bericht über Dantons Verbrechen und den andern über die allgemeine Polizei –, konnte sich nur durch den Schrecken für einige Zeit halten und war ein *Widerspruch, gegen welchen* die gemeinen und selbstsüchtigen Elemente des *Volkswesens* in der feigen und heimtückischen Weise reagierten, die von ihnen nur zu erwarten war."

Diese *absolut-kritische* Phrase, welche ein „freies Volk" als einen „*Widerspruch*" charakterisiert, *gegen* welchen die Elemente des „*Volkswesens*" reagieren müssen, ist so absolut hohl, daß *Freiheit, Gerechtigkeit, Tugend* in Robespierres und Saint-Justs Sinne vielmehr nur Lebensäußerungen eines „*Volkes*" und nur Eigenschaften des „Volkswesens" sein können. Robespierre und Saint-Just sprechen ausdrücklich von der *antiken*, nur dem „*Volkswesen*" angehörigen „Freiheit, Gerechtigkeit, Tugend". *Spartaner, Athener, Römer* zur Zeit ihrer Größe sind „freie, gerechte, tugendhafte Völker".

„Welches", fragt Robespierre in der Rede über die Prinzipien der öffentlichen Moral (Sitzung des Konvents vom 5. Februar 1794) – „welches ist das *Grundprinzip* des demokratischen oder populären Gouvernements? Die *Tugend*. Ich spreche von der *öffentlichen* Tugend, welche so große Wunder in *Griechenland* und *Rom* bewirkte und welche noch bewundrungswürdigere in dem republikanischen Frankreich bewirken wird; von der Tugend, welche nichts anderes ist als die Liebe des Vaterlandes und seiner Gesetze."

Robespierre bezeichnet sodann ausdrücklich *Athener* und *Spartaner* als „peuples libres"[1]. Er ruft beständig das antike *Volkswesen* ins Gedächtnis und zitiert seine Heroen wie seine Verderber – Lykurg, Demosthenes, Miltiades, Aristides, Brutus und Catilina, Cäsar, Clodius, Pison.

[1] freie Völker

Saint-Just in dem Bericht über Dantons Verhaftung – worauf die Kritik verweist – sagt ausdrücklich:

„Die Welt ist leer seit den *Römern*, und nur die Erinnerung an sie erfüllt sie und prophezeit noch die *Freiheit*."

Seine Anklage ist in antiker Weise gegen *Danton* als einen *Catilina* gerichtet.

In dem andern Bericht *Saint-Justs* über die *allgemeine Polizei* wird der *Republikaner* ganz im *antiken* Sinn, *unbeugsam, frugal, einfach* usw. geschildert. Die *Polizei* soll dem Wesen nach ein der römischen *Zensur* entsprechendes Institut sein. – Codrus, Lykurg, Cäsar, Cato, Catilina, Brutus, Antonius, Cassius fehlen nicht. Endlich charakterisiert *Saint-Just* die *„Freiheit,* Gerechtigkeit, Tugend", die er verlangt, mit *einem Worte*, wenn er sagt:

„Que les hommes révolutionnaires soient des *Romains*."[1]

Robespierre, Saint-Just und ihre Partei gingen unter, weil sie das antike, *realistisch-demokratische Gemeinwesen*, welches auf der Grundlage des *wirklichen Sklaventums* ruhte, mit dem *modernen spiritualistisch-demokratischen Repräsentativstaat*, welcher auf dem *emanzipierten Sklaventum*, der *bürgerlichen Gesellschaft*, beruht, verwechselten. Welche kolossale Täuschung, die moderne bürgerliche Gesellschaft, die Gesellschaft der Industrie, der allgemeinen Konkurrenz, der frei ihre Zwecke verfolgenden Privatinteressen, der Anarchie, der sich selbst entfremdeten natürlichen und geistigen Individualität – in den *Menschenrechten* anerkennen und sanktionieren zu müssen und zugleich die *Lebensäußerungen* dieser Gesellschaft hinterher an einzelnen Individuen annullieren und zugleich den *politischen Kopf* dieser Gesellschaft in *antiker* Weise bilden zu wollen!

Tragisch erscheint diese Täuschung, wenn Saint-Just am Tage seiner Hinrichtung auf die im Saale der Conciergerie hängende große Tabelle der *Menschenrechte* hinwies und mit stolzem Selbstgefühl äußerte: „C'est pourtant moi qui ai fait cela."[2] Eben diese Tabelle proklamierte das *Recht* eines *Menschen*, der nicht der Mensch des antiken Gemeinwesens sein kann, so wenig als seine *nationalökonomischen* und *industriellen* Verhältnisse die *antiken* sind.

Es ist hier nicht der Ort, die Täuschung der *Terroristen* geschichtlich zu rechtfertigen.

„Nach dem Sturz Robespierres eilte die *politische Aufklärung* und *Bewegung* dem Punkte zu, wo sie die Beute *Napoleons* wurde, der nicht lange Zeit nach dem

---

[1] „Daß die revolutionären Menschen *Römer* seien." – [2] „Und doch war ich es, der das gemacht hat."

18. Brumaire[43] sagen konnte: ‚Mit meinen Präfekten, Gendarmen und Geistlichen kann ich mit Frankreich machen, was ich will.' "

Die *profane* Geschichte berichtet dagegen: Nach dem Sturz Robespierres beginnt die *politische* Aufklärung, die sich selbst hatte *überbieten* wollen, die *überschwenglich* gewesen war, erst, sich *prosaisch* zu verwirklichen. Unter der Regierung des *Direktoriums*[44] bricht die *bürgerliche Gesellschaft* – die Revolution selbst hatte sie von den feudalen Banden befreit und offiziell anerkannt, so sehr der *Terrorismus* sie einem antik-politischen Leben aufopfern wollte – in gewaltigen Lebensströmungen hervor. Sturm und Drang nach kommerziellen Unternehmungen, Bereicherungssucht, Taumel des neuen bürgerlichen Lebens, dessen erster Selbstgenuß noch keck, leichtsinnig, frivol, berauschend ist; *wirkliche* Aufklärung des französischen *Grund* und *Bodens*, dessen feudale Gliederung der Hammer der Revolution zerschlagen hatte und welchen nun die erste Fieberhitze der vielen neuen Eigentümer einer allseitigen Kultur unterwirft; erste Bewegungen der freigewordenen Industrie – das sind einige von den Lebenszeichen der neuentstandnen bürgerlichen Gesellschaft. Die *bürgerliche Gesellschaft* wird *positiv* repräsentiert durch die *Bourgeoisie*. Die Bourgeoisie *beginnt* also ihr Regiment. Die *Menschenrechte* hören auf, *bloß* in der *Theorie* zu existieren.

Was am 18. Brumaire die Beute Napoleons wurde, war nicht, wie *die* Kritik einem Herrn von Rotteck und Welcker getreulichst glaubt, die revolutionäre Bewegung überhaupt, es war die *liberale Bourgeoisie*. Man hat nur die Reden der damaligen Gesetzgeber zu lesen, um sich davon zu überzeugen. Man glaubt aus dem Nationalkonvent in eine heutige Deputiertenkammer versetzt zu sein.

Napoleon war der letzte Kampf des *revolutionären Terrorismus* gegen die gleichfalls durch die Revolution proklamierte *bürgerliche Gesellschaft* und deren Politik. Napoleon besaß allerdings schon die Einsicht in das Wesen des *modernen Staats*, daß derselbe auf der ungehinderten Entwickelung der bürgerlichen Gesellschaft, auf der freien Bewegung der Privatinteressen etc. als seiner Grundlage ruhe. Er entschloß sich, diese Grundlage anzuerkennen und zu beschützen. Er war kein schwärmerischer Terrorist. Aber Napoleon betrachtete zugleich noch den *Staat* als *Selbstzweck* und das bürgerliche Leben nur als Schatzmeister und als seinen *Subalternen*, der keinen *Eigenwillen* haben dürfe. Er *vollzog* den *Terrorismus*, indem er an die Stelle der *permanenten Revolution* den *permanenten Krieg setzte*. Er befriedigte bis zur vollen Sättigung den Egoismus der französischen Nationalität, aber er verlangte auch das Opfer der bürgerlichen Geschäfte, [des] Genusses, Reichtums etc., sooft es der politische Zweck der Eroberung erheischte. Wenn er den Liberalismus der bürgerlichen Gesellschaft – den politischen Idealismus ihrer alltäglichen Praxis – despotisch unterdrückte, so schonte er nicht mehr ihre wesentlichsten *materiellen* Interessen, Handel und Industrie, sooft sie mit seinen politischen Interessen in Konflikt gerieten. Seine Verachtung der industriellen hommes d'affaires[1] war die Ergänzung zu seiner Verachtung der *Ideologen*. Auch nach innen hin bekämpfte er in der bürgerlichen Gesellschaft den Gegner des in ihm noch als absoluter Selbstzweck geltenden Staats. So erklärte er im Staatsrat, er werde nicht dulden, daß der Besitzer umfangreicher Ländereien sie nach Belieben bebaue oder nicht bebaue. So faßte er den Plan, durch Aneignung der *Roulage*[2] den Handel dem Staat zu unterwerfen. Französische Handelsleute bereiteten auf das Ereignis vor, welches Napoleons Macht zuerst erschütterte. Pariser Agioteurs zwangen ihn durch eine künstlich geschaffene Hungersnot, die Eröffnung des russischen Feldzugs beinahe um zwei Monate aufzuschieben und daher in eine zu weit vorgerückte Jahreszeit zu verlegen.

Wie der liberalen Bourgeoisie in Napoleon noch einmal der revolutionäre Terrorismus gegenübertrat, so trat ihr in der Restauration, in den Bourbonen, noch einmal die Konterrevolution gegenüber. Endlich verwirklichte sie in dem Jahre 1830 ihre Wünsche vom Jahre 1789, nur mit dem Unterschied, daß ihre *politische Aufklärung* nun *vollendet* war, daß sie in dem konstitutionellen Repräsentativstaat nicht mehr das Ideal des Staates, nicht mehr das Heil der Welt und allgemein menschliche Zwecke zu erstreben meinte, sondern ihn vielmehr als den *offiziellen* Ausdruck ihrer *ausschließlichen* Macht und als die *politische* Anerkennung ihres *besondern* Interesses erkannt hatte.

Die Lebensgeschichte der französischen Revolution, die von 1789 her datiert, ist mit dem Jahre 1830, wo eins ihrer Momente, nun bereichert mit dem Bewußtsein seiner *sozialen* Bedeutung, den Sieg davontrug, noch nicht beendigt.

d) Kritische Schlacht gegen den französischen Materialismus

„Der *Spinozismus* hatte das 18. Jahrhundert beherrscht, sowohl in seiner französischen Weiterbildung, die die Materie zur Substanz machte, wie im Theismus, der die Materie mit einem geistigeren Namen belegte ... *Spinozas französische Schule* und die Anhänger des Theismus waren nur zwei Sekten, die sich über den wahren Sinn *seines Systems* stritten ... Das einfache Schicksal dieser Aufklärung war ihr Untergang in der *Romantik*, nachdem sie sich der Reaktion, die seit der französischen Bewegung begann, hatte gefangengeben müssen."

[1] Geschäftsleute – [2] des *Frachtverkehrs*

Soweit *die* Kritik.

Wir werden der kritischen Geschichte des französischen Materialismus seine profane, massenhafte Geschichte in einer kurzen Skizze gegenüberstellen. Wir werden die Kluft zwischen der Geschichte, wie sie sich wirklich zugetragen hat, und zwischen der Geschichte, wie sie sich zuträgt nach dem Dekret *der* „absoluten Kritik", der gleichmäßigen Schöpferin des Alten wie des Neuen, ehrfurchtsvoll anerkennen. Wir werden endlich, den Vorschriften *der* Kritik gehorchend, das „Warum?", „Woher?" und „Wohin?" der kritischen Geschichte zum „Gegenstand eines anhaltenden Studiums machen".

„*Genau* und im *prosaischen Sinne* zu reden", war die französische Aufklärung des 18. Jahrhunderts und namentlich der *französische Materialismus* nicht nur ein Kampf gegen die bestehenden politischen Institutionen, wie gegen die bestehende Religion und Theologie, sondern ebensosehr ein *offener*, ein *ausgesprochener* Kampf gegen die *Metaphysik des siebzehnten Jahrhunderts* und gegen *alle Metaphysik*, namentlich gegen die des *Descartes*, *Malebranche*, *Spinoza* und *Leibniz*. Man stellte die *Philosophie* der *Metaphysik* gegenüber, wie *Feuerbach* bei seinem ersten entschiedenen Auftreten wider *Hegel* der *trunkenen Spekulation* die *nüchterne Philosophie* gegenüberstellte. Die *Metaphysik* des 17. Jahrhunderts, welche von der französischen Aufklärung und namentlich von dem *französischen Materialismus* des 18. Jahrhunderts aus dem Felde geschlagen war, erlebte ihre *siegreiche und gehaltvolle Restauration* in der *deutschen Philosophie* und namentlich in der *spekulativen deutschen Philosophie* des 19. Jahrhunderts. Nachdem *Hegel* sie auf eine geniale Weise mit aller seitherigen Metaphysik und dem deutschen Idealismus vereint und ein metaphysisches Universalreich gegründet hatte, entsprach wieder, wie im 18. Jahrhundert, dem Angriff auf die Theologie der Angriff auf die *spekulative Metaphysik* und auf *alle Metaphysik*. Sie wird für immer dem nun durch die Arbeit der *Spekulation* selbst vollendeten und mit dem *Humanismus* zusammenfallenden *Materialismus* erliegen. Wie aber *Feuerbach* auf *theoretischem* Gebiete, stellte der französische und englische *Sozialismus* und *Kommunismus* auf *praktischem* Gebiete den mit dem *Humanismus* zusammenfallenden *Materialismus* dar.

„*Genau* und im *prosaischen Sinne* zu reden", gibt es *zwei Richtungen* des *französischen Materialismus*, wovon die *eine* ihren Ursprung von *Descartes*, die andre ihren Ursprung von *Locke* herleitet. Der letztere ist *vorzugsweise* ein *französisches* Bildungselement und mündet direkt in den *Sozialismus*. Der erstere, der *mechanische* Materialismus, verläuft sich in die eigentliche französische *Naturwissenschaft*. Beide Richtungen durchkreuzen sich im Lauf der

Entwicklung. Auf den direkt von *Descartes* herdatierenden französischen Materialismus haben wir nicht näher einzugehen, so wenig als auf die französische Schule des *Newton* und auf die Entwicklung der französischen Naturwissenschaft überhaupt.

Daher nur soviel:

In seiner *Physik* hatte *Descartes* der *Materie* selbstschöpferische Kraft verliehen und die *mechanische* Bewegung als ihren Lebensakt gefaßt. Er hatte seine *Physik* vollständig von seiner *Metaphysik* getrennt. *Innerhalb* seiner Physik ist *die Materie* die einzige *Substanz*, der einzige Grund des Seins und des Erkennens.

Der *mechanische* französische Materialismus schloß sich der *Physik* des *Descartes* im Gegensatz zu seiner Metaphysik an. Seine Schüler waren *Antimetaphysiker* von Profession, nämlich *Physiker*.

Mit dem *Arzte Le Roy* beginnt diese Schule, mit dem Arzte *Cabanis* erreicht sie ihren Höhepunkt, der Arzt *La Mettrie* ist ihr Zentrum. Descartes lebte noch, als Le Roy die kartesische Konstruktion des *Tieres* – wie ähnlich im 18. Jahrhundert *La Mettrie* – auf die menschliche Seele übertrug, die Seele für einen *Modus des Körpers* und die *Ideen* für *mechanische Bewegungen* erklärte. Le Roy glaubte sogar, Descartes habe seine wahre Meinung verheimlicht. Descartes protestierte. Am Ende des 18. Jahrhunderts vollendete *Cabanis* den kartesischen Materialismus in seiner Schrift „*Rapports du physique et du moral de l'homme*".[45]

Der *kartesische* Materialismus existiert bis auf den heutigen Tag in Frankreich. Er hat seine großen Erfolge in der *mechanischen Naturwissenschaft*, der man die *Romantik*, *genau* und im *prosaischen Sinn* zu reden, am allerwenigsten vorwerfen wird.

Die *Metaphysik* des 17. Jahrhunderts, für Frankreich namentlich durch *Descartes* repräsentiert, hatte von ihrer Geburtsstunde an den *Materialismus* zum *Antagonisten*. Persönlich trat er dem Descartes in der Gestalt des *Gassendi*, dem Wiederhersteller des *epikureischen* Materialismus, gegenüber. Der französische und englische Materialismus blieb immer in einem innigen Verhältnis zu *Demokrit* und *Epikur*. Einen andern Gegensatz hatte die kartesische Metaphysik an dem *englischen* Materialisten *Hobbes*. Gassendi und Hobbes besiegten lange nach ihrem Tode ihren Gegner in demselben Augenblicke, wo dieser als die offizielle Macht schon in allen französischen Schulen herrschte.

Voltaire hat bemerkt, daß die Indifferenz der Franzosen des 18. Jahrhunderts gegen die jesuitischen und jansenistischen[46] Streitigkeiten weniger durch die Philosophie als durch die *Lawschen* Finanzspekulationen herbeigeführt wurde. So kann man den Sturz der Metaphysik des 17. Jahrhunderts nur insofern aus der materialistischen Theorie des 18. Jahrhunderts erklären, als man diese theoretische Bewegung selbst aus der praktischen Gestaltung des damaligen französischen Lebens erklärt. Dieses Leben war auf die unmittelbare Gegenwart, auf den weltlichen Genuß und die weltlichen Interessen, auf die *irdische* Welt gerichtet. Seiner antitheologischen, antimetaphysischen, seiner materialistischen Praxis mußten antitheologische, antimetaphysische, materialistische Theorien entsprechen. Die Metaphysik hatte *praktisch* allen Kredit verloren. Wir haben hier nur den *theoretischen* Verlauf kurz anzudeuten.

Die Metaphysik war im 17. Jahrhundert (man denke an Descartes, Leibniz etc.) noch versetzt mit *positivem*, profanem Gehalte. Sie machte Entdeckungen in der Mathematik, Physik und andern bestimmten Wissenschaften, die ihr anzugehören schienen. Schon im Anfang des 18. Jahrhunderts war dieser Schein vernichtet. Die positiven Wissenschaften hatten sich von ihr getrennt und selbständige Kreise gezogen. Der ganze metaphysische Reichtum bestand nur noch in Gedankenwesen und himmlischen Dingen, grade als die realen Wesen und die irdischen Dinge alles Interesse in sich zu konzentrieren begannen. Die Metaphysik war fad geworden. In demselben Jahre, wo die letzten großen französischen Metaphysiker des 17. Jahrhunderts, Malebranche und Arnauld, starben, wurden *Helvétius* und *Condillac* geboren.

Der Mann, der die Metaphysik des 17. Jahrhunderts und alle Metaphysik *theoretisch* um ihren *Kredit* brachte, war *Pierre Bayle*. Seine Waffe war der *Skeptizismus*, geschmiedet aus den metaphysischen Zauberformeln selber. Er selbst ging zunächst aus von der kartesischen Metaphysik. Wie *Feuerbach* durch die Bekämpfung der spekulativen Theologie zur Bekämpfung der *spekulativen Philosophie* fortgetrieben wurde, eben weil er die Spekulation als die letzte Stütze der Theologie erkannte, weil er die Theologen zwingen mußte, von der Scheinwissenschaft zu dem *rohen*, widerlichen *Glauben* zurückzuflüchten, so trieb der religiöse Zweifel den Bayle zum Zweifel an der Metaphysik, welche diesen Glauben stützte. Er unterwarf daher die Metaphysik in ihrem ganzen geschichtlichen Verlauf der Kritik. Er wurde ihr Geschichtschreiber, um die Geschichte ihres Todes zu schreiben. Er widerlegte vorzugsweise den *Spinoza* und *Leibniz*.

Pierre Bayle bereitete nicht nur dem Materialismus und der Philosophie des gesunden Menschenverstandes ihre Aufnahme in Frankreich durch die skeptische Auflösung der Metaphysik vor. Er kündete die *atheistische Gesellschaft*, welche bald zu existieren beginnen sollte, durch den *Beweis* an, daß eine Gesellschaft von lauter Atheisten existieren, daß ein Atheist ein ehrbarer Mensch sein *könne*, daß sich der Mensch nicht durch den Atheismus, sondern durch den Aberglauben und den Götzendienst herabwürdige.

Pierre Bayle war nach dem Ausdruck eines französischen Schriftstellers „*der letzte der Metaphysiker* im *Sinne* des 17. und der *erste der Philosophen im Sinne des 18. Jahrhunderts*".

Außer der negativen Widerlegung der Theologie und der Metaphysik des 17. Jahrhunderts bedurfte man eines *positiven, antimetaphysischen* Systems. Man bedurfte eines Buches, welches die damalige Lebenspraxis in ein System brachte und theoretisch begründete. *Lockes* Schrift über den „Ursprung des menschlichen Verstandes" kam wie gerufen von jenseits des Kanals. Es wurde enthusiastisch als ein sehnlichst erwarteter Gast empfangen.

Es fragt sich: Ist *Locke* etwa ein Schüler des *Spinoza*? Die „profane" Geschichte mag antworten:

Der Materialismus ist der *eingeborne* Sohn *Großbritanniens*. Schon sein Scholastiker *Duns Scotus* fragte sich, „*ob die Materie nicht denken könne*".

Um dies Wunder zu bewerkstelligen, nahm er zu Gottes Allmacht seine Zuflucht, d. h. er zwang die *Theologie* selbst, den *Materialismus* zu predigen. Er war überdem *Nominalist*. Der Nominalismus findet sich als ein Hauptelement bei den *englischen* Materialisten, wie er überhaupt der *erste Ausdruck* des Materialismus ist.

Der wahre Stammvater des *englischen Materialismus* und aller *modernen experimentierenden* Wissenschaft ist *Baco*. Die Naturwissenschaft gilt ihm als die wahre Wissenschaft und die sinnliche *Physik* als der vornehmste Teil der Naturwissenschaft. *Anaxagoras* mit seinen *Homoiomerien* und *Demokrit* mit seinen Atomen sind häufig seine Autoritäten. Nach seiner Lehre sind die *Sinne* untrüglich und die *Quelle* aller Kenntnisse. Die Wissenschaft ist *Erfahrungswissenschaft* und besteht darin, eine *rationelle Methode* auf das sinnlich Gegebene anzuwenden. Induktion, Analyse, Vergleichung, Beobachtung, Experimentieren sind die Hauptbedingungen einer rationellen Methode. Unter den *der Materie* eingebornen Eigenschaften ist die *Bewegung* die erste und vorzüglichste, nicht nur als *mechanische* und *mathematische* Bewegung, sondern mehr noch als *Trieb, Lebensgeist, Spannkraft*, als *Qual* – um den Ausdruck Jakob Böhmes zu gebrauchen – der Materie. Die primitiven Formen der letztern sind lebendige, individualisierende, ihr inhärente, die spezifischen Unterschiede produzierende *Wesenskräfte*.

In *Baco*, als seinem ersten Schöpfer, birgt der Materialismus noch auf eine naive Weise die Keime einer allseitigen Entwicklung in sich. Die Materie lacht in poetisch-sinnlichem Glanze den ganzen Menschen an. Die aphoristische Doktrin selbst wimmelt dagegen noch von theologischen Inkonsequenzen.

In seiner Fortentwicklung wird der Materialismus *einseitig*. *Hobbes* ist der *Systematiker* des *baconischen* Materialismus. Die Sinnlichkeit verliert ihre Blume und wird zur abstrakten Sinnlichkeit des *Geometers*. Die *physische* Bewegung wird der *mechanischen* oder *mathematischen* geopfert; die *Geometrie* wird als die Hauptwissenschaft proklamiert. Der Materialismus wird *menschenfeindlich*. Um den *menschenfeindlichen, fleischlosen* Geist auf seinem eignen Gebiet überwinden zu können, muß der Materialismus selbst sein Fleisch abtöten und zum *Asketen* werden. Er tritt auf als ein *Verstandeswesen*, aber er entwickelt auch die rücksichtslose Konsequenz des Verstandes.

Wenn die Sinnlichkeit alle Kenntnisse den Menschen liefert, demonstriert Hobbes, von Baco ausgehend, so sind Anschauung, Gedanke, Vorstellung etc. nichts als Phantome der mehr oder minder von ihrer sinnlichen Form entkleideten Körperwelt. Die Wissenschaft kann diese Phantome nur benennen. *Ein* Name kann auf mehrere Phantome angewandt werden. Es kann sogar Namen von Namen geben. Es wäre aber ein Widerspruch, einerseits alle Ideen ihren Ursprung in der Sinnenwelt finden zu lassen und andrerseits zu behaupten, daß ein Wort mehr als ein Wort sei, daß es außer den vorgestellten, immer einzelnen Wesen noch allgemeine Wesen gebe. Eine *unkörperliche Substanz* ist vielmehr derselbe Widerspruch wie ein *unkörperlicher Körper*. *Körper, Sein, Substanz* ist eine und dieselbe *reelle* Idee. Man kann den Gedanken nicht von einer Materie trennen, *die* denkt. Sie ist das Subjekt aller Veränderungen. Das Wort *unendlich* ist *sinnlos*, wenn es nicht die Fähigkeit unseres Geistes bedeutet, ohne Ende hinzuzufügen. Weil nur das Materielle wahrnehmbar, wißbar ist, so weiß man *nichts* von Gottes Existenz. Nur meine eigne Existenz ist sicher. Jede menschliche Leidenschaft ist eine mechanische Bewegung, die endet oder anfängt. Die Objekte der Triebe sind das Gute. Der Mensch ist denselben Gesetzen unterworfen wie die Natur. Macht und Freiheit sind identisch.

Hobbes hatte den Baco systematisiert, aber sein Grundprinzip, den Ursprung der Kenntnisse und Ideen aus der Sinnenwelt, nicht näher begründet.

Locke begründet das Prinzip des Baco und Hobbes in seinem Versuch über den Ursprung des menschlichen Verstandes.

Wie Hobbes die *theistischen* Vorurteile des baconischen Materialismus vernichtete, so Collins, Dodwell, Coward, Hartley, Priestley etc. die letzte theologische Schranke des Lockeschen Sensualismus. Mehr als eine bequeme und nachlässige Weise, die Religion loszuwerden, ist der Deismus wenigstens für den Materialisten nicht.

Wir haben schon erwähnt, wie gelegen Lockes Werk den Franzosen kam. Locke hatte die Philosophie des bon sens, des gesunden Menschenverstandes, begründet, d. h. auf einem Umweg gesagt, daß es keine von den gesunden menschlichen Sinnen und dem auf ihnen basierenden Verstand unterschiedne Philosophie gebe.

Der *unmittelbare* Schüler und *französische* Dolmetscher Lockes, *Condillac*, richtete den Lockeschen Sensualismus sogleich gegen die *Metaphysik* des 17. Jahrhunderts. Er bewies, daß die Franzosen dieselbe mit Recht als ein bloßes Machwerk der Einbildungskraft und theologischer Vorurteile verworfen hätten. Er publizierte eine Widerlegung der Systeme von *Descartes, Spinoza, Leibniz* und *Malebranche*.

In seiner Schrift „L'essai sur l'origine des connaissances humaines" führte er Lockes Gedanken aus und bewies, daß nicht nur die Seele, sondern auch die Sinne, nicht nur die Kunst, Ideen zu machen, sondern auch die Kunst der sinnlichen Empfindung Sache der *Erfahrung* und *Gewohnheit* sei. Von der *Erziehung* und den *äußeren Umständen* hängt daher die ganze Entwicklung des Menschen ab. Condillac ist erst durch die *eklektische* Philosophie aus den französischen Schulen verdrängt worden.

Der Unterschied des *französischen* und *englischen* Materialismus ist der Unterschied beider Nationalitäten. Die Franzosen begaben den englischen Materialismus mit Esprit, mit Fleisch und Blut, mit Beredsamkeit. Sie verleihen ihm das noch fehlende Temperament und die Grazie. Sie *zivilisieren* ihn.

In *Helvétius*, der ebenfalls von Locke ausgeht, empfängt der Materialismus den eigentlich französischen Charakter. Er faßt ihn sogleich in bezug auf das gesellschaftliche Leben. (Helvétius, „De l'homme" [47].) Die sinnlichen Eigenschaften und die Selbstliebe, der Genuß und das wohlverstandne persönliche Interesse sind die Grundlage aller Moral. Die natürliche Gleichheit der menschlichen Intelligenzen, die Einheit zwischen dem Fortschritt der Vernunft und dem Fortschritt der Industrie, die natürliche Güte des Menschen, die Allmacht der Erziehung sind Hauptmomente seines Systems.

Eine Vereinigung zwischen dem kartesischen und dem englischen Materialismus findet sich in den Schriften *La Mettries*. Er benutzt die Physik des Descartes bis ins einzelne. Sein „L'homme machine" [48] ist eine Ausführung nach dem Muster der Tier-Maschine des Descartes. In dem *„Système de la nature"* [49] von Holbach besteht der physische Teil ebenfalls aus der Verbindung des französischen und englischen Materialismus, wie der moralische Teil wesentlich auf der Moral des Helvétius beruht. Der französische Materialist, der noch am meisten mit der Metaphysik in Verbindung steht und dafür auch von Hegel belobt wird, *Robinet* („De la nature"), bezieht sich ausdrücklich auf *Leibniz*.

Von Volney, Dupuis, Diderot etc. brauchen wir nicht zu reden, so wenig wie von den Physiokraten, nachdem wir die doppelte Abstammung des französischen Materialismus von der Physik des Descartes und von dem englischen Materialismus, wie den Gegensatz des französischen Materialismus gegen die *Metaphysik* des 17. Jahrhunderts, gegen die Metaphysik des Descartes, Spinoza, Malebranche und Leibniz bewiesen haben. Dieser Gegensatz konnte den Deutschen erst sichtbar werden, seitdem sie selber im Gegensatz zur *spekulativen Metaphysik* stehn.

Wie der *kartesische* Materialismus in die *eigentliche Naturwissenschaft* verläuft, so mündet die andre Richtung des französischen Materialismus direkt in den *Sozialismus* und *Kommunismus*.

Es bedarf keines großen Scharfsinnes, um aus den Lehren des Materialismus von der ursprünglichen Güte und gleichen intelligenten Begabung der Menschen, der Allmacht der Erfahrung, Gewohnheit, Erziehung, dem Einflusse der äußern Umstände auf den Menschen, der hohen Bedeutung der Industrie, der Berechtigung des Genusses etc. seinen notwendigen Zusammenhang mit dem Kommunismus und Sozialismus einzusehen. Wenn der Mensch aus der Sinnenwelt und der Erfahrung in der Sinnenwelt alle Kenntnis, Empfindung etc. sich bildet, so kommt es also darauf an, die empirische Welt so einzurichten, daß er das wahrhaft Menschliche in ihr erfährt, sich angewöhnt, daß er sich als Mensch erfährt. Wenn das wohlverstandne Interesse das Prinzip aller Moral ist, so kommt es darauf an, daß das Privatinteresse des Menschen mit dem menschlichen Interesse zusammenfällt. Wenn der Mensch unfrei im materialistischen Sinne, d. h. frei ist, nicht durch die negative Kraft, dies und jenes zu meiden, sondern durch die positive Macht, seine wahre Individualität geltend zu machen, so muß man nicht das Verbrechen am Einzelnen strafen, sondern die antisozialen Geburtsstätten des Verbrechens zerstören und jedem den sozialen Raum für seine wesentliche Lebensäußerung geben. Wenn der Mensch von den Umständen gebildet wird, so muß man die Umstände menschlich bilden. Wenn der Mensch von Natur gesellschaftlich ist, so entwickelt er seine wahre Natur erst in der Gesellschaft, und man muß die Macht seiner Natur nicht an der Macht des einzelnen Individuums, sondern an der Macht der Gesellschaft messen.

Diese und ähnliche Sätze findet man fast wörtlich selbst in den ältesten französischen Materialisten. Es ist hier nicht der Ort, sie zu beurteilen. Bezeichnend für die sozialistische Tendenz des Materialismus ist *Mandevilles*, eines älteren englischen Schülers von Locke, *Apologie der Laster*. Er beweist, daß die Laster in der *heutigen* Gesellschaft *unentbehrlich* und *nützlich* sind. Es war dies keine Apologie der heutigen Gesellschaft.

Fourier geht unmittelbar von der Lehre der französischen Materialisten aus. Die *Babouvisten* waren rohe, unzivilisierte Materialisten, aber auch der entwickelte Kommunismus datiert *direkt* von dem *französischen Materialismus*. Dieser wandert nämlich in der Gestalt, die ihm *Helvétius* gegeben hat, nach seinem Mutterlande, nach *England*, zurück. *Bentham* gründet auf die Moral des Helvétius sein System des *wohlverstandnen Interesses*, wie *Owen*, von dem System *Benthams* ausgehend, den englischen Kommunismus begründet. Nach England verbannt, wird der Franzose *Cabet* von den dortigen kommunistischen Ideen angeregt und kehrt nach Frankreich zurück, um hier der populärste, wenn auch flachste Repräsentant des Kommunismus zu werden. Die wissenschaftlicheren französischen Kommunisten, *Dézamy*, *Gay* etc., entwickeln, wie Owen, die Lehre des *Materialismus* als die Lehre des *realen Humanismus* und als die *logische* Basis des *Kommunismus*.

Wo hat nun Herr Bauer oder *die* Kritik die Aktenstücke zur kritischen Geschichte des französischen Materialismus sich zu verschaffen gewußt?

1. *Hegels „Geschichte* der Philosophie" stellt den französischen Materialismus als *Realisierung* der spinozistischen Substanz dar, was jedenfalls ungleich verständiger ist als die „französische Schule des Spinoza".

2. Herr *Bauer* hatte aus der Hegelschen „Geschichte der Philosophie" sich den französischen Materialismus als *Schule* des Spinoza herausgelesen. Fand er nun in einem andern Werke Hegels, daß Deismus und Materialismus *zwei Parteien eines und desselben* Grundprinzips seien, so hatte Spinoza *zwei* Schulen, die sich über den Sinn seines Systems stritten. Herr Bauer konnte den gedachten Aufschluß finden in Hegels „Phänomenologie". Hier heißt es wörtlich:

„Über jenes absolute Wesen gerät die *Aufklärung* selbst mit sich in Streit ... und teilt sich in *zwei Parteien* ... die eine ... nennt jenes prädikatlose Absolute ... das *höchste absolute Wesen* ... die andre nennt es *Materie* ... beides ist *derselbe* Begriff, der Unterschied liegt nicht in der Sache, sondern rein nur in dem verschiednen Ausgangspunkt der beiden Bildungen." (Hegels „Phänomenologie", p. 420, 421, 422.)

3. Endlich konnte Herr Bauer wieder in Hegel finden, daß die Substanz, wenn sie nicht zum Begriff und Selbstbewußtsein fortgehet, sich in die „Romantik" verläuft. Ähnliches haben zu ihrer Zeit die „Hallischen Jahrbücher" [37] entwickelt.

Um jeden Preis aber mußte *der „Geist"* über seinen „Widersacher", den *Materialismus*, ein *„einfältiges Schicksal"* verhängen.

Anmerkung. Der Zusammenhang des französischen Materialismus mit Descartes und Locke und der Gegensatz der Philosophie des 18. Jahrhunderts gegen die Metaphysik des 17. Jahrhunderts sind in den meisten neueren *französischen* Geschichten der Philosophie ausführlich dargestellt. Wir hatten hier, der kritischen Kritik gegenüber, nur Bekanntes zu wiederholen. Dagegen bedarf der Zusammenhang des Materialismus des 18. Jahrhunderts mit dem englischen und französischen *Kommunismus* des 19. Jahrhunderts noch einer ausführlichen Darstellung. Wir beschränken uns hier darauf, aus Helvétius, Holbach und Bentham einige wenige prägnante Stellen zu zitieren.

1. *Helvétius:* „Die Menschen sind nicht bös, aber ihren Interessen unterworfen. Man muß also nicht über die Bösartigkeit der Menschen klagen, sondern über die Unwissenheit der Gesetzgeber, welche das besondere Interesse immer in Gegensatz gegen das allgemeine Interesse gestellt haben." – „Die Moralisten haben bisher keinen Erfolg gehabt, weil man in der Gesetzgebung wühlen muß, um die schöpferische Wurzel der Laster auszureißen. In New-Orleans dürfen die Frauen ihre Männer verstoßen, sobald sie ihrer müde sind. In solchen Ländern findet man keine falschen Frauen, weil sie kein Interesse haben, es zu sein." – „Die Moral ist eine nur frivole Wissenschaft, wenn man sie nicht mit der Politik und Gesetzgebung vereint." – „Die heuchlerischen Moralisten erkennt man einerseits an der Gleichgültigkeit, womit sie die Laster betrachten, welche die Reiche auflösen, und andrerseits an dem Jähzorn, womit sie gegen Privatlaster toben." – „Die Menschen sind weder gut noch böse geboren, aber bereit, das eine oder das andre zu sein, je nachdem ein gemeinschaftliches Interesse sie vereinigt oder scheidet." – „Wenn die Staatsbürger ihr besonderes Wohl nicht bewirken könnten, ohne das allgemeine Wohl zu bewirken, so gäbe es keine Lasterhaften als die Narren." („De l'esprit", Paris 1822, I [50], p. 117, 240, 241, 249, 251, 339 u. 369.) – Wie nach Helvétius die Erziehung, worunter er (cf. l. c., p. 390) nicht nur die Erziehung im gewöhnlichen Sinn, sondern die Gesamtheit der Lebensverhältnisse eines Individuums versteht, den Menschen bildet, wenn eine Reform nötig ist, welche den Widerspruch zwischen dem besonderen Interesse und dem gemeinschaftlichen Interesse aufhebt, so bedarf er andrerseits zur Durchführung solcher Reform eine Umwandlung des Bewußtseins: „Man kann die großen Reformen nur dadurch bewerkstelligen, daß man die stupide Verehrung der Völker für die alten Gesetze und Gewohnheiten schwächt" (p. 260 l. c.) oder, wie er anderwärts sagt, die Unwissenheit aufhebt.

2. *Holbach.* „Ce n'est que lui-même que l'homme peut aimer dans les objets qu'il aime: ce n'est que lui-même qu'il peut affectionner dans les êtres de son espèce." „L'homme ne peut jamais se séparer de lui-même dans aucun instant de sa vie: il ne peut se perdre de vue." „C'est toujours notre utilité, notre intérêt ... qui nous fait hair ou aimer les objets"[1] („Système social", t. I, Paris 1822, p. 80, 112), aber: „L'homme

[1] „Nur sich selbst kann der Mensch lieben in den Gegenständen seiner Liebe; nur für sich selbst empfindet er Zuneigung in den Wesen seiner Gattung." „Der Mensch kann sich in keinem Augenblick seines Lebens jemals von sich selbst lösen; er kann sich nicht aus den Augen verlieren." „Immer ist es unser Nutzen, unser Interesse ... die uns die Gegenstände hassen oder lieben machen."

pour son propre intérêt doit aimer les autres hommes puisqu'ils sont nécessaires à son bien-être ... La morale lui prouve, que de tous les êtres le *plus nécessaire à l'homme c'est l'homme.*"[1] (p. 76.) „La vraie morale, ainsi que la vraie politique, est celle qui cherche à approcher les hommes, afin de les faire travailler par des efforts réunis à leur bonheur mutuel. Toute morale qui sépare *nos intérêts de ceux de nos associés* est fausse, insensée, contraire à la nature."[2] (p. 116.) „Aimer les autres ... c'est *confondre nos intérêts avec ceux de nos associés*, afin de travailler à *l'utilité commune* ... *La vertu* n'est que *l'utilité des hommes réunis en société*"[3] (p. 77). „Un homme sans passions ou sans désirs cesserait d'être un homme ... Parfaitement détaché de lui-même, comment pourrait-on le déterminer à s'attacher à d'autres? Un homme, indifférent pour tout, privé de passions, qui se suffirait à lui-même, ne serait plus un être sociable ... La vertu n'est que la *communication du bien.*"[4] (l. c., p. 118.) „La morale religieuse ne servit jamais à rendre les mortels plus sociables."[5] (p. 36. l. c.)

3. *Bentham.* Wir zitieren aus Bentham nur eine Stelle, worin er das „intérêt général[6] im politischen Sinn" bekämpft. „L'intérêt des individus ... doit céder à l'intérêt public. Mais ... qu'est-ce que cela signifie? Chaque individu n'est-il pas partie du public autant que chaque autre? Cet intérêt public, que vous personnifiez, n'est qu'un terme abstrait: il ne représente que la masse des intérêts individuels ... S'il était bon de sacrifier la fortune d'un individu pour augmenter celle des autres, il serait encore mieux d'en sacrifier un second, un troisième, sans qu'on puisse assigner aucune limite ... Les intérêts individuels sont les seuls intérêts réels."[7] (Bentham, „Théorie des peines et des récompenses" etc., Paris 1826, 3me éd., II, p. [229,] 230.)

---

[1] „Der Mensch soll in seinem eigenen Interesse die anderen Menschen lieben, weil sie zu seinem Wohlbefinden notwendig sind ... Die Moral beweist ihm, daß von allen Wesen *der Mensch dem Menschen das Notwendigste ist.*" – [2] „Die wahre Moral, wie die wahre Politik, ist jene, die die Menschen einander nahezubringen sucht, um sie mit vereinten Kräften für ihr wechselseitiges Glück arbeiten zu lassen. Jede Moral, die *unsere Interessen von denen unserer Genossen* trennt, ist falsch, unsinnig, widernatürlich." – [3] „Die anderen lieben ... heißt *unsere Interessen mit denen unserer Genossen vereinigen*, um zum *gemeinsamen Nutzen* zu arbeiten ... *Die Tugend* ist nichts als *der Nutzen der in der Gesellschaft vereinigten Menschen.*" – [4] „Ein Mensch ohne Leidenschaften oder ohne Wünsche würde aufhören, ein Mensch zu sein ... Völlig von sich selbst abgelöst, wie könnte man ihn dazu bestimmen, sich an andere anzuschließen? Ein Mensch, der gegen alles gleichgültig, frei von Leidenschaften wäre, der sich selbst genügte, wäre kein geselliges Wesen mehr ... Die Tugend ist nichts als die *Mitteilung des Guten.*" – [5] „Die religiöse Moral diente nie dazu, die Sterblichen geselliger zu machen." – [6] allgemeine Interesse – [7] „Das Interesse der Individuen ... soll dem Gesamtinteresse weichen. Aber ... was bedeutet das? Ist nicht jedes Individuum ebensosehr Teil des Gesamten wie jedes andere? Dieses Gesamtinteresse, das ihr personifiziert, ist nur ein abstrakter Ausdruck; es repräsentiert nur die Masse der individuellen Interessen ... Wenn es gut wäre, das Vermögen eines Individuums zu opfern, um das der anderen zu vergrößern, dann wäre es noch besser, ein zweites, ein drittes zu opfern, ohne daß man irgendeine Grenze angeben könnte ... Die individuellen Interessen sind die einzigen wirklichen Interessen."

e) Schließliche Niederlage des Sozialismus

„Die Franzosen haben eine Reihe von *Systemen* aufgestellt, *wie* die *Masse* zu *organisieren* sei; sie haben aber *phantasieren* müssen, da sie die Masse, wie sie ist, als brauchbares Material ansahen."

Die Franzosen und Engländer haben vielmehr bewiesen, und ganz im Detail bewiesen, daß die heutige Gesellschaftsordnung die „Masse, *wie* sie ist", organisiere und also deren *Organisation* sei. *Die* Kritik fertigt nach dem Vorgang der „Allgemeinen Zeitung"[51] durch das *gründliche* Wort *phantasieren* sämtliche sozialistischen und kommunistischen Systeme ab.

Der ausländische Sozialismus und Kommunismus ist hiermit von *der* Kritik erschlagen; sie verlegt ihre kriegerischen Operationen nach Deutschland.

„Als die *deutschen Aufklärer* in ihren Hoffnungen von 1842 sich plötzlich getäuscht sahen und in ihrer Verlegenheit nicht wußten, was *nun anzufangen* sei, kam ihnen noch zu rechter Zeit die *Kunde* von den neueren *französischen* Systemen. Sie konnten nun von der Hebung der niedern Volksklassen reden, und um diesen Preis durften sie sich der Frage überheben, ob sie nicht selbst zur Masse gehörten, die eben nicht nur in den untersten Schichten aufzusuchen ist."

Man sieht, *die* Kritik hat in der Apologie der Bauerschen literarischen Vergangenheit so sehr ihren ganzen Vorrat an wohlmeinenden Gründen erschöpft, daß sie die deutsche sozialistische Bewegung nur mehr aus der „Verlegenheit" der Aufklärer im Jahre 1842 zu erklären weiß. „Zum Glück kam ihnen die Kunde von den neueren *französischen* Systemen." Warum nicht von den *englischen*? Aus dem entscheidenden *kritischen* Grunde, weil Herr Bauer durch *Steins* Buch „Der Communismus und Socialismus des heutigen Frankreichs"[52] keine Kunde von den neueren englischen Systemen erhalten hat. Es ist dies derselbe entscheidende Grund, warum für *die* Kritik in ihrem Gerede über die sozialistischen Systeme immer nur *französische Systeme* existieren.

Die deutschen Aufklärer – klärt die Kritik weiter auf – begingen eine Sünde wider den heiligen Geist. Sie beschäftigten sich mit den schon im Jahre 1842 existierenden „niedern Volksklassen", um sich der damals noch *nicht* existierenden Frage zu *überheben*, welchen Rang sie in der Anno 1843 zu stiftenden *kritischen Weltordnung* einzunehmen berufen seien: Schaf oder Bock, kritischer Kritiker oder unreine Masse, *der* Geist oder *die* Materie? Vor allem aber hätten sie ihr eignes kritisches *Seelenheil* ernstlich bedenken sollen, denn was hülfe mir alle Welt, die niedern Volksklassen mit eingerechnet, so ich Schaden an meiner Seele nähme?

„Ein geistiges Wesen kann aber nicht gehoben werden, wenn es nicht verändert wird, und verändert kann es nicht werden, ehe es nicht den äußersten Widerstand erfahren hat."

Wäre *die* Kritik bekannter mit der Bewegung der niedern Volksklassen, sie wüßte, daß der äußerste Widerstand, den sie vom praktischen Leben erfahren haben, sie täglich verändert. Die neue prosaische und poetische Literatur, welche in England und Frankreich von den niedern Volksklassen ausgeht, würden ihr beweisen, daß die niedern Volksklassen, auch ohne die unmittelbare *Beschattung* durch den *heiligen Geist* der *kritischen Kritik*, sich geistig zu heben wissen.

„Diejenigen", phantasiert die absolute Kritik weiter, „deren *ganzes Besitztum* das Wort ‚*Organisation der Masse*' ist" usw.

Von „Organisation der Arbeit" wurde viel gesprochen, obgleich auch dieses „Stichwort" nicht von den Sozialisten selbst, sondern von der politisch-radikalen Partei in Frankreich ausging, welche eine Vermittlung zwischen der Politik und dem Sozialismus versuchte. Von „Organisation der Masse", als einem erst noch zu lösenden Problem, sprach niemand vor der kritischen Kritik. Es wurde im Gegenteil gezeigt, daß die *bürgerliche Gesellschaft*, die Auflösung der alten *feudalen* Gesellschaft, diese Organisation *ist*.

Die Kritik führt ihren Fund mit Gänsefüßen an. Die Gans, welche Herrn Bauer jene Parole zur Rettung des Kapitols[53] zugeschnattert hat, ist niemand anders als seine *eigene Gans*, die *kritische Kritik*. Sie hat die Masse neu organisiert, indem sie dieselbe als den absoluten Widersacher *des* Geistes konstruierte. Der Gegensatz des Geistes und der Masse ist die kritische „Organisation der Gesellschaft", wobei *der* Geist oder *die* Kritik die organisierende *Arbeit*, die Masse den *Rohstoff* und die Geschichte das *Fabrikat* vorstellt.

Fragen wir nach den großen Siegen, welche die absolute Kritik in ihrem dritten Feldzug über die Revolution, den Materialismus und den Sozialismus davongetragen hat, was das *letzte Resultat* dieser Herkulesarbeiten ist? Kein anderes, als daß jene Bewegungen resultatlos *untergingen*, weil sie noch mit *Masse versetzte Kritik* oder mit *Materie versetzter Geist war*. Sogar in der eignen literarischen Vergangenheit des Herrn Bauer entdeckte *die* Kritik eine vielseitige Verunreinigung *der* Kritik durch die Masse. Wenn sie aber *hier* statt einer Kritik eine Apologie schreibt, statt preiszugeben „*sicherstellt*", statt in der *Versetzung des Geistes mit dem Fleische* den Tod auch des Geistes zu finden, vielmehr die Sache umkehrt und in der Versetzung des *Fleisches mit Geist* das Leben sogar des *Bauerschen Fleisches* findet – so ist sie dagegen um so rücksichtsloser und entschiedener *terroristisch*, sobald die unvollendete, noch mit Masse versetzte Kritik nicht mehr das *Werk* des Herrn Bauer ist, sondern das Werk ganzer Völker und einer Reihe von profanen Franzosen und Engländern, sobald die unvollendete Kritik nicht mehr „Die Judenfrage" oder „Die gute Sache der Freiheit" oder „Staat, Religion und Parthei", sondern die Revolution, der Materialismus, der Sozialismus, der Kommunismus heißt. *Die* Kritik hat so die Verunreinigung des Geistes durch die Materie und der Kritik durch die Masse vertilgt, indem sie ihr eignes Fleisch verschonte und fremdes Fleisch kreuzigte.

Auf eine oder die andere Weise ist der „mit Fleisch versetzte Geist" oder die „mit Masse versetzte Kritik" jedenfalls aus dem Wege geräumt. An die Stelle dieser unkritischen Versetzung ist die absolut kritische *Zersetzung* von Geist und Fleisch, Kritik und Masse, ihr reiner Gegensatz getreten. Dieser Gegensatz in seiner *welthistorischen* Gestalt, wie er das wahre geschichtliche Interesse der Gegenwart bildet, ist der Gegensatz des Herrn Bauer und Konsorten oder *des* Geistes gegen den sonstigen Rest des Menschengeschlechts als der Materie.

Die Revolution, der Materialismus und der Kommunismus haben *also* ihren geschichtlichen Zweck erfüllt. Sie haben durch ihren *Untergang* dem kritischen *Herrn* seine Wege bereitet. Hosiannah!

f) Der spekulative Kreislauf der absoluten Kritik und die Philosophie des Selbstbewußtseins

Die Kritik, weil sie sich auf *einem* Gebiete angeblich *vollendet* und rein durchgeführt hatte, beging *also* nur ein *Versehn*, „nur" eine „Inkonsequenz", wenn sie nicht auf *allen* Gebieten der Welt „rein" und „vollendet" war. Das „eine" kritische Gebiet ist kein anderes als das Gebiet der *Theologie*. Die *reine* Gegend dieses Gebiets erstreckt sich von *der „Kritik der Synoptiker"* von Bruno Bauer bis zum „Entdeckten Christentum" von Bruno Bauer als der äußersten Grenzfeste.

„Mit dem Spinozismus", heißt es, „war die neuere Kritik endlich ins reine gekommen; es war also eine Inkonsequenz, wenn sie – war es auch nur an einzelnen falsch auslaufenden Punkten – die *Substanz* auf einem Gebiet unbefangen voraussetzt."

Wurde vorhin das Geständnis von der Verwicklung *der* Kritik in *politische* Vorurteile sogleich dahin gemildert, daß diese Verwicklung *„im Grunde* *so locker!*" gewesen sei, so wird hier das Geständnis der *Inkonsequenz* temperiert durch das Einschiebsel, daß sie nur an *einzelnen, falsch auslaufenden Punkten* begangen wurde. Die Schuld lag nicht an Herrn Bauer, sondern an den *falschen Punkten*, welche, wie widerspenstige Gäule, mit *der* Kritik *durchliefen*.

Einige Zitate werden zeigen, daß *die* Kritik durch die Überwindung des *Spinozismus* zum *Hegelschen Idealismus*, von *der „Substanz"* zu einem andern *metaphysischen Ungeheuer*, zu *dem „Subjekt"*, der *„Substanz als Prozeß"*, dem *„unendlichen Selbstbewußtsein"* kam und daß das schließliche Resultat der „vollendeten" und „reinen" Kritik die *Wiederherstellung der christlichen Kreationstheorie* in *spekulativer, Hegelscher* Form ist.

Schlagen wir zunächst die „Kritik der Synoptiker" auf:

„Strauß bleibt dem Standpunkt getreu, welchem die *Substanz* das Absolute ist. Die Überlieferung in dieser Form der Allgemeinheit, welche noch nicht die wirkliche und vernünftige Bestimmtheit der Allgemeinheit erreicht hat, die nämlich nur im *Selbstbewußtsein*, in dessen *Einzelnheit* und *Unendlichkeit* zu erreichen ist, ist nichts als *die Substanz*, die aus ihrer logischen Einfachheit herausgetreten und als die *Macht der Gemeinde* eine bestimmte Form der Existenz angenommen hat." („Kritik der Synopt[iker]", Bd. I, Vorrede, p. VI [– VII].)

Überlassen wir *„die* Allgemeinheit, welche eine Bestimmtheit erreicht", die „Einzelnheit und Unendlichkeit" – den Hegelschen *Begriff* – ihrem Schicksal. – Statt zu sagen, daß die Anschauung, welche in der *Straußischen* Theorie von der „Macht der Gemeinde" und der „Tradition" durchgeführt wird, ihren *abstrakten* Ausdruck, ihre logisch-metaphysische *Hieroglyphe* in der spinozistischen Vorstellung *der Substanz* besitzt, läßt Herr Bauer *„die Substanz* aus ihrer *logischen Einfachheit heraustreten* und in der Macht der Gemeinde eine bestimmte Form der Existenz annehmen". Er wendet den *Hegelschen* Wunderapparat an, welcher die *„metaphysischen Kategorien"* – die aus der *Wirklichkeit* extrahierten Abstraktionen – aus der *Logik*, wo sie in die *„Einfachheit"* des Gedankens aufgelöst sind, herausspringen und „eine bestimmte Form" der physischen oder menschlichen Existenz annehmen, sich inkarnieren läßt. *Hinrichs* hilf!

„Mysteriös", fährt *die* Kritik gegen Strauß fort, „mysteriös ist diese Ansicht, weil sie in jedem Augenblicke, wenn sie den Prozeß, welchem die evangelische Geschichte ihren Ursprung verdankt, erklären und zur Anschauung bringen will, immer nur den *Schein* eines Prozesses hervorbringen kann [...] Der Satz: ‚Die evangelische Geschichte habe in der Tradition ihre Quelle und ihren Ursprung', setzt *zweimal* dasselbe: ‚die Tradition' und die ‚evangelische Geschichte', setzt beide allerdings auch in Verhältnis, aber sagt uns nicht, welchem *innern Prozeß der Substanz* die Entwicklung und Auslegung ihren Ursprung verdanke."

Nach *Hegel* ist die *Substanz* als *innerer Prozeß* zu fassen. Die *Entwicklung* von dem Standpunkt der Substanz charakterisiert er wie folgt:

„Näher diese *Ausbreitung* betrachtet, so zeigt sie sich nicht dadurch zustande gekommen, daß ein und dasselbe sich verschieden gestaltet hätte, sondern sie ist die gestaltlose *Wiederholung des einen und desselben*, das nur ... einen langweiligen *Schein* von Verschiedenheit enthält." („*Phänomenologie*", Vorrede, p. 12.)

Hinrichs hilf!

Herr Bauer fährt fort:

„Die Kritik hat sich demnach gegen sich selbst zu richten und die *mysteriöse Substantialität* ... dahin aufzulösen, wohin die *Entwicklung der Substanz selber* treibt, zur Allgemeinheit und Bestimmtheit der Idee und zu deren wirklicher Existenz, dem *unendlichen Selbstbewußtsein.*"

Die Kritik *Hegels* gegen den Substantialitätsstandpunkt fährt fort:

„Die Verschlossenheit der Substanz ist aufzuschließen und diese zum *Selbstbewußtsein* zu erheben." (l. c., p. 7.)

Auch bei Bauer ist das *Selbstbewußtsein* die zum Selbstbewußtsein *erhobne Substanz* oder das *Selbstbewußtsein* als die *Substanz*, das Selbstbewußtsein ist aus einem *Prädikate des Menschen* in ein *selbständiges Subjekt* verwandelt. Es ist die *metaphysisch-theologische* Karikatur des Menschen in seiner *Trennung* von der Natur. Das *Wesen* dieses Selbstbewußtseins ist daher nicht *der Mensch*, sondern *die Idee*, deren *wirkliche Existenz* es ist. Es ist die *menschgewordne* Idee und darum auch *unendlich*. Alle *menschlichen* Eigenschaften verwandeln sich daher *mysteriöserweise* in Eigenschaften des imaginären *„unendlichen Selbstbewußtseins"*. Herr Bauer sagt daher *ausdrücklich* von diesem „unendlichen Selbstbewußtsein", daß *alles* in ihm seinen *Ursprung* und seine *Erklärung*, d. h. seinen *Existentialgrund* finde. *Hinrichs* hilf!

Herr Bauer fährt fort:

„Die Kraft des *Substantialitätsverhältnisses* liegt in seinem Triebe, der uns zum Begriff, zur Idee und zum Selbstbewußtsein führt."

Hegel sagt:

„So ist der *Begriff* die *Wahrheit* der Substanz." „Der Übergang des *Substantialitätsverhältnisses* geschieht durch seine eigne immanente Notwendigkeit und ist weiter nichts, als daß *der* Begriff ihre Wahrheit ist." „Die *Idee* ist der adäquate Begriff." „Der Begriff ... zur *freien* Existenz gediehen ... ist nichts anders als das *Ich* oder das *reine Selbstbewußtsein.*" („*Logik*", Hegels Werke, 2. Auflage, 5. Band, p. 6, 9, 229, 13.)

Hinrichs hilf!

Hochkomisch erscheint es, wenn Herr Bauer in seiner „Literatur-Zeitung“ noch sagt:

„Schon *Strauß* verfiel, weil er die *Kritik des Hegelschen Systems* nicht zu *vollenden* vermochte, wenn er auch durch seine halbe Kritik die Notwendigkeit ihrer Vollendung bewies“ etc.

Nicht die *vollendete Kritik* des Hegelschen Systems, sondern höchstens die *Vollendung des Hegelschen Systems*, wenigstens in ihrer Anwendung auf die Theologie, glaubte Herr Bauer selbst in seiner „Kritik der Synoptiker“ zu geben.

Er bezeichnet seine Kritik (Vorrede der „Synopt[iker]“, p. XXI) als „letzte Tat eines bestimmten Systems“, welches kein anderes System als das *Hegelsche* ist.

Der Kampf zwischen *Strauß* und *Bauer* über *die Substanz* und *das Selbstbewußtsein* ist ein Kampf *innerhalb* der *Hegelschen* Spekulationen. In *Hegel* sind *drei* Elemente, die *spinozistische Substanz*, *das Fichtesche Selbstbewußtsein*, die *Hegelsche* notwendig-widerspruchsvolle *Einheit* von beiden, der *absolute Geist*. Das erste Element ist die metaphysisch travestierte *Natur* in der *Trennung* vom Menschen, das zweite ist der metaphysisch travestierte *Geist* in der *Trennung* von der Natur, das dritte ist die metaphysisch travestierte *Einheit* von beiden, der *wirkliche Mensch* und die wirkliche *Menschengattung*.

Strauß führt den *Hegel auf spinozistischem Standpunkt*, Bauer den *Hegel auf Fichteschem Standpunkt* innerhalb des theologischen Gebietes konsequent durch. Beide *kritisierten* Hegel, insofern bei ihm jedes der beiden Elemente durch das andere *verfälscht* wird, während sie jedes derselben zu seiner *einseitigen*, also konsequenten Ausführung entwickelten. – Beide gehn daher in ihrer Kritik *über* Hegel hinaus, aber beide bleiben auch *innerhalb* seiner Spekulation stehen und repräsentieren jeder nur *eine* Seite seines Systems. Erst *Feuerbach*, der den *Hegel auf Hegelschem Standpunkt* vollendete und kritisierte, indem er den metaphysischen *absoluten* Geist in den „*wirklichen Menschen auf der Grundlage der Natur*“ auflöste, vollendete die *Kritik der Religion*, indem er zugleich zur *Kritik der Hegelschen Spekulation* und daher *aller Metaphysik* die großen und meisterhaften *Grundzüge* entwarf.

Bei Herrn Bauer ist es zwar nicht mehr der *heilige Geist*, aber es ist *das unendliche Selbstbewußtsein*, welches dem Evangelisten in die Feder diktiert.

„Wir dürfen kein Hehl mehr haben, daß die richtige Auffassung der evangelischen Geschichte auch ihre *philosophischen Grundlagen* habe, *nämlich an der Philosophie des Selbstbewußtseins*.“ (*Bruno Bauer*, „Krit[ik] der Synopt[iker]“, Vorrede, p. XV.)

Diese Bauersche *Philosophie des Selbstbewußtseins*, wie die *Resultate*, welche Herr Bauer aus seiner Kritik der Theologie gewann, sollen durch einige Auszüge aus dem „*Entdeckten Christentum*", seiner *letzten* religionsphilosophischen Schrift, charakterisiert werden.

Am angeführten Ort heißt es über die *französischen Materialisten*:

„Wenn die *Wahrheit* des Materialismus, die *Philosophie* des *Selbstbewußtseins*, aufgefunden, und das *Selbstbewußtsein* als das *All*, als die Lösung des Rätsels der *spinozistischen Substanz* und als die wahrhafte *causa* sui[1] erkannt ist ... wozu ist *der Geist* da? *Wozu das Selbstbewußtsein*? Als ob nicht das *Selbstbewußtsein*, indem es die *Welt*, den *Unterschied* setzt, und in dem, was es hervorbringt, *sich selbst* hervorbringt, da es den *Unterschied des Hervorgebrachten von ihm selbst* wieder aufhebt, da es also nur [im Hervorbringen und] in der Bewegung es selber ist – als ob es nicht in dieser Bewegung, die es selber ist, seinen Zweck hätte und sich selbst erst besäße!" („Entdeckt[es] Christ[entum]", p. 113.)

„Die französischen Materialisten haben die Bewegungen des Selbstbewußtseins allerdings als die Bewegungen des allgemeinen Wesens, der Materie, gefaßt, aber *noch nicht* sehen können, daß die *Bewegung des Universums erst* als die *Bewegung* des *Selbstbewußtseins wirklich* für sich geworden und zur Einheit mit ihr selbst zusammengegangen ist." (l. c., p. [114–]115.)

Hinrichs hilf!

Der *erste* Satz heißt zu deutsch: Die Wahrheit des *Materialismus* ist das *Gegenteil* des Materialismus, der *absolute*, d. h. ausschließliche, überschwengliche *Idealismus*. Das Selbstbewußtsein, *der Geist* ist das *All*. Außer ihm ist *nichts*. „Das Selbstbewußtsein", „*der Geist*" ist der allmächtige Schöpfer der Welt, des Himmels und der Erde. Die *Welt* ist eine Lebensäußerung des Selbstbewußtseins, das sich *entäußern* und *Knechtsgestalt* annehmen muß, aber der Unterschied der Welt vom Selbstbewußtsein ist nur ein *Scheinunterschied*. Das Selbstbewußtsein unterscheidet *nichts Wirkliches* von sich. Die Welt ist vielmehr nur eine metaphysische *Distinktion*, ein Gespinst seines ätherischen Gehirns und eine *Einbildung* desselben. Es hebt daher den Schein, als wenn etwas außer ihm existiere, den es für einen Augenblick konzessioniert hat, wieder auf und erkennt in seinem „Hervorgebrachten" keinen realen, also keinen realiter sich von ihm unterscheidenden Gegenstand an. Durch diese Bewegung aber bringt das *Selbstbewußtsein* sich erst als absolut hervor, denn der *absolute* Idealist muß notwendig, um absoluter Idealist zu sein, beständig den *sophistischen Prozeß* durchmachen, [er hat] erst die Welt *außer ihm* in ein *Scheinwesen*, in einen bloßen Einfall *seines* Gehirns zu verwandeln und hinterher diese *Phantasiegestalt* für das, was sie ist, für eine

[1] *Ursache* ihrer selbst.

bloße Phantasie zu erklären, um schließlich sein alleiniges, ausschließliches, auch nicht mehr von dem Schein einer Außenwelt geniertes Dasein proklamieren zu können.

Der zweite Satz heißt zu deutsch: Die französischen Materialisten haben allerdings die Bewegungen der Materie als geistvolle Bewegungen gefaßt, aber sie haben noch nicht sehen können, daß sie keine *materiellen*, sondern *ideelle* Bewegungen, Bewegungen des Selbstbewußtseins, also pure Gedankenbewegungen sind. Sie haben noch nicht sehn können, daß die wirkliche Bewegung des Universums erst als die von der *Materie*, d. h. von der *Wirklichkeit* freie und befreite *ideale* Bewegung des Selbstbewußtseins wahrhaft und wirklich geworden ist, d. h. daß eine von der idealen Hirnbewegung unterschiedne *materielle* Bewegung nur zum *Schein* existiert. *Hinrichs* hilf!

Diese spekulative *Kreationstheorie* findet man fast wörtlich bei *Hegel*; und man kann sie schon in seinem *ersten* Werke, in seiner „Phänomenologie", finden.

„Die *Entäußerung des Selbstbewußtseins* ist es, welche die *Dingheit* setzt ... In dieser Entäußerung setzt es sich als *Gegenstand* oder den Gegenstand als *sich selbst*. Andrerseits liegt hierin zugleich dies andre Moment, daß es diese *Entäußerung* und *Gegenständlichkeit* ebensosehr *aufgehoben* und in sich zurückgenommen hat ... Dieses ist die *Bewegung des Bewußtseins*." (Heg[el], „Phänomen[ologie]", p. [574–]575.)

„Das Selbstbewußtsein hat einen *Inhalt*, den es *von sich* unterscheidet ... Dieser Inhalt ist in seinem *Unterschiede* selbst das *Ich*, denn er ist die *Bewegung* des Sich-selbst-Aufhebens ... Dieser Inhalt, bestimmter angegeben, ist nichts anderes als die soeben *ausgesprochene Bewegung selbst*; denn er ist *der Geist*, der sich selbst und zwar *für sich* als *Geist* durchläuft." (l. c., p. [582–]583.)

In bezug auf diese Kreationstheorie Hegels bemerkt *Feuerbach*:

„Die Materie ist die Selbstentäußerung des Geistes. Damit bekommt die Materie selbst Geist und Verstand – zugleich ist sie aber doch wieder als ein *nichtiges, unwahres* Wesen gesetzt, indem erst das aus dieser Entäußerung sich herstellende, d. h. die Materie, die Sinnlichkeit von sich abstreifende Wesen als das Wesen in seiner Vollendung, in seiner wahren Gestalt und Form ausgesprochen wird. Das Natürliche, Materielle, Sinnliche ist also auch hier *das zu Negierende*, wie in der Theologie die durch die *Erbsünde vergiftete Natur*." („Philosophie der Zukunft", p. 35.)

Herr Bauer verteidigt also den Materialismus gegen die *unkritische Theologie*, indem er ihm zugleich vorwirft, „noch nicht" *kritische Theologie, Verstandestheologie, Hegelsche Spekulation* zu sein. *Hinrichs! Hinrichs!*

Herr Bauer, der nun auf *allen* Gebieten *seinen* Gegensatz gegen die *Substanz, seine Philosophie des Selbstbewußtseins* oder *des* Geistes durchführt, muß daher auf allen Gebieten nur mit seinen eignen *Hirngespinsten* zu tun haben. *Die* Kritik ist in seiner Hand das Instrument, um alles, was *außer* dem *unendlichen Selbstbewußtsein* noch eine *endliche* materielle Existenz behauptet, in bloßen *Schein* und in *reine* Gedanken zu sublimieren. Er bekämpft in der Substanz nicht die *metaphysische Illusion*, sondern den *weltlichen* Kern – die *Natur*, die Natur sowohl wie sie *außer* dem Menschen existiert, als wie sie seine eigne Natur ist. Auf keinem Gebiete die *Substanz* voraussetzen – er spricht noch in dieser Sprache – heißt ihm also: kein vom Denken unterschiedenes *Sein*, keine von der *geistigen Spontaneität* unterschiedene *Naturenergie*, keine vom *Verstand* unterschiedene *menschliche Wesenskraft*, kein von der *Tätigkeit* unterschiedenes *Leiden*, keine von der *eignen Wirkung* unterschiedene *Einwirkung von andern*, kein vom *Wissen* unterschiedenes *Fühlen* und *Wollen*, kein vom *Kopf* unterschiedenes *Herz*, kein vom *Subjekt* unterschiedenes *Objekt*, keine von der *Theorie* unterschiedene *Praxis*, keinen vom *Kritiker* unterschiedenen *Menschen*, keine von der *abstrakten Allgemeinheit* unterschiedene *wirkliche Gemeinschaft*, kein vom *Ich* unterschiedenes *Du* anerkennen. Es ist daher konsequent, wenn Herr Bauer dazu fortgeht, *sich selbst* mit dem *unendlichen Selbstbewußtsein*, mit dem *Geist* zu identifizieren, d. h. an die Stelle dieser seiner Geschöpfe ihren Schöpfer zu setzen. Es ist ebenso konsequent, die *übrige Welt*, welche eigensinnig darauf beharrt, etwas von *seinem* Hervorgebrachten *Unterschiedenes* zu sein, als *halsstarrige Masse* und *Materie* zu verwerfen. Und nun, so hofft er,

dauert es nicht lange,
und mit den Körpern wird's zugrunde gehn.[54]

Seine *eigne* Verstimmung, bisher dem

Etwas dieser *plumpen* Welt

nicht beikommen zu können, konstruiert er sich ebenfalls konsequent als *Selbstverstimmung* dieser Welt, und die Empörung seiner Kritik über die Entwickelung der Menschheit als *massenhafte* Empörung der Menschheit gegen *seine* Kritik, gegen *den* Geist, gegen Herrn Bruno Bauer und Konsorten.

Herr Bauer war ein *Theologe* von Urbeginn an, aber kein gewöhnlicher, sondern ein *kritischer Theologe* oder *theologischer Kritiker*. Schon als das äußerste Extrem der *althegelschen* Orthodoxie, als spekulativer Zurechtmacher alles *religiösen* und *theologischen Unsinns*, erklärte er beständig die *Kritik* für sein *Privateigentum*. Er bezeichnete damals die *Straußische* Kritik als *menschliche* Kritik und machte *ausdrücklich* im Gegensatz zu derselben das Recht der *göttlichen* Kritik geltend. Das große *Selbstgefühl* oder *Selbstbewußtsein*, welches der versteckte Kern dieser Göttlichkeit war, schälte er später aus der religiösen Vermummung heraus, verselbständigte es als ein eignes Wesen und erhob es unter der Firma „*das unendliche Selbstbewußtsein*" zum Prinzipe der Kritik. In seiner *eignen* Bewegung vollzog er sodann die Bewegung, welche die „Philosophie des Selbstbewußtseins" als absoluten Lebensakt beschreibt. Er hob den „Unterschied des Hervorgebrachten", des *unendlichen Selbstbewußtseins*, von dem Hervorbringenden, *ihm selber*, wieder auf, und erkannte, daß es in seiner Bewegung „*nur er selber war*", daß also die Bewegung des Universums erst in seiner idealen Selbstbewegung *wahrhaft* und *wirklich* wird.

Die *göttliche* Kritik in ihrer *Rückkehr in sich* ist auf rationelle, bewußte, kritische Weise wiederhergestellt, das *Ansichsein* ist zum *An-* und *Fürsichsein*, und erst im *Schluß* ist der erfüllte, verwirklichte, offenbarte *Anfang* geworden. Die *göttliche* Kritik im *Unterschied* von der *menschlichen* hat sich offenbart als *die Kritik*, als die *reine Kritik*, als die *kritische Kritik*. An die Stelle der Apologie des Alten und Neuen Testaments ist die Apologie der alten und neuen Werke des Herrn Bauer getreten. *Der theologische* Gegensatz von Gott und Mensch, von Geist und Fleisch, von Unendlichkeit und Endlichkeit ist in den *kritisch-theologischen* Gegensatz *des* Geistes, *der* Kritik oder des Herrn *Bauer*, und der *Materie* der *Masse* oder der profanen Welt verwandelt. Der theologische Gegensatz von Glauben und Vernunft hat sich gelöst in den kritisch-theologischen Gegensatz des *gesunden Menschenverstandes* und des rein kritischen Denkens. Die „Zeitschrift für spekulative Theologie" [55] hat sich in die kritische „Literatur-Zeitung" verwandelt. Der *religiöse Welterlöser* endlich ist verwirklicht in dem *kritischen Welterlöser*, Herrn *Bauer*.

Das letzte Stadium Herrn Bauers ist keine Anomalie in seiner Entwickelung, es ist ihre *Rückkehr in* sich aus ihrer *Entäußerung*. Es versteht sich, daß das Moment, worin die *göttliche* Kritik sich *entäußerte* und aus sich heraustrat, mit dem Moment zusammenfällt, wo sie teilweise sich untreu wurde und *Menschliches* schuf.

Die absolute Kritik, in ihren Anfangspunkt zurückgekehrt, hat den *spekulativen Kreislauf* und damit ihren *Lebenslauf* beendigt. Ihre weitere Bewegung ist *reines* – über alles *massenhafte* Interesse erhabnes *Kreisen in sich selbst* und darum ohne alles weitere Interesse für die Masse.

VII. KAPITEL

Die Korrespondenz der kritischen Kritik

1. *Die kritische Masse*

Où peut-on être mieux
Qu'au sein de sa famille?[1] [56]

Die kritische Kritik in ihrem *absoluten* Dasein als Herr *Bruno* hat die Menschheit in *Masse*, die ganze Menschheit, die nicht kritische Kritik ist, für ihren *Gegensatz* erklärt, für ihren *wesentlichen Gegenstand*, *wesentlich*, weil die Masse ad majorem gloriam dei[2], *der* Kritik, *des* Geistes, vorhanden, *Gegenstand*, weil sie die bloße *Materie* der kritischen Kritik ist. Die kritische Kritik hat ihr Verhältnis zur Masse als das *welthistorische Verhältnis* der Gegenwart proklamiert.

Man bildet indessen noch keinen *welthistorischen Gegensatz* durch die Erklärung, sich im Gegensatz zu der ganzen Welt zu befinden. Man kann sich einbilden, der Stein des allgemeinen Anstoßes zu sein, weil man aus Ungeschick allgemein anstößt. Zu einem welthistorischen Gegensatz gehört nicht nur, daß ich die Welt für *meinen* Gegensatz erkläre, sondern daß anderseits die *Welt* mich für ihren wesentlichen Gegensatz erklärt, als solchen behandelt und *anerkennt*. Diese Anerkennung verschafft sich die kritische Kritik durch die *Korrespondenz*, welche den Beruf hat, das kritische Erlöseramt wie das allgemeine *Ärgernis* der Welt an dem kritischen Evangelium vor der Welt zu *bezeugen*. Die kritische Kritik ist sich selbst Gegenstand als *Gegenstand der Welt*. Die Korrespondenz soll sie *als solchen zeigen*, als gegenwärtiges *Weltinteresse*.

Die kritische Kritik gilt sich als *absolutes Subjekt*. Das absolute Subjekt bedarf des Kultus. Zum *wirklichen* Kultus gehören dritte gläubige Indivi-

---

[1] Wo kann man besser aufgehoben sein als im Schoße seiner Familie? – [2] zum höheren Ruhme Gottes

duen. Die *heilige Familie zu Charlottenburg* empfängt daher den gebührenden Kultus von ihren Korrespondenten. Die Korrespondenten sagen ihr, *was* sie *ist* und was ihr Gegner, die Masse, *nicht ist*.

Indem auf diese Weise die Meinung der Kritik von sich selbst als Meinung der Welt dargestellt, indem ihr *Begriff verwirklicht* wird, verfällt sie allerdings der Inkonsequenz. *Innerhalb ihrer selbst* zeigt sich eine Art von *Massenbildung*, nämlich die Bildung einer kritischen Masse, welche den einsilbigen Beruf hat, das unermüdliche Echo der kritischen Stichwörter zu sein. Der Konsequenz wegen ist diese Inkonsequenz verzeihlich. Die kritische Kritik, die nicht in der sündigen Welt zu Hause ist, muß in ihrem eignen Hause eine sündige Welt etablieren.

Der Korrespondent der kritischen Kritik, das Glied der kritischen Masse, wandelt nicht auf Rosen. Sein Weg ist ein schwieriger, dornenvoller, ein kritischer Weg. Die kritische Kritik ist ein spiritualistischer Herr, reine Spontaneität, actus purus[1], intolerant gegen jede Einwirkung *von außen*. Der Korrespondent darf also nur ein *Scheinsubjekt* sein, nur zum *Schein* sich *selbständig* zur kritischen Kritik verhalten, nur *scheinbar* ihr etwas Neues und Eignes mitteilen wollen. In *Wahrheit* ist er ihr eignes *Machwerk*, das nur für einen Augenblick *vergegenständlichte* und verselbständigte Vernehmen ihrer selbst.

Die Korrespondenten verfehlen daher nicht, unaufhörlich zu versichern, daß die kritische Kritik selbst *weiß*, *einsieht*, *kennt*, *begreift*, *erfährt*, was ihr in demselben Augenblick zum *Schein* mitgeteilt wird. So braucht z. B. *Zerrleder* die Wendungen: „Begreifen Sie es? Sie wissen. Sie wissen zum zweiten und dritten Mal. Sie werden nun genug gehört haben, um selbst einsehen zu können."

So der Breslauer Korrespondent *Fleischhammer*: „Daß aber" etc., „wird Ihnen so wenig wie mir ein Rätsel sein." Oder der Züricher Korrespondent *Hirzel*: „Sie werden wohl selbst erfahren." Der kritische Korrespondent respektiert so sorgsam das absolute Begreifen *der* kritischen Kritik, daß er ihr selbst *da* ein Begreifen zumutet, wo absolut nichts zu begreifen ist; z. B. *Fleischhammer*:

„Sie werden mich *vollständig* (!) *begreifen* (!), wenn ich Ihnen sage, daß man kaum ausgehen kann, ohne jungen katholischen Geistlichen in ihren langen schwarzen Kutten und Mänteln zu begegnen."

Ja, in ihrer *Angst hören* die Korrespondenten die kritische Kritik *sagen*, *antworten*, *ausrufen*, *auslachen*!

[1] reine Handlung

So z. B. *Zerrleder*: „Aber – *sagen* Sie; nun gut, so hören Sie." So *Fleischhammer*: „Doch, ich höre schon, was *Sie sagen* – ich meinte damit *auch nur*." So *Hirzel*: „Edelmann, werden Sie *ausrufen*!" So ein Tübinger Korrespondent: „*Lachen* Sie mich *nicht aus*!"

Die Korrespondenten gebrauchen daher auch die Wendung, daß sie der kritischen Kritik *Tatsachen* mitteilen und ihr die *geistige Interpretation* zumuten, ihr *Prämissen* liefern und ihr die *Konklusion* überlassen oder sich gar *entschuldigen*, ihr längst Bekanntes wiederzukäuen.

So *Zerrleder*:

„Es ist Ihrem Korrespondenten nur möglich, ein Bild, eine Schilderung der Tatsachen zu geben. Der *Geist*, der diese Dinge belebt, wird *ja Ihnen gerade* nicht unbekannt sein." Oder auch: „Nun werden Sie *sich schon selber* den *Schluß* ziehen."

So *Hirzel*:

„Daß jede Schöpfung aus dem Extrem ihres Gegensatzes hervorgegangen, mit diesem spekulativen Satze werde *ich* Sie *nicht erst noch* unterhalten *dürfen*."

Oder auch die *Erfahrungen* des Korrespondenten sind bloß die *Erfüllung und Bestätigung* kritischer *Prophezeiungen*.

So *Fleischhammer*:

„Ihre *Vorhersagung* ist eingetroffen."

So *Zerrleder*:

„Die Tendenzen, welche ich Ihnen als in der Schweiz immer weiter um sich greifend geschildert habe, weit entfernt, unheilvoll zu sein, sind nur *glückliche – nur* eine *Bestätigung Ihres* schon oft ausgesprochenen *Gedankens*" etc.

Die kritische Kritik fühlt sich zuweilen gedrungen, die Herablassung auszusprechen, die in ihrem Korrespondieren liege, und sie motiviert diese Herablassung dadurch, daß der Korrespondent irgend*ein Pensum* glücklich absolviert habe. So schreibt Herr Bruno dem Tübinger Korrespondenten:

„Es ist wirklich eine Inkonsequenz von mir, daß ich auf deinen Brief antworte. – – Auf der andern Seite hast du wieder ... so *Treffendes* bemerkt, daß ich dir ... die erbetene Aufklärung nicht *versagen kann*."

Die kritische Kritik läßt sich *aus der Provinz* schreiben, worunter nicht die Provinz im politischen Sinne, die bekanntlich in Deutschland nirgendwo existiert, zu verstehen ist, sondern die *kritische Provinz*, deren Hauptstadt Berlin ist, *Berlin*, der Sitz der kritischen Patriarchen und der heiligen kritischen Familie, während in den Provinzen die kritische Masse haust. Die *kritischen Provinzialen* wagen nur unter Bücklingen und Entschuldigungen die Aufmerksamkeit der *höchsten kritischen Stelle* in Anspruch zu nehmen.

So schreibt ein Anonymus an Herrn *Edgar*, der als Mitglied der heiligen Familie ebenfalls ein vornehmer Herr ist:

„Geehrter Herr! Darin, daß die Jugend sich gern bei gemeinschaftlichen Bestrebungen zusammenschließt (unsere beiderseitige *Altersverschiedenheit* beruht nur auf zwei Jahren), wollen Sie die *Entschuldigung* für diese Zeilen finden."

Dieser Altersgenosse des Herrn Edgar bezeichnet *sich* nebenbei als *das Wesen* der *neuesten Philosophie*. Ist es nicht in der Ordnung, daß *die* Kritik mit *dem* Wesen der Philosophie in Korrespondenz steht? Wenn der Altersgenosse des Herrn Edgar versichert, daß er seine *Zähne* schon verloren habe, so ist das nur eine Anspielung auf sein *allegorisches* Wesen. Dies „Wesen der neuesten Philosophie" hat „von *Feuerbach* das Moment der Bildung in die objektive Anschauung setzen gelernt". Es gibt sogleich eine Probe von seiner *Bildung* und *Anschauung*, indem es Herrn Edgar zugleich versichert, es habe eine „*Totalitätsanschauung* von seiner Novelle" – „Es leben feste Grundsätze!"[57] – gewonnen, und zugleich offen gesteht, Herrn Edgars Absicht sei ihm durchaus nicht recht klar geworden, ja schließlich die Versicherung der gewonnenen Totalitätsanschauung durch die Frage paralysiert: „Oder habe ich Sie *total mißverstanden*?" Nach dieser Probe wird man es in der Ordnung finden, wenn das Wesen der neuesten Philosophie in bezug auf die Masse sich dahin äußert:

„*Wir* müssen uns wenigstens einmal *herablassen*, den Zauberknoten untersuchen und lösen, der dem *gemeinen Menschenverstand* den Eingang in die *unbeschränkte Denkflut* nicht gestattet."

Will man sich eine vollständige Anschauung von der kritischen Masse erwerben, so lese man Herrn *Hirzels* aus Zürich *Korrespondenz*. (Heft V.) Dieser Unglückliche memoriert mit wahrhaft rührender Gelehrigkeit und lobenswertem Gedächtnis die kritischen Stichworte. Herrn Brunos Lieblingsphrasen von den Schlachten, die er geliefert, von den Feldzügen, die er entworfen und geleitet habe, fehlen nicht. Namentlich aber erfüllt Herr *Hirzel* seinen Beruf als Glied der kritischen Masse, wenn er über die *profane Masse* und ihr Verhältnis zur *kritischen Kritik* eifert.

Er spricht von der Masse, die an der Geschichte teilzuhaben meine, „von der reinen Masse", von der „reinen Kritik", von der „Reinheit dieses Gegensatzes" – „ein Gegensatz, so rein – wie ihn die Geschichte nie so rein gegeben habe" –, von dem „*malkontenten Wesen*", von der „vollendeten Leerheit, Verstimmung, Mutlosigkeit, Herzlosigkeit, Zaghaftigkeit, Wut, Erbitterung der Masse gegen die Kritik", von „der Masse, die nur dazu da sei, um die Kritik durch ihren Widerstand schärfer und wachsamer zu machen". Er spricht von der „Schöpfung aus dem Extrem des Gegensatzes", von der Erhabenheit der Kritik über *Haß* und dergleichen profane Affekte. Auf diesen Reichtum an kritischen Stichworten beschränkt sich die ganze Lieferung des Herrn *Hirzel* an die „*Literatur-Zeitung*". Wie er der *Masse* ihre Zufriedenheit mit der bloßen „Gesinnung", dem „guten Willen", „der Phrase", dem „Glauben" etc. vorwirft, so begnügt er sich selbst als ein Glied der *kritischen Masse* mit Phrasen, mit Äußerungen seiner „kritischen Gesinnung", seines „kritischen Glaubens", seines „kritischen guten Wollens", und überläßt Herrn Bruno & Comp. das „Handeln, Arbeiten, Kämpfen" und die „Werke".

Trotz der fürchterlichen Schilderung, welche die Mitglieder der „kritischen Masse" von der welthistorischen Spannung der profanen Welt gegen die „kritische Kritik" entwerfen, ist wenigstens für den Ungläubigen noch nicht einmal der Tatbestand konstatiert, der Tatbestand dieser *welthistorischen* Spannung. Die dienstfertige und unkritische Wiederholung der kritischen „Einbildungen" und „Prätensionen" im Munde der Korrespondenten beweist nur, daß die fixen Ideen des Herrn auch die fixen Ideen des Dieners sind. Einer der kritischen Korrespondenten versucht zwar, aus *Tatsachen* zu beweisen.

„Ihr seht", schreibt er der heiligen Familie, „daß die ‚Literatur-Zeitung' ihren Zweck erfüllt, d. h. daß sie *keinen Anklang* findet. Anklang könnte sie nur finden, wenn sie mit der Gedankenlosigkeit mitklingelte, wenn Ihr mit dem Schellenspiel von Redensarten einer ganzen Janitscharenmusik gangbarer Kategorien stolz voranschrittet."

Ein Schellenspiel von Redensarten einer ganzen Janitscharenmusik gangbarer Kategorien! Man sieht, der kritische Korrespondent bestrebt sich, in nicht „gangbaren" Redensarten einherzutraben. Seine Auslegung der Tatsache, daß die „Literatur-Zeitung" keinen Anklang findet, muß indes als rein *apologetisch* zurückgewiesen werden. Man könnte diese Tatsache vielmehr umgekehrt dahin auslegen, daß die kritische Kritik sich im *Einklang* mit der großen *Masse*, nämlich der großen Masse der Skribenten befindet, die *keinen* Anklang findet.

Es genügt also nicht, daß die *kritischen* Korrespondenten die kritischen Redensarten zugleich als „Gebet" an die heilige Familie und zugleich als „Verfluchungsformel" gegen die Masse richten. Es bedarf *unkritischer, massenhafter* Korrespondenten, es bedarf *wirklicher* Abgeordneter der *Masse* an die kritische Kritik, um die *wirkliche* Spannung der Masse mit der Kritik zu beweisen.

Die kritische Kritik räumt daher auch der *unkritischen Masse* eine Stelle ein. Sie läßt unbefangene *Repräsentanten* derselben mit sich *korrespondieren,* den Gegensatz zu sich als wichtig, als absolut anerkennen und den *Angstschrei* nach Erlösung aus dem Gegensatz erschallen.

2. Die „unkritische Masse" und die „kritische Kritik"

a) Die „verstockte Masse" und die „unbefriedigte Masse"

Die Herzenshärte, die Verstocktheit und blinde Ungläubigkeit „der Masse" hat *einen* ziemlich entschiedenen Repräsentanten. Dieser Repräsentant spricht von der nur „hegelsphilosophischen Ausbildung der Berliner Couleur" [58].

„Der wahre Fortschritt", sagt er, „den wir machen können, liegt nur allein in der Erkenntnis der Wirklichkeit. Von Ihnen aber erfahren wir nur, daß unser Erkennen nicht von der Wirklichkeit, sondern von etwas Unwirklichem war."

Er bezeichnet die „Naturwissenschaft" als die Grundlage der Philosophie.

„Ein guter Naturforscher verhält sich zum Philosophen wie dieser zum Theologen."

Er bemerkt ferner von der „Berliner Couleur":

„Ich glaube nicht zuviel gesagt zu haben, wenn ich den Zustand dieser Leute daraus zu erklären suche, daß sie zwar den Prozeß des geistigen Mauserns durchgemacht haben, aber den Mausernstoff noch nicht losgeworden sind, um die Elemente der Neubildung und Verjüngung in sich aufnehmen zu können." „Diese" (die naturwissenschaftlichen und industriellen) „Kenntnisse müssen wir uns noch aneignen." „Die Welt- und Menschenkenntnis, die uns vor allem nötig ist, kann auch nicht allein durch die Schärfe des Denkens gewonnen werden, sondern alle Sinne müssen mitwirken und alle Anlagen des Menschen als nötiges und unentbehrliches Werkzeug dazu verwandt werden, sonst muß die Anschauung und das Erkennen stets mangelhaft bleiben ... und den *moralischen Tod* herbeiführen."

Dieser Korrespondent vergoldet indes die Pille, die er der kritischen Kritik reicht. Er „läßt *Bauers Worte* die richtige Anwendung finden", hat „*Bauers Gedanken* verfolgt", er läßt „*Bauer* richtig *gesagt haben*", er polemisiert endlich scheinbar nicht gegen *die* Kritik selbst, sondern gegen eine von ihr unterschiedene „Berliner Couleur".

Die kritische Kritik, welche sich getroffen fühlt und überdem in allen *Glaubensangelegenheiten* empfindlich wie eine alte Jungfer ist, läßt sich durch diese Distinktionen und halbe Huldigungen nicht täuschen.

„Sie *haben* sich *getäuscht*", antwortet sie, „wenn Sie in der Partei, die Sie im Eingang Ihres Briefes schildern, *Ihren Gegner* zu sehen meinten; *gestehen* Sie es sich vielmehr" – und nun folgt die niederschmetternde Bannformel – „*Sie sind ein Gegner der Kritik selbst!*"

Der Unglückliche! Der Massenhafte! Ein Gegner *der* Kritik *selbst*! Was aber den Inhalt jener *massenhaften* Polemik betrifft, so erklärt die kritische Kritik den *Respekt* für ihr kritisches Verhältnis zur *Naturforschung* und zur *Industrie*.

„*Allen Respekt* vor der *Naturforschung*! *Allen Respekt* vor James Watt und" – wahrhaft erhabene Wendung! – „gar keinen Respekt vor den Millionen, die er seinen Vettern und Basen verschafft hat."

Allen Respekt vor dem Respekt der kritischen Kritik! In demselben Briefe, worin die kritische Kritik der eben erwähnten *Berliner Couleur* vorwirft, daß sie über gediegene und tüchtige Arbeiten mit leichter Mühe hinaus sind, ohne sie zu studieren, daß sie mit einem Werke *fertig* sind, indem sie darüber die Bemerkung machen, es sei epochemachend etc., in demselben Briefe wird *sie selbst* durch eine einfache Respektserklärung mit der gesamten Naturforschung und *Industrie fertig*. Die Klausel, welche die kritische Kritik ihrer Respektserklärung vor der *Naturforschung* anhängt, erinnert an des seligen Ritters *Krug* erste Donnerkeile gegen die Naturphilosophie.

„Die Natur ist nicht die einzige Wirklichkeit, *weil wir sie in ihren einzelnen Produkten essen und trinken*."

Die kritische Kritik weiß von den *einzelnen Produkten* der Natur soviel, „daß wir sie *essen und trinken*". Allen Respekt vor der Naturwissenschaft der kritischen Kritik!

Konsequenterweise stellt sie der unbequem zudringlichen Zumutung, „Natur" und „Industrie" zu studieren, folgende unstreitig geistreiche, rhetorische Ausrufung gegenüber:

„Oder (!) meinen Sie, mit der Erkenntnis der *geschichtlichen* Wirklichkeit sei es *schon* zu *Ende*? Oder (!) wissen Sie eine einzige Periode der Geschichte, die *in der Tat* schon erkannt ist?"

Oder glaubt die kritische Kritik, in der Erkenntnis der geschichtlichen Wirklichkeit auch nur zum *Anfang* gekommen zu sein, solange sie das theoretische und praktische Verhalten des Menschen zur Natur, die Naturwissenschaft und die Industrie, *aus* der geschichtlichen Bewegung ausschließt? Oder meint sie irgendeine Periode in der Tat schon erkannt zu haben, ohne z. B. die Industrie dieser Periode, die unmittelbare Produktionsweise des Lebens selbst, erkannt zu haben? Allerdings die spiritualistische, die *theologische* kritische Kritik kennt nur – kennt wenigstens in ihrer Einbildung – die politischen, literarischen und theologischen Haupt- und Staatsaktionen der Geschichte. Wie sie das Denken von den Sinnen, die Seele vom Leibe, sich selbst von der Welt trennt, so trennt sie die Geschichte von der Naturwissenschaft und Industrie, so sieht sie nicht in der grob-*materiellen* Produktion auf der Erde, sondern in der dunstigen Wolkenbildung am Himmel die Geburtsstätte der Geschichte.

Der Repräsentant der „verstockten" und „herzensharten" Masse, mit seinen treffenden Rügen und Zureden, wird als *massenhafter Materialist* abgefertigt. Nicht besser geht es einem andern, minder böswilligen, minder massenhaften Korrespondenten, der zwar Erwartungen in die kritische Kritik setzt, ohne sie aber befriedigt zu finden. Der Repräsentant der „*unbefriedigten*" Masse schreibt:

„Doch muß ich gestehen, daß das erste Heft Ihrer Zeitung noch *gar nicht befriedigt* hat. Wir hätten doch etwas anderes erwartet."

Der *kritische Patriarch* antwortet in eigner Person:

„Daß es die Erwartungen nicht befriedigen würde, wußte ich im voraus, weil ich diese Erwartungen mir ziemlich leicht vorstellen konnte. Man ist so ermattet, daß man *alles auf einmal* haben will. Alles? Nein! Womöglich alles und nichts zugleich. Ein Alles, das keine Mühe macht, ein Alles, das man aufnehmen kann, ohne eine Entwickelung durchzumachen – ein Alles, das in einem Worte da ist."

In seiner Verstimmung über die ungebührlichen Anforderungen der „Masse", die von der aus Grundsatz und Naturanlage „*nichts gebenden*" Kritik *etwas*, ja *alles* verlangt, erzählt der kritische Patriarch in der Weise alter Herren eine *Anekdote*. Neulich habe ein Berliner *Bekannter* über die Weitschweifigkeit und breite Umständlichkeit seiner Schriften – bekanntlich schlägt Herr Bruno aus dem Minimum eines noch so kleinen angeblichen Gedankens ein vielbogiges Werk – sich bitter beklagt. Er vertröstete ihn mit dem Versprechen, ihm zur leichteren Aneignung die für den Abdruck des Buchs nötige Druckerschwärze, in eine kleine Kugel geformt, zu schicken. Der Patriarch erklärt sich die Breite seiner „Werke" aus der schlechten Verteilung der Druckerschwärze, wie er das Nichts seiner „Literatur-Zeitung" aus der Leere der „profanen Masse“ erklärt, die, um sich zu füllen, alles und nichts auf einmal verschlucken möchte.

Sowenig man die Wichtigkeit der bisherigen Mitteilungen verkennt, sowenig kann man einen *welthistorischen Gegensatz* darin erblicken, daß ein massenhafter Bekannter der kritischen Kritik sie für hohl, sie ihn dagegen für unkritisch erklärt, daß ein zweiter Bekannter seine Erwartungen in der „Literatur-Zeitung“ nicht befriedigt und daß ein *dritter* Bekannter und Hausfreund ihre Werke zu breit findet. Indessen der Bekannte Nr. 2, der Erwartungen hegt, und der Hausfreund Nr. 3, der die Geheimnisse der kritischen Kritik wenigstens kennenzulernen wünscht, bilden den Übergang zu einem *inhaltsvolleren* und gespannteren Verhältnis der Kritik und der „unkritischen Masse“. So grausam *die* Kritik gegen die Masse von „verstocktem Herzen“ und „gemeinem Menschenverstand“ ist, so herablassend werden wir sie gegen die nach *Erlösung* aus dem Gegensatz wimmernde Masse finden. Die Masse, welche sich zerschlagenen Herzens, bußfertigen Sinnes und demütigen Geistes der Kritik nähert, wird manch *gewiegtes, prophetisches, biderbes* Wort zum Lohn ihres wackern Strebens empfangen.

b) Die „weichherzige“ und „erlösungsbedürftige“ Masse

Der Repräsentant der *sentimentalen, herzlichen, erlösungsbedürftigen Masse* fleht und wedelt um ein wohlmeinendes Wort der kritischen Kritik mit Herzensergießungen, Bücklingen und Augenverdrehungen, wie folgende:

„Warum ich Ihnen dies schreibe, warum ich mich gegen Sie verantworte? Weil ich Sie *achte* und deshalb Ihre *Achtung wünsche*; weil ich Ihnen in bezug auf meine Entwicklung den größten *Dank* schuldig bin und Sie deshalb *liebe. Mein Herz* treibt mich, gegen Sie, der mich ... getadelt, mich zu *verantworten* ... Ich bin *weit entfernt*, mich Ihnen hiermit *aufdringen* zu wollen, und *nach mir* urteilend habe ich mir gedacht, daß Ihnen *selbst wohl* ein Beweis der *Teilnahme* von seiten eines Ihnen sonst noch wenig bekannten Mannes *erfreulich* sein könnte. Ich mache *keineswegs* die *Prätension*, daß Sie diesen Brief beantworten sollen: ich will *weder* Ihnen die Zeit rauben, die Sie besser gebrauchen können, *noch* Ihnen eine Last aufladen, *noch auch* mich der Kränkung aussetzen, etwas, worauf ich hoffte, *unerfüllt* zu sehn. *Mögen Sie mir* das Schreiben für *Sentimentalität, Zudringlichkeit* oder *Eitelkeit* (!) auslegen, oder wofür Sie wollen, mögen Sie antworten oder nicht, ich kann dem *Triebe* nicht widerstehen, es abgehen zu lassen, und wünsche nur, daß Sie den *freundlichen* Sinn darin erkennen mögen, der es eingegeben hat.“ !!

Wie Gott sich von jeher der *Kleinmütigen* erbarmte, so sieht auch dieser massenhafte, aber demutsvolle und nach der kritischen Erbarmung jammernde Korrespondent seine Wünsche *erfüllt*. Die kritische Kritik antwortet ihm wohlmeinend. Noch mehr! Sie gibt ihm die *tiefsten* Aufschlüsse über die Gegenstände seiner Wißbegierde.

„Vor zwei Jahren", belehrt die kritische Kritik, „war es zeitgemäß, an die Aufklärung der Franzosen des achtzehnten Jahrhunderts zu erinnern, um in der Schlacht, die damals geschlagen wurde, an einer Stelle auch diese *leichten Truppen* agieren zu lassen. Jetzt ist es *was ganz anderes*. Wahrheiten ändern sich jetzt sehr schnell. Was damals an der *Stelle war*, ist jetzt ein *Versehen*."

Natürlich war es auch damals nur „ein *Versehen*", aber ein Versehen „*an der* Stelle", wenn die absolute Kritik Allerhöchstselbst, „Anekdota" II, p. 89[59], diese *leichten Truppen* „*unsere Heiligen*", unsre „*Propheten*", „*Patriarchen*" etc. nannte. Wer wird *leichte Truppen* eine *Truppe von* „*Patriarchen*" nennen? Es war ein Versehen, „an der Stelle", wenn sie enthusiastisch von der Selbstverleugnung, sittlichen Energie und Begeisterung sprach, womit diese *leichten* Truppen „zeitlebens für die Wahrheit gedacht, gearbeitet – und studiert hätten". Es war ein „Versehen", wenn sie im „Entdeckten Christentum, Vorrede", erklärte, diese „*leichten*" Truppen hätten „unüberwindlich geschienen, und *jeder Kundige* hätte ihnen im voraus das Zeugnis ausgestellt, sie würden *die Welt aus den Fugen reißen*", und es habe „unzweifelhaft geschienen, daß es ihnen auch gelingen würde, der *Welt* eine *neue Gestalt* zu geben". *Diesen leichten Truppen?*

Weiter doziert die kritische Kritik dem wißbegierigen Repräsentanten der „*herzlichen* Masse":

„Wenn auch die Franzosen sich ein *neues* geschichtliches Verdienst durch ihre Versuche, eine soziale Theorie aufzustellen, erworben haben, so sind sie *jetzt doch erschöpft*, ihre neue Theorie war noch nicht *rein*, ihre sozialen Phantasien, ihre *friedliche Demokratie* sind durchaus noch nicht von den Voraussetzungen des alten Zustandes frei."

Die Kritik spricht hier – wenn sie anders von irgend etwas spricht – vom *Fourierismus*, und zwar speziell vom Fourierismus der „Démocratie pacifique"[60]. Dieser aber ist weit davon entfernt, die „soziale Theorie" der Franzosen zu sein. Die Franzosen haben *soziale Theorien*, aber nicht *eine* soziale Theorie, der verwässerte Fourierismus nun gar, wie ihn die „Démocratie pacifique" predigt, ist nichts als die soziale Lehre eines Teils der philanthropischen Bourgeoisie, das Volk ist *kommunistisch*, und zwar in eine Menge verschiedener Fraktionen gespalten; die wahre Bewegung und Verarbeitung dieser verschiedenen sozialen Schattierungen hat sich nicht nur nicht *erschöpft*, sondern *fängt* erst recht an. Sie wird aber nicht in der reinen, d. h. abstrakten *Theorie*, wie es die kritische Kritik haben möchte, sondern in einer ganz *praktischen Praxis* endigen, die sich um die kategorischen Kategorien der Kritik in keiner Weise bekümmern wird.

„Keine Nation", plaudert die Kritik weiter, „hat bis *jetzt etwas* vor der andern voraus. Wenn eine dahin kommen kann, über die anderen ein geistiges Übergewicht ... zu bekommen, so wird es die sein, die imstande ist, sich und die andern zu kritisieren und die Ursachen des allgemeinen Verfalls zu erkennen."

Jede Nation hat bis *jetzt etwas* vor der andern *voraus*. Wenn aber die kritische Prophezeiung richtig ist, so *wird* keine Nation einen Vorzug vor der andern haben, denn alle zivilisierten Völker Europas – Engländer, Deutsche, Franzosen – „*kritisieren*" jetzt „sich und die andern" und „sind imstande, die Ursachen des allgemeinen Verfalls zu erkennen". Endlich ist es eine phrasenhafte *Tautologie*, zu sagen, daß das „Kritisieren", „Erkennen", daß *geistige* Tätigkeit ein *geistiges Übergewicht* geben, und die Kritik, die sich mit unendlichem Selbstbewußtsein über die Nationen stellt und harrt, bis diese zu ihren Füßen kniend um Erleuchtung flehen, zeigt durch diesen karikierten, christlich-germanischen Idealismus erst recht, daß sie noch bis über die Ohren im Drecke der *deutschen Nationalität* steckt.

Die Kritik der Franzosen und Engländer ist nicht so eine abstrakte, jenseitige Persönlichkeit, die außer der Menschheit steht, sie ist die *wirkliche menschliche Tätigkeit* von Individuen, die werktätige Glieder der Gesellschaft sind, die als Menschen leiden, fühlen, denken und handeln. Darum ist ihre Kritik zugleich praktisch, ihr Kommunismus ein Sozialismus, in dem sie praktische, handgreifliche Maßregeln geben, in dem sie nicht nur denken, sondern noch mehr handeln, ist die lebendige, wirkliche Kritik der bestehenden Gesellschaft, die Erkenntnis der Ursachen „des Verfalls".

Nach den Aufklärungen der kritischen Kritik an das wißbegierige Glied der Masse kann sie mit Recht von ihrer „Literatur-Zeitung" sagen:

„Hier wird die *reine*, darstellende, die Sache ergreifende, nichts hinzusetzende Kritik geübt."

Hier wird „*nichts Selbständiges* gegeben", hier wird überhaupt *nichts gegeben* als die *nichtsgebende Kritik*, das heißt die Kritik, die sich bis zur äußersten Unkritik vollendet. *Die* Kritik läßt angestrichene Stellen drucken und erreicht ihre Blüte in *Exzerpten*. *Wolfgang Menzel* und *Bruno Bauer* reichen sich die Bruderhand, und die kritische Kritik steht *da*, wo die *Identitätsphilosophie* in den ersten Jahren dieses Jahrhunderts stand, als *Schelling* gegen die massenhafte Zumutung protestierte, daß er etwas geben wolle, irgend etwas als die *reine*, die *ganz philosophische* Philosophie.

c) Der Gnadendurchbruch der Masse

Der weichherzige Korrespondent, dessen Belehrung wir soeben beiwohnten, stand in einem *gemütlichen* Verhältnisse zu der Kritik. Die Spannung der *Masse* mit *der Kritik* ist an ihm nur auf eine idyllische Weise angedeutet. Beide Seiten des *welthistorischen* Gegensatzes verhielten sich *wohlmeinend* und *höflich*, darum *exoterisch* zueinander.

Die kritische Kritik in ihrer *sanitätswidrigen*, geisterschütternden Wirkung auf die Masse erscheint erst an einem Korrespondenten, der mit dem einen Fuß schon in der Kritik, mit dem andern noch in der profanen Welt steht. Er repräsentiert die „Masse" in ihren *innern* Kämpfen mit der Kritik.

In manchen Momenten scheint es ihm, „daß Herr Bruno und seine Freunde *die Menschheit* nicht verstehen", „die eigentlich Verblendeten sind". Er korrigiert sich sogleich:

„Ja, es steht mir ganz *sonnenklar* vor Augen, daß Sie recht haben und daß Ihre Gedanken wahr sind, aber *entschuldigen* Sie, das Volk hat *auch nicht* unrecht ... Ach *ja*! das Volk hat recht ... Daß Sie recht haben, kann ich nicht leugnen ... Ich weiß wirklich nicht, wo das alles hinaus soll: Sie werden sagen ... nun, so bleib doch zu Hause ... *Ach*, ich kann nicht mehr ... *Ach* ... man müßte sonst am Ende *verrückt* werden ... Sie werden *wohlwollend* aufnehmen ... Glauben Sie mir, von der gewonnenen Erkenntnis wird es einem manchmal so *dumm*, als ginge einem ein Mühlrad im Kopf herum."

Auch ein anderer Korrespondent schreibt, daß er „*mitunter* die *Fassung* verliere". Man sieht, in jenem massenhaften Korrespondenten *arbeitet* die *kritische Gnade* am *Durchbruch*. Der arme Wurm! Die sündhafte Masse zieht ihn von der einen Seite, die kritische Kritik von der andern. Es ist nicht die gewonnene Erkenntnis, welche den Katechumenen der kritischen Kritik in diesen Zustand von Hebetismus wirft, es ist die *Glaubens-* und *Gewissens*frage, kritischer Christus oder Volk, Gott oder Welt, Bruno Bauer und seine Freunde oder profane Masse! Wie aber dem Durchbruch der *göttlichen* Gnade die äußerste Zerrissenheit des Sünders vorhergeht, so ist eine niederschlagende *Verdummung* der Vorläufer der *kritischen* Gnade. Kommt diese endlich zum Durchbruch, so verliert der Auserwählte zwar nicht die Dummheit, wohl aber das *Bewußtsein der Dummheit*.

3. *Die unkritisch-kritische Masse oder die Kritik und die „Berliner Couleur"*

Es ist der kritischen Kritik nicht gelungen, sich als *den wesentlichen Gegensatz* und darum zugleich als den *wesentlichen Gegenstand* der Menschheit in Masse darzustellen. Abgesehen von den Repräsentanten der *verstockten* Masse, welche der kritischen Kritik ihre *Gegenstandslosigkeit* vorhält und ihr auf die galanteste Weise zu verstehen gibt, daß sie den geistigen *„Mausernprozeß"* noch nicht durchgemacht habe, vor allem aber sich erst solide Kenntnisse erwerben müsse – ist der *weichherzige* Korrespondent einmal kein *Gegensatz*, dann aber ist sein eigentlicher Annäherungsgrund an die kritische Kritik ein *rein persönlicher*. Er will, wie man in seinem Briefe eines weiteren nachlesen mag, eigentlich nur seine Pietät für Herrn Arnold Ruge mit seiner Pietät für Herrn *Bruno Bauer* vermitteln. Dieser Vermittelungsversuch macht seinem guten Herzen Ehre. Er bildet aber keinenfalls ein *massenhaftes Interesse*. Der zuletzt auftretende Korrespondent endlich war nicht mehr *wirkliches* Glied der Masse, er war ein Katechumene der kritischen Kritik.

Überhaupt ist die *Masse* ein *unbestimmter* Gegenstand, der daher weder eine bestimmte Aktion ausüben noch auch in ein bestimmtes Verhältnis treten kann. *Die* Masse, wie sie der Gegenstand der kritischen Kritik ist, hat nichts gemein mit den *wirklichen* Massen, die wieder sehr massenhafte Gegensätze unter sich bilden. *Ihre* Masse ist von ihr selbst „gemacht", wie wenn ein Naturforscher, statt von bestimmten Klassen zu reden, *die* Klasse sich gegenüberstellte.

Außer dieser *abstrakten* Masse, ihrem eignen Hirngespinst, bedarf die *kritische Kritik* daher noch einer *bestimmten*, empirisch aufweisbaren, nicht bloß vorgeschützten *Masse*, um einen wirklich massenhaften Gegensatz zu besitzen. Diese Masse muß in der kritischen Kritik zugleich ihr *Wesen* und zugleich die *Vernichtung ihres Wesens* erblicken. Sie muß kritische Kritik, Nicht-Masse sein *wollen*, ohne es sein zu *können*. Diese kritisch-unkritische Masse ist die obenerwähnte *„Berliner Couleur"*. Auf eine Berliner Couleur reduziert sich die mit der kritischen Kritik ernstlich beschäftigte *Masse* der Menschheit.

Die „Berliner Couleur", der *„wesentliche Gegenstand"* der kritischen Kritik, mit dem sie immer in Gedanken beschäftigt ist und den sie immer in Gedanken mit sich beschäftigt sieht, besteht, soviel wir wissen, aus wenigen ci-devant[1] *Junghegelianern*, denen die kritische Kritik, wie sie

[1] ehemaligen

behauptet, teils den *horror vacui*[1], teils das Gefühl *der Nichtigkeit* einflößt. Wir untersuchen nicht den Tatbestand, wir verlassen uns auf die Äußerungen *der* Kritik.

Die *Korrespondenz* ist nun hauptsächlich dazu bestimmt, dem Publikum dieses *welthistorische* Verhältnis *der* Kritik zu der „Berliner Couleur" *weitläufig* auseinanderzusetzen, seine tiefe Bedeutung zu enthüllen, die notwendige Grausamkeit der Kritik gegen diese „Masse" darzutun und endlich den Schein hervorzubringen, als sei *alle Welt* um diesen Gegensatz ängstlich bemüht, indem sie bald für, bald gegen das Verfahren *der* Kritik sich äußert. So schreibt die *absolute* Kritik z. B. einem Korrespondenten, der die Partei der „Berliner Couleur" nimmt:

„Dergleichen Dinge habe ich *schon so oft* gehört, daß ich gar nicht mehr darauf Rücksicht zu nehmen beschlossen hatte."

Die Welt ahnt nicht, wie oft sie sich mit *dergleichen* kritischen Dingen zu schaffen machte.

Hören wir nun, wie ein Glied der *kritischen* Masse über die Berliner Couleur berichtet:

„,Wenn einer die Bauers anerkennt'" (man muß die heilige Familie immer pêle-mêle[2] anerkennen), „begann seine Antwort, ,so bin *ich* es: aber die „Literatur-Zeitung"! Alles, was recht ist!' Es war mir interessant zu hören, was einer dieser Radikalen, dieser Klugen von Anno 42 über Euch dächte ..."

Es wird nun berichtet, daß der Unglückliche allerlei an der „Literatur-Zeitung" zu tadeln hatte.

Die Novelle des Herrn Edgar, „Die drei Biedermänner", fand er roh und outriert. Er begriff nicht, daß die *Zensur* weniger ein Kampf Mann an Mann, weniger ein Kampf nach außen als ein innerlicher ist. Sie geben sich nicht die Mühe, in sich selbst einzukehren und an die Stelle der *zensurwidrigen Phrase* den *fein* durchgeführten, nach allen Seiten hin auseinandergelegten *kritischen Gedanken* zu setzen. Den Aufsatz des Herrn Edgar über Béraud fand er ungründlich. Der kritische Berichterstatter findet ihn gründlich. Er gesteht zwar selbst: „Ich kenne Bérauds Buch – *nicht*." Dagegen *glaubt* er, daß es Herrn Edgar *gelungen* ist etc., und der Glaube macht bekanntlich selig. „Überhaupt", fährt der kritische Gläubige fort, „ist er (der von der Berliner Couleur) mit Edgars Sachen *gar nicht recht* zufrieden." Er findet auch „*Proudhon* nicht mit genug *gründlichem* Ernste behandelt". Hier nun erteilt der Berichterstatter Herrn Edgar das Testimonium:

[1] *Schauder vor dem Leeren* – [2] in Bausch und Bogen

„*Ich kenne nun zwar* (!?) Proudhon, ich *weiß*, daß die Darstellung Edgars die *charakteristischen* Punkte aus ihm genommen und auf anschauliche Weise nebeneinandergestellt hat."

Der einzige Grund, warum Herrn Edgars so *vortreffliche* Kritik Proudhons nicht gefällt, kann nach dem Berichterstatter nur der sein, daß Herr Edgar *keine übeln Winde* gegen das Eigentum *losgelassen*. Ja, man bedenke, der Gegner findet Herrn Edgars Aufsatz über die Union ouvrière *unbedeutend*. Der Berichterstatter vertröstet Herrn Edgar:

„Natürlich, es ist ja darin nichts *Selbständiges* gegeben, und diese Leute haben sich wirklich auf den *Gruppeschen* Standpunkt, auf dem sie freilich *immer standen*, zurückbegeben. Geben, geben, *geben* soll *die* Kritik!"

Als habe die Kritik nicht ganz neue linguistische, historische, philosophische, nationalökonomische, juristische Erfindungen gegeben! Und sie ist so bescheiden, sich sagen zu lassen, sie gebe nichts *Selbständiges*! Selbst unser kritischer Korrespondent hat der bisherigen Mechanik Unbekanntes gegeben, wenn er Leute auf *denselben* Standpunkt, auf dem sie immer *standen, zurückkehren* läßt. Ungeschickt ist die Erinnerung an den *Gruppeschen* Standpunkt. Gruppe fragte in seiner sonst elenden und nicht nennenswerten Broschüre bei Herrn Bruno an, was er nun Kritisches über die *spekulative Logik* zu geben habe? Herr Bruno wies ihn an kommende Geschlechter, und –

„ein Narr wartet auf die Antwort" [61].

Wie Gott schon den ungläubigen Pharao dadurch strafte, daß er ihn verstockten Herzens machte und seiner Erleuchtung *nicht wert erachtete*, so versichert der Berichterstatter:

„Sie sind daher auch *gar nicht wert*, in Eurer ‚Literatur-Zeitung' den Inhalt zu sehen oder zu erkennen."

Und statt seinem Freunde Edgar anzuraten, sich Gedanken und Kenntnisse zu verschaffen, gibt er den Rat:

„Edgar möge sich einen *Phrasensack* anschaffen und künftig bei seinen Aufsätzen blind hineingreifen, um einen beim Publikum anklingenden Stil zu erhalten."

Außer den Versicherungen von einer „gewissen Wut, Mißliebigkeit, Inhaltslosigkeit, Gedankenlosigkeit, Ahnung der Sache, hinter die sie nicht kommen können, Gefühl der Nichtigkeit" – alle diese Epitheta, versteht sich, gelten der Berliner Couleur – werden der heiligen Familie Elogen wie folgende gemacht:

„Die Sache durchdringende Leichtigkeit der Behandlung, die Beherrschung der Kategorien, die durch Studium gewonnene Einsicht, kurz, die *Herrschaft* über *die* Gegenstände. Er (der von der Berliner Couleur) macht es sich mit der Sache leicht, Ihr macht die Sache leicht." Oder: „Ihr übt in der ‚Literatur-Zeitung' die reine, darstellende, die Sache ergreifende Kritik."

Schließlich heißt's:

„Ich habe Euch das alles so weitläufig geschrieben, weil ich weiß, daß ich Euch durch Mitteilungen der Ansichten meines Freundes *eine Freude* mache. Ihr seht daraus, daß die ‚Literatur-Zeitung' ihren Zweck erfüllt."

Ihr Zweck ist ihr Gegensatz zur Berliner Couleur. Haben wir soeben die *Polemik* der *Berliner Couleur* gegen die kritische Kritik und ihre Zurechtweisung für diese Polemik erlebt, so wird uns nun in doppelter Weise ihr Streben nach der Erbarmung der kritischen Kritik geschildert.

Ein Korrespondent schreibt:

„Meine Bekannten in Berlin sagten mir, als ich Anfang dieses Jahres dort war, daß Sie alles von sich zurückstießen und fernhielten, sich ganz vereinsamten und jede Annäherung, jeden Umgang mit Geflissentlichkeit vermeiden. Ich kann natürlich nicht wissen, auf welcher Seite die Schuld ist."

Die *absolute* Kritik antwortet:

„Die Kritik macht *keine Partei*, will keine Partei für sich haben, sie ist *einsam* – einsam, indem sie sich in *ihren* (!) Gegenstand vertieft, einsam, indem sie sich ihm gegenüberstellt. Sie *löst sich von allem* ab."

Wie die kritische Kritik sich über alle dogmatischen Gegensätze zu erheben meint, indem sie an die Stelle der wirklichen Gegensätze den eingebildeten ihrer *selbst und der Welt, des heiligen Geistes* und der *profanen Masse* setzt, so glaubt sie sich *über* die *Parteien* zu erheben, indem sie *unter* den *Parteistandpunkt* herabfällt, indem sie sich selbst als *Partei* der übrigen Menschheit gegenüberstellt und alles Interesse in der Persönlichkeit des Herrn Bruno & Comp. konzentriert. Daß die Kritik in der Einsamkeit der *Abstraktion* thront, daß sie selbst, wenn sie sich scheinbar mit einem *Gegenstand* beschäftigt, nicht aus ihrer gegenstandslosen Einsamkeit heraus in ein wahrhaft *gesellschaftliches* Verhältnis zu einem *wirklichen Gegenstand* tritt, weil *ihr Gegenstand* nur der Gegenstand *ihrer Einbildung*, nur ein eingebildeter Gegenstand ist: die Wahrheit dieses kritischen *Geständnisses* beweist unsere ganze Darstellung. Ebenso richtig bestimmt sie den Charakter ihrer *Abstraktion* als der *absoluten* Abstraktion dahin, daß „sie sich *von allem ablöst*", also eben diese Ablösung des *Nichts von allem*, von *allem* Denken, Anschauen etc., der *absolute Unsinn* ist. Die Einsamkeit übrigens, welche durch die Ablösung, Abstraktion von *allem* erreicht wird, ist ebensowenig frei von dem Gegenstand, wovon sie abstrahiert, als *Origenes* frei von dem *Zeugungsgliede* war, das er von sich *ablöste*.

Ein anderer Korrespondent beginnt damit, daß er *einen* von der „Berliner Couleur", den er gesehen und gesprochen habe, als „mißmutig", „gedrückt", „nicht mehr den Mund auftun könnend", der sonst immer mit einem „recht *frechen* Worte bei der Hand gewesen sei", als „kleinmütig" schildert. Dies Mitglied der „Berliner Couleur" erzählt dem Korrespondenten, der seinerseits der Kritik referiert:

„Er könne nicht begreifen, wie Leute wie Ihr beide, die doch sonst dem Humanitätsprinzip huldigten, sich so abschließend, so abstoßend, ja hochmütig benehmen könnten." Er wisse nicht, „warum es einige gibt, die, wie es scheint, absichtlich eine Spaltung hervorrufen. Wir stehen doch alle auf demselben Standpunkte, wir *huldigen* alle dem Extrem, der Kritik, sind alle fähig, einen extremen Gedanken, wenn auch nicht zu erzeugen, so doch aufzufassen und anzuwenden." Er „finde bei dieser Spaltung kein anderes leitendes Prinzip als Egoismus und Hochmut".

Nun legt der Korrespondent ein gutes Wort ein:

„Haben denn nicht wenigstens einige unter unsern Freunden *die* Kritik erfaßt, oder vielleicht *den guten Willen der Kritik* ... ‚ut desint vires, tamen est laudanda voluntas'[1]."

Die Kritik antwortet durch folgende *Antithesen* zwischen sich und der Berliner Couleur:

„Es seien *verschiedene* Standpunkte der Kritik." Jene „glaubten die Kritik in der Tasche zu haben", sie „kenne und wende wirklich die Macht der Kritik an", d. h. sie behalte sie nicht in der Tasche. Für die erste sei die Kritik reine Form, für sie dagegen das „*Inhaltvollste*, vielmehr das einzig *Inhaltvolle*". Wie das absolute Denken sich selbst als für alle Realität gilt, *so* die kritische Kritik. Sie erblickt daher *außer sich* keinen Inhalt, sie ist daher nicht die Kritik *wirklicher*, außer dem kritischen Subjekt hausender Gegenstände, sie *macht* vielmehr den Gegenstand, sie ist absolutes *Subjekt-Objekt*. Weiter! „Die erste Art der Kritik setze sich mit Redensarten über alles, über das Studium der Sachen hinweg, und die zweite löse sich mit Redensarten *von allem ab*." Die erstere ist „*unwissend klug*", die zweite ist „lernend". Die zweite ist allerdings unklug und lernt par ça, par là[2], aber nur scheinbar, aber nur, um das oberflächlich Erlernte als selbsterfundene Weisheit zum „Stichwort" gegen die Masse, von der sie gelernt, schleudern und es in kritisch-kritischen Unsinn auflösen zu können.

[1] ‚Fehlen auch die Kräfte, so ist doch der Wille zu loben' – [2] hier und da

„Der ersteren sind Worte wie ‚Extrem', ‚weitergehen', ‚nicht weit genug gehen' von Bedeutung und höchste angebetete Kategorien, die andere *ergründet die Standpunkte* und wendet nicht die *Maße* jener abstrakten Kategorien auf sie an."

Die Ausrufungen der Kritik Nr. 2, es sei nicht mehr die Rede von der Politik, die Philosophie sei abgetan, ihr Hinwegsetzen über soziale Systeme und Entwickelungen durch Worte wie „phantastisch", „utopisch" etc., was ist das alles anders als eine *kritisch-emendierte* Wendung des „Weitergehens", „Nicht-weit-genug-Gehens"? Und ihre „Maße", wie „*die* Geschichte", „*die* Kritik", „Zusammenfassen der Gegenstände", „das Alte und das Neue", „Kritik und Masse", „die Ergründung der Standpunkte" – kurz, alle ihre Stichworte, sind etwa keine *kategorischen* und abstrakt kategorischen *Maße*!?

„Die erstere ist theologisch, boshaft, neidisch, kleinlich, anmaßend, die andere das *Gegenteil* von alledem."

Nachdem *die* Kritik auf diese Weise sich in einem Atemzuge ein Dutzend Lobsprüche gespendet hat und alles das von sich aussagt, was der Berliner Couleur abgeht, wie Gott alles das *ist*, was der *Mensch nicht ist*, stellt sie sich das Zeugnis aus:

„Sie erreichte eine Klarheit, eine Lernbegierde, eine Ruhe, in der sie *unangreifbar* und *unüberwindlich* ist."

Sie kann daher über ihren Gegensatz, die Berliner Couleur, „höchstens das Geschäft des *olympischen Gelächters* auf sich nehmen". Dieses *Auslachen* – mit gewohnter Gründlichkeit entwickelt sie, was dieses Auslachen ist und was es nicht ist – „dieses Auslachen ist kein Hochmut". Beileibe nicht! Es ist die Negation der Negation. Es ist „*nur der Prozeß*, den *der Kritiker* mit Behagen und Seelenruhe gegen einen *untergeordneten Standpunkt*, der sich ihm *gleich dünkt*" – welcher Dünkel! – „*anwenden muß*". Also wenn *der* Kritiker lacht, so *wendet* er einen *Prozeß* an! Und in seiner „Seelenruhe" wendet er den *Prozeß des Lachens* nicht gegen *Personen*, sondern gegen einen *Standpunkt*! Selbst das *Lachen* ist *eine Kategorie*, die er anwendet und gar anwenden *muß*!

Die *außerweltliche* Kritik ist keine *Wesenstätigkeit* des *wirklichen*, darum in der *gegenwärtigen* Gesellschaft lebenden, leidenden, an ihren Qualen und Freuden teilnehmenden *menschlichen Subjekts*. Das *wirkliche* Individuum ist nur ein *Akzidens*, ein irdisches Gefäß *der* kritischen Kritik, die sich in ihm als die *ewige Substanz* offenbart. Nicht die Kritik des menschlichen Individuums, sondern *das unmenschliche Individuum der Kritik* ist Subjekt. Nicht die Kritik ist eine *Äußerung des Menschen*, sondern der Mensch eine *Entäußerung der Kritik*, der Kritiker lebt daher völlig außer der Gesellschaft.

„Kann der Kritiker in derjenigen Gesellschaft leben, die er kritisiert?"

Vielmehr: Muß er nicht in dieser Gesellschaft leben, muß er nicht selbst eine Lebensäußerung dieser Gesellschaft sein? Warum *verkauft* der Kritiker seine Geistesprodukte, da er hiermit das schlechteste Gesetz der heutigen Gesellschaft zu dem seinigen macht?

„*Der* Kritiker darf es nicht einmal wagen, sich *persönlich* in die Gesellschaft einzulassen."

Darum bildet er sich eine *heilige Familie*, wie auch der einsame Gott in der heiligen Familie seine langweilige Trennung von aller Gesellschaft aufzuheben trachtet. Wenn der Kritiker sich von der *schlechten Gesellschaft losmachen will*, so mache er sich vor allem von der *Gesellschaft seiner selbst* los.

„So entbehrt der Kritiker *aller Freuden der Gesellschaft*, aber auch *ihre Leiden* bleiben ihm fern. Er kennt weder *Freundschaft*" – mit Ausnahme der kritischen Freunde – „noch Liebe" – mit Ausnahme der *Selbstliebe* –, „dafür prallt aber die Verleumdung machtlos an ihm ab; nichts kann ihn beleidigen; ihn berührt kein Haß, kein Neid; Ärger und Gram[1] sind ihm *unbekannte Affekte*."

Kurz, der Kritiker ist frei von allen *menschlichen Leidenschaften*, er ist eine *göttliche Person*, er kann von sich das Lied der Nonne singen:

Ich gedenk' an keine Liebe,
Ich gedenk' an keinen Mann,
Ich gedenk' an Gott den Vater,
Der mich erhalten kann.[62]

Es ist der Kritik nicht gegeben, irgendeinen Passus zu schreiben, ohne sich zu widersprechen. So sagt sie uns schließlich:

„Das Philistertum, das den Kritiker mit Steinen wirft" – nach biblischer Analogie muß er gesteinigt werden –, „das ihn mißkennt und ihm *unreine* Motive unterschiebt" – der *reinen* Kritik *unreine* Motive unterzuschieben! –, „um *ihn sich gleich* zu machen" – der oben gerügte Gleichheitsdünkel – „es wird von ihm *nicht verlacht*, denn das ist es nicht wert, sondern durchschaut und von ihm mit Ruhe in seine unbedeutende Bedeutendheit zurückgewiesen."

Mehr oben *mußte* der Kritiker den *Prozeß des Auslachens* gegen den sich „gleichdünkenden, untergeordneten Standpunkt anwenden". Die Unklarheit der kritischen Kritik über ihre Verfahrungsweise gegen die gottlose

[1] In der „Allgemeinen Literatur-Zeitung": Grimm

„Masse" scheint fast auf eine innerliche Gereiztheit, auf eine Galle hinzudeuten, für welche die „Affekte" keine „Unbekannten" sind.

Man darf indes nicht verkennen. Nachdem die Kritik bisher als ein Herkules gekämpft, um sich von der unkritischen „profanen Masse" und „allem" *abzulösen*, hat sie endlich ihre *einsame, göttliche, selbstgenügsame absolute* Existenz glücklich herausgearbeitet. Wenn in dem ersten Aussprechen dieser ihrer „neuen Phase" die alte Welt der *sündlichen Affekte* über sie selbst noch eine Macht zu haben scheint, so werden wir sie nun in einer „*Kunstgestalt*" ihre ästhetische Abkühlung und *Verklärung* finden und ihre *Buße* vollbringen sehen, damit sie endlich als zweiter, triumphierender *Christus* das *kritische jüngste Gericht* feiern und nach ihrem Sieg über den Drachen ruhig zum Himmel fahren könne.

VIII. KAPITEL

Weltgang und Verklärung der „kritischen Kritik" oder „die kritische Kritik" als Rudolph, Fürst von Geroldstein

Rudolph, Fürst von Geroldstein, *büßt* in seinem *Weltgang* ein *doppeltes* Vergehen, sein *persönliches* Vergehen und das Vergehen der *kritischen Kritik*. Er selbst hat im eifrigen Zwiegespräch das Schwert auf seinen Vater gezückt, die kritische Kritik hat im eifrigen Zwiegespräch sich zu sündlichen Affekten gegen die Masse hinreißen lassen. Die kritische Kritik hat nicht *ein einziges* Geheimnis enthüllt. Rudolph tut dafür Buße und enthüllt *alle* Geheimnisse.

Rudolph ist, wie Herr Szeliga berichtet, der *erste* Diener des *Staats* der Menschheit. (*Humanitätsstaat* des Schwaben *Egidius*. Siehe „Konstitutionelle Jahrbücher" von Dr. Karl Weil, 1844, 2. Band.)

Damit *die Welt nicht untergehe*, müssen nach Herrn Szeligas Behauptung die

„Männer der rücksichtslosen Kritik auftreten ... Rudolph ist ein *solcher* Mann ... Rudolph faßt den Gedanken *reiner Kritik*. Und dieser Gedanke ist fruchtbringender für ihn und die Menschheit als *alle* Erfahrungen, welche diese in ihrer *Geschichte* gemacht, als *alles* Wissen, das Rudolph aus dieser Geschichte, geleitet selbst von dem treusten Lehrer, sich hat aneignen können ... Das unparteiische Gericht, mit welchem Rudolph seinen *Weltgang* verewigt, ist *in der Tat* nichts anderes als

die Enthüllung der Geheimnisse der Gesellschaft."

Er ist „*das enthüllte Geheimnis aller Geheimnisse*".

Rudolph hat über unendlich mehr *äußere* Mittel zu gebieten als die übrigen Männer der kritischen Kritik. Sie vertröstet sich:

„Unerreichbar sind für den weniger von dem Geschick Begünstigten Rudolphs *Resultate* (!), nicht unerreichbar das schöne Ziel (!)."

Die Kritik überläßt es daher dem von dem Geschick begünstigten Rudolph, ihre eignen *Gedanken* zu *verwirklichen*. Sie singt ihm zu:

Hahnemann,
Geh du voran,
Du hast die großen Wasserstiefel an! [63]

Begleiten wir Rudolph auf seinem kritischen Weltgang, der *„fruchtbringender* für die *Menschheit* ist als *alle Erfahrungen*, welche die Menschheit in ihrer Geschichte gemacht hat, als *alles Wissen*" etc., der *zweimal* die Welt vor dem *Untergehn* rettet.

1. Kritische Verwandlung eines Metzgers in einen Hund oder der Chourineur[1]

Chourineur war von Haus aus ein Metzger. Verschiedene Kollisionen machen den gewaltsamen Naturmenschen zum Mörder. Rudolph findet ihn zufällig, als er eben die Fleur de Marie mißhandelt. Rudolph versetzt dem gewandten Raufbold einige meisterhafte, imponierende Faustschläge auf das Haupt. Rudolph erwirbt dadurch Chourineurs Achtung. Später in der Verbrecherkneipe äußert sich Chourineurs gutherziges Temperament. Rudolph sagt ihm: „Du hast noch Herz und Ehre." Er flößt ihm durch diese Worte Achtung vor sich selbst ein. Chourineur ist gebessert, oder, wie Herr Szeliga sagt, in ein *„moralisches Wesen"* umgewandelt. Rudolph nimmt ihn unter seine Protektion. Folgen wir dem von Rudolph geleiteten Bildungsgang Chourineurs.

1. Stadium. Der erste Unterricht, den Chourineur erhält, ist ein Unterricht in der Heuchelei, Treulosigkeit, Heimtücke und *Verstellung*. Rudolph benutzt den moralisierten Chourineur ganz in derselben Weise, wie *Vidocq* die von ihm moralisierten Verbrecher benutzte, d. h. er macht ihn zum *Mouchard*[2] und *Agent provocateur*[3]. Er gibt ihm den Rat, sich bei dem *maître d'école*[4] das *„Ansehen zu geben"*, als habe er seine „Prinzipien, nicht zu stehlen", verändert, dem maître d'école eine Diebesexpedition vorzuschlagen und ihn dadurch in eine von Rudolph gestellte Falle zu locken. Chourineur hat das Gefühl, daß man ihn zu einer „Farce" mißbrauchen will. Er protestiert gegen die Anmutung, die Rolle des *Mouchard* und *Agent provocateur* zu spielen. Rudolph überzeugt den naturwüchsigen Menschen leicht durch die *„reine"* *Kasuistik* der kritischen Kritik, daß ein schlechter Streich kein schlechter Streich ist, wenn er aus *„guten, moralischen"* Gründen verübt wird. Chourineur lockt als Agent provocateur unter dem Schein der Kameradschaft und des Vertrauens seinen ehemaligen Gefährten ins Verderben. Zum *ersten Male* in seinem Leben begeht er eine *Infamie*.

---

[1] *Messerheld* – Spitzname, den er als ehemaliger Bagnosträfling erhalten hatte – [2] *Polizeispion* – [3] *bezahlter Unruhestifter* – [4] *Schulmeister*

2. Stadium. Wir finden den Chourineur wieder als *garde-malade*[1] Rudolphs, den er aus einer Lebensgefahr errettet hat.

Chourineur ist ein so *anständiges moralisches* Wesen geworden, daß er den Vorschlag des Negerarztes David, sich auf den Fußboden zu setzen, ablehnt, aus Furcht, den Teppich zu beschmutzen. Ja, er ist zu *schüchtern*, um sich auf einen Stuhl zu setzen. Erst setzt er den Stuhl auf den Rücken und dann sich selbst auf die Vorderfüße des Stuhls. Er verfehlt nicht, sich jedesmal zu entschuldigen, sobald er Herrn Rudolph, den er aus Todesgefahr errettet, seinen „Freund" oder Monsieur[2] statt Monseigneur[3] anredet.

Bewundernswürdige Dressur des rücksichtslosen Naturmenschen! Chourineur spricht das innerste Geheimnis seiner kritischen Verwandlung aus, wenn er dem Rudolph gesteht, für ihn dasselbe Attachement zu fühlen, welches ein *Bulldogge* für seinen Herrn empfindet. „Je me sens pour vous, comme qui dirait *l'attachement* d'un *bouledogue* pour *son maître.*"[4] Der ehemalige Metzger ist in einen Hund verwandelt. Von nun an werden sich alle seine Tugenden in die Tugend des Hundes, in das reine „*dévouement*"[5] für seinen Herrn auflösen. Seine Selbständigkeit, seine Individualität werden vollständig verschwinden. Wie aber schlechte Maler ihrem Gemälde einen Zettel in den Mund legen müssen, um zu sagen, was es bedeuten soll, so wird Eugen Sue dem „*bouledogue*" Chourineur einen Zettel in den Mund legen, der fortwährend beteuert: „Die beiden Worte: Du hast Herz und Ehre, haben mich zum *Menschen* gemacht." Chourineur wird bis zu seinem letzten Atemzug nicht in seiner menschlichen Individualität, sondern in diesem Zettel das Motiv seiner Handlungen finden. Als Probe seiner moralischen Besserung wird er über seine eigne Vortrefflichkeit und über die Schlechtigkeit anderer Individuen vielfach reflektieren, und sooft er mit moralischen Redensarten um sich wirft, wird ihm Rudolph sagen: „Ich höre dich gern so *sprechen.*" Chourineur ist kein gewöhnlicher, sondern ein *moralischer Bulldogge* geworden.

3. Stadium. Wir haben schon den *spießbürgerlichen Anstand*, der an die Stelle der *rohen*, aber *kühnen* Ungeniertheit Chourineurs getreten ist, bewundert. Wir erfahren nun, daß er, wie es einem „*moralischen Wesen*" geziemt, auch den Gang und die Haltung des *Spießbürgers* sich angeeignet hat.

„A le voir marcher – on l'eût pris pour le *bourgeois* le plus inoffensif du monde."[6]

[1] *Krankenwärter* – [2] Herr – [3] gnädiger Herr – [4] „Ich fühle für Sie so etwas wie *die Anhänglichkeit* einer *Bulldogge* an *ihren Herrn.*" – [5] „*Aufopferung*" – [6] „Wer ihn so gesehen ... hätte ihn für den unschuldigsten *Bürger* von der Welt halten müssen."

Noch trauriger wie diese Form ist der Gehalt, den Rudolph seinem kritisch reformierten Leben gibt. Er schickt ihn nach Afrika, um als „ein lebendiges und heilsames Exempel der Reue der ungläubigen Welt zum Schauspiel zu dienen". Nicht seine eigne menschliche Natur hat er von nun an darzustellen, sondern ein christliches Dogma.

4. Stadium. Die kritisch-moralische Umwandlung hat den Chourineur zu einem stillen, vorsichtigen Mann gemacht, der sein Betragen nach den Regeln der Furcht und Lebensklugheit einrichtet.

„Le chourineur", berichtet Murph, dessen indiskrete Einfalt beständig aus der Schule plaudert, „n'a pas dit un mot de l'exécution du maître d'école, de *peur* de *se* trouver compromis."[1]

Chourineur weiß also, daß die Exekution des maître d'école eine rechtswidrige Handlung war. Er plaudert sie nicht aus, aus Furcht, sich zu kompromittieren. *Weiser* Chourineur!

5. Stadium. Chourineur hat seine moralische Bildung so weit vollendet, daß er sein *hündisches* Verhältnis zu Rudolph unter einer zivilisierten Form – sich zum Bewußtsein bringt. Er sagt zu *Germain*, nachdem er ihn aus einer Todesgefahr errettet hat:

„Ich habe einen Protektor, der für mich dasselbe ist, was *Gott* für die *Priester* – es ist, um sich auf die Knie vor ihm zu werfen."

Und in Gedanken liegt er vor seinem Gott auf den Knien.

„Herr Rudolph", fährt er zu Germain fort, „beschützt Sie. Ich sage *Herr*, aber ich müßte sagen *gnädiger Herr*. Doch ich habe die Gewohnheit, ihn *Herr* Rudolph zu nennen, und er erlaubt es mir."

„Herrliches Erwachen und Erblühen!" ruft Szeliga im kritischen Entzücken aus!

6. Stadium. Chourineur beendigt würdig seine Laufbahn des reinen dévouement, des moralischen Bulldoggentums, indem er sich schließlich für seinen gnädigen Herrn totstechen läßt. Im Augenblick, wo das Skelett den Prinzen mit seinem Messer bedroht, hält Chourineur den Arm des Mörders auf. Skelett durchsticht ihn. Der sterbende Chourineur aber sagt zu Rudolph:

„Ich hatte recht zu sagen, daß ein *Stück Erde*" (ein Bulldogge) „wie ich manchmal einem *großen gnädigen Herrn* wie Ihnen nützlich sein könne."

[1] „Der Chourineur hat kein Wort von der Bestrafung des Schulmeisters gesagt, aus *Furcht, sich* zu kompromittieren."

Dieser hündischen Äußerung, welche den ganzen kritischen Lebenslauf Chourineurs in *ein* Epigramm zusammenfaßt, fügt der Zettel in seinem Munde hinzu:

„Wir sind quitt, Herr Rudolph. Sie haben mir gesagt, daß ich Herz und Ehre hätte."

Herr Szeliga schreit aus vollen Leibeskräften:

„Welch ein Verdienst erwirbt sich Rudolph damit, den *‚Schurimann'* (?) der *Menschheit* (?) zurückgegeben zu haben!"

2. Enthüllung des Geheimnisses der kritischen Religion oder Fleur de Marie

a) Die spekulative „Marien-Blume"

Noch ein Wort über die spekulative „Marien-Blume" des Herrn Szeliga, ehe wir zu der Fleur de Marie des Eugen Sue übergehen.

Die spekulative „Marien-Blume" ist vor allem eine *Berichtigung*. Der Leser könnte nämlich aus der Konstruktion des Herrn Szeliga schließen, Eugen Sue habe

„die Darstellung der objektiven Grundlage" (des „Weltzustandes") „von der Entwicklung der handelnden individuellen Kräfte, welche nur aus jenem Hintergrund begriffen werden können, getrennt".

Außer der Aufgabe, diese irrtümliche, durch Herrn Szeligas Darstellung erzeugte Vermutung des Lesers zu berichtigen, hat Marien-Blume auch noch einen metaphysischen Beruf in unserm, nämlich Herrn Szeligas, „Epos".

„*Weltzustand* und epische Begebenheit würden *auch noch nicht* zu einem wahrhaft *einigen* Ganzen künstlerisch verbunden sein, wenn sie nur in einem bunten Gemisch durcheinanderkreuzten, bald hier ein Stück Weltzustand, und wieder dort eine Szene Handlung miteinander abwechselten. Soll *wirkliche Einheit* entstehen, so müssen beide, die Geheimnisse dieser befangenen *Welt* und die Klarheit, Offenheit und Sicherheit, mit welcher *Rudolph* in sie eindringt und sie enthüllt, in *einem* Individuum zusammenstoßen ... Marien-Blume hat diese Aufgabe."

Herr Szeliga konstruiert Marien-Blume nach der Analogie der *Bauerschen* Konstruktion der *Mutter Gottes*.

Auf der einen Seite steht das *„Göttliche"* (*Rudolph*), „dem alle Macht und Freiheit" zugeschrieben wird, das allein *tätige* Prinzip. Auf der andern Seite steht der passive *„Weltzustand"* und die ihm angehörigen Menschen. Der Weltzustand ist der „Boden des Wirklichen". Soll dieser nun nicht „ganz verlassen" oder „der letzte Rest des Naturzustandes nicht aufgehoben" werden, soll die Welt selbst an dem „Prinzip der Entwicklung", das Rudolph ihr gegenüber in sich konzentriert, noch einigen Anteil haben, soll „das Menschliche nicht als schlechthin unfrei und untätig dargestellt werden", so muß Herr Szeliga dem „Widerspruch des religiösen Bewußtseins" anheimfallen. Obgleich er den Weltzustand und seine Tätigkeit als den Dualismus einer toten Masse und der Kritik (Rudolphs) auseinanderreißt, muß er dennoch dem Weltzustand und der Masse wieder einige Attribute der Göttlichkeit zugestehen und in der Marien-Blume die spekulative Einheit beider, Rudolphs und der Welt, konstruieren. (Siehe „Kritik der Synoptiker", Band I, p. 39.)

Außer den wirklichen Beziehungen, in welchen der *Hausbesitzer* (die handelnde „individuelle Kraft") zu seinem *Hause* (der „objektiven Grundlage") steht, bedarf die mystische Spekulation, auch die spekulative Ästhetik, noch einer dritten *konkreten, spekulativen Einheit*, eines *Subjekt-Objekts*, welches das Haus und der Hausbesitzer in *einer* Person *ist*. Weil die Spekulation die natürlichen Vermittlungen in ihrer breiten Umständlichkeit nicht liebt, so sieht sie nicht ein, daß dasselbe „Stück Weltzustand", das Haus z.B., welches für den einen, z.B. für den Hausbesitzer, eine „objektive Grundlage" ist, für den andern, den Baumeister des Hauses z.B., eine „epische Begebenheit" ist. Die kritische Kritik, welche der „romantischen Kunst" das „Dogma der Einheit" zum Vorwurf macht, setzt, um ein „wahrhaft einiges Ganze", um eine „wirkliche Einheit" zu erhalten, an die Stelle des natürlichen und menschlichen Zusammenhangs zwischen Weltzustand und Weltbegebenheit einen phantastischen Zusammenhang, ein mystisches Subjekt-Objekt, wie *Hegel* an die Stelle des wirklichen Zusammenhangs von Mensch und Natur ein absolutes Subjekt-Objekt, das die ganze Natur und die ganze Menschheit auf einmal ist, den *absoluten Geist, setzt*.

In der kritischen Marien-Blume wird „die allgemeine Schuld der Zeit, die Schuld des Geheimnisses", zum „*Geheimnis der Schuld*", wie die allgemeine Schuld des Geheimnisses im verschuldeten Epicier[1] zum *Geheimnis der Schulden* wird.

Marien-Blume müßte nach der Mutter-Gottes-Konstruktion *eigentlich* die *Mutter Rudolphs*, des Welterlösers, sein. Herr Szeliga erklärt dies ausdrücklich:

„Der *logischen Folge* nach müßte Rudolph der *Sohn* der Marien-Blume sein."

Weil er aber nicht ihr Sohn, sondern ihr Vater ist, so findet Herr Szeliga hierin „das neue Geheimnis, daß die Gegenwart aus ihrem Schoße statt der

[1] Krämer

Zukunft oft die längst hingeschiedene Vergangenheit gebiert". Ja, er entdeckt das andere, noch größere, der massenhaften Statistik direkt widersprechende Geheimnis, daß „ein Kind, wenn es nicht wiederum Vater oder Mutter wird, sondern jungfräulich und unschuldig in die Gruft niedersteigt... *wesentlich... Tochter* ist".

Herr Szeliga folgt getreu der Hegelschen Spekulation, wenn ihm der „*logischen* Folge" nach die Tochter für die Mutter ihres Vaters gilt. In Hegels Geschichtsphilosophie, wie in seiner Naturphilosophie, gebiert der Sohn die Mutter, der Geist die Natur, die christliche Religion das Heidentum, das Resultat den Anfang.

Nachdem Herr Szeliga bewiesen hat, daß Marien-Blume der „*logischen* Folge" nach Rudolphs Mutter sein müßte, beweist er nun das Gegenteil, daß sie, „um ganz der *Idee* zu entsprechen, welche sie in *unserm* Epos verkörpert, *niemals Mutter werden darf*". Dies beweist wenigstens, daß die Idee unseres Epos und die logische Folge des Herrn Szeliga sich wechselseitig widersprechen.

Die spekulative Marien-Blume ist nichts als die „*Verkörperung einer Idee*". Und welcher Idee? „Sie hat doch die Aufgabe, *gleichsam* die letzte Wehmutsträne darzustellen, welche die Vergangenheit vor ihrem gänzlichen Scheiden weint." Sie ist die Darstellung einer allegorischen Träne, und auch dies Wenige, was sie ist, *ist* sie *doch* nur „*gleichsam*".

Wir folgen Herrn Szeliga nicht in seiner weitern Darstellung der Marien-Blume. Wir überlassen ihr selbst das Vergnügen, nach Herrn Szeligas Vorschrift „gegen *jedermann* den *entschiedensten* Gegensatz zu bilden", ein geheimnisvoller Gegensatz, so geheimnisvoll wie die Eigenschaften Gottes.

Wir grübeln ebensowenig über „*das wahre Geheimnis*" nach, das „von *Gott* in den Busen des Menschen gesenkt ist" und worauf die spekulative Marien-Blume „doch gleichsam" hindeutet. Wir gehen von Herrn Szeligas Marien-Blume zu Eugen Sues Fleur de Marie und zu den kritischen Wunderkuren über, welche Rudolph an ihr vollbringt.

b) Fleur de Marie

Wir finden Marie mitten unter Verbrechern als Freudenmädchen, als Leibeigne der Wirtin der Verbrecherkneipe. Innerhalb dieser Erniedrigung bewahrt sie einen menschlichen Seelenadel, eine menschliche Unbefangenheit und eine menschliche Schönheit, welche ihrer Umgebung imponieren, sie zur poetischen Blume des Verbrecherkreises erheben und ihr den Namen Fleur de Marie erwerben.

Es ist notwendig, Fleur de Marie von ihrem ersten Auftreten an genau zu beobachten, um ihre *ursprüngliche Gestalt* mit ihrer *kritischen Umgestaltung* vergleichen zu können.

Bei aller Zartheit gibt Fleur de Marie sogleich Beweise von Lebensmut, Energie, Heiterkeit, Elastizität des Charakters, von Eigenschaften, welche allein ihre menschliche Entfaltung innerhalb ihrer *entmenschten* Lage erklären können.

Gegen den Chourineur, der sie mißhandelt, verteidigt sie sich mit ihrer Schere. Das ist die erste Situation, worin wir sie finden. Sie erscheint nicht als ein wehrloses, der überlegenen Brutalität sich widerstandslos preisgebendes Lamm, sondern als ein Mädchen, das seine Rechte geltend zu machen, das einen Kampf zu bestehen weiß.

In der Verbrecherkneipe der Rue aux Fèves erzählt sie dem Chourineur und Rudolph ihre Lebensgeschichte. Während ihrer Erzählung *lacht* sie über Chourineurs Witz. Sie klagt sich an, aus dem Gefängnis kommend, die hier erworbenen 300 Francs verfahren und verputzt zu haben, statt Arbeit zu suchen, „aber ich hatte niemand zum Ratgeber". Die Erinnerung an die Katastrophe ihres Lebens – die Verschacherung an die Verbrecherwirtin – stimmt sie wehmütig. Seit ihrer Kindheit ist dies das erstemal, daß sie sich aller dieser Begebenheiten erinnert.

„Le fait est, que ça me chagrine de regarder ainsi derrière moi ... ça doit être bien bon d'être honnête."[1]

Auf Chourineurs Spott, sie solle honett werden, ruft sie aus:

„Honnête, mon dieu! et avec quoi donc veux-tu que je sois honnête?"[2]

Sie erklärt ausdrücklich, daß sie keine „weinerlich sich Gebärdende" sei:

„Je ne suis pas pleurnicheuse"[3];

aber ihre Lebenssituation ist traurig –

„Ça n'est pas gai."[4]

Endlich spricht sie, im Gegensatz zur christlichen *Reue*, über die Vergangenheit den zugleich *stoischen* und *epikureischen*, den menschlichen Grundsatz einer Freien und Starken aus:

„*Enfin ce qui est fait, est fait.*"[5]

---

[1] „Ja, es betrübt mich, wenn ich so in meine Vergangenheit zurücksehe ... es muß doch schön sein, ehrlich zu sein." – [2] „Ehrlich, mein Gott, wie soll ich denn ehrlich sein?" – [3] „Ich bin nicht weinerlich" – [4] „Angenehm ist es nicht." – [5] „*Doch was geschehen ist, ist geschehen.*"

Begleiten wir nun Fleur de Marie auf ihrer ersten Spazierfahrt mit Rudolph.

„Das Bewußtsein deiner fürchterlichen Lage hat dich wohl oft gepeinigt", sagt Rudolph, den es schon prickelt, eine moralische Konversation einzuleiten.

„Ja", antwortet sie, „mehr als einmal sah ich über die Schutzwehren hinüber die Seine an, aber dann betrachtete ich die Blumen, die Sonne, dann sagte ich mir: Der Fluß wird immer da sein, ich bin noch nicht siebzehn Jahr alt, wer weiß? Dans ces moments-là il me semblait que mon sort n'était pas mérité, qu'il y avait en moi quelque chose de bon. Je me disais, on m'a bien tourmenté, mais au moins je n'ai jamais fait de mal à personne."[1]

Fleur de Marie betrachtet die Lage, worin sie sich befindet, nicht als freie Schöpfung, nicht als Ausdruck ihrer selbst, sondern als ein Los, das sie nicht verdient hat. Dies Mißgeschick kann sich ändern. Sie ist noch jung.

Das *Gute* und das *Böse* in Mariens Auffassung sind nicht die *moralischen Abstraktionen* des Guten und des Bösen. Sie ist *gut*, denn sie hat niemand ein *Leid* zugefügt, sie war immer *menschlich* gegen die unmenschliche Umgebung. Sie ist *gut*, denn Sonne und Blumen offenbaren ihr ihre eigne sonnige und blumige Natur. Sie ist *gut*, denn sie ist noch *jung*, hoffend und lebensmutig. Ihre Lage ist *nicht gut*, weil sie ihr einen unnatürlichen Zwang antut, weil sie nicht die Äußerung ihrer menschlichen Triebe, nicht die Verwirklichung ihrer menschlichen Wünsche, weil sie qualvoll und freudlos ist. An ihrer *eigenen Individualität*, an ihrem *natürlichen Wesen* mißt sie ihre Lebenssituation, nicht am *Ideal des Guten*.

In der *Natur*, wo die Ketten des bürgerlichen Lebens abfallen, wo sie frei ihre eigene Natur äußern kann, sprudelt Fleur de Marie daher eine Lebenslust aus, einen Reichtum der Empfindung, eine menschliche Freude an der Schönheit der Natur, die beweisen, wie die bürgerliche Situation nur ihre Oberfläche gestreift hat, ein bloßes Mißgeschick ist, und wie sie selbst weder gut noch böse, sondern *menschlich* ist.

„Monsieur Rodolphe, quel bonheur ... de l'herbe, des champs! Si vous vouliez me permettre de descendre, il fait si beau ... j'aimerais tant à courir dans ces prairies!"[2]

Aus dem Wagen gestiegen, pflückt sie dem Rudolph Blumen, „kann kaum sprechen vor Freude" etc. etc.

[1] „... In solchen Augenblicken war es mir, als hätte ich mein Schicksal nicht verdient, als läge etwas Gutes in mir. Ich sagte zu mir: Man hat mich sehr mißhandelt, aber ich habe doch niemandem etwas zuleide getan." – [2] „Herr Rudolph, welches Glück! Gras! Felder! Wenn Sie mir erlauben wollten auszusteigen ... es ist so schön! Ich möchte so gern auf diesen Wiesen gehen!"

Rudolph entdeckt ihr, daß er sie auf den *Pachthof der Madame George* führen wird. Dort kann sie Taubenschläge, Stallungen etc. sehen; dort gibt es Milch, Butter, Früchte etc. Das sind die wahren *Gnadenmittel* für dieses Kind. Sie wird sich *belustigen*, das ist ihr Hauptgedanke. „C'est à n'y pas croire ... comme je veux m'amuser!"[1] Sie erklärt dem Rudolph ihren eigenen *Anteil* an ihrem Mißgeschick in der unbefangensten Weise. „Tout mon sort est venu de ce que je n'ai pas économisé mon argent."[2] Sie rät ihm daher, sparsam zu sein und Geld in die Sparkasse zu hinterlegen. Ihre Phantasie ergeht sich in den Luftschlössern, die Rudolph ihr aufbaut. Sie verfällt nur in Trauer, weil sie „die *Gegenwart* vergessen hatte" und „der Kontrast dieser Gegenwart mit dem Traum einer freudigen und lachenden Existenz ihr die Greuel ihrer Lage ins Gedächtnis ruft".

Bis hierher sehen wir Fleur de Marie in ihrer ursprünglichen unkritischen Gestalt. Eugen Sue hat sich über den Horizont seiner engen Weltanschauung erhoben. Er hat den Vorurteilen der Bourgeoisie ins Gesicht geschlagen. Er wird Fleur de Marie dem Helden Rudolph überliefert haben, um seine Verwegenheit zu sühnen, um sich den Beifall aller alten Männer und Weiber, der gesamten Pariser Polizei, der gangbaren Religion und der „kritischen Kritik" zu erwerben.

Madame George, welcher Rudolph die Fleur de Marie überliefert, ist eine unglückliche, hypochondrische und religiöse Frau. Sie empfängt das Kind sogleich mit den salbungsvollen Worten, daß „*Gott* die segnet, die ihn lieben und fürchten, die unglücklich gewesen sind und die *bereuen*". Rudolph, der Mann der „reinen Kritik", läßt den unseligen, im Aberglauben ergrauten Pfaffen *Laporte* herbeirufen. Er ist bestimmt, die kritische Reform der Fleur de Marie zu vollbringen.

Marie naht heiter und unbefangen dem alten Pfaffen. *Eugen Sue* in seiner christlichen Brutalität läßt ihr sogleich von einem „bewundrungswürdigen Instinkt" ins Ohr flüstern, daß „die *Scham* da endet, wo die *Reue* und *Buße* anfangen", nämlich in der alleinseligmachenden Kirche. Er vergißt die heitre Unbefangenheit auf der Spazierfahrt, eine Heiterkeit, welche die Gnadenmittel der Natur und die freundliche Teilnahme Rudolphs erzeugt hatten, und welche nur durch den Gedanken, zu der Verbrecherwirtin zurückkehren zu müssen, getrübt wurde.

Der Pfaffe Laporte wirft sich sogleich in *überirdische* Positur. Sein erstes Wort ist:

---

[1] „Das klingt ganz unglaublich! Wie will ich mich freuen!" – [2] „Ich bin auch bloß deshalb in meine üble Lage gekommen, weil ich mein Geld nicht gespart hatte."

„*Gottes* Barmherzigkeit ist unerschöpflich, mein teures Kind! Er hat sie dir bewiesen, indem er dich in sehr schmerzlichen Prüfungen nicht verlassen hat ... der großmütige Mann, der dich gerettet, hat dieses *Schriftwort*" – man merke wohl: das Schriftwort, nicht einen menschlichen Zweck! – „verwirklicht: Der Herr ist nahe denen, die ihn anrufen; er wird die Wünsche derer erfüllen, die ihn anrufen; er wird hören ihr Schreien und er wird sie erretten ... der Herr wird *sein* Werk vollenden."

Marie versteht noch nicht den *bösartigen* Sinn des pfäffischen Sermons. Sie antwortet:

„Ich werde beten für die, die sich meiner erbarmt und mich zu Gott zurückgeführt haben."

Ihr erster Gedanke ist *nicht* Gott, sondern ihr *menschlicher* Retter, und für *ihn*, nicht für ihre *eigne* Absolution will sie beten. Sie traut ihrem Gebete einen Einfluß auf das Heil andrer zu. Ja, sie ist noch so naiv, zu unterstellen, daß sie *schon* zu Gott *zurückgeführt* ist. Der Pfaffe muß diesen heterodoxen Wahn zerstören.

„Bald", unterbricht er sie, „bald wirst du die Absolution verdienen, die Absolution von deinen großen Fehlern ... denn um noch einmal mit dem Propheten zu sprechen: Der Herr hält alle die aufrecht, die nahe am Fallen sind."

Man übersehe nicht die unmenschliche Wendung des Priesters. Bald wirst du die Absolution verdienen! *Noch* sind dir deine Sünden *nicht vergeben.*

Wie Laporte dem Mädchen zum Empfange das *Sündenbewußtsein*, so präsentiert ihr Rudolph beim Abschied ein goldnes *Kreuz*, ein Symbol der *christlichen Kreuzigung*, die ihr bevorsteht.

Marie wohnt schon einige Zeit auf dem Pachthofe der Madame George. Lauschen wir zunächst einem Zwiegespräch des greisen Pfaffen Laporte mit Madame George. Eine „Heirat" hält er für die Marie unmöglich, „weil kein Mann, trotz seiner Bürgschaft, der Vergangenheit, welche ihre Jugend besudelt hat, die Stirne zu bieten den Mut haben wird". Er setzt hinzu, „sie habe große Fehler zu sühnen, der moralische Sinn hätte sie aufrechterhalten müssen". Er beweist die Möglichkeit, sich aufrechtzuerhalten, wie der gemeinste Bourgeois: „es seien viele wohltätige Leute in Paris". Der heuchlerische Priester weiß sehr wohl, daß diese wohltätigen Leute von Paris zu jeder Stunde auf den belebtesten Straßen gleichgültig an den kleinen Mädchen von sieben bis acht Jahren vorübergehen, welche bis um Mitternacht allumettes[1] und dergleichen feilbieten, wie es einst Marie getan, und deren zukünftiges Los fast ohne Ausnahme das der Marie ist.

[1] Streichhölzer

Der Pfaffe hat es auf die *Buße* Mariens abgesehen; in seinem Innern ist sie *verurteilt*. Folgen wir der Fleur de Marie auf einem Abendspaziergang mit Laporte, den sie nach Hause begleitet.

„Siehe, mein Kind", beginnt er mit salbungsvoller Schönrednerei, „den unermeßlichen Horizont, dessen Grenzen man nicht mehr wahrnimmt" – es ist nämlich Abend – „es scheint mir, daß die Stille und die Unbegrenztheit uns fast eine Idee der Ewigkeit gebe ... Ich sage dir das, Marie, weil du empfindsam bist für die Schönheiten der Schöpfung ... Ich war oft gerührt von der religiösen Bewundrung, welche sie dir einflößen, dir – die so lange des religiösen Gefühls enterbt war."

Es ist dem Pfaffen schon gelungen, die unmittelbar naive Freude der Marie an den Naturschönheiten in eine *religiöse* Bewunderung umzuwandeln. Die *Natur* ist schon für sie zur devot gewordnen, *christianisierten* Natur, zur *Schöpfung* erniedrigt. Das durchsichtige Luftmeer ist zum dunkeln Symbol einer flauen *Ewigkeit* entweiht. Sie hat schon gelernt, daß alle menschlichen Äußerungen ihres Wesens *„profan"*, der Religion, der wahren Weihe enterbt, irreligiös, gottlos waren. Der Pfaffe muß sie vor sich selbst beschmutzen, ihre natürlichen und geistigen Kräfte und Gnadenmittel in den Staub ziehen, damit sie empfänglich werde für das übernatürliche Gnadenmittel, das er ihr verspricht – für die *Taufe*.

Als Marie dem Pfaffen nun ein Geständnis machen will und ihn um Nachsicht bittet, antwortet er:

„Der *Herr* hat dir bewiesen, daß er barmherzig ist."

Marie darf in der Nachsicht, die sie erfährt, nicht eine natürliche, sich von selbst verstehende Beziehung eines verwandten menschlichen Wesens zu ihr, dem menschlichen Wesen, erblicken. Sie muß darin eine überschwengliche, übernatürliche, übermenschliche Barmherzigkeit und Herablassung, in der *menschlichen Nachsicht* eine *göttliche Barmherzigkeit* erblicken. Sie muß alle menschlichen und natürlichen Verhältnisse in *Verhältnisse zu Gott* transzendieren. Die Weise, wie Fleur de Marie in ihrer Antwort auf das pfäffische Salbadern von Gottes Barmherzigkeit eingeht, beweist, wie weit die religiöse Doktrin sie schon verderbt hat.

Sobald sie in ihre verbesserte Lage getreten sei, sagt sie, habe sie nur ihr *neues Glück* empfunden.

„Jeden Augenblick dachte ich an Herrn Rudolph. Oft hob ich die Augen gen Himmel, nicht um Gott, sondern um ihn, Herrn Rudolph, dort zu suchen und ihm zu danken. Ja – *ich klage mich dessen an*, mein Vater, *ich dachte mehr* an ihn als an Gott; denn *er* hatte für mich getan, was Gott allein hätte tun können ... Ich war *glücklich*, glücklich wie jemand, der für immer einer großen Gefahr entronnen ist."

Fleur de Marie findet es schon unrecht, eine neue glückliche Lebenssituation einfach als das, was sie *wirklich* ist, als ein neues Glück empfunden, d. h. sich natürlich und nicht übernatürlich zu ihr verhalten zu haben. Sie klagt sich schon an, in dem Menschen, der sie gerettet hat, das, was er *wirklich* war, ihren Retter, gesehen und nicht an seine Stelle einen imaginären Retter, *Gott*, untergeschoben zu haben. Schon ist sie ergriffen von der religiösen Heuchelei, welche dem *andern Menschen* nimmt, was er um mich verdient hat, um es Gott zu geben, welche überhaupt alles Menschliche am Menschen als ihm fremd und alles Unmenschliche an ihm als sein *eigentliches* Eigentum betrachtet.

Marie erzählt uns, daß die *religiöse Transformation* ihrer Gedanken, ihrer Empfindungen, ihres Verhaltens zum Leben durch Madame George und Laporte bewirkt worden sei.

„Als Rudolph mich von der Cité wegführte, hatte ich schon unbestimmt das Bewußtsein meiner Erniedrigung, aber die Erziehung, die Ratschläge, die Beispiele, welche ich von Ihnen und Madame George erhalten habe, haben mir begreiflich gemacht ... daß ich mehr schuldig als unglücklich gewesen bin ... Sie und Madame George haben mir die *unendliche Tiefe meiner Verwerfung begreiflich* gemacht."

D. h., dem Priester Laporte und der Madame George verdankt sie es, das menschliche und darum erträgliche Bewußtsein der Erniedrigung mit dem christlichen und darum unerträglichen Bewußtsein einer unendlichen Verworfenheit vertauscht zu haben. Der Pfaffe und die Betschwester haben sie belehrt, sich von *christlichem Standpunkt aus* zu beurteilen.

Marie empfindet die Größe des geistigen Unglücks, worin man sie gestürzt hat. Sie sagt:

„Weil das Bewußtsein des Guten und Bösen mir so fürchterlich sein sollte, warum überließ man mich nicht meinem unglücklichen Los? ... Hätte man mich nicht der Infamie entrissen, das Elend, die Schläge würden mich sehr bald getötet haben; wenigstens wäre ich gestorben in der Unwissenheit über eine Reinheit, die ich immer vergebens wünschen werde."

Der herzlose Pfaffe antwortet:

„Selbst die edelste Natur, wenn sie auch nur einen Tag in den Schmutz versunken war, woraus man dich gezogen hat, bewahrt *davon ein unauslöschliches Brandmal*. Das ist die *Unabänderlichkeit der göttlichen Justiz*."

Fleur de Marie, tief von diesem honigglatten *Pfaffenfluch* verwundet, ruft aus:

„Ihr seht es also, daß ich verzweifeln muß."

Der ergraute Sklave der Religion erwidert:

„Du mußt daran verzweifeln, aus deinem Leben diese trostlose Seite auszureißen, aber du mußt hoffen in die *unendliche Barmherzigkeit Gottes*. Hier *unten* für dich, armes Kind, Tränen, Reue, Buße, aber eines Tages dort *oben*, *dort oben*, Verzeihung, *ewige Glückseligkeit*!"

Marie ist noch nicht blödsinnig genug, um mit der ewigen Glückseligkeit und der Verzeihung dort oben sich beruhigen zu lassen.

„Mitleid", ruft sie aus, „Mitleid, mein Gott! ich bin noch so jung ... malheur à moi![1]"

Und die heuchlerische Sophistik des Priesters erreicht ihre Spitze:

„Im Gegenteil, Glück dir, Marie, Glück dir, welcher der Herr die Gewissensbisse schickt, voll von Bitterkeit, aber wohltätig! Sie beweisen die *religiöse* Empfänglichkeit deiner Seele ... jedes deiner Leiden wird dort oben gezählt werden. Glaube mir, Gott hat dich einen Augenblick auf dem schlechten Wege gelassen, um dir den *Ruhm der Reue* vorzubehalten und die ewige Belohnung, welche der *Buße* geschuldet ist."

Von diesem Augenblick an ist Marie zur *Leibeignen des Sündenbewußtseins* geworden. Während sie in der unglücklichsten Lebenssituation sich zu einer liebenswürdigen, menschlichen Individualität zu bilden wußte und innerhalb der äußern Erniedrigung sich *ihres menschlichen* Wesens, als *ihres wahren Wesens*, bewußt war, wird ihr nun der Schmutz der jetzigen Gesellschaft, der sie äußerlich berührt hat, zu ihrem innersten Wesen und die stete hypochondrische Selbstquälerei mit diesem Schmutz zur Pflicht, zu der von Gott selbst vorgezeichneten Lebensaufgabe, zum Selbstzweck ihres Daseins. Während sie früher sich rühmte: „Je ne suis pas pleurnicheuse", während sie wußte: „Ce qui est fait, est fait", wird ihr nun die Selbstzerknirschung zum *Guten* und die Reue zum *Ruhm*.

Es zeigt sich später, daß Fleur de Marie Rudolphs Tochter ist. Wir finden sie wieder als Prinzessin von Geroldstein. Wir belauschen sie in einem Zwiegespräch mit ihrem Vater:

„En vain je prie Dieu de me délivrer de ces obsessions, de remplir uniquement mon cœur de son pieux amour, de ses saintes espérances, de me prendre enfin toute entière, puisque je veux me donner toute entière à lui ... il n'exauce pas mes vœux – sans doute, parce que mes préoccupations *terrestres* me rendent indigne d'entrer en commun avec lui."[2]

---

[1] wehe mir! – [2] „Vergebens bitte ich Gott, mich von diesen Versuchungen zu befreien, mein Herz nur mit seiner frommen Liebe, seinen heiligen Hoffnungen zu erfüllen, mich ganz anzunehmen, da ich ganz ihm angehören will. Er erhört meine Wünsche nicht, ohne Zweifel, weil meine *irdischen* Gedanken mich unwürdig machen, mit ihm in Gemeinschaft zu treten."

Nachdem der Mensch seine Verirrungen als *unendliche* Verbrechen gegen Gott eingesehen hat, kann er sich nur der *Erlösung* und *Gnade* versichern, wenn er sich *ganz* Gott hingibt, *ganz* der Welt und der Beschäftigung mit der Welt abstirbt. Nachdem Fleur de Marie eingesehn hat, daß die Befreiung aus ihrer unmenschlichen Lebenslage ein *göttliches* Wunder ist, muß *sie selbst* zur *Heiligen* werden, um solchen *Mirakels* würdig zu sein. Ihre menschliche Liebe muß sich in die religiöse Liebe, das Streben nach Glück in das Streben nach ewiger Glückseligkeit, die weltliche Befriedigung in die heilige Hoffnung, die Gemeinschaft mit den Menschen in die Gemeinschaft mit Gott verwandeln. Gott soll sie ganz nehmen. Sie spricht selbst das Geheimnis aus, warum er sie nicht ganz nimmt. Sie hat sich ihm noch nicht ganz *gegeben*, ihr Herz ist noch von irdischen Angelegenheiten befangen und besessen. Es ist dies das letzte Aufflackern ihrer tüchtigen Natur. Sie gibt sich ganz an Gott, indem sie der Welt ganz abstirbt und ins *Kloster* geht.

Niemand soll ins Kloster gehn,
Als er sei denn wohlversehn
Mit gehörigem Sündenvorrat,
Damit es ihm so früh als spat
Nicht mög' an Vergnügen fehlen,
Sich mit Reue durchzuquälen. (Goethe.) [64]

Im Kloster wird Fleur de Marie durch die Intrigen Rudolphs zur *Äbtissin* promoviert. Sie weigert sich im Anfang, diese Stelle anzunehmen, im Gefühl ihrer Unwürdigkeit. Die alte Äbtissin redet ihr zu:

„Je vous dirai plus, ma chère fille, avant d'entrer au bercail, votre existence aurait été aussi égarée, qu'elle a été au contraire pure et louable ... que les *vertus évangéliques*, dont vous avez donné l'exemple depuis votre séjour ici, expieraient et rachèteraient encore aux yeux du Seigneur un passé si coupable qu'il fût."[1]

Wir sehen aus den Worten der Äbtissin, daß die weltlichen Tugenden der Fleur de Marie in evangelische Tugenden sich verwandelt haben, oder vielmehr ihre wirklichen Tugenden dürfen nur mehr evangelisch karikiert auftreten.

Marie antwortet auf die Worte der Äbtissin:

„Sainte mère – je crois maintenant pouvoir accepter."[2]

---

[1] „Mehr noch, meine teure Tochter! Wäre auch dein Leben vor deinem Eintritte in den Orden so voll Verirrungen gewesen, als es im Gegenteile rein und löblich war, so hätten doch deine *evangelischen Tugenden*, von denen du uns während deines Aufenthaltes hier das Beispiel gegeben hast, in den Augen des Herrn selbst die schuldvollste Vergangenheit gesühnt und abgebüßt." – [2] „Heilige Mutter – ich glaube jetzt annehmen zu können."

Das Klosterleben entspricht Mariens Individualität nicht – sie stirbt. Das Christentum tröstet sie nur in der Einbildung, oder ihr christlicher Trost ist eben die Vernichtung ihres wirklichen Lebens und Wesens – ihr Tod.

Rudolph hat also die Fleur de Marie erst in eine reuige Sünderin, dann die reuige Sünderin in eine Nonne und endlich die Nonne in eine Leiche verwandelt. Bei ihrem Leichenbegängnis hält außer dem katholischen Priester noch der *kritische* Priester Szeliga einen Leichensermon.

Ihr *„unschuldiges"* Dasein nennt er ihr *„vergängliches"* Dasein und stellt es der „ewigen und unvergeßlichen Schuld" gegenüber. Er rühmt es, daß ihr *„letzter Atemzug"* die „Bitte um Vergebung und Verzeihung" ist. Wie aber der protestantische Geistliche, nachdem er die Notwendigkeit der Gnade des Herrn, die Teilnahme des Verstorbenen an der allgemeinen Erbsünde und die Stärke seines Sündenbewußtseins dargestellt hat, nun mit einer *weltlichen* Wendung die Tugenden des Verstorbenen anpreisen muß, so braucht auch Herr Szeliga die Wendung:

„Und doch ist ihr *persönlich* nichts zu vergeben."

Er wirft endlich auf Mariens Grab die verwelkteste Blume der Kanzelberedsamkeit:

„Innerlich rein wie selten ein Mensch, entschlummerte sie dieser Welt."

Amen!

3. Enthüllung der Geheimnisse des Rechts

a) Der maître d'école[1] oder die neue Straftheorie. Das enthüllte Geheimnis des Zellularsystems. Medizinische Geheimnisse

Der *maître d'école* ist ein Verbrecher von herkulischer Körperkraft und großer geistiger Energie. Er ist von Haus aus ein gebildeter und unterrichteter Mann. Er, der leidenschaftliche Athlet, gerät in Kollision mit den Gesetzen und Gewohnheiten der bürgerlichen Gesellschaft, deren allgemeines Maß die Mittelmäßigkeit, die zarte Moral und der stille Handel ist. Er wird zum Mörder und überläßt sich allen Ausschweifungen eines gewaltigen Temperaments, das nirgends eine angemessene menschliche Tätigkeit findet.

Rudolph hat diesen Verbrecher eingefangen. Er will ihn kritisch reformieren, er will an ihm ein Exempel für die *juristische* Welt statuieren. Er hadert mit der juristischen Welt nicht über die *„Strafe"* selbst, sondern über

[1] *Schulmeister*

die *Art und Weise* der Strafe. Er entdeckt nach dem bezeichnenden Ausdruck des Negerarztes David eine Straftheorie, die des *„größten deutschen Kriminalisten"* würdig wäre und die seither sogar das Glück gehabt hat, von einem deutschen Kriminalisten mit deutschem Ernst und deutscher Gründlichkeit verteidigt zu werden. Rudolph ahnt nicht einmal, daß man sich *über* die Kriminalisten erheben könne, sein Ehrgeiz geht darauf, *„der größte Kriminalist"*, primus inter pares[1], zu sein. Er läßt den maître d'école von dem Negerarzt David *blenden.*

Rudolph wiederholt zuerst alle trivialen Einwürfe gegen die Todesstrafe, sie sei wirkungslos auf den Verbrecher, sie sei wirkungslos auf das Volk, dem sie als ein unterhaltendes Schauspiel erscheine.

Rudolph statuiert ferner einen Unterschied zwischen dem maître d'école und der *Seele* des maître d'école. Nicht den Menschen, nicht den *wirklichen* maître d'école will er retten, sondern seiner *Seelen Seelenheil.*

„Das Heil einer Seele", doziert er, „ist eine heilige Sache ... Jedes Verbrechen *büßt* sich und läßt sich zurückerkaufen, hat der Erlöser gesagt, aber nur für den, der ernsthaft die Buße und die *Reue* will. Der Übergang vom Tribunal zum Schafott ist zu kurz ... Du" (der maître d'école) „hast verbrecherisch deine *Kraft* mißbraucht, ich werde deine Kraft paralysieren ... du wirst vor dem Schwächsten zittern, deine Strafe wird deinem Verbrechen gleichkommen ... aber diese fürchterliche Strafe wird dir wenigstens den grenzenlosen Horizont der *Buße* lassen ... Ich trenne dich nur von der Außenwelt, um dich, *allein* mit der Erinnerung deiner Schandtaten, in eine undurchdringliche Nacht zu versenken ... Du wirst gezwungen sein, in dich zu blicken ... deine Intelligenz, die du degradiert hast, wird erwachen und dich zur Buße führen."

Da Rudolph die *Seele* für *heilig*, den *Leib* des Menschen aber für *profan* hält, da er also nur die Seele als das wahre, weil dem Himmel – nach Herrn Szeligas kritischer Umschreibung der Menschheit – angehörige Wesen betrachtet, so gehört der Leib, die Kraft des maître d'école nicht der Menschheit an, ihre Wesensäußerung ist nicht menschlich zu bilden und der Menschheit zu vindizieren, sie ist nicht als ein selbstmenschliches Wesen zu behandeln. Der maître d'école hat seine Kraft mißbraucht, Rudolph paralysiert, lähmt, vernichtet diese Kraft. Es gibt kein *kritischeres* Mittel, um die verkehrten Äußerungen einer menschlichen Wesenskraft loszuwerden, als die Vernichtung dieser Wesenskraft. Es ist dies das christliche Mittel, welches das Auge ausreißt, wenn das Auge Ärgernis gibt, die Hand abschlägt, wenn die Hand Ärgernis gibt, mit *einem* Wort, den Leib tötet, wenn der Leib Ärgernis gibt, denn Auge, Hand, Leib sind eigentlich bloß überflüssige,

[1] der Erste unter Gleichen

sündige Zutaten des Menschen. Man muß die menschliche Natur totschlagen, um ihre Krankheiten zu heilen. Auch die massenhafte Jurisprudenz, mit der kritischen hierin übereinstimmend, findet in der *Lähmung*, im Paralysieren der menschlichen Kräfte das Gegengift gegen die störenden Äußerungen dieser Kräfte.

Was Rudolph, den Mann der reinen Kritik, an der profanen Kriminalistik geniert, ist der zu rasche Übergang von dem Tribunal auf das Schafott. Er hingegen will die *Rache* am Verbrecher mit der *Buße* und dem *Sündenbewußtsein* des Verbrechers, die körperliche Strafe mit der geistlichen Strafe, die sinnliche Marter mit der unsinnlichen Marter der Reue verbinden. Die profane Strafe soll zugleich ein christlich-moralisches Erziehungsmittel sein.

Diese Straftheorie, welche die *Jurisprudenz* mit der *Theologie* verbindet, dies „enthüllte Geheimnis des Geheimnisses", ist durchaus keine andere als die Straftheorie der *katholischen* Kirche, wie schon *Bentham* in seinem Werk „Theorie der Strafen und Belohnungen" weitläufig auseinandergesetzt hat. Ebenso hat Bentham in der angeführten Schrift die moralische Nichtigkeit der jetzigen Strafen bewiesen. Er nennt die gesetzlichen Züchtigungen *„gerichtliche Parodien"*.

Die Strafe, die Rudolph am maître d'école vollzieht, ist dieselbe Strafe, die *Origenes* an sich selbst vollzog. Er *entmannt* ihn, er beraubt ihn eines *Zeugungsgliedes*, des Auges. „Das Auge ist des Leibes Licht." Daß Rudolph gerade auf die *Blendung* verfällt, macht seinem religiösen Instinkt alle Ehre. Es ist die Strafe, die in dem ganz christlichen Reich von Byzanz an der Tagesordnung war und in der kräftigen Jugendperiode der christlich-germanischen Reiche von England und Frankreich blühte. Die Trennung des Menschen von der sinnlichen Außenwelt, das Zurückschleudern in sein abstraktes Innere, um ihn zu bessern – die Blendung – ist eine notwendige Konsequenz der christlichen Doktrin, nach welcher die vollendete Durchführung dieser Trennung, die reine Isolierung des Menschen auf sein spiritualistisches *„Ich"*, das *Gute selbst* ist. Wenn Rudolph nicht, wie es in Byzanz und im Frankenreiche geschah, den maître d'école in ein wirkliches Kloster steckt, so steckt er ihn wenigstens in ein ideales Kloster, in das Kloster einer undurchdringlichen, von dem Licht der Außenwelt nicht unterbrochenen Nacht, in das Kloster eines tatlosen Gewissens und eines Sündenbewußtseins, das nur mit gespenstischen Erinnerungen bevölkert ist.

Eine gewisse spekulative Scham erlaubt dem Herrn Szeliga nicht, offenherzig auf die Straftheorie seines Helden Rudolph, auf die Verbindung der weltlichen Strafe mit der christlichen Reue und Buße, einzugehen. Er schiebt ihm dagegen, versteht sich auch als der Welt erst zu enthüllendes Geheimnis, die Theorie unter, wonach der Verbrecher in der Strafe zum „*Richter*" über sein „*eignes*" Verbrechen erhoben werden soll.

Das Geheimnis dieses enthüllten Geheimnisses ist die *Hegelsche* Straftheorie. Nach Hegel fällt der Verbrecher in der Strafe über sich selbst das Urteil. *Gans* hat diese Theorie weitläufiger ausgeführt. Sie ist bei Hegel das *spekulative Schönpflaster* des alten *jus talionis*[1], das *Kant* als die *einzig rechtliche* Straftheorie entwickelt hatte. Bei Hegel bleibt die Selbstrichtung des Verbrechers eine bloße „*Idee*", eine bloß spekulative Interpretation der *gangbaren empirischen Kriminalstrafen*. Er überläßt daher ihren Modus der jedesmaligen Bildungsstufe des Staats, d. h., er läßt die Strafe bestehen, wie sie besteht. Eben hierin zeigt er sich kritischer als sein kritischer Nachbeter. Eine *Straf*theorie, welche zugleich im Verbrecher den *Menschen* anerkennt, kann dies nur in der *Abstraktion*, in der Einbildung tun, eben weil die *Strafe*, der *Zwang* dem *menschlichen* Verhalten widersprechen. In der Ausführung wäre die Sache zudem unmöglich. An die Stelle des abstrakten Gesetzes würde die rein subjektive Willkür treten, da es jedesmal von den offiziellen, „ehrbaren und anständigen" Männern abhängen müßte, die Strafe nach der Individualität des Verbrechers einzurichten. Schon Plato hat die Einsicht besessen, daß das *Gesetz* einseitig sein und von der Individualität *abstrahieren muß*. Unter *menschlichen* Verhältnissen dagegen wird die Strafe *wirklich* nichts anderes sein als das Urteil des Fehlenden über sich selbst. Man wird ihn nicht überreden wollen, daß eine *äußere*, ihm von andern angetane *Gewalt* eine Gewalt sei, die er sich selbst angetan habe. In den *andern* Menschen wird er vielmehr die natürlichen Erlöser von der Strafe finden, die er über sich selbst verhängt hat, d. h. das Verhältnis wird sich geradezu umkehren.

Rudolph spricht seinen innersten Gedanken – den Zweck der Blendung – aus, wenn er dem maître d'école sagt:

„*Chacune de tes paroles sera une prière.*"[2]

Er will ihn *beten* lehren. Er will den herkulischen Räuber in einen *Mönch* verwandeln, dessen ganze Arbeit das Beten ist. Wie human ist gegen diese christliche Grausamkeit die gewöhnliche Straftheorie, welche einem Menschen einfach den Kopf abschlägt, wenn sie ihn vernichten will. Es versteht sich endlich von selbst, daß die wirkliche massenhafte Gesetzgebung, sooft es ihr ernstlich um die Besserung der Verbrecher zu tun war, ungleich verständiger und humaner verfuhr als der deutsche Harun al Raschid. Die vier holländischen Agrikulturkolonien, die Verbrecherkolonie Ostwald im Elsaß sind wahrhaft menschliche Versuche gegenüber der Blendung des maître

[1] *Rechts, Gleiches mit Gleichem zu vergelten* – [2] „*Jedes deiner Worte wird ein Gebet sein.*"

d'école. Wie Rudolph die Fleur de Marie entleibt, indem er sie dem Pfaffen und dem Sündenbewußtsein überliefert, wie er den Chourineur entleibt, indem er ihm seine menschliche Selbständigkeit raubt und ihn zum Bulldoggen herabwürdigt, so entleibt er den maître d'école, indem er ihm die Augen aussticht, damit er *„beten"* lerne.

Dies ist allerdings die Weise, wie alle Wirklichkeit *„einfach"* aus der *„reinen Kritik"* hervorgeht, nämlich als Entstellung und *sinnlose Abstraktion* von der Wirklichkeit.

Herr Szeliga läßt sogleich nach der Blendung des maître d'école ein *moralisches Wunder* sich ereignen.

„Der furchtbare Schulmeister erkennt" nach seinem Bericht „*,plötzlich'* die Macht der Ehrlichkeit und Redlichkeit an, er sagt zum Schurimann: Ja, *dir kann ich vertrauen, du hast niemals gestohlen.*"

Unglücklicherweise hat Eugen Sue eine Äußerung des maître d'école über Chourineur aufbewahrt, welche dieselbe Anerkennung enthält und keine Wirkung der Blendung sein kann, weil sie *vor* derselben stattgefunden hat. Der maître d'école äußert sich nämlich in seinem tête-à-tête[1] mit Rudolph über Chourineur dahin:

„Du reste il n'est pas capable de vendre un ami. Non: il a du bon ... il a toujours eu des idées singulières."[2]

Das moralische Wunder des Herrn Szeliga wäre hiermit vernichtet. Wir betrachten nun die *wirklichen* Ergebnisse von Rudolphs *kritischer* Kur.

Wir finden den maître d'école zunächst auf einer Expedition mit der Chouette nach dem Gut zu Bouqueval, um der Fleur de Marie einen schlechten Streich zu spielen. Der Gedanke, der ihn beherrscht, ist natürlich der Gedanke der *Rache* gegen Rudolph, und er weiß sich nur metaphysisch an ihm zu rächen, indem er ihm zum Trotz, „das *Böse*" denkt und ausheckt.

„Il m'a ôté la vue, il ne m'a pas ôté la pensée du mal."[3]

Er erzählt der Chouette, warum er sie aufsuchen ließ:

„Ich *langweilte* mich, ich ganz allein mit diesen honetten Leuten."

Wenn Eugen Sue seine mönchische, seine bestialische Wollust an der *Selbsterniedrigung* des Menschen so weit befriedigt, daß er den maître d'école auf den Knien vor der alten Hexe Chouette und dem kleinen Kobold

[1] vertraulichen Zwiegespräch – [2] „Übrigens ist er der Mann nicht, der einen Freund verrät. Nein, er ist ein guter Kerl ... er hat immer seltsame Ideen gehabt." – [3] „Er hat mir das Augenlicht genommen, aber die Gedanken an das Böse konnte er mir nicht nehmen."

Tortillard flehen läßt, ihn nicht zu verlassen, so vergißt der große Moralist, daß er der Chouette die Blume eines teuflischen Selbstgenusses reicht. Wie Rudolph dem Verbrecher die Macht der *physischen Gewalt*, die er ihm als nichtig darstellen will, eben durch die *gewalttätige Blendung* bewies, so lehrt hier Eugen Sue den maître d'école die Macht der *vollen Sinnlichkeit* erst recht anerkennen. Er lehrt ihn einsehen, daß ohne sie der Mensch *entmannt* ist und zur widerstandslosen Zielscheibe des Kinderspottes wird. Er überzeugt ihn, daß die Welt seine Verbrechen verdient hat, weil er nur die Augen zu verlieren braucht, um von ihr mißhandelt zu werden. Er raubt ihm seine letzte menschliche Illusion, denn der maître d'école glaubt an die Anhänglichkeit der Chouette. Er hatte zu Rudolph geäußert: „Sie würde sich für mich ins Feuer werfen lassen." Dagegen genießt Eugen Sue die Satisfaktion, daß der maître d'école in höchster Verzweiflung ausruft:

„*Mon dieu! mon dieu! mon dieu!*"[1]

Er hat „*beten*" gelernt! Und Herr Sue findet in diesem „appel *involontaire* de la commisération divine, quelque chose de providentiel"[2].

Die erste Folge der Rudolphschen Kritik ist dies *unwillkürliche Gebet*. Ihm folgt auf dem Fuße eine *unfreiwillige Buße* im Pachthof zu Bouqueval, wo dem maître d'école im Traum die Gespenster der Gemordeten erscheinen.

Wir überschlagen die weitläufige Schilderung dieses Traums, um den kritisch-reformierten maître d'école im Keller des Bras rouge, angeschmiedet an Ketten, von Ratten halb zerfressen, halb verhungert, von den Quälereien der Chouette und des Tortillard halb verrückt, brüllend wie ein Vieh, wiederzufinden. Tortillard hat die Chouette in seine Hände geliefert. Betrachten wir ihn während der Operation, die er mit ihr vornimmt. Er *kopiert* den Helden *Rudolph* nicht nur äußerlich, indem er der Chouette die *Augen* auskratzt, sondern auch *moralisch*, indem er Rudolphs Heuchelei wiederholt und seine grausame Handlung mit devoten Redensarten ausschmückt. Sobald der maître d'école die Chouette in seiner Gewalt hat, äußert er „une joie effrayante"[3], seine Stimme zittert vor Wut.

„Tu sens bien", sagt er, „que je ne veux pas en finir tout de suite ... torture pour torture ... il faut que je te parle longuement avant de te tuer ... ça va être affreux pour toi. D'abord, vois-tu ... depuis ce rêve de la ferme de Bouqueval, qui m'a remis sous les yeux tous nos crimes, depuis ce rêve, qui a manqué de me rendre fou ... qui me rendra fou ... il s'est passé en moi un changement étrange ... J'ai eu horreur de ma férocité passée ... d'abord je ne t'ai pas permis de martyriser la goualeuse, cela

[1] „*Mein Gott! Mein Gott! Mein Gott!*" – [2] „*unwillkürlichen* Anruf der göttlichen Barmherzigkeit, etwas Tiefergreifendes" – [3] „eine fürchterliche Freude"

n'était rien encore ... en m'entraînant ici dans cette cave, en m'y faisant souffrir le froid et la faim ... tu m'as laissé tout à l'épouvante de mes réflexions ... Oh! tu ne sais pas ce que c'est que d'être seul ... l'isolement m'a purifié. Je ne l'aurais pas cru possible ... une preuve que je suis peut-être moins scélérat qu'autrefois ... ce que j'éprouve une joie infinie à te tenir là ... monstre ... non pour me venger, mais ... mais pour venger nos victimes ... oui, j'aurai accompli un devoir quand de ma propre main j'aurai puni ma complice ... j'ai maintenant horreur de mes meurtres passés, et pourtant ... trouves-tu pas cela bizarre? c'est sans crainte, c'est avec sécurité que je vais commettre sur toi un meurtre affreux avec des raffinements affreux ... dis ... dis ... conçois-tu cela?"[1]

Der maître d'école durchläuft in diesen wenigen Worten eine ganze Tonleiter *moralischer Kasuistik*.

Seine erste Äußerung ist eine *offenherzige* Äußerung der Rachelust. Er will Tortur für Tortur geben. Er will die Chouette morden, er will ihre Todesangst durch einen langen Sermon verlängern, und – köstliche Sophistik! – diese Rede, womit er sie peinigt, ist ein *moralischer Sermon*. Er behauptet, der Traum zu Bouqueval habe ihn gebessert. Er offenbart zugleich die eigentliche wahre Wirkung dieses Traums, indem er gesteht, daß er ihn fast verrückt gemacht habe, daß er ihn verrückt machen wird. Als einen Beweis seiner Besserung führt er an, daß er die Peinigung der Fleur de Marie verhindert habe. Bei Eugen Sue müssen die Personen, früher der Chourineur, hier der maître d'école, seine eigene schriftstellerische Absicht, welche ihn bestimmt, sie so und nicht anders handeln zu lassen, als *ihre* Reflexion, als das bewußte Motiv ihrer Handlung aussprechen. Sie müssen beständig sagen: Hierin hab' ich mich gebessert, darin, darin etc. Da sie zu keinem wirklich

[1] „Du siehst wohl ein, daß ich damit nicht gleich ein Ende machen will ... Folter gegen Folter! ... Ich muß lange mit dir reden, ehe ich dich umbringe ... Das wird schrecklich für dich sein ... Zuerst, siehst du, ... ist seit jenem Traume in Bouqueval, der mir alle unsere Verbrechen wieder vorführte, seit jenem Traume, der mich beinahe wahnsinnig machte und mich noch wahnsinnig machen wird ... ist in mir eine seltsame Veränderung vorgegangen ... Ich habe vor meiner frühern Bosheit geschaudert. Zuerst ließ ich dich die Nachtigall nicht mißhandeln – das war aber noch nichts. Als du mich hier in diesem Keller an die Kette legtest, mich Kälte und Hunger leiden ließest ... übergabst du mich ganz dem Grauen vor meinen Gedanken. Du weißt nicht, was es heißt, allein ... zu sein ... die Absonderung hat mich gereinigt. Ich hätte es nicht für möglich gehalten. Ein anderer Beweis, daß ich vielleicht minder schlecht bin als sonst, ist die unsägliche Freude, die ich empfinde, dich, Ungeheuer, hier festzuhalten – nicht um mich zu rächen, sondern um unsere Opfer zu rächen. Ja, ich werde eine Pflicht erfüllen, wenn ich mit eigener Hand meine Mitschuldige strafe ... Ich verabscheue jetzt meine frühern Mordtaten, und doch – findest du das nicht seltsam? – werde ich ohne Furcht, mit völliger Ruhe an dir einen schrecklichen Mord mit ausgesucht schrecklicher Grausamkeit begehen. Sag, sag, begreifst du das?"

inhaltsvollen Leben kommen, so müssen sie unbedeutenden Zügen, wie hier der Beschützung der Fleur de Marie, durch ihre Zunge starke Töne verleihen.

Nachdem der maître d'école die *wohltätige* Wirkung des Traumes zu Bouqueval berichtet hat, muß er erklären, warum Eugen Sue ihn in einen Keller einsperren ließ. Er muß das Verfahren des Romanschreibers vernünftig finden. Er muß der Chouette sagen: Dadurch, daß du mich in einen Keller einsperrtest, mich von Ratten benagen, mich Hunger und Durst leiden ließest, hast du meine Besserung vollendet. Die Einsamkeit hat mich *gereinigt*.

Das tierische Gebrüll, die rasende Wut, die furchtbare Rachelust, womit der maître d'école die Chouette empfängt, schlagen dieser moralischen Phraseologie ins Gesicht. Sie verraten den Charakter der Reflexionen, die er in seinem Kerker anstellte.

Der maître d'école scheint dies selbst zu empfinden, aber als ein *kritischer Moralist* wird er die Widersprüche zu vereinigen wissen.

Eben die „grenzenlose Freude", die Chouette in seiner Gewalt zu haben, erklärt er für ein Zeichen seiner Besserung. Seine Rachlust ist nämlich keine *natürliche*, sondern eine *moralische* Rachlust. Nicht sich, sondern seine und Chouettes gemeinschaftliche *Opfer* will er rächen. Wenn er sie mordet, so begeht er keinen *Mord*, er erfüllt eine *Pflicht*. Er *rächt* sich nicht an ihr, er *bestraft* als ein unparteiischer Richter seine Mitschuldige. Er hat einen Schauder vor seinen vergangenen Mordtaten, und dennoch – er selbst ist über seine Kasuistik verwundert – und dennoch fragt er die Chouette, findest du es nicht bizarr? furchtlos, sorglos will ich dich töten! Aus nicht angegebenen moralischen Gründen weidet er sich zugleich an dem Gemälde des Mords, den er begehen will, als eines meurtre affreux[1], als eines meurtre avec des raffinements affreux[2].

Daß der maître d'école die Chouette mordet, entspricht seinem Charakter, namentlich nach der Grausamkeit, womit sie ihn mißhandelt hat. Daß er aber aus moralischen Motiven mordet, daß er seine barbarische Freude an dem meurtre affreux, an den raffinements affreux moralisch interpretiert, daß er die Reue über die vergangenen Mordtaten eben in der Vollbringung einer neuen Mordtat bewährt, daß er aus einem einfachen ein *doppelsinniger*, ein *moralischer Mörder* geworden ist – das ist das glorreiche Resultat von Rudolphs kritischer Kur.

Die Chouette sucht sich dem maître d'école zu entziehen. Er bemerkt es und hält sie fest.

[1] schrecklichen Mordes – [2] Mordes mit ausgesucht schrecklicher Grausamkeit

„Tiens-toi donc, la chouette, il faut que je finisse de t'expliquer comment peu à peu j'en suis venu à me repentir ... cette révélation te sera odieuse ... et elle te prouvera aussi combien je dois être impitoyable dans la vengeance, que je veux exercer sur toi au nom de nos victimes ... Il faut que je me hâte ... la joie de te tenir là me fait boudir le sang ... j'aurai le temps de te rendre les approches de la mort effroyables en te forçant de m'entendre ... Je suis aveugle ... et ma pensée prend une forme, un corps pour me représenter incessamment d'une manière visible, presque palpable ... les traits de mes victimes ... les idées s'imagent presque matériellement dans le cerveau. Quand au repentir se joint une expiation d'une effrayante sévérité ... une expiation qui change notre vie en une longue insomnie remplie d'hallucinations vengeresses ou de réflexions désespérées ... peut-être alors le pardon des hommes succède au remords et à l'expiation."[1]

Der maître d'école fährt fort in seiner Heuchelei, die sich jeden Augenblick als Heuchelei verrät. Chouette soll hören, wie er nach und nach zur Reue gekommen ist. Diese Enthüllung wird ihr gehässig sein, denn sie wird beweisen, daß es seine *Pflicht* ist, eine unbarmherzige Rache nicht in seinem eignen Namen, sondern im Namen ihrer gemeinschaftlichen Opfer an ihr zu vollziehen. Plötzlich unterbricht der maître d'école seine didaktische Vorlesung. Er muß, wie er sagt, „eilen" mit seiner Lektion, denn: die Freude, sie zu halten, macht das Blut in seinen Adern springen; moralischer Grund, die Vorlesung abzukürzen! Dann beschwichtigt er wieder sein Blut. Die lange Zeit, während welcher er ihr Moral predigt, ist ja nicht für seine Rache verloren. Sie wird ihr „die Annäherung des Todes fürchterlich machen". Anderer moralischer Grund, seinen Sermon auszuspinnen! Und nun, nach diesen moralischen Gründen, kann er getrost seinen moralischen Text wieder da aufnehmen, wo er ihn hat fallenlassen.

Der maître d'école beschreibt richtig den Zustand, worin die Isolierung von der Außenwelt den Menschen stürzt. Der Mensch, dem die *sinnliche Welt* zu einer *bloßen Idee wird*, ihm verwandeln sich dagegen bloße Ideen in *sinnliche Wesen*. Die Gespinste seines Gehirns nehmen körperliche Form an.

[1] „Halt still, Eule, ich muß dir vollends erklären, wie ich zur Reue gekommen bin. Diese Erzählung wird dir ... widerwärtig sein, sie wird dir beweisen, wie unbarmherzig ich in der Rache sein werde, die ich im Namen unserer Opfer an dir üben will. Aber ich muß mich beeilen – mein Blut hüpft vor Freude, dich hier zu halten ... ich werde doch Zeit haben, dir die Nähe des Todes schrecklich zu machen, wenn ich dich zwinge, mich anzuhören ... Ich bin blind, und meine Gedanken nehmen eine Gestalt, einen Körper an, um mir unablässig sichtbar, fast greifbar, die Züge meiner Opfer vorzustellen ... Die Ideen bilden sich beinahe materiell im Gehirn ab ... Wenn sich mit der Reue eine entsetzlich harte Buße verbindet, eine Buße, welche das Leben in eine lange schlaflose Nacht mit verzweiflungsvollen Gedanken und rächenden Visionen verwandelt – dann folgt vielleicht der Reue und der Buße die Verzeihung der Menschen."

Innerhalb seines Geistes erzeugt sich eine Welt von greifbaren, fühlbaren Gespenstern. Das ist das Geheimnis aller frommen Visionen, das ist zugleich die allgemeine Form der Verrücktheit. Der maître d'école, der die Phrasen Rudolphs über die „Macht der Reue und Buße, verbunden mit schrecklichen Martern" wiederholt, wiederholt sie daher schon als ein halb Verrückter und bewährt so tatsächlich den Zusammenhang des christlichen Sündenbewußtseins mit dem Wahnsinn. Ebenso, wenn der maître d'école die Verwandlung des *Lebens* in eine *Traumnacht*, die von Blendwerken erfüllt wird, als das wahre Ergebnis der Reue und Buße betrachtet, so spricht er das wahre Geheimnis der reinen Kritik und der christlichen Besserung aus. Sie besteht eben darin, den Menschen in ein Gespenst und sein Leben in ein *Traumleben* zu verwandeln.

Eugen Sue empfindet an diesem Punkt, wie sehr die *heilsamen Gedanken*, die er den blinden Räuber dem Rudolph nachplaudern läßt, durch dessen Verfahren gegen die Chouette blamiert werden. Er legt daher dem maître d'école in den Mund:

„La salutaire influence de ces pensées est telle que ma fureur s'apaise."[1]

Der maître d'école gesteht also nun, daß sein *moralischer Zorn* nichts anders als eine *profane Wut* war.

„Le courage ... la force ... la volonté me manquent pour te tuer ... non, ce n'est pas à moi de verser ton sang ... ce serait ... un *meurtre*", er nennt die Sache bei ihrem Namen ... „meurtre excusable peut-être ... mais ce serait toujours un meurtre."[2]

Zu rechter Zeit verwundet die Chouette den maître d'école mit ihrem Stilett. Eugen Sue kann ihn nun ohne weitere moralische Kasuistik die Chouette töten lassen.

„Il poussa un cri de douleur ... les ardeurs féroces de sa vengeance, de ses rages, ses instincts sanguinaires, brusquement réveillés et exasperés par cette attaque, firent une explosion soudaine, terrible, où s'abîma sa raison déjà fortement ébranlée ... Ah vipère! ... j'ai senti ta dent ... tu seras comme moi *sans yeux*."[3]

Er kratzt ihr die Augen aus.

[1] „Diese Gedanken haben einen so heilsamen Einfluß, daß meine Wut nachläßt." – [2] „Es gebricht mir an Mut, an Kraft und an dem Willen, dich zu strafen ... Nein, es steht mir nicht zu, dein Blut zu vergießen; es wäre das ein *Mord*, ein zu entschuldigender vielleicht, aber doch immer ein Mord." – [3] „Er stieß einen gellenden Schmerzensschrei aus. Die Glut ... seines Rachedurstes, seiner Wut, seines Blutdurstes, die durch diesen Angriff plötzlich geweckt und zum Äußersten gesteigert wurde, brach gräßlich aus, und sein bereits erschütterter Verstand verließ ihn ganz und gar. – Ah, Schlange, ich habe deinen Zahn gefühlt! ... Du sollst wie ich *ohne Augen* sein."

In dem Augenblick, wo die durch Rudolphs Kur nur heuchlerisch, nur sophistisch verbrämte, nur asketisch übermannte Natur des maître d'école hervorbricht, ist die *Explosion* um so gewaltsamer und fürchterlicher. Eugen Sues Geständnis, wonach die Vernunft des maître d'école, durch alle Ereignisse, die Rudolph vorbereitet hatte, schon stark erschüttert war, ist dankenswert.

„Der letzte Strahl seiner Vernunft erlosch in diesem Schrei des Entsetzens, in diesem Schrei eines Verdammten" (er sieht die Gespenster der Ermordeten) „... der maître d'école tobt und brüllt wie ein *rasendes Tier* ... Er schleift die Chouette zu Tode."

Herr Szeliga murmelt in seinen Bart:

„Mit dem Schulmeister kann nicht eine so *schnelle* (!) und *glückliche* (!) *Umwandlung* (!) als mit dem *Schurimann* vorgehen."

Wie Rudolph die Fleur de Marie zur Bewohnerin des Klosters, so macht er den maître d'école zum Bewohner des Irrenhauses, des *Bicêtre*. Er hat nicht nur seine physische, er hat auch seine *geistige* Kraft paralysiert. Und mit Recht. Denn nicht nur mit der physischen, auch mit der geistigen Kraft hat er gesündigt, und nach der Straftheorie Rudolphs muß man die *sündigenden Kräfte* vernichten.

Aber noch hat Herr Eugen Sue „die Buße und Reue, verbunden mit einer schrecklichen Rache", nicht vollendet. Der maître d'école kommt wieder zu Verstand, bleibt aber aus Furcht, der Justiz ausgeliefert zu werden, im Bicêtre und *spielt* den Verrückten. Herr Sue vergißt, daß „jedes seiner Worte ein *Gebet* sein sollte" und daß es schließlich vielmehr das unartikulierte Heulen und Rasen eines Wahnsinnigen ist, oder stellt etwa ironischerweise Herr Sue diese Lebensäußerung mit dem Beten auf *eine* Rangstufe?

Die Idee der Strafe, welche Rudolph in der Blendung des maître d'école anwendet, diese Isolierung des Menschen auf seine Seele und von der Außenwelt, die Verbindung der juristischen Strafe mit der theologischen Quälerei, hat ihre entschiedenste Ausführung – im *Zellularsystem*. Herr Sue feiert daher auch das Zellularsystem.

„Wie vieler Jahrhunderte bedurfte es, um zu erkennen, daß es *nur ein* Mittel gibt, um den reißend um sich greifenden Aussatz, welcher den sozialen Körper bedroht" (nämlich die Verdorbenheit in den Gefängnissen), „zu tilgen – die Isolierung."

Herr Sue teilt die Ansicht der honetten Leute, welche die Ausbreitung der Verbrechen aus der Einrichtung der Gefängnisse erklären. Um den Verbrecher der schlechten Gesellschaft zu entziehen, überlassen sie ihn seiner eignen Gesellschaft.

Herr Eugen Sue erklärt:

„Ich würde mich glücklich schätzen, wenn meine schwache Stimme unter all denen gehört werden könnte, welche mit so großem Recht und so großer Beharrlichkeit auf die *vollständige, absolute* Anwendung des Zellularsystems dringen."

Herrn Sues Wunsch ist nur *teilweise* in Erfüllung gegangen. In den diesjährigen Verhandlungen der Deputiertenkammer über das Zellularsystem mußten sogar die offiziellen Verteidiger dieses Systems zugestehn, daß es früher oder später die Verrücktheit der Verbrecher zur Folge habe. Alle Gefängnisstrafe über 10 Jahre mußte daher in Deportation verwandelt werden.

Hätten Herr Tocqueville und Herr Beaumont den Roman Eugen Sues gründlich studiert, sie hätten unfehlbar die absolute, vollständige Anwendung des Zellularsystems durchgesetzt.

Wenn Eugen Sue nämlich den Verbrechern bei gesundem Verstande die Gesellschaft entzieht, um sie verrückt zu machen, so gibt er den Verrückten Gesellschaft, um sie zu Verstand zu bringen.

„L'expérience prouve que pour les aliénés l'isolement est aussi funeste qu'il est salutaire pour les détenus criminels."[1]

Wenn nun Herr Sue und sein kritischer Held Rudolph weder mit der *katholischen Straftheorie* noch mit dem *methodistischen Zellularsystem* das *Recht* um irgendein Geheimnis ärmer gemacht haben, so haben sie dagegen die Medizin mit neuen Geheimnissen bereichert, und am Ende ist es ebenso verdienstvoll, *neue* Geheimnisse *zu entdecken*, als *alte* Geheimnisse zu *enthüllen*. Die kritische Kritik berichtet mit Herrn Sue übereinstimmend über die Blendung des maître d'école:

„Er glaubt nicht einmal, wenn man ihm sagt, er sei des Lichts seiner Augen beraubt."

Der maître d'école konnte nicht an den Verlust des Augenlichts glauben, weil er wirklich noch sah, Herr Sue beschreibt einen neuen Star, er teilt ein wirkliches Geheimnis für die massenhafte, unkritische *Ophthalmologie* mit.

Die *Pupille* ist *weiß* nach der Operation. Es handelt sich also um einen *Linsenstar*. Diesen hat man freilich bis jetzt wohl durch Verletzung der Linsenkapsel herbeiführen können, auch ziemlich schmerzlos, wenn auch nicht völlig ohne Schmerz. Da aber die Mediziner nur auf *naturgemäßem*, nicht auf *kritischem* Wege dies Resultat erreichen, so blieb nichts übrig, als nach der

[1] „Die Erfahrung beweist, daß bei Irren die Isolierung so verderblich, wie sie bei Verbrechern heilsam ist."

Verletzung die Entzündung mit ihrer plastischen Ausschwitzung abzuwarten, um eine Trübung der Linse zu erhalten.

Ein noch größeres *Wunder* und *Geheimnis* trägt sich im 3. Kapitel des 3. Bandes mit dem maître d'école zu.

Der Erblindete *sieht* wieder:

„La chouette, le maître d'école et Tortillard *virent* le prêtre et Fleur de Marie."[1]

Wollen wir dieses Sehen des maître d'école nun nicht nach dem Vorgang der „Kritik der Synoptiker" als ein *schriftstellerisches Wunder* deuten, so wird der maître d'école sich seinen Star wieder haben operieren lassen. Später ist er wieder erblindet. Er hat also sein Auge zu früh gebraucht, durch Lichtreiz ist eine Entzündung herbeigeführt worden, welche mit einer Lähmung der *Retina* endete und eine unheilbare *Amaurose* bewirkte. Daß dieser Prozeß hier in *einer* Sekunde vor sich geht, ist ein neues *mystère* für die unkritische Ophthalmologie.

b) Belohnung und Strafe. Die doppelte Justiz, nebst Tabelle

Held Rudolph enthüllt die neue Theorie, welche die Gesellschaft durch *Belohnung* der *Guten* und *Bestrafung* der *Bösen* aufrechterhält. Unkritisch betrachtet, ist diese Theorie keine andre als die Theorie der heutigen Gesellschaft. Wie wenig läßt sie es an Belohnungen für die Guten und an Strafen für die Bösen fehlen! Gegen dies enthüllte Geheimnis, wie unkritisch ist nicht der massenhafte Kommunist *Owen*, der in der Strafe und Belohnung die Heiligung der gesellschaftlichen Rangunterschiede und den vollkommnen Ausdruck einer knechtischen Verworfenheit erblickt.

Als *neue* Enthüllung könnte es erscheinen, daß Eugen Sue von der Justiz – von einem Pendant zur Kriminaljustiz die Belohnungen ausgehn läßt und, unzufrieden mit *einer* Gerichtsbarkeit, *zwei* erfindet. Leider ist auch dies enthüllte Geheimnis die Wiederholung einer alten, von *Bentham* in seinem oben angeführten Buche weitläufig entwickelten Lehre. Dagegen soll Herrn Eugen Sue die Ehre nicht streitig gemacht werden, auf eine ungleich kritischere Weise wie *Bentham* seinen Vorschlag motiviert und entwickelt zu haben. Während der massenhafte Engländer ganz auf ebener Erde stehenbleibt, erhebt sich die Suesche Deduktion in die kritische Region des Himmels. Herr Sue entwickelt wie folgt:

„Um die Bösen zu schrecken, materialisiert man die vorweggenommenen Wirkungen des himmlischen Zorns. Warum sollte man nicht die Wirkung der göttlichen

[1] „Die Eule, der Schulmeister und der kleine Lahme *sahen* den Geistlichen und Marie."

Belohnung in bezug auf die Guten in ähnlicher Weise materialisieren und auf Erden antizipieren?"

Nach *unkritischer* Ansicht hat man umgekehrt in der himmlischen Kriminaltheorie nur die irdische idealisiert, wie man in der göttlichen Belohnung nur die menschliche Lohndienerei idealisiert hat. Wenn die Gesellschaft nicht alle Guten belohnt, so ist dies unumgänglich nötig, damit die göttliche Gerechtigkeit doch irgend etwas vor der menschlichen voraus habe.

Herr Sue gibt nun in der Ausmalung seiner kritisch belohnenden Justiz „ein Beispiel jenes *weiblichen*", von Herrn Edgar an der Flora Tristan mit aller „Ruhe des Erkennens" gerügten „*Dogmatismus*, der eine Formel haben will und sich dieselbe nach den Kategorien des *Bestehenden* bildet". Herr Eugen Sue entwirft zu jedem Stück der bestehenden *Kriminaljustiz*, die er bestehen läßt, ein bis ins Detail kopierendes Gegenbild der *belohnenden Justiz*, die er hinzufügt. Wir wollen, zur leichteren Übersicht des Lesers, seine Schilderung von Bild und Gegenbild in eine Tabelle zusammenbringen.

Herr Sue, von dem Anblick dieses Gemäldes ergriffen, ruft aus:

„Hélas, c'est une utopie, mais supposez qu'une société soit *organisée* de telle sorte!"[1]

Das wäre also die *kritische Organisation* der *Gesellschaft*. Wir müssen diese Organisation gegen den Vorwurf Eugen Sues, daß sie bisher noch ein Utopien geblieben sei, förmlich in Schutz nehmen. Sue hat den „*Tugendpreis*", der jährlich in Paris ausgeteilt wird und den er selbst erwähnt, wieder vergessen. Dieser Preis ist sogar doppelt organisiert, der materielle *prix Montyon* für edle Handlungen der Männer und Frauen, und der prix rosière[2] für die sittsamsten Mädchen. Hier fehlt sogar die von Eugen Sue verlangte Rosen-*Krone* nicht.

Was die espionnage de vertu[3] wie die surveillance de haute charité morale[4] betrifft, so ist sie von den Jesuiten längst organisiert. Überdem signalisieren und denunzieren das „Journal des Débats"[65], der „Siècle"[66], die „Petites Affiches de Paris"[67] etc. die Tugenden, edlen Handlungen und Verdienste sämtlicher Pariser Stockjobbers täglich zu kostenden Preisen, abgesehen vom Signalisieren und Denunzieren der politischen edlen Handlungen, für welche jede Partei ihr eignes Organ besitzt.

Schon der alte Voß hat bemerkt, daß Homer besser ist als seine Götter. Das „enthüllte Geheimnis aller Geheimnisse", Rudolph, können wir daher für Eugen Sues Ideen verantwortlich machen.

---

[1] „Ach, das ist eine Utopie; aber nehmt an, eine Gesellschaft wäre auf diese Art *organisiert*!" – [2] Rosenpreis – [3] Tugendspionage – [4] Aufsicht der hohen moralischen Fürsorge

Tabelle der kritisch vollständigen Justiz

Bestehende Justiz	Kritisch ergänzende Justiz
Namen: Justice *Criminelle*[1]	Namen: Justice *Vertueuse*[2]
Signalement: hält in der Hand ein *Schwert*, um die Bösen um einen Kopf zu verkürzen.	*Signalement:* hält in der Hand eine *Krone*, um die Guten um einen Kopf zu erhöhen.
Zweck: Bestrafung des Bösen, Gefangenschaft, Infamie, Lebensberaubung. Das Volk erfährt die schreckliche Züchtigung für den Bösen.	*Zweck:* Belohnung des Guten, Freitisch, Ehre, Lebenserhaltung. Das Volk erfährt den eklatanten Triumph für den Guten.
Mittel, um die Bösen zu entdecken: Polizeiliche Spionage, Mouchards, um den Bösen aufzulauern.	*Mittel, um die Guten zu entdecken: Espionnage de vertu*[3], Mouchards, um den Tugendhaften aufzulauern.
Entscheidung, ob einer ein Böser sei: Les assises du crime, Assisen für das Verbrechen. Das öffentliche Ministerium signalisiert die Verbrechen des Angeklagten und denunziert sie der öffentlichen Rache.	*Entscheidung, ob einer ein Guter sei:* Assises de la vertu, Assisen für die Tugend. Das öffentliche Ministerium signalisiert die edlen Handlungen des Angeklagten und denunziert sie der öffentlichen Erkenntlichkeit.
Zustand des Verbrechers nach dem Urteil: Er steht unter der surveillance de la haute police[4]. Er wird ernährt im Gefängnis. Der Staat macht Ausgaben für ihn.	*Zustand des Tugendhaften nach dem Urteil:* Er steht unter der surveillance de la haute charité morale[5]. Er wird ernährt in seinem Hause. Der Staat macht Ausgaben für ihn.
Exekution: Der Verbrecher steht auf dem *Schafott*.	*Exekution:* Grade gegenüber dem Schafott des Verbrechers erhebt sich ein *Piedestal*, worauf der grand homme de bien[6] steigt – ein *Tugendpranger*.

[1] *Kriminal*justiz – [2] *Tugend*justiz – [3] *Tugendspionage* – [4] Aufsicht der hohen Polizei – [5] Aufsicht der hohen moralischen Fürsorge – [6] große Biedermann

Überdem berichtet Herr *Szeliga:*

„Außerdem sind der Stellen, mit denen Eugen Sue die Erzählung unterbricht, Episoden einleitet und schließt, sehr viele, und alle sind *Kritik*."

c) Aufhebung der Verwilderung innerhalb der Zivilisation und der Rechtslosigkeit im Staate

Das juristische *Präventivmittel* zur Aufhebung der Verbrechen und damit der Verwilderung innerhalb der Zivilisation besteht in der „schützenden Tutelle, welche der Staat über die Kinder der Hingerichteten und zu lebenslänglichen Strafen Verurteilten übernimmt". Sue will die Verteilung der Verbrechen liberaler organisieren. Keine Familie soll mehr ein erbliches Privilegium auf das Verbrechen besitzen – die freie Konkurrenz der Verbrechen soll über das Monopol siegen.

„Die Rechtslosigkeit im Staat" hebt Herr Sue durch die Reform des code pénal[1] in seinem Abschnitt über die „abus de confiance"[2] und namentlich durch die Einsetzung von *besoldeten Armenadvokaten* auf. In Piemont, Holland etc., wo der Armenadvokat existiert, findet Herr Sue daher die Rechtslosigkeit im Staat aufgehoben. Die französische Gesetzgebung fehlt nur darin, daß sie den Armenadvokaten nicht besoldet, nicht ausschließlich auf das Armenfach anweist, und die gesetzliche Grenze der Armut zu eng ist. Als wenn die Rechtslosigkeit nicht eben erst recht im *Prozeß* selbst begönne, und als wenn man in Frankreich nicht längst wüßte, daß das *Recht* nichts gibt, sondern nur das Vorhandene sanktioniert. Die schon trivial gewordene Unterscheidung von *droit*[3] und *fait*[4] scheint dem kritischen Romanschreiber ein mystère de Paris geblieben zu sein.

Nimmt man zu der kritischen Enthüllung der rechtlichen Geheimnisse noch die großen Reformen hinzu, die Eugen Sue mit den *huissiers*[5] anstellen will, so wird man das Pariser Journal „*Satan*" [68] begreifen. Es läßt ein Stadtviertel an jenen „grand réformateur à tant la ligne"[6] schreiben, seinen Straßen fehle noch die Gasbeleuchtung. Herr Sue antwortet, daß er diesem Übel im 6. Band seines „Juif errant"[7] abhelfen werde. Ein anderes Stadtviertel klagt über den mangelhaften Präliminarunterricht. Er verspricht, die Reform des Präliminarunterrichts für dieses Stadtviertel im 10. Bande seines „Juif errant" zu bewerkstelligen.

[1] Strafgesetzbuch – [2] Vertrauensbruch – [3] *Recht* – [4] *Tatsache* – [5] *Gerichtsvollziehern* – [6] „großen, nach Zeilen bezahlten Reformator" – [7] „Ewigen Juden"

4. *Das enthüllte Geheimnis des „Standpunktes"*

„Nicht auf seinem erhabenen (!) *Standpunkt* bleibt Rudolph stehen ... er scheut die Mühe nicht, die *Standpunkte* rechts und links, den oben, den in der Tiefe, aus freier Wahl einzunehmen." *Szeliga.*

Ein Hauptgeheimnis der kritischen Kritik ist der *„Standpunkt"* und die *Beurteilung vom Standpunkte des Standpunktes.* Jeder Mensch wie jedes geistige Produkt verwandelt sich ihr in einen Standpunkt.

Es ist nichts leichter, als hinter das Geheimnis des Standpunktes zu kommen, wenn man das allgemeine Geheimnis der kritischen Kritik, alten, spekulativen Kohl neu aufzuwärmen, durchschaut hat.

Zunächst spreche sich *die* Kritik selbst durch den Mund des Patriarchen, des Herrn *Bruno Bauer,* über ihre Theorie des „Standpunktes" aus.

„Die Wissenschaft ... hat es *nie mit diesem einzelnen Individuum* oder *diesem bestimmten Standpunkt* zu tun ... Sie wird es allerdings nicht daran fehlen lassen und die *Schranke eines Standpunktes,* wenn es sich der Mühe verlohnt und diese Schranke wirklich allgemeine menschliche Bedeutung hat, *aufheben;* aber sie faßt dieselbe als *reine Kategorie und Bestimmtheit des Selbstbewußtseins* und spricht demnach nur für diejenigen, welche die Kühnheit haben, sich in die *Allgemeinheit des Selbstbewußtseins* zu erheben, d. h. in jener Schranke nicht mit aller Gewalt stehenbleiben wollen." („Anekdota", T. II, p. 127.)

Das *Geheimnis* dieser Bauerschen Kühnheit ist die *Hegelsche „Phänomenologie"*. Weil Hegel hier das *Selbstbewußtsein* an die Stelle des *Menschen* setzt, so erscheint die *verschiedenartigste* menschliche Wirklichkeit nur als eine *bestimmte* Form, als eine *Bestimmtheit des Selbstbewußtseins.* Eine bloße Bestimmtheit des Selbstbewußtseins ist aber eine *„reine Kategorie"*, ein bloßer „Gedanke", den ich daher auch im „reinen" Denken aufheben und durch reines Denken überwinden kann. In Hegels „Phänomenologie" werden die *materiellen, sinnlichen, gegenständlichen* Grundlagen der verschiedenen entfremdeten Gestalten des menschlichen Selbstbewußtseins *stehen*gelassen, und das ganze destruktive Werk hatte die *konservativste Philosophie* zum Resultat, weil es die *gegenständliche Welt,* die sinnlich wirkliche Welt überwunden zu haben meint, sobald es sie in ein „Gedankending", in eine bloße *Bestimmtheit des Selbstbewußtseins* verwandelt hat und den *ätherisch* gewordenen Gegner nun auch im *„Äther des reinen Gedankens"* auflösen kann. Die „Phänomenologie" endet daher konsequent damit, an die Stelle aller menschlichen Wirklichkeit das *„absolute Wissen"* zu setzen – *Wissen,* weil dies die einzige Daseinsweise des Selbstbewußtseins ist und weil das Selbstbewußtsein für die einzige Daseinsweise des Menschen gilt – *absolutes* Wissen, eben weil das Selbstbewußtsein nur *sich selbst* weiß und von keiner gegenständlichen Welt mehr geniert wird. Hegel macht den Menschen zum *Menschen des Selbstbewußtseins,* statt das Selbstbewußtsein zum *Selbstbewußtsein des Menschen,* des wirklichen, daher auch in einer wirklichen, gegenständlichen Welt lebenden und von ihr bedingten Menschen zu machen. Er stellt die Welt auf den *Kopf* und kann daher auch *im Kopf* alle Schranken auflösen, wodurch sie natürlich *für die schlechte Sinnlichkeit,* für den *wirklichen* Menschen bestehenbleiben. Überdem gilt ihm notwendigerweise alles das als Schranke, was die *Beschränktheit des allgemeinen Selbstbewußtseins* verrät, alle Sinnlichkeit, Wirklichkeit, Individualität der Menschen wie ihrer Welt. Die ganze „Phänomenologie" will beweisen, daß *das Selbstbewußtsein* die *einzige* und *alle Realität* ist.

Herr Bauer hat in neuerer Zeit das absolute Wissen in *Kritik* umgetauft und die Bestimmtheit des Selbstbewußtseins in den profaner klingenden *Standpunkt.* In den „Anekdotis" stehen noch beide Namen zusammen, und der Standpunkt wird noch durch die Bestimmtheit des Selbstbewußtseins kommentiert.

Weil die *„religiöse Welt als religiöse Welt"* nur als die Welt des *Selbstbewußtseins* existiert, so kann der kritische Kritiker – Theologe ex professo[1] – gar nicht auf den Gedanken geraten, daß es eine Welt gibt, worin *Bewußtsein* und *Sein* unterschieden sind, eine Welt, die nach wie vor stehenbleibt, wenn ich bloß ihr Gedankendasein, ihr Dasein als Kategorie, als Standpunkt aufhebe, d.h., wenn ich mein eignes subjektives Bewußtsein modifiziere, ohne die gegenständliche Wirklichkeit auf wirklich gegenständliche Weise zu verändern, d.h., ohne meine eigne *gegenständliche* Wirklichkeit zu verändern, meine eigne und die der andern Menschen. Die spekulative *mystische Identität* von *Sein* und *Denken* wiederholt sich daher in der Kritik als die gleich mystische Identität von *Praxis* und *Theorie.* Daher ihr Ärger gegen die Praxis, die noch etwas anders als Theorie, und gegen die Theorie, die noch etwas anders als die Auflösung einer bestimmten *Kategorie* in die *„schrankenlose Allgemeinheit des Selbstbewußtseins"* sein will. Ihre eigne Theorie beschränkt sich darauf, alles Bestimmte für einen Gegensatz gegen die schrankenlose Allgemeinheit des Selbstbewußtseins, daher für nichtig zu erklären, so z.B. den Staat, das Privateigentum usw. Es muß umgekehrt gezeigt werden, wie Staat, Privateigentum usw. die Menschen in Abstraktionen verwandeln oder Produkte des *abstrakten* Menschen sind, statt die Wirklichkeit der individuellen, konkreten Menschen zu sein.

[1] von Amts wegen

Es versteht sich endlich von selbst, daß, wenn Hegels „Phänomenologie" ihrer spekulativen Erbsünde zum Trotz an vielen Punkten die Elemente einer wirklichen Charakteristik der menschlichen Verhältnisse gibt, Herr Bruno und Konsorten dagegen nur die inhaltslose Karikatur liefern, eine Karikatur, die sich damit begnügt, irgendeine Bestimmtheit aus einem geistigen Produkt oder auch aus realen Verhältnissen und Bewegungen herauszunehmen, diese Bestimmtheit in eine Gedankenbestimmtheit, in eine *Kategorie* zu verwandeln und diese Kategorie für den *Standpunkt* des Produkts, des Verhältnisses und der Bewegung auszugeben, um nun mit altkluger Weisheit vom Standpunkt der Abstraktion, der allgemeinen Kategorie, des allgemeinen Selbstbewußtseins auf diese Bestimmtheit triumphierend herabsehen zu können.

Wie für Rudolph alle Menschen auf dem Standpunkt des Guten oder Bösen stehen und nach diesen beiden fixen Vorstellungen beurteilt werden, so für Herrn Bauer und Konsorten auf dem Standpunkte der *Kritik* oder der *Masse*. Beide aber verwandeln die *wirklichen Menschen* in *abstrakte Standpunkte*.

5. Enthüllung des Geheimnisses von der Utilisierung der menschlichen Triebe oder Clémence d'Harville

Rudolph hat bisher nur die Guten in seiner Weise zu belohnen und die Bösen in seiner Weise zu bestrafen gewußt. Wir werden ihn nun an einem Beispiel die *Leidenschaften* nützlich machen und dem „schönen Naturell der Clémence von Harville eine angemessene Entwicklung geben sehen".

„Rudolph", sagt Herr Szeliga, „weist sie auf die *unterhaltende* Seite der *Wohltätigkeit* hin. Ein Gedanke, der von einer Menschenkenntnis, wie sie *nur* aus dem durch die Prüfung hindurchgegangenen Innern Rudolphs hervorgehen kann, zeugt."

Die Ausdrücke, deren sich Rudolph in der Unterhaltung mit Clémence bedient: „faire *attrayant*", „*utiliser le goût naturel*", „*régler l'intrigue*", „*utiliser les penchants à la dissimulation et à la ruse*", „changer en qualités généreuses des instincts impérieux, inexorables"[1] etc. – diese Ausdrücke ebensosehr wie die *Triebe* selbst, welche hier der weiblichen Natur vorzugsweise zugeschrieben werden, *verraten* die geheime Quelle von Rudolphs Weisheit – *Fourier*. Es ist ihm eine populäre Darstellung der fourieristischen Lehre in die Hand gefallen.

Die *Anwendung* ist wieder ebensosehr Rudolphs kritisches Eigentum wie die obige Ausführung der Theorie Benthams.

---

[1] „*anziehend* machen", „*den natürlichen Geschmack ausnutzen*", „*die Intrige regeln*", „*die Neigung zur Verstellung und zur List ausnutzen*", „die herrischen, unerbittlichen Instinkte in edle Eigenschaften umwandeln"

Nicht in der Wohltätigkeit *als solcher* soll die junge Marquise eine Befriedigung ihres menschlichen Wesens, einen menschlichen Inhalt und Zweck der Tätigkeit und darum eine Unterhaltung finden. Die Wohltätigkeit bietet vielmehr nur den äußern Anlaß, nur den *Vorwand*, nur die *Materie* zu einer Art von Unterhaltung, die ebensogut jede andre Materie zu ihrem Inhalt machen könnte. Das Elend wird mit Bewußtsein ausgebeutet, um dem Wohltäter „das Pikante des Romans, Befriedigung der Neugierde, Abenteuer, Verkleidungen, Genuß der eignen Vortrefflichkeit, Nervenerschütterungen" und dergleichen zu verschaffen.

Rudolph hat damit unbewußt das längst enthüllte Geheimnis ausgesprochen, daß das menschliche Elend selbst, daß die unendliche Verworfenheit, welche das Almosen empfangen muß, der Aristokratie des Geldes und der Bildung zum *Spiel*, zur Befriedigung ihrer Selbstliebe, zum Kitzel ihres Übermuts, zum Amüsement dienen muß.

Die vielen Wohltätigkeitsvereine in Deutschland, die vielen wohltätigen Gesellschaften in Frankreich, die zahlreichen wohltätigen Donquichotterien in England, die Konzerte, Bälle, Schauspiele, Essen für Arme, selbst die öffentlichen Subskriptionen für Verunglückte haben keinen andern Sinn. In dieser Weise wäre also auch die Wohltätigkeit längst als Unterhaltung *organisiert*.

Die plötzliche, unmotivierte Umwandlung der Marquise bei dem bloßen Wort „amüsant" läßt uns an der Nachhaltigkeit ihrer Kur zweifeln, oder vielmehr diese Umwandlung ist nur zum Schein plötzlich und unmotiviert, nur zum Schein durch die Schilderung der charité[1] als eines Amüsements bewirkt. Die Marquise *liebt* Rudolph, und Rudolph will *sich mit ihr* verkleiden, intrigieren, auf Wohltätigkeitsabenteuer ausziehen. Später, bei einem wohltätigen Besuch der Marquise in dem Gefängnisse Saint-Lazare, kömmt der Fleur de Marie gegenüber ihre Eifersucht zum Vorschein, und aus Wohltätigkeit gegen ihre Eifersucht verschweigt sie dem Rudolph die Detention der Marie. Im besten Falle aber ist es dem Rudolph gelungen, eine unglückliche Frau mit unglücklichen Wesen eine alberne Komödie spielen zu lehren. Das Geheimnis der von ihm ausgeheckten *Philanthropie* verriet jener Dandin von Paris, der seine Dame nach dem Tanze mit folgenden Worten zum Souper aufforderte:

„Ah Madame! ce n'est pas assez d'avoir dansé au bénéfice des ces pauvres Polonais ... soyons philanthropes jusqu'au bout ... allons *souper* maintenant au *profit des pauvres*!"[2]

---

[1] Wohltätigkeit – [2] „Ah, gnädige Frau, es ist nicht genug, zum Wohle dieser armen Polen getanzt zu haben ... seien wir Menschenfreunde bis zum letzten ... lassen Sie uns jetzt *zum Nutzen der Armen zu Abend essen*"

6. Enthüllung des Geheimnisses der Emanzipation der Weiber oder Louise Morel

Bei Gelegenheit der Verhaftung der *Louise Morel* stellt Rudolph Reflexionen an, die sich dahin resümieren:

„Der Herr verdirbt oft die Magd, sei es durch Schrecken, Überraschung oder durch sonstige Benutzung der Gelegenheiten, welche die Natur des *Dienstverhältnisses* herbeiführt. Er stürzt sie in Unglück, Schmach, Verbrechen. Das *Gesetz* bleibt diesem Gegenstand *fremd* ... Der Verbrecher, der das Mädchen zum Kindermord faktisch gezwungen hat, wird nicht *gestraft*."

Rudolphs Reflexionen erstrecken sich nicht einmal so weit, das *Dienstverhältnis* selbst seiner allerdurchlauchtigsten Kritik zu unterwerfen. Als ein *kleiner* Herrscher ist er ein *großer* Gönner von Dienstverhältnissen. Noch weniger geht Rudolph dazu fort, die allgemeine Stellung des Weibes in der heutigen Gesellschaft als unmenschlich zu begreifen. Ganz seiner bisherigen Theorie getreu, vermißt er nichts als ein *Gesetz*, welches den Verführer *straft* und die Reue und Buße mit schrecklichen Züchtigungen verbindet.

Rudolph hätte sich nur in der existierenden Gesetzgebung anderer Länder umzusehen. Die *englische* Gesetzgebung erfüllt alle seine Wünsche. Sie geht in ihrem Zartgefühl, das *Blackstone* rühmlich hervorhebt, so weit, auch den, der ein Freudenmädchen verführt, der *Felonie* für schuldig zu erklären.

Herr Szeliga bläst *Tusch*:

„*Dies! – denkt! – Rudolph!* – und nun haltet *diese Gedanken* gegen eure *Phantasien* von der *Emanzipation des Weibes*. Die Tat dieser Emanzipation ist aus ihnen *fast* mit Händen zu greifen, während ihr von Hause aus viel zu praktisch seid und daher mit euren bloßen Versuchen so vielfach verunglückt."

Jedenfalls verdankt man Herrn Szeliga die Enthüllung des Geheimnisses, daß eine Tat fast mit Händen aus Gedanken gegriffen werden kann. Was seine drollige Vergleichung Rudolphs mit den Männern betrifft, welche die Emanzipation des Weibes gelehrt haben, so vergleiche man Rudolphs *Gedanken* etwa mit folgenden Phantasien *Fouriers*:

„Ehebruch, Verführung macht den Verführern Ehre, ist guter Ton ... Aber, armes Mädchen! der Kindermord, welch ein Verbrechen! Wenn sie auf Ehre hält, muß sie die Spuren der Unehre auslöschen, und wenn sie den Vorurteilen der Welt ihr Kind aufopfert, so ist sie noch mehr geschändet und verfällt den Vorurteilen des Gesetzes ... Das ist der *fehlerhafte Kreislauf*, welchen aller zivilisierte Mechanismus beschreibt."

„Die junge Tochter, ist sie nicht eine Ware, zum Verkauf ausgeboten für den ersten besten, der das exklusive Eigentum dieses Mädchens erhandeln will? ... De même qu'en grammaire deux négations valent une affirmation, l'on peut dire qu'en *négoce conjugal deux prostitutions valent une vertu.*“[1]

„Die Veränderung einer geschichtlichen Epoche läßt sich immer aus dem Verhältnis des Fortschritts der Frauen zur Freiheit bestimmen, weil hier im Verhältnis des Weibes zum Mann, des Schwachen zum Starken, der Sieg der menschlichen Natur über die Brutalität am evidentesten erscheint. Der Grad der weiblichen Emanzipation ist das natürliche Maß der allgemeinen Emanzipation.“

„Die Erniedrigung des weiblichen Geschlechts ist ein wesentlicher Charakterzug der Zivilisation wie der Barbarei, nur mit dem Unterschied, daß die zivilisierte Ordnung jedes Laster, welches die Barbarei auf eine einfache Weise ausübt, zu einer zusammengesetzten, doppelsinnigen, zweideutigen, heuchlerischen Daseinsweise erhebt ... Keinen trifft die Strafe, das Weib in der Sklaverei zu erhalten, tiefer als den Mann selbst.“ (*Fourier.*)[69]

Dem Gedanken Rudolphs gegenüber ist es überflüssig, auf Fouriers meisterhafte Charakteristik der *Ehe* wie auf die Schriften der materialistischen Fraktion des französischen Kommunismus hinzuweisen.

Der traurigste Abhub der sozialistischen Literatur, wie er bei dem Romanschreiber zu finden ist, enthüllt der kritischen Kritik immer noch unbekannte „Geheimnisse“.

7. Enthüllung der nationalökonomischen Geheimnisse

a) Theoretische Enthüllung der nationalökonomischen Geheimnisse

Erste Enthüllung: Der Reichtum führt häufig zur Verschwendung, die Verschwendung zum Ruin.

Zweite Enthüllung: Die eben beschriebnen Folgen des Reichtums entspringen aus einem Mangel an Unterweisung für die reiche Jugend.

Dritte Enthüllung: Die *Erbschaft* und das *Privateigentum* sind und *müssen* unverletzlich und geheiligt sein.

Vierte Enthüllung: Der Reiche schuldet *moralisch* den Arbeitern Rechenschaft von der Anwendung seines Vermögens. Ein großes Vermögen ist ein erbliches Depositum – ein *Feudallehen* –, klugen, festen, geschickten, großmütigen Händen anvertraut, die zugleich beauftragt sind, es fruchtbar zu machen und es so zu verwenden, daß alles, was das *Glück* hat, sich in dem Bereich der glänzenden und heilsamen Ausstrahlung des großen Vermögens zu befinden, befruchtet, belebt, verbessert wird.

[1] „... Wie in der Grammatik zwei Verneinungen gleich einer Bejahung sind, so, kann man sagen, sind im *Ehehandel zwei Prostitutionen gleich einer Tugend.*“

Fünfte Enthüllung: Der Staat hat der unerfahrnen reichen Jugend die *Rudimente* der *individuellen Ökonomie* zu geben. Er muß das Vermögen moralisieren.

Sechste Enthüllung: Endlich muß der Staat auf die ungeheure Frage von der *Organisation der Arbeit* eingehen. Er muß das heilsame Beispiel von der *Assoziation der Kapitalien und der Arbeit* geben, und zwar von einer Assoziation, welche honett, intelligent, billig ist, welche das Wohlsein des *Arbeiters* sichert, *ohne* dem *Vermögen* des *Reichen* zu schaden, welche *zwischen* diesen *zwei Klassen Bande* der Zuneigung, der Erkenntlichkeit etabliert und dadurch *für immer* die Ruhe des Staats sichert.

Da der Staat einstweilen noch nicht auf diese Theorie eingeht, so gibt *Rudolph* selbst einige praktische Exempel. Sie werden das Geheimnis enthüllen, daß Herrn Sue, Herrn Rudolph und der kritischen Kritik die allerbekanntesten *ökonomischen Verhältnisse* „Mysterien" geblieben sind.

b) „Die Armenbank"

Rudolph errichtet eine *Armenbank*. Die Statuten dieser *kritischen* Armenbank sind folgende:

Sie soll honette Arbeiter, welche Familie haben, während der arbeitslosen Zeit unterstützen. Sie soll die Almosen und die Pfandhäuser ersetzen. Sie verfügt über eine jährliche Revenue von 12000 Francs und verteilt Hülfsanleihen von 20 bis 40 Francs ohne Interessen. Sie erstreckt ihre Wirksamkeit zunächst auf das *siebte* Arrondissement von Paris, wo die meisten Arbeiter wohnen. Die Arbeiter oder Arbeiterinnen, welche auf Unterstützung Anspruch machen, müssen Träger eines Zertifikats sein, welches von ihrem letzten Patron ausgestellt ist, ihr gutes Betragen verbürgt und die Ursache wie das Datum der Unterbrechung ihrer Arbeit angibt. Diese Anleihen sind monatlich zurückzuzahlen, zum sechsten oder zum zwölften Teil je nach der Wahl des Leihers, von dem Tag an, wo er wieder Beschäftigung gefunden hat. Als Garantie der Anleihe gilt die Verpflichtung auf Ehrenwort. Zwei andre Arbeiter müssen überdem Bürgschaft leisten für die parole jurée[1] des Leihers. Da der kritische Zweck der Armenbank darin besteht, einen der schwersten Unfälle des Arbeiterlebens, die *Unterbrechung der Arbeit*, zu heilen, so würden die Hülfsleistungen durchaus nur den arbeitslosen Handwerkern zukommen. Herr Germain, der dies Institut verwaltet, bezieht ein jährliches Gehalt von 10000 Francs.

[1] das gegebene Wort

Werfen wir nun einen massenhaften Blick auf die Praxis der kritischen Nationalökonomie. Die jährliche Revenue beträgt 12000 Francs. Die Unterstützungen belaufen sich für jede Person auf 20 bis 40, also im Durchschnitt auf 30 Francs. Die Anzahl der offiziell als „elend" anerkannten Arbeiter des siebenten Arrondissements beläuft sich wenigstens auf 4000. Es können also jährlich 400, d. h. der zehnte Teil der allerhülfsbedürftigsten Arbeiter des siebenten Arrondissements unterstützt werden. In Paris ist es wenig, wenn wir die *Durchschnittszahl* der arbeitslosen Zeit auf vier Monate (viel zu gering taxiert), also auf 16 Wochen reduzieren. 30 Francs, auf 16 Wochen verteilt, sind auf die Woche etwas weniger als 37 Sous und 3 Centimes, macht auf den Tag noch nicht 27 Cts. Die tägliche Ausgabe für einen *einzelnen Gefangnen* beträgt in Frankreich durchschnittlich etwas mehr als 47 Cts., wovon die Speisung allein etwas über 30 Cts. wegnimmt. Der Arbeiter, den Herr Rudolph unterstützt, besitzt aber Familie. Schätzen wir die Familie im Durchschnitt außer Mann und Frau auf nur zwei Kinder, so bleiben 27 Cts. unter vier Personen zu verteilen. Hiervon geht die Wohnung – das Minimum auf den Tag 15 Cts. – ab, bleiben 12 Cts. Das *Brot*, welches ein *einzelner* Gefangener im Durchschnitt verzehrt, kostet ungefähr 14 Cts. Der Arbeiter samt Familie wird also, abgesehn von allen andern Bedürfnissen, mit der Unterstützung der kritischen Armenbank noch nicht den vierten Teil des nötigen Brots kaufen können und einem gewissen Hungertod anheimfallen, wenn er nicht zu den Mitteln, denen diese Armenbank vorbeugen will, zu dem Pfandhaus, dem Bettel, dem Diebstahl und der Prostitution seine Zuflucht nimmt.

Um so glänzender bedenkt der Mann der rücksichtslosen Kritik dagegen den Verwalter der Armenbank. Die verwaltete Revenue beträgt 12000, das Gehalt des Verwalters 10000 Frcs. Die Verwaltung kostet also 45 Prozent, beinahe das Dreifache der massenhaften Armenverwaltung in Paris, welche ungefähr 17 Prozent kostet.

Nehmen wir aber einen Augenblick an, die Unterstützung, welche die Armenbank gewährt, sei eine wirkliche und nicht bloß illusorische Unterstützung, so beruht die Einrichtung des enthüllten Geheimnisses aller Geheimnisse auf dem Wahn, daß es nur einer andern *Distribution* des Salärs bedürfe, damit der Arbeiter das ganze Jahr hindurch leben könne.

Im prosaischen Sinne zu sprechen, beträgt das Einkommen von 7500000 französischen Arbeitern auf den Kopf nur 91 Frcs., das Einkommen von andern 7500000 französischen Arbeitern auf den Kopf nur 120 Frcs., also schon von 15000000 Arbeitern weniger, als absolut zum Leben nötig ist.

Der Gedanke der kritischen Armenbank reduziert sich darauf – wenn er anders vernünftig gefaßt wird –, daß dem Arbeiter während der Zeit, wo er

Beschäftigung hat, soviel vom Salär abgezogen wird, als er braucht, um in der arbeitslosen Zeit zu leben. Ob ich ihm eine bestimmte Summa Geldes in der arbeitslosen Zeit vorstrecke und er mir diese Summe in der Arbeitszeit zurückgibt, oder ob er mir in der Arbeitszeit eine bestimmte Summe abgibt und ich sie ihm in der arbeitslosen Zeit zurückgebe, ist ein und dasselbe. Er gibt mir immer das in seiner Arbeitszeit, was er von mir in seiner arbeitslosen Zeit erhält.

Die „reine" *Armenbank* unterschiede sich also von den massenhaften *Sparkassen* nur durch zwei sehr originelle, sehr kritische Eigenschaften, einmal, daß die Bank ihr Geld *à fonds perdu*[1] ausleiht, in der törichten Voraussetzung, daß der Arbeiter zurückzahlen könne, wenn er wolle, und daß er immer zurückzahlen wolle, wenn er könne; dann aber dadurch, daß die Bank keine *Zinsen* für die vom Arbeiter hinterlegten Summen zahlt. Weil die hinterlegte Summe in der Form des Vorschusses erscheint, tut die Bank schon ein Großes, wenn sie selbst keine Zinsen vom Arbeiter nimmt.

Die kritische Armenbank unterscheidet sich also dadurch von den massenhaften Sparkassen, daß der Arbeiter seine Zinsen und die Bank ihr Kapital verliert.

c) Musterwirtschaft zu Bouqueval

Rudolph stiftet eine *Musterwirtschaft* zu *Bouqueval*. Der Ort ist um so glücklicher gewählt, als er noch feudaler Erinnerungen sich erfreut – nämlich eines château seigneurial[2].

Jeder der sechs männlichen Arbeiter, welche diese Pächterei beschäftigt, erhält 150 écus oder 450 Frcs., jede der weiblichen Arbeiterinnen 60 écus oder 180 Frcs. jährlichen Arbeitslohn. Sie haben außerdem freies Essen und freie Wohnung. Das gewöhnliche alltägliche Essen der Leute von Bouqueval besteht aus einer „formidablen" Platte Schinken, aus einer nicht minder furchtbaren Platte Hammelfleisch und endlich aus einem nicht minder massenhaften Stück Kalbfleisch, wozu als Nebengerichte zwei Wintersalate, zwei große Käse, Erdäpfel, Zider etc. hinzukommt. Jeder der sechs männlichen Arbeiter arbeitet *zweimal* mehr als der gewöhnliche französische Ackerbautaglöhner.

Da die ganze Summe des jährlich von Frankreich produzierten Einkommens bei gleicher Teilung im Durchschnitt nur 93 Frcs. betrüge, da die unmittelbar mit Landbau beschäftigte Einwohnerzahl Frankreichs $^2/_3$ der Gesamtbevölkerung beträgt, so kann man schließen, welche Revolution nicht nur in der Verteilung, sondern auch in der Produktion des Nationalreichtums

[1] *auf Nimmerwiedersehen* – [2] herrschaftlichen Schlosses

die allgemeine Nachahmung der Musterwirtschaft des deutschen Kalifen hervorbringen würde.

Demnach hat Rudolph diese ungeheure Vergrößerung der Produktion nur dadurch erreicht, daß er jeden Arbeiter zweimal soviel wie bisher arbeiten und sechsmal soviel verzehren läßt.

Da der französische Bauer sehr fleißig ist, so müssen Arbeiter, die *zweimal* soviel arbeiten, *übermenschliche Athleten* sein, worauf auch die „formidablen" Fleisch-Schüsseln hindeuten sollen. Wir können also annehmen, daß jeder dieser sechs Arbeiter täglich wenigstens ein Pfund Fleisch verzehrt.

Wenn alles in Frankreich produzierte Fleisch gleich verteilt würde, so käme auf den Kopf täglich noch nicht $^1/_4$ Pfund Fleisch. Man sieht also, welche Revolution auch in dieser Hinsicht das Beispiel Rudolphs hervorrufen würde. Die Landbaubevölkerung würde *allein* mehr Fleisch verzehren, als in Frankreich produziert wird, so daß Frankreich durch diese kritische Reform aller Viehzucht überhoben würde.

Der fünfte Teil des Bruttoertrags, welchen Rudolph, nach dem Berichte des Verwalters von Bouqueval, des Vaters Chatelain, außer dem hohen Salär und der luxuriösen Beköstigung den Arbeitern zukommen läßt, ist nichts anderes als seine *Grundrente*. Man nimmt nämlich nach einer Durchschnittsberechnung an, daß im allgemeinen, nach Abzug aller Produktionskosten und des Gewinns für das Betriebskapital, ein Fünfteil des Bruttoertrags für den französischen Grundeigentümer übrigbleibt oder daß seine Rentenquote sich auf den fünften Teil des Bruttoertrags beläuft. Obgleich nun Rudolph den Gewinn seines Betriebskapitals unstreitig unverhältnismäßig verringert, indem er die Ausgabe für die Arbeiter unverhältnismäßig steigert – nach Chaptal („De l'industrie française", I, 239) ist der Durchschnittspreis der jährlichen Einnahmen der französischen Lohnbauern 120 Frcs. –, obgleich er seine ganze Grundrente den Arbeitern schenkt, berichtet dennoch Vater Chatelain, daß Monseigneur bei dieser Methode sein Einkommen steigere und dergestalt die andern unkritischen Grundeigentümer zu einer ähnlichen Wirtschaft anfeuere.

Die Musterwirtschaft von Bouqueval ist ein bloßer phantastischer Schein; ihr *verborgener Fonds* ist nicht der *natürliche* Grund und Boden von Bouqueval, sondern der märchenhafte Fortunatussäckel[70] Rudolphs!

Die kritische Kritik lärmt:

„Man sieht es *dem ganzen* Plan auf *den ersten Blick* an, daß *er kein Utopien* ist."

Nur die kritische Kritik kann es *einem Fortunatussäckel* auf den ersten Blick ansehen, daß er kein Utopien ist. Der kritische erste Blick ist – der „böse Blick"!

8. Rudolph, „das enthüllte Geheimnis aller Geheimnisse"

Das Wundermittel, womit Rudolph alle seine Erlösungen und Wunderkuren bewirkt, sind nicht seine schönen Worte, sondern sein *bares Geld*. So sind die Moralisten, sagt Fourier. Man muß ein Millionär sein, um es ihren Helden nachmachen zu können.

Die Moral ist die *„Impuissance mise en action"* [1] [71]. So oft sie ein Laster bekämpft, unterliegt sie. Und Rudolph erhebt sich nicht mal auf den Standpunkt der selbständigen Moral, welche wenigstens auf dem Bewußtsein der *Menschenwürde* beruht. Seine Moral beruht dagegen auf dem Bewußtsein der menschlichen Schwäche. Er ist die *theologische* Moral. Wir haben die Heldentaten, die er mit seinen *fixen, christlichen* Ideen, an denen er die Welt mißt, mit der „charité", dem „dévouement", der „abnégation", dem „repentir", den „bons" und den „méchants", der „récompense" und der „punition", den „châtiments terribles", dem „isolement", dem „salut de l'âme"[2] etc. vollbringt, bis ins Detail verfolgt und als Eulenspiegeleien nachgewiesen. Wir haben es hier nur noch mit dem *persönlichen* Charakter Rudolphs, dem „enthüllten Geheimnis aller Geheimnisse" oder dem enthüllten Geheimnis der *„reinen* Kritik" zu tun.

Der Gegensatz des „Guten" und des „Bösen" tritt dem kritischen Herkules schon als Jüngling in zwei Personifikationen gegenüber; *Murph* und *Polidori* sind beide Lehrer Rudolphs. Der erste erzieht ihn zum Guten und ist „der *Gute*". Der zweite erzieht ihn zum Bösen und ist „der *Böse*". Damit diese Auffassung durchaus nichts an Trivialität ähnlichen Auffassungen in andern moralischen Romanen nachgebe, darf „der *Gute*", Murph, nicht „savant"[3], nicht „besonders geistig bevorzugt" sein. Dagegen ist er *ehrlich, einfach, einsilbig*, weiß mit den Silben *schändlich, niederträchtig* gegen das Böse sich groß und hat einen horreur[4] vor dem *Niedrigen*. Er setzt, um mit Hegel zu reden, ehrlicherweise die Melodie des Guten und Wahren in die Gleichheit der Töne, d. h. in eine *Eine Note*.

Polidori dagegen ist ein Wunder an Klugheit, Kenntnissen und Bildung, dabei von der „gefährlichsten Immoralität", und namentlich besitzt er, was Eugen Sue als ein Glied der jungen frommen Bourgeoisie Frankreichs nicht vergessen durfte: *„le plus effrayant scepticisme"*[5]. Eugen Sues und seines

[1] *„in Aktion gesetzte Machtlosigkeit"* – [2] „Wohltätigkeit", „Aufopferung", „Entsagung", „Reue", „Guten", „Bösen", „Belohnung", „Bestrafung", „schrecklichen Züchtigungen", „Isolierung", „Seelenheil" – [3] „gelehrt" – [4] Schauder – [5] *„den fürchterlichsten Skeptizismus"*

Helden Geistesenergie und Bildung mag man aus dem panischen Schrecken vor dem *Skeptizismus* beurteilen.

„Murph", sagt Herr Szeliga, „ist zugleich die verewigte Schuld des dreizehnten Januar und die ewige Tilgung dieser Schuld durch unvergleichliche Liebe und Aufopferung für die Person Rudolphs."

Wie Rudolph der deus ex machina[1] und der Mittler der Welt, so ist Murph wieder der persönliche deus ex machina und der Mittler Rudolphs.

„Rudolph und das Heil der Menschheit, Rudolph und die Verwirklichung der Wesensvollkommenheiten des Menschen ist für Murph eine untrennbare Einheit, eine Einheit, der er sich nicht mit der dummen hündischen Ergebenheit des Sklaven hingibt, sondern wissend und selbständig."

Murph ist also ein aufgeklärter, wissender und selbständiger Sklave. Er personifiziert, wie jeder Fürstendiener, seinen Herrn mit dem Heil der Menschheit. *Graun* schmeichelt dem Murph mit der Anrede *„intrépide garde du corps"*[2]. Rudolph selbst nennt ihn den *modèle d'un valet*[3], und er ist wirklich ein *musterhafter Bedienter*. Er war sehr pünktlich darin, wie Eugen Sue berichtet, den Rudolph im tête-à-tête[4] mit Monseigneur anzureden. Bei andern nennt er ihn des Inkognito wegen mit den Lippen *Monsieur*, aber mit dem Herzen Monseigneur.

„Murph hebt mit den Schleier von den Geheimnissen, aber nur um Rudolphs willen. Er hilft an der Arbeit, die Macht der Geheimnisse zu zerstören."

Die Dichtigkeit des Schleiers, der dem Murph die einfachsten Weltzustände verhüllt, mag man aus seiner Unterhaltung mit dem Gesandten Graun beurteilen. Aus der gesetzlichen Befugnis der Selbstverteidigung im Notfall schließt er darauf, daß Rudolph den gefesselten und „wehrlosen" maître d'école als *Femrichter* habe blenden dürfen. Seine Schilderei, wie Rudolph vor den Assisen seine „edeln" Handlungen erzählen, schönrednerische Phrasen auskramen und sein großes Herz strömen lassen werde, ist eines Gymnasiasten würdig, der soeben Schillers „Räuber" gelesen hat. Das einzige Geheimnis, welches Murph der Welt zu lösen gibt, ist die Frage, ob er mit Kohlenstaub oder mit schwarzer Farbe sein Gesicht eingerußt hat, als er den charbonnier[5] spielte.

---

[1] wörtlich: Gott aus der Maschine (im antiken Theater eine durch Maschinerie auf die Szene gebrachte Göttererscheinung, die in die dramatische Verwicklung eingriff und sie löste); im übertragenen Sinne: das unerwartete Auftreten einer Person, die die Situation rettet – [2] *unerschrockener Leibwächter* – [3] *Muster eines Bedienten* – [4] Gespräch unter vier Augen – [5] Kohlenträger

„Die Engel werden ausgehen und die Bösen von den Gerechten scheiden." (Matth[äus] 13, 49.) „Trübsal und Angst über alle Seelen der Menschen, die da Böses tun; Preis aber und Ehre und Frieden all denen, die Gutes tun." (Paul[us] Röm[er] 2, 9–10.)

Rudolph macht sich selbst zu einem solchen *Engel*. Er zieht in die Welt aus, die Bösen von den Gerechten zu scheiden, die Bösen zu bestrafen, die Guten zu belohnen. Die Vorstellung des Bösen und Guten hat sich seinem schwachen Gehirn so sehr eingeprägt, daß er an den leibhaften Satan glaubt und den Teufel lebendig einfangen will, wie weiland Prof. *Sack* zu Bonn. Andrerseits versucht er dagegen, den Gegensatz des Teufels, *Gott*, im kleinen zu kopieren. Er liebt es „de jouer un peu le rôle de la providence"[1]. Wie in der *Wirklichkeit alle* Unterschiede immer mehr in den Unterschied von *arm* und *reich* zusammenschmelzen, so lösen sich in der *Idee alle* aristokratischen Unterschiede in den Gegensatz des *Guten* und des *Bösen* auf. Diese Unterscheidung ist die letzte Form, welche der Aristokrat seinen Vorurteilen erteilt. Rudolph selbst gilt sich als ein Guter, und die Bösen sind dazu da, ihm den Selbstgenuß seiner eignen Vortrefflichkeit zu gewähren. Betrachten wir „den Guten" etwas näher.

Herr Rudolph übt eine Wohltätigkeit und eine Verschwendung aus, wie etwa der Kalif von Bagdad in Tausend und eine Nacht. Er kann diese Lebensweise unmöglich führen, ohne sein kleines deutsches Ländchen wie ein Vampir bis auf den letzten Tropfen auszusaugen. Nach Herrn Sues eignem Bericht würde er unter die mediatisierten deutschen Fürsten [71] gehören, hätte ihn nicht die Protektion eines französischen *Marquis* vor der unfreiwilligen Abdankung gerettet. Die Größe seines Landes ist nach dieser Angabe zu taxieren. Wie *kritisch* Rudolph *seine eignen Verhältnisse* beurteilt, mag man ferner daraus ersehen, daß er, der kleine deutsche Serenissimus, in Paris ein halbes Inkognito bewahren zu müssen glaubt, um kein Aufsehen zu erregen. Er führt eigens einen *Kanzler* aus dem kritischen Grunde mit sich, damit er ihm „le côté théatral et puéril du pouvoir souverain"[2] darstelle; als habe ein kleiner Serenissimus außer sich und seinem Spiegel noch einen dritten Repräsentanten der theatralischen und kindischen Seite der souveränen Macht nötig. Rudolph hat seine Leute in dieselbe *kritische Selbstverkennung* zu versetzen gewußt. So merken der Bediente *Murph* und der Gesandte *Graun* nicht, wie der Pariser homme d'affaires[3], Monsieur *Badinot*, sie persifliert, wenn er sich den Anschein gibt, als halte er ihre Privataufträge für Staatsangelegenheiten, wenn er sarkastisch plaudert über die

[1] „ein wenig die Rolle der Vorsehung zu spielen" – [2] „die theatralische und kindische Seite der souveränen Macht" – [3] Haushofmeister

„rapports occultes qui peuvent exister entre les intérêts le plus divers et les *destinés des empires*“[1]. „Ja“, berichtet der Gesandte Rudolphs, „er hat die Unverschämtheit, mir manchmal zu sagen: ‚Wieviel dem Volk unbekannte Komplikationen in der Regierung eines Staates! Wer würde sagen, daß die Noten, die ich Ihnen, Herr Baron, mitteile, zweifelsohne ihren Teil von Einfluß auf den Gang der *europäischen Angelegenheiten* haben?‘“

Der Gesandte und Murph finden nicht darin die Unverschämtheit, daß man ihnen einen Einfluß auf die europäischen Angelegenheiten zumutet, sondern daß Badinot seinen niedrigen Beruf dergestalt idealisiert.

Rufen wir uns zunächst eine Szene aus *Rudolphs* häuslichem Leben ins Gedächtnis. Rudolph erzählt dem Murph, „er sei in den Augenblicken seines Stolzes und seiner Glückseligkeit“. Gleich darauf gerät er außer sich, weil Murph ihm auf eine Frage nicht antworten will. „Je vous ordonne de parler.“[2] Murph will sich nicht befehlen lassen. Rudolph sagt ihm: „Je n'aime pas les réticences.“[3] Er vergißt sich bis zu der Gemeinheit, dem Murph anzudeuten, daß er ihm alle seine Dienste *bezahle*. Der Knabe ist nicht eher zu beruhigen, bis Murph ihn an den dreizehnten Januar erinnert. Nachträglich macht sich die Knechtsnatur Murphs, die sich einen Augenblick vergessen hatte, geltend. Er reißt sich die „Haare“ aus, die er glücklicherweise nicht besitzt, er verzweifelt darüber, den hohen Herrn, der ihn „das Muster von einem Bedienten“, der ihn „seinen guten, seinen alten, seinen getreuen Murph“ nennt, etwas rauh angelassen zu haben.

Nach diesen Proben des Schlechten in ihm wiederholt Rudolph seine fixen Ideen über das „Gute“ und das „Schlechte“ und berichtet über die Fortschritte, die er im Guten macht. Er nennt Almosen und Mitleid die keuschen und frommen Trösterinnen *seiner* verwundeten Seele. Sie an verworfene, unwürdige Wesen prostituieren, das wäre entsetzlich, unfromm, ein *Sakrilegium*. Versteht sich, Mitleid und Almosen sind Trösterinnen *seiner* Seele. Sie entweihen wäre daher ein Sakrilegium. Es wäre „Zweifel einflößen an Gott, und der, welcher gibt, muß an ihn glauben machen“. Einem Verworfenen ein Almosen geben – der Gedanke ist nicht auszudenken!

Jede seiner Seelenbewegungen ist für Rudolph von unendlicher Wichtigkeit. Er taxiert und beobachtet sie daher beständig. So tröstet sich der Tor hier gegen Murph, daß Fleur de Marie ihn gerührt habe. „Ich war bewegt bis zu Tränen, und man klagt mich an, blasiert, hart, unbeugsam zu sein!“ Nachdem er dergestalt *seine eigne Güte* bewiesen hat, exaltiert er sich über *das*

[1] „geheimnisvolle Verbindung, die zwischen den verschiedensten Interessen und den *Geschicken der Staaten* bestehen könne“ – [2] „Ich befehle Ihnen zu sprechen.“ – [3] „Ich liebe das Verschweigen nicht.“

„Schlechte“, über die Schlechtigkeit der unbekannten Mutter der Marie, und mit aller möglichen Feierlichkeit wendet er sich zu Murph: „Tu le sais – certaines vengeances me sont bien chères, certaines souffrances bien précieuses.“[1] Dabei schneidet er so diabolische Fratzen, daß der getreuliche Bediente erschrocken ausruft: „Hélas, Monseigneur!“[2] Dieser große Herr ähnelt den Gliedern des *Jungen Englands*[72], die auch die Welt reformieren wollen, edle Handlungen begehen und ähnlichen hysterischen Zufällen unterworfen sind.

Den Aufschluß zu den Abenteuern und Situationen, denen sich Rudolph aussetzt, finden wir zunächst in seinem *abenteuerlichen Naturell*. Er liebt „das Pikante des Romans, Zerstreuung, Abenteuer, Verkleidung“, seine „Neugierde“ ist „unersättlich“, er empfindet das „Bedürfnis lebhafter, stechender Gemütsaufregung“, er ist „begierig nach *gewaltsamen Nervenerschütterungen*“.

Dieses sein Naturell wird unterstützt durch die Sucht, die *Vorsehung zu spielen* und die Welt nach seinen fixen Einbildungen einzurichten.

Sein Verhältnis zu dritten Personen ist entweder durch eine abstrakte fixe Idee vermittelt oder durch ganz persönliche, zufällige Motive.

So befreit er den Negerarzt David und seine Geliebte nicht aus der unmittelbar menschlichen Teilnahme, welche diese Personen einflößen, nicht um sie *selbst* zu befreien, sondern um dem Sklaveneigentümer Willis gegenüber die *Vorsehung* zu spielen und seinen *Unglauben an Gott* zu züchtigen. So erscheint ihm der maître d'école als ein gefundnes Fressen, um seine längst ausgeheckte Straftheorie *anzuwenden*. Die Unterhaltung Murphs mit dem Gesandten Graun läßt uns von der andern Seite tiefe Blicke in die rein persönlichen Motive tun, welche Rudolphs edle Handlungen bestimmen.

Das Interesse des Monseigneur an Fleur de Marie rührt, wie Murph sagt, „à part“[3] das Mitleid, welches die Arme einflößt, daher, weil die Tochter, deren Verlust er so bitter empfindet, gegenwärtig dasselbe Alter haben würde. Der Anteil Rudolphs an der Marquise von Harville hat, „à part“ seine menschenfreundlichen Marotten, den persönlichen Grund, daß ohne den alten Marquis von Harville und dessen Freundschaft mit dem Kaiser Alexander Rudolphs Vater aus der Reihe der deutschen Souveräne eliminiert worden wäre.

Seine Wohltätigkeit gegen Madame George und sein Interesse für Germain, ihren Sohn, hat denselben Grund. Madame George gehört der Familie Harville an.

---

[1] „Du weißt es – manche Rache ist für mich sehr süß, mancher Schmerz gibt mir Wonne.“ – [2] „Ach, gnädiger Herr!“ – [3] „abgerechnet“

„C'est non moins à ses malheurs et à ses vertus qu'à *cette parenté* que la pauvre Madame George a dû les incessantes bontés de son Altesse."[1]

Der Apologet Murph versucht die Doppelsinnigkeit von Rudolphs Motiven durch Wendungen wie „surtout, à part, non moins que"[2] zu vertuschen.

Rudolphs ganzer Charakter faßt sich endlich zusammen in der *„reinen" Heuchelei*, womit er die *Ausbrüche seiner schlechten Leidenschaften* als *Ausbrüche gegen die Leidenschaften der Schlechten* vor sich selbst und andern darzustellen weiß, in ähnlicher Weise, wie die kritische Kritik *ihre eignen Dummheiten* als *Dummheiten der Masse*, ihre gehässigen Rankünen gegen die Entwickelung der Welt außer ihr als Rankünen der Welt außer ihr gegen die Entwickelung, endlich ihren Egoismus, der allen Geist in sich verschluckt zu haben meint, als egoistischen Widerspruch der Masse gegen den Geist darstellt.

Wir werden die „reine" Heuchelei *Rudolphs* in seinem Verhalten zum *maître d'école*, zur Gräfin *Sarah Mac Gregor* und zum Notar *Jacques Ferrand* beweisen.

Rudolph hat den *maître d'école* zu einem Einbruch in seine Wohnung überredet, um ihn in die Falle zu locken und seiner habhaft zu werden. Er hat hierbei ein rein persönliches, kein allgemein menschliches Interesse. Der maître d'école ist nämlich im Besitz des *Portefeuilles der Gräfin Mac Gregor*, und Rudolph hat ein großes Interesse, sich *dieses Portefeuilles* zu bemächtigen. Bei Gelegenheit des tête-à-tête mit dem maître d'école heißt es ausdrücklich:

„Rodolphe se trouvait dans une anxiété cruelle; s'il laissait *échapper cette occasion de s'emparer du maître d'école*, il ne la retrouverait sans doute jamais; ce brigand *emporterait les secrets* que Rodolphe avait tant d'intérêt à savoir."[3]

Rudolph bemächtigt sich also im *maître d'école* des *Portefeuilles* der Gräfin Mac Gregor; er *bemächtigt* sich des maître d'école aus persönlichem Interesse; er *blendet* ihn aus persönlicher Leidenschaft.

Als Chourineur dem Rudolph den Kampf des maître d'école mit Murph erzählt und sein Sträuben damit motiviert, daß er wußte, was ihm bevorstehe, antwortet Rudolph: „Er wußte es nicht", und er sagt dies „d'un air

[1] „Deshalb empfing die arme Madame George nicht bloß wegen ihres Unglücks und ihrer Tugend, sondern auch wegen *dieser Verwandtschaft* so viele Wohltaten von Seiner Hoheit." – [2] „besonders, abgerechnet, nicht weniger als" – [3] „Rudolph befand sich in der äußersten Verlegenheit. Wenn er *sich diese Gelegenheit entgehen ließ, sich des Schulmeisters zu bemächtigen*, so bot sich vielleicht nie wieder eine andre dar. Der Räuber ... würde dann die Geheimnisse mit sich genommen haben, an denen Rudolph so viel lag."

sombre, les traits contractés par cette expression presque féroce, dont nous avons parlé"[1]. Der Gedanke der Rache fährt ihm durch den Kopf, er antizipiert den wilden Genuß, den ihm die barbarische Bestrafung des maître d'école bereiten wird.

So ruft auch Rudolph beim Eintreten des Negerarztes David, den er zum Werkzeug seiner *Rache* bestimmt hat:

„,*Vengeance!* ... Vengeance!' s'écria Rodolphe avec une *fureur froide* et *concentrée*." [2]

Eine kalte und konzentrierte Wut arbeitete in ihm. Dann murmelt er seinen Plan dem Arzt leise ins Ohr, und als dieser zurückbebt, weiß er sogleich der *persönlichen Rache* ein „reines" theoretisches Motiv unterzuschieben. Es handle sich, sagt er, nur um die „*Anwendung einer Idee*", die ihm schon oft durch sein erhabenes Gehirn gefahren sei, und er vergißt nicht, salbungsvoll hinzuzusetzen: „Er wird noch den unbegrenzten Horizont der Reue vor sich haben." Er ahmt die spanische Inquisition nach, welche, nach der Verweisung der zum Feuer Verurteilten an die weltliche Justiz, eine heuchlerische Bitte um Barmherzigkeit für den reuigen Sünder hinzufügte.

Es versteht sich, daß der gnädige Herr, als das Verhör und die Exekution des maître d'école vor sich gehen sollen, in einem höchst komfortablen Kabinett, in einem langen, höchst schwarzen Schlafrock und in einer höchst interessanten Blässe dasitzt, und, um den Gerichtshof getreu zu kopieren, einen langen Tisch mit Überführungsstücken vor sich stehen hat. Er muß nun auch den Ausdruck der Wildheit und Rache, womit er dem Chourineur und dem Arzt den Plan der Blendung mitteilte, verlieren und in der hochkomischen, feierlichen Haltung eines Weltrichters aus eigner Erfindung, „ruhig, traurig, gefaßt" sich präsentieren.

Um gar keinen Zweifel über das „reine" Motiv der Blendung übrigzulassen, gesteht der alberne *Murph* dem Gesandten Graun:

„Die grausame Bestrafung des maître d'école bezweckte *vorzugsweise*, mich an dem *Meuchelmörder* zu *rächen*."

In einem tête-à-tête mit Murph äußert sich Rudolph dahin:

„Ma haine des méchants ... est devenue plus vivace, mon aversion pour *Sarah* augmente en raison sans doute du chagrin que me cause la mort de ma fille." [3]

---

[1] „mit finsterer Miene, die Züge verzerrt durch den harten, fast wilden Ausdruck, von dem wir bereits gesprochen haben" – [2] „,*Rache!* Rache!' rief Rudolph mit *kaltblütiger, heftiger Wut*". – [3] „Mein Haß gegen die Schlechten ... ist stärker geworden, und meine Abneigung gegen *Sarah* mehrt sich ohne Zweifel in dem Verhältnisse wie der Gram über den Tod meiner Tochter."

Rudolph unterrichtet uns von der größern Lebhaftigkeit, welche sein Haß gegen die Bösen gewonnen hat. Versteht sich, sein Haß ist ein kritischer, reiner, moralischer Haß, der Haß gegen die Bösen, *weil* sie böse sind. Er betrachtet diesen Haß daher als einen Fortschritt, den er selbst im Guten macht.

Zugleich aber verrät er, daß dieses Wachstum des moralischen Hasses nichts anders ist als eine *heuchlerische Sanktion*, womit er die Zunahme seiner *persönlichen Abneigung* gegen Sarah beschönigt. Die unbestimmte moralische Einbildung – die Zunahme des Hasses gegen die Bösen ist nur die Schale der bestimmten unmoralischen Tatsache, der Zunahme der Abneigung gegen Sarah. Diese Abneigung hat einen sehr natürlichen, sehr individuellen Grund, seinen persönlichen Kummer. Dieser Kummer ist das Maß seiner Abneigung. Sans doute![1]

Eine noch widerlichere Heuchelei zeigt sich in Rudolphs Zusammenkunft mit der sterbenden Gräfin Mac Gregor.

Nach der Enthüllung des Geheimnisses, daß Fleur de Marie die Tochter Rudolphs und der Gräfin ist, nähert sich ihr Rudolph, „l'air menaçant, impitoyable"[2]. Sie bittet ihn um Gnade. „Pas de grâce", antwortet er, „malédiction sur vous ... vous ... mon mauvais génie et celui de ma race"[3]. Also die „race" will er rächen. Er berichtet der Gräfin nun weiter, wie er, zur Buße für den Mordanfall auf seinen Vater, den Weltgang, worin er die Guten belohnt und die Bösen bestraft, sich auferlegt habe. Rudolph peinigt die Gräfin, er überläßt sich seiner *Gereiztheit*, er vollzieht aber in seinen *eigenen* Augen nur die Aufgabe, die er sich nach dem dreizehnten Januar gestellt hat, de „poursuivre le mal"[4].

Als er fortgeht, ruft Sarah:

„‚Pitié! je meurs!' ‚Mourez donc, maudite!' dit Rodolphe effrayant de fureur."[5]

In den letzten Worten „effrayant de *fureur*" sind die reinen, kritischen und moralischen Motive seiner Handlungsweise verraten. Ebendiese Wut hat ihn das Schwert gegen seinen, wie Herr Szeliga ihn nennt, *Hochseligen* Vater zücken lassen. Statt dieses Böse in sich selbst zu bekämpfen, bekämpft er es als reiner Kritiker an andern.

Schließlich hebt Rudolph selbst seine katholische Straftheorie auf. Er wollte die Todesstrafe abschaffen, die Strafe in Buße verwandeln, aber nur,

[1] Ohne Zweifel! – [2] „mit drohender, unbarmherziger Miene" – [3] „Keine Gnade ... Fluch über Sie, denn Sie waren mein und meiner Familie böser Geist." – [4] „das Böse zu verfolgen" – [5] „‚Erbarmen! Ich sterbe!' ‚So sterben Sie beladen mit meinem Fluche!' entgegnete Rudolph, der in seinem Zorn schrecklich war."

solange der Mörder fremde Leute ermordet und die Glieder der Rudolphischen Familie ungeschoren läßt. Rudolph adoptiert die Todesstrafe, sobald der Mord einen der Seinigen trifft, er bedarf einer doppelten Gesetzgebung, eine für seine eigne Person und eine für die profanen Personen.

Durch Sarah erfährt er, daß Jacques Ferrand den Tod der Fleur de Marie herbeigeführt habe. Er sagt zu sich selbst:

„Nein! es ist nicht genug! ... welche Glut der Rache! ... welcher Durst nach Blut! ... welche ruhige und reflektierte Wut! ... *Solange ich nicht wußte*, daß *eines* der Opfer dieses Ungeheuers *mein Kind* war, sagte ich mir: der Tod dieses Menschen würde unfruchtbar sein ... das Leben ohne Geld, das Leben ohne Sättigung seiner frenetischen Sinnlichkeit wird eine lange und doppelte Tortur sein ... *Aber es ist meine Tochter!* ... Ich werde diesen Menschen *töten*!"

Und er stürzt fort, um ihn zu töten, findet ihn aber in einem Zustand, der die Mordtat überflüssig macht.

Der „gute" Rudolph! Mit der Fieberglut der Rachlust, mit dem Durst nach Blut, mit der ruhigen und reflektierten Wut, mit der Heuchelei, welche jede schlechte Regung kasuistisch beschönigt, besitzt er gerade alle die Leidenschaften des *Bösen*, um derentwillen er andern die Augen aussticht. Nur Glückszufälle, Geld und Rang retten den „*Guten*" vor dem *Bagno*.

„Die *Macht der Kritik*" macht zum Ersatz für seine sonstige Nichtigkeit diesen Don Quijote zum „bon locataire", „bon voisin", „bon ami", „bon père", „bon bourgeois", „bon citoyen", „bon prince"[1], und wie diese Tonleiter, die Herr Szeliga absingt, weiter heißt. *Das* ist *mehr* als *alle Resultate*, welche „die *Menschheit* in ihrer *ganzen Geschichte*" gewonnen hat. Das reicht hin, damit *Rudolph* „die *Welt*" zweimal vor dem „*Untergehen*" *rette*!

[1] „guten Mieter", „guten Nachbarn", „guten Freund", „guten Vater", „guten Bürger", „guten Staatsbürger", „guten Fürsten"

IX. KAPITEL

Das kritische jüngste Gericht

Die kritische Kritik hat durch *Rudolph* zweimal die Welt vor dem Untergehn gerettet, aber nur, um nun *selbst* den *Weltuntergang* zu beschließen.

Und ich sah und hörete einen starken Engel, Herrn *Hirzel*, von Zürich aus mitten durch den Himmel fliegen. Und er hatte in seiner Hand ein Büchlein als wie das fünfte Heft der „Allgemeinen Literatur-Zeitung" aufgetan; und er setzte seinen rechten Fuß auf die Masse und den linken auf Charlottenburg; und er schrie mit großer Stimme, wie ein Löwe brüllt, und seine Worte erhoben sich wie eine Taube Zirb! Zirb! in die Region des Pathos und zu den donnerähnlichen Aspekten des *kritischen jüngsten Gerichts*.

„Wenn endlich sich *alles* gegen die Kritik verbündet, und – wahrlich, wahrlich, ich sage euch, dieser Zeitpunkt ist nicht mehr fern – wenn die ganze zerfallende Welt – es ward ihr gegeben, zu streiten mit den Heiligen – sich zum letzten Angriff um sie herum gruppiert, *dann* wird der Mut der Kritik und ihre Bedeutung die größte Anerkennung gefunden haben. Um den Ausgang kann es uns nicht bange sein. Das Ganze wird darauf hinauslaufen, daß wir das Konto mit den einzelnen Gruppen schließen – und wir werden sie voneinander scheiden, gleich als ein Hirte die Schafe von den Böcken scheidet, und wir werden die Schafe zu unserer Rechten stellen und die Böcke zur Linken – und ein allgemeines Armutszeugnis der feindlichen Ritterschaft – es sind Geister der Teufel, sie gehen aus auf den ganzen Kreis der Welt, sie zu versammeln in den Streit, auf jenen großen Tag Gottes, des Allmächtigen – ausstellen, und werden sich verwundern, die auf Erden wohnen." [73]

Und da der Engel schrie, redeten sieben Donner ihre Stimmen:

Dies irae, dies illa
Solvet saeclum in favilla.
Iudex ergo cum sedebit,
Quidquid latet adparebit,
Nil inultum remanebit,
Quid sum miser tunc dicturus?[1] etc.

[1] Der Tag des Zornes, jener Tag wird die Welt in Asche zerstäuben. Wenn dann der Richter zu Gericht sitzen wird, wird zum Vorschein kommen, was verborgen ist, nichts wird ungestraft bleiben, was werde ich Elender dann sagen?

Ihr werdet hören Kriege und Geschrei von Kriegen. Das muß zum ersten alles geschehen. Denn es werden falsche Christus und falsche Propheten aufstehen, Herr *Buchez* und *Roux* von Paris, Herr *Friedrich Rohmer* und *Theodor Rohmer* von Zürich, und werden sagen: Hier ist Christus! Aber alsdann wird erscheinen das Zeichen der Gebrüder *Bauer* in der Kritik, und erfüllen wird sich das Schriftwort über das *Bauernwerk*:

Quand les bœufs vont deux à deux
Le *labourage* en va mieux![1]

Historische Nachrede

Wie wir nachträglich erfahren haben, ist nicht die Welt, sondern die kritische „Literatur-Zeitung" untergegangen.

[1] Wenn die Ochsen paarweise gehen, dann geht die *Feldarbeit* besser voran!

FRIEDRICH ENGELS

Die Lage der arbeitenden Klasse in England

Nach eigner Anschauung und authentischen Quellen[74]

Die Lage
der
arbeitenden Klasse
in
England.

Nach eigner Anschauung und authentischen Quellen
von
Friedrich Engels.

Leipzig.
Druck und Verlag von Otto Wigand.
1845.

Umschlag der Erstausgabe von Engels' Schrift „Die Lage der arbeitenden Klasse in England"

An die arbeitenden Klassen Großbritanniens [75]

Arbeiter!

Euch widme ich ein Werk, in dem ich den Versuch gemacht habe, meinen deutschen Landsleuten ein treues Bild eurer Lebensbedingungen, eurer Leiden und Kämpfe, eurer Hoffnungen und Perspektiven zu zeichnen. Ich habe lange genug unter euch gelebt, um einiges von euren Lebensumständen zu wissen; ich habe ihrer Kenntnis meine ernsteste Aufmerksamkeit gewidmet; ich habe die verschiedenen offiziellen und nichtoffiziellen Dokumente studiert, soweit ich die Möglichkeit hatte, sie mir zu beschaffen – ich habe mich damit nicht begnügt, mir war es um mehr zu tun als um die nur *abstrakte* Kenntnis meines Gegenstandes, ich wollte euch in euren Behausungen sehen, euch in eurem täglichen Leben beobachten, mit euch plaudern über eure Lebensbedingungen und Schmerzen, Zeuge sein eurer Kämpfe gegen die soziale und politische Macht eurer Unterdrücker. Ich verfuhr dabei so: Ich verzichtete auf die Gesellschaft und die Bankette, den Portwein und den Champagner der Mittelklasse und widmete meine Freistunden fast ausschließlich dem Verkehr mit einfachen *Arbeitern;* ich bin froh und stolz zugleich, so gehandelt zu haben. Froh, weil ich mir auf diese Weise manche frohe Stunde verschaffte, während ich gleichzeitig euer wirkliches Leben kennenlernte – manche Stunde, die sonst vertan worden wäre in konventionellem Geschwätz und langweiliger Etikette; stolz, weil mir dies Gelegenheit gab, einer unterdrückten und verleumdeten Klasse Gerechtigkeit widerfahren zu lassen, der bei allen ihren Fehlern und unter allen Nachteilen ihrer Lage höchstens eine englische Krämerseele die Achtung versagen wird; stolz auch, weil ich auf diese Weise in die Lage versetzt wurde, das englische Volk zu bewahren vor der wachsenden Verachtung, die auf dem Festland die unvermeidliche Konsequenz der brutal-eigennützigen Politik und überhaupt des Auftretens eurer herrschenden Mittelklasse gewesen ist.

Dank meiner gleichzeitigen umfassenden Gelegenheit zur Beobachtung der Mittelklasse, eures Gegners, bin ich sehr schnell zu dem Schluß gelangt, daß ihr im Recht, völlig im Recht seid, wenn ihr von ihnen keinerlei Hilfe erwartet. Ihre Interessen sind den euren diametral entgegengesetzt, obgleich sie immer versuchen werden, das Gegenteil zu behaupten und in euch den Glauben zu wecken an ihr herzlichstes Mitgefühl mit eurem Schicksal. Ihre Taten strafen sie Lügen. Ich hoffe mehr als genügendes Beweismaterial dafür erbracht zu haben, daß die Mittelklasse – was immer sie zu sagen beliebt – in Wirklichkeit kein anderes Ziel kennt, als sich durch eure Arbeit zu bereichern, solange sie deren Produkt verkaufen kann, und euch dem Hungertod zu überlassen, sobald sie aus diesem indirekten Handel mit Menschenfleisch keinen Profit schlagen kann. Was haben sie getan, um ihre vorgeblichen guten Absichten euch gegenüber zu beweisen? Haben sie euren Leiden jemals irgendwie ernste Beachtung geschenkt? Haben sie mehr getan, als die Kosten zu bewilligen für ein halbes Dutzend Untersuchungskommissionen, deren umfangreiche Berichte verurteilt sind, ewig unter Haufen von Makulatur auf den Regalen des Home Office[1] zu schlummern? Haben sie sich je dazu aufgeschwungen, aus ihren modernen Blaubüchern auch nur ein einziges lesbares Buch zusammenzustellen, das jedem die Möglichkeit geben würde, sich ohne Mühe einiges Material über die Lebenslage der großen Mehrheit der „freigebornen Briten" zu machen? Natürlich nicht, das sind Dinge, über die sie nicht zu sprechen lieben – sie überließen es einem Ausländer, der zivilisierten Welt über die entwürdigende Lage zu berichten, in der ihr zu leben gezwungen seid.

Ein Ausländer für *sie*, ich hoffe, nicht für *euch*. Mag auch mein Englisch nicht rein sein, so werdet ihr doch hoffentlich finden, daß es *deutliches* Englisch ist. Kein Arbeiter in England – nebenbei gesagt, auch in Frankreich nicht – hat mich je als Ausländer behandelt. Mit dem größten Vergnügen sah ich euer Freisein von dem verderblichen Fluch der nationalen Beschränktheit und der nationalen Überheblichkeit, die schließlich nichts ist als *Egoismus im großen* – ich beobachtete eure Sympathie mit jedem, der seine Kräfte ehrlich dem menschlichen Fortschritt widmet, ob er ein Engländer oder nicht – eure Bewunderung für alles Edle und Gute, ob auf eurem Heimatboden erwachsen oder nicht – ich fand, daß ihr mehr seid als nur *Engländer*, Angehörige einer einzelnen, isolierten Nation; ich fand, daß ihr *Menschen* seid, Angehörige der großen und internationalen Familie der *Menschheit*, die erkannt haben, daß ihre Interessen und die der ganzen menschlichen Rasse die

[1] Ministerium des Innern

gleichen sind, und als solche, als Glieder dieser Familie der *„einen und unteilbaren"* *Menschheit*, als *menschliche Wesen* in der nachdrücklichsten Bedeutung des Wortes, als solche begrüßen ich und viele andere auf dem Festland eure Fortschritte in jeder Richtung und wünschen euch schnellen Erfolg. Vorwärts denn auf dem beschrittenen Wege. Vieles steht euch noch bevor; seid standhaft, laßt euch nicht entmutigen – euer Erfolg ist gewiß, und jeder einzelne Schritt vorwärts auf dem Wege, den ihr zu gehen habt, wird unserer gemeinsamen Sache dienen, der Sache der *Menschheit*!

Barmen (Rheinpreußen), 15. März 1845

Friedrich Engels

Vorwort

Die nachfolgenden Bogen behandeln einen Gegenstand, den ich anfangs nur als einzelnes Kapitel einer umfassenderen Arbeit über die soziale Geschichte Englands darstellen wollte, dessen Wichtigkeit mich jedoch bald nötigte, ihm eine selbständige Bearbeitung zu geben.

Die Lage der arbeitenden Klasse ist der tatsächliche Boden und Ausgangspunkt aller sozialen Bewegungen der Gegenwart, weil sie die höchste, unverhüllteste Spitze unsrer bestehenden sozialen Misere ist. Der französische und deutsche Arbeiterkommunismus sind direkt, der Fourierismus und der englische Sozialismus sowie der Kommunismus der deutschen gebildeten Bourgeoisie sind indirekt durch sie erzeugt. Einerseits, um den sozialistischen Theorien, andrerseits, um den Urteilen über ihre Berechtigung einen festen Boden zu geben, um allen Schwärmereien und Phantastereien pro et contra[1] ein Ende zu machen, ist die Erkenntnis der proletarischen Zustände deshalb eine unumgängliche Notwendigkeit. Die proletarischen Zustände existieren aber in ihrer *klassischen Form*, in ihrer Vollendung nur im britischen Reich, namentlich im eigentlichen England; und zugleich ist nur in England das nötige Material so vollständig zusammengetragen und durch offizielle Untersuchungen konstatiert, als es zu einer irgendwie erschöpfenden Darstellung des Gegenstandes nötig ist.

Ich hatte während einundzwanzig Monaten Gelegenheit, das englische Proletariat, seine Bestrebungen, seine Leiden und Freuden in der Nähe aus persönlicher Anschauung und persönlichem Verkehr kennenzulernen und zugleich meine Anschauung durch den Gebrauch der nötigen authentischen Quellen zu ergänzen. Was ich gesehen, gehört und gelesen habe, ist in vorliegender Schrift verarbeitet. Ich bin darauf vorbereitet, meinen Standpunkt nicht nur, sondern auch die gegebenen Tatsachen von vielen Seiten her

[1] für und wider

angegriffen zu sehen, besonders wenn mein Buch in die Hände von Engländern gerät; ich weiß ebensogut, daß man hier und da eine unbedeutende Unrichtigkeit, wie sie bei dem umfassenden Gegenstande und seinen weitläufigen Voraussetzungen selbst von einem Engländer nicht zu vermeiden wäre, wird um so eher nachweisen können, als selbst in England noch kein einziges Werk existiert, das wie das meinige *alle* Arbeiter behandelt; aber ich stehe keinen Augenblick an, die englische Bourgeoisie herauszufordern: mir auch nur bei einer einzigen Tatsache, die irgendwie von Bedeutung für den Standpunkt des Ganzen ist, eine Unrichtigkeit nachzuweisen – nachzuweisen mit ebenso authentischen Belegen, wie ich sie angeführt habe.

Für Deutschland insbesondere hat die Darstellung der klassischen Proletariatszustände des britischen Reichs – und namentlich im gegenwärtigen Augenblick – große Bedeutung. Der deutsche Sozialismus und Kommunismus ist mehr als jeder andre von theoretischen Voraussetzungen ausgegangen; wir deutschen Theoretiker kannten von der wirklichen Welt noch viel zu wenig, als daß uns die wirklichen Verhältnisse unmittelbar zu Reformen dieser „schlechten Wirklichkeit" hätten treiben sollen. Von den öffentlichen Vertretern solcher Reformen ist wenigstens fast kein einziger anders als durch die Feuerbachsche Auflösung der Hegelschen Spekulation zum Kommunismus gekommen. Die wirklichen Lebensumstände des Proletariats sind so wenig gekannt unter uns, daß selbst die wohlmeinenden „Vereine zur Hebung der arbeitenden Klassen", in denen jetzt unsre Bourgeoisie die soziale Frage mißhandelt, fortwährend von den lächerlichsten und abgeschmacktesten Meinungen über die Lage der Arbeiter ausgehen. Uns Deutschen vor allen tut eine Kenntnis der Tatsachen in dieser Frage not. Und wenn auch die proletarischen Zustände Deutschlands nicht zu der Klassizität ausgebildet sind wie die englischen, so haben wir doch im Grunde dieselbe soziale Ordnung, die über kurz oder lang auf dieselbe Spitze getrieben werden muß, welche sie jenseits der Nordsee bereits erlangt hat – falls nicht beizeiten die Einsicht der Nation Maßregeln zustande bringt, die dem ganzen sozialen System eine neue Basis geben. Dieselben Grundursachen, welche in England das Elend und die Unterdrückung des Proletariats bewirkt haben, sind in Deutschland ebenfalls vorhanden und müssen auf die Dauer dieselben Resultate erzeugen. Einstweilen wird aber das konstatierte *englische* Elend uns einen Anlaß bieten, auch unser *deutsches* Elend zu konstatieren, und einen Maßstab, woran wir seine Ausdehnung und die Größe der – in den schlesischen und böhmischen Unruhen[76] zutage gekommenen – Gefahr messen können, welche von dieser Seite der unmittelbaren Ruhe Deutschlands droht.

Schließlich habe ich noch zwei Bemerkungen zu machen. Erstens, daß ich das Wort *Mittelklasse* fortwährend im Sinne des englischen middle-class (oder wie fast immer gesagt wird: middle-classes) gebraucht habe, wo es gleich dem französischen bourgeoisie die besitzende Klasse, speziell die von der sogenannten Aristokratie unterschiedene besitzende Klasse bedeutet – die Klasse, welche in Frankreich und England direkt und in Deutschland als „öffentliche Meinung" indirekt im Besitze der Staatsmacht ist. So habe ich auch die Ausdrücke: Arbeiter (working men) und Proletarier, Arbeiterklasse, besitzlose Klasse und Proletariat fortwährend als gleichbedeutend gebraucht. – Zweitens, daß ich bei den meisten Zitaten die Partei meiner Gewährsleute aus dem Grunde angeführt habe, weil fast durchgängig die Liberalen das Elend der Ackerbaudistrikte hervorzuheben, das der Fabrikdistrikte aber wegzuleugnen suchen, während umgekehrt die Konservativen die Not der Fabrikdistrikte anerkennen, aber von der der Ackerbaugegenden nichts wissen wollen. Aus dieser Ursache habe ich auch, wo mir offizielle Dokumente abgingen, in der Schilderung der Industriearbeiter immer einen *liberalen* Beleg vorgezogen, um die liberale Bourgeoisie aus ihrem eignen Munde zu schlagen, und überhaupt mich nur dann auf Tories oder Chartisten berufen, wenn ich entweder die Richtigkeit der Sache aus eigner Anschauung kannte oder von der Wahrheit der Aussage durch den persönlichen oder literarischen Charakter meiner Autoritäten überzeugt sein konnte.

Barmen, den 15. März 1845

F. Engels

TO THE WORKING CLASSES

OF

GREAT-BRITAIN.

Working Men!

To you I dedicate a work, in which I have tried to lay before my German Countrymen a faithful picture of your condition, of your sufferings and struggles, of your hopes and prospects. I have lived long enough amidst you to know something about your circumstances; I have devoted to their knowledge my most serious attention, I have studied the various official and non-official documents as far as I was able to get hold of them — I have not been satisfied with this, I wanted more than a mere *abstract* knowledge of my subject, I wanted to see you in your own homes, to observe you in your every-day life, to chat with you on your condition and grievances, to witness your struggles against the social and political power of your oppressors. I have done so: I forsook the company and the dinner-parties, the port-wine and champaign of the middle-classes, and devoted my leisure-hours almost exclusively to the intercourse with plain Working Men; I am both glad and proud of having done so. Glad, because thus I was induced to spend many a happy hour in obtaining a knowledge of the realities of life — many an hour,

Erste Seite der Widmung Engels'
„An die arbeitenden Klassen Großbritanniens"

Einleitung

Die Geschichte der arbeitenden Klasse in England beginnt mit der letzten Hälfte des vorigen Jahrhunderts, mit der Erfindung der Dampfmaschine und der Maschinen zur Verarbeitung der Baumwolle. Diese Erfindungen gaben bekanntlich den Anstoß zu einer industriellen Revolution, einer Revolution, die zugleich die ganze bürgerliche Gesellschaft umwandelte und deren weltgeschichtliche Bedeutung erst jetzt anfängt erkannt zu werden. England ist der klassische Boden dieser Umwälzung, die um so gewaltiger war, je geräuschloser sie vor sich ging, und England ist darum auch das klassische Land für die Entwicklung ihres hauptsächlichsten Resultates, des Proletariats. Das Proletariat kann nur in England in allen seinen Verhältnissen und nach allen Seiten hin studiert werden.

Wir haben es hier einstweilen nicht mit der Geschichte dieser Revolution, nicht mit ihrer ungeheuren Bedeutung für die Gegenwart und Zukunft zu tun. Diese Darstellung muß einer künftigen, umfassenderen Arbeit vorbehalten bleiben. Für den Augenblick müssen wir uns auf das wenige beschränken, das zum Verständnis der nachfolgenden Tatsachen, zum Verständnis der gegenwärtigen Lage der englischen Proletarier notwendig ist.

Vor der Einführung der Maschinen geschah die Verspinnung und Verwebung der Rohstoffe im Hause des Arbeiters. Frau und Töchter spannen das Garn, das der Mann verwebte oder das sie verkauften, wenn der Familienvater nicht selbst es verarbeitete. Diese Weberfamilien lebten meist auf dem Lande, in der Nähe der Städte, und konnten mit ihrem Lohn ganz gut auskommen, da der heimische Markt noch für die Nachfrage nach Stoffen entscheidend, ja fast der einzige Markt war und die mit der Eroberung fremder Märkte, mit der Ausdehnung des Handels später hereinbrechende Übermacht der Konkurrenz noch nicht fühlbar auf den Arbeitslohn drückte. Dazu kam eine dauernde Steigerung der Nachfrage im heimischen Markt, die mit der langsamen Vermehrung der Bevölkerung Schritt hielt und also sämtliche

Arbeiter beschäftigte, und dann die Unmöglichkeit einer heftigen Konkurrenz der Arbeiter gegeneinander, die aus der ländlichen Vereinzelung ihrer Wohnungen entstand. So kam es, daß der Weber meist imstande war, etwas zurückzulegen und sich ein kleines Grundstück zu pachten, das er in seinen Mußestunden – und deren hatte er so viele als er wollte, da er weben konnte, wann und wielange er Lust verspürte – bearbeitete. Freilich war er ein schlechter Bauer und betrieb seine Ackerwirtschaft nachlässig und ohne viel reellen Ertrag; aber er war doch wenigstens kein Proletarier, er hatte, wie die Engländer sagen, einen Pfahl in den Boden seines Vaterlandes eingeschlagen, er war ansässig und stand um eine Stufe höher in der Gesellschaft als der jetzige englische Arbeiter.

Auf diese Weise vegetierten die Arbeiter in einer ganz behaglichen Existenz und führten ein rechtschaffenes und geruhiges Leben in aller Gottseligkeit und Ehrbarkeit, ihre materielle Stellung war bei weitem besser als die ihrer Nachfolger; sie brauchten sich nicht zu überarbeiten, sie machten nicht mehr, als sie Lust hatten, und verdienten doch, was sie brauchten, sie hatten Muße für gesunde Arbeit in ihrem Garten oder Felde, eine Arbeit, die ihnen selbst schon Erholung war, und konnten außerdem noch an den Erholungen und Spielen ihrer Nachbarn teilnehmen; und alle diese Spiele, Kegel, Ballspiel usw., trugen zur Erhaltung der Gesundheit und zur Kräftigung ihres Körpers bei. Sie waren meist starke, wohlgebaute Leute, in deren Körperbildung wenig oder gar kein Unterschied von ihren bäurischen Nachbarn zu entdecken war. Ihre Kinder wuchsen in der freien Landluft auf, und wenn sie ihren Eltern bei der Arbeit helfen konnten, so kam dies doch nur dann und wann vor, und von einer acht- oder zwölfstündigen täglichen Arbeitszeit war keine Rede.

Was der moralische und intellektuelle Charakter dieser Klasse war, läßt sich erraten. Abgeschlossen von den Städten, in die sie nie hineinkamen, da das Garn und Gewebe an reisende Agenten gegen Auszahlung des Lohns abgeliefert wurde, so abgeschlossen, daß alte Leute, die ganz in der Nähe von Städten wohnten, doch nie hingingen, bis sie endlich durch die Maschinen ihres Erwerbs beraubt und gezwungen wurden, in den Städten sich nach Arbeit umzusehen, standen sie auf der moralischen und intellektuellen Stufe der Landleute, mit denen sie ohnehin noch durch ihre kleine Pachtung meistens unmittelbar verknüpft waren. Sie sahen ihren *Squire* – den bedeutendsten Grundherrn der Gegend – für ihren natürlichen Vorgesetzten an, sie frugen ihn um Rat, legten ihm ihre kleinen Zwiste zur Entscheidung vor und gaben ihm alle Ehre, die dies patriarchalische Verhältnis mit sich brachte. Sie waren „respektable" Leute und gute Familienväter, lebten moralisch, weil sie keine

Veranlassung hatten, unmoralisch zu sein, da keine Schenken und liederlichen Häuser in ihrer Nähe waren, und weil der Wirt, bei dem sie dann und wann ihren Durst löschten, auch ein respektabler Mann und meist ein großer Pächter war, der auf gutes Bier, gute Ordnung und frühen Feierabend hielt. Sie hatten ihre Kinder den Tag über im Hause bei sich und erzogen sie in Gehorsam und der Gottesfurcht; das patriarchalische Familienverhältnis blieb ungestört, solange die Kinder noch nicht selbst verheiratet waren; die jungen Leute wuchsen in idyllischer Einfalt und Vertraulichkeit mit ihren Gespielen heran, bis sie heirateten, und wenn auch geschlechtlicher Verkehr vor der Ehe fast durchgängig vorkam, geschah dies doch nur, wo die moralische Verpflichtung zur Ehe von beiden Seiten anerkannt war, und die nachfolgende Heirat brachte alles wieder ins gleiche. Kurz, die damaligen englischen Industriearbeiter lebten und dachten auf dieselbe Weise, wie man es in Deutschland noch hie und da findet, in Abgeschlossenheit und Zurückgezogenheit, ohne geistige Tätigkeit und ohne gewaltsame Schwankungen in ihrer Lebenslage. Sie konnten selten lesen und noch viel weniger schreiben, gingen regelmäßig in die Kirche, politisierten nicht, konspirierten nicht, dachten nicht, ergötzten sich an körperlichen Übungen, hörten die Bibel mit angestammter Andacht vorlesen und vertrugen sich bei ihrer anspruchslosen Demut mit den angeseheneren Klassen der Gesellschaft ganz vortrefflich. Dafür aber waren sie auch geistig tot, lebten nur für ihre kleinlichen Privatinteressen, für ihren Webstuhl und ihr Gärtchen und wußten nichts von der gewaltigen Bewegung, die draußen durch die Menschheit ging. Sie fühlten sich behaglich in ihrem stillen Pflanzenleben und wären ohne die industrielle Revolution nie herausgetreten aus dieser allerdings sehr romantisch-gemütlichen, aber doch eines Menschen unwürdigen Existenz. Sie waren eben keine Menschen, sondern bloß arbeitende Maschinen im Dienst der wenigen Aristokraten, die bis dahin die Geschichte geleitet hatten; die industrielle Revolution hat auch nur die Konsequenz hiervon durchgesetzt, indem sie die Arbeiter vollends zu bloßen Maschinen machte und ihnen den letzten Rest selbständiger Tätigkeit unter den Händen wegnahm, sie aber eben dadurch zum Denken und zur Forderung einer menschlichen Stellung antrieb. Wie in Frankreich die Politik, so war es in England die Industrie und die Bewegung der bürgerlichen Gesellschaft überhaupt, die die letzten in der Apathie gegen allgemein menschliche Interessen versunkenen Klassen in den Strudel der Geschichte hineinriß.

Die erste Erfindung, die in der bisherigen Lage der englischen Arbeiter eine durchgreifende Veränderung hervorbrachte, war die *Jenny*[6] des Webers *James Hargreaves* zu Standhill bei Blackburn in Nord-Lancashire (1764).

Diese Maschine war der rohe Anfang der späteren Mule und wurde mit der Hand in Bewegung gesetzt, hatte aber statt einer Spindel, wie das gewöhnliche Handspinnrad, deren sechzehn bis achtzehn, die von einem einzigen Arbeiter getrieben wurden. Hierdurch wurde es möglich, bedeutend mehr Garn zu liefern als bisher; während früher, wo ein Weber immer drei Spinnerinnen beschäftigt hielt, nie genug Garn dagewesen war und der Weber oft auf Garn hatte warten müssen, war jetzt mehr Garn da, als von den vorhandenen Arbeitern verwebt werden konnte. Die Nachfrage nach gewebten Zeugen, die ohnehin im Zuwachs war, stieg noch mehr durch den billigeren Preis dieser Zeuge, der aus den durch die neue Maschine erniedrigten Produktionskosten des Garns folgte; es waren mehr Weber nötig, und der Weblohn stieg. Jetzt, da der Weber mehr an seinem Stuhl verdienen konnte, ließ er seine Ackerbaubeschäftigung allmählich fallen und legte sich ganz aufs Weben. Um diese Zeit konnte eine Familie von vier Erwachsenen und zwei Kindern, die zum Spulen angehalten wurden, bei täglich zehnstündiger Arbeit vier Pfund Sterling – achtundzwanzig Taler preußisch Kurant – in der Woche verdienen, und oft noch mehr, wenn das Geschäft gut ging und die Arbeit drängte; es kam oft genug vor, daß ein einzelner Weber an seinem Stuhl wöchentlich zwei Pfund verdiente. Nach und nach verschwand so die Klasse der ackerbauenden Weber ganz und löste sich in die neuentstehende Klasse der bloßen Weber auf, die allein vom Arbeitslohn lebten, gar keinen Besitz, nicht einmal den Scheinbesitz einer Pachtung hatten und somit *Proletarier* (working men) wurden. Hierzu kam noch, daß auch das alte Verhältnis des Spinners zum Weber aufgehoben wurde. Bisher war, soweit dies anging, unter einem Dach das Garn gesponnen und verwoben worden. Jetzt, wo die Jenny ebensogut wie der Webstuhl eine kräftige Hand erforderte, fingen auch Männer an zu spinnen, und ganze Familien lebten von ihr allein, während andre wiederum das jetzt veraltete und überflügelte Spinnrad beiseite stellen und, wenn ihnen die Mittel zum Ankauf einer Jenny fehlten, allein von dem Webstuhl des Familienvaters leben mußten. Hiermit fing die in der späteren Industrie so unendlich ausgebildete Teilung der Arbeit beim Weben und Spinnen an.

Während so schon mit der ersten noch sehr unvollkommnen Maschine das *industrielle Proletariat* sich entwickelte, gab dieselbe Maschine Anlaß zur Entstehung auch des *Ackerbauproletariats*. Bisher hatte es eine große Menge kleiner Grundeigentümer gegeben, die Yeomen genannt wurden und die in derselben Stille und Gedankenlosigkeit hinvegetiert hatten wie ihre Nachbarn, die ackerbauenden Weber. Sie bebauten ihre Fleckchen Land ganz in der alten nachlässigen Weise ihrer Väter und widersetzten sich jeder Neuerung mit der Hartnäckigkeit, die solchen durch eine Reihe von Generationen stabil gebliebenen Gewohnheitsmenschen eigentümlich ist. Unter ihnen gab es auch viele kleine Pächter, aber nicht Pächter im heutigen Sinne des Worts, sondern Leute, die entweder durch vertragsmäßige Erbpacht oder kraft alter Sitte ihr Fleckchen Land von ihren Vätern und Großvätern überkommen und darauf bisher so fest gesessen hatten, als ob es ihnen eigentümlich gehöre. Jetzt wurden, da sich die Industriearbeiter vom Ackerbau zurückzogen, eine Menge Grundstücke frei, und auf ihnen nistete sich die neue Klasse der *großen Pächter* ein, die fünfzig, hundert, zweihundert und mehr Morgen zusammen in Pacht nahmen, tenants-at-will waren, d. h. Pächter, deren Pacht jedes Jahr gekündigt werden konnte, und die nun durch besseren Ackerbau und großartigere Wirtschaft den Ertrag der Grundstücke zu steigern wußten. Sie konnten ihre Produkte wohlfeiler verkaufen als der kleine Yeoman, und diesem blieb nun, da sein Grundstück ihn nicht mehr ernährte, nichts übrig, als es zu verkaufen und entweder eine Jenny oder einen Webstuhl anzuschaffen oder sich als Taglöhner, Ackerbauproletarier, bei dem großen Pächter zu verdingen. Seine angestammte Trägheit und die nachlässige Art der Bebauung seines Grundstücks, die er von seinen Vorfahren überkommen hatte und über die er sich nicht erheben konnte, ließen ihm nichts andres übrig, als er in die Notwendigkeit versetzt wurde, gegen Leute zu konkurrieren, die ihre Pacht nach vernünftigeren Prinzipien und mit allen Vorteilen betrieben, die eine große Wirtschaft und die Anlage von Kapitalien in der Verbesserung des Bodens in die Hand geben.

Die Bewegung der Industrie blieb indes hierbei nicht stehen. Einzelne Kapitalisten fingen an, Jennys in großen Gebäuden aufzustellen und durch *Wasserkraft* zu treiben, wodurch sie in den Stand gesetzt wurden, die Arbeiterzahl zu verringern und ihr Garn wohlfeiler zu verkaufen als die einzelnen Spinner, die bloß mit der Hand die Maschine bewegten. Es fielen fortwährend Verbesserungen der Jenny vor, so daß jeden Augenblick eine Maschine veraltet war und verändert oder gar beiseite geworfen werden mußte; und wenn der Kapitalist durch Anwendung der Wasserkraft selbst mit älteren Maschinen noch bestehen konnte, so war dies dem einzelnen Spinner auf die Dauer unmöglich. Und wenn schon hierin der Anfang des Fabriksystems lag, so erhielt dies durch die *Spinning-Throstle*, die *Richard Arkwright*, ein Barbier aus *Preston* in Nord-Lancashire, 1767 erfand, eine neue Ausdehnung. Diese Maschine, im Deutschen gewöhnlich Kettenstuhl genannt, ist neben der Dampfmaschine die wichtigste mechanische Erfindung des achtzehnten Jahrhunderts. Sie ist von vornherein auf eine *mechanische Triebkraft* berechnet und auf ganz neuen Prinzipien basiert. Durch die Vereinigung der Eigentümlichkeiten der Jenny und des Kettenstuhls brachte *Samuel Crompton* aus *Firwood* (Lancashire) 1785 die *Mule* zustande, und da Arkwright um dieselbe Zeit die *Kardier-* und *Vorspinnmaschinen* erfand, so war hierdurch für das Spinnen der Baumwolle das Fabriksystem zum allein herrschenden geworden. Allmählich fing man an, diese Maschinen durch einige unbedeutende Veränderungen auf das Spinnen der Wolle und später (im ersten Jahrzehnt dieses Jahrhunderts) auch des Flachses anwendbar zu machen und dadurch auch hier die Handarbeit zu verdrängen. Aber auch hierbei blieb es nicht; in den letzten Jahren des vorigen Jahrhunderts hatte Dr. *Cartwright*, ein Landpfarrer, den *mechanischen Webstuhl* erfunden und gegen 1804 so weit gebracht, daß er erfolgreich gegen die Handweber konkurrieren konnte; und alle diese Maschinen erhielten doppelte Wichtigkeit durch *James Watts Dampfmaschine*, die um 1764 erfunden und seit 1785 zur Betreibung von Spinnmaschinen angewandt worden war.

Mit diesen Erfindungen, die seitdem noch jedes Jahr verbessert wurden, war der *Sieg der Maschinenarbeit über die Handarbeit* in den Hauptzweigen der englischen Industrie entschieden, und die ganze Geschichte dieser letzteren berichtet von nun an nur, wie die Handarbeiter aus einer Position nach der andern durch die Maschinen vertrieben wurden. Die Folgen hiervon waren auf der einen Seite rasches Fallen der Preise aller Manufakturwaren, Aufblühen des Handels und der Industrie, Eroberung fast aller unbeschützten fremden Märkte, rasche Vermehrung der Kapitalien und des Nationalreichtums; auf der andern eine noch viel raschere Vermehrung des Proletariats, Zerstörung alles Besitzes, aller Sicherheit des Erwerbs für die arbeitende Klasse, Demoralisation, politische Aufregung und alle die den besitzenden Engländern so höchst widerwärtigen Tatsachen, die wir in den nachfolgenden Bogen zu betrachten haben werden. Haben wir schon oben gesehen, welche Umwälzung in den gesellschaftlichen Verhältnissen der unteren Klassen eine einzige unbeholfene Maschine wie die Jenny hervorbrachte, so wird man sich nicht mehr über das wundern, was ein vollständig ineinandergreifendes System fein ausgearbeiteter Maschinerie bewirkt hat, welches das rohe Material von uns empfängt und uns fertiggewebten Stoff zurückgibt.

Verfolgen wir indes die Entwicklung[1] der englischen Industrie* etwas genauer und fangen wir mit ihrem Hauptzweige, der *Baumwollenindustrie* an.

---

* Nach *Porters* „[The] Progress of the Nation" [Der Fortschritt der Nation], London, 1836 I vol., 1838 II vol., 1843 III vol. (aus offiziellen Angaben) und anderen meist ebenfalls offiziellen Quellen. – *(1892)* Die obige geschichtliche Skizze der industriellen Umwälzung ist in Einzelheiten ungenau; es lag aber 1843/44 kein besseres Quellenmaterial vor.[77]

---

[1] Im Original *(1845)* Verwicklung; *(1892)* Entwicklung

In den Jahren 1771 bis 1775 wurden im Durchschnitt jährlich weniger als fünf Millionen Pfund roher Baumwolle importiert; im Jahre 1841 fünfhundertachtundzwanzig Millionen, und die Einfuhr von 1844 wird mindestens sechshundert Millionen Pfund betragen. 1834 exportierte England 556 Millionen Yards gewebter Baumwollenstoffe, 76½ Millionen Pfund Baumwollengarn und für 1200000 Pfd. St. baumwollne Strumpfwaren. In demselben Jahre arbeiteten über acht Millionen Mulespindeln, 110000 mechanische und 250000 Handwebstühle, ungerechnet die Kettenstuhlspindeln, im Dienst der Baumwollenindustrie, und nach *MacCullochs* Berechnung lebten damals direkt oder indirekt beinahe anderthalb Millionen Menschen in den drei Reichen von diesem Industriezweige, von denen 220000 allein in den Fabriken arbeiteten; die Kraft, die von diesen Fabriken gebraucht wurde, war 33000 Pferde Dampfkraft und 11000 Pferde Wasserkraft. Jetzt reichen alle diese Zahlen bei weitem nicht mehr aus, und man wird ruhig annehmen können, daß im Jahre 1845 die Kraft und Zahl der Maschinen sowie die Zahl der Arbeiter um die Hälfte größer sein wird als 1834. Der Hauptsitz dieser Industrie ist *Lancashire*, von wo sie auch ausging; sie hat diese Grafschaft durch und durch revolutioniert, aus einem obskuren, schlecht bebauten Sumpf in eine belebte, arbeitsame Gegend umgeschaffen, ihre Bevölkerung in achtzig Jahren verzehnfacht und Riesenstädte wie *Liverpool* und *Manchester* mit zusammen 700000 Einwohnern und ihre Nebenstädte *Bolton* (60000 Einw.), *Rochdale* (75000 Einw.), *Oldham* (50000 Einw.), *Preston* (60000 Einw.), *Ashton* und *Stalybridge* (40000 Einw.) und eine ganze Masse andere Fabrikstädte wie mit einem Zauberschlage aus dem Boden wachsen lassen. Die Geschichte von Süd-Lancashire weiß von den größten Wundern der neueren Zeit, und doch spricht kein Mensch von ihr, und alle diese Wunder hat die Baumwollenindustrie zuwege gebracht. Außerdem bildet *Glasgow* ein zweites Zentrum für den Baumwollendistrikt Schottlands, *Lanarkshire* und *Renfrewshire*, und auch hier hat die Bevölkerung der Zentralstadt sich seit der Einführung dieser Industrie von 30000 auf 300000 vermehrt. Die *Strumpfwirkerei* von *Nottingham* und *Derby* erhielt durch die erniedrigten Garnpreise ebenfalls einen neuen Anstoß, und einen zweiten durch eine Verbesserung des Strumpfstuhls, wodurch mit einem Stuhl zwei Strümpfe zu gleicher Zeit gewebt werden konnten; die *Spitzenfabrikation* wurde seit 1777, in welchem Jahre die *Lace-Maschine* erfunden wurde, ebenfalls ein bedeutender Industriezweig; bald darauf erfand *Lindley* die *Point-net-Maschine* und 1809 *Heathcote* die *Bobbinnet-Maschine*, wodurch die Verfertigung von Spitzen unendlich vereinfacht und der Verbrauch infolge der billigen Preise ebensosehr gesteigert wurde, so daß jetzt mindestens 200000 Menschen von dieser Fabrikation sich ernähren. Sie hat ihre Hauptsitze in *Nottingham, Leicester* und dem Westen von England (*Wiltshire, Devonshire* etc.). Dieselbe Ausdehnung haben die von der Baumwollenindustrie abhängigen Arbeitszweige, das Bleichen, Färben und Drucken, erfahren. Die *Bleicherei* erhielt durch die Anwendung von *Chlor* statt des Sauerstoffs in der Schnellbleiche, die *Färberei* und *Druckerei* durch die rasche Entwicklung der Chemie und die Druckerei durch eine Reihe der glänzendsten mechanischen Erfindungen außerdem noch einen Aufschwung, der neben der durch die Zunahme der Baumwollenfabrikation bedingten Ausdehnung dieser Geschäftsbranchen sie zu einer vorher nie gekannten Blüte erhob.

In der *Verarbeitung der Wolle* entwickelte sich dieselbe Tätigkeit. Sie war bisher der Hauptzweig der englischen Industrie gewesen, aber die Masse der Produktion in jenen Jahren ist nichts gegen das, was heute fabriziert wird. 1782 lag die ganze Wollernte der vorhergehenden drei Jahre aus Mangel an Arbeitern noch unverarbeitet da und hätte liegenbleiben müssen, wenn nicht die neuerfundne Maschinerie zu Hülfe gekommen wäre und sie versponnen hätte. Die Übertragung dieser Maschinen auf die Wollspinnerei wurde mit dem besten Erfolg durchgeführt. Jetzt trat in den Wollbezirken dieselbe rasche Entwicklung ein, die wir in den Baumwolldistrikten gesehen haben. 1738 waren im *West Riding* von *Yorkshire* 75000 Stück wollne Tuche gemacht worden, 1817 wurden 490000 gemacht, und so rasch war die Ausdehnung der Wollenindustrie, daß 1834 schon 450000 Stück Tuche mehr ausgeführt wurden als 1825. 1801 wurden 101 Millionen Pfund Wolle (wovon 7 Millionen importierte) verarbeitet, 1835 180 Millionen Pfund (wovon 42 Millionen importierte). Der Hauptbezirk dieser Industrie ist das West Riding von Yorkshire, wo in *Bradford* namentlich die lange englische Wolle zu Strickgarnen etc., und in den übrigen Städten, *Leeds, Halifax, Huddersfield* etc., die kurze Wolle zu festgedrehten Garnen und zur Tuchweberei verarbeitet wird; dann der angrenzende Teil von *Lancashire*, die Gegend von *Rochdale*, wo neben der Baumwollverarbeitung viel Flanell gemacht wird, und der *Westen von England*, der die feinsten Tuche fabriziert. Der Zuwachs der Bevölkerung ist hier ebenfalls bemerkenswert:

Bradford	hatte	1801	29000	und	1831	77000	Einwohner
Halifax	„	1801	63000	„	1831	110000	„
Huddersfield	„	1801	15000	„	1831	34000	„
Leeds	„	1801	53000	„	1831	123000	„
und das ganze West Riding	„	1801	564000	„	1831	980000	„

eine Bevölkerung, die sich seit 1831 noch um mindestens 20 bis 25 Prozent vermehrt haben muß. Die Wollenspinnerei beschäftigte 1835 in den drei Reichen 1313 Fabriken mit 71300 Arbeitern – letztere sind übrigens nur ein kleiner Teil der Menge, die direkt und indirekt von der Verarbeitung der Wolle leben, und schließen fast alle Weber aus.

Der Fortschritt entwickelte sich in der *Leinenindustrie* später, weil hier die natürliche Beschaffenheit des rohen Materials die Anwendung der Spinnmaschine sehr erschwerte. Zwar wurden schon in den letzten Jahren des vorigen Jahrhunderts in Schottland derartige Versuche gemacht, indes erst 1810 gelang es dem Franzosen *Girard*, die *Flachsspinnerei* auf eine praktische Weise einzurichten, und selbst Girards Maschinen erlangten erst durch die Verbesserungen, die sie in England erfuhren, und ihre[1] allgemeine Anwendung in *Leeds*, *Dundee* und *Belfast* auf britischem Boden die Bedeutung, die ihnen gebührte. Jetzt aber dehnte sich die englische Leinenindustrie rasch aus. 1814 wurden nach Dundee 3000 Tons Flachs importiert*, 1833 an 19000 Tons Flachs und 3400 Tons Hanf. Die Ausfuhr irischer Leinen nach Großbritannien stieg von 32 Millionen Yards (1800) auf 53 Millionen (1825), von denen ein großer Teil wieder exportiert wurde; die Ausfuhr englischer und schottischer Leinengewebe stieg von 24 Millionen Yards (1820) auf 51 Millionen (1833). Die Zahl der Flachsspinnereien belief sich 1835 auf 347 mit 33000 Arbeitern; davon waren die Hälfte im südlichen Schottland, über 60 im West Riding von Yorkshire (Leeds und Umgegend), 25 in Belfast in Irland und die übrigen in Dorsetshire und Lancashire. Die Weberei wird im südlichen Schottland und hier und da in England, besonders aber in Irland betrieben.

Mit gleichem Erfolge legten sich die Engländer auf die *Verarbeitung der Seide*. Hier bekamen sie das Material aus Südeuropa und Asien fertig gesponnen, und die Hauptarbeit war das Zusammendrehen der feinen Fäden (*Tramieren*). Bis 1824 hinderte der schwere Zoll auf Rohseide (4 Shilling per Pfund) die englische Seidenindustrie sehr, und nur der Markt Englands und seiner Kolonien stand ihr durch Schutzzölle zu Gebote. Jetzt wurde der Eingangszoll auf einen Penny herabgesetzt, und sogleich vermehrte sich die Zahl der Fabriken bedeutend; in einem Jahre stieg die Anzahl der Doublierspindeln von 780000 auf 1180000, und wenn auch die Handelskrisis von 1825 diesen

* Das englische Ton ist ein Gewicht von 2240 Pfund englisch, *(1892)* fast 1000 Kilogramm.

[1] *(1892)* und durch ihre

Industriezweig für einen Augenblick lähmte, so wurde doch schon 1827 mehr fabriziert als je, da das mechanische Geschick und die Erfahrung der Engländer ihren Tramiermaschinen den Vorrang vor den unbeholfenen Einrichtungen ihrer Konkurrenten sicherte. 1835 besaß das britische Reich 263 Tramierfabriken mit 30000 Arbeitern, die meistens in *Cheshire* (*Macclesfield*, *Congleton* und Umgegend), *Manchester* und *Somersetshire* angelegt waren. Außerdem gibt es noch viele Fabriken zur Bearbeitung des Seidenabfalls von den Kokons, aus denen ein eigner Artikel (Spunsilk) gemacht wird und mit dem die Engländer selbst die Pariser und Lyoner Webereien versorgen. Das Verweben der so tramierten und gesponnenen Seide geschieht besonders in Schottland (*Paisley* usw.) und London (*Spitalfields*), dann aber auch in *Manchester* und anderswo.

Aber der riesenhafte Aufschwung, den die englische Industrie seit 1760 genommen hat, beschränkt sich nicht auf die Fabrikation der Kleidungsstoffe. Der Anstoß, der einmal gegeben war, verbreitete sich über alle Zweige der industriellen Tätigkeit, und eine Menge Erfindungen, die außer allem Zusammenhang mit den bisher erwähnten standen, erhielten durch ihre Gleichzeitigkeit mit der allgemeinen Bewegung doppelte Wichtigkeit. Zugleich aber wurde nun, nachdem die unermeßliche Bedeutung der mechanischen Kraft in der Industrie einmal praktisch erwiesen war, auch alles in Bewegung gesetzt, um diese Kraft nach allen Seiten hin auszubeuten[1] und zum Vorteile der einzelnen Erfinder und Fabrikanten auszubeuten; und überdies setzte die Frage nach Maschinerie, Brenn- und Verarbeitungsmaterial schon direkt eine Masse Arbeiter und Gewerbe in verdoppelte Tätigkeit. Die Dampfmaschine gab den weiten *Kohlenlagern* Englands erst Bedeutung; die *Maschinenfabrikation* entstand erst jetzt und mit ihr ein neues Interesse an den *Eisenbergwerken*, die das rohe Material für die Maschinen lieferten; die vermehrte Konsumtion der Wolle hob die englische Schafzucht, und die zunehmende Einfuhr von Wolle, Flachs und Seide rief eine Vergrößerung der englischen Handelsmarine hervor. Vor allem hob sich die *Eisenproduktion*. Die eisenreichen Berge Englands waren bisher wenig ausgebeutet worden; man hatte das Eisenerz stets mit Holzkohlen geschmolzen, die mit der besseren Bebauung des Bodens und der Ausrottung der Wälder immer teurer und seltner wurden; im vorigen Jahrhundert erst fing man an, geschwefelte Steinkohlen (coke) hierzu anzuwenden, und seit 1780 entdeckte man eine neue Methode, das mit Koks geschmolzene Eisen, das bisher nur als Gußeisen zu gebrauchen gewesen war, auch in brauchbares Schmiedeeisen zu verwandeln. Diese

[1] *(1892)* zu benutzen

Methode, die in der Entziehung des im Schmelzen dem Eisen sich beimischenden Kohlenstoffs besteht, nennen die Engländer puddling, und durch sie wurde der englischen Eisenproduktion ein ganz neues Feld eröffnet. Die Hochöfen wurden fünfzigmal größer gemacht als früher, man vereinfachte das Schmelzen des Erzes durch heiße Gebläse und konnte dadurch das Eisen so wohlfeil produzieren, daß eine Masse Dinge, die früher von Holz oder Stein gemacht worden waren, jetzt von Eisen angefertigt wurden. 1788 errichtete *Thomas Paine*, der bekannte Demokrat, in Yorkshire die erste eiserne Brücke, der eine Unzahl folgten, so daß jetzt fast alle Brücken, namentlich auf Eisenbahnen, von Gußeisen gemacht werden und in London sogar eine Brücke über die Themse, die Southwark-Brücke, von diesem Material konstruiert worden ist; eiserne Säulen, Gestelle der Maschinen usw., sind allgemein, und seit der Einführung der Gasbeleuchtung und Eisenbahnen sind der englischen Eisengewinnung neue Abzugsquellen eröffnet. Nägel und Schrauben wurden allmählich auch mit Maschinen gemacht; *Huntsman*, ein Sheffielder, fand 1760 eine Methode, um Stahl zu gießen, wodurch viele Arbeit überflüssig gemacht und die Anfertigung ganz neuer, wohlfeiler Waren ermöglicht wurde; und durch die größere Reinheit des ihr zu Gebote stehenden Materials sowie durch vollkommnere Instrumente, neue Maschinerie und detailliertere Teilung der Arbeit wurde erst jetzt die Metallwarenfabrikation von England bedeutend. Die Bevölkerung von *Birmingham* wuchs von 73000 (1801) auf 200000 (1844), die von *Sheffield* von 46000 (1801) auf 110000 (1844), und der Kohlenverbrauch der letzteren Stadt allein belief sich 1836 auf 515000 Tons. 1805 wurden 4300 Tons Eisenwaren und 4600 Tons Roheisen, 1834 16200 Tons Eisenwaren und 107000 Tons Roheisen exportiert, und die ganze Eisengewinnung, 1740 nur noch 17000 Tons betragend, stieg 1834 auf beinahe 700000 Tons. Die Schmelzung des Roheisens konsumiert allein jährlich über 3 Millionen Tons Kohlen, und welche Wichtigkeit überhaupt die *Kohlenbergwerke* im Laufe der letzten sechzig Jahre bekommen haben, davon kann man sich keine Vorstellung machen. Alle englischen und schottischen Kohlenlager werden jetzt ausgebeutet, und die Gruben von *Northumberland* und *Durham* allein liefern jährlich über 5 Millionen Tons zur Verschiffung und beschäftigen 40000 bis 50000 Arbeiter. Nach dem „Durham Chronicle“ [78] waren in den beiden genannten Grafschaften

1753	14	Kohlengruben
1800	40	„
1836	76	„
und 1843	130	„

im Betrieb. Dabei werden alle Gruben jetzt mit viel mehr Tätigkeit ausgebeutet als früher. Eine ähnliche vermehrte Tätigkeit wurde in den *Zinn-*, *Kupfer-* und *Bleibergwerken* angewendet, und neben der Ausdehnung der *Glasfabrikation* entstand ein neuer Industriezweig in der Anfertigung der *Töpferwaren*, die durch *Josiah Wedgwood* um 1763 Bedeutung erhielt. Dieser reduzierte die ganze Fabrikation des Steinguts auf wissenschaftliche Prinzipien, führte einen besseren Geschmack ein und gründete die *Töpfereien* (potteries) von *Nord-Staffordshire*, einen Bezirk von acht englischen Meilen im Quadrat, der, früher eine unfruchtbare Wüste, jetzt mit Fabriken und Wohnungen besät ist und über 60000 Menschen ernährt.

In diesen allgemeinen Strudel der Bewegung wurde alles hineingerissen. Der *Ackerbau* erlitt ebenfalls einen Umschwung. Und nicht nur, daß, wie wir oben sahen, das Grundeigentum in die Hände anderer Besitzer und Bebauer überging, sondern auch auf andre Weise noch wurde der Ackerbau affiziert. Die großen Pächter wandten Kapital an die Verbesserung des Bodens, rissen unnötige Scheidewände nieder, legten trocken, düngten, wandten bessere Instrumente an und führten eine systematische Abwechselung der Bebauung (cropping by rotation) ein. Auch ihnen half der Fortschritt der Wissenschaften; Sir *H. Davy* wandte die Chemie mit Erfolg auf den Ackerbau an, und die Entwicklung der Mechanik gab ihnen eine Menge Vorteile an die Hand. Dazu stieg infolge der vermehrten Bevölkerung die Nachfrage nach Ackerbauprodukten so sehr, daß von 1760 bis 1834 6840540 englische Morgen wüstes Land urbar gemacht wurden und trotzdem England aus einem kornausführenden Lande ein korneinführendes wurde.

Dieselbe Tätigkeit in der Herstellung der *Kommunikation*[1]. Von 1818 bis 1829 wurden in England und Wales 1000 englische Meilen Chausseen von der gesetzlichen Breite von 60 Fuß angelegt und fast alle alten nach *MacAdams* Prinzip erneuert. In *Schottland* legte die Behörde der öffentlichen Arbeiten seit 1803 an neunhundert Meilen Chaussee und über tausend Brücken an, wodurch in den Hochlanden das Volk mit einem Male in die Nähe der Zivilisation gebracht wurde. Die Hochländer waren bisher meist Wilddiebe und Schmuggler gewesen; jetzt wurden sie fleißige Ackerbauer und Handwerker, und obwohl gälische Schulen zur Erhaltung der Sprache errichtet worden sind, verschwindet gälisch-keltische Sitte und Sprache rasch vor dem Anrücken der englischen Zivilisation. Ebenso in *Irland*. Zwischen den Grafschaften *Cork*, *Limerick* und *Kerry* lag bisher ein wüster Landstrich ohne alle fahrbaren Wege, der wegen seiner Unzugänglichkeit der Zufluchtsort aller

[1] *(1892) Kommunikationen*

Verbrecher und der Hauptschutz der keltisch-irischen Nationalität in Süd-Irland war; man durchschnitt ihn mit Landstraßen und eröffnete dadurch der Zivilisation Zugänge auch in diese wilde Gegend. Das ganze britische Reich, namentlich aber England, das vor sechzig Jahren ebenso schlechte Wege besaß wie damals Deutschland und Frankreich, ist jetzt mit einem Netze der schönsten Chausseen überzogen, und auch diese sind, wie fast alles in England, das Werk der Privatindustrie, da der Staat wenig oder gar nichts dazu getan hat.

Vor 1755 hatte England fast gar keine *Kanäle*. 1755 wurde in Lancashire der Kanal von *Sankey Brook* nach *St. Helens* angelegt; und 1759 baute *James Brindley* den ersten bedeutenden Kanal, den des *Herzogs von Bridgewater*, der von *Manchester* und den Kohlenbergwerken der Umgegend nach der Mündung des *Mersey* geht und bei *Barton* in einem Aquädukt über den Fluß *Irwell* geführt wird. Von hier an datiert sich das englische Kanalwesen, dem erst Brindley Wichtigkeit gegeben hat. Jetzt wurden Kanäle nach allen Richtungen hin angelegt und Flüsse schiffbar gemacht. In *England* allein sind 2200 Meilen Kanal und 1800 Meilen schiffbarer Flüsse; in *Schottland* wurde der *kaledonische Kanal*, der das Land quer durchschneidet, und in *Irland* ebenfalls verschiedene Kanäle angelegt. Auch diese Anlagen sind, wie die Eisenbahnen und Chausseen, fast alle das Werk von Privatleuten und Kompagnien.

Die *Eisenbahnen* sind erst in der neuesten Zeit angelegt. Die erste größere war die von *Liverpool* nach *Manchester* (1830 eröffnet); seitdem sind alle großen Städte miteinander durch Schienenwege verbunden worden. London mit Southampton, Brighton, Dover, Colchester, Cambridge, Exeter (über Bristol) und Birmingham; Birmingham mit Gloucester, Liverpool, Lancaster (über Newton und Wigan und über Manchester und Bolton), ferner mit Leeds (über Manchester und Halifax und über Leicester, Derby und Sheffield); Leeds mit Hull und Newcastle (über York). Dazu die vielen kleineren, die im Bau begriffenen und projektierten Linien, die es bald möglich machen werden, von Edinburgh nach London in einem Tage zu reisen.

Wie der Dampf die Kommunikation zu Lande revolutioniert hatte, so gab er auch der zu Wasser ein neues Ansehen. Das erste Dampfschiff fuhr 1807 auf dem Hudson in Nordamerika; das erste im britischen Reich 1811 auf dem Clyde. Seitdem sind über sechshundert in England gebaut worden, und über fünfhundert waren 1836 in britischen Häfen in Tätigkeit.

Das ist in kurzem die Geschichte der englischen Industrie in den letzten sechzig Jahren, eine Geschichte, die ihresgleichen nicht hat in den Annalen der Menschheit. Vor sechzig, achtzig Jahren ein Land wie alle andern, mit kleinen Städten, wenig und einfacher Industrie und einer dünnen, aber verhältnismäßig großen Ackerbaubevölkerung; und jetzt ein Land wie kein anderes, mit einer Hauptstadt von drittehalb Millionen Einwohnern, mit kolossalen Fabrikstädten, mit einer Industrie, die die ganze Welt versorgt und die fast alles mit den kompliziertesten Maschinen macht, mit einer fleißigen, intelligenten, dichtgesäten Bevölkerung, von der zwei Drittel durch die Industrie[1] in Anspruch genommen werden und die aus ganz andern Klassen besteht, ja, die eine ganz andre Nation mit andern Sitten und andern Bedürfnissen bildet als damals. Die industrielle Revolution hat für England dieselbe Bedeutung wie die politische Revolution für Frankreich und die philosophische für Deutschland, und der Abstand zwischen dem England von 1760 und dem von 1844 ist mindestens ebenso groß wie der zwischen dem Frankreich des ancien régime[2] und dem der Julirevolution. Die wichtigste Frucht aber dieser industriellen Umwälzung ist das englische Proletariat.

Wir haben oben gesehen, wie das Proletariat durch die Einführung der Maschinen ins Leben gerufen wurde. Die rasche Ausdehnung der Industrie erforderte Hände; der Arbeitslohn stieg, und infolgedessen wanderten Scharen von Arbeitern aus den Ackerbaubezirken nach den Städten. Die Bevölkerung vermehrte sich reißend, und fast aller Zuwachs kam auf die Klasse der Proletarier. Dazu war in Irland erst seit dem Anfange des achtzehnten Jahrhunderts ein geordneter Zustand eingetreten; auch hier vermehrte sich die in den früheren Unruhen durch englische Barbarei mehr als dezimierte Bevölkerung schnell, besonders seitdem der Aufschwung der Industrie anfing, eine Menge Irländer nach England herüberzuziehen. So entstanden die großen Fabrik- und Handelsstädte des britischen Reichs, in denen mindestens drei Viertel der Bevölkerung der Arbeiterklasse angehören und die kleine Bourgeoisie nur aus Krämern und sehr, sehr wenigen Handwerkern besteht. Denn wie die neue Industrie erst dadurch bedeutend wurde, daß sie die Werkzeuge in Maschinen, die Werkstätten in Fabriken – und dadurch die arbeitende Mittelklasse in arbeitendes Proletariat, die bisherigen Großhändler in Fabrikanten verwandelte; wie also schon hier die kleine Mittelklasse verdrängt und die Bevölkerung auf den Gegensatz von Arbeitern und Kapitalisten reduziert wurde, so geschah dasselbe, außer dem Gebiet der Industrie im engeren Sinne, in den Handwerken und selbst im Handel. An die Stelle der ehemaligen Meister und Gesellen traten große Kapitalisten und Arbeiter, die nie Aussicht hatten, sich über ihre Klasse zu erheben; die Handwerke wurden fabrikmäßig betrieben, die Teilung der Arbeit streng durchgeführt und die kleinen Meister, die gegen

[1] In den englischen Ausgaben von 1887 und 1892: „... trade and commerce ..." [Industrie und Handel] – [2] alten Regimes (vor der Französischen Revolution 1789–1794)

die großen Etablissements nicht konkurrieren konnten, in die Klasse der Proletarier herabgedrängt. Zu gleicher Zeit aber wurde dem Arbeiter durch die Aufhebung des bisherigen Handwerksbetriebs, durch die Vernichtung der kleinen Bourgeoisie alle Möglichkeit genommen, selbst Bourgeois zu werden. Bisher hatte er immer die Aussicht gehabt, sich als ansässiger Meister irgendwo niederlassen, später vielleicht Gesellen annehmen zu können; jetzt aber, wo die Meister selbst durch die Fabrikanten verdrängt, wo zum selbständigen Betrieb einer Arbeit große Kapitalien nötig wurden, wurde das Proletariat erst eine wirkliche, feste Klasse der Bevölkerung, während es früher oft nur ein Durchgang in die Bourgeoisie war. Wer jetzt als Arbeiter geboren wurde, hatte keine andere Aussicht, als lebenslang Proletarier zu bleiben. Jetzt also erst war das Proletariat imstande, selbständige Bewegungen vorzunehmen.

Auf diese Weise wurde die ungeheure Masse von Arbeitern zusammengebracht, die jetzt das ganze britische Reich erfüllt und deren soziale Lage sich mit jedem Tage der Aufmerksamkeit der zivilisierten Welt mehr und mehr aufdrängt.

Die Lage der arbeitenden Klasse, das heißt die Lage der ungeheuren Majorität des englischen Volks, die Frage: Was soll aus diesen besitzlosen Millionen werden, die heute das verzehren, was sie gestern verdient haben, die mit ihren Erfindungen und ihrer Arbeit Englands Größe geschaffen haben, die täglich ihrer Macht sich mehr und mehr bewußt werden und täglich dringender ihren Anteil an den Vorteilen der gesellschaftlichen Einrichtungen verlangen – diese Frage ist seit der Reformbill [79] die nationale Frage geworden. Alle einigermaßen wichtigen Parlamentsdebatten lassen sich auf sie reduzieren; und wenn auch die englische Mittelklasse es sich bis jetzt nicht gestehen will, wenn sie dieser großen Frage auch auszuweichen und sich ihre besondern Interessen als die wahrhaft nationalen hinzustellen sucht, so hilft ihr das doch gar nichts. Mit jeder Parlamentssession gewinnt die arbeitende Klasse Terrain, verlieren die Interessen der Mittelklassen an Bedeutung, und obwohl die Mittelklasse die Hauptmacht, ja die einzige Macht des Parlaments ist, so war doch die letzte Session 1844 eine fortwährende Debatte über Arbeiterverhältnisse (die Armenbill, die Fabrikenbill, die Bill über das Verhältnis von Herren und Dienern) [80], und Thomas Duncombe, der Vertreter der Arbeiterklasse im Unterhause, war der große Mann der Session, während die liberale Mittelklasse mit ihrer Motion wegen Abschaffung der Korngesetze und die radikale Mittelklasse mit ihrem Antrag auf Steuerverweigerung eine jämmerliche Rolle spielten. Selbst die Debatten über Irland waren im Grunde nur Debatten über die Lage des irischen Proletariats und die Mittel ihm aufzuhelfen. Es ist aber auch hohe Zeit, daß die englische Mittelklasse den nicht bittenden, sondern drohenden und fordernden Arbeitern Konzessionen macht, denn in kurzem möchte es zu spät sein.

Aber bei alledem will die englische Mittelklasse und namentlich die fabrizierende, die aus der Not der Arbeiter sich direkt bereichert, nichts von dieser Not wissen. Sie, die sich als die mächtige, die Nation repräsentierende Klasse fühlt, schämt sich, den wunden Fleck Englands den Augen der Welt bloßzulegen; sie will es sich nicht gestehen, daß die Arbeiter elend sind, weil *sie*, die besitzende, industrielle Klasse, die moralische Verantwortlichkeit für dieses Elend tragen müßte. Daher das spöttische Gesicht, was die gebildeten Engländer – und nur diese, das heißt die Mittelklasse, kennt man auf dem Kontinent – was die gebildeten Engländer aufzusetzen pflegen, wenn man von der Lage der Arbeiter zu sprechen anfängt; daher die totale Unwissenheit über alles, was die Arbeiter angeht, bei der ganzen Mittelklasse; daher die lächerlichen Böcke, die diese Klasse in und außer dem Parlament schießt, wenn die Verhältnisse des Proletariats zur Sprache kommen; daher die lächelnde Sorglosigkeit, in der sie auf einem Boden lebt, der unter ihren Füßen ausgehöhlt ist und jeden Tag einstürzen kann, und dessen baldiger Einsturz so sicher ist wie irgendein mathematisches oder mechanisches Gesetz; daher das Wunder, daß die Engländer noch kein einziges vollständiges Buch über die Lage ihrer Arbeiter besitzen, obwohl sie nun schon seit wer weiß wie vielen Jahren daran herumuntersuchen und herumflicken. Daher aber auch der tiefe Groll der ganzen Arbeiterklasse von Glasgow bis London gegen die Reichen, von denen sie systematisch ausgebeutet und dann gefühllos ihrem Schicksal überlassen wird – ein Groll, der über nicht gar zu lange – man kann sie fast berechnen – in einer Revolution ausbrechen muß, gegen die die erste französische und das Jahr 1794 ein Kinderspiel sein wird.

Das industrielle Proletariat

Die Reihenfolge, nach der wir die verschiedenen Sektionen des Proletariats zu betrachten haben, ergibt sich von selbst aus der vorhergehenden Geschichte seiner Entstehung. Die ersten Proletarier gehörten der Industrie an und wurden direkt durch sie erzeugt; die *industriellen Arbeiter*, diejenigen, die sich mit der Verarbeitung von Rohstoffen beschäftigen, werden also zunächst unsre Aufmerksamkeit in Anspruch nehmen. Die Erzeugung des industriellen Materials, der Roh- und Brennstoffe selbst, wurde erst infolge des industriellen Umschwungs bedeutend und konnte so ein neues Proletariat hervorbringen: *die Arbeiter in den Kohlengruben und Metallbergwerken*. In dritter Instanz wirkte die Industrie auf den *Ackerbau* und in vierter auf *Irland* zurück, und demgemäß ist auch den dahin gehörenden Fraktionen des Proletariats ihre Stelle anzuweisen. Wir werden auch finden, daß, etwa mit Ausnahme der Irländer, der Bildungsgrad der verschiedenen Arbeiter genau im Verhältnis zu ihrem Zusammenhange mit der Industrie steht und daß also die industriellen Arbeiter am meisten, die bergbauenden schon weniger und die ackerbauenden noch fast gar nicht über ihre Interessen aufgeklärt sind. Wir werden selbst unter den industriellen Proletariern diese Reihenfolge wiederfinden und sehn, wie die Fabrikarbeiter, diese ältesten Kinder der industriellen Revolution, von Anfang an bis jetzt der Kern der Arbeiterbewegung gewesen sind und wie die übrigen ganz in demselben Maße sich der Bewegung anschlossen, in welchem ihr Handwerk von dem Umschwung der Industrie ergriffen wurde; wir werden so an dem Beispiel Englands, an dem gleichen Schritt, den die Arbeiterbewegung mit der industriellen Bewegung hielt, die geschichtliche Bedeutung der Industrie verstehen lernen.

Da aber in diesem Augenblick so ziemlich das ganze industrielle Proletariat von der Bewegung ergriffen ist und die Lage der einzelnen Sektionen, eben weil sie alle industriell sind, viel Gemeinsames hat, so werden wir dies vorweg durchzunehmen haben, damit wir später jede einzelne Verzweigung desto schärfer in ihrer Eigentümlichkeit betrachten können.

Schon oben wurde angedeutet, wie die Industrie den Besitz in den Händen weniger zentralisiert. Sie erfordert große Kapitalien, mit denen sie kolossale Etablissements errichtet und dadurch die kleine, handwerksmäßige Bourgeoisie ruiniert – und mit denen sie sich die Naturkräfte dienstbar macht, um den einzelnen Handarbeiter aus dem Markte zu schlagen. Die Teilung der Arbeit, die Benutzung der Wasser- und besonders der Dampfkraft und der Mechanismus der Maschinerie – das sind die drei großen Hebel, mit denen die Industrie seit der Mitte des vorigen Jahrhunderts daran arbeitet, die Welt aus ihren Fugen zu heben. Die kleine Industrie schuf die Mittelklasse, die große schuf die Arbeiterklasse und hob die wenigen Auserwählten der Mittelklasse auf den Thron, aber nur um sie einst desto sicherer zu stürzen. Einstweilen indes ist es ein nicht geleugnetes und leicht erklärbares Faktum, daß die zahlreiche kleine Mittelklasse der „guten alten Zeit" durch die Industrie zerstört und in reiche Kapitalisten auf der einen und arme Arbeiter auf der andern Seite aufgelöst ist.*

Die zentralisierende Tendenz der Industrie bleibt aber hierbei nicht stehen. Die Bevölkerung wird ebenso zentralisiert wie das Kapital; ganz natürlich, denn in der Industrie wird der Mensch, der Arbeiter, nur als ein Stück Kapital angesehen, dem der Fabrikant dafür, daß es ihm zur Benutzung sich hingibt, Zinsen, unter dem Namen Arbeitslohn, erstattet. Das industrielle große Etablissement erfordert viele Arbeiter, die zusammen in einem Gebäude arbeiten; sie müssen zusammen wohnen, sie bilden schon bei einer mäßigen Fabrik ein Dorf. Sie haben Bedürfnisse und zur Befriedigung derselben andere Leute nötig; Handwerker, Schneider, Schuster, Bäcker, Maurer und Schreiner ziehen sich hin. Die Bewohner des Dorfs, namentlich die jüngere Generation, gewöhnt sich an die Fabrikarbeit, wird mit ihr vertraut, und wenn die erste Fabrik, wie sich versteht, nicht alle beschäftigen kann, so fällt der Lohn, und die Ansiedlung neuer Fabrikanten ist die Folge davon. So wird aus dem Dorf eine kleine Stadt, aus der kleinen Stadt eine große. Je größer die Stadt, desto größer die Vorteile der Ansiedlung. Man hat Eisenbahnen, Kanäle und Landstraßen; die Auswahl zwischen den erfahrnen Arbeitern wird immer größer; man kann neue Etablissements wegen der Konkurrenz unter den Bauleuten und Maschinenfabrikanten, die man gleich bei der Hand hat, billiger anlegen als in einer entferntern Gegend, wohin Bauholz, Maschinerie, Bauleute und Fabrikarbeiter erst transportiert werden müssen; man hat einen

* Vgl. hierüber meine „Umrisse zu einer Kritik der Nationalökonomie" in den „Deutsch-Französischen Jahrbüchern"[81]. In diesem Aufsatz wird von der „freien Konkurrenz" ausgegangen; aber die Industrie ist nur die Praxis der freien Konkurrenz und diese nur das Prinzip der Industrie.

Markt, eine Börse, an der sich die Käufer drängen; man steht in direkter Verbindung mit den Märkten, die das rohe Material liefern oder die fertige Ware abnehmen. Daher die wunderbar schnelle Vermehrung der großen Fabrikstädte. Allerdings hat das platte Land dagegen wieder den Vorteil, daß dort gewöhnlich der Lohn billiger ist; das platte Land und die Fabrikstadt bleiben so in fortwährender Konkurrenz, und wenn heute der Vorteil auf Seite der Stadt ist, so sinkt morgen draußen der Lohn wieder so viel, daß neue Anlagen auf dem Lande sich vorteilhafter anbringen lassen. Aber dabei bleibt die zentralisierende Tendenz der Industrie doch in voller Kraft, und jede neue Fabrik, die auf dem Lande angelegt wird, trägt den Keim zu einer Fabrikstadt in sich. Wäre es möglich, daß dies tolle Treiben der Industrie noch einhundert Jahre so voranginge, so würde jeder der industriellen Bezirke Englands eine einzige große Fabrikstadt sein und Manchester und Liverpool bei Warrington oder Newton sich begegnen; denn auch im Handel wirkt diese Zentralisation der Bevölkerung ganz auf dieselbe Weise, und darum monopolisieren ein paar große Häfen wie Liverpool, Bristol, Hull und London fast ganz den Seehandel des britischen Reichs.

Da in diesen großen Städten die Industrie und der Handel am vollständigsten zu ihrer Entwicklung kommen, so treten also auch hier ihre Konsequenzen in bezug auf das Proletariat am deutlichsten und offensten hervor. Hier ist die Zentralisation des Besitzes auf den höchsten Punkt gekommen; hier sind die Sitten und Verhältnisse der guten alten Zeit am gründlichsten vernichtet; hier ist man weit genug gekommen, um sich bei dem Namen Old merry England[1] gar nichts mehr denken zu können, weil man das Old England selbst nicht einmal aus der Erinnerung und den Erzählungen der Großeltern mehr kennt. Daher gibt es hier auch nur eine reiche und eine arme Klasse, denn die kleine Bourgeoisie verschwindet mit jedem Tage mehr. Sie, die stabilste Klasse früher, ist jetzt die beweglichste geworden; sie besteht nur noch aus den wenigen Trümmern einer vergangenen Zeit und einer Anzahl von Leuten, die sich gern ein Vermögen machen wollen, kompletten Industrierittern und Spekulanten, von denen einer reich wird, wo neunundneunzig Bankerott machen und wo von diesen neunundneunzig mehr als die Hälfte nur vom Bankerottieren leben.

Die ungeheure Mehrzahl in diesen Städten bilden aber die Proletarier, und wie es diesen ergeht, welchen Einfluß die große Stadt auf sie ausübt, werden wir jetzt untersuchen.

---

[1] Altes glückliches England

Die großen Städte

So eine Stadt wie London, wo man stundenlang wandern kann, ohne auch nur an den Anfang des Endes zu kommen, ohne dem geringsten Zeichen zu begegnen, das auf die Nähe des platten Landes schließen ließe, ist doch ein eigen Ding. Diese kolossale Zentralisation, diese Anhäufung von dritthalb Millionen Menschen auf *einem* Punkt hat die Kraft dieser dritthalb Millionen verhundertfacht; sie hat London zur kommerziellen Hauptstadt der Welt erhoben, die riesenhaften Docks geschaffen und die Tausende von Schiffen versammelt, die stets die Themse bedecken. Ich kenne nichts Imposanteres als den Anblick, den die Themse darbietet, wenn man von der See nach London Bridge hinauffährt. Die Häusermassen, die Werfte auf beiden Seiten, besonders von Woolwich aufwärts, die zahllosen Schiffe an beiden Ufern entlang, die sich immer dichter und dichter zusammenschließen und zuletzt nur einen schmalen Weg in der Mitte des Flusses frei lassen, einen Weg, auf dem hundert Dampfschiffe aneinander vorüberschießen – das alles ist so großartig, so massenhaft, daß man gar nicht zur Besinnung kommt und daß man vor der Größe Englands staunt, noch ehe man englischen Boden betritt.*

Aber die Opfer, die alles das gekostet hat, entdeckt man erst später. Wenn man sich ein paar Tage lang auf dem Pflaster der Hauptstraßen herumgetrieben, sich mit Mühe und Not durch das Menschengewühl, die endlosen Reihen von Wagen und Karren durchgeschlagen, wenn man die „schlechten Viertel" der Weltstadt besucht hat, dann merkt man erst, daß diese Londoner das beste Teil ihrer Menschheit aufopfern mußten, um alle die Wunder der Zivilisation zu vollbringen, von denen ihre Stadt wimmelt, daß hundert

---

* *(1892)* Das war vor beinahe 50 Jahren, zur Zeit der malerischen Segelschiffe. Diese liegen – soweit noch welche nach London kommen – jetzt in den Docks, die Themse ist bedeckt von rußigen, häßlichen Dampfern.

Kräfte, die in ihnen schlummerten, untätig blieben und unterdrückt wurden, damit einige wenige sich voller entwickeln und durch die Vereinigung mit denen anderer multipliziert werden konnten. Schon das Straßengewühl hat etwas Widerliches, etwas, wogegen sich die menschliche Natur empört. Diese Hunderttausende von allen Klassen und aus allen Ständen, die sich da aneinander vorbeidrängen, sind sie nicht *alle* Menschen mit denselben Eigenschaften und Fähigkeiten und mit demselben Interesse, glücklich zu werden? und haben sie nicht *alle* ihr Glück am Ende doch durch ein und dieselben Mittel und Wege zu erstreben? Und doch rennen sie aneinander vorüber, als ob sie gar nichts gemein, gar nichts miteinander zu tun hätten, und doch ist die einzige Übereinkunft zwischen ihnen die stillschweigende, daß jeder sich auf der Seite des Trottoirs hält, die ihm rechts liegt, damit die beiden aneinander vorbeischießenden Strömungen des Gedränges sich nicht gegenseitig aufhalten; und doch fällt es keinem ein, die andern auch nur eines Blickes zu würdigen. Die brutale Gleichgültigkeit, die gefühllose Isolierung jedes einzelnen auf seine Privatinteressen tritt um so widerwärtiger und verletzender hervor, je mehr diese einzelnen auf den kleinen Raum zusammengedrängt sind; und wenn wir auch wissen, daß diese Isolierung des einzelnen, diese bornierte Selbstsucht überall das Grundprinzip unserer heutigen Gesellschaft ist, so tritt sie doch nirgends so schamlos unverhüllt, so selbstbewußt auf als gerade hier in dem Gewühl der großen Stadt. Die Auflösung der Menschheit in Monaden, deren jede ein apartes Lebensprinzip und einen aparten Zweck hat, die Welt der Atome ist hier auf ihre höchste Spitze getrieben.

Daher kommt es denn auch, daß der soziale Krieg, der Krieg Aller gegen Alle, hier offen erklärt ist. Wie Freund Stirner sehen die Leute einander nur für brauchbare Subjekte an; jeder beutet den andern aus, und es kommt dabei heraus, daß der Stärkere den Schwächeren unter die Füße tritt und daß die wenigen Starken, das heißt die Kapitalisten, *alles* an sich reißen, während den vielen Schwachen, den Armen, kaum das nackte Leben bleibt.

Und was von London gilt, das gilt auch von Manchester, Birmingham und Leeds, das gilt von allen großen Städten. Überall barbarische Gleichgültigkeit, egoistische Härte auf der einen und namenloses Elend auf der andern Seite, überall sozialer Krieg, das Haus jedes einzelnen im Belagerungszustand, überall gegenseitige Plünderung unter dem Schutz des Gesetzes, und das alles so unverschämt, so offenherzig, daß man vor den Konsequenzen unseres gesellschaftlichen Zustandes, wie sie hier unverhüllt auftreten, erschrickt und sich über nichts wundert als darüber, daß das ganze tolle Treiben überhaupt noch zusammenhält.

Da in diesem sozialen Kriege das Kapital, der direkte oder indirekte Besitz der Lebensmittel und Produktionsmittel, die Waffe ist, mit der gekämpft wird, so ist es einleuchtend, daß alle Nachteile eines solchen Zustandes auf den Armen fallen. Kein Mensch kümmert sich um ihn; hineingestoßen in den wirren Strudel, muß er sich durchschlagen, so gut er kann. Wenn er so glücklich ist, Arbeit zu bekommen, d. h. wenn die Bourgeoisie ihm die Gnade antut, sich durch ihn zu bereichern, so wartet seiner ein Lohn, der kaum hinreicht, Leib und Seele zusammenzuhalten; bekommt er keine Arbeit, so kann er stehlen, falls er die Polizei nicht fürchtet, oder verhungern, und die Polizei wird auch hierbei Sorge tragen, daß er auf eine stille, die Bourgeoisie nicht verletzende Weise verhungert. Während meiner Anwesenheit in England sind wenigstens zwanzig bis dreißig Menschen unter den empörendsten Umständen direkt Hungers gestorben, und bei der Totenschau fand sich selten eine Jury, die den Mut hatte, dies geradezu auszusprechen. Die Zeugenaussagen mochten noch so klar, noch so unzweideutig sein – die Bourgeoisie, aus der die Jury gewählt war, fand immer eine Hintertür, durch die sie dem schrecklichen Verdikt: Hungers gestorben, entgehen konnte. Die Bourgeoisie *darf* in diesen Fällen die Wahrheit aber nicht sagen, sie spräche ja ihr eigen Urteil aus. Aber auch indirekt sind viele – noch viel mehr als direkt – Hungers gestorben, indem der anhaltende Mangel zureichender Lebensmittel tödliche Krankheiten hervorrief und so seine Opfer hinwegraffte; indem er sie so schwächte, daß gewisse Umstände, die sonst ganz glücklich abgelaufen wären, notwendig schwere Krankheiten und den Tod herbeiführten. Die englischen Arbeiter nennen das sozialen Mord und klagen die ganze Gesellschaft an, daß sie fortwährend dies Verbrechen begehe. Haben sie unrecht?

Allerdings verhungern immer nur einzelne – aber welche Garantie hat der Arbeiter, daß er nicht morgen auch an die Reihe kommt? Wer sichert ihm seine Stellung? Wer leistet ihm Gewähr, daß, wenn er morgen von seinem Brotherrn aus irgendeinem Grund oder Ungrund entlassen wird, er sich mit den Seinigen so lange durchschlägt, bis er einen andern findet, der ihm „Brot gibt"? Wer verbürgt dem Arbeiter, daß der gute Wille zur Arbeit hinreichend ist, um Arbeit zu bekommen, daß Ehrlichkeit, Fleiß, Sparsamkeit, und wie die vielen von der weisen Bourgeoisie ihm empfohlenen Tugenden alle heißen, für ihn wirklich der Weg zum Glücke sind? Niemand. Er weiß, daß er heute etwas hat und daß es nicht von ihm selbst abhängt, ob er morgen auch noch etwas hat; er weiß, daß jeder Wind, jede Laune des Arbeitgebers, jede schlechte Handelskonjunktur ihn in den wilden Strudel zurückstoßen kann, aus dem er sich temporär gerettet hat und in dem es schwer, oft unmöglich ist, oben zu bleiben. Er weiß, daß, wenn er heute leben kann, es sehr ungewiß ist, ob er dies auch morgen kann.

Gehen wir indes zu einer detaillierteren Untersuchung des Zustandes über, in den der soziale Krieg die besitzlose Klasse versetzt. Sehen wir, was für Lohn denn eigentlich die Gesellschaft dem Arbeiter für seine Arbeit in Wohnung, Kleidung und Nahrung erstattet, welch eine Existenz sie denen gewährt, die das meiste zur Existenz der Gesellschaft beitragen; nehmen wir zuerst die Wohnungen vor.

Jede große Stadt hat ein oder mehrere „schlechte Viertel", in denen sich die arbeitende Klasse zusammendrängt. Oft freilich wohnt die Armut in versteckten Gäßchen dicht neben den Palästen der Reichen; aber im allgemeinen hat man ihr ein apartes Gebiet angewiesen, wo sie, aus den Augen der glücklicheren Klassen verbannt, sich mit sich selbst durchschlagen mag, so gut es geht. Diese schlechten Viertel sind in England in allen Städten ziemlich egal eingerichtet – die schlechtesten Häuser in der schlechtesten Gegend der Stadt; meist zweistöckige oder einstöckige Ziegelgebäude in langen Reihen, möglicherweise mit bewohnten Kellerräumen und fast überall unregelmäßig angelegt. Diese Häuschen von drei bis vier Zimmern und einer Küche werden Cottages genannt und sind in ganz England – einige Teile von London ausgenommen – die allgemeinen Wohnungen der arbeitenden Klasse. Die Straßen selbst sind gewöhnlich ungepflastert, höckerig, schmutzig, voll vegetabilischen und animalischen Abfalls, ohne Abzugskanäle oder Rinnsteine, dafür aber mit stehenden, stinkenden Pfützen versehen. Dazu wird die Ventilation durch die schlechte, verworrene Bauart des ganzen Stadtviertels erschwert, und da hier viele Menschen auf einem kleinen Raume leben, so kann man sich leicht vorstellen, welche Luft in diesen Arbeiterbezirken herrscht. Die Straßen dienen überdies bei schönem Wetter als Trockenplatz; es werden von Haus zu Haus Leinen quer herüber gespannt und mit nasser Wäsche behangen.

Nehmen wir einige dieser schlechten Viertel durch. Da ist zuerst *London**, und in London die berühmte „Rabenheckerei" (rookery), *St. Giles*, die jetzt endlich durch ein paar breite Straßen durchbrochen und so vernichtet

---

* Seitdem ich die nachfolgende Darstellung geschrieben, ist mir ein Artikel über die Arbeiterdistrikte in London im „Illuminated Magazine" (Oktober 1844) zu Gesicht gekommen, der mit meiner Schilderung – an vielen Stellen fast wörtlich, aber auch sonst der Sache nach überall vollständig übereinstimmt. Er ist überschrieben: „The Dwellings of the Poor, from the note-book of an M. D." (Medicinae Doctor) [Die Behausungen der Armen, aus dem Notizbuch eines Dr. med.].

werden soll. Dies St. Giles liegt mitten im bevölkertsten Teile der Stadt, umgeben von glänzenden, breiten Straßen, in denen die schöne Welt Londons sich herumtreibt – ganz in der Nähe von Oxford Street und Regent Street, von Trafalgar Square und dem Strand. Es ist eine unordentliche Masse von hohen, drei- bis vierstöckigen Häusern, mit engen, krummen und schmutzigen Straßen, auf denen wenigstens ebensoviel Leben ist wie auf den Hauptrouten durch die Stadt, nur daß man in St. Giles bloß Leute aus der arbeitenden Klasse sieht. Auf den Straßen wird Markt gehalten, Körbe mit Gemüse und Obst, natürlich alles schlecht und kaum genießbar, verengen die Passage noch mehr, und von ihnen, wie von den Fleischerläden, geht ein abscheulicher Geruch aus. Die Häuser sind bewohnt vom Keller bis hart unters Dach, schmutzig von außen und innen, und sehen aus, daß kein Mensch drin wohnen möchte. Das ist aber noch alles nichts gegen die Wohnungen in den engen Höfen und Gäßchen zwischen den Straßen, in die man durch bedeckte Gänge zwischen den Häusern hineingeht und in denen der Schmutz und die Baufälligkeit alle Vorstellung übertrifft – fast keine ganze Fensterscheibe ist zu sehen, die Mauern bröcklig, die Türpfosten und Fensterrahmen zerbrochen und lose, die Türen von alten Brettern zusammengenagelt oder gar nicht vorhanden – hier in diesem Diebsviertel sogar sind keine Türen nötig, weil nichts zu stehlen ist. Haufen von Schmutz und Asche liegen überall umher, und die vor die Tür geschütteten schmutzigen Flüssigkeiten sammeln sich in stinkenden Pfützen. Hier wohnen die Ärmsten der Armen, die am schlechtesten bezahlten Arbeiter mit Dieben, Gaunern und Opfern der Prostitution bunt durcheinander – die meisten sind Irländer oder Abkömmlinge von Irländern, und diejenigen, die selbst noch nicht in dem Strudel moralischer Verkommenheit, der sie umgibt, untergegangen sind, sinken doch täglich tiefer, verlieren täglich mehr und mehr die Kraft, den demoralisierenden Einflüssen der Not, des Schmutzes und der schlechten Umgebung zu widerstehen.

Aber St. Giles ist nicht das einzige „schlechte Viertel" Londons. In dem ungeheuren Straßenknäul gibt es Hunderte und Tausende verborgener Gassen und Gäßchen, deren Häuser zu schlecht sind für alle, die noch etwas auf menschliche Wohnung verwenden können – oft dicht neben den glänzenden Häusern der Reichen findet man solche Schlupfwinkel der bittersten Armut. So wurde vor kurzem, bei Gelegenheit einer Totenschau, eine Gegend dicht bei Portman Square, einem sehr anständigen öffentlichen Platze, als der Aufenthalt „einer Menge durch Schmutz und Armut demoralisierter Irländer" bezeichnet. So findet man in Straßen wie Long Acre usw., die zwar nicht fashionabel, aber doch anständig sind, eine Menge Kellerwohnungen, aus denen kränkliche Kindergestalten und halbverhungerte, zerlumpte Frauen ans Tageslicht steigen. In der unmittelbaren Nähe des Drury Lane Theaters – des zweiten von London – sind einige der schlechtesten Straßen der ganzen Stadt – *Charles, King* und *Parker Street*, deren Häuser ebenfalls von den Kellern an bis unters Dach von lauter armen Familien bewohnt sind. In den Pfarren[1] *St. John* und *St. Margaret* in Westminster wohnten 1840 nach dem Journal der Statistischen Gesellschaft 5366 Arbeiterfamilien in 5294 „Wohnungen" – wenn sie diesen Namen verdienen –, Männer, Weiber und Kinder, ohne Rücksicht auf Alter oder Geschlecht zusammengeworfen, zusammen 26830 Individuen, und von der obigen Familienzahl hatten drei Viertel nur ein einziges Zimmer. In der aristokratischen Pfarre *St. Georg*, Hanover Square, wohnten nach derselben Autorität 1465 Arbeiterfamilien, zusammen an 6000 Personen, in gleichen Verhältnissen – auch hier über zwei Drittel der ganzen Anzahl auf je ein Zimmer für die Familie zusammengedrängt. Und wie wird die Armut dieser Unglücklichen, bei denen selbst Diebe nichts mehr zu finden hoffen, von den besitzenden Klassen auf gesetzlichem Wege ausgebeutet! Die scheußlichen Wohnungen bei Drury Lane, deren eben erwähnt wurde, bezahlen folgende Mieten: zwei Kellerwohnungen 3 sh. (1 Taler), ein Zimmer parterre 4 sh., eine Treppe hoch $4^1/_2$ sh., zwei Treppen hoch 4 sh., Dachstuben 3 sh. wöchentlich – so daß allein die ausgehungerten Bewohner der Charles Street den Häuserbesitzern einen jährlichen Tribut von 2000 Pfd. St. (14000 Taler) und die erwähnten 5366 Familien in Westminster eine jährliche Miete von zusammen 40000 Pfd. St. (270000 Taler) bezahlen.

Der größte Arbeiterbezirk liegt indes östlich vom Tower – in *Whitechapel* und *Bethnal Green*, wo die Hauptmasse der Arbeiter Londons konzentriert ist. Hören wir, was Herr *G. Alston*, der Prediger von St. Philip's, Bethnal Green, über den Zustand seiner Pfarre sagt:

„Sie enthält 1400 Häuser, die von 2795 Familien oder ungefähr 12000 Personen bewohnt werden. Der Raum, auf dem diese große Bevölkerung wohnt, ist weniger als 400 Yards (1200 Fuß) im Quadrat, und bei solch einer Zusammendrängung ist es nichts Ungewöhnliches, daß ein Mann, seine Frau, vier bis fünf Kinder und zuweilen noch Großvater und Großmutter in einem einzigen Zimmer von zehn bis zwölf Fuß im Quadrat gefunden werden, worin sie arbeiten, essen und schlafen. Ich glaube, daß, ehe der Bischof von London die öffentliche Aufmerksamkeit auf diese so höchst arme Pfarre hinlenkte, man da am Westende der Stadt ebensowenig von ihr wußte wie von den Wilden Australiens oder der Südsee-Inseln. Und wenn wir uns einmal mit den Leiden dieser Unglücklichen durch eigne Anschauung bekannt machen, wenn wir sie

[1] *(1892)* Pfarreien

bei ihrem kargen Mahle belauschen und sie von Krankheit oder Arbeitslosigkeit gebeugt sehen, so werden wir eine solche Masse von Hülflosigkeit und Elend finden, daß eine Nation wie die unsrige über die Möglichkeit derselben sich zu schämen hat. Ich war Pfarrer bei Huddersfield während der drei Jahre, in denen die Fabriken am schlechtesten gingen; aber ich habe nie eine so gänzliche Hülflosigkeit der Armen gesehen wie seitdem in Bethnal Green. Nicht *ein* Familienvater aus zehnen in der ganzen Nachbarschaft hat andere Kleider als sein Arbeitszeug, und das ist noch so schlecht und zerlumpt wie möglich; ja viele haben außer diesen Lumpen keine andere Decke während der Nacht und als Bette nichts als einen Sack mit Stroh und Hobelspänen." [82]

Wir sehen schon aus der obigen Beschreibung, wie es in diesen Wohnungen selbst auszusehen pflegt. Zum Überfluß wollen wir den englischen Behörden, die zuweilen dahin geraten, noch in einige Proletarierwohnungen folgen.

Bei Gelegenheit einer Totenschau, die Herr Carter, Coroner für Surrey, über die Leiche der 45jährigen *Ann Galway* am 14. November 1843 abhielt, erzählen die Journale folgendes von der Wohnung der Verstorbenen: Sie hatte in Nr. 3, White Lion Court, Bermondsey Street, London, mit ihrem Mann und ihrem 19jährigen Sohne in einem kleinen Zimmer gewohnt, worin sich weder Bettstelle oder Bettzeug noch sonstige Möbel befanden. Sie lag tot neben ihrem Sohn auf einem Haufen Federn, die über ihren fast nackten Körper gestreut waren, denn es war weder Decke noch Bettuch vorhanden. Die Federn klebten so fest an ihr über den ganzen Körper, daß der Arzt die Leiche nicht untersuchen konnte, bevor sie gereinigt war, und dann fand er sie ganz abgemagert und über und über von Ungeziefer zerbissen. Ein Teil des Fußbodens im Zimmer war aufgerissen, und das Loch wurde von der Familie als Abtritt benutzt.

Montag, den 15. Januar 1844 wurden zwei Knaben vor das Polizeigericht von Worship Street, London, gebracht, weil sie aus Hunger einen halbgekochten Kuhfuß von einem Laden gestohlen und sogleich verzehrt hatten. Der Polizeirichter sah sich veranlaßt, weiter nachzuforschen, und erhielt von den Polizeidienern bald folgende Aufklärung: Die Mutter dieser Knaben war die Witwe eines alten Soldaten und späteren Polizeidieners, der es seit dem Tode ihres Mannes mit ihren neun Kindern sehr schlecht ergangen war. Sie wohnte Nr. 2, Pool's Place, Quaker Street, Spitalfields, im größten Elende. Als der Polizeidiener zu ihr kam, fand er sie mit sechs ihrer Kinder in einem kleinen Hinterstübchen buchstäblich zusammengedrängt, ohne Möbel, ausgenommen zwei alte Binsenstühle ohne Boden, einen kleinen Tisch mit zwei zerbrochenen Beinen, eine zerbrochene Tasse und eine kleine Schüssel. Auf dem Herde kaum ein Funken Feuer, und in der Ecke so viel alte Lumpen, als eine Frau in ihre Schürze nehmen konnte, die aber der ganzen Familie zum Bette dienten. Zur Decke hatten sie nichts als ihre ärmliche Kleidung. Die arme Frau erzählte ihm, daß sie voriges Jahr ihr Bett habe verkaufen müssen, um Nahrung zu erhalten; ihre Bettücher habe sie dem Viktualienhändler als Unterpfand für einige Lebensmittel dagelassen, und sie habe überhaupt alles verkaufen müssen, um nur Brot zu bekommen. Der Polizeirichter gab der Frau einen beträchtlichen Vorschuß aus der Armenbüchse.

Im Februar 1844 wurde eine Witwe von sechzig Jahren, Theresa Bishop, mit ihrer 26jährigen kranken Tochter der Wohltätigkeit des Polizeirichters von Marlborough Street empfohlen. Sie wohnte in Nr. 5, Brown Street, Grosvenor Square, in einem kleinen Hinterzimmer, nicht größer als ein Schrank, worin nicht ein einziges Stück Möbel war. In einer Ecke lagen einige Lumpen, auf denen die beiden schliefen; eine Kiste diente als Tisch und Stuhl zugleich. Die Mutter verdiente etwas durch Stubenreinigen; sie hatten, wie der Wirt sagte, seit Mai 1843 in diesem Zustande gelebt, allmählich alles verkauft oder versetzt, was sie noch hatten, und dennoch nie die Miete bezahlt. Der Polizeirichter ließ ihnen ein Pfund aus der Armenbüchse zukommen.

Es fällt mir nicht ein, zu behaupten, *alle* Londoner Arbeiter lebten in einem solchen Elend wie die obigen drei Familien; ich weiß wohl, daß zehn es besser haben, wo einer so ganz und gar von der Gesellschaft mit Füßen getreten wird – aber ich behaupte, daß Tausende von fleißigen und braven Familien, viel braver, viel ehrenwerter als sämtliche Reiche von London, in dieser eines Menschen unwürdigen Lage sich befinden und daß jeder Proletarier, jeder ohne Ausnahme, ohne seine Schuld und trotz allen seinen Anstrengungen, von gleichem Schicksal getroffen werden kann.

Aber bei alledem sind diejenigen noch glücklich, die nur noch ein Obdach irgendeiner Art haben – glücklich gegen die ganz Obdachlosen. In London stehen jeden Morgen fünfzigtausend Menschen auf, ohne zu wissen, wo sie für die nächste Nacht ihr Haupt hinlegen sollen. Die glücklichsten dieser Zahl, denen es gelingt, am Abend einen oder ein paar Pence zu erübrigen, gehen in ein sogenanntes Logierhaus (lodging-house), deren es in allen großen Städten eine Menge gibt und wo sie für ihr Geld ein Unterkommen finden. Aber welch ein Unterkommen! Das Haus ist von oben bis unten mit Betten angefüllt, vier, fünf, sechs Betten in einer Stube, soviel ihrer hineingehen. In jedes Bett werden vier, fünf, sechs Menschen gestopft, ebenfalls soviel ihrer hineingehen – Kranke und Gesunde, Alte und Junge, Männer und Weiber, Trunkene und Nüchterne, wie es gerade kommt, alles bunt durcheinander. Da gibt es denn Streit, Schlägereien und Verwundungen

– und wenn sich die Bettgenossen vertragen, so ist das noch schlimmer, es werden Diebstähle verabredet oder Dinge getrieben, deren Bestialität unsere menschlicher gewordenen Sprachen nicht in Worten wiedergeben wollen. Und diejenigen, die kein solches Nachtlager bezahlen können? Nun, die schlafen, wo sie Platz finden, in Passagen, Arkaden, in irgendeinem Winkel, wo die Polizei oder die Eigentümer sie ungestört schlafen lassen; einzelne kommen wohl unter in den Zufluchtshäusern, die hier und dort von der Privatwohltätigkeit errichtet wurden – andere schlafen in den Parks auf den Bänken, dicht unter den Fenstern der Königin Viktoria – hören wir, was die „Times“ [83] vom Oktober 1843 sagt:

„Aus unserm gestrigen Polizeibericht geht hervor, daß eine Durchschnittsanzahl von fünfzig menschlichen Wesen jede Nacht in den Parks schlafen, ohne anderen Schutz gegen das Wetter als die Bäume und einige Höhlungen in den Dämmen. Die meisten derselben sind junge Mädchen, die von Soldaten verführt, in die Hauptstadt gebracht und in die weite Welt hinausgestoßen sind, hinaus in all die Verlassenheit der Not in einer fremden Stadt, in all die wilde Unbekümmertheit frühreifen Lasters.

Das ist in Wahrheit schrecklich. Arme muß es überall geben. Der Mangel wird überallhin seinen Weg finden und sich mit seiner ganzen Scheußlichkeit im Herzen einer großen und üppigen Stadt niederlassen. In den tausend engen Gassen und Gäßchen einer volkreichen Metropole muß es immer, fürchten wir, viel Leiden geben, viel, das das Auge beleidigt – viel, das nie ans Tageslicht kommt.

Aber daß im Kreise, den sich Reichtum, Fröhlichkeit und Glanz gezogen haben, daß nahe an der königlichen Größe von St. James, hart am strahlenden Palast von Bayswater, wo das alte und das neue aristokratische Viertel sich begegnen, in einer Gegend, wo das vorsichtige Raffinement moderner Städtebaukunst sich gehütet hat, auch nur die kleinste Hütte für die Armut zu errichten, in einer Gegend, die den ausschließlichsten Genüssen des Reichtums geweiht zu sein scheint – daß *da* Not und Hunger und Krankheit und Laster mit all ihren verwandten Schrecken einherziehen, verzehrend Leib auf Leib, Seele auf Seele!

Es ist in der Tat ein monströser Zustand. Die höchsten Genüsse, welche körperliche Gesundheit, geistige Anregung, unschuldigere Sinnenfreuden gewähren können, in unmittelbarer Berührung mit dem härtesten Elend! Reichtum, von seinen glänzenden Salons herab lachend, mit brutaler Gedankenlosigkeit lachend bei den ungekannten Wunden des Mangels! Freude, unbewußt aber grausam verhöhnend den Schmerz, der dort unten stöhnt! Alle Gegensätze im Kampf, alle im Widerstreit, nur nicht das Laster, das in Versuchung führt, und das Laster, das sich versuchen läßt ... Aber alle Menschen mögen des gedenken: daß in dem glänzendsten Bezirk der reichsten Stadt auf dieser Erde, Nacht auf Nacht, Winter auf Winter, Weiber zu finden sind, Weiber – jung an Jahren, alt an Sünden und Leiden, Ausgestoßene der Gesellschaft, verfaulend in Hunger, Schmutz und Krankheit. Mögen sie des gedenken und lernen, nicht zu theoretisieren, sondern zu handeln. Gott weiß, es ist viel Raum da zum Handeln heutzutage!"

Ich sprach oben von Zufluchtshäusern für Obdachlose. Wie sehr diese überlaufen sind, mögen uns zwei Beispiele lehren. Ein neuerrichtetes „Refuge of the Houseless"[1] in Upper Ogle Street, das jede Nacht 300 Personen beherbergen kann, nahm seit seiner Eröffnung am 27. Januar bis zum 17. März 1844 2740 Personen für eine oder mehrere Nächte auf; und obwohl die Jahreszeit günstiger wurde, war die Zahl der Applikanten sowohl in diesem als in den Asylen von Whitecross Street und Wapping stark im Zunehmen begriffen, und jede Nacht mußten eine Menge Obdachloser aus Mangel an Raum zurückgewiesen werden. In einem andern, dem Zentral-Asyl von Playhouse Yard, wurden in den ersten drei Monaten des Jahres 1844 durchschnittlich jede Nacht 460 Nachtlager gegeben, im ganzen 6681 Personen beherbergt und 96141 Rationen Brot verteilt. Dennoch erklärt das leitende Komitee, daß auch diese Anstalt dem Andrange der Benötigten einigermaßen erst dann genügt habe, als auch das östliche Asyl der Aufnahme von Obdachlosen geöffnet worden sei.

Verlassen wir London, um die übrigen großen Städte der drei Reiche der Reihe nach durchzugehen. Nehmen wir zunächst *Dublin*, eine Stadt, deren Einfahrt von der See aus ebenso reizend wie die von London imposant ist; die Bai von Dublin ist die schönste des ganzen britischen Inselreichs und pflegt von den Irländern wohl gar mit der von Neapel verglichen zu werden. Die Stadt selbst hat ebenfalls große Schönheiten[2], und die aristokratischen Teile derselben sind besser und geschmackvoller angelegt als die irgendeiner andern britischen Stadt. Aber dafür gehören auch die ärmeren Bezirke von Dublin zu dem Widerlichsten und Häßlichsten, was man in der Welt sehen kann. Allerdings hat daran der irische Volkscharakter, der sich unter Umständen erst im Schmutz behaglich fühlt, seinen Anteil; aber da wir in jeder großen Stadt Englands und Schottlands auch Tausende von Irländern finden und jede arme Bevölkerung allmählich in dieselbe Unreinlichkeit versinken muß, so ist das Elend in Dublin nichts Spezifisches, nichts der irischen Stadt allein Angehöriges mehr, sondern etwas, das allen großen Städten der ganzen Welt gemeinsam ist. Die armen Distrikte von Dublin sind überaus ausgedehnt, und der Schmutz, die Unbewohnbarkeit der Häuser, die Vernachlässigung der Straßen übersteigen alle Begriffe. Von der Art, wie die Armen hier zusammengedrängt sind, kann man sich eine Vorstellung machen, wenn man hört, daß 1817 nach dem Bericht der Inspektoren des

[1] Obdachlosenasyl – [2] *(1892)* Schönheit

Arbeitshauses* in Barrack Street in 52 Häusern mit 390 Zimmern 1318 Personen und in Church Street und der Umgegend in 71 Häusern mit 393 Zimmern 1997 Menschen wohnten; daß

„in diesem und dem anstoßenden Distrikt eine Menge stinkender (foul) Gäßchen und Höfe sind, daß manche Keller ihr Licht nur durch die Türe empfangen und in mehreren derselben die Einwohner auf der nackten Erde schlafen, obwohl die Mehrzahl derselben doch wenigstens Bettstellen besitzt – daß aber z. B. Nicholson's Court in 28 kleinen, elenden Stuben 151 Menschen in der größten Not enthält, so daß in dem ganzen Hof nur zwei Bettstellen und zwei Bettdecken zu finden waren".

Die Armut ist so groß in Dublin, daß eine einzige wohltätige Anstalt, die der „Mendicity Association"[1], täglich 2500 Personen, also *ein* Prozent der ganzen Bevölkerung, aufnimmt, den Tag über ernährt und abends wieder entläßt.

Ein Gleiches erzählt uns Dr. Alison von *Edinburgh* – wieder einer Stadt, deren prächtige Lage, die ihr den Namen des modernen Athens verschafft hat, und deren glänzendes aristokratisches Viertel in der Neustadt schroff mit dem stinkenden Elend der Armen in der Altstadt kontrastiert. Alison behauptet, dieser große Stadtteil sei ebenso unflätig und scheußlich wie die schlechtesten Distrikte von Dublin, und die „Mendicity Association" würde in Edinburgh eine ebenso große Proportion Notleidender zu unterstützen haben wie in der irischen Hauptstadt; ja, er sagt, die Armen in Schottland, namentlich in Edinburgh und Glasgow, seien schlimmer daran als in irgendeiner andern Gegend des britischen Reichs, und die elendesten seien nicht Irländer, sondern Schotten. Der Prediger der alten Kirche in Edinburgh, Dr. Lee, sagte 1836 vor der Commission of Religious Instruction[2] aus:

„Er habe solches Elend wie in seiner Pfarre nirgends zuvor gesehen. Die Leute seien ohne Möbel, ohne alles; häufig wohnten zwei Ehepaare in *einem* Zimmer. An *einem* Tage sei er in sieben Häusern gewesen, in denen kein Bett – in einigen sogar kein Stroh gewesen sei; achtzigjährige Leute hätten auf dem bretternen Boden geschlafen, fast alle brächten die Nacht in ihren Kleidern zu. In einem Kellerraum habe

* Zitiert in *Dr. W. P. Alison,* F. R. S. E., fellow and late President of the Royal College of Physicians etc. etc., „Observations on the Management of the Poor in Scotland and its Effects on the Health of Great Towns" [Betrachtungen über die Behandlung der Armen in Schottland und ihre Auswirkung auf die Gesundheit in den großen Städten], Edinburgh 1840. – Der Verfasser ist religiöser Tory und Bruder des Historikers Arch[ibald] Alison.

[1] „Bettler(fürsorge)-Vereinigung" – [2] Kommission für religiöse Unterweisung

er zwei schottische Familien vom Lande gefunden; bald nach ihrer Ankunft in der Stadt seien zwei Kinder gestorben, das dritte sei zur Zeit seines Besuchs im Sterben gewesen – für jede Familie habe ein schmutziger Strohhaufen in einem Winkel gelegen, und obendrein habe der Keller, der so dunkel gewesen sei, daß man bei Tage keinen Menschen darin habe erkennen können, noch einen Esel beherbergt. Es müsse ein Herz von Demant bluten machen, solches Elend in einem Lande wie Schottland zu sehen."

Ähnliches berichtet Dr. Hennen im „Edinburgh Medical and Surgical Journal". Aus einem Parlamentsberichte* geht hervor, welche Unreinlichkeit – wie unter solchen Umständen wohl zu erwarten ist – in den Häusern der Edinburgher Armen herrscht. Auf den Bettpfosten halten Hühner ihr Nachtlager, Hunde und sogar Pferde schlafen mit den Menschen in *einem* Zimmer, und die natürliche Folge davon ist, daß ein entsetzlicher Schmutz und Gestank sowie Heere von Ungeziefer aller Art in diesen Wohnungen existieren. Die Bauart Edinburghs begünstigt diesen scheußlichen Zustand soviel wie möglich. Die Altstadt ist an beiden Abhängen eines Hügels gebaut, über dessen Rücken die Hochstraße (high street) läuft. Von dieser aus laufen nach beiden Seiten eine Menge schmaler, krummer Gäßchen, von ihren vielen Windungen wynds genannt, den Berg hinab, und diese bilden den proletarischen Stadtteil. Die Häuser der schottischen Städte sind überhaupt hoch, fünf- und sechsstöckig wie in Paris, und im Gegensatz zu England, wo soviel wie möglich jeder sein apartes Haus hat, von einer großen Anzahl verschiedener Familien bewohnt; die Zusammendrängung vieler Menschen auf einer kleinen Fläche wird hierdurch noch vergrößert.

„Diese Straßen", sagt ein englisches Journal in einem Artikel über die Gesundheitsverhältnisse der Arbeiter in Städten** – „diese Straßen sind oft so eng, daß man aus dem Fenster des einen Hauses in das des gegenüberstehenden steigen kann, und dabei sind die Häuser so hoch Stock auf Stock getürmt, daß das Licht kaum in den Hof oder die Gasse, die dazwischenliegt, hineinzudringen vermag. In diesem Teile der Stadt sind weder Kloaken noch sonstige zu den Häusern gehörende Abzüge oder Abtritte; und daher wird aller Unrat, Abfall und Exkremente von wenigstens 50000 Personen jede Nacht in die Rinnsteine geworfen, so daß trotz alles Straßenkehrens eine

---

* Report to the Home Secretary from the Poor-Law Commissioners, on an Inquiry into the Sanitary Condition of the Labouring Classes of Great Britain. With Appendices. Presented to both Houses of Parliament in July 1842 [Bericht der Armengesetz-Kommissare an den Innenminister über eine Untersuchung der sanitären Lage der arbeitenden Klassen Großbritanniens. Mit Anhängen. Beiden Häusern des Parlaments im Juli 1842 vorgelegt]. – 3 vols. in Folio. – Gesammelt und geordnet aus ärztlichen Berichten von Edwin Chadwick, Sekretär der Armengesetz-Kommission.

** „The Artizan", 1843, Oktoberheft. – Eine Monatsschrift.

Masse aufgetrockneten Kots und ein stinkender Dunst entsteht und dadurch nicht nur Auge und Geruch beleidigt, sondern auch die Gesundheit der Bewohner aufs höchste gefährdet wird. Ist es zu verwundern, daß in solchen Lokalitäten alle Rücksichten auf Gesundheit, Sitten und selbst den gewöhnlichsten Anstand gänzlich vernachlässigt werden? Im Gegenteil, alle, die den Zustand der Bewohner näher kennen, werden Zeugnis geben, welchen hohen Grad Krankheit, Elend und Demoralisation hier erreicht haben. Die Gesellschaft ist in diesen Gegenden zu einer unbeschreiblich niedrigen und elenden Stufe herabgesunken. – Die Wohnungen der ärmeren Klasse sind im allgemeinen sehr schmutzig und augenscheinlich nie auf irgendeine Weise gereinigt; sie bestehen in den meisten Fällen aus einem einzigen Zimmer, das, bei der schlechtesten Ventilation, dennoch wegen zerbrochener, schlecht passender Fenster kalt ist – zuweilen feucht und teilweise unter der Erde, immer schlecht möbliert und durchaus unwohnlich, so daß ein Strohhaufen oft einer ganzen Familie zum Bette dient, auf dem Männer und Weiber, Junge und Alte in empörender Verwirrung durcheinanderliegen. Wasser ist nur bei den öffentlichen Pumpen zu haben, und die Mühe, mit der es herbeigeholt werden muß, begünstigt natürlich alle möglichen Unflätereien."

In andern großen Hafenstädten sieht es nicht besser aus. *Liverpool* mit all seinem Handel, Glanz und Reichtum behandelt dennoch seine Arbeiter mit derselben Barbarei. Ein volles Fünftel der Bevölkerung – also über 45000 Menschen wohnen in engen, dunklen, feuchten und schlecht ventilierten Kellern, deren es 7862 in der Stadt gibt. Dazu kommen noch 2270 Höfe (courts), d. h. kleine Plätze, die nach allen vier Seiten zugebaut sind und nur einen schmalen, meist überwölbten Zugang haben, die also *gar keine* Ventilation zulassen, meist sehr schmutzig und fast ausschließlich von Proletariern bewohnt sind. Von solchen Höfen werden wir mehr zu sprechen haben, wenn wir zu Manchester kommen. In *Bristol* wurden bei einer Gelegenheit 2800 Arbeiterfamilien besucht, und von diesen hatten 46 Prozent nur ein einziges Zimmer.

Ganz dasselbe finden wir in den Fabrikstädten. In *Nottingham* sind im ganzen 11000 Häuser, von denen zwischen 7000 und 8000 mit der Rückwand aneinander gebaut sind, so daß keine durchgehende Ventilation möglich ist; dazu ist meistens nur ein gemeinsamer Abtritt für mehrere Häuser vorhanden. Bei einer vor kurzem gehaltenen Inspektion fand man viele Reihen Häuser über seichte Abzugsgräben gebaut, die mit nichts weiter als den Brettern des Fußbodens bedeckt waren. In Leicester, Derby und Sheffield sieht es nicht anders aus. Von *Birmingham* berichtet der oben zitierte Artikel des „Artizan":

„In den älteren Teilen der Stadt sind viele schlechte Gegenden, schmutzig und vernachlässigt, voll stehender Pfützen und Haufen Abfalls. Die Höfe sind in Birmingham sehr zahlreich, über zweitausend, und enthalten die größte Zahl der Arbeiterklasse. Sie sind meist eng, kotig, schlecht ventiliert und mit schlechten Abzügen, enthalten von acht bis zu zwanzig Häusern, die meist nur nach einer Seite hin zu lüften sind, weil sie die Rückwand mit einem andern Gebäude gemein haben, und im Hintergrunde des Hofs liegt ziemlich allgemein ein Aschenloch oder dergleichen, dessen Schmutz sich nicht beschreiben läßt. Es muß indes bemerkt werden, daß die neueren Höfe verständiger angelegt und anständiger gehalten sind; und selbst in den Höfen sind die Cottages viel weniger gedrängt als in Manchester und Liverpool, weshalb denn auch Birmingham während der Herrschaft epidemischer Krankheiten viel weniger Sterbefälle hatte als z. B. Wolverhampton, Dudley und Bilston, die nur einige Meilen davon liegen. Kellerwohnungen sind in Birmingham ebenfalls unbekannt, obwohl einige Kellerlokale ungeeigneterweise zu Werkstätten benutzt werden. Die Logierhäuser für Proletarier sind etwas zahlreich (über 400), hauptsächlich in Höfen im Mittelpunkte der Stadt; sie sind fast alle ekelhaft schmutzig und dumpfig, die Zufluchtsörter von Bettlern, Landstreichern" (trampers – über die nähere Bedeutung dieses Wortes später), „Dieben und Huren, die hier ohne alle Rücksicht auf Anstand oder Komfort essen, trinken, rauchen und schlafen, in einer nur diesen degradierten Menschen erträglichen Atmosphäre."

Glasgow hat in vieler Beziehung Ähnlichkeit mit Edinburgh – dieselben Wynds, dieselben hohen Häuser. Über diese Stadt bemerkt der „Artizan":

„Die arbeitende Klasse macht hier etwa 78 Prozent der ganzen Bevölkerung (an 300000) aus und wohnt in Stadtteilen, welche in Elend und Scheußlichkeit die niedrigsten Schlupfwinkel von St. Giles und Whitechapel, die Liberties von Dublin, die Wynds von Edinburgh übertreffen. Solche Gegenden gibt es in Menge im Herzen der Stadt – südlich vom Trongate, westlich vom Salzmarkt, im Calton, seitwärts von der Hochstraße usw. – endlose Labyrinthe enger Gassen oder Wynds, in welche fast bei jedem Schritt Höfe oder Sackgassen münden, die von alten, schlecht ventilierten, hochgetürmten, wasserlosen und verfallenden Häusern gebildet werden. Diese Häuser sind förmlich vollgedrängt von Einwohnern; sie enthalten drei oder vier Familien – vielleicht zwanzig Personen – auf jedem Stockwerke, und zuweilen ist jedes Stockwerk in Schlafstellen vermietet, so daß fünfzehn bis zwanzig Personen in einem einzigen Zimmer aufeinandergepackt, wir mögen nicht sagen untergebracht, sind. Diese Distrikte beherbergen die ärmsten, depraviertesten und wertlosesten Mitglieder der Bevölkerung und sind als die Quellen jener furchtbaren Fieberepidemien zu betrachten, die von hier aus Verwüstung über ganz Glasgow verbreiten."

Hören wir, wie *J. C. Symons*, Regierungskommissär bei der Untersuchung über die Lage der Handweber, diese Stadtteile beschreibt*:

---

* „Arts and Artisans at Home and Abroad" [Handwerke und Handwerker im In- und Ausland]. By *J. C. Symons*. Edinburgh 1839. – Der Verfasser, wie es scheint, selbst ein Schotte, ist ein Liberaler und folglich fanatisch gegen jede selbständige Arbeiterbewegung eingenommen. Die [. . .] zitierten Stellen finden sich p. 116 u. folg.

„Ich habe das Elend in einigen seiner schlimmsten Phasen, sowohl hier als auf dem Kontinente, gesehen, aber ehe ich die Wynds von Glasgow besuchte, glaubte ich nicht, daß in irgendeinem zivilisierten Lande soviel Verbrechen, Elend und Krankheit existieren könne. In den niedrigeren Logierhäusern schlafen zehn, zwölf, ja zuweilen zwanzig Personen von beiden Geschlechtern und jedem Alter in verschiedenen Abstufungen der Nacktheit auf dem Fußboden durcheinander. Diese Wohnstätten sind gewöhnlich (generally) so schmutzig, feucht und verfallen, daß kein Mensch sein Pferd darin unterbringen möchte."

Und an einer andern Stelle:

„Die Wynds von Glasgow enthalten eine fluktuierende Bevölkerung von fünfzehn- bis dreißigtausend Menschen. Dies Viertel besteht aus lauter engen Gassen und viereckigen Höfen, in deren Mitte jedesmal ein Misthaufen liegt. So empörend das äußere Ansehen dieser Orte war, so war ich doch noch wenig vorbereitet auf den Schmutz und das Elend drinnen. In einigen dieser Schlafstuben, die wir" (der Polizeisuperintendent Hauptmann Miller und Symons) „bei Nacht besuchten, fanden wir eine vollständige Schicht menschlicher Wesen auf dem Fußboden ausgestreckt, oft fünfzehn bis zwanzig, einige bekleidet, andre nackt, Männer und Weiber durcheinander. Ihr Bett war eine Lage modriges Stroh mit einigen Lumpen vermengt. Wenig oder keine Möbel waren da, und das einzige, was diesen Löchern etwas wohnlichen Anschein gab, war ein Feuer im Kamin. Diebstahl und Prostitution machen die Haupterwerbsquellen dieser Bevölkerung aus. Niemand schien sich die Mühe zu geben, diesen Augiasstall, dies Pandämonium, diesen Knäuel von Verbrechen, Schmutz und Pestilenz im Zentrum der zweiten Stadt des Reichs zu fegen. Eine ausgedehnte Besichtigung der niedrigsten Bezirke andrer Städte zeigte mir nie etwas, das halb so schlecht gewesen wäre, weder an Intensität moralischer und physischer Verpestung noch an verhältnismäßiger Dichtigkeit der Bevölkerung. – In diesem Viertel sind die meisten Häuser durch den Court of Guild als verfallen und unbewohnbar bezeichnet – aber gerade diese sind am meisten bewohnt, weil von ihnen nach dem Gesetz keine Miete gefordert werden kann."

Der große Industriebezirk in der Mitte der britischen Insel, der dichtbevölkerte Strich von *West-Yorkshire* und *Süd-Lancashire* gibt mit seinen vielen Fabrikstädten den übrigen großen Städten nichts nach. Der Wollenbezirk des West Riding von Yorkshire ist eine reizende Gegend, ein schönes grünes Hügelland, dessen Erhöhungen nach Westen zu immer steiler werden, bis sie in dem schroffen Kamm von Blackstone Edge – der Wasserscheide zwischen dem irischen und deutschen Meere – ihre höchste Spitze erreichen. Die Täler des Aire, an dem Leeds liegt, und des Calder, durch welches die Manchester-Leeds-Eisenbahn läuft, gehören zu den anmutigsten Englands und sind überall mit Fabriken, Dörfern und Städten besäet; die bruchsteinernen, grauen Häuser sehen so nett und reinlich aus gegen die geschwärzten Ziegelgebäude von Lancashire, daß es eine Lust ist. Aber wenn man in die Städte selbst kommt, findet man wenig Erfreuliches. *Leeds* liegt, wie der „Artizan“ (a. a. O.) es schildert und wie ich es bestätigt fand,

„an einem sanften Abhange, der in das Tal des Aire hinabläuft. Dieser Fluß durchschlängelt die Stadt auf einer Länge von ungefähr anderthalb Meilen* und ist während des Tauwetters oder heftiger Regengüsse starken Überschwemmungen ausgesetzt. Die höhergelegenen, westlichen Stadtteile sind für eine so große Stadt reinlich, aber die niedrigeren Gegenden um den Fluß und seine tributären Bäche (becks) sind schmutzig, eng und schon an und für sich hinreichend, um das Leben der Einwohner – besonders kleiner Kinder – zu verkürzen; hierzu noch gerechnet den ekelhaften Zustand der Arbeiterbezirke um Kirkgate, March Lane, Cross Street und Richmond Road, der sich hauptsächlich von ungepflasterten und abflußlosen Straßen, unregelmäßiger Bauart, den vielen Höfen und Sackgassen und der gänzlichen Abwesenheit auch der gewöhnlichsten Reinlichkeitsmittel herschreibt – das alles zusammengenommen, und wir haben Ursachen genug, um uns die übergroße Sterblichkeit in diesen unglücklichen Regionen des schmutzigsten Elends zu erklären. – Infolge der Überschwemmungen des Aire“ (der, wie hinzugefügt werden muß, gleich allen der Industrie dienstbaren Flüssen am einen Ende klar und durchsichtig in die Stadt hinein- und am andern dick, schwarz und stinkend von allem möglichen Unrat wieder herausfließt) „werden die Wohnhäuser und Keller häufig so voll Wasser, daß dies auf die Straße hinausgepumpt werden muß; und zu solchen Zeiten steigt das Wasser, selbst wo Kloaken sind, aus denselben in die Keller**, erzeugt miasmatische, stark mit Schwefelwasserstoffgas vermischte Ausdünstungen und hinterläßt einen ekelhaften, der Gesundheit höchst nachteiligen Rückstand. Während der Frühjahrsüberschwemmung von 1839 waren die Wirkungen einer solchen Verstopfung der Kloaken so nachteilig, daß nach dem Bericht des Zivilstandsregistrators in diesem Stadtteil während des Quartals auf zwei Geburten drei Todesfälle kamen, wo in demselben Quartal alle andren Stadtteile drei Geburten auf zwei Todesfälle hatten.“

Andre dicht bevölkerte Bezirke sind ohne alle Abzüge oder so schlecht damit versehen, daß sie keinen Vorteil davon haben. In einigen Häuserreihen sind die Keller selten trocken; in andern Bezirken sind mehrere Straßen mit fußtiefem, weichem Kot bedeckt. Die Einwohner haben sich vergebens bemüht, diese Straßen von Zeit zu Zeit mit Schaufeln Asche zu reparieren; aber trotzdem stehen Mistjauche und aus den Häusern weggeschüttetes, schmutziges Wasser in allen Löchern, bis Wind und Sonne es vertrocknet haben (vgl. Bericht des Stadtrats im „Statistical Journal“ vol. 2, p. 404).

---

* Überall, wo von Meilen ohne nähere Bezeichnung die Rede ist, sind englische gemeint, deren $69^1/_2$ auf den Grad des Äquators und also etwa 5 auf die deutsche Meile gehen.

** Man vergesse nicht, daß diese „Keller“ keine Rumpelkammern, sondern Wohnungen für Menschen sind.

Eine gewöhnliche Cottage in Leeds bedeckt nicht mehr Grundfläche als fünf Yards im Quadrat und besteht gewöhnlich aus einem Keller, einem Wohnzimmer und einer Schlafstube. Diese engen, Tag und Nacht von Menschen gefüllten Wohnungen sind ein anderer, der Sittlichkeit wie dem Gesundheitszustande der Einwohner gefährlicher Punkt. Und wie sehr diese Wohnungen gedrängt sind, erzählt der oben zitierte Bericht über den Gesundheitszustand der arbeitenden Klasse:

„In Leeds fanden wir Brüder und Schwestern und Kostgänger beider Geschlechter, die dasselbe Schlafzimmer mit den Eltern teilten; daraus entstehen denn Folgen, vor deren Betrachtung das menschliche Gefühl zurückschaudert."

Ebenso *Bradford*, das nur sieben Meilen von Leeds, im Mittelpunkte mehrerer zusammenstoßenden Täler an einem kleinen, pechschwarzen, stinkenden Flusse liegt. Die Stadt bietet an einem schönen Sonntage – denn an Werktagen wird sie von einer grauen Wolke Kohlenrauch verhüllt – von den umliegenden Höhen einen prächtigen Anblick dar; aber drinnen herrscht derselbe Schmutz und dieselbe Unwohnlichkeit wie in Leeds. Die älteren Stadtteile sind an steilen Abhängen eng und unregelmäßig gebaut; in den Gassen, Sackgassen und Höfen liegt Schmutz und Schutt angehäuft; die Häuser sind verfallen, unsauber und unwohnlich, und in der unmittelbaren Nähe des Flusses und der Talsohle fand ich manche, deren unteres, halb in den Bergabhang hinein vergrabenes Stockwerk ganz unbewohnbar war. Überhaupt sind die Stellen der Talsohle, an denen sich Arbeiterwohnungen zwischen die hohen Fabriken gedrängt haben, die am schlechtesten gebauten und unreinlichsten der ganzen Stadt. In den neueren Gegenden dieser wie jeder andern Fabrikstadt sind die Cottages regelmäßiger, in Reihen angelegt, teilen aber auch hier alle Übelstände, die mit der hergebrachten Art, die Arbeiter unterzubringen, verknüpft sind und von denen wir bei Gelegenheit von Manchester näher sprechen werden. Ein Gleiches gilt von den übrigen Städten des West Riding, namentlich *Barnsley*, *Halifax* und *Huddersfield*. Letzteres, bei seiner reizenden Lage und modernen Bauart bei weitem die schönste aller Fabrikstädte von Yorkshire und Lancashire, hat dennoch auch seine schlechten Bezirke; denn ein von einer Bürgerversammlung zur Besichtigung der Stadt ernanntes Komitee berichtete am 5. August 1844:

„Es sei notorisch, daß in Huddersfield ganze Straßen und viele Gassen und Höfe weder gepflastert noch mit Kloaken oder sonstigen Abzügen versehen seien; daß hier Abfall, Unrat und Schmutz jeder Art aufgehäuft liege, in Gärung und Fäulnis übergehe, und fast überall stehendes Wasser in Pfützen sich ansammle, daß infolgedessen die anschließenden Wohnungen notwendig schlecht und schmutzig seien, so daß an solchen Orten Krankheiten sich erzeugten und die Gesundheit der ganzen Stadt bedrohten." [84]

Gehen wir über, oder mit der Eisenbahn mitten durch Blackstone Edge, so kommen wir auf den klassischen Boden, auf dem die englische Industrie ihr Meisterwerk vollbracht hat und von dem alle Bewegungen der Arbeiter ausgehen, nach *Süd-Lancashire* mit seiner Zentralstadt *Manchester*. Wieder haben wir ein schönes Hügelland, das sich von der Wasserscheide westwärts nach dem irischen Meere zu sanft abdacht, mit den reizenden grünen Tälern des Ribble, Irwell und Mersey und ihrer Nebenflüsse; ein Land, das vor hundert Jahren noch zum größten Teile bloßer Sumpf und wenig bevölkert, jetzt mit Städten und Dörfern übersäet und der bevölkertste Landstrich von England ist. In Lancashire, und namentlich in Manchester, findet die Industrie des britischen Reichs, wie ihren Ausgangspunkt, so ihr Zentrum; die Börse von Manchester ist das Thermometer für alle Schwankungen des industriellen Verkehrs, die moderne Kunst der Fabrikation hat in Manchester ihre Vollendung erreicht. In der Baumwollenindustrie von Süd-Lancashire erscheint die Benutzung der Elementarkräfte, die Verdrängung der Handarbeit durch Maschinerie (besonders im mechanischen Webstuhl und der Selfaktor-Mule) und die Teilung der Arbeit auf ihrer höchsten Spitze, und wenn wir in diesen drei Elementen das Charakteristische der modernen Industrie erkannten, so müssen wir gestehen, daß auch in ihnen die Baumwollenverarbeitung allen übrigen Industriezweigen von Anfang an bis jetzt vorausgeblieben ist. Zu gleicher Zeit indes mußten hier auch die Folgen der modernen Industrie für die arbeitende Klasse sich am vollständigsten und reinsten entwickeln und das industrielle Proletariat in seiner vollsten Klassizität zur Erscheinung kommen; die Erniedrigung, in welche der Arbeiter durch die Anwendung von Dampfkraft, Maschinerie und Arbeitsteilung versetzt wird, und die Versuche des Proletariats, sich aus dieser entwürdigenden Lage zu erheben, mußten hier ebenfalls auf die höchste Spitze getrieben werden und am klarsten zum Bewußtsein kommen. Deshalb also, weil Manchester der klassische Typus der modernen Industriestadt ist, und dann auch, weil ich es so genau wie meine eigne Vaterstadt – genauer als die meisten Einwohner – kenne, werden wir uns hier etwas länger aufzuhalten haben.

Die Städte um Manchester herum weichen in Beziehung auf die Arbeitsbezirke[1] wenig von der Zentralstadt ab – nur daß in ihnen die Arbeiter womöglich einen noch größeren Teil der Bevölkerung bilden als dort. Diese Orte nämlich sind rein industriell und lassen alle kommerziellen Geschäfte

[1] *(1892)* Arbeiterbezirke

in und durch Manchester besorgen; sie hängen in jeder Beziehung von Manchester ab und sind daher nur von Arbeitern, Fabrikanten und untergeordneten Krämern bewohnt – während Manchester doch noch eine sehr bedeutende kommerzielle Bevölkerung, namentlich Kommissions- und angesehene Detailhäuser besitzt. Daher sind *Bolton, Preston, Wigan, Bury, Rochdale, Middleton, Heywood, Oldham, Ashton, Stalybridge, Stockport* usw., obwohl fast alles Städte von dreißig-, fünfzig-, siebzig- bis neunzigtausend Einwohnern, fast lauter große Arbeiterviertel, nur von Fabriken und einigen Hauptstraßen, deren Fronten von Läden gebildet werden, unterbrochen und mit einigen Chausseezugängen versehen, an denen die Gärten und Häuser der Fabrikanten wie Villen angebaut sind. Die Städte selbst sind schlecht und unregelmäßig gebaut, mit schmutzigen Höfen, Gassen und Hintergäßchen, voll Kohlenrauch, und haben ein besonders unwohnliches Aussehen von dem ursprünglich hochroten, mit der Zeit aber schwarz gerauchten Ziegel, der hier das allgemeine Baumaterial ist. Kellerwohnungen sind hier allgemein; wo es irgend angeht, werden diese unterirdischen Löcher angelegt, und ein sehr bedeutender Teil der Bevölkerung wohnt in ihnen.

Zu den schlechtesten dieser Städte gehört nächst Preston und Oldham *Bolton*, elf Meilen nordwestlich von Manchester gelegen. Es hat, soviel ich bei meiner mehrmaligen Anwesenheit bemerken konnte, nur eine und noch dazu ziemlich schmutzige Hauptstraße, Deansgate, die zugleich als Markt dient, und ist bei dem schönsten Wetter immer noch ein finsteres, unansehnliches Loch, trotzdem daß es außer den Fabriken nur ein- und zweistöckige niedrige Häuser hat. Wie überall ist der ältere Teil der Stadt besonders verfallen und unwohnlich. Ein schwarzes Wasser, von dem man zweifelt, ob es ein Bach oder eine lange Reihe stinkender Pfützen ist, fließt hindurch und trägt das Seinige dazu bei, die ohnehin nicht reine Luft vollends zu verpesten.

Da ist ferner *Stockport*, das zwar auf der Cheshire-Seite des Mersey liegt, aber doch zum industriellen Bezirk von Manchester gehört. Es liegt in einem engen Tal den Mersey entlang, so daß auf der einen Seite die Straße steil bergab und auf der andern ebenso steil wieder bergauf führt und die Eisenbahn von Manchester nach Birmingham auf einem hohen Viadukt über die Stadt und das ganze Tal hinweggeht. Stockport ist im ganzen Bezirk als eins der finstersten und räucherigsten Nester bekannt und sieht in der Tat, besonders vom Viadukt herab, äußerst unfreundlich aus. Aber noch viel unfreundlicher sehen die Cottages und Kellerwohnungen der Proletarier aus, die in langen Reihen sich durch alle Teile der Stadt von der Talsohle bis auf die Krone der Hügel hinziehen. Ich erinnere mich nicht, in irgendeiner andern Stadt dieses Bezirks verhältnismäßig so viele bewohnte Keller gesehen zu haben.

Wenige Meilen nordöstlich von Stockport liegt *Ashton-under-Lyne*, einer der neuesten Fabrikorte der Gegend. Es liegt am Abhange eines Hügels, an dessen Fuß der Kanal und der Fluß Tame sich hinziehen, und ist im allgemeinen nach dem neueren, regelmäßigeren System gebaut. Fünf oder sechs lange Parallelstraßen ziehen sich quer den Hügel entlang und werden rechtwinklig von andern, ins Tal hinabführenden Straßen durchschnitten. Die Fabriken werden durch diese Bauart alle aus der eigentlichen Stadt heraus verdrängt, auch wenn nicht die Nähe des Wassers und der Wasserstraße sie sämtlich unten ins Tal hinabgezogen hätte, wo sie dicht zusammengedrängt stehen und aus ihren Schornsteinen dicken Rauch ergießen. Dadurch bekommt Ashton ein viel freundlicheres Aussehen als die meisten andern Fabrikstädte; die Straßen sind breit und reinlicher, die Cottages sehen neu, frischrot und wohnlich aus. Aber das neue System, Cottages für die Arbeiter zu bauen, hat auch seine schlechten Seiten; jede Straße hat ihre versteckte Hintergasse, zu der ein enger Seitenweg führt und die dafür desto schmutziger ist. Und auch in Ashton – obwohl ich kein Gebäude, außer einigen am Eingang, gesehen habe, das mehr als fünfzig Jahre alt sein könnte – auch in Ashton gibt es Straßen, in denen die Cottages schlecht und alt werden, in deren Mauerecken die Ziegel nicht mehr halten wollen und sich verschieben, in denen die Wände rissig werden und den inwendig aufgeweißten Kalk abbröckeln lassen; Straßen, deren unreinliches und schwarzgeräuchertes Aussehen den übrigen Städten des Bezirks nichts nachgibt – nur daß dies in Ashton Ausnahme und nicht Regel ist.

Eine Meile weiter östlich liegt *Stalybridge*, ebenfalls am Tame. Wenn man von Ashton über den Berg kommt, hat man oben auf der Spitze rechts und links schöne, große Gärten mit villenartigen, prächtigen Häusern in der Mitte – meist im „elisabetheischen" Stil gebaut, der sich zum gotischen genauso verhält wie die protestantisch-anglikanische Religion zur apostolisch-römisch-katholischen. Einhundert Schritte weiter, und Stalybridge zeigt sich im Tal – aber ein schroffer Gegensatz gegen die prächtigen Landsitze, schroff sogar noch gegen die bescheidenen Cottages von Ashton! Stalybridge liegt in einer engen, gewundenen Talschlucht, noch viel enger als das Tal bei Stockport, deren beide Abhänge mit einem unordentlichen Gewirre von Cottages, Häusern und Fabriken besetzt sind. Wenn man hineingeht, so sind gleich die ersten Cottages eng, räucherig, alt und verfallen, und wie die ersten Häuser, so die ganze Stadt. Wenige Straßen liegen in der schmalen Talsohle; die meisten laufen kreuz und quer durcheinander, bergauf und bergab, fast in allen Häusern ist wegen dieser abschüssigen Lage das Erdgeschoß halb in die Erde vergraben, und welche Massen von Höfen, Hintergassen und abgelegenen Winkeln aus dieser konfusen Bauart entstehen, kann man von den Bergen sehen, von denen aus man die Stadt hier und da fast in der Vogelperspektive unter sich hat. Dazu den entsetzlichen Schmutz gerechnet – und man begreift den widerlichen Eindruck, den Stalybridge trotz seiner hübschen Umgebung macht.

Doch genug über diese kleineren Städte. Sie haben alle ihr Apartes, aber im ganzen leben die Arbeiter in ihnen gerade wie in Manchester; darum habe ich auch nur ihre eigentümliche Bauart besonders geschildert und bemerke nur, daß alle allgemeineren Bemerkungen über den Zustand der Arbeiterwohnungen in Manchester auch auf die umliegenden Städte ihre volle Anwendung finden. Gehen wir nun zur Zentralstadt selbst über.

Manchester liegt am Fuße des südlichen Abhangs einer Hügelkette, die sich von Oldham her zwischen die Täler des Irwell und des Medlock drängt und deren letzte Spitze *Kersall-Moor*, die Rennbahn und zugleich der Mons sacer[1] von Manchester[85], bildet. Das eigentliche Manchester liegt auf dem linken Ufer des Irwell, zwischen diesem Flusse und den beiden kleineren, Irk und Medlock, die sich hier in den Irwell ergießen. Auf dem rechten Irwellufer und eingefaßt von einer starken Biegung dieses Flusses, liegt *Salford*, weiter westlich *Pendleton*; nördlich vom Irwell liegen Higher und Lower *Broughton*, nördlich vom Irk *Cheetham Hill*; südlich vom Medlock liegt *Hulme*, weiter östlich *Chorlton-on-Medlock*, noch weiter, ziemlich im Osten von Manchester, *Ardwick*. Der ganze Häuserkomplex wird im gewöhnlichen Leben Manchester genannt und faßt eher über als unter viermalhunderttausend Menschen. Die Stadt selbst ist eigentümlich gebaut, so daß man jahrelang in ihr wohnen und täglich hinein- und herausgehen kann, ohne je in ein Arbeiterviertel oder nur mit Arbeitern in Berührung zu kommen – solange man nämlich eben nur seinen Geschäften nach- oder spazierengeht. Das kommt aber hauptsächlich daher, daß durch unbewußte, stillschweigende Übereinkunft wie durch bewußte ausgesprochene Absicht die Arbeiterbezirke von den der Mittelklasse überlassenen Stadtteilen aufs schärfste getrennt oder, wo dies nicht geht, mit dem Mantel der Liebe verhüllt werden. Manchester enthält in seinem Zentrum einen ziemlich ausgedehnten kommerziellen Bezirk, etwa eine halbe Meile lang und ebenso breit, der fast nur aus Kontoren und Warenlagern (warehouses) besteht. Fast der ganze Bezirk ist unbewohnt und während der Nacht einsam und öde – nur wacht-

[1] heilige Berg

Plan von Manchester und seinen Vorstädten.
Cheetham Hill
Irk Fl.
Leeds E.B.
Alte Leeds E.B.
Town
Broughton
Greengate
Chapel St.
Islington
Bottoner Kanal
Road
Bottoner E.B.
Pendleton
Cross Lane
Hope Str.
Liverpool E.B.
Old field
Regent-Road
Koserne
Irwell Fl.
Rochdaler Kanal
Holt Town
Ancoats
Piccadilly
King Str.
Birminghamer E.B.
Ardwick
Hulme
Chorlton
Kaserne
1. die Börse.
2. die alte Kirche.
3. das Arbeitshaus.
4. der Armenkirchhof
Zwischen Beiden der Liverpooler & Leedser E.B. Hof.
5. St. Michael's Kirche.
6. Scotland Bridge über d. Irk
Die Strasse von 2 nach 6 heisst
Long Millgate.
7. Ducie Bridge über d. Irk.
8. Little Ireland.
1/4 1/2 3/4 1 1 1/4 1 1/2
engl. Meilen.
69 1/2 = 1° des Aequators.
Das commerzielle Viertel ist zur Unterscheidung von der linken zur rechten Hand abwärts schattirt

habende Polizeidiener streichen mit ihren Blendlaternen durch die engen, dunklen Gassen. Diese Gegend wird von einigen Hauptstraßen durchschnitten, auf denen sich der ungeheure Verkehr drängt und in denen die Erdgeschosse mit brillanten Läden besetzt sind; in diesen Straßen finden sich hier und da bewohnte Oberräume, und hier ist auch bis spät abends ziemlich viel Leben auf der Straße. Mit Ausnahme dieses kommerziellen Distrikts ist das ganze eigentliche Manchester, ganz Salford und Hulme, ein bedeutender Teil von Pendleton und Chorlton, zwei Drittel von Ardwick und einzelne Striche von Cheetham Hill und Broughton – alles lauter Arbeiterbezirk, der sich wie ein durchschnittlich anderthalb Meilen breiter Gürtel um das kommerzielle Viertel zieht. Draußen, jenseits dieses Gürtels, wohnt die höhere und mittlere Bourgeoisie – die mittlere in regelmäßigen Straßen in der Nähe der Arbeiterviertel, namentlich in Chorlton und den tieferliegenden Gegenden von Cheetham Hill, die höhere in den entfernteren villenartigen Gartenhäusern von Chorlton und Ardwick oder auf den luftigen Höhen von Cheetham Hill, Broughton und Pendleton – in einer freien, gesunden Landluft, in prächtigen, bequemen Wohnungen, an denen halbstündlich oder viertelstündlich die nach der Stadt fahrenden Omnibusse vorbeikommen. Und das schönste bei der Sache ist, daß diese reichen Geldaristokraten mitten durch die sämtlichen Arbeiterviertel auf dem nächsten Wege nach ihren Geschäftslokalen in der Mitte der Stadt kommen können, ohne auch nur zu merken, daß sie in die Nähe des schmutzigsten Elends geraten, das rechts und links zu finden ist. Die Hauptstraßen nämlich, die von der Börse nach allen Richtungen aus der Stadt hinausführen, sind an beiden Seiten mit einer fast ununterbrochenen Reihe von Läden besetzt und so in den Händen der mittleren und kleineren Bourgeoisie, die schon um ihres Vorteils willen auf anständigeres und reinliches Aussehen hält und halten kann. Allerdings haben diese Läden immerhin einige Verwandtschaft mit den Distrikten, die hinter ihnen liegen, sind also im kommerziellen Viertel und der Nähe der Bourgeoisiebezirke eleganter als da, wo sie schmutzige Arbeitercottages verdecken; aber sie sind immerhin hinreichend, um vor den Augen der reichen Herren und Damen mit starkem Magen und schwachen Nerven das Elend und den Schmutz zu verbergen, die das ergänzende Moment zu ihrem Reichtum und Luxus bilden. So ist z. B. Deansgate, das von der alten Kirche in gerader Richtung nach Süden führt, anfangs mit Warenlagern und Fabriken, dann mit Läden zweiten Ranges und einigen Bierhäusern, weiter südlich, wo es das kommerzielle Viertel verläßt, mit unansehnlicheren Läden, die, je weiter man kommt, desto schmutziger und mehr und mehr von Schenken und Schnapshäusern unterbrochen werden, bebaut, bis am südlichen Ende das

Aussehen der Läden keinen Zweifel darüber läßt, daß Arbeiter und nur Arbeiter ihre Kunden sind. So Market Street, von der Börse südöstlich laufend; anfangs brillante Läden ersten Ranges und in den höheren Stockwerken Kontore und Warenlager; weiterhin in der Fortsetzung (Piccadilly) kolossale Hotels und Warenlager; in der weiteren Fortsetzung (London Road) in der Gegend des Medlock Fabriken, Schenken, Läden für niedere Bourgeoisie und Arbeiter, dann an Ardwick Green Wohnungen für höhere und mittlere Bourgeoisie, und von da an große Gärten und Landhäuser für die reicheren Fabrikanten und Kaufleute. Auf diese Weise kann man wohl, wenn man Manchester kennt, von den Hauptstraßen aus auf die anschließenden Bezirke *schließen*, aber man ist sehr selten imstande, von ihnen aus die *wirklichen* Arbeiterbezirke selbst zu Gesicht zu bekommen. Ich weiß sehr wohl, daß diese heuchlerische Bauart mehr oder weniger allen großen Städten gemein ist; ich weiß ebenfalls, daß die Detailhändler schon wegen der Natur ihres Geschäfts die großen durchführenden Straßen für sich in Beschlag nehmen müssen; ich weiß, daß man überall an solchen Straßen mehr gute als schlechte Häuser hat und daß in ihrer Nähe der Grundwert höher ist als in abgelegenen Gegenden; aber ich habe zugleich eine so systematische Absperrung der Arbeiterklasse von den Hauptstraßen, eine so zartfühlende Verhüllung alles dessen, was das Auge und die Nerven der Bourgeoisie beleidigen könnte, nirgends gefunden als in Manchester. Und doch ist gerade Manchester sonst weniger planmäßig oder nach Polizeivorschriften und dagegen mehr durch den Zufall gebaut als irgendeine andre Stadt; und wenn ich die eifrigen Beteuerungen der Mittelklasse, daß es den Arbeitern ganz vortrefflich gehe, dabei erwäge, so will es mich doch dünken, als seien die liberalen Fabrikanten, die „big whigs" von Manchester, nicht so ganz unschuldig an dieser schamhaften Bauart.

Ich erwähne noch eben, daß die Fabrikanlagen sich fast alle dem Lauf der drei Flüsse oder der verschiedenen Kanäle, die sich durch die Stadt verzweigen, anschließen, und gehe dann zur Schilderung der Arbeiterbezirke selbst über. Da ist zuerst die Altstadt von Manchester, die zwischen der Nordgrenze des kommerziellen Viertels und dem Irk liegt. Hier sind die Straßen, selbst die besseren, eng und krumm – wie Todd Street, Long Millgate, Withy Grove und Shude Hill –, die Häuser schmutzig, alt und baufällig und die Bauart der Nebenstraßen vollends abscheulich. Wenn man von der alten Kirche in Long Millgate hineingeht, so hat man gleich rechts eine Reihe altmodischer Häuser, an denen keine einzige Frontmauer senkrecht geblieben ist; es sind die Reste des alten, vorindustriellen Manchester, deren frühere Einwohner sich mit ihren Nachkommen in besser gebaute

Bezirke gezogen und die Häuser, die ihnen zu schlecht waren, einer stark mit irischem Blut vermischten Arbeiterrasse überlassen haben. Man ist hier wirklich in einem fast unverhüllten Arbeiterviertel, denn selbst die Läden und Kneipen der Straße nehmen sich nicht die Mühe, etwas reinlich auszusehen. Aber das ist all noch nichts gegen die Gassen und Höfe, die dahinter liegen und zu denen man nur durch enge, überbaute Zugänge gelangt, in denen keine zwei Menschen aneinander vorbei können. Von der unordentlichen, aller vernünftigen Baukunst hohnsprechenden Zusammenwürfelung der Häuser, von der Gedrängtheit, mit der sie hier förmlich aneinandergepackt sind, kann man sich keine Vorstellung machen. Und es sind nicht nur die aus der alten Zeit Manchesters hinterlassenen Gebäude, die die Schuld davon tragen; die Verwirrung ist in neuerer Zeit erst auf die Spitze getrieben worden, indem überall, wo die ganze Bauart der früheren Epoche noch ein Fleckchen Raum ließ, später nachgebaut und angeflickt wurde, bis endlich zwischen den Häusern kein Zoll breit Platz blieb, der sich noch hätte verbauen lassen. Zur Bestätigung zeichne ich ein kleines Fleckchen aus dem Plane von Manchester hier ab – es ist nicht das schlimmste Stück und nicht der zehnte Teil der ganzen Altstadt.

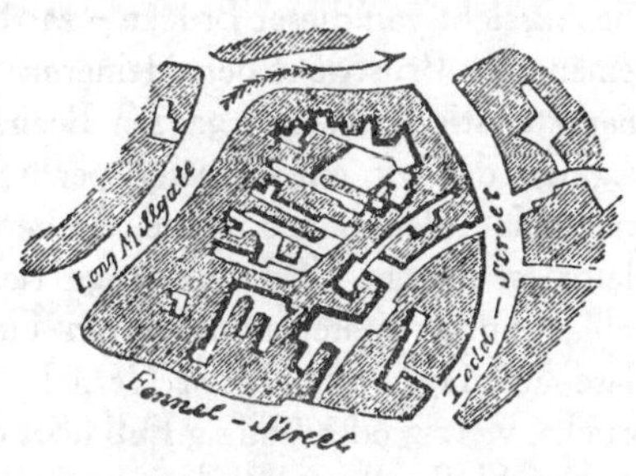

Diese Zeichnung wird hinreichen, um die wahnsinnige Bauart des ganzen Bezirks, namentlich des in der Nähe des Irk, zu charakterisieren. Das Ufer des Irk ist hier auf der Südseite sehr steil und zwischen fünfzehn und dreißig Fuß hoch; an diese abschüssige Bergwand sind meist noch drei Reihen Häuser hingepflanzt, deren niedrigste sich unmittelbar aus dem Flusse erhebt, während die Vorderwand der höchsten auf dem Niveau der Hügelkrone in Long Millgate steht. Dazwischen stehen noch Fabriken am Flusse – kurz die Bauart ist hier ebenso eng und unordentlich wie im unteren Teil von Long Millgate. Rechts und links führen eine Menge überbauter Zugänge von der Hauptstraße in die vielen Höfe ab, und wenn man hineingeht, so gerät man in einen Schmutz und eine ekelhafte Unsauberkeit, die ihresgleichen nicht hat – namentlich in den Höfen, die nach dem Irk hinabführen und die unbedingt die scheußlichsten Wohnungen enthalten, welche mir bis jetzt vorgekommen sind. In einem dieser Höfe steht gleich am Eingange, wo der bedeckte Gang aufhört, ein Abtritt, der keine Tür hat und so schmutzig ist, daß die Einwohner nur durch eine stagnierende Pfütze von faulem Urin und Exkrementen, die ihn umgibt, in den Hof oder heraus können; es ist der erste Hof am Irk oberhalb Ducie Bridge, wenn jemand Lust haben sollte, nachzusehen; unten am Flusse stehen mehrere Gerbereien, die die ganze Umgegend mit animalischem Verwesungsgeruch erfüllen. In die Höfe unterhalb Ducie Bridge steigt man meist auf engen, schmutzigen Treppen hinab und gelangt nur über Haufen von Schutt und Unrat an die Häuser. Der erste Hof unterhalb Ducie Bridge heißt Allen's Court und war zur Cholerazeit in einem solchen Zustande, daß die Gesundheitspolizei ihn ausräumen, fegen und mit Chlor ausräuchern ließ; Dr. Kay gibt in einer Broschüre* eine schreckenerregende Beschreibung von der damaligen Lage dieses Hofes. Seitdem scheint er teilweise abgebrochen und neu erbaut worden zu sein – von Ducie Bridge herab sieht man wenigstens noch mehrere Mauerruinen und hohe Schutthaufen neben einigen Häusern neueren Baues. Die Aussicht von dieser Brücke – zartfühlenderweise von einer mannshohen gemauerten Brustwehr den kleineren Sterblichen verhüllt – ist überhaupt charakteristisch für den ganzen Bezirk. In der Tiefe fließt oder vielmehr stagniert der Irk, ein schmaler, pechschwarzer, stinkender Fluß, voll Unrat und Abfall, den er ans rechte, flachere Ufer anspült; bei trocknem Wetter bleibt an diesem Ufer eine lange Reihe der ekelhaftesten schwarzgrünen Schlammpfützen stehen, aus deren Tiefe fortwährend Blasen miasmatischer Gase aufsteigen und einen Geruch entwickeln, der selbst oben auf der Brücke, vierzig oder fünfzig Fuß über dem Wasserspiegel, noch unerträglich ist. Der Fluß selbst wird dazu noch alle fingerlang durch hohe Wehre aufgehalten, hinter denen sich der Schlamm und Abfall in dicken Massen absetzt und verfault. Oberhalb der Brücke stehen hohe Gerbereien, weiter hinauf Färbereien, Knochenmühlen und Gaswerke, deren Abflüsse und Abfälle samt und sonders in den Irk wandern, der außerdem noch den Inhalt der anschießenden Kloaken und Abtritte aufnimmt. Man kann sich also denken, welcher Beschaffenheit die Residuen sind, die der Fluß hinterläßt. Unterhalb der Brücke sieht man in die Schutthaufen, den Unrat, Schmutz und Verfall der Höfe auf dem linken, steilen Ufer; ein Haus steht immer dicht hinter dem andern, und wegen der Steigerung des Ufers sieht man von jedem ein Stück – alle schwarzgeraucht, bröckelig, alt, mit zerbrochnen Fensterscheiben und Fensterrahmen. Den Hintergrund bilden kasernenartige, alte

* „The Moral and Physical Condition of the Working Classes, employed in the Cotton Manufacture in Manchester" [Die sittliche und physische Lage der in der Baumwollfabrikation in Manchester beschäftigten arbeitenden Klassen]. By *James Ph. Kay*, Dr. Med. 2nd edit. 1832. – Verwechselt die Arbeiterklasse im allgemeinen mit der Fabrikarbeiterklasse, sonst vortrefflich.

Fabrikgebäude. Auf dem rechten, flacheren Ufer steht eine lange Reihe Häuser und Fabriken – gleich das zweite Haus ist eine Ruine ohne Dach, mit Schutt angefüllt, und das dritte steht so niedrig, daß das unterste Stockwerk unbewohnbar und infolgedessen ohne Fenster und Türen ist. Den Hintergrund bildet hier der Armenkirchhof, die Bahnhöfe der Liverpooler und Leedser Eisenbahnen und dahinter das Arbeitshaus, die „Armengesetz-Bastille" von Manchester, das wie eine Zitadelle von einem Hügel hinter hohen Mauern und Zinnen drohend auf das gegenüberliegende Arbeiterviertel herabschaut.

Oberhalb Ducie Bridge wird das linke Ufer flacher und das rechte dagegen steiler, der Zustand der Wohnungen auf beiden Seiten des Irk indessen eher schlimmer als besser. Wenn man hier von der Hauptstraße – noch immer Long Millgate – links abgeht, so ist man verloren; man gerät aus einem Hof in den andern, das geht um lauter Ecken, durch lauter enge, schmutzige Winkel und Gänge, bis man nach wenig Minuten alle Richtung verloren hat und gar nicht mehr weiß, wohin man sich wenden soll. Überall halb oder ganz verfallene Gebäude – einzelne sind wirklich unbewohnt, und das will hier viel heißen – in den Häusern selten ein bretterner oder steinerner Fußboden, dagegen fast immer zerbrochene, schlecht passende Fenster und Türen, und ein Schmutz! – Schutthaufen, Abfall und Unflat überall; stehende Pfützen statt der Rinnsteine, und ein Geruch, der es allein jedem einigermaßen zivilisierten Menschen unerträglich machen würde, in einem solchen Distrikt zu wohnen. Die neuerbaute Verlängerung der Leedser Eisenbahn, welche hier den Irk überschreitet, hat einen Teil dieser Höfe und Gäßchen weggefegt, dagegen andre wieder erst recht dem Blicke offengelegt. So ist unmittelbar unterhalb der Eisenbahnbrücke ein Hof, der an Schmutz und Scheußlichkeit alle andern weit übertrifft, eben weil er bisher so abgeschlossen, so zurückgezogen war, daß man nur mit Mühe hineingelangen konnte; ich selbst hätte ihn ohne die durch den Eisenbahnviadukt geschaffne Lücke nie gefunden, obwohl ich diese ganze Gegend genau zu kennen glaubte. Man gelangt über ein holpriges Ufer, zwischen Pfählen und Waschleinen hindurch in dies Chaos kleiner, einstöckiger und einstubiger Hütten, von denen die meisten ohne allen künstlichen Fußboden sind – Küche, Wohn- und Schlafzimmer, alles vereinigt. In einem solchen Loche, das kaum sechs Fuß lang und fünf breit war, sah ich zwei Betten – und was für Bettstellen und Betten – die nebst einer Treppe und einem Herd gerade hinreichten, um das ganze Zimmer zu füllen. In mehreren andern sah ich *gar nichts*, obwohl die Tür weit offenstand und die Einwohner an ihr lehnten. Vor den Türen überall Schutt und Unrat; daß eine Art von Pflaster darunter sei, war nicht zu sehen, sondern bloß hie und da mit den Füßen herauszufühlen. Der ganze Haufen menschenbewohnter Viehställe war auf zwei Seiten von Häusern und einer Fabrik, auf der dritten vom Fluß begrenzt, und außer dem schmalen Ufersteig führte nur noch ein enger Torweg hinaus – in ein andres, fast ebenso schlecht gebautes und gehaltenes Labyrinth von Wohnungen.

Genug davon! In dieser Weise ist die ganze Irkseite bebaut, ein planlos zusammengewürfeltes Chaos von Häusern, die der Unbewohnbarkeit mehr oder weniger nahestehen und deren unreinliches Innere der unflätigen Umgebung vollkommen entspricht. Wie sollen die Leute auch reinlich sein! Nicht einmal für die Befriedigung der allernatürlichsten und alltäglichsten Bedürfnisse gibt es geeignete Gelegenheit. Die Abtritte sind hier so rar, daß sie entweder alle Tage voll werden oder den meisten zu entlegen sind. Wie sollten sich die Leute waschen, wo sie nur das schmutzige Irkwasser nahebei haben und Wasserleitungen und Pumpen erst in honetten Stadtteilen vorkommen! Wahrhaftig, man kann es diesen Heloten der modernen Gesellschaft nicht zurechnen, wenn ihre Wohnungen nicht reinlicher sind als die Schweineställe, die hier und da mitten dazwischen stehen! Schämen sich doch die Hausbesitzer nicht, Wohnungen zu vermieten wie die sechs oder sieben Keller am Kai, gleich unterhalb Scotland Bridge, deren Fußboden mindestens zwei Fuß unter dem Wasserspiegel – bei niedrigem Wasser – des nicht sechs Fuß davon fließenden Irk liegt, oder wie das obere Stock im Eckhaus auf dem entgegengesetzten Ufer gleich oberhalb der Brücke, dessen Erdgeschoß unbewohnbar, ohne alle Ausfüllung für Tür- und Fensterlöcher – doch das ist ja ein Fall, der in dieser ganzen Gegend nicht selten vorkommt, wobei dann gewöhnlich dies offene untere Stockwerk von der ganzen Nachbarschaft aus Mangel an andern Lokalitäten als Abtritt benutzt wird!

Verlassen wir den Irk, um auf der entgegengesetzten Seite von Long Millgate wieder in die Mitte der Arbeiterwohnungen zu dringen, so kommen wir in ein etwas neueres Viertel, das sich von der St.-Michaelis-Kirche bis Withy Grove und Shude Hill erstreckt. Hier ist wenigstens etwas mehr Ordnung; statt der chaotischen Bauart finden wir hier wenigstens lange, gerade Gassen und Sackgassen oder absichtlich gebaute, meist viereckige Höfe; aber wenn früher jedes einzelne Haus, so ist hier wenigstens jede Gasse und jeder Hof willkürlich und ohne alle Rücksicht auf die Lage der übrigen angebaut. Bald läuft eine Gasse in dieser, bald in jener Richtung, alle fingerlang gerät man in einen Sack oder um eine zugebaute Ecke, die gerade wieder dahin führt, von wo man ausgegangen ist – wer nicht in diesem Labyrinth eine gute Zeit lang gewohnt hat, findet sich gewiß nicht hindurch. Die

Ventilation der Straßen – wenn ich das Wort von diesem Distrikt gebrauchen darf – und Höfe wird dadurch ebenso unvollkommen wie die der Irkgegend; und wenn dennoch dieser Bezirk etwas vor dem Irktale voraus haben sollte – die Häuser sind allerdings neuer, die Straßen haben wenigstens zuweilen Rinnsteine –, so hat er dagegen auch wieder fast unter jedem Hause eine Kellerwohnung, was sich im Irktale eben wegen des größeren Alters und der nachlässigeren Bauart der Häuser selten findet. Im übrigen ist der Schmutz, die Schutt- und Aschenhaufen, die Pfützen auf den Straßen beiden Vierteln gemeinsam, und in dem Distrikt, von dem wir jetzt reden, finden wir außerdem noch einen andern Umstand, der für die Reinlichkeit der Einwohner sehr nachteilig ist, nämlich die Masse Schweine, die hier überall auf den Gassen umherspazieren, den Unrat durchschnüffeln oder in den Höfen in kleinen Ställen eingesperrt sind. Die Schweinemäster mieten sich hier, wie in den meisten Arbeiterbezirken von Manchester, die Höfe und setzen Schweineställe hinein; fast in jedem Hofe ist ein solcher abgesperrter Winkel oder gar mehrere, in welche die Bewohner des Hofs allen Abfall und Unrat hineinwerfen – dabei werden die Schweine fett, und die ohnehin in diesen nach allen vier Seiten verbauten Höfen eingesperrte Luft vollends schlecht von den verwesenden vegetabilischen und animalischen Stoffen. Man hat durch diesen Bezirk eine breite, ziemlich honette Straße – Millers Street – gebrochen und den Hintergrund mit ziemlichem Erfolge verdeckt; wenn man sich aber von der Neugier in einen der zahlreichen Gänge, die in die Höfe führen, verleiten läßt, so kann man diese buchstäbliche Schweinerei alle zwanzig Schritt wiederholt sehen.

Das ist die Altstadt von Manchester – und wenn ich meine Schilderung noch einmal durchlese, so muß ich bekennen, daß sie, statt übertrieben zu sein, noch lange nicht grell genug ist, um den Schmutz, die Verkommenheit und Unwohnlichkeit, die allen Rücksichten auf Reinlichkeit, Ventilation und Gesundheit hohnsprechende Bauart dieses mindestens zwanzig- bis dreißigtausend Einwohner fassenden Bezirks anschaulich zu machen. Und ein solches Viertel existiert im Zentrum der zweiten Stadt Englands, der ersten Fabrikstadt der Welt! Wenn man sehen will, wie wenig Raum der Mensch zum Bewegen, wie wenig Luft – und welche Luft! – er zum Atmen im Notfall zu haben braucht, mit wie wenig Zivilisation er existieren kann, dann hat man nur hieher zu kommen. Es ist freilich die *Alt*stadt – und darauf berufen sich die Leute hier, wenn man ihnen von dem scheußlichen Zustande dieser Hölle auf Erden spricht –, aber was will das sagen? Alles, was unsren Abscheu und unsre Indignation hier am heftigsten erregt, ist neueren Ursprungs, gehört der *industriellen Epoche* an. Die paar hundert Häuser, die dem alten Manchester angehören, sind von ihren ursprünglichen Bewohnern längst verlassen; nur die Industrie hat sie mit den Scharen von Arbeitern vollgepfropft, die jetzt in ihnen beherbergt werden; nur die Industrie hat jedes Fleckchen zwischen diesen alten Häusern verbaut, um Obdach zu gewinnen für die Massen, die sie sich aus den Ackerbaugegenden und aus Irland verschrieb; nur die Industrie gestattet es den Besitzern dieser Viehställe, sie an Menschen für hohe Miete zur Wohnung zu überlassen, die Armut der Arbeiter auszubeuten, die Gesundheit von Tausenden zu untergraben, damit nur *sie* sich bereichern; nur die Industrie hat es möglich gemacht, daß der kaum aus der Leibeigenschaft befreite Arbeiter wieder als ein bloßes Material, als *Sache* gebraucht werden konnte, daß er sich in eine Wohnung sperren lassen muß, die jedem andern zu schlecht und die er nun für sein teures Geld das Recht hat vollends verfallen zu lassen. Das hat nur die Industrie getan, die ohne diese Arbeiter, ohne die Armut und Knechtschaft dieser Arbeiter nicht hätte leben können. Es ist wahr, die ursprüngliche Anlage dieses Viertels war schlecht, man konnte nicht viel Gutes daraus machen – aber haben die Grundbesitzer, hat die Verwaltung etwas getan, um das beim Nachbau zu verbessern? Im Gegenteil, wo noch ein Winkelchen frei war, ist ein Haus hingesetzt, wo noch ein überflüssiger Ausgang, ist er zugebaut worden; der Grundwert stieg mit dem Aufblühen der Industrie, und je mehr er stieg, desto toller wurde darauf losgebaut, ohne Rücksicht auf die Gesundheit und Bequemlichkeit der Einwohner – *es ist keine Baracke so schlecht, es findet sich immer ein Armer, der keine bessere bezahlen kann* –, nur mit Rücksicht auf den größtmöglichen Gewinn. Doch es ist einmal die Altstadt, und damit beruhigt sich die Bourgeoisie; sehen wir denn, wie die *Neustadt* (the New Town) sich anläßt.

Die *Neustadt*, auch die Irische Stadt (the Irish Town) genannt, zieht sich jenseits der Altstadt einen Lehmhügel zwischen dem Irk und St. George's Road hinauf. Hier hört alles städtische Aussehen auf; einzelne Reihen Häuser oder Straßenkomplexe stehen wie kleine Dörfer hier und da auf dem nackten, nicht einmal mit Gras bewachsenen Lehmboden; die Häuser oder vielmehr Cottages sind in schlechtem Zustande, nie repariert, schmutzig, mit feuchten und unreinen Kellerwohnungen versehen; die Gassen sind weder gepflastert noch haben sie Abzüge, dagegen zahlreiche Kolonien von Schweinen, die in kleinen Höfen und Ställen abgesperrt sind oder ungeniert an der Halde spazierengehn. Der Kot auf den Wegen ist hier so groß, daß man nur bei äußerst trocknem Wetter Aussicht hat durchzukommen, ohne bei jedem Schritt bis über die Knöchel zu versinken. In der Nähe von St. George's Road schließen sich die einzelnen bebauten Flecken dichter aneinander, man gerät in eine fortlaufende Reihe Gassen, Sackgassen, Hintergassen und Höfe, die je gedrängter und unordentlicher werden, je näher man dem Zentrum der Stadt kommt. Dafür sind sie freilich auch öfter gepflastert oder wenigstens mit gepflasterten Fußwegen und Rinnsteinen versehen; der Schmutz, die schlechte Beschaffenheit der Häuser und besonders der Keller bleibt aber derselbe.

Es wird am Orte sein, hier einige allgemeine Bemerkungen über die in Manchester übliche Bauart der Arbeiterviertel zu machen. Wir haben gesehen, wie in der Altstadt meist der reine Zufall über die Gruppierung der Häuser verfügte. Jedes Haus ist ohne Rücksicht auf die übrigen gebaut, und die winkligen Zwischenräume der einzelnen Wohnungen werden in Ermangelung eines andern Namens Höfe (courts) genannt. In den etwas neueren Teilen desselben Viertels und in andren Arbeitsvierteln[1], die aus den ersten Zeiten der aufblühenden Industrie herrühren, finden wir ein etwas planmäßigeres Arrangement. Der Zwischenraum zwischen zwei Straßen wird in regelmäßigere, meist viereckige Höfe geteilt, etwa so:

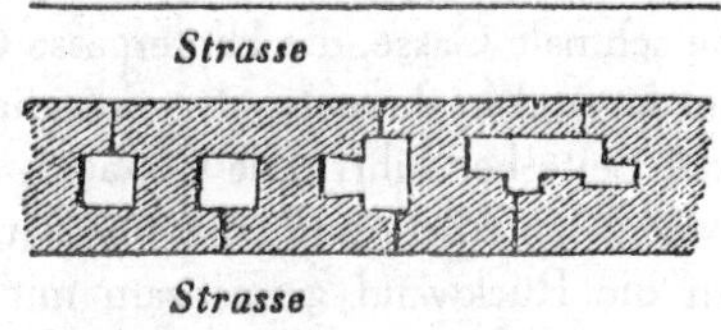

die von vornherein so angelegt wurden und zu denen verdeckte Gänge von den Straßen führen. Wenn die ganz planlose Bauart der Gesundheit der Bewohner durch Verhinderung der Ventilation schon sehr nachteilig war, so ist es diese Art, die Arbeiter in Höfe einzusperren, die nach allen Seiten von Gebäuden umschlossen sind, noch viel mehr. Die Luft kann hier platterdings nicht heraus; die Schornsteine der Häuser selbst sind, solange Feuer angehalten wird, die einzigen Abzüge für die eingesperrte Luft des Hofes.*

* Und doch behauptet einmal ein weiser englischer Liberaler – im „Bericht der Children's Empl[oyment] Comm[ission]" –, diese Höfe seien das Meisterstück der Städtebaukunst, weil sie, gleich einer Anzahl kleiner öffentlicher Plätze, die Ventilation und den Luftzug verbesserten! Freilich, wenn jeder Hof zwei oder vier breite, oben offene, gegenüberstehende Zugänge hätte, wodurch die Luft streichen könnte – aber sie haben *nie* zwei, sehr selten einen offnen, und fast alle nur schmale, überbaute Einlässe.

[1] *(1892)* Arbeitervierteln

Dazu kommt noch, daß die Häuser um solche Höfe meist doppelt, je zwei mit der Rückwand zusammengebaut sind, und schon das ist hinreichend, um alle gute, durchgehende Ventilation zu verhindern. Und da die Straßenpolizei sich nicht um den Zustand dieser Höfe bekümmert, da alles ruhig liegenbleibt, was hineingeworfen wird, so darf man sich nicht über den Schmutz und die Haufen von Asche und Unrat wundern, die man hier findet. Bin ich doch in Höfen gewesen – sie liegen an Millers Street –, die mindestens einen halben Fuß tiefer lagen als die Hauptstraße und die auch nicht den mindesten Abfluß für das bei Regenwetter sich in ihnen ansammelnde Wasser hatten!

In späterer Zeit hat man eine andre Bauart angefangen, die jetzt die allgemeine ist. Die Arbeitercottages werden jetzt nämlich fast nie einzeln, sondern immer dutzend-, ja schockweise gebaut – ein einziger Unternehmer baut gleich eine oder ein paar Straßen. Diese werden dann auf folgende Weise angelegt: Die eine Front – vgl. die Zeichnung unten – bilden Cottages ersten Ranges, die so glücklich sind, eine Hintertür und einen kleinen Hof zu besitzen, und die die höchste Miete bringen. Hinter den Hofmauern dieser Cottages ist eine schmale Gasse, die Hintergasse (back street), die an beiden Enden zugebaut ist und in die entweder ein schmaler Weg oder ein bedeckter Gang von der Seite her führt. Die Cottages, die auf diese Gasse führen, bezahlen am wenigsten Miete und sind überhaupt am meisten vernachlässigt. Sie haben die Rückwand gemeinsam mit der dritten Reihe Cottages, die nach der entgegengesetzten Seite hin auf die Straße gehen und weniger Miete als die erste, dagegen mehr als die zweite Reihe tragen. Die Anlage der Straßen ist also etwa so:

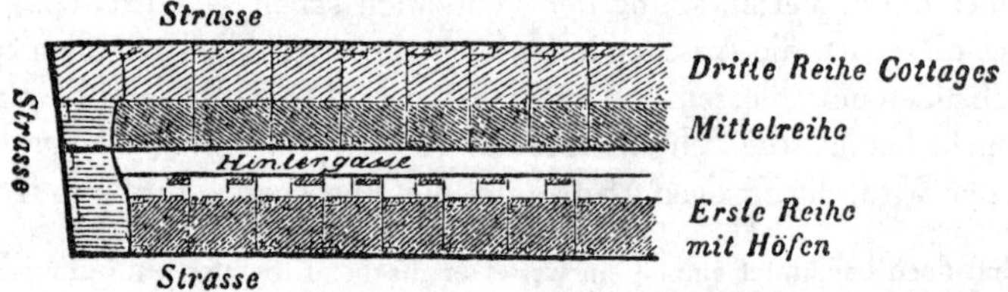

Durch diese Bauart wird zwar für die erste Reihe Cottages eine ziemlich gute Ventilation gewonnen und die der dritten Reihe wenigstens nicht gegen die der entsprechenden in der frühern Bauart verschlechtert; dagegen ist die Mittelreihe mindestens ebenso schlecht ventiliert wie die Häuser in den Höfen und die Hintergasse selbst stets in demselben schmutzigen und unansehnlichen Zustande wie jene. Die Unternehmer ziehen diese Bauart vor, weil sie ihnen Raum spart und Gelegenheit gibt, die besser bezahlten Arbeiter durch höhere Miete in den Cottages der ersten und dritten Reihe desto erfolgreicher auszubeuten.

Diese dreierlei Formen des Cottagebaues findet man in ganz Manchester, ja in ganz Lancashire und Yorkshire wieder, oft vermengt, aber meist hinreichend geschieden, um hieraus schon auf das verhältnismäßige Alter der einzelnen Stadtteile schließen zu können. Das dritte System, das der Hintergassen, ist das in dem großen Arbeiterbezirk östlich von St. George's Road, zu beiden Seiten von Oldham Road und Great Ancoats Street, entschieden vorherrschende und findet sich auch in den übrigen Arbeiterbezirken von Manchester und seinen Vorstädten am häufigsten.

In dem erwähnten großen Bezirk, den man unter dem Namen Ancoats begreift, sind die meisten und größten Fabriken von Manchester an den Kanälen angelegt – kolossale sechs- bis siebenstöckige Gebäude, die mit ihren schlanken Rauchfängen hoch über die niedrigen Arbeitercottages emporragen. Die Bevölkerung des Bezirks sind daher hauptsächlich Fabrikarbeiter und, in den schlechtesten Straßen, Handweber. Die Straßen, die dem Zentrum der Stadt am nächsten liegen, sind die ältesten und daher die schlechtesten, doch sind sie gepflastert und mit Abzügen versehen; ich rechne hierzu die nächsten Parallelstraßen von Oldham Road und Great Ancoats Street. Weiterhin nach Nordosten findet man manche neugebaute Straße; hier sehen die Cottages nett und reinlich aus, die Türen und Fenster sind neu und frisch angestrichen, die inneren Räume rein geweißt; die Straßen selbst sind luftiger, die leeren Bauplätze zwischen ihnen größer und häufiger. Aber das läßt sich nur von der kleineren Zahl der Wohnungen sagen; dazu kommt dann noch, daß Kellerwohnungen fast unter jeder Cottage eingerichtet, daß viele Straßen ungepflastert und ohne Abzüge sind, und vor allem, daß dieses nette Aussehen doch nur Schein ist, Schein, der nach den ersten zehn Jahren schon verschwunden ist. Die Bauart der einzelnen Cottages selbst ist nämlich nicht weniger verwerflich als die Anlage der Straßen. Solche Cottages sehen alle anfangs nett und solide aus, die massiven Ziegelmauern bestechen das Auge, und wenn man durch eine *neugebaute* Arbeiterstraße geht, ohne sich um die Hintergassen oder die Bauart der Häuser selbst näher zu bekümmern, so stimmt man in die Behauptung der liberalen Fabrikanten ein, daß nirgends die Arbeiter so gut wohnen wie in England. Aber wenn man näher zusieht, so findet man, daß die Mauern dieser Cottages so dünn sind, wie es nur möglich ist, sie zu machen. Die äußeren Mauern, die das Kellerstockwerk, das Erdgeschoß und das Dach tragen, sind höchstens einen ganzen Ziegel dick – so daß in jeder waagerechten Schicht die

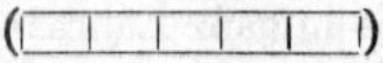

Ziegel mit der langen Seite aneinandergefugt werden (|||||); ich habe aber manche Cottage von derselben Höhe – einige sogar noch im Bau – gesehen, bei denen die äußern Mauern nur einen halben Ziegel dick waren und die Ziegel also nicht der Breite, sondern der Länge nach gelegt waren, so daß sie mit der schmalen Seite aneinanderstießen (|___|___|___|___|). Dies geschieht teilweise, um Material zu sparen, teilweise aber auch, weil die Bauunternehmer nie die Eigentümer des Bodens sind, sondern ihn nach englischer Sitte nur auf zwanzig, dreißig, vierzig, fünfzig oder neunundneunzig Jahre gemietet haben, nach welcher Zeit er mit allem, was darauf ist, dem ursprünglichen Besitzer wieder zufällt, ohne daß dieser für gemachte Anlagen etwas zu vergüten hätte. Die Anlagen werden also vom Pächter darauf berechnet, daß sie nach Ablauf der kontraktlichen Zeit so wertlos wie möglich sind; und da solche Cottages oft nur zwanzig oder dreißig Jahre vor diesem Zeitpunkte errichtet werden, so ist es leicht zu begreifen, daß die Unternehmer nicht zuviel darauf verwenden werden. Dazu kommt noch, daß diese Unternehmer, meist Maurer und Zimmerleute oder Fabrikanten, teils um den Mietertrag nicht zu verringern, teils wegen herannahenden Rückfalls des Bauplatzes, wenig oder gar nichts auf Reparaturen verwenden, daß wegen Handelskrisen und der darauffolgenden Brotlosigkeit oft ganze Straßen leerstehen und daß infolge hiervon die Cottages sehr rasch verfallen und in unbewohnbaren Zustand geraten. Man rechnet wirklich allgemein, daß Arbeiterwohnungen durchschnittlich nur vierzig Jahre bewohnbar bleiben; das klingt wunderbar genug, wenn man die schönen, massiven Mauern neuerbauter Cottages dabei sieht, die eine Dauer von ein paar Jahrhunderten zu versprechen scheinen – aber es ist dennoch so, die Knickerei der ursprünglichen Anlage, die Vernachlässigung aller Reparaturen, das häufige Leerstehen, der fortwährende schnelle Wechsel der Bewohner und dazu die Verwüstungen, die die Einwohner während der letzten zehn Jahre der Bewohnbarkeit, meist Irländer, anrichten, indem sie das Holzwerk oft genug aufbrechen und zur Heizung gebrauchen – alles das macht diese Cottages nach vierzig Jahren zu Ruinen. Daher kommt es denn auch, daß der Distrikt von Ancoats, der erst seit dem Aufblühen der Industrie, ja meist erst in diesem Jahrhundert erbaut wurde, dennoch eine Menge alter und verfallender Häuser zählt, ja daß die größere Zahl der Häuser schon jetzt in dem letzten Stadium der Bewohnbarkeit sich befindet. Ich will nicht davon reden, wieviel Kapital auf diese Weise verschwendet wird, mit wiewenig mehr ursprünglicher Anlage und späterer Reparatur dieser ganze Bezirk lange Jahre hindurch reinlich, anständig und wohnlich gehalten werden könnte – mich geht hier nur die Lage der Häuser und ihrer Bewohner an, und da muß allerdings gesagt werden, daß es kein schädlicheres und demoralisierenderes System, die Arbeiter unterzubringen, gibt, als gerade dieses. Der Arbeiter ist gezwungen, solche verkommene Cottages zu bewohnen, weil er keine besseren bezahlen kann oder weil keine besseren in der Nähe seiner Fabrik liegen, vielleicht auch gar, weil sie dem Fabrikanten gehören und dieser ihn nur dann in Arbeit nimmt, wenn er eine solche Wohnung bezieht. Natürlich wird es mit den vierzig Jahren so genau nicht gehalten, denn wenn die Wohnungen in einem stark bebauten Stadtteil liegen und also bei teurer Grundpacht viel Aussicht da ist, stets Mieter für jene zu finden, tun die Unternehmer auch wohl etwas, um sie über vierzig Jahre hinaus einigermaßen in bewohnbarem Zustande zu erhalten; aber auch gewiß nicht mehr als das Allernötigste, und diese reparierten Wohnungen sind dann gerade die allerschlechtesten. Zuweilen, bei drohenden Epidemien, wird das sonst sehr schläfrige Gewissen der Gesundheitspolizei etwas aufgeregt, und dann unternimmt sie Streifzüge in die Arbeiterdistrikte, schließt ganze Reihen von Kellern und Cottages, wie dies z.B. mit mehreren Gassen in der Nähe von Oldham Road geschehen ist; aber das dauert nicht lange, die geächteten Wohnungen finden bald wieder Insassen, und die Eigentümer stehen sich besser dabei, wenn sie sich wieder Mieter suchen – man weiß ja, daß die Gesundheitspolizei so bald nicht wiederkommt!

Diese östliche und nordöstliche Seite von Manchester ist die einzige, an welcher sich die Bourgeoisie nicht angebaut hat – aus dem Grunde, weil der hier zehn oder elf Monate im Jahr herrschende West- und Südwestwind den Rauch aller Fabriken – und der ist nicht gering – stets nach dieser Seite hinübertreibt. Den können die Arbeiter allein einatmen.

Südlich von Great Ancoats Street liegt ein großer halbbebauter Arbeiterbezirk – ein hügeliger, nackter Strich Landes, mit einzelnen unordentlich angelegten Häuserreihen oder Karrees besetzt. Dazwischen leere Bauplätze, uneben, lehmig, ohne Gras und daher bei feuchtem Wetter kaum zu passieren. Die Cottages sind alle schmutzig und alt, liegen oft in tiefen Löchern und erinnern überhaupt an die Neustadt. Die von der Birminghamer Eisenbahn durchschnittene Strecke ist die am dichtesten bebaute, also auch die schlechteste. Hier fließt in unzähligen Krümmungen der Medlock durch ein Tal, das stellenweise mit dem des Irk auf gleicher Stufe steht. Zu beiden Seiten des wieder pechschwarzen, stagnierenden und stinkenden Flusses, von seinem Eintritt in die Stadt bis zu seiner Vereinigung mit dem Irwell, zieht sich ein breiter Gürtel von Fabriken und Arbeiterwohnungen, welche letzteren alle in dem schlechtesten Zustande sind. Das Ufer ist meist abschüssig und bis in den Fluß hinein bebaut, gerade wie wir es am Irk gesehen haben, und die Anlage der Häuser und Straßen ist gleich schlecht, ob sie auf der Seite von Manchester oder der von Ardwick, Chorlton oder Hulme angelegt sind. Der abscheulichste Fleck – wenn ich alle die einzelnen Flecke detaillieren wollte, würde ich nicht zu Ende kommen – liegt aber auf der Manchester-Seite, gleich südwestlich von Oxford Road und heißt Klein-Irland (Little Ireland). In einem ziemlich tiefen Loche, das in einem Halbkreis vom Medlock und an allen vier Seiten von hohen Fabriken, hohen bebauten Ufern oder Aufschüttungen umgeben ist, liegen in zwei Gruppen etwa 200 Cottages, meist mit gemeinschaftlichen Rückwänden für je zwei Wohnungen, worin zusammen an 4000 Menschen, fast lauter Irländer, wohnen. Die Cottages sind alt, schmutzig und von der kleinsten Sorte, die Straßen uneben, holperig und zum Teil ungepflastert und ohne Abflüsse; eine Unmasse Unrat, Abfall und ekelhafter Kot liegt zwischen stehenden Lachen überall herum, die Atmosphäre ist durch die Ausdünstungen derselben verpestet und durch den Rauch von einem Dutzend Fabrikschornsteinen verfinstert und schwer gemacht – eine Menge zerlumpter Kinder und Weiber treibt sich hier umher, ebenso schmutzig wie die Schweine, die sich auf den Aschenhaufen und in den Pfützen wohl sein lassen – kurz, das ganze Nest gewährt einen so unangenehmen, so zurückstoßenden Anblick wie kaum die schlechtesten Höfe am Irk. Das Geschlecht, das in diesen verfallenden Cottages, hinter den zerbrochenen und mit Ölleinwand verklebten Fenstern, den rissigen Türen und abfaulenden Pfosten oder gar in den finstern nassen Kellern, zwischen diesem grenzenlosen Schmutz und Gestank in dieser wie absichtlich eingesperrten Atmosphäre lebt – das Geschlecht muß wirklich auf der niedrigsten Stufe der Menschheit stehn – das ist der Eindruck und die Schlußfolgerung, die einem bloß die Außenseite dieses Bezirks aufdrängt. Aber was soll man sagen, wenn man hört*, daß in jedem dieser Häuschen, das allerhöchstens zwei Zimmer und den Dachraum, vielleicht noch einen Keller hat, durchschnittlich zwanzig Menschen wohnen, daß in dem ganzen Bezirk nur auf etwa 120 Menschen ein – natürlich meist ganz unzugänglicher – Abtritt kommt und daß trotz alles Predigens der Ärzte, trotz der Aufregung, in die zur Cholerazeit die Gesundheitspolizei über den Zustand von Klein-Irland geriet, dennoch alles heute im Jahr der Gnade 1844 fast in demselben Zustande ist wie 1831? Dr. Kay erzählt, daß nicht nur die Keller, sondern sogar die Erdgeschosse aller Häuser in diesem Bezirk feucht seien; daß früher eine Anzahl Keller mit Erde aufgefüllt worden, allmählich aber wieder ausgeleert und jetzt von Irländern bewohnt würden – daß in einem Keller das Wasser – da der Boden

* *Dr. Kay*, a. a. O.

des Kellers tiefer lag als der Fluß – fortwährend aus einem mit Lehm verstopften Versenkloch herausgequollen sei, so daß der Bewohner, ein Handweber, jeden Morgen seinen Keller habe trocken schöpfen und das Wasser auf die Straße gießen müssen!

Weiter abwärts liegt, auf der linken Seite des Medlock, Hulme, das eigentlich nur ein großes Arbeiterviertel ist und dessen Zustand fast ganz mit dem des Bezirks von Ancoats übereinstimmt. Die dichter bebauten Bezirke meist schlecht und dem Verfall nahend, die weniger bevölkerten von neuerer Bauart, luftiger, aber meist im Kot versunken. Feuchte Lage der Cottages allgemein, ebenso die Bauart mit Hintergassen und Kellerwohnungen. Auf der gegenüberliegenden Seite des Medlock, im eigentlichen Manchester, liegt ein zweiter großer Arbeiterdistrikt, der sich zu beiden Seiten von Deansgate bis an das kommerzielle Viertel erstreckt und teilweise der Altstadt nichts nachgibt. Namentlich in der unmittelbaren Nähe des kommerziellen Viertels, zwischen Bridge Street und Quay Street, Princess Street und Peter Street, übertrifft die Gedrängtheit der Bauart stellenweise die engsten Höfe der Altstadt. Hier findet man lange schmale Gassen, zwischen denen enge, winklige Höfe und Passagen sich befinden, deren Aus- und Eingänge so unordentlich angelegt sind, daß man in diesem Labyrinth alle Augenblicke in einem Sack festrennt oder an der ganz verkehrten Stelle herauskommt, wenn man nicht jede Passage und jeden Hof genau kennt. In diesen engen, verfallenen und schmutzigen Gegenden wohnt nach Dr. Kay die demoralisierteste Klasse von ganz Manchester, deren Handwerk Diebstahl oder Prostitution ist, und allem Anscheine nach hat er, auch jetzt noch, darin recht. Als auch hier die Gesundheitspolizei 1831 ihren Streifzug machte, fand sie in diesem Bezirk die Unreinlichkeit ebenso groß wie am Irk oder in Little Ireland (daß es damit jetzt noch nicht viel besser steht, kann ich bezeugen) und unter anderem in Parliament Street für dreihundertundachtzig Menschen und in Parliament Passage für dreißig starkbevölkerte Häuser nur einen einzigen Abtritt.

Gehen wir über den Irwell nach Salford, so finden wir auf einer von diesem Flusse gebildeten Halbinsel eine Stadt, die achtzigtausend Einwohner zählt und eigentlich nur ein großer, von einer einzigen breiten Straße durchschnittener Arbeiterbezirk ist. Salford, früher bedeutender als Manchester, war damals der Hauptort des umliegenden Distrikts und gibt ihm noch den Namen (Salford Hundred). Daher kommt es, daß sich auch hier ein ziemlich alter und folglich jetzt sehr ungesunder, schmutziger und verfallener Bezirk vorfindet, der der alten Kirche von Manchester gegenüberliegt und in ebenso schlechtem Zustande ist wie die Altstadt auf der andern Seite des Irwell. Weiter vom Flusse ab liegt ein neuerer Distrikt, der aber ebenfalls schon über vierzig Jahre und daher baufällig genug ist. Ganz Salford ist in Höfen oder schmalen Gassen gebaut, die so eng sind, daß sie mich an die engsten erinnerten, die ich gesehen habe, nämlich an die schmalen Gäßchen von Genua. In dieser Beziehung ist die durchschnittliche Bauart von Salford noch bedeutend schlechter als die von Manchester, und ebenso ist es mit der Reinlichkeit. Wenn in Manchester die Polizei wenigstens von Zeit zu Zeit – alle sechs bis zehn Jahre einmal – sich in die Arbeiterbezirke begab, die schlechtesten Wohnungen schloß, die schmutzigsten Stellen dieses Augiasstalles fegen ließ, so scheint sie in Salford gar nichts getan zu haben. Die engen Seitengassen und Höfe von Chapel Street, Greengate und Gravel Lane sind gewiß seit ihrer Erbauung nicht gereinigt worden – jetzt geht die Liverpooler Eisenbahn auf einem hohen Viadukt mitten dadurch und hat manchen der schmutzigsten Winkel weggenommen, aber was hilft das? Wenn man über diesen Viadukt fährt, so sieht man noch Schmutz und Elend genug von oben herab, und wenn man sich die Mühe nimmt, diese Gäßchen zu durchstreichen, durch die offenen Türen und Fenster in die Keller und Häuser hineinzublicken, so kann man sich jeden Augenblick überzeugen, daß die Arbeiter von Salford in Wohnungen leben, in denen Reinlichkeit und Bequemlichkeit unmöglich sind. Ganz dasselbe finden wir in den entfernter gelegenen Strichen von Salford, in Islington, an Regent Road und hinter der Boltoner Eisenbahn. Die Arbeiterwohnungen zwischen Oldfield Road und Cross Lane, wo sich zu beiden Seiten von Hope Street eine Menge von Höfen und Gassen im schlechtesten Zustande finden, wetteifern an Schmutz und gedrängter Einwohnerschaft mit der Altstadt von Manchester; in dieser Gegend fand ich einen Mann, der dem Aussehen nach sechzig Jahre alt war, in einem Kuhstall wohnend – er hatte sich den fensterlosen, weder gedielten noch gepflasterten viereckigen Kasten mit einer Art Rauchfang versehen, eine Bettstelle hineingebracht und wohnte darin, obwohl der Regen durch das schlechte, verfallene Dach troff. Der Mann war zu alt und zu schwach zur regelmäßigen Arbeit und ernährte sich durch Mistfahren usw. mit seiner Schubkarre; die Mistpfütze stieß dicht an seinen Stall.

Das sind die verschiedenen Arbeiterbezirke von Manchester, wie ich sie selbst während zwanzig Monaten zu beobachten Gelegenheit hatte. Fassen wir das Resultat unsrer Wanderung durch diese Gegenden zusammen, so müssen wir sagen, daß dreihundertfünfzigtausend Arbeiter von Manchester und seinen Vorstädten fast alle in schlechten, feuchten und schmutzigen Cottages wohnen, daß die Straßen, die sie einnehmen, meist in dem schlechtesten und unreinsten Zustande sich befinden und ohne alle Rücksicht auf Ventilation, bloß mit Rücksicht auf den dem Erbauer zufließenden Gewinn angelegt worden sind – mit einem Wort, daß in den Arbeiterwohnungen von Manchester keine Reinlichkeit, keine Bequemlichkeit, also auch keine Häuslichkeit möglich ist; daß in diesen Wohnungen nur eine entmenschte, degradierte, intellektuell und moralisch zur Bestialität herabgewürdigte, körperlich kränkliche Rasse sich behaglich und heimisch fühlen kann. Und ich bin nicht der einzige, der das behauptet; wir haben gesehen, daß Dr. Kay ganz dieselbe Beschreibung gibt, und zum Überfluß will ich noch die Worte eines Liberalen, einer anerkannten und sehr geschätzten Autorität der Fabrikanten, eines fanatischen Gegners aller selbständigen Arbeiterbewegungen, die Worte des Herrn *Senior* hersetzen*:

„Als ich durch die Wohnungen der Fabrikarbeiter in der irischen Stadt, Ancoats und Klein-Irland ging, erstaunte ich nur darüber, daß es möglich sei, in solchen Wohnungen eine erträgliche Gesundheit zu bewahren. Diese Städte – denn das sind sie in Ausdehnung und Einwohnerzahl – sind errichtet worden mit der äußersten Rücksichtslosigkeit gegen alles, ausgenommen unmittelbaren Nutzen für die spekulierenden Erbauer. Ein Zimmermann und ein Maurer vereinigen sich, eine Reihe Bauplätze zu kaufen" (d. h. auf eine Anzahl Jahre zu mieten) „und diese mit sogenannten Häusern zu bedecken; an einer Stelle fanden wir eine ganze Straße, die dem Laufe eines Grabens folgte, damit man ohne die Kosten der Ausgrabung tiefere Keller bekam – Keller, nicht zu Rumpelkammern und Niederlagen, sondern zu Wohnungen für Menschen. *Kein einziges Haus in dieser Straße entging der Cholera.* Und im allgemeinen sind die Straßen in diesen Vorstädten ungepflastert, mit einem Düngerhaufen oder einer Lache in der Mitte, die Häuser mit der Rückwand zusammengebaut und ohne Ventilation oder Trockenlegung, und ganze Familien sind auf den Winkel eines Kellers oder einer Dachstube beschränkt."

Ich erwähnte schon oben einer ungewöhnlichen Tätigkeit, die die Gesundheitspolizei zur Cholerazeit in Manchester entwickelte. Als nämlich diese Epidemie herannahte, befiel ein allgemeiner Schrecken die Bourgeoisie dieser Stadt; man erinnerte sich auf einmal der ungesunden Wohnungen der Armut und zitterte bei der Gewißheit, daß jedes dieser schlechten Viertel ein Zentrum für die Seuche bilden würde, von wo aus sie ihre Verwüstungen nach allen Richtungen in die Wohnsitze der besitzenden Klasse ausbreite. Sogleich wurde eine Gesundheitskommission ernannt, um diese Bezirke zu untersuchen und über ihren Zustand genau an den Stadtrat zu berichten. Dr. Kay, selbst Mitglied der Kommission, die jeden einzelnen Polizeidistrikt, mit Ausnahme des elften, speziell besichtigte, gibt aus ihrem Bericht einzelne

* *Nassau W. Senior*, „Letters on the Factory Act to the Rt. Hon. the President of the Board of Trade" [Briefe über das Fabrikgesetz an den sehr ehrenwerten Präsidenten des Handelsamtes] (Chas. Poulett Thomson Esq.). London 1837. – p. 24.

Auszüge. Es wurden im ganzen 6951 Häuser – natürlich nur im *eigentlichen* Manchester, mit Ausschluß von Salford und den übrigen Vorstädten – inspiziert; davon hatten 2565 dringend einen inneren Kalkanstrich nötig, an 960 waren notwendige Reparaturen vernachlässigt (were out of repair), 939 waren ohne hinreichende Abflüsse, 1435 waren feucht, 452 schlecht ventiliert, 2221 ohne Abtritte. Von den inspizierten 687 Straßen waren 248 ungepflastert, 53 nur teilweise gepflastert, 112 schlecht ventiliert, 352 enthielten stehende Pfützen, Haufen von Unrat, Abfall und dergleichen. Natürlich einen solchen Augiasstall vor der Ankunft der Cholera zu fegen war platterdings unmöglich; daher begnügte man sich mit der Reinigung einiger der schlechtesten Winkel und ließ sonst alles beim alten – es versteht sich, daß an den gereinigten Stellen, wie Klein-Irland beweist, nach ein paar Monaten die alte Unfläterei wiederhergestellt war. Und über den inneren Zustand dieser Wohnungen berichtet dieselbe Kommission Ähnliches, wie wir von London, Edinburgh und anderen Städten hörten:

„Oft ist eine ganze irische Familie in *einem* Bett zusammengedrängt; oft verbirgt ein Haufen schmutziges Stroh und Decken von altem Sackleinen alle in einem ununterscheidbaren Haufen, wo jeder durch Mangel, Stumpfsinn und Liederlichkeit gleich erniedrigt ist. Oft fanden die Inspektoren in einem Hause mit zwei Zimmern zwei Familien; in dem einen Zimmer schliefen sie alle, das andre war gemeinsames Eßzimmer und Küche; und oft wohnte mehr als eine Familie in einem einstubigen feuchten Keller, in dessen pestilenzialischer Atmosphäre zwölf bis sechzehn Menschen zusammengedrängt waren; zu diesen und anderen Quellen von Krankheiten kamen noch, daß Schweine darin gehalten wurden und andere Ekelhaftigkeiten der empörendsten Art sich vorfanden."*

Wir müssen hinzufügen, daß viele Familien, die selbst nur ein Zimmer haben, darin Kostgänger und Schlafgenossen für eine Entschädigung aufnehmen, daß solche Kostgänger von beiden Geschlechtern nicht selten sogar mit dem Ehepaar in einem und demselben Bette schlafen und daß z.B. der eine Fall, daß ein Mann, seine Frau und seine erwachsene Schwiegerin in *einem* Bette schliefen, nach dem „Bericht über den Gesundheitszustand der Arbeiterklasse", in Manchester sechs- oder mehrmal vorgefunden wurde. Die gemeinen Logierhäuser sind auch hier sehr zahlreich; Dr. Kay gibt ihre Zahl 1831 auf 267 im eigentlichen Manchester an, und seitdem muß sie sich sehr vermehrt haben. Diese nehmen jedes zwischen zwanzig und dreißig Gäste auf und beherbergen also zusammen jede Nacht zwischen fünf- und siebentausend Menschen; der Charakter der Häuser und ihrer Kunden ist

* *Kay*, a. a. O. p. 32.

derselbe wie in den andern Städten. Fünf bis sieben Betten liegen in jedem Zimmer ohne Bettstellen auf der Erde, und darauf werden soviel Menschen gelegt, wie sich finden, und alles durcheinander. Welche physische und moralische Atmosphäre in diesen Höhlen des Lasters herrscht, brauche ich wohl nicht zu sagen. Jedes dieser Häuser ist ein Fokus des Verbrechens und der Schauplatz von Handlungen, die die Menschlichkeit empören und vielleicht ohne diese gewaltsame Zentralisation der Unsittlichkeit nie zur Ausführung gekommen wären. Die Anzahl der in Kellerwohnungen lebenden Individuen gibt *Gaskell** für das eigentliche Manchester auf 20000 an. Das „*Weekly Dispatch*" gibt die Anzahl „nach offiziellen Berichten" auf 12 Prozent der Arbeiterklasse an, was damit stimmen würde – die Anzahl der Arbeiter zu 175000 angenommen, sind 12 Prozent gleich 21000. Die Kellerwohnungen in den Vorstädten sind *mindestens* ebenso zahlreich, und so wird die Zahl der in Manchester im weiteren Sinne in Kellern wohnenden Personen nicht unter 40000 bis 50000 betragen. Soviel über die Wohnungen der Arbeiter in den großen Städten. Die Befriedigung des Bedürfnisses für Obdach wird einen Maßstab abgeben für die Art, in welcher alle übrigen Bedürfnisse befriedigt werden. Daß in diesen schmutzigen Löchern nur eine zerlumpte, schlecht genährte Einwohnerschaft sich aufhalten kann, läßt sich schon schließen. Und so ist es auch. Die Kleidung der Arbeiter ist bei der ungeheuren Majorität in sehr schlechtem Zustande. Schon die Stoffe, die dazu genommen werden, sind nicht die geeignetsten; Leinen und Wolle sind aus der Garderobe beider Geschlechter fast verschwunden, und an ihre Stelle ist Baumwolle getreten.

---

* *P. Gaskell*, „The Manufacturing Population of England, its Moral, Social, and Physical Conditions, and the Changes which have arisen from the Use of Steam Machinery; with an Examination of Infant Labour". „Fiat Justitia" [Die Fabrikarbeiterbevölkerung Englands, ihre sittliche, soziale und physische Lage und die durch die Anwendung von Dampfmaschinen verursachten Veränderungen. Nebst einer Untersuchung der Kinderarbeit. Es walte Gerechtigkeit]. – 1833. – Hauptsächlich die Lage der Arbeiter in Lancashire schildernd. Der Verfasser ist ein Liberaler, schrieb aber zu einer Zeit, wo es noch nicht zum Liberalismus gehörte, das „Glück" der Arbeiter zu preisen. Daher ist er noch unbefangen und darf noch Augen haben für die Übel des jetzigen Zustandes, und namentlich des Fabriksystems. Dafür schrieb er aber auch *vor* der Factories Inquiry Commission [Fabrik-Untersuchungskommission] und entnimmt aus zweideutigen Quellen manche später durch den Kommissionsbericht widerlegte Behauptung. Das Werk, obwohl im ganzen gut, ist daher, und weil er wie Kay die Arbeiterklasse überhaupt mit der Fabrikarbeiterklasse im besondern verwechselt, in Einzelheiten nur mit Vorsicht zu gebrauchen. Die in der Einleitung gegebene Entwicklungsgeschichte des Proletariats ist hauptsächlich aus diesem Werke genommen.

Die Hemden sind von gebleichtem oder buntem Kattun, ebenso die Kleider der Frauenzimmer meist gedruckter Kattun, wollene Unterröcke sieht man ebenfalls selten auf den Waschleinen. Die Männer haben meist Beinkleider von Baumwollensamt oder anderen schweren baumwollenen Stoffen und Röcke oder Jacken von demselben Zeuge. Der Baumwollensamt (fustian) ist sogar sprichwörtlich die Tracht der Arbeiter geworden – fustian-jackets, so werden die Arbeiter genannt und nennen sich selbst so im Gegensatz zu den Herren in wollenem Tuch (broadcloth), welches letztere ebenfalls als Bezeichnung für die Mittelklasse gebraucht wird. Als Feargus O'Connor, der Chartistenchef, während der Insurrektion von 1842[86] nach Manchester kam, erschien er unter dem rasendsten Beifall der Arbeiter in einem baumwollensamtnen Anzuge. Hüte sind in England die allgemeine Tracht auch der Arbeiter, Hüte der verschiedensten Formen, runde, kegelförmige oder zylindrische, breitrandig, schmalrandig oder randlos – nur jüngere Leute tragen in den Fabrikstädten Mützen. Wer keinen Hut hat, faltet sich von Papier eine niedrige, viereckige Kappe. Die ganze Bekleidung der Arbeiter – auch vorausgesetzt, daß sie in gutem Zustande ist – ist wenig in Einklang mit dem Klima. Die feuchte Luft Englands, die mit ihren schnellen Witterungswechseln mehr als jede andere Erkältungen hervorruft, nötigt fast die ganze Mittelklasse, Flanell auf der bloßen Haut des Oberkörpers zu tragen; flanellne Halsbinden, Jacken und Leibbinden sind fast allgemein im Gebrauch. Die arbeitende Klasse entbehrt nicht nur dieser Vorsorge, sondern ist auch fast nie imstande, überhaupt einen Faden Wolle zur Kleidung zu verwenden. Die schweren Baumwollenzeuge aber, obwohl dicker, steifer und schwerer als wollenes Tuch, halten dennoch Kälte und Nässe viel weniger ab als dieses, bleiben wegen ihrer Dicke und wegen der Natur des Materials länger feucht und haben überhaupt nicht die Dichtigkeit des gewalkten Wollentuchs. Und wenn der Arbeiter sich einmal einen wollenen Rock für den Sonntag anschaffen kann, so muß er in einen der „billigen Läden" gehen, wo er schlechtes, sogenanntes „devil's dust"[1]-Tuch bekommt, das „nur aufs Verkaufen, nicht aufs Tragen" gemacht ist und nach vierzehn Tagen reißt oder fadenscheinig wird – oder er muß sich beim Trödler einen halbverschlissenen alten Rock kaufen, dessen beste Zeit vorüber ist und der ihm nur für wenige Wochen gute Dienste leistet. Dazu kommt aber noch bei den meisten der schlechte Zustand ihrer Garderobe und von Zeit zu Zeit die Notwendigkeit, die besseren Kleidungsstücke ins Pfandhaus zu tragen. Bei einer sehr, sehr großen Anzahl aber, besonders denen irischen Bluts, sind die Kleider wahre Lumpen, die

[1] Teufelsdreck (Tuch, hergestellt aus minderwertigen, auf der Reißwolfmaschine – engl. devil: Teufel – verarbeiteten Wollresten)

oft gar nicht mehr flickfähig sind oder bei denen man vor lauter Flicken die ursprüngliche Farbe gar nicht mehr erkennt. Die Engländer oder die Anglo-Iren flicken doch noch und haben es in dieser Kunst merkwürdig weit gebracht – Wolle oder Sackleinen auf Baumwollensamt oder umgekehrt, das macht ihnen gar nichts aus – aber die echten, eingewanderten Irländer flicken fast nie, nur im höchsten Notfalle, wenn das Kleid sonst in zwei Stücke reißt; gewöhnlich hangen die Lumpen des Hemdes durch die Risse des Rocks oder der Hosen heraus; sie tragen, wie Thomas Carlyle* sagt,

„einen Anzug von Fetzen, die aus- und anzuziehen eine der schwierigsten Operationen ist und nur an Festtagen und zu besonders günstigen Zeiten vorgenommen wird".

Die Irländer haben auch das früher in England unbekannte Barfußgehen mit herübergebracht. Jetzt sieht man in allen Fabrikstädten eine Menge Leute, namentlich Kinder und Weiber, barfuß umhergehen, und dies findet allmählich auch bei den ärmeren Engländern Eingang.

Wie mit der Kleidung, so mit der Nahrung. Die Arbeiter bekommen das, was der besitzenden Klasse zu schlecht ist. In den großen Städten Englands kann man alles aufs beste haben, aber es kostet teures Geld; der Arbeiter, der mit seinen paar Groschen haushalten muß, kann so viel nicht anlegen. Dazu bekommt er seinen Lohn meist erst Samstag abends ausgezahlt – man hat angefangen, schon Freitag zu zahlen, aber diese sehr gute Einrichtung ist noch lange nicht allgemein – und so kommt er Samstag abends um vier, fünf oder sieben Uhr erst auf den Markt, von dem während des Vormittags schon die Mittelklasse sich das Beste ausgesucht hat. Des Morgens strotzt der Markt von den besten Sachen, aber wenn die Arbeiter kommen, ist das Beste fort, und wenn es auch noch da wäre, so würden sie es wahrscheinlich nicht kaufen können. Die Kartoffeln, die der Arbeiter kauft, sind meist schlecht, die Gemüse verwelkt, der Käse alt und von geringer Qualität, der Speck ranzig, das Fleisch mager, alt, zäh, von alten, oft kranken oder verreckten Tieren – oft schon halb faul. Die Verkäufer sind meistens kleine Höker, die schlechtes Zeug zusammenkaufen und es eben wegen seiner Schlechtigkeit so billig wieder verkaufen können. Die ärmsten Arbeiter müssen noch einen andern Kunstgriff gebrauchen, um mit ihrem wenigen Gelde selbst bei der schlechtesten Qualität der einzukaufenden Artikel auszukommen. Da nämlich um zwölf Uhr am Sonnabendabend alle Läden geschlossen werden müssen und am Sonntag nichts verkauft werden darf, so werden zwischen zehn und zwölf Uhr diejenigen Waren, die bis zum Montagmorgen verderben würden, zu

* *Thomas Carlyle*, „Chartism". London 1840. – p. 28. – Über Thomas Carlyle siehe unten [siehe die Fußnoten S. 486 u. 502].

Spottpreisen losgeschlagen. Was aber um zehn Uhr noch liegengeblieben ist, davon sind neun Zehntel am Sonntagmorgen nicht mehr genießbar, und gerade diese Waren bilden den Sonntagstisch der ärmsten Klasse. Das Fleisch, das die Arbeiter bekommen, ist sehr häufig ungenießbar – weil sie's aber einmal gekauft haben, so müssen sie es essen. Am 6. Januar (wenn ich nicht sehr irre) 1844 war Marktgericht (court leet) in Manchester, wobei elf Fleischverkäufer gestraft wurden, weil sie ungenießbares Fleisch verkauft hatten. Jeder derselben hatte ein ganzes Rind oder Schwein oder mehrere Schafe oder 50 bis 60 Pfund Fleisch, die alle in diesem Zustande konfisziert worden waren. Bei einem derselben wurden 64 gefüllte Weihnachtsgänse mit Beschlag belegt, die zu Liverpool nicht verkauft und infolgedessen nach Manchester transportiert worden waren, wo sie faul und stinkend auf den Markt kamen. Die ganze Geschichte mit Namen und Strafbetrag wurde damals im „Manchester Guardian" [87] erzählt. In den sechs Wochen vom 1. Juli bis 14. August berichtet dasselbe Blatt drei Fälle derselben Art; nach der Nummer vom 3. Juli wurde zu Heywood ein Schwein von 200 Pfund, das tot und faul gefunden, bei einem Schlächter zerhackt und zum Verkauf ausgestellt war, konfisziert; nach der vom 31. Juli wurden zwei Schlächter zu Wigan, deren einer schon früher sich desselben Vergehens schuldig gemacht hatte, wegen Ausstellung von ungenießbarem Fleisch in 2 Pfd. St. und 4 Pfd. St. Strafe genommen, und laut Nummer vom 10. August bei einem Krämer zu Bolton 26 ungenießbare Schinken mit Beschlag belegt, öffentlich verbrannt und der Krämer im Betrage von 20 sh. gestraft. Das sind aber lange noch nicht alle Fälle, noch nicht einmal ein Durchschnitt für die Zeit von sechs Wochen, wonach der Jahresdurchschnitt zu berechnen wäre – es kommen oft Zeiten, wo jede Nummer des zweimal wöchentlich erscheinenden „Guardian" einen solchen Fall aus Manchester oder dem umliegenden Fabrikdistrikt bringt – und wenn man bedenkt, wie viele Fälle bei den ausgedehnten Märkten, die sich an allen Hauptstraßenfronten entlangziehen, und bei der wenigen Aufsicht den Marktinspektoren entgehen müssen – wie ist sonst auch die Frechheit erklärlich, mit der ganze Stücke Vieh zum Verkauf gebracht werden? – wenn man bedenkt, wie groß die Versuchung bei den oben angegebenen unbegreiflich niedrigen Strafbeträgen sein muß – wenn man bedenkt, in welchem Zustande ein Stück Fleisch schon sein muß, um von den Inspektoren als total ungenießbar konfisziert werden zu können, so kann man unmöglich glauben, daß die Arbeiter im Durchschnitt gutes und nahrhaftes Fleisch bekommen. Aber sie werden auch auf noch andere Weise von der Geldgier der Mittelklasse geprellt. Die Krämer und Fabrikanten verfälschen alle Nahrungsmittel auf eine unverantwortliche Weise und mit der größten

Rücksichtslosigkeit gegen die Gesundheit derer, die sie verzehren sollen. Wir ließen oben den „Manchester Guardian" sprechen, hören wir jetzt ein anderes Blatt der Mittelklasse – ich liebe es, meine Gegner zu Zeugen zu nehmen – hören wir den „*Liverpool Mercury*":

„Gesalzene Butter wird für frische verkauft, entweder indem die Klumpen mit einem Überzuge von frischer Butter bedeckt oder indem ein frisches Pfund zum Schmecken oben hingelegt und nach dieser Probe die gesalzenen Pfunde verkauft werden, oder indem das Salz ausgewaschen und die Butter dann für frische verkauft wird. Unter den Zucker wird gestoßener Reis oder andere wohlfeile Sachen gemischt und zum vollen Preise verkauft. Der Abfall der Seifensiedereien wird ebenfalls mit andern Stoffen vermischt und als Zucker verkauft. Unter gemahlnen Kaffee wird Zichorie oder anderes wohlfeiles Zeug gemischt, ja sogar unter ungemahlnen, wobei die Mischung in die Form von Kaffeebohnen gebracht wird. Kakao wird sehr häufig mit feiner brauner Erde versetzt, die mit Hammelfett gerieben ist und sich dann mit dem echten Kakao leichter vermischt. Tee wird mit Schlehenblättern und anderem Unrat vermischt, oder ausgebrauchte Teeblätter werden getrocknet, auf kupfernen heißen Platten geröstet, damit sie wieder Farbe bekommen, und so für frisch verkauft. Pfeffer wird mit Staub von Hülsen usw. verfälscht; Portwein wird geradezu fabriziert (aus Farbstoffen, Alkohol usw.), da es notorisch ist, daß in England allein mehr davon getrunken wird, als in ganz Portugal wächst, und Tabak wird mit ekelhaften Stoffen aller Art vermischt in allen möglichen Formen, die diesem Artikel gegeben werden."

(Ich kann hinzusetzen, daß wegen der allgemeinen Tabaksverfälschung mehrere der angesehensten Tabakshändler von Manchester im vorigen Sommer öffentlich erklärten, kein derartiges Geschäft könne ohne Verfälschung bestehen, und daß keine einzige Zigarre, die weniger als 3 Pence kostet, ganz aus Tabak besteht.) Natürlich bleibt es nicht bei den Betrügereien in Nahrungsmitteln, deren ich noch ein Dutzend – unter andern die Niederträchtigkeit, Gips oder Kreide unter das Mehl zu mischen – anführen könnte; in allen Artikeln wird betrogen, Flanell, Strümpfe usw. werden gereckt, um größer zu erscheinen, und laufen nach der ersten Wäsche ein, schmales Tuch wird für anderthalb oder drei Zoll breiteres verkauft, Steingut wird so dünn glasiert, daß die Glasur so gut wie keine ist und gleich springt, und hundert andere Schändlichkeiten. Tout comme chez nous[1] – aber wer die üblen Folgen der Betrügerei am meisten zu tragen hat, das sind die Arbeiter. Der Reiche wird nicht betrogen, weil er die teuren Preise der großen Läden bezahlen kann, die auf guten Ruf halten müssen und sich selbst am meisten schaden würden, wenn sie schlechte, verfälschte Ware hielten; der Reiche ist verwöhnt durch gute Kost und merkt den Betrug leichter mit seiner feinen Zunge.

[1] Ganz wie bei uns

Aber der Arme, der Arbeiter, bei dem ein paar Pfennige viel ausmachen, der für wenig Geld viel Waren haben muß, der auf die Qualität so genau nicht sehen darf und kann, weil er nie Gelegenheit hatte, seinen Geschmackssinn zu verfeinern, der bekommt all die verfälschte, ja oft vergiftete Ware; er muß zu kleinen Krämern gehen, muß vielleicht sogar auf Kredit kaufen, und diese Krämer, die wegen ihres kleinen Kapitals und der größern Geschäftsunkosten bei gleicher Qualität gar nicht einmal so wohlfeil verkaufen können wie die bedeutenden Detaillisten, müssen schon um der von ihnen verlangten niedrigeren Preise und um der Konkurrenz der übrigen willen verfälschte Ware wissentlich oder unwissentlich anschaffen. Dazu, wenn ein bedeutender Detaillist, der großes Kapital in seinem Geschäft stecken hat, bei einem entdeckten Betrug durch seinen ruinierten Kredit mit ruiniert ist – was verschlägt es einem Winkelkrämer, der eine einzige Straße mit Waren versorgt, ob man ihm Betrügereien nachweist? Traut man ihm in Ancoats nicht mehr, so zieht er nach Chorlton oder Hulme, wo ihn niemand kennt und wo er wieder von vorn anfängt zu betrügen; und gesetzliche Strafen stehen auf den wenigsten Verfälschungen, es sei denn, daß sie zugleich einen Akzise-Unterschleif involvieren. Aber nicht nur in der Qualität, sondern auch in der Quantität der Waren wird der englische Arbeiter betrogen; die kleinen Krämer haben großenteils falsche Maße und Gewichte, und eine unglaubliche Menge Straffälle wegen solcher Vergehen sind täglich in den Polizeiberichten zu lesen. Wie allgemein diese Art Betrügerei in den Fabrikdistrikten ist, mögen ein paar Auszüge aus dem „Manchester Guardian" lehren; sie erstrecken sich nur über einen kurzen Zeitraum, und selbst hier liegen mir nicht *alle* Nummern vor:

Guard[ian], 16. Juni 1844. *Rochdaler* Sessionen – 4 Krämer wegen zu leichter Gewichte in 5 bis 10 sh. gestraft. *Stockporter* Sessionen – 2 Krämer mit 1 sh. bestraft – einer davon hatte sieben leichte Gewichte und eine falsche Waagschale, und beide waren vorher gewarnt.

Guard. 19. Juni. *Rochdaler* Sessionen – ein Krämer mit 5 und zwei Bauern mit 10 sh. Strafe belegt.

Guard. 22. Juni. *Manchester* Friedensgericht – 19 Krämer von $2^1/_2$ sh. bis 2 Pfd. gestraft.

Guard. 26. Juni. *Ashtoner* Sessionen – 14 Krämer und Bauern von $2^1/_2$ sh. bis 1 Pfd. St. bestraft. *Hyder* kleine Session – 9 Bauern und Krämer in die Kosten und 5 sh. Strafe verurteilt.

Guard. 6. Juli. *Manchester* – 16 Krämer verurteilt in die Kosten und Strafen bis zu 10 sh.

Guard. 13. Juli. *Manchester* – 9 Krämer von $2^1/_2$ bis 20 sh. bestraft.

Guard. 24. Juli. *Rochdaler* – 4 Krämer von 10 bis 20 sh. bestraft.
Guard. 27. Juli. *Bolton* – 12 Krämer und Wirte verurteilt in die Kosten.
Guard. 3. Aug. *Bolton* – drei desgleichen zu $2^1/_2$ bis 5 sh. Strafe.
Guard. 10. Aug. *Bolton* – ein desgleichen zu 5 sh. Strafe.

Und aus denselben Gründen, aus denen der Betrug in der Qualität der Waren hauptsächlich auf die Arbeiter fiel, aus denselben fällt auch der quantitative Betrug auf sie.

Die gewöhnliche Nahrung der einzelnen Arbeiter selbst ist natürlich nach dem Arbeitslohn verschieden. Die besserbezahlten Arbeiter, besonders solche Fabrikarbeiter, bei denen jedes Familienglied imstande ist, etwas zu verdienen, haben, solange das dauert, gute Nahrung, täglich Fleisch und abends Speck und Käse. Wo weniger verdient wird, findet man nur sonntags oder zwei- bis dreimal wöchentlich Fleisch, dafür mehr Kartoffeln und Brot; gehen wir allmählich tiefer, so finden wir die animalische Nahrung auf ein wenig unter die Kartoffeln geschnittenen Speck reduziert – noch tiefer verschwindet auch dieses, es bleibt nur Käse, Brot, Hafermehlbrei (porridge) und Kartoffeln, bis auf der tiefsten Stufe, bei den Irländern, nur Kartoffeln die Nahrung bilden. Dazu wird allgemein ein dünner Tee, vielleicht mit etwas Zucker, Milch oder Branntwein vermischt, getrunken; der Tee gilt in England und selbst in Irland für ein ebenso notwendiges und unerläßliches Getränk wie bei uns der Kaffee, und wo kein Tee mehr getrunken wird, da herrscht immer die bitterste Armut. Alles das aber unter der Voraussetzung, daß der Arbeiter beschäftigt ist; wenn er keine Arbeit hat, so ist er ganz dem Zufall überlassen und ißt, was er geschenkt bekommt, sich zusammenbettelt oder – stiehlt; und wenn er nichts bekommt, so verhungert er eben, wie wir vorhin gesehen haben. Es versteht sich überhaupt, daß die Quantität der Nahrung sich wie die Qualität nach dem Lohne richtet und daß bei den schlechter bezahlten Arbeitern, wenn sie noch gar eine starke Familie haben, auch während voller Beschäftigung Hungersnot herrscht; und die Zahl dieser schlechter bezahlten Arbeiter ist sehr groß. Namentlich in London, wo die Konkurrenz der Arbeiter in demselben Maße steigt wie die Bevölkerung, ist diese Klasse sehr zahlreich, aber auch in allen andern Städten finden wir sie. Da werden denn allerlei Auskunftsmittel gesucht, Kartoffelschalen, Gemüseabfall, faulende Vegetabilien* aus Mangel an anderer Nahrung gegessen und alles begierig herbeigeholt, was vielleicht noch ein Atom Nahrungsstoff enthalten könnte. Und wenn der Wochenlohn vor dem Ende der Woche verzehrt

* „Weekly Dispatch", April oder Mai 1844, nach einem Berichte des Dr. Southwood Smith über die Lage der Armen in London.

ist, so kommt es oft genug vor, daß die Familie in den letzten Tagen derselben gar nichts oder nur soviel Nahrung bekommt, als dringend nötig ist, sie vor dem Verhungern zu schützen. Eine solche Lebensweise kann natürlich nur Krankheiten in Masse erzeugen, und wenn diese eintreten, wenn vollends der Mann, von dessen Arbeit die Familie hauptsächlich lebt und dessen angestrengte Tätigkeit am meisten Nahrung erfordert, der also auch am ersten unterliegt – wenn dieser vollends[1] krank wird, so ist die Not erst groß, so tritt die Brutalität, mit der die Gesellschaft ihre Mitglieder gerade dann verläßt, wenn sie ihrer Unterstützung am meisten bedürfen, erst recht grell hervor.

Fassen wir nun zum Schluß die angeführten Tatsachen nochmals kurz zusammen: Die großen Städte sind hauptsächlich von Arbeitern bewohnt, da im günstigsten Falle ein Bourgeois auf zwei, oft auch drei, hier und da auf vier Arbeiter kommt; diese Arbeiter haben selbst durchaus kein Eigentum und leben von dem Arbeitslohn, der fast immer aus der Hand in den Mund geht; die in lauter Atome aufgelöste Gesellschaft kümmert sich nicht um sie, überläßt es ihnen, für sich und ihre Familien zu sorgen, und gibt ihnen dennoch nicht die Mittel an die Hand, dies auf eine wirksame und dauernde Weise tun zu können; jeder Arbeiter, auch der beste, ist daher stets der Brotlosigkeit, das heißt dem Hungertode ausgesetzt, und viele erliegen ihm; die Wohnungen der Arbeiter sind durchgehends schlecht gruppiert, schlecht gebaut, in schlechtem Zustande gehalten, schlecht ventiliert, feucht und ungesund; die Einwohner sind auf den kleinsten Raum beschränkt, und in den meisten Fällen schläft wenigstens *eine* Familie in *einem* Zimmer; die innere Einrichtung der Wohnungen ist ärmlich in verschiedenen Abstufungen bis zum gänzlichen Mangel auch der notwendigsten Möbel; die Kleidung der Arbeiter ist ebenfalls durchschnittlich kärglich und bei einer großen Menge zerlumpt; die Nahrung im allgemeinen schlecht, oft fast ungenießbar und in vielen Fällen wenigstens zeitweise in unzureichender Quantität, so daß im äußersten Falle Hungertod eintritt. Die Arbeiterklasse der großen Städte bietet uns so eine Stufenleiter verschiedener Lebenslagen dar – im günstigsten Falle eine temporär erträgliche Existenz, für angestrengte Arbeit guten Lohn, gute Wohnung und gerade keine schlechte Nahrung – alles natürlich vom Arbeiterstandpunkt aus gut und erträglich – im schlimmsten bitteres Elend, das sich bis zur Obdachlosigkeit und dem Hungertode steigern kann; der Durchschnitt liegt aber dem schlimmsten Falle weit näher als dem besten. Und diese Stufenleiter teilt sich nicht etwa bloß in fixe Klassen, so daß man

[1] *(1892)* wenn vollends dieser

sagen könnte: Dieser Fraktion der Arbeiter geht es gut, jener schlecht, und so bleibt es und ist es schon von jeher gewesen; sondern, wenn das auch hier und da der Fall ist, wenn einzelne Arbeitszweige im ganzen einen Vorzug vor andern genießen, so schwankt doch auch die Lage der Arbeiter in jeder Branche so sehr, daß ein jeder einzelne Arbeiter in den Fall kommen kann, die ganze Stufenleiter zwischen verhältnismäßigem Komfort und dem äußersten Mangel, ja dem Hungertode durchzumachen – wie denn auch fast jeder englische Proletarier von bedeutenden Glückswechseln zu erzählen weiß. Die Ursachen davon wollen wir jetzt etwas näher betrachten.

Die Konkurrenz

Wir haben in der Einleitung gesehen, wie die Konkurrenz gleich im Anfange der industriellen Bewegung das Proletariat schuf, indem sie bei vermehrter Nachfrage nach gewebten Stoffen den Weblohn steigerte und dadurch die webenden Bauern veranlaßte, ihre Ackerwirtschaft dranzugeben, um am Webstuhl desto mehr verdienen zu können; wir haben gesehen, wie sie die kleinen Bauern durch das System der Bewirtschaftung im großen verdrängte, sie zu Proletariern herabsetzte und dann teilweise in die Städte zog; wie sie ferner die kleine Bourgeoisie zum größten Teil ruinierte und ebenfalls zu Proletariern herabdrückte, wie sie das Kapital in den Händen weniger und die Bevölkerung in den großen Städten zentralisierte. Das sind die verschiedenen Wege und Mittel, durch welche die Konkurrenz, wie sie in der modernen Industrie zur vollen Erscheinung und zur freien Entwicklung ihrer Konsequenzen kam, das Proletariat schuf und ausdehnte. Wir werden jetzt ihren Einfluß auf das schon bestehende Proletariat zu betrachten haben. Und hier haben wir zuerst die Konkurrenz der einzelnen Arbeiter unter sich in ihren Folgen zu entwickeln.

Die Konkurrenz ist der vollkommenste Ausdruck des in der modernen bürgerlichen Gesellschaft herrschenden Kriegs Aller gegen Alle. Dieser Krieg, ein Krieg um das Leben, um die Existenz, um *alles*, also auch im Notfalle ein Krieg auf Leben und Tod, besteht nicht nur zwischen den verschiedenen Klassen der Gesellschaft, sondern auch zwischen den einzelnen Mitgliedern dieser Klassen; jeder ist dem andern im Wege, und jeder sucht daher auch alle, die ihm im Wege sind, zu verdrängen und sich an ihre Stelle zu setzen. Die Arbeiter konkurrieren unter sich, wie die Bourgeois unter sich konkurrieren. Der mechanische Weber konkurriert gegen den Handweber, der unbeschäftigte oder schlecht bezahlte Handweber gegen den beschäftigten oder besser bezahlten und sucht ihn zu verdrängen. Diese Konkurrenz der Arbeiter gegeneinander ist aber die schlimmste Seite der jetzigen Verhältnisse für den

Arbeiter, die schärfste Waffe gegen das Proletariat in den Händen der Bourgeoisie. Daher das Streben der Arbeiter, diese Konkurrenz durch Assoziationen aufzuheben, daher die Wut der Bourgeoisie gegen diese Assoziationen und ihr Triumph über jede diesen beigebrachte Schlappe.

Der Proletarier ist hülflos; er kann für sich selbst nicht einen einzigen Tag leben. Die Bourgeoisie hat sich das Monopol aller Lebensmittel im weitesten Sinne des Worts angemaßt. Was der Proletarier braucht, kann er nur von dieser Bourgeoisie, die durch die Staatsgewalt in ihrem Monopol geschützt wird, erhalten. Der Proletarier ist also rechtlich und tatsächlich der Sklave der Bourgeoisie; sie kann über sein Leben und seinen Tod verfügen. Sie bietet ihm ihre Lebensmittel an, aber für ein „Äquivalent", für seine Arbeit; sie läßt ihm sogar noch den Schein, als ob er aus freiem Willen handelte, mit freier, zwangloser Einwilligung, als mündiger Mensch einen Vertrag mit ihr abschlösse. Schöne Freiheit, wo dem Proletarier keine andere Wahl bleibt, als die Bedingungen, die ihm die Bourgeoisie stellt, zu unterschreiben oder – zu verhungern, zu erfrieren, sich nackt bei den Tieren des Waldes zu betten! Schönes „Äquivalent", dessen Betrag ganz im Belieben der Bourgeoisie steht! Und ist der Proletarier ein solcher Narr, lieber verhungern zu wollen, als sich in die „billigen" Vorschläge der Bourgeois, seiner *„natürlichen Vorgesetzten"**, zu fügen – je nun, es findet sich leicht ein anderer, es gibt Proletarier genug in der Welt, und nicht alle sind so verrückt, nicht alle ziehen den Tod dem Leben vor.

Da haben wir die Konkurrenz der Proletarier untereinander. Wenn *alle* Proletarier nur den Willen aussprächen, lieber verhungern als für die Bourgeoisie arbeiten zu wollen, so würde diese schon von ihrem Monopol abstehen müssen; aber das ist nicht der Fall, das ist sogar ein ziemlich unmöglicher Fall, und daher ist die Bourgeoisie noch immer guter Dinge. Nur *eine* Schranke hat diese Konkurrenz der Arbeiter – kein Arbeiter wird für weniger arbeiten wollen, als er zu seiner Existenz nötig hat; wenn er einmal verhungern soll, so wird er lieber faul als arbeitend verhungern wollen. Freilich ist diese Schranke relativ; der eine braucht mehr als der andere, der eine ist an mehr Bequemlichkeit gewöhnt als der andere – der Engländer, der noch etwas zivilisiert ist, braucht mehr als der Irländer, der in Lumpen geht, Kartoffeln ißt und in einem Schweinestall schläft. Aber das hindert den Irländer nicht, gegen den Engländer zu konkurrieren und allmählich den Lohn und mit ihm den Zivilisationsgrad des englischen Arbeiters auf das Niveau des irischen herabzudrükken. Gewisse Arbeiten erfordern einen bestimmten Zivilisationsgrad, und dahin gehören fast alle industriellen; daher muß der Lohn hier schon im Interesse

* Lieblingsausdruck der englischen Fabrikanten.

der Bourgeoisie selbst so hoch sein, daß er dem Arbeiter möglich macht, sich in dieser Sphäre zu erhalten. Der frischeingewanderte, im ersten besten Stalle kampierende Irländer, der selbst in einer erträglichen Wohnung jede Woche auf die Straße gesetzt wird, weil er alles versäuft und die Miete nicht bezahlen kann, der würde ein schlechter Fabrikarbeiter sein; daher muß den Fabrikarbeitern so viel gegeben werden, daß sie ihre Kinder zu regelmäßiger Arbeit erziehen können – aber auch nicht mehr, damit sie nicht den Lohn ihrer Kinder entbehren können und sie etwas anderes werden lassen als bloße Arbeiter. Auch hier ist die Schranke, das Minimum des Lohns, relativ; wo jeder in der Familie arbeitet, braucht der einzelne um soviel weniger zu erhalten, und die Bourgeoisie hat die Gelegenheit zur Beschäftigung und Rentbarmachung der Weiber und Kinder, die ihr in der Maschinenarbeit gegeben wurde, zur Herabdrückung des Lohns weidlich benutzt. Natürlich ist nicht in jeder Familie jeder arbeitsfähig, und eine solche Familie würde sich schlecht stehen, wenn sie zu dem auf eine ganz arbeitsfähige Familie berechneten Minimum des Lohns arbeiten wollte; daher stellt sich der Lohn hier auf einen Durchschnitt, bei dem es der ganz arbeitsfähigen Familie ziemlich gut, der weniger arbeitsfähige Mitglieder zählenden ziemlich schlecht geht. Aber im schlimmsten Falle wird jeder Arbeiter lieber das bißchen Luxus oder Zivilisation aufgeben, an das er gewöhnt war, um nur die nackte Existenz zu fristen; er wird lieber einen Schweinestall als gar kein Obdach, lieber Lumpen als gar keine Kleider, lieber nur Kartoffeln haben wollen als verhungern. Er wird lieber, in Aussicht auf bessere Zeiten, mit halbem Lohn zufrieden sein, als sich still auf die Straße setzen und vor den Augen der Welt sterben, wie so mancher Brotlose es getan hat. Dies bißchen also, dies etwas mehr als nichts, ist das Minimum des Lohns. Und wenn mehr Arbeiter da sind, als die Bourgeoisie zu beschäftigen für gut hält, wenn also am Ende des Konkurrenzkampfs doch noch eine Zahl übrigbleibt, die keine Arbeit findet, so muß diese Zahl eben verhungern; denn der Bourgeois wird ihnen doch wahrscheinlich keine Arbeit geben, wenn er die Produkte ihrer Arbeit nicht mit Nutzen verkaufen kann.

Wir sehen hieraus, was das Minimum des Lohns ist. Das Maximum wird durch die Konkurrenz der Bourgeois gegeneinander festgestellt, denn wir sahen, wie auch diese konkurrieren. Der Bourgeois kann sein Kapital nur durch Handel oder Industrie vergrößern, und zu beiden Zwecken braucht er Arbeiter. Selbst wenn er sein Kapital auf Zinsen legt, braucht er sie indirekt, denn ohne Handel und Industrie würde ihm niemand Zinsen dafür geben, würde niemand es benutzen können. So braucht allerdings der Bourgeois den Proletarier, aber nicht zum unmittelbaren Leben – er könnte ja von seinem

Kapitale zehren –, sondern wie man einen Handelsartikel oder ein Lasttier braucht, zur Bereicherung. Der Proletarier verarbeitet dem Bourgeois die Waren, die dieser mit Nutzen verkauft. Wenn also die Nachfrage nach diesen Waren wächst, so daß die gegeneinander konkurrierenden Arbeiter alle beschäftigt werden, vielleicht einige zu wenig da sind, so fällt die Konkurrenz der Arbeiter weg, und die Bourgeois fangen an, gegeneinander zu konkurrieren. Der Arbeiter suchende Kapitalist weiß sehr wohl, daß er bei den infolge der vermehrten Nachfrage steigenden Preisen größeren Gewinn macht, also auch lieber etwas mehr Lohn bezahlt, als sich den ganzen Gewinn entgehen läßt; er wirft mit der Wurst nach dem Schinken, und wenn er nur diesen bekommt, gönnt er dem Proletarier gern die Wurst. So jagt ein Kapitalist dem andern die Arbeiter ab, und der Lohn steigt. Aber nur so hoch, wie die steigende Nachfrage erlaubt. Wenn der Kapitalist, der wohl von seinem außerordentlichen Gewinn etwas aufopferte, auch von seinem ordentlichen. d. h. Durchschnittsgewinn etwas opfern sollte, so hütet er sich wohl, höheren als Durchschnittslohn zu zahlen.

Hieraus können wir den Durchschnittslohn bestimmen. Unter Durchschnittsverhältnissen, d. h. wenn weder Arbeiter noch Kapitalisten Grund haben, besonders gegeneinander zu konkurrieren, wenn *gerade so viel* Arbeiter da sind, als beschäftigt werden können, um die gerade verlangten Waren zu verfertigen, wird der Lohn etwas mehr als das Minimum betragen. Wie sehr er das Minimum übersteigen wird, wird von den Durchschnittsbedürfnissen und dem Zivilisationsgrad der Arbeiter abhängen. Wenn die Arbeiter gewohnt sind, wöchentlich mehrere Male Fleisch zu essen, so werden sich die Kapitalisten bequemen müssen, den Arbeitern so viel Lohn zu bezahlen, daß diesen eine solche Nahrung erschwinglich wird. Nicht weniger, weil die Arbeiter nicht unter sich konkurrieren, also auch keine Ursache haben, mit weniger vorliebzunehmen; nicht mehr, weil der Mangel der Konkurrenz unter den Kapitalisten diesen keine Veranlassung gibt, die Arbeiter durch außerordentliche Begünstigungen an sich zu ziehen.

Dies Maß der durchschnittlichen Bedürfnisse und der durchschnittlichen Zivilisation der Arbeiter ist durch die komplizierten Verhältnisse der heutigen englischen Industrie ein sehr verwickeltes und für verschiedene Arbeiterklassen verschiedenes geworden, wie schon oben angedeutet wurde. Die meisten industriellen Arbeiten erfordern indes eine gewisse Geschicklichkeit und Regelmäßigkeit, und für diese, die dann auch einen gewissen Zivilisationsgrad erfordern, muß dann auch der Durchschnittslohn so sein, daß er den Arbeiter veranlaßt, sich diese Geschicklichkeit anzueignen und dieser Regelmäßigkeit der Arbeit sich zu unterwerfen. Daher kommt es, daß der

Lohn der Industriearbeiter durchschnittlich höher ist als der der bloßen Lastträger, Tagelöhner usw., namentlich höher als der der Arbeiter auf dem Lande, wozu freilich noch die Verteuerung der Lebensmittel in den Städten ihr Teil beiträgt.

Oder deutsch gesprochen: Der Arbeiter ist rechtlich und faktisch Sklave der besitzenden Klasse, der Bourgeoisie, so sehr ihr Sklave, daß er wie eine Ware verkauft wird, wie eine Ware im Preise steigt und fällt. Steigt die Nachfrage nach Arbeitern, so steigen die Arbeiter im Preise; fällt sie, so fallen sie im Preise; fällt sie so sehr, daß eine Anzahl Arbeiter nicht verkäuflich sind, „auf Lager bleiben", so bleiben sie eben liegen, und da sie vom bloßen Liegen nicht leben können, so sterben sie Hungers. Denn, um in der Sprache der Nationalökonomen zu sprechen, die auf ihren Unterhalt verwendeten Kosten würden sich nicht „reproduzieren", würden weggeworfnes Geld sein, und dazu gibt kein Mensch sein Kapital her. Und soweit hat Herr Malthus mit seiner Populationstheorie[1] vollkommen recht. Der ganze Unterschied gegen die alte, offenherzige Sklaverei ist nur der, daß der heutige Arbeiter frei zu sein *scheint*, weil er nicht auf einmal verkauft wird, sondern stückweise, pro Tag, pro Woche, pro Jahr, und weil nicht ein Eigentümer ihn dem andern verkauft, sondern er sich selbst auf diese Weise verkaufen muß, da er ja nicht der Sklave eines einzelnen, sondern der ganzen besitzenden Klasse ist. Für ihn bleibt die Sache im Grunde dieselbe, und wenn dieser Schein der Freiheit ihm auch einerseits einige *wirkliche* Freiheit geben muß, so hat er auf der andern Seite auch den Nachteil, daß ihm kein Mensch seinen Unterhalt garantiert, daß er von seinem Herrn, der Bourgeoisie, jeden Augenblick zurückgestoßen und dem Hungertode überlassen werden kann, wenn die Bourgeoisie kein Interesse mehr an seiner Beschäftigung, an seiner Existenz hat. Die Bourgeoisie dagegen steht sich bei dieser Einrichtung viel besser als bei der alten Sklaverei – sie kann ihre Leute abdanken, wenn sie Lust hat, ohne daß sie dadurch ein angelegtes Kapital verlöre, und bekommt überhaupt die Arbeit viel wohlfeiler getan, als es sich durch Sklaven tun läßt, wie dies Adam Smith* ihr zu Troste vorrechnet.

Hieraus folgt denn auch, daß Adam Smith ganz recht hat, wenn er (a. a. O. [p. 133]) den Satz aufstellt:

* „Man hat gesagt, daß der Verschleiß eines Sklaven auf Kosten seines Herrn vor sich gehe, während der eines freien Arbeiters für Rechnung dieses Arbeiters geschehe. Aber der Verschleiß des letzteren ist ebenfalls für Rechnung des Herrn. Der den Tagelöhnern, Dienern usw. von jeglicher Art bezahlte Lohn muß so hoch sein, daß er diese

[1] Bevölkerungstheorie

„daß die Nachfrage nach Arbeitern, gerade wie die Nachfrage nach irgend*einem andern Artikel*, die Produktion von Arbeitern, die Quantität der erzeugten Menschen reguliert, diese Produktion beschleunigt, wenn sie zu langsam geht, sie aufhält, wenn sie zu rasch fortschreitet".

Ganz wie mit jedem andern Handelsartikel – ist zuwenig da, so steigen die Preise, d. h. der Lohn, es geht den Arbeitern besser, die Heiraten vermehren sich, es werden mehr Menschen erzeugt, es wachsen mehr Kinder heran, bis genug Arbeiter produziert sind; ist zuviel da, so fallen die Preise, es tritt Brotlosigkeit, Elend, Hungersnot und infolge davon Seuchen ein, und raffen die „überflüssige Bevölkerung" weg. Und Malthus, der obigen Smithschen Satz weiter ausführt, hat ebenfalls in seiner Weise recht, wenn er behauptet, es sei stets überflüssige Bevölkerung da, es seien immer zuviel Menschen in der Welt; er hat nur dann unrecht, wenn er behauptet, es seien mehr Menschen da, als von den vorhandenen Lebensmitteln ernährt werden könnten. Die überflüssige Bevölkerung wird vielmehr durch die Konkurrenz der Arbeiter unter sich erzeugt, die jeden einzelnen Arbeiter zwingt, täglich so viel zu arbeiten, als seine Kräfte ihm nur eben gestatten. Wenn ein Fabrikant täglich zehn Arbeiter neun Stunden lang beschäftigen kann, so kann er, wenn die Arbeiter zehn Stunden täglich arbeiten, nur neun beschäftigen, und der zehnte wird brotlos. Und wenn der Fabrikant zu einer Zeit, wo die Nachfrage nach Arbeitern nicht sehr groß ist, die neun Arbeiter durch die Drohung, sie zu entlassen, zwingen kann, für denselben Lohn täglich eine Stunde mehr, also zehn Stunden zu arbeiten, so entläßt er den zehnten und spart dessen Lohn. Wie hier im kleinen, so geht es bei einer Nation im großen. Die durch die Konkurrenz der Arbeiter unter sich auf ihr Maximum gesteigerten Leistungen jedes einzelnen, die Teilung der Arbeit, die Einführung von Maschinerie, die Benutzung der Elementarkräfte werfen eine Menge Arbeiter außer Brot. Diese brotlosen Arbeiter kommen aber aus dem Markte; sie können nichts mehr kaufen, also die früher von ihnen verlangte Quantität Handelswaren wird jetzt nicht mehr verlangt, braucht also nicht mehr angefertigt zu werden, die

---

in den Stand setzt, die Rasse der Tagelöhner und Diener in der Weise fortzupflanzen, wie es die zunehmende, stationäre oder abnehmende Nachfrage der Gesellschaft nach solchen Leuten gerade verlangt. Aber obgleich der Verschleiß eines freien Arbeiters ebenfalls auf Kosten des Herrn vor sich geht, so kostet er ihm doch in der Regel viel weniger als der eines Sklaven. Der Fonds, der dazu bestimmt ist, den Verschleiß eines Sklaven zu reparieren oder zu ersetzen, wird gewöhnlich von einem nachlässigen Herrn oder unaufmerksamen Aufseher verwaltet etc." – *A. Smith*, „Wealth of Nations" [Der Reichtum der Nationen], I, 8, p. 134 der MacCullochschen vierbändigen Ausgabe.

früher mit deren Verfertigung beschäftigten Arbeiter werden also wieder brotlos, treten vom Markte ebenfalls ab, und so geht es immer weiter, immer denselben Kreislauf durch – oder vielmehr, so würde es gehen, wenn nicht andre Umstände dazwischenträten. Die Einführung der oben angeführten industriellen Mittel, die Produktion zu vermehren, führt nämlich auf die Dauer niedrigere Preise der produzierten Artikel und infolge davon einen vermehrten Konsum herbei, so daß ein großer Teil der außer Brot gesetzten Arbeiter in neuen Arbeitszweigen und freilich nach langen Leiden endlich doch wieder unterkommt. Tritt hierzu noch, wie es in England während der letzten sechzig Jahre geschah, die Eroberung fremder Märkte, so daß die Nachfrage nach Manufakturwaren fortwährend und rasch steigt, so steigt auch die Nachfrage nach Arbeitern und mit ihr die Bevölkerung in demselben Verhältnisse. Statt also abzunehmen, hat sich die Einwohnerzahl des britischen Reichs reißend schnell vermehrt, vermehrt sich noch fortwährend – und bei all der steigenden Ausdehnung der Industrie, bei all der im ganzen und großen steigenden Nachfrage nach Arbeitern hat England, nach dem Geständnisse aller offiziellen Parteien (d. h. der Tories, Whigs und Radikalen), dennoch fortwährend überzählige und überflüssige Bevölkerung, ist dennoch fortwährend im ganzen die Konkurrenz *unter* den Arbeitern größer als die Konkurrenz *um* Arbeiter.

Woher kommt dieser Widerspruch? Aus dem Wesen der Industrie und Konkurrenz und den darin begründeten Handelskrisen. Bei der heutigen regellosen Produktion und Verteilung der Lebensmittel, die nicht um der unmittelbaren Befriedigung der Bedürfnisse, sondern um des Geldgewinns willen unternommen wird, bei dem System, wonach jeder auf eigne Faust arbeitet und sich bereichert, muß alle Augenblicke eine Stockung entstehen. England z. B. versorgt eine Menge Länder mit den verschiedensten Waren. Wenn nun auch der Fabrikant weiß, wieviel von jedem Artikel in jedem einzelnen Lande jährlich gebraucht wird, so weiß er doch nicht, wieviel zu jeder Zeit die Vorräte dort betragen, und noch viel weniger, wieviel seine Konkurrenten dorthin schicken. Er kann nur aus den ewig schwankenden Preisen einen unsichern Schluß auf den Stand der Vorräte und der Bedürfnisse machen, er muß aufs Geratewohl seine Waren hinausschicken; alles geschieht blindlings ins Blaue hinein, mehr oder weniger nur unter der Ägide des Zufalls. Auf die geringsten günstigen Berichte hin schickt jeder, was er kann – und nicht lange, so ist ein solcher Markt überfüllt mit Waren, der Verkauf stockt, die Kapitalien[1] bleiben aus, die Preise fallen, und die englische

[1] *(1892)* Rückflüsse

Industrie hat keine Beschäftigung für ihre Arbeiter mehr. Im Anfange der industriellen Entwicklung beschränkten sich diese Stockungen auf einzelne Fabrikationszweige und einzelne Märkte; aber durch die zentralisierende Wirkung der Konkurrenz, die die Arbeiter, die in einem Arbeitszweige brotlos werden, auf die am leichtesten erlernbaren aus den übrigen, und die in einem Markte nicht mehr unterzubringenden Waren auf die übrigen Märkte wirft und dadurch allmählich die einzelnen kleinen Krisen näher zusammenrückt, sind diese nach und nach in eine einzige Reihe von periodisch wiederkehrenden Krisen vereinigt worden. Eine solche Krisis pflegt alle fünf Jahre auf eine kurze Periode der Blüte und des allgemeinen Wohlbefindens zu folgen; der heimische Markt wie alle fremden Märkte liegen voll englischer Fabrikate und können diese letzteren nur langsam konsumieren; die industrielle Bewegung stockt in fast allen Zweigen; die kleineren Fabrikanten und Kaufleute, die das Ausbleiben ihrer Kapitalien nicht überstehen können, fallieren, die größeren hören während der Dauer der schlimmsten Epoche auf, Geschäfte zu machen, setzen ihre Maschinen still oder lassen nur „kurze Zeit" arbeiten, d. h. etwa nur halbe Tage; der Lohn fällt durch die Konkurrenz der Brotlosen, die Verringerung der Arbeitszeit und den Mangel an gewinnbringenden Warenverkäufen; allgemeines Elend verbreitet sich unter den Arbeitern, die etwaigen kleinen Ersparnisse einzelner sind rasch verzehrt, die wohltätigen Anstalten werden überlaufen, die Armensteuer verdoppelt, verdreifacht sich und reicht doch nicht aus, die Zahl der Verhungernden vermehrt sich, und auf einmal tritt die ganze Menge der „überflüssigen" Bevölkerung in schreckenerregender Anzahl hervor. Das dauert dann eine Zeitlang; die „Überflüssigen"[1] schlagen sich durch, so gut es geht, oder schlagen sich auch nicht durch; die Wohltätigkeit und die Armengesetze helfen vielen zu einer mühsamen Fristung ihrer Existenz; andre finden hier und da in solchen Arbeitszweigen, die der Konkurrenz weniger offengelegt worden sind, die der Industrie ferner stehen, eine kümmerliche Lebenserhaltung – und mit wie wenigem kann der Mensch sich nicht für eine Zeitlang durchschlagen! – Allmählich wird der Stand der Dinge günstiger; die aufgehäuften Warenvorräte werden konsumiert, die allgemeine Niedergeschlagenheit der Handels- und Industriemänner hindert ein zu rasches Auffüllen der Lücken, bis endlich steigende Preise und günstige Berichte von allen Seiten die Tätigkeit wieder herstellen. Die Märkte liegen meist weit entfernt; bis die ersten neuen Zufuhren hingelangen können, steigt die Nachfrage fortwährend und mit ihr die Preise; man reißt sich um die zuerst ankommenden Waren, die

[1] *(1892)* „Überschüssigen"

ersten Verkäufe beleben den Verkehr noch mehr, die noch erwarteten Zufuhren versprechen noch höhere Preise, man fängt in Erwartung eines ferneren Aufschlags an, auf Spekulation zu kaufen und so die für den Konsum bestimmten Waren gerade zur nötigsten Zeit dem Konsum zu entziehen – die Spekulation steigert die Preise noch mehr, da sie andre zum Kaufen ermutigt und neue Zufuhren vorwegnimmt – alles das wird nach England berichtet, die Fabrikanten fangen wieder flott an zu arbeiten, neue Fabriken werden errichtet, alle Mittel aufgeboten, um die günstige Epoche auszubeuten; die Spekulation tritt auch hier ein, ganz mit derselben Wirkung wie auf den fremden Märkten, die Preise steigernd, die Waren dem Konsum wegnehmend, durch beides die industrielle Produktion zur höchsten Kraftanstrengung treibend – dann kommen die „unsoliden" Spekulanten, die mit fiktivem Kapital arbeiten, vom Kredit leben, die ruiniert sind, wenn sie nicht gleich flott verkaufen können, und stürzen sich in dies allgemeine, unordentliche Wettrennen nach Geldgewinn, vermehren die Unordnung und Hast durch ihre eigne zügellose Leidenschaft, welche Preise und Produktion bis zum Wahnsinn steigert – es ist ein tolles Treiben, das auch den Ruhigsten und Erfahrensten ergreift, es wird gehämmert, gesponnen, gewoben, als gälte es, die ganze Menschheit neu zu equipieren, als wären ein paar Tausend Millionen neuer Konsumenten auf dem Monde entdeckt worden. Auf einmal fangen drüben die unsoliden Spekulanten, die Geld haben müssen, zu verkaufen an – unter dem Marktpreise, versteht sich, denn die Sache hat Eile – dem einen Verkauf folgen mehrere, die Preise wanken, die Spekulanten werfen erschreckt ihre Waren in den Markt, der Markt ist in Unordnung, der Kredit ist erschüttert, ein Haus nach dem andern stellt die Zahlungen ein, Bankerott folgt auf Bankerott, und man findet, daß dreimal mehr Ware am Platze und unterwegs ist, als der Konsum erfordern würde. Die Nachrichten kommen nach England, wo in der Zwischenzeit noch immer mit aller Gewalt fabriziert worden – ein panischer Schrecken ergreift auch hier die Gemüter, die Fallissements von drüben ziehen andre in England nach sich, die Stockung stürzt dazu noch eine Menge Häuser, in der Angst werden auch hier alle Vorräte gleich an den Markt gebracht und der Schrecken dadurch noch übertrieben. Das ist der Anfang der Krisis, die dann wieder genau denselben Verlauf nimmt wie die vorige und später wieder in eine Periode der Blüte umschlägt. So geht es in einem fort, Blüte, Krisis, Blüte, Krisis, und dieser ewige Kreislauf, in dem sich die englische Industrie bewegt, pflegt sich, wie gesagt, in je fünf oder sechs Jahren zu vollenden.

Hieraus geht hervor, daß zu allen Zeiten, ausgenommen in den kurzen Perioden höchster Blüte, die englische Industrie eine unbeschäftigte Reserve von Arbeitern haben muß, um eben während der am meisten belebten Monate die im Markte verlangten Massen von Waren produzieren zu können. Diese Reserve ist mehr oder minder zahlreich, je nachdem die Lage des Marktes minder oder mehr die Beschäftigung eines Teiles derselben veranlaßt. Und wenn auch bei dem höchsten Blütenstande des Marktes wenigstens zeitweise die Ackerbaudistrikte, Irland und die weniger von dem Aufschwung ergriffenen Arbeitszweige eine Anzahl Arbeiter liefern können, so bilden diese einerseits doch eine Minderzahl und gehören andrerseits ebenfalls zur Reserve, nur mit dem Unterschiede, daß der jedesmalige Aufschwung es erst zeigt, *daß* sie dazu gehören. Man schränkt sich, wenn sie zu den belebteren Arbeitszweigen übertreten, daheim ein, um den Ausfall weniger zu merken, arbeitet länger, beschäftigt Weiber und jüngere Leute, und wenn sie beim Eintritt der Krisis entlassen zurückkommen, finden sie, daß ihre Stellen besetzt und sie überflüssig sind – wenigstens großenteils. Diese Reserve, zu der während der Krisis eine ungeheure Menge und während der Zeitabschnitte, die man als Durchschnitt von Blüte und Krisis annehmen kann, noch immer eine gute Anzahl gehören – das ist die „überzählige Bevölkerung" Englands, die durch Betteln und Stehlen, durch Straßenkehren, Einsammeln von Pferdemist, Fahren mit Schubkarren oder Eseln, Herumhökern oder einzelne gelegentliche kleine Arbeiten eine kümmerliche Existenz fristet. Man sieht in allen großen Städten eine Menge solcher Leute, die so durch kleine gelegentliche Verdienste „Leib und Seele zusammenhalten", wie die Engländer sagen. Es ist merkwürdig, zu welchen Erwerbszweigen diese „überflüssige Bevölkerung" ihre Zuflucht nimmt. Die Londoner Straßenkehrer (cross sweeps[1]) sind weltbekannt; bisher wurden aber nicht nur diese Kreuzwege, sondern auch in andern großen Städten die Hauptstraßen von Arbeitslosen gekehrt, die von der Armen- oder Straßenverwaltung dazu angenommen wurden – jetzt hat man eine Maschine, die täglich durch die Straßen rasselt und den Arbeitslosen diesen Erwerbszweig verdorben hat. Auf den großen Routen, die in die Städte führen und auf denen viel Wagenverkehr ist, sieht man eine Menge Leute mit kleinen Karren, die den frischgefallnen Pferdemist mit Lebensgefahr zwischen den vorbeirollenden Kutschen und Omnibussen wegscharren und zum Verkauf einsammeln – dafür müssen sie oft noch wöchentlich ein paar Shilling an die Straßenverwaltung bezahlen, und an vielen Orten ist es ganz verboten, weil sonst die Straßenverwaltung ihren zusammengekehrten Kot, der nicht den gehörigen Anteil Pferdemist enthielt, nicht als Dünger verkaufen konnte. Glücklich sind diejenigen „Überflüs-

[1] *(1892)* crossing sweeps

sigen", die sich eine Schubkarre verschaffen und damit Fuhren tun können, noch glücklicher diejenigen, denen es gelingt, Geld für einen Esel nebst Karre zu bekommen – der Esel muß sich sein Futter selbst suchen oder erhält ein wenig zusammengesuchten Abfall und kann doch einiges Geld einbringen.

Die meisten „Überflüssigen" werfen sich aufs Hökern. Namentlich Samstag abends, wenn die ganze Arbeiterbevölkerung auf den Straßen ist, sieht man die Menge zusammen, die davon lebt. Schnürriemen, Hosenträger, Litzen, Orangen, Kuchen, kurz alle möglichen Artikel werden von zahllosen Männern, Frauen und Kindern ausgeboten – und auch sonst sieht man alle Augenblicke solche Höker mit Orangen, Kuchen, Ginger-beer oder Nettlebeer* in den Straßen stehen oder umherziehen. Zündhölzchen und derartige Dinge, Siegellack, Patent-Kompositionen zum Feueranzünden usw. bilden ebenfalls Handelsartikel für diese Leute. Andre – sogenannte jobbers – gehen in den Straßen umher und sehen sich nach gelegentlichen kleinen Arbeiten um; manchem derselben gelingt es, sich ein Tagewerk zu verschaffen, viele sind nicht so glücklich.

„An den Toren aller Londoner Docks", erzählt der Rev[eren]d W. Champneys, Prediger im östlichen Distrikt von London, „erscheinen jeden Morgen im Winter schon vor Tagesanbruch Hunderte von Armen, die in der Hoffnung, ein Tagewerk zu erlangen, auf die Eröffnung der Tore warten, und wenn die jüngsten und stärksten und die am meisten bekannten engagiert worden sind, gehen noch Hunderte niedergeschlagen von getäuschter Hoffnung zu ihren ärmlichen Wohnungen zurück." [88]

Was bleibt diesen Leuten, wenn sie keine Arbeit finden und sich nicht gegen die Gesellschaft auflehnen wollen, anders übrig als zu betteln? Und da kann man sich nicht über die Menge von Bettlern, die meist arbeitsfähige Männer sind, wundern, mit denen die Polizei fortwährend zu kämpfen hat. Die Bettelei dieser Männer hat aber einen eigentümlichen Charakter. Solch ein Mann pflegt mit seiner Familie umherzuziehen, in den Straßen ein bittendes Lied zu singen oder in einem Vortrage die Mildtätigkeit der Nachbarn anzusprechen. Und es ist auffallend, daß man diese Bettler fast nur in Arbeiterbezirken findet, daß es fast nur Gaben von Arbeitern sind, von denen sie sich erhalten. Oder die Familie stellt sich schweigend an eine belebte Straße und läßt, ohne ein Wort zu sagen, den bloßen Anblick der Hülflosigkeit wirken. Auch hier rechnen sie nur auf die Teilnahme der Arbeiter, die aus Erfahrung wissen, wie der Hunger tut, und jeden Augenblick in die gleiche Lage kommen können; denn man findet diese stumme und doch so

* Zwei kühlende und moussierende Getränke, das erste von Wasser, Zucker und etwas Ingwer, das andre von Wasser, Zucker und Nesseln bereitet und bei den Arbeitern, namentlich Mäßigkeitsmännern, beliebt.

höchst ergreifende Ansprache fast nur an solchen Straßen, die von Arbeitern frequentiert, und zu solchen Stunden, in denen sie von Arbeitern passiert werden; namentlich aber Sonnabend abends, wo überhaupt die „Geheimnisse" der Arbeiterbezirke in den Hauptstraßen sich enthüllen und die Mittelklasse sich von diesen so verunreinigten Gegenden soviel wie möglich zurückzieht. Und wer von den Überflüssigen Mut und Leidenschaft genug hat, sich der Gesellschaft offen zu widersetzen und auf den *versteckten* Krieg, den die Bourgeoisie gegen ihn führt, mit dem *offnen* Krieg gegen die Bourgeoisie zu antworten, der geht hin, stiehlt und raubt und mordet.

Dieser Überflüssigen gibt es nach den Berichten der Armengesetzkommissäre durchschnittlich anderthalb Millionen in England und Wales, in Schottland läßt sich die Zahl wegen Mangel an Armengesetzen nicht bestimmen, und von Irland werden wir speziell zu sprechen haben. Diese anderthalb Millionen schließen übrigens nur diejenigen ein, die wirklich die Armenverwaltung um Hülfe ansprechen; die große Menge, die sich, ohne dies letzte, so sehr gescheute Auskunftsmittel anzuwenden, forthilft, ist darin nicht eingeschlossen; dafür fällt aber auch ein guter Teil der obigen Zahl auf die Ackerbaudistrikte und kommt hier also nicht in Betracht. Während einer Krisis vermehrt sich diese[1] Zahl natürlich um ein bedeutendes, und die Not steigt auf den höchsten Grad. Nehmen wir z.B. die Krisis von 1842, die, weil die letzte, auch die heftigste war – denn die Intensität der Krisen wächst mit jeder Wiederholung, und die nächste, die wohl 1847 spätestens eintreten wird*, wird allem Anscheine nach noch heftiger und dauernder sein. Während dieser Krisis stieg die Armensteuer in allen Städten auf einen nie gekannten Höhepunkt. Unter andern mußten in *Stockport* von jedem Pfund, das an Hausmiete bezahlt wurde, acht Shilling Armensteuer bezahlt werden, so daß die Steuer allein 40 Prozent vom Mietbetrage der ganzen Stadt ausmachte; dazu standen ganze Straßen leer, so daß mindestens 20000 Einwohner weniger als gewöhnlich da waren und man an die Türen der leerstehenden Häuser geschrieben fand: Stockport to let – Stockport zu vermieten. In Bolton, wo in gewöhnlichen Jahren der Armensteuer zahlende Mietertrag durchschnittlich 86000 Pfd. St. betrug, sank er auf 36000 Pfd. St.; dagegen stieg die Anzahl der zu unterstützenden Armen auf 14000, also über 20 Prozent der ganzen Einwohnerzahl. In Leeds hatte die Armenverwaltung einen Reservefonds von 10000 Pfd. St. – dieser, sowie eine Kollekte von 7000 Pfd. St., wurde schon, ehe die Krisis ihren Höhepunkt erreichte,

* *(1887 Fußnote)* And it came in 1847 [Und sie kam 1847].

[1] *(1892)* die

vollständig erschöpft. So war es überall; ein Bericht, den ein Komitee der Anti-Korngesetz-Ligue im Januar 1843 über den Zustand der Industriebezirke im Jahre 1842 erstattete und der auf ausführlichen Angaben der Fabrikanten beruhte, sagt aus, daß die Armensteuer durchschnittlich doppelt so hoch gewesen sei als 1839 und die Zahl der Unterstützungsbedürftigen sich seit jener Zeit verdreifacht, ja verfünffacht habe; daß eine Menge Applikanten einer Klasse angehörten, die bis jetzt nie um Unterstützung angehalten hätten usw.; daß die arbeitende Klasse über zwei Drittel weniger Lebensmittel zu verfügen habe als 1834/36; daß die Konsumtion von Fleisch bedeutend geringer gewesen sei – an einigen Orten 20 Prozent, an andern bis zu 60 Prozent; daß selbst die gewöhnlichen Handwerker, Schmiede, Maurer usw., die sonst in den gedrücktesten Perioden noch volle Beschäftigung hatten, ebenfalls viel an Mangel an Arbeit und Lohnherabsetzung gelitten hätten – und daß selbst jetzt, im Januar 1843, der Lohn noch fortwährend im Fallen sei. Und das sind Berichte von Fabrikanten!

Die brotlosen Arbeiter, deren Fabriken stillstanden, deren Brotherren ihnen keine Arbeit geben konnten, standen überall auf den Straßen, bettelten einzeln oder in Haufen, belagerten scharenweise die Chausseen und sprachen die Vorüberkommenden um Unterstützung an – sie baten aber nicht kriechend, wie gewöhnliche Bettler, sondern drohend durch ihre Zahl, ihre Gebärden und Worte. So sah es in allen Industriebezirken aus, von Leicester bis Leeds und von Manchester bis Birmingham. Hier und da brachen einzelne Unruhen aus, so im Juli in den Töpfereien von Nord-Staffordshire; die fürchterlichste Gärung herrschte unter den Arbeitern, bis sie endlich im August in der allgemeinen Insurrektion der Fabrikdistrikte zum Ausbruche kam. Als ich Ende November 1842 nach Manchester kam, standen noch überall eine Menge Arbeitsloser an den Straßenecken, und viele Fabriken standen noch still; in den nächsten Monaten bis Mitte 1843 verloren sich die unfreiwilligen Eckensteher allmählich, und die Fabriken kamen wieder in Betrieb.

Was hier für eine Masse von Elend und Not unter diesen Arbeitslosen während einer solchen Krisis herrscht, brauche ich wohl nicht erst zu sagen. Die Armensteuer reicht nicht aus – bei weitem nicht; die Wohltätigkeit der Reichen ist ein Schlag ins Wasser, dessen Wirkung in einem Augenblick verschwunden ist; die Bettelei kann, wo so viele sind, nur wenigen helfen. Wenn nicht die kleinen Krämer den Arbeitern zu solchen Zeiten auf Kredit verkauften, solange sie können – sie lassen sich freilich auch tüchtig dafür nachzahlen –, und wenn nicht die Arbeiter unter sich einander unterstützten, solange sie können, so würde jede Krisis allerdings Massen von „Überflüssigen" durch Hungersnot wegraffen. So aber, da die gedrückteste Epoche doch nur kurz ist, ein Jahr, höchstens zwei oder dritthalb Jahre dauert, kommen die meisten doch noch mit dem nackten Leben und schweren Entbehrungen davon. Daß indirekt, durch Krankheiten usw., in jeder Krisis eine Menge Opfer fallen, werden wir sehen. Einstweilen wenden wir uns zu einer andern Ursache der Erniedrigung, der die englischen Arbeiter anheimgegeben sind, einer Ursache, die noch fortwährend daran arbeitet, jene Klasse immer tiefer und tiefer herabzudrücken.

Die irische Einwanderung

Wir erwähnten schon mehrere Male gelegentlich der Irländer, die sich nach England hinübergesiedelt haben, und werden die Ursachen und Wirkungen dieser Einwanderung jetzt näher zu erörtern haben.

Die rasche Ausdehnung der englischen Industrie hätte nicht stattfinden können, wenn England nicht an der zahlreichen und armen Bevölkerung von Irland eine Reserve gehabt hätte, über die es verfügen konnte. Der Irländer hatte daheim nichts zu verlieren, in England viel zu gewinnen, und seit der Zeit, daß es in Irland bekannt wurde, auf der Ostseite des Georgskanals sei sichre Arbeit und guter Lohn für starke Arme zu finden, sind jedes Jahr Scharen von Irländern herübergekommen. Man rechnet, daß bis jetzt über eine Million auf diese Weise eingewandert sind und jährlich noch an fünfzigtausend einwandern, die sich fast alle auf die Industriebezirke, namentlich die großen Städte werfen und dort die niedrigste Klasse der Bevölkerung bilden. So sind in London 120000, in Manchester 40000, in Liverpool 34000, Bristol 24000, Glasgow 40000, Edinburgh 29000 arme Irländer.* Diese Leute, fast ohne alle Zivilisation aufgewachsen, an Entbehrungen aller Art von Jugend auf gewöhnt, roh, trunksüchtig, unbekümmert um die Zukunft, kommen so herüber und bringen alle ihre brutalen Sitten mit herüber in eine Klasse der englischen Bevölkerung, die wahrlich wenig Reiz zur Bildung und Moralität hat. Lassen wir Thomas Carlyle** sprechen:

„Die wilden milesischen Gesichter***, die nach falscher Schlauheit, Schlechtigkeit, Unvernunft, Elend und Spötterei aussehen, grüßen euch an allen unsren Haupt- und Nebenstraßen. Der englische Kutscher, wie er vorbeirollt, schlägt mit der Peitsche

* *Archibald Alison*, High Sheriff of Lanarkshire, „The Principles of Population, and their Connection with Human Happiness" [Die Bevölkerungsprinzipien und ihr Zusammenhang mit dem menschlichen Glück]. 2 vols. 1840. – Dieser Alison ist der Geschichtschreiber der französischen Revolution und wie sein Bruder, der Dr. W. P. Alison, religiöser Tory.

** „Chartism", p. 28, 31 usw.

*** Miles ist der Name der alten keltischen Könige von Irland.

nach dem Milesier; dieser verflucht ihn mit seiner Zunge, hält den Hut hin und bettelt. Er ist das schlimmste Übel, mit dem dies Land zu kämpfen hat. Mit seinen Lumpen und seinem verwilderten Lachen ist er bei der Hand, alle Arbeit zu tun, die nur starke Arme und einen starken Rücken erfordert – für einen Lohn, der ihm Kartoffeln kauft. Er braucht nur Salz zur Würze; er schläft ganz vergnügt im ersten besten Schweinestall oder Hundestall, nistet sich in Scheunen ein und trägt einen Anzug von Fetzen, die aus- und anzuziehen eine der schwierigsten Operationen ist, die nur an Festtagen und zu besonders günstigen Zeiten vorgenommen wird. Der sächsische Mann, der auf solche Bedingungen nicht arbeiten kann, wird brotlos. Der unzivilisierte Irländer, nicht durch seine Kraft, sondern durch das Gegenteil davon, treibt den sächsischen Eingebornen aus und nimmt von seiner Stelle Besitz. Da wohnt er in seinem Schmutz und seiner Unbekümmertheit, in seiner betrunkenen Gewaltsamkeit und Falschheit, der fertige Nukleus von Degradation und Unordnung. Wer sich noch zu schwimmen, noch an der Oberfläche sich zu halten abmüht, der kann hier ein Beispiel sehen, wie der Mensch existieren kann, nicht schwimmend, sondern untergesunken ... Daß die Lage der niedrigen Masse der englischen Arbeiter immer näher kommt der der irischen, die mit ihnen in allen Märkten konkurrieren; daß alle Arbeit, die mit bloßer Körperstärke ohne viel Geschicklichkeit abgetan werden kann, nicht für englischen Lohn getan wird, sondern für eine Annäherung an irischen Lohn, d. h. für etwas mehr als ‚halbsatt von Kartoffeln schlechtester Sorte für dreißig Wochen im Jahr' – für etwas mehr, aber mit der Ankunft jedes neuen Dampfboots von Irland diesem Endziel näherrückend – wer sieht das nicht?"

Carlyle hat hierin – wenn wir die übertriebene und einseitige Verwerfung des irischen Nationalcharakters ausnehmen – vollkommen recht. Diese irischen Arbeiter, die für vier Pence ($3^1/_3$ Silbergroschen) nach England herüberfahren – auf dem Verdeck der Dampfschiffe, wo sie oft so gedrängt stehen wie Vieh – nisten sich überall ein. Die schlechtesten Wohnungen sind übrigens gut genug für sie; ihre Kleider machen ihnen wenig Müh, solange sie nur noch mit einem Faden zusammenhalten, Schuhe kennen sie nicht; ihre Nahrung sind Kartoffeln und nur Kartoffeln – was sie drüber verdienen, vertrinken sie, was braucht ein solches Geschlecht viel Lohn? Die schlechtesten Viertel aller großen Städte sind von Irländern bewohnt; überall, wo ein Bezirk sich durch besondern Schmutz und besondern Verfall auszeichnet, kann man darauf rechnen, vorzugsweise diese keltischen Gesichter anzutreffen, die man auf den ersten Blick von den sächsischen Physiognomien der Eingebornen unterscheidet, und die singende, aspirierte irische Brogue zu hören, die der echte Irländer nie verlernt. Zuweilen habe ich sogar irisch-keltisch in den dichtestbevölkerten Teilen von Manchester sprechen hören. Die Mehrzahl der Familien, die in Kellern wohnen, sind fast überall irischen Ursprungs. Kurz, die Irländer haben es herausgefunden, wie Dr. Kay sagt, was das Minimum der Lebensbedürfnisse ist, und lehren es nun den englischen Arbeitern. Auch den Schmutz und die Trunksucht haben sie mitgebracht. Diese Unreinlichkeit, die auf dem Lande, wo die Bevölkerung zerstreut lebt, nicht soviel schadet, die aber dem Irländer zur andern Natur geworden ist, wird hier in den großen Städten durch ihre Konzentration erst schreckenerregend und gefahrbringend. Wie es der Milesier zu Hause gewohnt war, schüttet er auch hier allen Unrat und Abfall vor die Haustüre und bringt dadurch die Pfützen und Kothaufen zusammen, die die Arbeiterviertel verunzieren und ihre Luft verpesten. Wie zu Hause baut er sich seinen Schweinstall ans Haus, und wenn er das nicht kann, so läßt er sein Schwein bei sich im Zimmer schlafen. Diese neue abnorme Art von Viehzucht in den großen Städten ist ganz irischen Ursprungs; der Irländer hängt an seinem Schwein wie der Araber an seinem Pferd, nur daß er's verkauft, wenn es zum Schlachten fett genug ist – sonst aber ißt er mit ihm und schläft mit ihm, seine Kinder spielen mit ihm und reiten darauf und wälzen sich mit ihm im Kot, wie man das in allen großen Städten Englands Tausende von Malen sehen kann. Und was dabei für ein Schmutz, für eine Unwohnlichkeit in den Häusern selbst herrscht, davon kann man sich keine Vorstellung machen. Möbel ist der Irländer nicht gewohnt – ein Haufen Stroh, ein paar Lumpen, die zu Kleidern total verdorben sind, das ist genug für sein Nachtlager. Ein Stück Holz, ein zerbrochner Stuhl, eine alte Kiste statt des Tisches, mehr braucht er nicht; ein Teekessel, einige Töpfe und Scherben, das reicht hin, um seine Küche, die zugleich Schlaf- und Wohnzimmer ist, auszurüsten. Und wenn es ihm an Feuerung mangelt, so wandert alles Brennbare in seinem Bereich, Stühle, Türpfosten, Gesimse, Dielen, wenn sie ja da sein sollten, in den Kamin. Dazu – was braucht er viel Raum? Drüben, in seiner Lehmhütte, war nur *ein* innerer Raum für alle häuslichen Zwecke; mehr als ein Zimmer braucht die Familie auch in England nicht. So ist auch diese Zusammendrängung vieler in einem einzigen Zimmer, die jetzt so allgemein sich findet, hauptsächlich durch die irische Einwanderung hereingebracht. Und da der arme Teufel doch *einen* Genuß haben muß und von allen andern ihn die Gesellschaft ausgeschlossen hat – so geht er hin und trinkt Branntwein. Der Branntwein ist das einzige, was dem Irländer das Leben der Mühe wert macht – der Branntwein und allenfalls sein sorgloses, heiteres Temperament, und daher schwelgt er auch im Branntwein bis zur brutalsten Betrunkenheit. Der südliche, leichtsinnige Charakter des Irländers, seine Roheit, die ihn wenig über einen Wilden stellt, seine Verachtung aller menschlicheren Genüsse, deren er eben wegen dieser Roheit unfähig ist, sein Schmutz und seine Armut, alles das begünstigt bei ihm die Trunksucht – die Versuchung ist zu groß, er kann ihr nicht widerstehen, und sowie er Geld bekommt, muß er's durch die Kehle jagen. Wie sollte er auch anders? Wie will die Gesellschaft, die ihn in eine Lage versetzt, in der er *fast notwendig* ein Säufer werden muß, die ihn in allem vernachlässigt und verwildern läßt – wie will sie ihn hernach verklagen, wenn er wirklich ein Trunkenbold wird?

Mit einem solchen Konkurrenten hat der englische Arbeiter zu kämpfen – mit einem Konkurrenten, der auf der niedrigsten Stufe steht, die in einem zivilisierten Lande überhaupt möglich ist, und der deshalb auch weniger Lohn braucht als irgendein andrer. Daher ist es gar nicht anders möglich, als daß, wie Carlyle sagt, der Lohn des englischen Arbeiters in allen Zweigen, in denen der Irländer mit ihm konkurrieren kann, immer tiefer und tiefer herabgedrückt wird. Und dieser Arbeitszweige sind viele. Alle diejenigen, die wenig oder gar keine Geschicklichkeit erfordern, stehen dem Irländer offen. Freilich für Arbeiten, die eine lange Lehrzeit oder regelmäßig anhaltende Tätigkeit erfordern, steht der liederliche, wankelmütige und versoffene Irländer zu tief. Um Mechaniker (mechanic ist im Englischen jeder zur Verfertigung von Maschinerie gebrauchter Arbeiter), um Fabrikarbeiter zu werden, müßte er erst englische Zivilisation und englische Sitten annehmen, kurz, erst der Sache nach Engländer werden. Aber wo es eine einfache, weniger exakte Arbeit gilt, wo es mehr auf Stärke als auf Geschicklichkeit ankommt, da ist der Irländer ebensogut wie der Engländer. Daher sind auch diese Arbeitszweige vor allen von Irländern überlaufen: die Handweber, Maurergesellen, Lastträger und Jobbers und dergleichen zählen Massen von Irländern, und die Eindrängung dieser Nation hat hier sehr viel zur Erniedrigung des Lohnes und der Arbeiterklasse selbst beigetragen. Und wenn auch die in andre Arbeitszweige eingedrungenen Irländer zivilisierter werden mußten, so blieb doch immer noch genug von der alten Wirtschaft hängen, um auch hier – neben dem Einflusse, den die Umgebung von Irländern überhaupt hervorbringen mußte – degradierend auf die englischen Arbeitsgenossen einzuwirken. Denn wenn fast in jeder großen Stadt ein Fünftel oder ein Viertel der Arbeiter Irländer oder in irischem Schmutz aufgewachsene Kinder von Irländern sind, so wird man sich nicht darüber wundern, daß das Leben der ganzen Arbeiterklasse, ihre Sitten, ihre intellektuelle und moralische Stellung, ihr ganzer Charakter einen bedeutenden Teil von diesem irischen Wesen angenommen hat, so wird man begreifen können, wie die schon durch die moderne Industrie und ihre nächsten Folgen hervorgerufene indignierende Lage der englischen Arbeiter auf eine hohe Stufe der Entwürdigung gesteigert werden konnte[1].

[1] *(1892)* ... indignierende Lage der englischen Arbeiter noch entwürdigender gemacht werden konnte

Resultate

Wenn wir jetzt die Verhältnisse, unter denen die englische Arbeiterklasse der Städte lebt, in ziemlicher Ausführlichkeit betrachtet haben, so wird es nun an der Zeit sein, aus diesen Tatsachen weitere Schlüsse zu ziehen und diese wiederum mit dem Tatbestande zu vergleichen. Sehen wir denn zu, was unter solchen Umständen aus den Arbeitern selbst geworden ist, was für Leute wir an ihnen haben, wie ihr körperlicher, intellektueller und moralischer Zustand beschaffen ist.

Wenn ein einzelner einem andern körperlichen Schaden tut, und zwar solchen Schaden, der dem Beschädigten den Tod zuzieht, so nennen wir das Totschlag; wenn der Täter im voraus wußte, daß der Schaden tödlich sein würde, so nennen wir seine Tat einen Mord. Wenn aber die Gesellschaft*

* Wenn ich in dem Sinne wie hier und anderwärts von der Gesellschaft als einer verantwortlichen Gesamtheit spreche, die ihre Rechte und Pflichten hat, so versteht es sich, daß ich damit die *Macht der Gesellschaft* meine, diejenige Klasse also, die gegenwärtig die politische und soziale Herrschaft besitzt und damit zugleich auch die Verantwortlichkeit für die Lage derer trägt, denen sie keinen Teil an der Herrschaft gibt. Diese herrschende Klasse ist in England wie in allen andern zivilisierten Ländern die Bourgeoisie. Daß aber die Gesellschaft und speziell die Bourgeoisie die Pflicht hat, jedes Gesellschaftsglied mindestens in seinem *Leben* zu schützen, dafür z. B. zu sorgen, daß niemand verhungert – diesen Satz brauch' ich meinen *deutschen* Lesern nicht erst zu beweisen. Schrieb' ich für die englische Bourgeoisie, da wäre das freilich anders. – *(1887)* And so it is now in Germany. Our German capitalists are fully up to the English level, in this respect at least, in the year of grace, 1886. [Und so ist es jetzt in Deutschland. Unsere deutschen Kapitalisten stehen, zumindest in dieser Beziehung, mit den Engländern auf völlig gleichem Niveau, im gesegneten Jahr 1886.] – *(1892)* Wie hat sich das alles seit 50 Jahren geändert! Heute gibt es englische Bourgeois, die Verpflichtungen der Gesellschaft gegen die einzelnen Gesellschaftsglieder anerkennen; aber deutsche?!?

Hunderte von Proletariern in eine solche Lage versetzt, daß sie notwendig einem vorzeitigen, unnatürlichen Tode verfallen, einem Tode, der ebenso gewaltsam ist wie der Tod durchs Schwert oder die Kugel; wenn sie Tausenden die nötigen Lebensbedingungen entzieht, sie in Verhältnisse stellt, in welchen sie nicht leben *können*; wenn sie sie durch den starken Arm des Gesetzes zwingt, in diesen Verhältnissen zu bleiben, bis der Tod eintritt, der die Folge dieser Verhältnisse sein muß; wenn sie weiß, nur zu gut weiß, daß diese Tausende solchen Bedingungen zum Opfer fallen müssen, und doch diese Bedingungen bestehen läßt – so ist das ebensogut Mord wie die Tat des einzelnen, nur versteckter, heimtückischer Mord, ein Mord, gegen den sich niemand wehren kann, der kein Mord zu sein scheint, weil man den Mörder nicht sieht, weil alle und doch wieder niemand dieser Mörder ist, weil der Tod des Schlachtopfers wie ein natürlicher aussieht und weil er weniger eine Begehungssünde als eine Unterlassungssünde ist. Aber er bleibt Mord. Ich werde nun zu beweisen haben, daß die Gesellschaft in England diesen von den englischen Arbeiterzeitungen mit vollem Rechte als solchen bezeichneten sozialen Mord täglich und stündlich begeht; daß sie die Arbeiter in eine Lage versetzt hat, in der diese nicht gesund bleiben und nicht lange leben können; daß sie so das Leben dieser Arbeiter stückweise, allmählich untergräbt und sie so vor der Zeit ins Grab bringt; ich werde ferner beweisen müssen, daß die Gesellschaft *weiß*, wie schädlich eine solche Lage der Gesundheit und dem Leben der Arbeiter ist, und daß sie doch nichts tut, um diese Lage zu verbessern. Daß sie um die Folgen ihrer Einrichtungen *weiß*, daß ihre Handlungsweise also nicht bloßer Totschlag, sondern Mord ist, habe ich schon bewiesen, wenn ich offizielle Dokumente, Parlaments- und Regierungsberichte als Autorität für das Faktum des Totschlags anführen kann.

Daß eine Klasse, welche in den oben geschilderten Verhältnissen lebt und so schlecht mit den allernotwendigsten Lebensbedürfnissen versehen ist, nicht gesund sein und kein hohes Alter erreichen kann, versteht sich von vornherein von selbst. Gehen wir indes die einzelnen Umstände nochmals und in spezieller Beziehung auf den Gesundheitszustand der Arbeiter durch. Schon die Zentralisation der Bevölkerung in großen Städten äußert ungünstigen Einfluß; die Atmosphäre von London kann nie so rein, so sauerstoffhaltig sein wie die eines Landdistrikts; drittehalb Millionen Lungen und drittehalb hunderttausend Feuer, auf drei bis vier geographischen Quadratmeilen zusammengedrängt, verbrauchen eine ungeheure Menge Sauerstoff, der sich nur mit Schwierigkeit wieder ersetzt, da die städtische Bauart an und für sich die Ventilation erschwert. Das durch Atmen und

Brennen erzeugte kohlensaure Gas bleibt vermöge seiner spezifischen Schwere in den Straßen, und der Hauptzug des Windes streicht über den Dächern der Häuser hinweg. Die Lungen der Einwohner erhalten nicht das volle Quantum Sauerstoff, und die Folge davon ist körperliche und geistige Erschlaffung und Niederhaltung der Lebenskraft. Aus diesem Grunde sind die Einwohner großer Städte zwar den akuten, besonders entzündlichen Krankheiten weit weniger ausgesetzt als die Landleute, die in einer freien, normalen Atmosphäre leben, leiden aber dafür desto mehr an chronischen Übeln. Und wenn schon das Leben in großen Städten an und für sich der Gesundheit nicht zuträglich ist, wie groß muß dieser nachteilige Einfluß einer abnormen Atmosphäre erst in den Arbeiterbezirken sein, wo, wie wir sahen, alles vereinigt ist, was die Atmosphäre verschlechtern kann. Auf dem Lande mag es unschädlich genug sein, dicht neben dem Hause eine Mistpfütze zu haben, weil hier die Luft von allen Seiten freien Zutritt hat; aber mitten in einer großen Stadt, zwischen verbauten, allem Luftzuge abgeschnittenen Gassen und Höfen, ist es ganz etwas anderes. Aller verfaulende animalische und vegetabilische Stoff entwickelt Gase, die der Gesundheit entschieden schädlich sind, und wenn diese Gase keinen freien Abzug haben, so müssen sie die Atmosphäre verpesten. Der Unrat und die stehenden Pfützen in den Arbeitervierteln der großen Städte sind daher von den schlimmsten Folgen für die öffentliche Gesundheit, weil sie gerade die krankheiterzeugenden Gase hervorbringen; ebenso die Ausdünstungen der verunreinigten Flüsse. Aber das ist noch lange nicht alles. Es ist wirklich empörend, wie die große Menge der Armen von der heutigen Gesellschaft behandelt wird. Man zieht sie in die großen Städte, wo sie eine schlechtere Atmosphäre als in ihrer ländlichen Heimat einatmen. Man verweist sie in Bezirke, die nach ihrer Bauart schlechter ventiliert sind als alle übrigen. Man entzieht ihnen alle Mittel zur Reinlichkeit, man entzieht ihnen das Wasser, indem man nur gegen Bezahlung Röhren legt und die Flüsse so verunreinigt, daß sie zu Reinlichkeitszwecken nicht mehr taugen; man zwingt sie, allen Abfall und Kehricht, alles schmutzige Wasser, ja oft allen ekelhaften Unrat und Dünger auf die Straße zu schütten, indem man ihnen alle Mittel nimmt, sich seiner sonst zu entledigen; man zwingt sie dadurch, ihre eignen Distrikte zu verpesten. Damit noch nicht genug. Alle möglichen Übel werden auf das Haupt der Armen gehäuft. Ist die Bevölkerung der Stadt überhaupt schon zu dicht, so werden *sie* erst recht auf einen kleinen Raum zusammengedrängt. Nicht damit zufrieden, die Atmosphäre in der Straße verdorben zu haben, sperrt man sie dutzendweise in ein einziges Zimmer, so daß die Luft, die sie nachts atmen, vollends zum Ersticken wird. Man gibt ihnen feuchte Wohnungen, Kellerlöcher, die von unten, oder Dachkammern, die von oben nicht wasserdicht sind. Man baut ihre Häuser so, daß die dumpfige Luft nicht abziehen kann. Man gibt ihnen schlechte, zerlumpte oder zerlumpende Kleider und schlechte, verfälschte und schwerverdauliche Nahrungsmittel. Man setzt sie den aufregendsten Stimmungswechseln, den heftigsten Schwankungen von Angst und Hoffnung aus – man hetzt sie ab wie das Wild und läßt sie nicht zur Ruhe und zum ruhigen Lebensgenuß kommen. Man entzieht ihnen alle Genüsse außer dem Geschlechtsgenuß und dem Trunk, arbeitet sie dagegen täglich bis zur gänzlichen Abspannung aller geistigen und physischen Kräfte ab und reizt sie dadurch fortwährend zum tollsten Übermaß in den beiden einzigen Genüssen, die ihnen zu Gebote stehen. Und wenn das alles nicht hilft, wenn sie das alles überstehen, so fallen sie der Brotlosigkeit einer Krisis zum Opfer, in der ihnen auch das wenige entzogen wird, was man ihnen bisher noch gelassen hatte.

Wie ist es möglich, daß unter solchen Umständen die ärmere Klasse gesund sein und lange leben kann? Was läßt sich da anderes erwarten als eine übermäßige Proportion von Sterbefällen, eine fortwährende Existenz von Epidemien, eine sicher fortschreitende körperliche Schwächung der arbeitenden Generation? Sehn wir zu, wie die Tatsachen stehen.

Daß die Wohnungen der Arbeiter in den schlechten Stadtteilen, vereinigt mit der sonstigen Lebenslage dieser Klasse, eine Menge Krankheiten hervorrufen, wird uns von allen Seiten her bezeugt. Der oben zitierte Artikel des „Artizan“ behauptet mit vollem Recht, daß Lungenkrankheiten die notwendige Folge von solchen Einrichtungen sein müssen und wirklich besonders häufig unter den Arbeitern vorkämen[1]. Daß die schlechte Atmosphäre Londons und besonders der Arbeitergegenden die Ausbildung der Schwindsucht im höchsten Grade begünstigt, zeigt das hektische Aussehen so vieler Leute, denen man auf der Straße begegnet. Wenn man morgens früh um die Zeit, wo alles an die Arbeit geht, ein wenig durch die Straßen streicht, so erstaunt man über die Menge halb oder ganz schwindsüchtig aussehender Leute, denen man begegnet. Selbst in Manchester sehen die Menschen *so* nicht aus; diese bleichen, hochaufgeschossenen, engbrüstigen und hohläugigen Gespenster, an denen man jeden Augenblick vorüberkommt, diese schlaffen, kraftlosen, aller Energie unfähigen Gesichter hab' ich nur in London in so auffallender Menge gesehen – obwohl auch in den Fabrikstädten des Nordens die Schwindsucht eine Menge Opfer jährlich hinwegrafft. Mit der Schwindsucht konkurriert noch, außer anderen Lungenkrank-

[1] *(1892)* vorkommen

heiten und dem Scharlachfieber, vor allen die Krankheit, die die fürchterlichsten Verwüstungen unter den Arbeitern anrichtet – der Typhus. Dies allgemein verbreitete Übel wird von dem offiziellen Bericht über den Gesundheitszustand der Arbeiterklasse direkt aus dem schlechten Zustande der Wohnungen in Beziehung auf Ventilation, Trockenlegung und Reinlichkeit abgeleitet. Dieser Bericht – der, nicht zu vergessen, von den ersten Medizinern Englands auf die Angaben von anderen Medizinern hin ausgearbeitet ist – dieser Bericht behauptet, daß ein einziger schlechtventilierter Hof, eine einzige Sackgasse ohne Abzüge, besonders wenn die Bewohner gedrängt wohnen und organische Stoffe in der Nähe sich zersetzen, imstande ist, Fieber zu erzeugen, und es fast immer erzeugt. Dies Fieber hat fast überall denselben Charakter und entwickelt sich beinahe in allen Fällen zum ausgebildeten Typhus. In den Arbeiterbezirken aller großen Städte, selbst in einzelnen schlechtgebauten und -gehaltenen Straßen kleinerer Orte findet es sich, und seine größte Verbreitung erhält es in den schlechten Vierteln, obwohl es natürlich auch in den besseren Bezirken einzelne Opfer aufsucht. In London hat es seit geraumer Zeit geherrscht; seine außerordentliche Heftigkeit im Jahre 1837 veranlaßte den erwähnten offiziellen Bericht. Nach dem Jahresbericht des *Dr. Southwood Smith* über das Londoner Fieberhospital im Jahre 1843 war die Zahl der verpflegten Kranken 1462, um 418 höher als in irgendeinem frühern Jahr. In den feuchten und schmutzigen Gegenden des Ost-, Nord- und Süddistrikts von London hatte diese Krankheit außerordentlich heftig gewütet. Viele der Patienten waren eingewanderte Arbeiter vom Lande, die unterwegs und nach ihrer Ankunft die härtesten Entbehrungen ausgestanden, an den Straßen halbnackt und halbverhungert geschlafen, keine Arbeit gefunden hatten und so dem Fieber verfallen waren. Diese Leute wurden so schwach ins Hospital geliefert, daß eine ungewöhnlich große Quantität von Wein, Kognak, Ammoniumpräparaten und anderen stimulierenden Mitteln angewandt werden mußte. Von sämtlichen Kranken starben $16^1/_2$ Prozent. Auch in Manchester ist dies bösartige Fieber zu finden; in den schlechteren Arbeitervierteln der Altstadt, Ancoats, Little Ireland usw., ist es fast nie exstinkt, doch herrscht es hier, wie überhaupt in den *englischen* Städten, nicht in der Ausdehnung, die man erwarten sollte. In Schottland und Irland dagegen grassiert der Typhus mit einer Heftigkeit, die alle Begriffe übersteigt; in Edinburgh und Glasgow trat er 1817 nach der Teurung, 1826 und 1837 nach den Handelskrisen mit besonderer Wut auf und ließ jedesmal, nachdem er etwa drei Jahre lang gewütet, für eine Zeitlang etwas nach; in Edinburgh waren während der Epidemie von 1817 an 6000, in der von 1837 an 10000 Personen vom Fieber ergriffen worden, und nicht nur die Zahl der Kranken, sondern auch die Heftigkeit der Krankheit und die Proportion der Sterbefälle vermehrte sich mit jeder neuen Wiederholung der Epidemie.* Aber die Wut der Krankheit scheint in allen früheren Perioden ein Kinderspiel gegen ihr Auftreten nach der Krisis von 1842 gewesen zu sein. Ein Sechstel aller Armen in ganz Schottland wurde vom Fieber ergriffen und das Übel durch wandernde Bettler mit reißender Schnelligkeit von einem Ort zum andern getragen; es erreichte die mittleren und höheren Klassen der Gesellschaft nicht – in zwei Monaten waren mehr Fieberkranke als in zwölf Jahren vorher. In Glasgow erkrankten im Jahre 1843 zwölf Prozent der Bevölkerung, 32000 Menschen, am Fieber, von denen 32 Prozent starben, während die Sterblichkeit in Manchester und Liverpool gewöhnlich nur acht Prozent beträgt. Die Krankheit hatte ihre Krisen am siebenten und fünfzehnten Tage; an diesem letzteren wurde der Patient gewöhnlich gelb, was unsere Autorität für einen Beweis hält, daß die Ursache des Übels auch in geistiger Aufregung und Angst zu suchen sei.** In Irland sind diese epidemischen Fieber ebenfalls heimisch. Während 21 Monaten der Jahre 1817/18 gingen 39000 Fieberkranke und in einem späteren Jahr nach Sheriff Alison (im zweiten Bande der „Principles of Population") sogar 60000 Fieberkranke durch das Dubliner Hospital. In Cork hatte das Fieberspital 1817/18 den siebenten Teil der Bevölkerung aufzunehmen, in Limerick war zu derselben Zeit ein Viertel und im *schlechten Viertel* von Waterford neunzehn Zwanzigstel der Einwohner fieberkrank.***

Wenn man sich die Umstände ins Gedächtnis zurückruft, unter denen die Arbeiter leben, wenn man bedenkt, wie gedrängt ihre Wohnungen sind, wie vollgepfropft jeder Winkel von Menschen ist, wie Kranke und Gesunde in *einem* Zimmer, auf *einem* Lager schlafen, so wird man sich noch wundern, daß eine ansteckende Krankheit, wie dies Fieber, sich nicht noch mehr verbreitet. Und wenn man bedenkt, wie wenig medizinische Hülfe den Erkrankten zu Gebote steht, wie viele von allem ärztlichen Rate verlassen und mit den gewöhnlichsten diätarischen[1] Vorschriften unbekannt bleiben, so erscheint die Sterblichkeit noch gering. Dr. Alison, der diese Krankheit genau kennt, führt sie geradezu auf die Not und die elende Lage der Armen zurück,

* *Dr. Alison*, „Manag[ement] of [the] Poor in Scotland".

** *Dr. Alison*, in einem Artikel, vorgelesen vor der British Association for the Advancement of Science [Englische Gesellschaft zur Förderung der Wissenschaft] in York, Oktober 1844.

*** *Dr. Alison*, „Manag[ement] of [the] Poor in Scotland".

[1] *(1892)* diätetischen

wie der zitierte Bericht; er behauptet, daß Entbehrungen und ungenügende Befriedigung der Lebensbedürfnisse den Körper für die Ansteckung zugänglich und überhaupt die Epidemie erst furchtbar mache und rasch verbreite. Er beweist, daß jedesmal eine Periode der Entbehrung – eine Handelskrisis oder eine Mißernte – in Schottland wie in Irland das epidemische Auftreten des Typhus hervorgebracht hat und daß die Wut der Krankheit fast ausschließlich auf die arbeitende Klasse gefallen ist. Es ist bemerkenswert, daß nach seiner Aussage die Mehrzahl der dem Typhus erliegenden Individuen Familienväter sind, also grade diejenigen, welche von den Ihrigen am wenigsten entbehrt werden können; dasselbe sagen mehrere von ihm zitierte irische Ärzte aus.

Eine andere Reihe von Krankheiten hat weniger in der Wohnung als in der Nahrung der Arbeiter ihre unmittelbare Ursache. Die an und für sich schon schwerverdauliche Kost der Arbeiter ist vollends für kleine Kinder ungeeignet; und doch fehlen dem Arbeiter die Mittel und die Zeit, seinen Kindern passendere Nahrung zu verschaffen. Dazu kommt noch die sehr verbreitete Sitte, den Kindern Branntwein oder gar Opium zu geben, und aus alledem entstehen unter Mitwirkung der übrigen für die körperliche Entwicklung schädlichen Lebensverhältnisse die verschiedensten Krankheiten der Verdauungsorgane, die ihre Spuren für das ganze Leben zurücklassen. Fast alle Arbeiter haben einen mehr oder weniger schwachen Magen und sind trotzdem gezwungen, fortwährend bei der Diät zu bleiben, die die Ursache ihres Übels war. Wie sollten sie's auch wissen, was daran schuld ist – und wenn sie's wüßten, wie sollten sie eine passendere Diät halten können, solange sie nicht in eine andere Lebenslage versetzt und anders gebildet werden? Aber aus dieser schlechten Verdauung entwickeln sich schon während der Kindheit neue Krankheiten. Skrofeln sind fast allgemein unter den Arbeitern verbreitet, und skrofulöse Eltern haben skrofulöse Kinder, besonders wenn die ursprüngliche Ursache der Krankheit wiederum auf die geerbte skrofulöse Anlage dieser letzteren wirkt. Eine zweite Folge dieser ungenügenden Ernährung des Körpers während der Entwicklung ist Rachitis (englische Krankheit, knotige Auswüchse an den Gelenken), die sich ebenfalls sehr häufig an den Kindern der Arbeiter findet. Die Verhärtung der Knochen wird verzögert, der Knochenbau überhaupt in seiner Ausbildung gehemmt, und neben den gewöhnlichen rachitischen Affektionen findet man oft genug Verkrümmung der Beine und des Rückgrats. Wie sehr alle diese Übel durch die Wechselfälle verschlimmert werden, denen die Arbeiter durch die Schwankungen des Handels, die Brotlosigkeit und den knappen Lohn der Krisen ausgesetzt sind, brauch' ich wohl nicht erst zu sagen. Der temporäre Mangel an zureichender Nahrung, dem fast jeder Arbeiter wenigstens einmal in seinem Leben eine Zeitlang ausgesetzt wird, trägt nur dazu bei, die Folgen der schlechten, aber doch zureichenden Nahrung zu verschlimmern. Kinder, die gerade zu der Zeit, wo sie die Nahrung am nötigsten hätten, nur halbsatt zu essen bekommen – und wie viele gibt es deren während jeder Krisis, ja noch in den besten Perioden des Verkehrs – solche Kinder müssen notwendig schwach, skrofulös und rachitisch in hohem Grade werden. Und daß sie's werden, zeigt der Augenschein. Die Vernachlässigung, zu der die große Masse der Arbeiterkinder verurteilt wird, hinterläßt unvertilgbare Spuren und hat die Schwächung der ganzen arbeitenden Generation zur Folge. Dazu noch die ungeeignete[1] Kleidung dieser Klasse und die hier gesteigerte Unmöglichkeit, sich vor Erkältungen zu schützen, dann die Notwendigkeit zu arbeiten, solange die Unpäßlichkeit eben erlaubt, die im Krankheitsfall gesteigerte Not der Familie, die nur zu gewöhnliche Entbehrung alles ärztlichen Beistandes gerechnet – so[2] wird man sich ungefähr vorstellen können, was der Gesundheitszustand der englischen Arbeiter ist. Die schädlichen Folgen, welche einzelnen Arbeitszweigen, wie sie jetzt betrieben werden, eigen sind, will ich hier noch gar nicht erwähnen.

Dazu kommen noch andere Einflüsse, die die Gesundheit einer großen Zahl von Arbeitern schwächen. Vor allem der Trunk. Alle Lockungen, alle möglichen Versuchungen vereinigen sich, um die Arbeiter zur Trunksucht zu bringen. Der Branntwein ist ihnen fast die einzige Freudenquelle, und alles vereinigt sich, um sie ihnen recht nahezulegen. Der Arbeiter kommt müde und erschlafft von seiner Arbeit heim; er findet eine Wohnung ohne alle Wohnlichkeit, feucht, unfreundlich und schmutzig; er bedarf dringend einer Aufheiterung, er muß *etwas* haben, das ihm die Arbeit der Mühe wert, die Aussicht auf den nächsten sauren Tag erträglich macht; seine abgespannte, unbehagliche und hypochondrische Stimmung, die schon aus seinem ungesunden Zustande, namentlich aus der Indigestion entsteht, wird durch seine übrige Lebenslage, durch die Unsicherheit seiner Existenz, durch seine Abhängigkeit von allen möglichen Zufällen und sein Unvermögen, selbst etwas zur Sicherstellung seiner Lage zu tun, bis zur Unerträglichkeit gesteigert; sein geschwächter Körper, geschwächt durch schlechte Luft und schlechte Nahrung, verlangt mit Gewalt nach einem Stimulus von außen her; sein geselliges Bedürfnis kann nur in einem Wirtshause befriedigt werden, er hat durchaus keinen andern Ort, wo er seine Freunde treffen könnte – und bei alledem sollte der Arbeiter nicht die stärkste Versuchung zur Trunksucht

[1] *(1892)* ... noch gerechnet die ungeeignete – [2] *(1892)* ... Beistands – so

haben, sollte imstande sein, den Lockungen des Trunks zu widerstehen? Im Gegenteil, es ist die moralische und physische Notwendigkeit vorhanden, daß unter diesen Umständen eine sehr große Menge der Arbeiter dem Trunk verfallen *muß*. Und abgesehen von den mehr physischen Einflüssen, die den Arbeiter zum Trunk antreiben, wirkt das Beispiel der großen Menge, die vernachlässigte Erziehung, die Unmöglichkeit, die jüngeren Leute vor der Versuchung zu schützen, in vielen Fällen der direkte Einfluß trunksüchtiger Eltern, die ihren Kindern selbst Branntwein geben, die Gewißheit, im Rausch wenigstens für ein paar Stunden die Not und den Druck des Lebens zu vergessen, und hundert andere Umstände so stark, daß man den Arbeitern ihre Vorliebe für den Branntwein wahrlich nicht verdenken kann. Die Trunksucht hat hier aufgehört, ein Laster zu sein, für das man den Lasterhaften verantwortlich machen kann, sie wird ein Phänomen, die notwendige, unvermeidliche Folge gewisser Bedingungen auf ein, wenigstens diesen Bedingungen gegenüber, willenloses Objekt. Diejenigen, die den Arbeiter zum bloßen Objekt gemacht haben, mögen die Verantwortlichkeit tragen. Aber mit derselben Notwendigkeit, mit der eine große Menge der Arbeiter dem Trunk verfallen, mit derselben Notwendigkeit äußert der Trunk seine zerstörenden Wirkungen auf Geist und Körper seiner Opfer. Alle Krankheitsanlagen, die aus den Lebensverhältnissen der Arbeiter entspringen, werden durch ihn gefördert, die Entwicklung von Lungen- und Unterleibskrankheiten sowie die Entstehung und Verbreitung des Typhus werden im höchsten Grade durch ihn begünstigt.

Eine andere Ursache körperlicher Übel liegt für die arbeitende Klasse in der Unmöglichkeit, sich in Krankheitsfällen den Beistand geschickter Ärzte zu verschaffen. Es ist wahr, daß eine Menge wohltätiger Anstalten diesem Mangel abzuhelfen suchen, daß z.B. das Krankenhaus in Manchester jährlich an 22000 Kranke teils aufnimmt, teils mit ärztlichem Rat und Arznei unterstützt – aber was ist das alles in einer Stadt, wo nach Gaskells Berechnung* drei Viertel der Einwohner jährlich ärztlicher Hülfe bedürfen? Die englischen Ärzte rechnen hohe Gebühren, und die Arbeiter sind nicht imstande, diese zu bezahlen. Sie können also entweder gar nichts tun, oder sie sind gezwungen, wohlfeile Quacksalber und Quackarzneien zu gebrauchen, mit denen sie sich auf die Dauer mehr schaden als nützen. Eine überaus große Anzahl solcher Quacksalber treibt ihr Wesen in allen englischen Städten und verschafft sich durch Annoncen, Maueranschläge und sonstige Kniffe eine Kundschaft aus den ärmeren Klassen. Außerdem aber werden noch eine

---

* „[The] Manufacturing Population of England", c. 8.

Menge sogenannter Patent-Arzneien (patent medicines) für alle möglichen und unmöglichen Übel verkauft, Morrisons Pillen, Parrs Lebenspillen, Dr. Mainwarings Pillen und tausend andere Pillen, Essenzen und Balsame, die alle die Eigenschaft haben, sämtliche Krankheiten in der Welt zu kurieren. Diese Arzneien enthalten zwar selten geradezu schädliche Dinge, wirken aber doch sehr häufig, wenn oft und viel genossen, auf den Körper nachteilig, und da den unkundigen Arbeitern in allen Annoncen vorgepredigt wird, man könne nicht zuviel davon nehmen, so darf man sich nicht wundern, wenn diese fortwährend, mit und ohne sonstige Veranlassung, große Quantitäten verschlucken. Es ist nichts Ungewöhnliches, daß der Verfertiger der Parrschen Lebenspillen in einer Woche 20000 bis 25000 Schachteln von diesen heilsamen Pillen verkauft – und sie werden eingenommen, von diesem gegen Verstopfung, von jenem gegen Diarrhöe, gegen Fieber, Schwäche und alle möglichen Übel. Wie unsere deutschen Bauern zu gewissen Jahreszeiten sich schröpfen oder zur Ader ließen, so nehmen jetzt die englischen Arbeiter ihre Patentmedizin, um sich selbst dadurch zu schaden und dem Fabrikanten derselben ihr Geld in die Tasche zu jagen. Eins der schädlichsten von diesen Patentmitteln ist ein Trank, der von Opiaten, besonders Laudanum, bereitet und unter dem Namen „Godfrey's Cordial" verkauft wird. Frauen, die zu Hause arbeiten und eigne oder fremde Kinder zu verwahren haben, geben ihnen diesen Trank, damit sie ruhig sein und, wie viele meinen, kräftiger werden sollen. Sie fangen oft schon gleich nach der Geburt an zu medizinieren, ohne die schädlichen Folgen dieser „Herzstärkung" zu kennen, so lange bis die Kinder sterben. Je stumpfer der Organismus des Kindes gegen die Wirkungen des Opiums wird, desto größere Quantitäten werden ihm davon gegeben. Wenn das „Cordial" nicht mehr zieht, wird auch wohl unvermischtes Laudanum gereicht, oft 15 bis 20 Tropfen auf einmal. Der Coroner von Nottingham bezeugte einer Regierungskommission*, daß *ein*

* „Report of Commission of Inquiry into the Employment of Children and Young Persons in Mines and Collieries and in the Trades and Manufactures in which Numbers of them work together, not being included under the Terms of the Factories' Regulation Act." First and Second Reports [Bericht der Untersuchungskommission über die Beschäftigung von Kindern und Jugendlichen in Bergwerken und Kohlengruben und in den Handwerken und Industrien, in denen viele zusammenarbeiten, die nicht unter das Fabrikordnungsgesetz fallen. Erster und zweiter Bericht]. Grainger's Rept., second Rept. Gewöhnlich als „Children's Employment Commission's Rept." zitiert – einer der besten offiziellen Berichte, der eine Unmasse der wertvollsten, aber auch der schreckenerregendsten Tatsachen enthält. Der erste Bericht kam 1841, der zweite zwei Jahre später heraus.

Apotheker nach eigner Aussage dreizehn Zentner Sirup[1] in einem Jahre zu „Godfrey's Cordial" verarbeitet habe. Man kann sich leicht denken, was die Folgen für die so behandelten Kinder sind. Sie werden blaß, welk und schwach und sterben meist, ehe sie zwei Jahre alt sind. Die Anwendung dieser Medizin ist in allen großen Städten und Industriebezirken des Reichs sehr verbreitet.

Die Folge von allen diesen Einflüssen ist eine allgemeine Schwächung des Körpers bei den Arbeitern. Man findet wenig starke, wohlgebaute und gesunde Leute unter ihnen – wenigstens unter den Industriearbeitern, die meist in geschlossenen Räumen arbeiten, und von diesen nur ist hier die Rede. Sie sind fast alle schwächlich, von eckigem, aber nicht kräftigem Knochenbau, mager, bleich und mit Ausnahme der bei ihrer Arbeit besonders angestrengten Muskeln schlaff von Fieber. Fast alle leiden an schlechter Verdauung und sind infolgedessen mehr oder weniger hypochondrisch und von trüber, unbehaglicher Gemütsstimmung. Ihr geschwächter Körper ist nicht imstande, einer Krankheit Widerstand zu leisten, und wird daher bei jeder Gelegenheit davon ergriffen. Daher altern sie früh und sterben jung. Die Sterblichkeitstabellen liefern dafür einen unwidersprechlichen Beweis.

Nach dem Berichte des Generalregistrators G. Graham ist die Sterblichkeit von ganz England und Wales jährlich etwas unter $2^1/_4$ Prozent, d. h. aus 45 Menschen stirbt jedes Jahr *einer*.* Wenigstens war dies der Durchschnitt der Jahre 1839/40 – im nächsten Jahre nahm die Sterblichkeit etwas ab und war nur einer aus 46. In den großen Städten aber stellt sich das Verhältnis ganz anders. Mir liegen (im „Manchester Guardian", 31. Juli 1844) offizielle Sterblichkeitstabellen vor, nach denen sich die Sterblichkeit einiger großer Städte so berechnet: In Manchester inklusive Salford und Chorlton 1 aus 32,72 und exklusive Salford und Chorlton 1 aus 30,75; in Liverpool inklusive West-Derby (Vorstadt) 31,90 und exklusive West-Derby 29,90, während der Durchschnitt sämtlicher angegebenen Distrikte von Cheshire, Lancashire und Yorkshire – und diese schließen eine Menge ganz oder halb ländlicher Distrikte ein, dazu viele kleine Städte – mit einer Bevölkerung von 2172506 Menschen eine Sterblichkeit von 1 aus 39,80 ergibt. Wie ungünstig

* „Fifth Annual Report of [the] Reg[istrar] Gen[eral] of Births, Deaths and Marriages" [Fünfter Jahresbericht des Generalregistrators über Geburten, Sterbefälle und Eheschließungen].

[1] In der englischen Ausgabe 1887: ... thirteen hundredweight of laudanum ... [dreizehn Zentner Laudanum]

die Arbeiter in den Städten gestellt sind, zeigt die Sterblichkeit von Prescot in Lancashire – einem von Kohlengrubenarbeitern bewohnten und, da die Arbeit in den Gruben keine sehr gesunde ist, an Gesundheit noch unter den Ackerbaubezirken stehenden Distrikt. Aber die Arbeiter wohnen auf dem Lande, und die Sterblichkeit stellt sich auf 1 in 47,54, also beinahe $2^1/_2$ vorteilhafter als der Durchschnitt von ganz England. Sämtliche Angaben beruhen auf den Sterblichkeitstabellen von 1843. Noch höher ist das Verhältnis der Sterblichkeit in den schottischen Städten; in Edinburgh 1838 39 1 aus 29, ja 1831 in der Altstadt allein 1 aus 22; in Glasgow nach Dr. Cowan (Vital Statistics of Glasgow)[89] durchschnittlich seit 1830 1 aus 30, in einzelnen Jahren 1 aus 22 bis 24. Daß diese enorme Verkürzung der durchschnittlichen Lebensdauer hauptsächlich auf die arbeitende Klasse fällt, ja daß der Durchschnitt aller Klassen durch die geringere Sterblichkeit der höheren und mittleren Klassen noch verbessert wird, wird uns von allen Seiten bezeugt. Eins der neuesten Zeugnisse ist das des Arztes P. H. Holland in Manchester, der in offiziellem Auftrage* die Vorstadt von Manchester, Chorlton-on-Medlock, untersuchte. Er klassifiziert Häuser und Straßen in je drei Klassen und fand folgende Unterschiede der Sterblichkeit:

		Sterblichkeit
Erste Straßenklasse: Häuser	I. Klasse	1 aus 51
„ „ „	II. „	1 „ 45
„ „ „	III. „	1 „ 36
Zweite Straßenklasse: Häuser	I. Klasse	1 aus 55
„ „ „	II. „	1 „ 38
„ „ „	III. „	1 „ 35
Dritte Straßenklasse: Häuser	I. Klasse	fehlen
„ „ „	II. „	1 aus 35
„ „ „	III. „	1 „ 25

Aus mehreren andern von Holland gegebenen Tabellen geht hervor, daß die Sterblichkeit in den *Straßen* zweiter Klasse 18 Prozent und dritter Klasse

* Vgl. „Report of Commission of Inquiry into the State of large Towns and populous Districts", first Report, 1844, Appendix [Bericht der Untersuchungskommission über den Zustand der großen Städte und dichtbevölkerten Gebiete, erster Bericht, 1844, Anhang].

68 Prozent größer ist als in denen erster Klasse; daß die Sterblichkeit in den *Häusern* zweiter Klasse 31 Prozent und dritter Klasse 78 Prozent größer ist als in denen erster Klasse; daß die Sterblichkeit in den schlechten Straßen, die verbessert wurden, sich um 25 Prozent vermindert hat. Er schließt mit der für einen englischen Bourgeois sehr offenen Bemerkung:

„Wenn wir finden, daß die Sterblichkeit in einigen Straßen viermal so hoch ist als in anderen und in ganzen Straßenklassen doppelt so hoch ist als in andern Klassen, wenn wir ferner finden, daß sie so gut wie unveränderlich hoch ist in den Straßen, die in schlechtem Zustande sind, und so gut wie unveränderlich niedrig in gutkonditionierten Straßen, so können wir dem Schluß nicht widerstehen, daß Massen unserer Mitmenschen, Hunderte unserer nächsten Nachbarn jährlich getötet (destroyed) werden aus Mangel an den allergewöhnlichsten Vorsichtsmaßregeln."

Der Bericht über den Gesundheitszustand der arbeitenden Klassen enthält eine Angabe, die dasselbe Faktum beweist. In Liverpool war 1840 die durchschnittliche Lebensdauer der höheren Klassen (gentry, professional men etc.) 35, der Geschäftsleute und bessergestellten Handwerker 22 Jahre, der Arbeiter, Tagelöhner und der dienenden Klasse überhaupt nur 15 Jahre. Die Parlamentsberichte enthalten noch eine Menge ähnlicher Tatsachen.

Die Sterblichkeitslisten werden hauptsächlich durch die vielen Todesfälle unter den kleinen Kindern der Arbeiterklasse so hoch gesteigert. Der zarte Körper eines Kindes widersteht den ungünstigen Einflüssen einer niedrigen Lebenslage am wenigsten; die Vernachlässigung, der es oft ausgesetzt ist, wenn beide Eltern arbeiten oder einer von beiden tot ist, rächt sich sehr bald, und so darf man sich nicht wundern, wenn z. B. in Manchester, laut dem letzterwähnten Bericht, über 57 Prozent der Arbeiterkinder vor dem fünften Jahre sterben, während von den Kindern der höheren Klassen nur 20 Prozent und im Durchschnitt aller Klassen in Landdistrikten von allen Kindern unter dem fünften Jahre nicht volle 32 Prozent* sterben. Der mehrerwähnte Artikel des „Artizan" gibt uns hierüber genauere Nachweisungen, indem er die Proportionen der Sterbefälle bei einzelnen Kinderkrankheiten in den Städten denen auf dem Lande gegenüberstellt und so beweist, daß Epidemien im allgemeinen in Manchester und Liverpool dreimal tödlicher sind als in Landdistrikten; daß Krankheiten des Nervensystems in den Städten verfünffacht und Magenübel mehr als verdoppelt werden, während die Todesfälle infolge von Lungenkrankheiten in Städten sich zu

* „Factories Inquiry Commission's Report", 3rd vol. Report of Dr. Hawkins on Lancashire, wo Dr. Roberton, „die Hauptautorität für die Statistik in Manchester", als Gewährsmann angeführt wird.

denen auf dem Lande verhalten wie $2\frac{1}{2}$ zu 1. Todesfälle von kleinen Kindern infolge von Pocken, Masern, Stickhusten und Scharlachfieber vervierfachen sich; die infolge von Wasser im Gehirn verdreifachen und infolge von Krämpfen verzehnfachen sich in Städten. Um noch eine schlagende Autorität aufzuführen, gebe ich hier eine Tabelle, die Dr. Wade in seiner „History of the Middle and Working Classes“[1] (London, 1835, 3rd ed.) nach dem Bericht des parlamentarischen Fabrikkomitees vom Jahre 1832 gibt.

Von 10000 Menschen sterben	Unter 5 Jahren	5 bis 19	20 bis 39	40 bis 59	60 bis 69	70 bis 79	80 bis 89	90 bis 99	100 und drüber
in der Grafschaft Rutland – gesunder Agrikulturdistrikt..	2865	891	1275	1299	1189	1428	938	112	3
in der Grafschaft Essex – marschiger Agrikulturdistrikt..	3159	1110	1526	1413	963	1019	630	77[2]	3
in der Stadt Carlisle 1779–1787, vor Einführung der Fabriken.............	4408	911[3]	1006	1201	940	826	533	153	22
in der Stadt Carlisle nach Einführung der Fabriken	4738	930	1261	1134	677	727	452	80	1
in der Stadt Preston, Fabrikstadt.......	4947	1136	1379	1114	553	532	298	38	3
in der Stadt Leeds, Fabrikstadt	5286	927	1228	1198	593	512	225	29	2

Außer diesen verschiedenen Krankheiten, die die notwendige Folge der jetzigen Vernachlässigung und Unterdrückung der ärmeren Klasse sind, gibt es aber noch andere Einflüsse, die zur Vermehrung der Sterblichkeit unter kleinen Kindern beitragen. In vielen Familien arbeitet die Frau so gut wie der Mann außer dem Hause, und die Folge davon ist die gänzliche Vernachlässigung der Kinder, die entweder eingeschlossen oder zum Verwahren ausgemietet werden. Da ist es denn kein Wunder, wenn Hunderte von solchen

[1] Geschichte der Mittel- und arbeitenden Klassen – [2] (*1845* und *1892*) irrtümlich 177 – [3] (*1845* und *1892*) irrtümlich 921

Kindern durch allerlei Unglücksfälle das Leben verlieren. Nirgends werden so viel Kinder überfahren und überritten, nirgends fallen so viele zu Tode, ertrinken oder verbrennen als in den großen Städten Englands. Namentlich sind Todesfälle infolge von Brandwunden oder Übergießung mit heißem Wasser häufig – in Manchester während der Wintermonate fast jede Woche einmal, in London ebenfalls häufig, doch sieht man dort selten etwas davon in den Blättern; mir ist nur eine Angabe im „Weekly Dispatch" vom 15. Dezember 1844 zur Hand, wonach in der Woche vom 1. bis 7. Dezember *sechs* derartige Fälle vorgekommen waren. Diese armen Kinder, die auf eine so fürchterliche Weise ums Leben kommen, sind rein die Opfer unserer gesellschaftlichen Unordnung und der bei der Erhaltung dieser Unordnung interessierten besitzenden Klasse – und doch weiß man nicht, ob nicht selbst dieser schreckliche, qualvolle Tod eine Wohltat für die Kinder war, indem er sie vor einem langen Leben voll Mühe und Elend, reich an Leiden und arm an Genüssen, bewahrte. So weit ist es gekommen in England – und die Bourgeoisie liest das alles täglich in den Zeitungen und kümmert sich nicht drum. Sie wird sich aber auch nicht beklagen können, wenn ich sie nach den angeführten offiziellen und nichtoffiziellen Zeugnissen, die sie kennen *muß*, geradezu des sozialen Mordes beschuldige. Entweder sorge sie dafür, daß diesem entsetzlichen Zustande abgeholfen werde – oder sie trete die Verwaltung der allgemeinen Interessen an die arbeitende Klasse ab. Und zu letzterem hat sie keine Lust, während sie zu ersterem – solange sie Bourgeoisie und in Bourgeoisievorurteilen befangen bleibt – nicht die Kraft besitzt; denn wenn sie jetzt endlich, nachdem Hunderttausende von Schlachtopfern gefallen sind, einige kleinliche Vorsorge für die Zukunft trifft, einen „Metropolitan Buildings Act"[90] erläßt, wonach wenigstens die rücksichtsloseste Zusammendrängung von Wohnungen etwas beschränkt wird – wenn sie mit Maßregeln prunkt, die, weit entfernt, auf die Wurzel des Übels einzugehen, noch lange nicht an die Anordnungen der allgewöhnlichsten Gesundheitspolizei reichen, so wird sie sich dadurch doch nicht von der Anklage reinigen können. Die englische Bourgeoisie hat nur die Wahl, entweder mit der unwiderlegbaren Anklage des Mordes auf ihren Schultern und *trotz* dieser Anklage fortzuregieren – oder zugunsten der Arbeiterklasse abzudanken. Bis jetzt hat sie das erstere vorgezogen.

Gehen wir von der physischen auf die geistige Lage der Arbeiter über. Wenn die Bourgeoisie ihnen vom Leben so viel läßt, als eben nötig ist, so dürfen wir uns nicht wundern, wenn sie ihnen auch nur so viel Bildung gibt, als im Interesse der Bourgeoisie liegt. Und das ist so viel wahrlich nicht. Die Bildungsmittel sind in England unverhältnismäßig gering gegen die Volkszahl.

Die wenigen der arbeitenden Klasse zu Gebote stehenden Wochenschulen können nur von den wenigsten besucht werden und sind außerdem schlecht, die Lehrer – ausgediente Arbeiter und sonstige untaugliche Leute, die nur, um leben zu können, Schulmeister wurden – sind großenteils selbst in den notdürftigsten Elementarkenntnissen unerfahren, ohne die dem Lehrer so nötige sittliche Bildung und ohne alle öffentliche Kontrolle. Auch hier herrscht die freie Konkurrenz, und wie immer haben die Reichen den Nutzen, und die Armen, für die die Konkurrenz eben nicht frei ist, die nicht die gehörigen Kenntnisse haben, um urteilen zu können, haben den Schaden. Ein Schulzwang existiert nirgends, in den eigentlichen Fabriken, wie wir sehen werden, nur dem Namen nach, und als in der Session von 1843 die Regierung diesen scheinbaren Schulzwang in Kraft treten lassen wollte, opponierte die fabrizierende Bourgeoisie aus Leibeskräften, obwohl die Arbeiter sich entschieden *für* den Schulzwang aussprachen. Ohnehin arbeitet eine große Menge Kinder die ganze Woche über in Fabriken und zu Hause und kann deshalb die Schule nicht besuchen. Denn die *Abendschulen*, wohin diejenigen gehen sollen, die des Tages beschäftigt sind, werden fast gar nicht und ohne Nutzen besucht. Es wäre auch wirklich gar zuviel verlangt, wenn junge Arbeiter, die sich zwölf Stunden lang abgeplagt haben, nun noch von acht bis zehn Uhr in die Schule gehen sollten. Und diejenigen, die es tun, schlafen dort meistens ein, wie durch den Children's Empl[oyment] Rep[or]t in Hunderten von Aussagen konstatiert ist. Allerdings hat man Sonntagsschulen eingerichtet, die aber ebenfalls höchst mangelhaft mit Lehrern besetzt sind und nur denen, die schon in der Wochenschule etwas gelernt haben, nützen können. Der Zeitraum von einem Sonntag zum andern ist zu lang, als daß ein ganz ungebildetes Kind in der zweiten Lektion das nicht wieder vergessen haben sollte, was es in der ersten, acht Tage früher, gelernt hat. Der Bericht der Children's Employment Commission liefert Tausende von Beweisen, und die Kommission selbst spricht sich aufs entschiedenste dahin aus, daß weder die Wochen- noch die Sonntagsschulen dem Bedürfnis der Nation auch nur im entferntesten entsprechen. Dieser Bericht liefert Beweise von Unwissenheit unter der arbeitenden Klasse Englands, die man nicht aus einem Lande wie Spanien und Italien erwarten sollte. Es kann aber nicht anders sein; die Bourgeoisie hat wenig zu hoffen, aber manches zu fürchten von der Bildung der Arbeiter; die Regierung hat in ihrem ganzen kolossalen Budget von 55000000 Pfd. St. nur einen einzigen winzigen Posten von 40000 Pfd. St. für öffentlichen Unterricht; und wenn nicht der Fanatismus der religiösen Sekten wäre, der wenigstens ebensoviel verdirbt, als er hier und da bessert, so würden die Unterrichtsmittel noch viel elender sein. Aber so errichtet die Hochkirche ihre National Schools[1] und jede Sekte ihre Schulen, einzig in der Absicht, die Kinder ihrer Glaubensgenossen in ihrem Schoß zu behalten und womöglich hier und da den andern Sekten eine arme Kinderseele abzujagen. Die Folge davon ist, daß die Religion und gerade die unfruchtbarste Seite der Religion, die Polemik, zum vorzüglichsten Unterrichtsgegenstande erhoben und das Gedächtnis der Kinder mit unverständlichen Dogmen und theologischen Distinktionen vollgepfropft, daß der Sektenhaß und die fanatische Bigotterie so früh wie möglich geweckt und alle vernünftige, geistige und sittliche Bildung schändlich vernachlässigt wird. Die Arbeiter haben oft genug eine rein weltliche öffentliche Erziehung, die Religion den Geistlichen jeder Sekte überlassend, vom Parlament gefordert – sie haben bis jetzt noch kein Ministerium gefunden, das ihnen etwas Ähnliches bewilligt hätte. Natürlich. Der Minister ist der gehorsame Knecht der Bourgeoisie, und diese teilt sich in zahllose Sekten; jede Sekte aber gönnt dem Arbeiter nur dann die sonst gefährliche Erziehung, wenn er das Gegengift der speziell dieser Sekte angehörigen Dogmen mit in den Kauf nehmen muß. Und da sich diese Sekten noch bis heute um die Oberherrschaft zanken, so bleibt die Arbeiterklasse einstweilen ohne Bildung. Zwar rühmen sich die Fabrikanten, der großen Mehrzahl das Lesen beigebracht zu haben, aber es ist auch ein Lesen danach – wie der Bericht der Children's Employment Commission zeigt. Wer das Alphabet kennt, sagt, er könne lesen, und dabei beruhigen sich die Fabrikanten. Und wenn man die konfuse englische Orthographie bedenkt, bei der das Lesen eine wahre Kunst ist und nur nach langem Unterricht gelernt werden kann, so findet man diese Unwissenheit begreiflich. Schreiben vollends können sehr wenige – orthographisch schreiben selbst sehr viele „Gebildete" nicht. Die Sonntagsschulen der Hochkirche, der Quäker und ich glaube noch mehrerer andern Sekten lehren gar kein Schreiben, „weil dies eine zu weltliche Beschäftigung für den Sonntag sei". Wie es sonst mit der Bildung, die den Arbeitern geboten wird, steht, sollen ein paar Beispiele zeigen. Sie sind aus dem Ch[ildren's] Empl[oyment] Commiss[ion's]-Bericht, der sich leider nicht auf die eigentliche Fabrikindustrie ausdehnt.

„In Birmingham", sagt Kommissär Grainger, „sind die von mir geprüften Kinder in ihrer Gesamtheit gänzlich ohne alles, was auch nur im entferntesten eine nützliche Erziehung genannt werden könnte. Obwohl fast in allen Schulen *nur* Religionsunterricht gegeben wird, zeigten sie doch im allgemeinen auch hierüber die gröbste Unwissenheit." – „In Wolverhampton", erzählt Kommissär Horne, „fand ich unter andern

[1] Volksschulen

folgende Beispiele: Ein Mädchen, 11 Jahre, war in einer Wochen- und Sonntagsschule gewesen, ‚hatte nie von einer andern Welt, vom Himmel oder einem andern Leben gehört'. Ein andrer, 17 Jahre alt, wußte nicht, wieviel zwei mal zwei machten, wieviel Farthings" (1/4 Penny) „in 2 Pence seien, selbst als man das Geld ihm in die Hand legte. Einige Knaben hatten nie von London oder selbst von Willenhall gehört, obwohl letzteres nur eine Stunde von ihrem Wohnort entfernt liegt und fortwährend in Kommunikation mit Wolverhampton steht. Einige hatten nie den Namen der Königin oder Namen wie Nelson, Wellington, Bonaparte gehört. Aber es war bemerkenswert, daß diejenigen, die selbst von Sankt Paulus, Moses oder Salomon nie gehört hatten, über Leben, Taten und Charakter Dick Turpins, des Straßenräubers, und besonders Jack Sheppards, des Diebs und Gefängnisbrechers, sehr wohl unterrichtet waren. Ein Junge, 16 Jahre alt, wußte nicht, wieviel zwei mal zwei machten oder wieviel vier Farthings machten – ein Junge von 17 Jahren behauptete, zehn Farthings seien zehn halbe Pence, und ein dritter, 17 Jahre alt, antwortete kurz auf einige sehr einfache Fragen: ‚Er wisse nichts von gar nichts (he was ne judge o' nothin')'" (Horne, Rept., App. Part II, Q. 18, No. 216, 217, 226, 233 etc.).

Diese Kinder, die vier bis fünf Jahre hindurch mit religiösen Dogmen geplagt werden, wissen am Ende soviel wie vorher.

Ein Kind „ist fünf Jahre lang regelmäßig zur Sonntagsschule gegangen; weiß nicht, wer Jesus Christus war, hat den Namen aber gehört; hat nie von den zwölf Aposteln, Simson, Moses, Aaron usw. gehört" (ibid. Evid. p. q. 39, I. 33). Ein andres „sechs Jahre regelmäßig zur Sonntagsschule gegangen. Weiß, wer Jesus Christus war, er starb am Kreuz, sein Blut zu vergießen, um unsern Erlöser zu erlösen; hat nie von St. Petrus oder Paulus gehört" (ibid. p. q. 36, I. 46). Ein drittes „sieben Jahre in verschiednen Sonntagsschulen gewesen, kann nur in den dünnen Büchern lesen, leichte einsilbige Wörter; hat von den Aposteln gehört, weiß nicht, ob St. Peter einer war oder St. Johann, es müßte denn Sankt Johann Wesley (Stifter der Methodisten) sein usw." (ibid. p. q. 34, I. 58), auf die Frage, wer Jesus Christus sei, erhielt Horne u. a. noch folgende Antworten: „Er war Adam"; „er war ein Apostel"; „er war der Sohn des Herrn des Erlösers (he was the Saviour's Lord's Son)", und von einem sechzehnjährigen Jungen: „Er war ein König von London vor langer, langer Zeit."

In Sheffield ließ Kommissär Symons die Sonntagsschüler lesen; sie waren nicht imstande zu sagen, was sie gelesen hatten oder was für Leute die Apostel gewesen seien, von denen sie soeben gelesen hatten. Nachdem er sie alle nach der Reihe wegen der Apostel befragt hatte, ohne eine richtige Antwort zu erhalten, rief ein kleiner schlau aussehender Junge mit großer Zuversicht aus:

„Ich weiß es, Herr, es waren die Aussätzigen!" (Symons, Rept., App. Part I, pp. E 22 sqq.)

Aus den Töpfereibezirken und aus Lancashire wird Ähnliches berichtet.

Man sieht, was die Bourgeoisie und der Staat für die Erziehung und Ausbildung der arbeitenden Klasse getan haben. Glücklicherweise sind die Verhältnisse, in denen diese Klasse lebt, derart, daß sie ihr eine praktische Bildung geben, welche nicht nur den Schulkram ersetzt, sondern auch die mit ihm verbundenen verworrenen religiösen Vorstellungen unschädlich macht und die Arbeiter sogar an die Spitze der nationalen Bewegung Englands stellt. Not lehrt beten und, was mehr heißen will, denken und handeln. Der englische Arbeiter, der kaum lesen und noch weniger schreiben kann, weiß dennoch sehr gut, was sein eignes Interesse und das der ganzen Nation ist – er weiß auch, was das spezielle Interesse der Bourgeoisie ist und was er von dieser Bourgeoisie zu erwarten hat. Kann er nicht schreiben, so kann er doch sprechen, öffentlich sprechen; kann er nicht rechnen, so kann er doch mit nationalökonomischen Begriffen soviel kalkulieren, als dazu gehört, einen korngesetzabschaffenden Bourgeois zu durchschauen und zu widerlegen; bleiben ihm trotz aller Mühe der Pfaffen die himmlischen Fragen sehr unklar, so weiß er desto besser Bescheid in irdischen, politischen und sozialen Fragen. Wir werden davon noch weiter zu reden haben und gehen jetzt zur sittlichen Charakterisierung unserer Arbeiter über.

Daß der Moralunterricht, der in allen Schulen Englands mit dem religiösen vereinigt ist, von keiner besseren Wirkung sein kann als dieser, ist ziemlich klar. Die einfachen Prinzipien, welche für den *Menschen* das Verhältnis des Menschen zum Menschen regulieren, Prinzipien, die schon durch den sozialen Zustand, den Krieg Aller gegen Alle, in die greulichste Verwirrung geraten, müssen dem ungebildeten Arbeiter vollends unklar und fremd bleiben, wenn sie mit religiösen, unverständlichen Lehrsätzen vermischt und in der religiösen Form eines willkürlichen, unbegründeten Befehls vorgetragen werden. Die Schulen tragen nach dem Geständnis aller Autoritäten, namentlich der Child. Empl. Comm., zur Sittlichkeit der arbeitenden Klasse fast gar nichts bei. So rücksichtslos, so dumm borniert ist die englische Bourgeoisie in ihrem Egoismus, daß sie sich nicht einmal die Mühe gibt, den Arbeitern die heutige Moral einzuprägen, eine Moral, welche die Bourgeoisie sich doch in ihrem eignen Interesse und zu ihrem eignen Schutz zusammengestümpert hat! Selbst diese Sorge für sich selbst macht der schlaff werdenden, trägen Bourgeoisie zuviel Mühe, selbst das scheint ihr überflüssig. Die Zeit wird freilich kommen, wo sie ihr Versäumnis zu spät bereuen wird. Aber beklagen darf sie sich nicht, wenn die Arbeiter von dieser Moral nichts wissen und sich nicht nach ihr richten.

So sind die Arbeiter, wie körperlich und intellektuell, auch moralisch von der machthabenden Klasse ausgestoßen und vernachlässigt. Die einzige

Rücksicht, die man noch für sie hat, ist das Gesetz, das sich an sie anklammert, sobald sie der Bourgeoisie zu nahe treten – wie gegen die unvernünftigen Tiere wendet man nur *ein* Bildungsmittel auf sie an – die Peitsche, die brutale, nicht überzeugende, nur einschüchternde Gewalt. Es ist also auch nicht zu verwundern, wenn die so wie Tiere behandelten Arbeiter entweder wirklich zu Tieren werden oder sich nur durch den glühendsten Haß, durch fortwährende innere Empörung gegen die machthabende Bourgeoisie das Bewußtsein und Gefühl ihrer Menschheit bewahren können. Sie sind nur Menschen, solange sie den Zorn gegen die herrschende Klasse fühlen; sie werden Tiere, sobald sie sich geduldig in ihr Joch fügen und sich nur das Leben im Joch angenehm zu machen suchen, ohne das Joch selbst brechen zu wollen.

Das ist also alles, was die Bourgeoisie zur Bildung der arbeitenden Klasse getan hat – und wenn wir die übrigen Umstände erwägen, in denen diese letztere lebt, so werden wir ihr den Ingrimm, den sie gegen die herrschende Klasse hegt, vollends nicht verübeln können. Die sittliche Bildung, die dem Arbeiter in der Schule nicht gereicht wird, wird ihm auch in seinen sonstigen Lebensverhältnissen nicht geboten – wenigstens *die* sittliche Bildung nicht, die in den Augen der Bourgeoisie etwas gilt. Seine ganze Stellung und Umgebung enthält die stärksten Neigungen zur Immoralität. Er ist arm, das Leben hat keinen Reiz für ihn, fast alle Genüsse sind ihm versagt, die Strafen des Gesetzes haben nichts Fürchterliches mehr für ihn – was soll er sich also in seinen Gelüsten genieren, weshalb soll er den Reichen im Genuß seiner Güter lassen, statt sich selbst einen Teil davon anzueignen? Was für Gründe hat der Proletarier, *nicht* zu stehlen? Es ist all recht schön und klingt den Bourgeois angenehm genug ins Ohr, wenn man von der „Heiligkeit des Eigentums" spricht – aber für den, der kein Eigentum hat, hört die Heiligkeit des Eigentums von selber auf. Das Geld ist der Gott dieser Welt. Der Bourgeois nimmt dem Proletarier sein Geld und macht ihn dadurch zum praktischen Atheisten. Kein Wunder also, wenn der Proletarier seinen Atheismus bewährt und die Heiligkeit und die Macht des irdischen Gottes nicht mehr respektiert. Und wenn die Armut des Proletariers bis zum wirklichen Mangel der nötigsten Lebensbedürfnisse, bis zum Elend und zur Brotlosigkeit gesteigert wird, so steigt der Reiz zur Nichtachtung aller gesellschaftlichen Ordnung noch mehr. Das wissen auch die Bourgeois großenteils selbst. *Symons* bemerkt*, daß die Armut dieselbe zerrüttende Wirkung auf den Geist ausübe wie die Trunksucht auf den Körper, und vollends Sheriff *Alison* erzählt den Besitzenden ganz genau, was die Folgen der

* „Arts and Artisans".

sozialen Unterdrückung für die Arbeiter sein müssen.* Das Elend läßt dem Arbeiter nur die Wahl, langsam zu verhungern, sich rasch zu töten oder sich zu nehmen, was er nötig hat, wo er es findet, auf deutsch, zu stehlen. Und da werden wir uns nicht wundern dürfen, wenn die meisten den Diebstahl dem Hungertode oder dem Selbstmorde vorziehen. Es gibt freilich auch unter den Arbeitern eine Anzahl, die moralisch genug sind, um nicht zu stehlen, selbst wenn sie aufs Äußerste gebracht werden, und diese verhungern oder töten sich. Der Selbstmord, der sonst das beneidenswerte Privilegium der höheren Klassen war, ist in England auch unter den Proletariern Mode geworden, und eine Menge armer Leute töten sich, um dem Elend zu entgehen, aus dem sie sich sonst nicht zu retten wissen.

Aber noch viel demoralisierender als die Armut wirkt auf die englischen Arbeiter die Unsicherheit der Lebensstellung, die Notwendigkeit, vom Lohn aus der Hand in den Mund zu leben, kurz das, was sie zu *Proletariern* macht. Unsre kleinen Bauern in Deutschland sind großenteils auch arm und leiden oft Mangel, aber sie sind weniger abhängig vom Zufall, sie haben wenigstens etwas Festes. Aber der Proletarier, der gar nichts hat als seine beiden Hände, der heute verzehrt, was er gestern verdiente, der von allen möglichen Zufällen abhängt, der nicht die geringste Garantie für seine Fähigkeit, sich die nötigsten Lebensbedürfnisse zu erwerben, besitzt – jede Krisis, jede Laune seines Meisters kann ihn brotlos machen –, der Proletarier ist in die empörendste, unmenschlichste Lage versetzt, die ein Mensch sich denken kann. Dem Sklaven ist wenigstens seine Existenz durch den Eigennutz seines Herrn gesichert, der Leibeigne hat doch ein Stück Land, wovon er lebt, sie haben wenigstens für das nackte Leben eine Garantie – aber der Proletarier ist allein auf sich selbst angewiesen und doch zugleich außerstande gesetzt, seine Kräfte so anzuwenden, daß er auf sie rechnen kann. Alles, was der Proletarier zur Verbesserung seiner Lage selbst tun kann, verschwindet wie ein Tropfen am Eimer gegen die Fluten von Wechselfällen, denen er ausgesetzt ist und über die er nicht die geringste Macht hat. Er ist das willenlose Objekt aller möglichen Kombinationen von Umständen und kann vom Glück noch sagen, wenn er nur auf kurze Zeit das nackte Leben rettet. Und wie sich das von selbst versteht, richtet sich sein Charakter und seine Lebensweise wieder nach diesen Umständen. Entweder sucht er sich in diesem Strudel oben zu halten, seine Menschheit zu retten, und das kann er wieder nur in der Empörung** gegen die Klasse, die ihn so schonungslos ausbeutet

---

* „Prin[ciples] of Popul[ation]" vol. II, p. 196, 197.

** Wir werden später sehen, wie die Empörung des Proletariers gegen die Bourgeoisie in England durch das Recht der freien Assoziation gesetzlich legitimiert ist.

und dann seinem Schicksal überläßt, die ihn zu zwingen sucht, in dieser, eines Menschen unwürdigen Lage zu bleiben, gegen die Bourgeoisie – oder er gibt den Kampf gegen seine Lage als fruchtlos auf und sucht, soviel er kann, von den günstigen Momenten zu profitieren. Sparen nützt ihm zu nichts, denn er kann sich höchstens soviel sammeln, als er braucht, um sich ein paar Wochen lang zu ernähren – und wird er einmal brotlos, so bleibt es nicht bei ein paar Wochen. Sich auf die Dauer Eigentum erwerben kann er nicht, und könnte er's, so müßte er dann ja aufhören, Arbeiter zu sein, und ein andrer träte an seine Stelle. Was kann er also Besseres tun, wenn er guten Lohn bekommt, als gut davon leben? Der englische Bourgeois wundert und skandalisiert sich aufs höchste über das flotte Leben der Arbeiter während der Zeit, daß der Lohn hoch ist – und doch ist es nicht nur ganz natürlich, sondern sogar ganz vernünftig von den Leuten, daß sie das Leben genießen, wenn sie können, statt Schätze zu sammeln, die ihnen nichts nützen und die am Ende doch wieder die Motten und der Rost, d. h. die Bourgeois fressen. Aber solch ein Leben ist demoralisierend wie kein andres. Was Carlyle von den Baumwollspinnern sagt, gilt von allen englischen Industriearbeitern:

„Bei ihnen ist das Geschäft heute blühend, morgen welk – ein fortwährendes Hasardspiel, und so leben sie auch wie Spieler, heute im Luxus, morgen im Hunger. Schwarze meuterische Unzufriedenheit verzehrt sie, das elendeste Gefühl, das in des Menschen Brust wohnen kann. Der englische Handel mit seinen weltweiten Konvulsionen und Schwankungen, mit seinem unermeßlichen Dampfproteus hat alle Pfade für sie unsicher gemacht wie ein Zauberbann; Nüchternheit, Festigkeit, ruhige Dauer, die ersten Segnungen des Menschen sind ihnen fremd ... Diese Welt ist für sie kein heimatlich Haus, sondern ein dumpfiges Gefängnis voll toller, fruchtloser Plage, Rebellion, Groll, Ingrimm gegen sich selbst und alle Menschen. Ist es eine grüne, blumige Welt, gemacht und regiert von einem Gott – oder ist es ein düster-brodelndes Tophet von Vitriolrauch, Baumwollstaub, Schnapslärm, Wut und Arbeitsqual, gemacht und regiert von einem Teufel?"*

Und weiter p. 40:

„Wenn Ungerechtigkeit, Untreue gegen Wahrheit, Tatsache und Ordnung der Natur das einzige Übel unter der Sonne ist und das Bewußtsein, Unrecht, Ungerechtigkeit zu ertragen, das einzige unerträglich schmerzliche Gefühl, so wäre unsre große Frage wegen der Lage der Arbeiter diese: Ist dies gerecht? Und vor allem: Was halten sie selbst von der Gerechtigkeit der Sache? – Ihre Worte sind Antwort genug, ihre Taten noch mehr ... Empörung, plötzlicher rachelustiger Trieb zur Empörung gegen die höheren Klassen, abnehmende Achtung gegen die Befehle ihrer weltlichen Obern,

* „Chartism", p. 34ff.

abnehmender Glaube gegen die Lehren ihrer geistlichen Obern wird mehr und mehr die allgemeine Stimmung der niederen Klassen. Diese Stimmung mag getadelt, mag bestraft werden, aber alle müssen sie als dort wirklich existierend anerkennen, müssen wissen, daß es traurig ist und, wo nicht geändert, unheilbringend sein wird."

Carlyle hat in den Tatsachen ganz recht und nur darin unrecht, daß er die wilde Leidenschaft der Arbeiter gegen die höheren Klassen tadelt. Diese Leidenschaft, dieser Zorn ist vielmehr der Beweis, daß die Arbeiter das Unmenschliche ihrer Lage fühlen, daß sie sich nicht zum Tier herabdrängen lassen wollen und daß sie dereinst sich aus der Knechtschaft der Bourgeoisie befreien werden. Wir sehen es ja an denen, die diesen Zorn nicht teilen – entweder unterwerfen sie sich in Demut dem Geschick, das sie trifft, leben als ehrliche Privatleute, so gut es geht, kümmern sich nicht um den Gang der Welt, helfen der Bourgeoisie die Ketten der Arbeiter fester zu schmieden[1] und stehen auf dem geistig-toten Standpunkte der vorindustriellen Periode – oder sie lassen sich vom Schicksal werfen und spielen mit ihm, verlieren auch innerlich den festen Halt, den sie schon äußerlich verloren haben, leben in den Tag hinein, trinken Schnaps und laufen den Mädeln nach – in beiden Fällen sind sie Tiere. Diese letzteren tragen denn auch hauptsächlich zu der „schnellen Vermehrung des Lasters" bei, über die die sentimentale Bourgeoisie so entsetzt ist, nachdem sie selbst die Ursachen derselben in Bewegung gesetzt hat.

Eine andre Quelle der Demoralisation unter den Arbeitern ist die Verdammung zur Arbeit. Wenn die freiwillige produktive Tätigkeit der höchste Genuß ist, den wir kennen, so ist die Zwangsarbeit die härteste, entwürdigendste Qual. Nichts ist fürchterlicher, als alle Tage von morgens bis abends etwas tun zu müssen, was einem widerstrebt. Und je menschlicher der Arbeiter fühlt, desto mehr muß ihm seine Arbeit verhaßt sein, weil er den Zwang, die Zwecklosigkeit für ihn selbst fühlt, die in ihr liegen. Weshalb arbeitet er denn? Aus Lust am Schaffen? Aus Naturtrieb? Keineswegs. Er arbeitet um des Geldes, um einer Sache willen, die mit der Arbeit selbst gar nichts zu schaffen hat, er arbeitet, weil er muß, und arbeitet noch dazu so lange und so ununterbrochen einförmig, daß schon aus diesem Grunde allein ihm die Arbeit in den ersten Wochen zur Qual werden muß, wenn er noch irgend menschlich fühlt. Die Teilung der Arbeit hat die vertierenden Wirkungen der Zwangsarbeit überhaupt noch vervielfacht. In den meisten Arbeitszweigen ist die Tätigkeit des Arbeiters auf eine kleinliche, rein mechanische Manipulation beschränkt, die sich Minute für Minute wiederholt

[1] *(1892)* . . . fester schmieden

und jahraus, jahrein dieselbe bleibt.* Wer von Kindesbeinen an jeden Tag zwölf Stunden und drüber Nadelknöpfe gemacht oder Kammräder abgefeilt und außerdem in den Verhältnissen eines englischen Proletariers gelebt hat, wieviel menschliche Gefühle und Fähigkeiten mag der in sein dreißigstes Jahr hinüberretten? Dasselbe ist's mit der Einführung der Dampfkraft und der Maschinen. Die Tätigkeit des Arbeiters wird leicht, die Anstrengung der Muskel wird gespart und die Arbeit selbst unbedeutend, aber eintönig im höchsten Grade. Sie gewährt ihm kein Feld für geistige Tätigkeit und nimmt doch seine Aufmerksamkeit gerade so viel in Anspruch, daß er, um sie gut zu besorgen, an nichts andres denken darf. Und eine Verurteilung zu einer solchen Arbeit – einer Arbeit, die alle disponible Zeit des Arbeiters in Anspruch nimmt, ihm kaum Zeit zum Essen und Schlafen, nicht einmal zu körperlicher Bewegung in freier Luft, zum Genuß der Natur, geschweige zu geistiger Tätigkeit läßt –, eine solche Verurteilung soll den Menschen nicht zum Tier herabwürdigen! Der Arbeiter hat wieder nur die Alternative, sich in sein Schicksal zu ergeben, ein „guter Arbeiter" zu werden, das Interesse des Bourgeois „treulich" wahrzunehmen – und dann vertiert er ganz gewiß – oder sich zu sträuben, für seine Menschheit zu kämpfen, solange es geht, und das kann er nur im Kampf gegen die Bourgeoisie.

Und wenn alle diese Ursachen eine Masse von Demoralisation unter der arbeitenden Klasse erzeugt haben, dann tritt eine neue Ursache hinzu, um diese Demoralisation weiter zu verbreiten und auf den höchsten Gipfel zu treiben – die Zentralisation der Bevölkerung. Die englischen Schriftsteller der Bourgeoisie schreien Zeter über die entsittlichenden Wirkungen der großen Städte – diese umgekehrten Jeremiasse weinen Klagelieder nicht über die Zerstörung, sondern über den Flor derselben. Sheriff *Alison* schiebt fast alles und Dr. *Vaughan*, Verfasser eines Buches „The Age of Great Cities"[1], noch viel mehr auf diese Ursache. Natürlich. Bei den übrigen Ursachen, die auf Körper und Geist der Arbeiter zerstörend wirken, kommt das Interesse der besitzenden Klasse zu direkt ins Spiel. Sagten sie: die Armut, die Unsicherheit der Stellung, die Überarbeitung und Zwangsarbeit sei die Hauptursache – so würde jeder, so würden sie sich selbst antworten müssen: Also geben wir den Armen Eigentum, garantieren wir ihnen ihre Existenz, erlassen wir Gesetze gegen Überarbeitung – und das darf die Bourgeoisie nicht

* Soll ich auch hier Bourgeoisiezeugnisse für mich sprechen lassen? Ich wähle nur eins, das jeder nachlesen kann, in *Adam Smiths* „Wealth of Nations" (zitierte Ausg.), vol. 3, book 5, cap. 8, pag. 297.

[1] „Das Alter der großen Städte"

zugeben. Aber die großen Städte sind so ganz von selbst herangewachsen, die Leute sind ganz freiwillig hineingezogen, und der Schluß, daß einzig die Industrie und die von ihr profitierende Mittelklasse diese großen Städte geschaffen habe, liegt so fern, daß es der herrschenden Klasse gar zu leicht einfallen muß, alles Unheil auf diese anscheinend unvermeidliche Ursache zu wälzen – wo doch die großen Städte nur dem wenigstens im Keime schon existierenden Unheil eine schnellere und reifere Entwicklung geben können. Alison ist wenigstens noch so human, daß er dies anerkennt – er ist kein vollständig ausgebildeter, industrieller und liberaler, sondern nur ein halbentwickelter, torystischer Bourgeois und hat deshalb hie und da offne Augen, wo die wahren Bourgeois stockblind sind. Ihn wollen wir hier reden lassen:

„Es ist in den großen Städten, daß das Laster seine Versuchungen, die Wollust ihre Netze ausbreiten, daß die Schuld durch die Hoffnung der Straflosigkeit und die Trägheit durch häufiges Beispiel angespornt wird. Hieher zu diesen großen Stapelplätzen menschlicher Verdorbenheit fliehen die Schlechten und Liederlichen von der Einfachheit des Landlebens, hier finden sie Opfer für ihre Schlechtigkeit und Gewinn als Lohn für die Gefahren, in die sie sich begeben. Die Tugend wird in Dunkelheit gehüllt und unterdrückt, die Schuld reift in der Schwierigkeit der Entdeckung, Ausschweifungen werden durch unverzüglichen Genuß belohnt. Wer bei Nacht durch St. Giles, durch die engen gedrängten Gäßchen von Dublin, die ärmeren Viertel von Glasgow geht, wird dies bestätigt finden, wird sich nicht wundern, daß soviel, sondern daß sowenig Verbrechen in der Welt ist ... Die große Ursache der Verderbtheit der großen Städte ist die ansteckende Natur des bösen Beispiels und die Schwierigkeit, der Verführung des Lasters aus dem Wege zu gehen, wenn sie in nahe und tägliche Berührung mit der heranwachsenden Generation gebracht werden. Die Reichen sind eo ipso[1] nicht besser, auch sie können in derselben Lage der Versuchung nicht widerstehen; das besondre Unglück der Armen ist, daß sie überall den verlockenden Gestalten des Lasters und den Verführungen verbotner Genüsse begegnen *müssen* ... Die erwiesene Unmöglichkeit, die Reize des Lasters vor dem jüngern Teile der Armen in großen Städten zu verbergen, ist die Ursache der Demoralisation."

Nach einer längeren Sittenschilderung fährt unser Autor fort:

„Alles das kommt nicht von außerordentlicher Depravation des Charakters, sondern von der fast unwiderstehlichen Natur der Versuchungen, denen die Armen ausgesetzt sind. Die Reichen, die das Betragen der Armen tadeln, würden dem Einfluß ähnlicher Ursachen wohl ebenso rasch nachgeben. Es gibt einen Grad des Elends, ein Sich-Aufdrängen der Sünde, denen entgegenzutreten die Tugend selten fähig ist und der besonders die Jugend gewöhnlich nicht widerstehen kann. Der Fortschritt des Lasters in solchen Umständen ist fast so gewiß und oft ebenso rasch wie der der physischen Ansteckung."

---

[1] selbstverständlich

Und an einer späteren Stelle:

„Wenn die höheren Klassen die Arbeiter für ihren Vorteil in großen Massen auf einen engen Raum zusammengezogen haben, wird die Ansteckung des Verbrechens reißend schnell und unvermeidlich. Die niederen Klassen, wie sie jetzt in Beziehung auf religiösen und moralischen Unterricht gestellt sind, sind häufig kaum mehr dafür zu tadeln, daß sie den auf sie eindringenden Versuchungen nachgeben, als dafür, *daß sie dem Typhus zum Opfer fallen*."*

Genug! Der Halbbourgeois Alison verrät uns, wenn auch in bornierter Ausdrucksweise, die schlimmen Folgen der großen Städte für die sittliche Entwicklung der Arbeiter. Ein anderer, ganzer Bourgeois, ein Mann nach dem Herzen der Antikorngesetzligue, der Doktor Andrew *Ure***, verrät uns die andre Seite. Er erzählt uns, daß das Leben in großen Städten Kabalen unter den Arbeitern erleichtere und dem Plebs Macht gebe. Wenn hier die Arbeiter nicht erzogen (d. h. zum Gehorsam gegen die Bourgeoisie erzogen) seien, so würden sie die Dinge einseitig, vom Standpunkt einer sinistren Selbstsucht ansehen und sich leicht von schlauen Demagogen verführen lassen – ja, sie seien kapabel, ihren *besten Wohltäter*, den frugalen und unternehmenden Kapitalisten, mit einem eifersüchtigen und feindseligen Auge anzusehen. Hier könne nur gute Erziehung helfen, sonst müsse Nationalbankerott und andre Schrecken folgen, da eine Revolution der Arbeiter sonst nicht ausbleiben könne. Und unser Bourgeois hat ganz recht mit seinen Befürchtungen. Wenn die Zentralisation der Bevölkerung schon auf die besitzenden Klassen anregend und entwickelnd wirkt, so treibt sie die Entwicklung der Arbeiter noch weit rascher vorwärts. Die Arbeiter fangen an, sich als Klasse in ihrer Gesamtheit zu fühlen, sie werden gewahr, daß sie, obwohl einzeln schwach, doch zusammen eine Macht sind; die Trennung von der Bourgeoisie, die Ausbildung den Arbeitern und ihrer Lebensstellung eigentümlicher Anschauungen und Ideen wird befördert, das Bewußtsein, unterdrückt zu werden, stellt sich ein, und die Arbeiter bekommen soziale und politische Bedeutung. Die großen Städte sind der Herd der Arbeiterbewegung, in ihnen haben die Arbeiter zuerst angefangen, über ihre Lage nachzudenken und gegen sie anzukämpfen, in ihnen kam der Gegensatz zwischen Proletariat und Bourgeoisie zuerst zur Erscheinung, von ihnen sind Arbeiterverbindungen, Chartismus und Sozialismus ausgegangen. Die großen Städte haben die Krankheit des sozialen Körpers, die auf dem Lande in chronischer

* „[The] Princ[iples] of Population", vol. II, p. 76 ff., p. 135.

** „Philosophy of Manufactures". London, 1835. – Wir werden von diesem saubern Buche noch mehr zu sprechen haben. Die angeführten Stellen stehen p. 406 ff.

Form auftritt, in eine akute verwandelt, und dadurch das eigentliche Wesen derselben und zugleich die rechte Art, sie zu heilen, an den Tag gebracht. Ohne die großen Städte und ihren treibenden Einfluß auf die Entwicklung der öffentlichen Intelligenz wären die Arbeiter lange nicht so weit, als sie jetzt sind. Dazu haben sie die letzte Spur des patriarchalischen Verhältnisses zwischen den Arbeitern und den Brotherren zerstört, wozu auch die große Industrie durch Vervielfachung der von einem einzigen Bourgeois abhängigen Arbeiter beitrug. Die Bourgeoisie jammert freilich darüber, und sie hat recht – denn unter diesem Verhältnis war der Bourgeois ziemlich sicher vor einer Auflehnung der Arbeiter. Er konnte sie nach Herzenslust ausbeuten und dominieren und erhielt noch Gehorsam, Dank und Zuneigung in den Kauf von dem dummen Volke, wenn er ihm außer dem Lohn etwas Freundlichkeit, die ihm nichts kostete, und vielleicht einige kleine Vorteile zukommen ließ – alles zusammen anscheinend aus purer überflüssiger, aufopfernder Herzensgüte, und doch noch lange nicht den zehnten Teil seiner Schuldigkeit. Als einzelner Bourgeois, der in Verhältnisse gestellt war, die er selbst nicht geschaffen hatte, tat er allerdings seine Schuldigkeit wenigstens teilweise, aber als Mitglied der regierenden Klasse, die schon dadurch, *daß sie regiert*, für die Lage der ganzen Nation verantwortlich ist und die Wahrung des allgemeinen Interesses übernimmt, tat er gar nichts von dem, was er mit seiner Stellung übernahm, sondern beutete noch obendrein die ganze Nation zu seinem eignen Privatvorteil aus. In dem patriarchalischen Verhältnis, das die Sklaverei der Arbeiter heuchlerisch verdeckte, mußte der Arbeiter geistig tot, über seine eignen Interessen total unwissend, ein bloßer Privatmensch bleiben. Erst als er seinem Brotherrn entfremdet, als es offenbar wurde, daß er mit diesem nur durch das Privatinteresse, nur durch den Geldgewinn zusammenhänge, als die scheinbare Zuneigung, die nicht die geringste Probe aushielt, gänzlich wegfiel, erst da fing der Arbeiter an, seine Stellung und seine Interessen zu erkennen und sich selbständig zu entwickeln; erst da hörte er auf, auch in seinen Gedanken, Gefühlen und Willensäußerungen der Sklave der Bourgeoisie zu sein. Und dazu hat hauptsächlich die Industrie im großen Maßstabe und die großen Städte gewirkt.

Ein anderes Moment, das von bedeutendem Einfluß auf den Charakter der englischen Arbeiter war, bildet die irische Einwanderung, von der auch schon in diesem Sinn die Rede war. Sie hat allerdings, wie wir sehen[1], einerseits die englischen Arbeiter degradiert, sie der Zivilisation entrissen und ihre Lage verschlimmert – aber auch andrerseits dadurch zur Austiefung der

[1] *(1892)* sahen

Kluft zwischen Arbeitern und Bourgeoisie und so zur Beschleunigung der herannahenden Krisis beigetragen. Denn der Verlauf der sozialen Krankheit, an der England leidet, ist derselbe wie der einer physischen Krankheit; sie entwickelt sich nach gewissen Gesetzen und hat ihre Krisen, deren letzte und heftigste über das Schicksal des Kranken entscheidet. Und da die englische Nation bei dieser letzten Krisis doch nicht untergehen kann, sondern erneut und wiedergeboren aus ihr hervorgehen muß, so kann man sich nur über alles freuen, was die Krankheit auf die Spitze treibt. Und dazu trägt die irische Einwanderung außerdem noch bei durch das leidenschaftliche, lebendige irische Wesen, welches sie in England einbürgert und in die englische Arbeiterklasse bringt. Irländer und Engländer verhalten sich in vielen Beziehungen wie Franzosen und Deutsche, und die Mischung des leichteren, erregbaren, heißen irischen Temperaments mit dem ruhigen, ausdauernden, verständigen englischen kann auf die Dauer nur für beide Teile günstig sein. Der schroffe Egoismus der englischen Bourgeoisie würde weit mehr in der Arbeiterklasse sitzen geblieben sein, wenn nicht das bis zur Wegwerfung großmütige, vorwiegend vom Gefühl beherrschte irische Wesen hinzugekommen und einerseits durch Stammverschmelzung, andrerseits durch den gewöhnlichen Verkehr den rein verständigen, kalten englischen Charakter gemildert hätte.

Wir werden uns nach alledem nicht mehr darüber wundern, daß die arbeitende Klasse allmählich ein ganz andres Volk geworden ist als die englische Bourgeoisie. Die Bourgeoisie hat mit allen andern Nationen der Erde mehr Verwandtes als mit den Arbeitern, die dicht neben ihr wohnen. Die Arbeiter sprechen andre Dialekte, haben andre Ideen und Vorstellungen, andre Sitten und Sittenprinzipien, andre Religion und Politik als die Bourgeoisie. Es sind zwei ganz verschiedene Völker, so verschieden, wie sie der Unterschied der Rasse nur machen kann, und von denen wir bisher auf dem Kontinent nur das eine, die Bourgeoisie, gekannt haben. Und doch ist gerade das andre, aus den Proletariern bestehende Volk das für die Zukunft Englands bei weitem wichtigste.*

Von dem öffentlichen Charakter der englischen Arbeiter, wie er sich in Assoziationen und politischen Prinzipien ausspricht, werden wir noch weiter zu sprechen haben – hier wollen wir nur die Resultate der eben zusammengestellten Ursachen erwähnen, insofern diese auf den Privatcharakter der

* *(1892)* Dieselbe Auffassung, daß die große Industrie die Engländer in zwei verschiedene Nationen gespalten hat, ist bekanntlich, ungefähr gleichzeitig, auch von Disraeli ausgeführt worden in seinem Roman „Sybil, or the Two Nations" [Sibylle oder die beiden Nationen].

Arbeiter wirken. Der Arbeiter ist bei weitem humaner im gewöhnlichen Leben als der Bourgeois. Ich erwähnte schon oben, daß die Bettler fast nur an Arbeiter zu appellieren pflegen und überhaupt mehr von seiten der Arbeiter für die Erhaltung der Armen getan wird als von seiten der Bourgeoisie. Diese Tatsache – man kann sie übrigens alle Tage bestätigt sehen – bestätigt u. a. auch Herr Parkinson, Kanonikus von Manchester:

„Die Armen geben einander mehr, als die Reichen den Armen geben. Ich kann meine Versicherung durch das Zeugnis eines unserer ältesten, geschicktesten, beobachtendsten und humansten Ärzte, des Dr. Bardsley, bestätigen. Dieser hat öffentlich erklärt, daß die Gesamtsumme, welche die Armen jährlich einander geben, diejenige übertrifft, welche die Reichen in derselben Zeit beisteuern."*

Auch sonst tritt die Humanität der Arbeiter überall erfreulich hervor. Sie haben selbst harte Schicksale erfahren und können daher für diejenigen Mitgefühl hegen, denen es schlecht geht; für sie ist jeder Mensch ein Mensch, während der Arbeiter dem Bourgeois weniger als ein Mensch ist; daher sind sie umgänglicher, freundlicher, und obwohl sie das Geld nötiger haben als die Besitzenden, dennoch weniger darauf erpicht, weil ihnen das Geld nur um dessentwillen Wert hat, was sie dafür kaufen, während es für den Bourgeois einen besondern, inhärenten Wert, den Wert eines Gottes hat und den Bourgeois so zum gemeinen, schmutzigen „Geldmenschen" macht. Der Arbeiter, der dies Gefühl der Ehrfurcht vor dem Gelde nicht kennt, ist daher nicht so habgierig wie der Bourgeois, der alles nur tut, um Geld zu verdienen, der seinen Lebenszweck im Anhäufen von Geldsäcken sieht. Darum ist der Arbeiter auch viel unbefangener, hat viel offnere Augen für Tatsachen als der Bourgeois und sieht nicht alles durch die Brille des Eigennutzes an. Vor religiösen Vorurteilen schützt ihn seine mangelhafte Erziehung; er versteht nichts davon und plagt sich nicht damit herum, er kennt den Fanatismus nicht, der die Bourgeoisie befangen hält, und wenn er ja etwas Religion haben sollte, so ist sie nur nominell, nicht einmal theoretisch – praktisch lebt er nur für diese Welt und sucht sich in ihr einzubürgern. Alle Schriftsteller der Bourgeoisie stimmen darin überein, daß die Arbeiter keine Religion haben und die Kirche nicht besuchen. Allenfalls die Irländer sind auszunehmen und einige ältere Leute, dann die Halbbourgeois, die Aufseher, Werkmeister und dergleichen. Aber unter der Masse findet man fast überall

* „On the present Condition of the Labouring Poor in Manchester etc." [Über die gegenwärtige Lage der arbeitenden Armen in Manchester usw.]. By the Rev. *Rd. Parkinson*, Canon of Manchester. 3rd edit. London and Manchester, 1841. Pamphlet.

eine gänzliche Indifferenz gegen die Religion, und wenn es hoch kommt, ein bißchen Deismus, das zu unentwickelt ist, um[1] zu etwas mehr als zu Redensarten dienen zu können oder etwas mehr als einen vagen Schrecken vor Ausdrücken wie infidel (Ungläubiger) und atheist hervorzurufen. Die Geistlichkeit aller Sekten steht sehr schlecht bei den Arbeitern angeschrieben, obwohl sie ihren Einfluß auf diese erst in der letzten Zeit verloren hat; jetzt steht sie aber so, daß der bloße Ruf: he is a parson – er ist ein Pfaff! oft genug imstande ist, einen Geistlichen von der Tribüne öffentlicher Versammlungen zu verjagen. Und wie schon die Lebenslage überhaupt, so trägt auch der Mangel an religiöser und sonstiger Bildung dazu bei, die Arbeiter unbefangener, freier von überkommenen stabilen Grundsätzen und vorgefaßten Meinungen zu halten, als der Bourgeois dies ist. Dieser sitzt in seinen Klassenvorurteilen, in den ihm von Jugend auf eingetrichterten Prinzipien bis über die Ohren eingerammt; mit ihm ist nichts anzufangen, er ist wesentlich, wenn auch in liberaler Form, konservativ, sein Interesse mit dem Bestehenden verwachsen, er ist aller Bewegung abgestorben. Er tritt ab von der Spitze der historischen Entwicklung, die Arbeiter treten erst rechtlich und dereinst auch faktisch an seine Stelle.

Dies und die daraus folgende öffentliche Tätigkeit der Arbeiter, die wir später erledigen werden, sind die günstigen Seiten des Charakters dieser Klasse; die ungünstigen sind ebenso rasch zusammengefaßt und folgen ebenso natürlich aus den angegebenen Ursachen. Trunksucht, Regellosigkeit des geschlechtlichen Verkehrs, Roheit und Mangel an Achtung für das Eigentum sind die Hauptpunkte, die der Bourgeois ihr vorwirft. Daß die Arbeiter stark trinken, ist nicht anders zu erwarten. Sheriff *Alison* behauptet, daß in Glasgow jeden Sonnabendabend an dreißigtausend Arbeiter berauscht sind, und die Zahl ist gewiß nicht zu gering; daß in dieser Stadt 1830 auf zwölf Häuser und 1840 auf je zehn Häuser eine Branntweinschenke kam, daß in Schottland 1823 für 2300000 Gallonen, 1837 für 6620000 Gall., und in England 1823 für 1976000 Gall., 1837 für 7875000 Gall. Branntwein Akziseabgabe bezahlt wurde.* Die Bierakte von 1830, welche die Errichtung von Bierhäusern, sogenannten Jerry-Shops, erleichterte – deren Besitzer zum Verkauf von Bier, to be drunk on the premises (das im Hause selbst getrunken werden darf), konzessioniert ist – diese Akte erleichterte auch die Ausbreitung der Trunksucht, indem sie jedem die Schenke fast vor die Türe brachte. Fast in jeder Straße findet man mehrere dieser Bierhäuser, und wo auf dem Lande

* „[The] Princ[iples] of Population", passim.

[1] *(1892)* . . . Deismus, zu unentwickelt, um

zwei oder drei Häuser zusammenstehen, so ist ganz gewiß ein Jerry-Shop darunter. Außerdem gibt es noch Hush-Shops, d. h. heimliche Schenken, die nicht konzessioniert sind, in Menge und ebensoviele Branntweinbrennereien, die mitten in den großen Städten, in abgelegenen, von der Polizei selten besuchten Vierteln große Quantitäten dieses Getränks produzieren. Gaskell (a. a. O.) schlägt die Zahl dieser letzteren in Manchester allein auf über hundert und ihre jährliche Produktion auf mindestens 156000 Gallonen an. In Manchester sind außerdem über tausend Schenken, also im Verhältnis zur Häuserzahl wenigstens ebensoviele als in Glasgow. In allen andern großen Städten sieht es ebenso aus. Und wenn man nun noch außer den gewöhnlichen Folgen der Trunksucht bedenkt, daß Männer und Weiber von jedem Alter, selbst Kinder, oft Mütter mit ihren Kleinen auf dem Arme, hier mit den am tiefsten gesunkenen Opfern des Bourgeoisieregimes, mit Dieben, Betrügern und prostituierten Mädchen zusammenkommen, wenn man bedenkt, daß manche Mutter dem Säugling, den sie auf den Armen trägt, Branntwein zu trinken gibt, so wird man die demoralisierende Wirkung des Besuchs solcher Orte allerdings zugeben. Namentlich Samstagabends, wenn der Lohn ausbezahlt ist und etwas früher als gewöhnlich Feierabend gemacht wird, wenn die ganze arbeitende Klasse aus ihren schlechten Vierteln sich in die Hauptstraßen ergießt, kann man die Trunkenheit in ihrer ganzen Brutalität sehen. Ich bin selten an einem solchen Abend aus Manchester herausgekommen, ohne einer Menge schwankender oder in den Rinnsteinen liegender Betrunkener zu begegnen. Am Sonntagabend pflegt sich dieselbe Szene, nur weniger lärmend, zu wiederholen. Und wenn das Geld aus ist, so gehen die Trinker zum ersten besten Pfandhaus, deren in jeder großen Stadt eine Menge sind – in Manchester über sechzig und in einer einzigen Straße von Salford (Chapel-Street) zehn bis zwölf –, und versetzen, was sie noch haben. Möbel, Sonntagskleider, wo sie existieren, Geschirre werden jeden Sonnabendabend in Massen aus den Pfandhäusern abgeholt, um fast immer vor dem nächsten Mittwoch wieder hineinzuwandern, bis zuletzt irgendein Zufall die Einlösung unmöglich macht und ein Stück nach dem andern dem Wucherer verfällt oder bis dieser auf die verschlissene und ausgenutzte Ware keinen Heller mehr vorschießen will. Wenn man die Verbreitung der Trunksucht unter den Arbeitern in England selbst gesehen hat, so glaubt man gern der Behauptung Lord Ashleys*, daß diese Klasse jährlich an fünfundzwanzig Millionen Pfund Sterling für geistige Getränke ausgibt, und welche Verschlechterung der äußeren Lage, welche furchtbare Zerrüttung der geistigen und körperlichen Gesundheit,

---

* Unterhaussitzung vom 28. Februar 1843.

welche Zerstörung aller häuslichen Verhältnisse daraus entsteht, kann sich jeder leicht denken. Die Mäßigkeitsvereine haben allerdings viel getan, aber was verschlagen ein paar Tausend „Teetotallers“[1] auf die Millionen Arbeiter? Wenn Father Mathew, der irische Mäßigkeitsapostel, durch die englischen Städte reist, so nehmen oft dreißig- bis sechzigtausend Arbeiter die „pledge“ (das Gelübde), aber nach vier Wochen ist das bei den meisten wieder vergessen. Wenn man z.B. die Massen zusammenzählt, die in den letzten drei bis vier Jahren in Manchester das Mäßigkeitsgelübde abgelegt haben, so kommen mehr Leute heraus, als überhaupt in der Stadt wohnen – und doch merkt man nicht, daß der Trunk abnimmt.

Neben der Zügellosigkeit im Genuß geistiger Getränke bildet die Zügellosigkeit des geschlechtlichen Verkehrs eine Hauptuntugend vieler englischer Arbeiter. Auch diese folgt mit eiserner Konsequenz, mit unumgänglicher Notwendigkeit aus der Lage einer Klasse, die sich selbst überlassen wird, ohne die Mittel zu besitzen, von dieser Freiheit geeigneten Gebrauch zu machen. Die Bourgeoisie hat ihr nur diese beiden Genüsse gelassen, während sie ihr eine Menge von Mühen und Leiden auferlegt hat, und die Folge davon ist, daß die Arbeiter, um doch etwas vom Leben zu haben, alle Leidenschaft auf diese beiden Genüsse konzentrieren und sich ihnen im Übermaß und auf die regelloseste Weise ergeben. Wenn man die Leute in eine Lage versetzt, die nur dem Tier zusagen kann, so bleibt ihnen nichts übrig, als sich zu empören oder in der Bestialität unterzugehen. Und wenn obendrein noch die Bourgeoisie selbst ihr redlich Teil zur direkten Hebung der Prostitution beiträgt – wie viele von den 40000 Freudenmädchen, die jeden Abend die Straßen von London füllen*, leben von der tugendhaften Bourgeoisie? – wie viele von ihnen haben es der Verführung eines Bourgeois zu danken, daß sie ihren Körper den Vorübergehenden feilbieten müssen, um zu leben? – so hat sie wahrlich am wenigsten das Recht, den Arbeitern ihre sexuale Brutalität vorzuwerfen.

Die Fehler der Arbeiter lassen sich überhaupt alle auf Zügellosigkeit der Genußsucht, Mangel an Vorhersicht und an Fügsamkeit in die soziale Ordnung, überhaupt auf die Unfähigkeit, den augenblicklichen Genuß dem entfernteren Vorteil aufzuopfern, zurückführen. Aber wie ist das zu verwundern? Eine Klasse, die wenig und nur die sinnlichsten Genüsse sich für saure Arbeit erkaufen kann, muß sich die nicht toll und blind auf diese Genüsse werfen? Eine Klasse, um deren Bildung sich niemand kümmert, die

* *Sheriff Alison*, „[The] Princ[iples] of Population“, vol. II.

[1] „Abstinenzler“

allen möglichen Zufällen unterworfen ist, die gar keine Sicherheit der Lebenslage kennt, was für Gründe, was für ein Interesse hat die, Vorhersicht zu üben, ein „solides" Leben zu führen und, statt von der Gunst des Augenblicks zu profitieren, auf einen entfernteren Genuß zu denken, der gerade für *sie* und ihre ewig schwankende, sich überschlagende Stellung noch sehr ungewiß ist? Eine Klasse, die alle Nachteile der sozialen Ordnung zu tragen hat, ohne ihre Vorteile zu genießen, eine Klasse, der diese soziale Ordnung nur feindselig erscheint, von der verlangt man noch, daß sie diese soziale Ordnung respektieren soll? Das ist wahrlich zuviel. Aber die Arbeiterklasse kann der sozialen Ordnung, solange diese besteht, nicht entrinnen, und wenn der einzelne Arbeiter gegen sie aufsteht, so fällt der größte Schaden auf ihn. So macht die soziale Ordnung dem Arbeiter das Familienleben fast unmöglich; ein unwohnliches, schmutziges Haus, das kaum zum nächtlichen Obdach gut genug, schlecht möbliert und oft nicht regendicht und nicht geheizt ist, eine dumpfige Atmosphäre im menschengefüllten Zimmer erlaubt keine Häuslichkeit; der Mann arbeitet den ganzen Tag, vielleicht auch die Frau und die älteren Kinder, alle an verschiedenen Orten, sehen sich nur morgens und abends – dazu die stete Versuchung zum Branntweintrinken; wo kann dabei das Familienleben existieren? Dennoch kann der Arbeiter der Familie nicht entrinnen, er muß in der Familie leben, und die Folge davon sind fortwährende Familienzerrüttungen und häusliche Zwiste, die sowohl auf die Eheleute wie namentlich auf ihre Kinder im höchsten Grade demoralisierend wirken. Vernachlässigung aller häuslichen Pflichten, Vernachlässigung besonders der Kinder ist nur zu häufig unter den englischen Arbeitern und wird nur zu sehr durch die bestehenden Einrichtungen der Gesellschaft hervorgebracht. Und Kinder, die auf diese Weise wild, in der demoralisierendsten Umgebung, zu der oft genug die Eltern selbst gehören, heranwachsen, die sollen nachher noch fein moralisch werden? Es ist wirklich zu naiv, welche Forderungen der selbstzufriedene Bourgeois an den Arbeiter stellt.

Die Nichtachtung der sozialen Ordnung tritt am deutlichsten in ihrem Extrem, im Verbrechen auf. Wirken die Ursachen, die den Arbeiter demoralisieren, stärker, konzentrierter als gewöhnlich, so wird er mit derselben Gewißheit Verbrecher, mit der das Wasser bei 80 Grad Réaumur aus dem tropfbaren in den luftförmigen Aggregatzustand übergeht. Der Arbeiter wird durch die brutale und brutalisierende Behandlung der Bourgeoisie gerade ein so willenloses Ding wie das Wasser und ist gerade mit derselben Notwendigkeit den Gesetzen der Natur unterworfen – bei ihm hört auf einem gewissen Punkte alle Freiheit auf. Mit der Ausdehnung des Proletariats hat daher auch das Verbrechen in England zugenommen, und die britische Nation ist die verbrecherischste der Welt geworden. Aus den jährlich veröffentlichten „Kriminal-Tabellen" des Ministeriums des Innern geht hervor, daß in England die Vermehrung des Verbrechens mit unbegreiflicher Schnelligkeit vor sich gegangen ist. Die Anzahl der Verhaftungen für *Kriminalverbrechen* betrug

im Jahre	1805	4605
„ „	1810	5146
„ „	1815	7818[1]
„ „	1820	13710
„ „	1825	14437
„ „	1830	18107
„ „	1835	20731
„ „	1840	27187
„ „	1841	27760
„ „	1842	31309

in England und Wales allein; also versiebenfachten sich die Verhaftungen in 37 Jahren. Von diesen Verhaftungen kommen allein auf Lancashire im Jahre 1842 4497, also über 14 Prozent, und auf Middlesex (einschließlich London) 4094, also über 13 Prozent. So sehen wir, daß zwei Distrikte, die große Städte mit viel Proletariat einschließen, allein über den vierten Teil des gesamten Verbrechens hervorbringen, obgleich ihre Gesamtbevölkerung lange nicht den vierten Teil der des ganzen Landes ausmacht. Die Kriminaltabellen beweisen auch noch direkt, daß fast alles Verbrechen auf das Proletariat fällt, denn 1842 konnten von jeden 100 Verbrechern durchschnittlich 32,35 nicht lesen und schreiben, 58,32 unvollkommen lesen und schreiben, 6,77 gut lesen und schreiben, 0,22 hatten noch höhere Bildung genossen, und von 2,34 konnte die Bildung nicht angegeben werden. In Schottland hat das Verbrechen noch viel schneller zugenommen. Hier waren 1819 nur 89 und 1837 schon 3176, 1842 sogar 4189 Kriminalverhaftungen vorgekommen. In Lanarkshire, wo Sheriff Alison selbst den offiziellen Bericht abfaßte, hat sich die Bevölkerung in 30 Jahren, das Verbrechen alle $5^1/_2$ Jahre verdoppelt, also sechsmal rascher als die Bevölkerung zugenommen. Die Verbrechen selbst sind, wie in allen zivilisierten Ländern, bei weitem der Mehrzahl nach Verbrechen gegen das Eigentum, also solche, die in Mangel dieser oder jener Art ihren Grund haben, denn was einer hat, stiehlt er nicht. Das Verhältnis der Verbrechen gegen Eigentum zur Volkszahl, das sich in den Niederlanden wie 1 : 7140, in Frankreich wie 1 : 1804 stellt, stand zur Zeit, als Gaskell

[1] (*1845* und *1892*) irrtümlich 7898

schrieb, in England wie 1 : 799; das der Verbrechen gegen Personen zur Volkszahl in den Niederlanden wie 1 : 28904, in Frankreich wie 1 : 17573, in England wie 1 : 23395; das des Verbrechens überhaupt zur Volkszahl in Ackerbaudistrikten wie 1 : 1043, in Fabrikdistrikten wie 1 : 840*; in ganz England stellt sich dies jetzt *kaum* auf 1 : 660**, und es sind kaum zehn Jahre, seit Gaskells Buch erschien!

Diese Tatsachen sind wahrlich mehr als hinreichend, um jeden, selbst einen Bourgeois, zur Besinnung und zum Nachdenken über die Folgen eines solchen Zustandes zu bringen. Wenn sich die Demoralisation und die Verbrechen noch zwanzig Jahre lang in diesem Maße vermehren – und wenn die englische Industrie in diesen zwanzig Jahren weniger glücklich ist als bisher, so muß die Progression des Verbrechens sich nur noch beschleunigen – was wird dann das Resultat sein? Wir sehen schon jetzt die Gesellschaft in voller Auflösung begriffen, wir können keine Zeitung in die Hand nehmen, ohne in den schlagendsten Tatsachen die Lockerung aller sozialen Bande lesen zu müssen. Ich greife aufs Geratewohl in den Haufen englischer Zeitungen, die vor mir liegen; da ist ein „Manchester Guardian" (30. Oktober 1844), der über drei Tage berichtet; er gibt sich gar nicht mehr die Mühe, über Manchester genaue Nachrichten zu geben und erzählt bloß die interessantesten Fälle, daß in einer Fabrik die Arbeiter, um höheren Lohn zu erlangen, die Arbeit eingestellt hätten und vom Friedensrichter zu ihrer Wiederaufnahme gezwungen seien; daß in Salford ein paar Knaben Diebstähle verübt und ein bankerotter Kaufmann seine Gläubiger habe betrügen wollen. Ausführlicher sind die Nachrichten aus den Nebenorten: in Ashton zwei Diebstähle, ein Einbruch, ein Selbstmord, in Bury ein Diebstahl, in Bolton zwei Diebstähle, ein Akzisebetrug, in Leigh ein Diebstahl, in Oldham Arbeitseinstellung wegen Lohn, ein Diebstahl, eine Schlägerei zwischen Irländerinnen, ein nicht zur Arbeiterverbindung gehörender Hutmacher von den Mitgliedern der Verbindung mißhandelt, eine Mutter von ihrem Sohn geschlagen, in Rochdale eine Reihe Schlägereien, ein Angriff auf die Polizei, ein Kirchenraub, in Stockport Unzufriedenheit der Arbeiter mit dem Lohn, ein Diebstahl, ein Betrug, Schlägerei, ein Mann, der seine Frau mißhandelt, in Warrington ein Diebstahl und eine Schlägerei, in Wigan ein Diebstahl und ein Kirchenraub. Die Berichte der Londoner Zeitungen sind noch viel schlimmer; Betrügereien, Diebstähle, Raubanfälle, Familienzerwürfnisse drängen eins das andere;

---

* „[The] Manuf[acturing] Popul[ation] of Engl[and]" chapt. 10.

** Die Zahl der *überführten* Verbrecher (22733) dividiert in die Volkszahl (ca. 15 Millionen).

mir fällt gerade eine „Times" (12. September 1844), die nur die Vorfälle *eines* Tages berichtet, in die Hand, die von einem Diebstahl, einem Angriff auf die Polizei, einem Alimentationsurteil gegen den Vater eines unehelichen Kindes, der Aussetzung eines Kindes durch seine Eltern und der Vergiftung eines Mannes durch seine Frau erzählt. Ähnliches ist in allen englischen Zeitungen zu finden. In diesem Lande ist der soziale Krieg vollständig ausgebrochen; jeder steht für sich selbst und kämpft für sich selbst gegen alle andern, und ob er allen andern, die seine erklärten Feinde sind, Schaden zufügen soll oder nicht, hängt nur von einer selbstsüchtigen Berechnung über das ab, was ihm am vorteilhaftesten ist. Es fällt keinem mehr ein, sich auf friedlichem Wege mit seinen Nebenmenschen zu verständigen; alle Differenzen werden durch Drohungen, Selbsthülfe oder die Gerichte abgemacht. Kurz, jeder sieht im andern einen Feind, den er aus dem Wege zu räumen, oder höchstens ein Mittel, das er zu seinen Zwecken auszubeuten hat. Und dieser Krieg wird, wie die Kriminaltabellen beweisen, von Jahr zu Jahr heftiger, leidenschaftlicher, unversöhnlicher; die Feindschaft teilt sich allmählich in zwei große Lager, die gegeneinander streiten: die Bourgeoisie hier und das Proletariat dort. Dieser Krieg Aller gegen Alle und des Proletariats gegen die Bourgeoisie darf uns nicht wundern, denn er ist nur die konsequente Durchführung des schon in der freien Konkurrenz enthaltenen Prinzips; aber wohl darf es uns wundern, daß die Bourgeoisie, gegen die sich tagtäglich neue und drohende Gewitterwolken zusammenziehen, bei alledem so ruhig und gelassen bleibt, wie sie diese Sachen täglich in den Zeitungen lesen kann, ohne, wir wollen nicht sagen Indignation über den sozialen Zustand, sondern nur Furcht vor seinen Folgen, vor einem allgemeinen Ausbruch dessen, was im Verbrechen einzeln zutage kommt, zu empfinden. Aber dafür ist sie gerade Bourgeoisie und kann von ihrem Standpunkte aus nicht einmal die Tatsachen, geschweige ihre Konsequenzen, wahrnehmen. Nur das ist staunenswert, daß Klassenvorurteile und eingetrommelte vorgefaßte Meinungen eine ganze Menschenklasse mit einem so hohen, ich möchte sagen so wahnsinnigen Grade von Blindheit schlagen können. Die Entwicklung der Nation geht indes ihren Gang, die Bourgeois mögen Augen für sie haben oder nicht, und wird eines schönen Morgens die besitzende Klasse mit Dingen überraschen, von denen sich ihre Weisheit nichts träumen läßt.

Die einzelnen Arbeitszweige

Die Fabrikarbeiter im engeren Sinne

Wenn wir jetzt auf die einzelnen wichtigeren Zweige des englischen Industrieproletariats näher eingehen sollen, so werden wir, dem oben (S. 253) aufgestellten Prinzip zufolge, mit den Fabrikarbeitern, d. h. denen, die unter dem Fabrikakt stehen, anzufangen haben. Dies Gesetz reguliert die Arbeitszeit der Fabriken, in denen Wolle, Seide, Baumwolle und Flachs mit Hülfe von Wasser- oder Dampfkraft gesponnen oder gewoben wird, und erstreckt sich deshalb auf die bedeutendsten Zweige der englischen Industrie. Die von ihnen lebende Klasse ist die zahlreichste, älteste, intelligenteste und energischste, daher aber auch die unruhigste und der Bourgeoisie am meisten verhaßte von allen englischen Arbeitern; sie steht, und speziell die Baumwollfabrikarbeiter stehen an der Spitze der Arbeiterbewegung, wie ihre Brotherren, die Fabrikanten, namentlich von Lancashire, an der Spitze der Bourgeoisie-Agitation.

Wir sahen schon in der Einleitung, wie die in den genannten Artikeln arbeitende Bevölkerung auch zuerst durch neue Maschinen aus ihren bisherigen Verhältnissen gerissen wurde. Es darf uns daher nicht wundern, wenn der Fortschritt der mechanischen Erfindung auch in späteren Jahren gerade sie am meisten und anhaltendsten berührte. Die Geschichte der Baumwollenfabrikation, wie wir sie bei Ure*, Baines** u.a. lesen, weiß auf jeder Seite von neuen Verbesserungen zu erzählen, und in den übrigen der genannten Industriezweige sind die meisten derselben ebenfalls eingebürgert worden. Fast überall ist die Handarbeit durch Maschinenarbeit ersetzt, fast alle Manipulationen werden durch die Kraft des Wassers oder Dampfs getan, und noch jedes Jahr bringt neue Verbesserungen.

---

* „The Cotton Manufacture of Great Britain" [Die Baumwollmanufaktur Großbritanniens]. By *Dr. A. Ure.* 1836.

** „History of the Cotton Manufacture in Great Britain" [Geschichte der Baumwollmanufaktur in Großbritannien]. By *E. Baines*, Esq.

In einem geordneten sozialen Zustande wären solche Verbesserungen nur erfreulich; im Zustande des Kriegs Aller gegen Alle reißen einzelne den Vorteil an sich und bringen dadurch die meisten um die Mittel der Existenz. Jede Verbesserung der Maschinerie wirft Arbeiter außer Brot, und je bedeutender die Verbesserung, desto zahlreicher die arbeitslos gewordene Klasse; jede bringt demnach auf eine Anzahl Arbeiter die Wirkung einer Handelskrisis hervor, erzeugt Not, Elend und Verbrechen. Nehmen wir einige Beispiele. Da gleich die erste Erfindung, die Jenny (siehe oben), von *einem* Arbeiter getrieben, wenigstens das Sechsfache von dem lieferte, was das Spinnrad in gleicher Zeit machen konnte, so wurden durch jede neue Jenny fünf Spinner brotlos. Die Throstle, die wiederum bedeutend mehr lieferte als die Jenny und ebenfalls nur einen Arbeiter brauchte, machte noch mehr brotlos. Die Mule, die wieder weniger Arbeiter im Verhältnis zum Produkt nötig hatte[1], hatte dieselbe Wirkung, und jede Verbesserung der Mule, d. h. jede Vermehrung der Spindelzahl an der Mule, verminderte wiederum die Zahl der benötigten Arbeiter. Diese Vermehrung der Spindelzahl an der Mule ist aber so bedeutend, daß dadurch ganze Scharen von Arbeitern brotlos geworden sind; denn wenn früher ein „Spinner" mit ein paar Kindern (piecers) 600 Spindeln in Bewegung setzte, so konnte er nun 1400 bis 2000 Spindeln auf zwei Mules beaufsichtigen – zwei erwachsene Spinner und ein Teil der von ihnen beschäftigten Piecer wurden dadurch brotlos. Und seitdem bei einem sehr bedeutenden Teile der Mulespinnereien die self-actors eingeführt sind, fällt die Rolle des Spinners ganz weg und wird von der Maschine getan. Mir liegt ein Buch vor*, das von dem anerkannten Führer der Chartisten in Manchester, James Leach, herrührt. Der Mann hat in verschiedenen Industriezweigen, in Fabriken und Kohlenbergwerken jahrelang gearbeitet und ist mir persönlich als brav, zuverlässig und tüchtig bekannt. Ihm standen, seiner Parteistellung zufolge, die ausgedehntesten Details über die verschiedenen Fabriken, die von den Arbeitern selbst gesammelt wurden, zu Gebote, und er gibt nun Tabellen, aus denen hervorgeht, daß 1829 in 35 Fabriken 1083 Mulespinner mehr angestellt waren als 1841, obwohl die Anzahl der Spindeln in diesen 35 Fabriken sich um 99429 vermehrt hat. Er führt 5 Fabriken auf, in denen gar keine Spinner mehr sind, da diese Fabriken

* „Stubborn Facts from the Factories", by a Manchester Operative. Published and dedicated to the working Classes [Unumstößliche Tatsachen aus den Fabriken, von einem Fabrikarbeiter aus Manchester. Herausgegeben und den arbeitenden Klassen gewidmet], by *Wm.Rashleigh*, M. P. London, Ollivier, 1844, p. 28ff.

[1] *(1892)* machte

nur self-actors besitzen. Während die Zahl der Spindeln sich um 10 Prozent vermehrte, nahm die der Spinner um mehr als 60 Prozent ab. Und, fügt Leach hinzu, seit 1841 sind so viele Verbesserungen durch Verdopplung der Spindelreihen (double decking) und sonst eingeführt worden, daß in einigen der genannten Fabriken seit 1841 wieder die Hälfte der Spinner entlassen worden sind; in einer Fabrik allein, wo vor kurzem 80 Spinner waren, sind noch 20, die übrigen sind weggeschickt oder müssen Kinderarbeit für Kinderlohn tun. Gleiches berichtet Leach aus Stockport, wo 1835 800 Spinner und 1843 nur 140 Spinner beschäftigt gewesen seien, obwohl die Industrie Stockports in den letzten 8 bis 9 Jahren bedeutend zugenommen hat. In der Kardiermaschinerie sind jetzt ähnliche Verbesserungen gemacht, wodurch die Hälfte der Arbeiter brotlos wird. In einer Fabrik sind verbesserte Doublierstühle aufgesetzt, die von acht Mädchen vier brotlos machten – außerdem setzte der Fabrikant den Lohn der übrigen vier von 8 auf 7 sh. herab. Ähnlich ist es mit der Weberei gegangen. Der mechanische Webstuhl hat einen Zweig der Handweberei nach dem andern in Beschlag genommen, und da er viel mehr produziert als der Handwebstuhl und ein Arbeiter zwei mechanische Stühle beaufsichtigen kann, so sind eine Menge Arbeiter auch hier brotlos geworden. Und in allen Arten der Fabrikation, in der Flachs- und Wollenspinnerei, beim Tramieren der Seide ist es ebenso; selbst der mechanische Webstuhl fängt an, einzelne Zweige der Wollen- und Leinenweberei an sich zu reißen; in Rochdale allein sind mehr mechanische als Handwebstühle bei der Flanell- und sonstigen Wollenweberei beschäftigt. Die Bourgeoisie pflegt hierauf zu antworten, daß Verbesserungen in den Maschinen, indem sie die Produktionskosten verringerten, die fertige Ware zu einem niedrigeren Preise liefern und daß durch diesen niedrigeren Preis eine solche Vermehrung der Konsumtion entsteht, daß die brotlos gewordenen Arbeiter bald wieder an den neuerstehenden Fabriken Beschäftigung vollauf fänden. Gewiß, die Bourgeoisie hat ganz recht darin, daß unter gewissen, für die allgemeine industrielle Entwicklung vorteilhaften Verhältnissen jede Preiserniedrigung einer solchen Ware, bei der das rohe Material *wenig* kostet, die Konsumtion sehr steigert und neue Fabriken hervorruft; aber sonst ist jedes Wort ihrer Behauptung eine Lüge. Sie schlägt es für nichts an, daß es jahrelang dauert, bis diese Folgen der Preiserniedrigung eingetreten, bis die neuen Fabriken gebaut sind; sie verschweigt uns, daß alle Verbesserungen der Maschinen die eigentliche, anstrengende Arbeit mehr und mehr auf die Maschine werfen und so die Arbeit erwachsener Männer in eine bloße Aufsicht verwandeln, die ein schwaches Weib oder gar ein Kind ebensogut tun kann und auch für halben oder Drittellohn tut; daß also die erwachsenen Männer immer mehr aus der

Industrie verdrängt und durch die vermehrte Fabrikation *nicht wieder* beschäftigt werden; sie verschweigt uns, daß ganze Arbeitszweige dadurch wegfallen oder so verändert werden, daß sie neu gelernt werden müssen, und hütet sich wohl, hier das zu gestehen, worauf sie sonst pocht, wenn die Arbeit kleiner Kinder verboten werden soll – nämlich daß Fabrikarbeit in der frühesten Jugend und vor dem zehnten Jahre gelernt werden müsse, um sie ordentlich zu lernen (vgl. z.B. Factories Inq. Comm. Rept. an verschiedenen Stellen); sie sagt nicht dabei, daß der Prozeß der Maschinenverbesserung fortwährend vor sich geht und dem Arbeiter, sobald er sich, wenn es einmal wirklich der Fall wäre, in einem neuen Arbeitszweige eingebürgert hat, ihm auch dieser wieder genommen und dadurch der letzte Rest von Sicherheit der Lebensstellung entrissen wird, den er noch hatte. Aber die Bourgeoisie zieht den Vorteil von der Verbesserung der Maschinerie, sie hat während der ersten Jahre, wo noch viele alte Maschinen arbeiten und die Verbesserung noch nicht allgemein durchgeführt ist, die schönste Gelegenheit zum Geldanhäufen, und es wäre zuviel verlangt, wenn sie auch für die Nachteile der verbesserten Maschinen Augen haben sollte.

Daß die verbesserten Maschinen den Lohn herabdrücken, ist ebenfalls von der Bourgeoisie heftig bestritten worden, während die Arbeiter es fort und fort behauptet haben. Die Bourgeoisie besteht darauf, daß, obwohl mit der erleichterten Produktion der *Stücklohn* gefallen, dennoch der Wochenlohn im ganzen eher gestiegen als gefallen sei und die Lage der Arbeiter sich eher verbessert als verschlimmert habe. Es ist schwer, der Sache auf den Grund zu kommen, da die Arbeiter sich meist auf den Fall des *Stücklohns* berufen; indessen ist so viel gewiß, daß auch der Wochenlohn in verschiedenen Arbeitszweigen durch die Maschinerie niedriger gestellt worden ist. Die sogenannten Feinspinner (die feines Mule-Garn spinnen) beziehen allerdings hohen Lohn, 30 bis 40 sh. wöchentlich, weil sie eine starke Assoziation zur Aufrechterhaltung des Spinngeldes haben und ihre Arbeit mühsam erlernt werden muß; die Grobspinner aber, welche gegen die für feines Garn nicht anwendbaren selbsttätigen Maschinen (self-actors) zu konkurrieren haben und deren Assoziation durch die Einführung dieser Maschinen entkräftet wurde, haben dagegen sehr niedrigen Lohn. Mir sagte ein Mulespinner, daß er nicht über 14 sh. wöchentlich verdiene, und damit stimmen die Aussagen von Leach, daß in verschiedenen Fabriken die Grobspinner unter $16^1/_2$ sh. wöchentlich verdienen und daß ein Spinner, der vor drei Jahren 30 sh. verdiente, jetzt kaum $12^1/_2$ sh. aufbringen könne und im letzten Jahre auch durchschnittlich nicht mehr verdient habe. Der Lohn für Weiber und Kinder mag allerdings weniger gefallen sein, aber auch nur deshalb, weil er von Anfang an nicht hoch gestellt war. Ich kenne mehrere Frauen, die Witwen sind und Kinder haben, und mühsam genug 8 bis 9 sh. wöchentlich verdienen, und daß sie mit Familie davon nicht ordentlich leben können, wird mir jeder zugeben, der die Preise der nötigsten Lebensbedürfnisse in England kennt. Daß aber der Lohn überhaupt durch die verbesserte Maschinerie gedrückt worden sei, ist die *einstimmige* Aussage aller Arbeiter; daß die Behauptung der fabrizierenden Bourgeoisie, als habe sich die Lage der arbeitenden Klassen durch die Maschinenfabrikation verbessert, von dieser Klasse selbst aufs lauteste Lügen gestraft wird, kann man in jeder Arbeiterversammlung in den Fabrikdistrikten hören. Und selbst *wenn* es wahr wäre, daß nur der relative Lohn, der Stücklohn gefallen und der absolute, die Summe des wöchentlich zu Erwerbenden stehengeblieben sei, was folgt daraus? Daß die Arbeiter es haben ruhig mit ansehen müssen, wie die Herren Fabrikanten ihre Beutel füllten und von jeder Verbesserung Nutzen zogen, ohne ihnen auch nur den kleinsten Teil davon abzugeben. Die Bourgeoisie vergißt, wenn sie gegen die Arbeiter kämpft, auch die gewöhnlichsten Prinzipien ihrer eignen Nationalökonomie. Sie, die sonst auf Malthus schwört, wirft in ihrer Angst den Arbeitern ein: Woher hätten ohne Maschinerie die vielen Millionen, um die sich Englands Volkszahl vermehrt hat, Arbeit finden wollen?* Dummheit, als ob die Bourgeoisie nicht selbst gut genug wüßte, daß ohne die Maschinen und den durch diese hervorgebrachten Industrieaufschwung diese „Millionen" gar nicht erzeugt und herangewachsen wären! Was die Maschinerie den Arbeitern genützt hat, ist einfach *das*, daß sie ihnen die Notwendigkeit einer sozialen Reform, durch die die Maschinen nicht mehr *gegen*, sondern *für* die Arbeiter arbeiten, beigebracht hat. Die weisen Herren Bourgeois mögen einmal die Leute fragen, die in Manchester und anderswo Straßen kehren (das ist freilich jetzt vorbei, da auch hierfür Maschinen erfunden und eingeführt sind) oder Salz, Zündhölzchen, Apfelsinen und Schnürriemen auf den Straßen verkaufen oder betteln gehen müssen, was sie früher gewesen seien – und bei wie vielen wird die Antwort sein: durch Maschinerie brotlos gewordener Fabrikarbeiter. Die Folgen der Maschinenverbesserungen für den Arbeiter sind in den jetzigen sozialen Verhältnissen nur ungünstig und oft im äußersten Grade drückend; jede neue Maschine bringt Brotlosigkeit, Elend und Not hervor – und in einem Lande wie England, wo ohnehin fast immer „überzählige Bevölkerung", ist die Entlassung aus der Arbeit in den meisten Fällen das schlimmste, was den Arbeiter betreffen kann. Und auch abgesehen davon, welch einen erschlaffenden, entnervenden Einfluß muß diese Ungewißheit

* So fragt z.B. Herr Symons in „Arts and Artisans".

der Lebensstellung, die aus dem unaufhörlichen Fortschritt der Maschinerie und mit ihr der Brotlosigkeit hervorgeht, auf die ohnehin schon schwankend gestellten Arbeiter ausüben! Um der Verzweiflung zu entgehen, stehen auch hier dem Arbeiter nur zwei Wege offen: die innere und äußere Empörung gegen die Bourgeoisie – oder der Trunk, die Liederlichkeit überhaupt. Und zu beiden pflegen die englischen Arbeiter ihre Zuflucht zu nehmen. Die Geschichte des englischen Proletariats erzählt von Hunderten von Emeuten gegen die Maschinen und die Bourgeoisie überhaupt, und von der Liederlichkeit haben wir schon gesprochen. Diese ist selbst freilich nur eine andere Art der Verzweiflung.

Am gedrücktesten leben diejenigen Arbeiter, die gegen eine sich bahnbrechende Maschine zu konkurrieren haben. Der Preis des von ihnen fabrizierten Artikels richtet sich nach dem des gleichen Maschinenfabrikats, und da die Maschine billiger arbeitet, so hat der mit ihr konkurrierende Arbeiter den schlechtesten Lohn. Dies Verhältnis tritt ein bei jedem Arbeiter, der an einer alten, mit späteren, verbesserten Maschinen konkurrierenden Maschine arbeitet. Natürlich, wer anders sollte den Schaden tragen? Der Fabrikant will seine Maschine nicht fortwerfen, er will auch den Schaden nicht tragen; an die tote Maschine hat er keinen Rekurs, also hält er sich an den lebenden Arbeiter, den allgemeinen Sündenbock der Gesellschaft. Von diesen mit Maschinen konkurrierenden Arbeitern sind die am meisten mißhandelten die Handweber der Baumwollenindustrie. Diese Leute bekommen den geringsten Lohn und sind bei voller Arbeit nicht imstande, sich über 10 sh. wöchentlich zu verdienen. Eine Gattung Weberei nach der andern wird ihnen von dem mechanischen Webstuhl streitig gemacht, und außerdem ist die Handweberei die letzte Zuflucht aller in andern Branchen brotlos gewordenen Arbeiter, so daß sie stets überfüllt ist. Daher kommt es, daß in Durchschnittsperioden der Handweber sich glücklich schätzt, wenn er 6 bis 7 sh. wöchentlich verdienen kann, und selbst um diese Summe zu erringen, muß er 14 bis 18 Stunden täglich hinter seinem Webstuhl sitzen. Die meisten Gewebe erfordern ohnehin ein feuchtes Arbeitslokal, damit der Einschlagsfaden nicht jeden Augenblick reißt, und teils daher, teils wegen der Armut der Arbeiter, die keine bessere Wohnung bezahlen können, sind die Werkstätten der Handweber meist ohne betternen oder gepflasterten Fußboden. Ich war in vielen Wohnungen von Handwebern – in abgelegenen, schlechten Höfen und Gassen, gewöhnlich in Kellern. Oft wohnten ein halb Dutzend dieser Handweber, von denen einige verheiratet waren, in einer Cottage, die ein oder zwei Arbeitszimmer und ein großes Schlafzimmer für alle hatte, zusammen. Ihre Nahrung besteht fast einzig aus Kartoffeln, vielleicht etwas Haferbrei, selten Milch und fast nie Fleisch; eine große Anzahl von ihnen sind Irländer oder irischer Abkunft. Und diese armen, von jeder Krisis am ersten erreichten und am letzten verlassenen Handweber müssen der Bourgeoisie zur Handhabe dienen, um gegen die Angriffe auf das Fabriksystem standhalten zu können! Seht, ruft die Bourgeoisie triumphierend aus, seht, wie diese armen Weber darben müssen, während es den Fabrikarbeitern gut geht, und *dann* urteilt über das Fabriksystem!* Als ob nicht gerade das Fabriksystem und die dazugehörige Maschinerie die Handweber so schmählich tief herabgedrückt hätte – als ob die Bourgeoisie dies selbst nicht ebensogut wüßte wie wir! Aber die Bourgeoisie ist interessiert, und da kommt es ihr auf ein paar Lügen und Heucheleien nicht an.

Fassen wir die eine Tatsache, daß die Maschinerie die Arbeit des erwachsenen männlichen Arbeiters mehr und mehr verdrängt, etwas näher ins Auge. Die Arbeit an den Maschinen, sowohl beim Spinnen als Weben, besteht hauptsächlich im Zusammenknüpfen gebrochener Fäden, da sonst die Maschine alles tut; diese Arbeit erfordert keine Kraft, aber größere Gelenkigkeit der Finger. Männer sind dazu also nicht nur unnötig, sondern wegen der stärkeren Muskel- und Knochenentwicklung ihrer Hände sogar weniger geeignet als Weiber und Kinder und so natürlicherweise fast ganz von dieser Art Arbeit verdrängt. Je mehr also die Tätigkeit der Arme, die Kraftanstrengung, durch Einführung von Maschinen auf die Wasser- oder Dampfkraft geworfen wird, desto weniger Männer brauchen beschäftigt zu werden – und da Weiber und Kinder ohnehin billiger und, wie gesagt, in diesen Arbeitszweigen besser als Männer arbeiten, so werden sie beschäftigt. In den Spinnereien findet man bei den Throstles nur Weiber und Mädchen, bei den Mules einen Spinner, einen erwachsenen Mann (der bei den self-actors wegfällt) und mehrere Piecer zum Anknüpfen der Fäden, meist Kinder oder Weiber, zuweilen junge Männer von 18 bis 20 Jahren, hie und da einen alten, brotlos gewordenen Spinner.** Bei den mechanischen Webstühlen arbeiten meist Weiber von 15 bis 20 Jahren und drüber, auch einige Männer, die aber selten über ihr einundzwanzigstes Jahr bei dieser Beschäftigung bleiben. An den Vorspinnmaschinen findet man ebenfalls nur Weiber, allenfalls einige Männer zum Schärfen und Reinigen der Kardiermaschinen. Außer allen diesen

* Z.B. *Dr. Ure* in der „Philos[ophy] of Manuf[actures]".

** „Der Stand der Dinge in Beziehung auf Arbeitslohn ist augenblicklich sehr verdreht in einigen Zweigen der Baumwollfabrikation in Lancashire; es gibt Hunderte von jungen Männern, zwischen 20 und 30 Jahren, die als Piecer und sonst beschäftigt sind und nicht mehr als 8 oder 9 Shilling wöchentlich erhalten, während unter demselben Dach Kinder von 13 Jahren 5 sh. und junge Mädchen zwischen 16 und 20 Jahren 10 bis 12 sh. wöchentlich verdienen." Bericht des Fabrikinsp. L. Horner, Oktober 1844.

beschäftigen die Fabriken eine Anzahl Kinder zum Aufnehmen und Aufsetzen der Spulen (doffers) und einige erwachsene Männer als Aufseher in den Zimmern, einen Mechaniker und einen Maschinisten für die Dampfmaschine, auch wohl Schreiner, Portier etc. Die eigentliche Arbeit aber wird von Weibern und Kindern getan. Die Fabrikanten leugnen auch dies, und haben im vorigen Jahre bedeutende Tabellen veröffentlicht, welche beweisen sollten, daß die Maschinen die Männer nicht verdrängten. Aus diesen Tabellen geht hervor, daß von allen Fabrikarbeitern etwas über die Hälfte (52 Prozent) weiblichen und etwa 48 Prozent männlichen Geschlechts, und daß von diesen Arbeitern mehr als die Hälfte über 18 Jahre alt waren. Soweit ganz gut. Die Herren Fabrikanten hüteten sich aber wohl, uns zu sagen, wie viele der Erwachsenen männlichen und wie viele weiblichen Geschlechts waren. Das ist aber eben der Punkt. Ohnehin haben sie offenbar Mechaniker, Schreiner und alle erwachsenen Männer, die irgendwie mit ihren Fabriken im Zusammenhange standen, vielleicht gar Schreiber usw. mitgezählt, und doch haben sie nicht den Mut, den ganzen Tatbestand auszusprechen. Diese Angaben wimmeln überhaupt von Falschheiten und verdrehten, schiefen Auffassungen, Durchschnittsberechnungen, die für den Unkundigen viel, für den Kundigen nichts beweisen, von Verheimlichungen gerade der wichtigsten Punkte und beweisen nur die selbstsüchtige Verblendung und Unredlichkeit dieser Fabrikanten. Wir wollen der Rede, mit der Lord Ashley am 15. März 1844 im Unterhause die Zehnstunden-Motion machte, einige Angaben über das Verhältnis der Alter und Geschlechter entnehmen, die von den Fabrikanten, deren Data sich ohnehin nur auf einen Teil der englischen Fabrikindustrie beziehen, nicht widerlegt worden sind. Von den 419590[1] Fabrikarbeitern des britischen Reichs (1839) waren 192887, also beinahe die Hälfte, unter 18 Jahren, und 242296 weiblichen Geschlechts, von denen 112192 unter 18 Jahren waren. Sonach bleiben 80695 männliche Arbeiter unter 18 Jahren und 96599[2] männliche erwachsene Arbeiter oder 23 Prozent, also *kein volles Viertel* der ganzen Zahl. In den Baumwollfabriken waren $56^1/_4$, in den Wollenfabriken $69^1/_2$, Seidenfabriken $70^1/_2$, Flachsspinnereien $70^1/_2$ Prozent sämtlicher Arbeiter weiblichen Geschlechts. Diese Zahlen reichen hin, um die Verdrängung männlicher erwachsener Arbeiter nachzuweisen. Man braucht aber auch nur in die erste beste Fabrik zu gehen, um dies bestätigt zu sehen. Daraus folgt nun notwendig jene Umkehrung der bestehenden sozialen Ordnung, die eben, weil sie eine gezwungene ist, für die Arbeiter die verderblichsten Folgen hat. Die Arbeit der Weiber löst vor allen Dingen

[1] (*1845* und *1892*) irrtümlich 419560 – [2] (*1845* und *1892*) irrtümlich 96569

die Familie gänzlich auf; denn wenn die Frau den Tag über 12 bis 13 Stunden in der Fabrik zubringt und der Mann ebendaselbst oder an einem andern Orte arbeitet, was soll da aus den Kindern werden? Sie wachsen wild auf wie Unkraut, sie werden zum Verwahren ausgemietet für einen oder anderthalb Shilling die Woche, und welch eine Behandlung ihnen da wird, läßt sich denken. Daher vermehren sich auch in den Fabrikdistrikten die Unglücksfälle, denen kleine Kinder wegen Mangels an Aufsicht zum Opfer fallen, auf eine schreckenerregende Weise. Die Listen der Totenschaubeamten von Manchester hatten (laut Bericht des Fact. Inq. Comm., Rept. of Dr. Hawkins, p. 3) in 9 Monaten 69 durch Verbrennung, 56 durch Ertrinken, 23 durch Fallen, 67[1] durch andere Unglücksfälle Getötete, also im ganzen 215[2] Unglücksfälle aufzuweisen*, während in dem nichtfabrizierenden Liverpool während zwölf Monaten nur 146 tödliche Unglücksfälle vorkamen. Die Unglücksfälle in den Kohlengruben sind bei beiden Städten ausgeschlossen, und es ist zu bedenken, daß der Coroner[3] von Manchester keine Autorität in Salford hat, so daß die Bevölkerung der beiden Distrikte ziemlich gleich ist. Der „Manchester Guardian" berichtet fast in jeder Nummer von einer oder mehreren Verbrennungen. Daß die allgemeine Sterblichkeit kleiner Kinder ebenfalls durch die Arbeit der Mütter gehoben[4] wird, versteht sich von selbst und ist durch Tatsachen außer allen Zweifel gesetzt. Die Frauen kommen oft schon drei bis vier Tage nach der Niederkunft wieder in die Fabrik und lassen ihren Säugling natürlich zurück; in den Freistunden müssen sie eilig nach Hause laufen, um das Kind zu stillen und nebenbei selbst etwas zu genießen – was das für eine Stillung sein muß, ist klar. Lord Ashley gibt die Aussagen einiger Arbeiterinnen:

„M.H., zwanzig Jahre alt, hat zwei Kinder, das jüngste ein Säugling, das von dem andern, etwas älteren, verwahrt wird – sie geht morgens bald nach fünf Uhr in die Fabrik und kommt um acht Uhr abends zurück; den Tag über fließt die Milch aus ihrer Brust, daß ihr die Kleider triefen. – H.W. hat drei Kinder, geht um fünf Uhr montags von Hause und kommt erst Sonnabend abends um sieben wieder – hat dann so viel für ihre Kinder zu besorgen, daß sie vor drei Uhr morgens nicht zu Bett gehen kann. Oft förmlich bis auf die Haut vom Regen durchnäßt und genötigt, in dieser Lage zu arbeiten. ‚Meine Brüste haben mir die schrecklichsten Schmerzen gemacht, und ich bin triefend naß von Milch gewesen.'"

---

* 1843 waren unter den Unglücksfällen, die dem Krankenhause in Manchester zugeführt wurden, 189, sage hundertneunundachtzig Verbrennungen. Wie viele tödlich, wird nicht gesagt.

---

[1] *(1845* und *1892)* irrtümlich 77 – [2] *(1845* und *1892)* irrtümlich 225 – [3] Leichenbeschauer (bei gewaltsamen oder plötzlichen Todesfällen) – [4] *(1892)* gesteigert

Die Anwendung von narkotischen Arzneien, um die Kinder ruhig zu halten, wird durch dies infame System nur begünstigt und ist wirklich in den Fabrikdistrikten auf einen hohen Grad der Verbreitung gestiegen; Dr. Johns, Oberregistrator des Manchester-Distrikts, ist der Meinung, daß diese Sitte die Hauptursache der häufigen Todesfälle durch Krämpfe sei. Die Beschäftigung der Frau in der Fabrik löst die Familie notwendig gänzlich auf, und diese Auflösung hat in dem heutigen Zustande der Gesellschaft, der auf der Familie beruht, die demoralisierendsten Folgen, sowohl für die Eheleute wie für die Kinder. Eine Mutter, die nicht die Zeit hat, sich um ihr Kind zu bekümmern, ihm während der ersten Jahre die gewöhnlichsten Liebesdienste zu erweisen, eine Mutter, die ihr Kind kaum zu sehen bekommt, kann diesem Kinde keine Mutter sein, sie muß notwendig gleichgültig dagegen werden, es ohne Liebe, ohne Fürsorge behandeln wie ein ganz fremdes Kind; und Kinder, die in solchen Verhältnissen aufgewachsen, sind später für die Familie gänzlich verdorben, können nie in der Familie, die sie selber stiften, sich heimisch fühlen, weil sie nur ein isoliertes Leben kennengelernt haben, und müssen deshalb zur ohnehin schon allgemeinen Untergrabung der Familie bei den Arbeitern beitragen. Eine ähnliche Auflösung der Familie wird durch die Arbeit der Kinder herbeigeführt. Wenn diese so weit sind, daß sie mehr verdienen, als ihren Eltern die Beköstigung zu stehen kommt, so fangen sie an, den Eltern ein Gewisses für Kost und Logis zu geben und den Rest für sich selbst zu verbrauchen. Dies geschieht oft schon mit dem vierzehnten und fünfzehnten Jahr. (Power, Rept. on Leeds, passim, Tufnell, Rept. on Manchester p. 17 etc. im Fabrikbericht.) Mit einem Wort, die Kinder emanzipieren sich und betrachten das elterliche Haus als ein Kosthaus, das sie auch oft genug, wenn es ihnen nicht gefällt, mit einem andern vertauschen.

In vielen Fällen wird die Familie durch das Arbeiten der Frau nicht ganz aufgelöst, sondern auf den Kopf gestellt. Die Frau ernährt die Familie, der Mann sitzt zu Hause, verwahrt die Kinder, kehrt die Stuben und kocht. Dieser Fall kommt sehr, sehr häufig vor; in Manchester allein ließe sich manches Hundert solcher Männer, die zu häuslichen Arbeiten verdammt sind, zusammenbringen. Man kann sich denken, welche gerechte Entrüstung diese tatsächliche Kastration bei den Arbeitern hervorruft und welche Umkehrung aller Verhältnisse der Familie, während doch die übrigen gesellschaftlichen Verhältnisse dieselben bleiben, dadurch entsteht. Mir liegt ein Brief eines englischen Arbeiters, Robert Pounder, Baron's Buildings, Woodhouse Moor-Side, in Leeds (die Bourgeoisie mag ihn da aufsuchen, um ihretwillen geb' ich die genaue Adresse), vor, den dieser an Oastler richtete, und dessen Naivität ich nur halb wiedergeben kann; die Orthographie läßt sich allenfalls, der Yorkshirer Dialekt aber gar nicht im Deutschen nachmachen. Er erzählt darin, wie ein anderer Arbeiter seiner Bekanntschaft einmal auf einer Wanderung, um Arbeit zu suchen, in St.Helens in Lancashire einen alten Freund getroffen habe.

„Nun, Herr, er fand ihn, und als er zu seiner Baracke kam, was war es, denkt Ihr, nun ein feuchter niedriger Keller, die Beschreibung, die er von den Möbeln gab, war wie folgt – zwei alte Stühle, ein runder 3Beiniger tisch eine Kiste Kein bett aber ein Hauffen Altes Stro in einem Eck mit ein paar schmuttzige bet Tücher oben drauf un 2 stücke Holtz an das Kamien Und als mein Arme freund herein ging da sas der Arme jack Am feuer auff das Holz und Was taht Er denckt Ir? Er sàs und Stoppfte seiner frau Ire strümfe mit der Stopf Natel und sobalt Er Sein alten Freund an den Tür-Posten Sahe, Versugte Er es zu Verberrgen Aber Joe so Heist Mein bekanter Hatte es Dog geseeen und Sachte jack Zum Teuffel was Magst Du doch wo Ist deine frau waß ist Daß deine Arbeid der Arme jack Schämde sig Und Sagde nein Ig weis daß Ist nig Mein arbbeid abber mein arme FFrau Is in der fabrikk sie mus Um 1/26 ur gen Und Arbeid biß 8 ur Abentz und Sieh ist so Ab Das Sie Nigtz Duhn Can Wen sie nag Hauße Komd so Mus ig alLes Führ Ir Duhn Waß ich Can Den ig hab Kein arBeid und Kein Gehapd Zeid Meer alz 3 Jar Und Ig krich Mein Leeben Kein meer, und Dan Weinette Er ein Dike trehne nein Joe Sagte er Es ist arbeid Gnucht vor weibsLeute Und kindern Hir Inn der Gegent Aber Kein vor mannsLeut du Kanst eer Hunderd Fundt Auff der strase Finden Altz arbeid aber Ig Hette nig Geglaubed Das du Oderr Sonst jemandt mir Geseeen Hette Das ig Meiner frau Ire strümffe Stopde, Den es ist Schlegte arbeid Aber Sieh Can beiNa nig Meer auff Ire füse Steeen ig Bin Bange Sie wirt Gans Kranck Und Dan weis Ig nig Was sol Auß unz Werden Den sieh Ist schoon Lange Der man Im hauß Geweßen. Und ig Die frau es Ist Schlime Arbeid joe Und weinde Biterlig Und Sagte es Ist nigt Imer soo Gewessen Nein Jack Sagte Joe Und Wen du Hast Kein arbeid Gehabt al Die zeid Wie hast du dir Am leben Erhalden ig wil dir Sagen Joe So gud alz Es gink Aber Es gink schlegt Gnucht du Weist alz Ig Heiratete Da Hate ig arbeid Gnucht Und du Weist ig Wahr Nicht Faul nein Daß warest du Nigt. und Wihr Haten ein Gutes Meblirtes Hauß Und Mary Braugte nicht zu arbeidn ig Konte Vor untz beiden Arbeidn aber Jetzd ist Die verKehrte weld Mary Muß arbeidn Und ig Mus Hirbleibben Die kinder ferwaren Und Keren und Wasschen Baken Und fliken Den wen Die arme frau Nag hauße Komd am abent Dan Ist Sieh müde Und Kapput du Weist joe Daß Ist Hard vor einem Der Anders Gewond wahr joe Sagte. Ja junge Et is Hard Und Dan fienk Jack Wider ahn Zu weinen Und Er Wolde er Hete ni GeHeirad Und were Ni GeBoren aber Er hete nig Gedagd Altz er Die Mary Heiratten Das es Ihm So Ergeen werde. ig Hab offt Gnugt Drüber GeHeult Sagde Der jack nun herr Altz Joe Daß Hörete Sagde Er Mich Das Er Hätte Verflugd Und verDamd Die fabriken Und die Fabrikkandn und Die Regirung Mit allen flügen Die Er von jugent Auff in Der fabrikk Gelernd Hate.“

Kann man sich einen verrückteren, unsinnigeren Zustand denken, als den in diesem Brief geschilderten? Und doch ist dieser Zustand, der den Mann entmannt und dem Weibe seine Weiblichkeit nimmt, ohne imstande zu sein, dem Manne wirkliche Weiblichkeit und dem Weibe wirkliche Männlichkeit zu geben, dieser, beide Geschlechter und in ihnen die Menschheit aufs schändlichste entwürdigende Zustand die letzte Folge unserer hochgelobten Zivilisation, das letzte Resultat aller der Anstrengungen, die Hunderte von Generationen zur Verbesserung ihrer eignen Lage und der ihrer Nachkommen gemacht haben! Wir müssen entweder an der Menschheit und ihrem Wollen und Laufen geradezu verzweifeln, wenn wir alle unsre Mühe und Arbeit in den Resultaten selbst so zum Kinderspott gemacht sehen, oder wir müssen zugeben, daß die menschliche Gesellschaft ihr Glück bisher auf einem falschen Wege gesucht hat; wir müssen zugeben, daß eine so totale Umkehrung der Stellung der Geschlechter nur daher kommen kann, daß die Geschlechter von Anfang an falsch gegeneinandergestellt worden sind. Ist die Herrschaft der Frau über den Mann, wie sie durch das Fabriksystem notwendig hervorgerufen wird, unmenschlich, so muß auch die ursprüngliche Herrschaft des Mannes über die Frau unmenschlich sein. Kann jetzt die Frau, wie früher der Mann, seine Herrschaft darauf basieren, daß sie das meiste, ja alles in die Gütergemeinschaft der Familie legt, so folgt notwendig, daß diese Gütergemeinschaft keine wahre, vernünftige ist, weil ein Familienglied noch auf den größeren Betrag der Einlage pocht. Wird die Familie der jetzigen Gesellschaft aufgelöst, so zeigt sich eben in dieser Auflösung, daß im Grunde nicht die Familienliebe, sondern das in der verkehrten Gütergemeinschaft notwendig konservierte Privatinteresse das haltende Band der Familie war.* Dasselbe Verhältnis findet auch wohl bei den Kindern statt, die ihre arbeitslosen Eltern unterhalten, wenn sie nicht, wie oben erwähnt, den Eltern Kostgeld geben. Dr. Hawkins bezeugt im Fabrikbericht, daß dies Verhältnis oft genug vorkommt, und es ist in Manchester überhaupt notorisch. Wie die Frau, so sind in diesem Fall die Kinder die Herren im Haus, wovon Lord Ashley in seiner Rede (Unterhaussitzung vom 15. März 1844) ein Beispiel gibt. Ein Mann schalt seine beiden Töchter aus, weil sie in einem Wirtshaus gewesen waren, und diese erklärten, sie seien das Regiertwerden

* Wie zahlreich die in Fabriken arbeitenden verheirateten Frauen sind, geht aus einer von den Fabrikanten selbst gemachten Angabe hervor: In 412 Fabriken in Lancashire arbeiteten ihrer 10721; von ihren Männern hatten nur 5314 gleichfalls in Fabriken Arbeit, 3927 waren sonst beschäftigt, 821 arbeitslos und über 659 fehlten die Notizen. Also auf jede Fabrik durchschnittlich zwei, wo nicht gar drei Männer, die von ihrer Frauen Arbeit leben.

leid: Damn you, we have you to keep[1], und wollten dann auch etwas von ihrer Arbeit haben; sie zogen aus dem elterlichen Hause und überließen Vater und Mutter ihrem Schicksal.

Die unverheirateten Frauenzimmer, die in Fabriken aufwachsen, sind nicht besser dran als die verheirateten. Es versteht sich ganz von selbst, daß ein Mädchen, das seit dem neunten Jahre in der Fabrik gearbeitet hat, nicht imstande war, sich mit häuslichen Arbeiten bekannt zu machen, und daher kommt es, daß alle Fabrikarbeiterinnen darin gänzlich unerfahren und durchaus nicht zu Hausfrauen geeignet sind. Sie können nicht nähen und stricken, kochen oder waschen, sie sind mit den gewöhnlichsten Verrichtungen einer Hausfrau unbekannt, und wie sie mit kleinen Kindern umzugehen haben, davon wissen sie vollends gar nichts. Der Bericht der Fact. Inq. Comm. gibt Dutzende von Beispielen für diese Tatsache, und Dr. Hawkins, der Kommissär für Lancashire, spricht seine Ansicht folgendermaßen aus (p. 4 des Berichts):

„Die Mädchen heiraten früh und unüberlegt, sie haben weder die Mittel noch die Zeit, noch die Gelegenheit, die gewöhnlichen Pflichten des häuslichen Lebens zu lernen, und wenn sie alles das hätten, so würden sie in der Ehe keine Zeit zur Ausübung dieser Pflichten haben. Die Mutter ist von ihrem Kinde über zwölf Stunden täglich abwesend; das Kind wird von einem Mädchen oder einer alten Frau, der es vermietet wird, verwahrt; dazu ist nur zu oft die Wohnung der Fabrikleute kein heimatlich Haus (home), oft ein Keller, der kein Koch- oder Waschgerät, nichts zum Nähen und Ausbessern enthält, dem alles fehlt, was das Leben angenehm und zivilisiert und den heimischen Herd anziehend machen könnte. Ich kann nach diesen und andern Gründen, besonders um der größeren Lebenschancen für kleine Kinder willen, nur wünschen und hoffen, daß eine Zeit kommen möge, in der die verheirateten Frauen von den Fabriken ausgeschlossen sind."

Einzelne Beispiele und Aussagen vgl. Fact. Inq. Comm. Report, Cowell, evid. p. 37, 38, 39, 72, 77, 50. Tufnell, evid. p. 9, 15, 45, 54 etc.

Das ist alles aber noch das wenigste. Die moralischen Folgen der Arbeit von Weibern in Fabriken sind noch viel schlimmer. Die Vereinigung beider Geschlechter und aller Alter in einem Arbeitssaale, die unvermeidliche Annäherung zwischen ihnen, die Anhäufung von Leuten, denen weder intellektuelle noch sittliche Bildung gegeben worden ist, auf einem engen Raume ist eben nicht geeignet, von günstigen Folgen für die Entwicklung des weiblichen Charakters zu sein. Der Fabrikant kann, selbst wenn er darauf sieht, nur dann einschreiten, wenn wirklich einmal etwas Skandalöses passiert; die

[1] Zum Teufel mit dir, wir müssen dich erhalten

dauernde, weniger auffallende Einwirkung lockerer Charaktere auf die moralischeren und namentlich die jüngeren kann er nicht erfahren, also auch nicht verhüten. Diese Einwirkung ist aber gerade die schädlichste. Die Sprache, die in den Fabriken geführt wird, ist den Fabrikkommissären von 1833 von vielen Seiten als „unanständig", „schlecht", „schmutzig" usw. geschildert worden (Cowell, evid. p. 35, 37, und an vielen andern Stellen). Die Sache ist dieselbe im kleinen, wie wir sie in den großen Städten im großen sahen. Die Zentralisation der Bevölkerung hat dieselben Wirkungen auf dieselben Leute, mag sie nun auf diese in einer großen Stadt oder in einer kleineren Fabrik wirken. Ist die Fabrik kleiner, so ist die Annäherung größer und der Umgang unvermeidlicher. Die Folgen davon bleiben nicht aus. Ein Zeuge in Leicester sagt: Er würde seine Tochter lieber betteln als in die Fabrik gehen lassen – das seien wahre Höllenlöcher, die meisten Freudenmädchen in der Stadt hätten es den Fabriken zu verdanken (Power, evid. p. 8), ein andrer in Manchester „hat keinen Anstand, zu behaupten, daß drei Viertel der jungen Fabrikarbeiterinnen von 14 bis 20 Jahren unkeusch seien" (Cowell, evid. p. 57). Kommissär Cowell spricht sich überhaupt dahin aus, daß die Sittlichkeit der Fabrikarbeiter etwas unter dem Durchschnitt der arbeitenden Klasse stehe (p. 82), und Dr. Hawkins sagt (Rept. p. 4):

„Eine Abschätzung der sexualen Sittlichkeit läßt sich nicht gut in Zahlen reduzieren, aber wenn ich meinen eignen Beobachtungen und der allgemeinen Ansicht derer, mit denen ich sprach, sowie der ganzen Haltung der mir abgelegten Zeugnisse trauen darf, so bietet sich eine höchst niederschlagende Ansicht von dem Einfluß des Fabriklebens auf die Sittlichkeit der weiblichen Jugend dar."

Es versteht sich übrigens, daß die Fabrikdienstbarkeit wie jede andre, und noch mehr, dem Brotherrn das Jus primae noctis[1] erteilt. Der Fabrikant ist auch in dieser Beziehung Herr über den Leib und die Reize seiner Arbeiterinnen. Die Entlassung ist Strafe genug, um in neun Fällen aus zehnen, wo nicht in neunundneunzig aus hundert, alles Widerstreben bei Mädchen, die ohnehin keine große Veranlassung zur Keuschheit haben, niederzuschlagen. Ist der Fabrikant gemein genug – und der Kommissionsbericht erzählt von mehreren Fällen – so ist seine Fabrik zugleich sein Harem; und daß nicht alle Fabrikanten Gebrauch von ihrem Rechte machen, verändert die Sachlage in Beziehung auf die Mädchen durchaus nicht. Im Anfange der Fabrikindustrie, wo die meisten Fabrikanten Emporkömmlinge ohne Bildung und ohne Rücksicht auf die gesellschaftliche Heuchelei waren, ließen sie sich auch durch nichts in der Ausübung ihres „wohlerworbnen" Rechtes stören.

[1] Recht der ersten Nacht

Um die Folgen der Fabrikarbeit auf den physischen Zustand des weiblichen Geschlechts richtig zu beurteilen, wird es nötig sein, vorher die Arbeit der Kinder und die Art der Arbeit selbst in Betracht zu ziehen. Von Anfang der neuen Industrie an wurden Kinder in den Fabriken beschäftigt; anfangs wegen der Kleinheit der – später vergrößerten – Maschinen fast ausschließlich, und zwar nahm man die Kinder aus den Armenhäusern, die scharenweise als „Lehrlinge" bei den Fabrikanten auf längere Jahre vermietet wurden. Sie wurden gemeinschaftlich logiert und bekleidet und waren natürlich die vollständigen Sklaven ihrer Brotherrn, von denen sie mit der größten Rücksichtslosigkeit und Barbarei behandelt wurden. Schon 1796 sprach sich der öffentliche Unwille über dies empörende System durch Dr. Percival und Sir R. Peel (Vater des jetzigen Ministers und selbst Baumwollfabrikant) so energisch aus, daß das Parlament 1802 eine Apprentice-bill (Lehrlingsgesetz) passierte [91], wodurch die schreiendsten Mißbräuche abgestellt wurden. Allmählich trat die Konkurrenz freier Arbeiter ein und verdrängte das ganze Lehrlingssystem. Die Fabriken wurden allmählich mehr in den Städten errichtet, die Maschinen vergrößert und die Lokale luftiger und gesunder angelegt; allmählich fand sich auch mehr Arbeit für Erwachsene und junge Leute, und so nahm die relative Zahl der arbeitenden Kinder etwas ab, und das Alter, in dem die Arbeit angefangen wurde, stieg etwas. Man beschäftigte wenig Kinder unter 8 bis 9 Jahren mehr. Später trat, wie wir sehen werden, die gesetzgebende Gewalt noch mehrere Male zum Schutz der Kinder gegen die Geldwut der Bourgeoisie auf.

Die große Sterblichkeit unter den Kindern der Arbeiter und speziell der Fabrikarbeiter ist Beweis genug von der Ungesundheit der Lage, in der sie ihre ersten Jahre verbringen. Diese Ursachen wirken auch auf diejenigen Kinder, welche am Leben bleiben, nur natürlich nicht ganz so stark wie auf die, welche ihnen zum Opfer fallen. Die Wirkung derselben ist also im gelindesten Fall eine Krankheitsanlage oder eine gehemmte Entwicklung und daher eine geringere Körperstärke als die normale. Das neunjährige Kind eines Fabrikarbeiters, das unter Mangel, Entbehrung und wechselnden Verhältnissen, in Nässe, Kälte und ungenügender Kleidung und Wohnung aufgewachsen ist, hat bei weitem nicht die Arbeitsfähigkeit des in gesunderer Lebenslage erzogenen Kindes. Mit dem neunten Jahre wird es in die Fabrik geschickt, arbeitet täglich $6^1{}_2$ Stunden (früher 8, noch früher 12 bis 14, ja 16 Stunden) bis zum dreizehnten Jahre, von da an bis zum achtzehnten Jahre 12 Stunden. Die schwächenden Ursachen dauern fort, und die Arbeit tritt noch hinzu. Es ist allerdings nicht zu leugnen, daß ein neunjähriges Kind, allenfalls auch das eines Arbeiters, eine tägliche Arbeit von $6^1/_2$ Stunden aushalten könne, ohne daß *sichtlicher* und offenbar hierauf zu reduzierender Schaden an seiner Entwicklung geschehe; aber keinenfalls trägt der Aufenthalt in der dumpfigen, feuchten, oft feuchtheißen Fabrikatmosphäre zu seiner Gesundheit bei. Unverantwortlich aber bleibt es unter allen Umständen, die Zeit von Kindern, die rein der körperlichen und geistigen Entwicklung gewidmet sein sollte, der Habgier einer gefühllosen Bourgeoisie zu opfern, die Kinder der Schule und der freien Luft zu entziehen, um sie zum Vorteil der Herren Fabrikanten auszubeuten. Allerdings sagt die Bourgeoisie: Wenn wir die Kinder nicht in den Fabriken beschäftigen, so bleiben sie in Verhältnissen, die ihrer Entwicklung nicht günstig sind – und das ist im ganzen richtig –, aber was heißt das, auf seinen wahren Wert reduziert, als: Erst setzt die Bourgeoisie die Arbeiterkinder in schlechte Verhältnisse und beutet dann diese schlechten Verhältnisse noch zu ihrem Vorteil aus – sie beruft sich auf etwas, was ebensowohl ihre Schuld ist wie das Fabriksystem, sie entschuldigt die Sünde, die sie heute tut durch die, welche sie gestern getan hat. Und wenn das Fabrikgesetz nicht wenigstens einigermaßen ihnen die Hände fesselte, wie würden diese „wohlwollenden", „humanen" Bourgeois, die ihre Fabriken eigentlich nur zum Wohl der Arbeiter errichtet haben, die Interessen dieser Arbeiter wahrnehmen! Hören wir, wie sie es getrieben haben, ehe ihnen der Fabrikinspektor auf den Fersen saß; ihr eignes anerkanntes Zeugnis, der Bericht der Fabrikkommission von 1833, soll sie schlagen.

Der Bericht der Zentralkommission erzählt, daß die Fabrikanten Kinder selten mit fünf, häufig mit sechs, sehr oft mit sieben, meist mit acht bis neun Jahren zu beschäftigen anfingen, daß die Arbeitszeit oft 14 bis 16 Stunden (außer Freistunden zu Mahlzeiten) täglich daure, daß die Fabrikanten es zuließen, daß die Aufseher die Kinder schlugen und mißhandelten, ja oft selbst tätige Hand anlegten; ein Fall wird sogar erzählt, wo ein schottischer Fabrikant einem entlaufenen sechzehnjährigen Arbeiter nachritt, ihn zwang, so rasch, wie das Pferd trabte, vor ihm her zurückzulaufen, und fortwährend mit einer langen Peitsche auf ihn loshieb! (Stuart, evid. p. 35.) In den großen Städten, wo die Arbeiter sich mehr widersetzten, fiel dergleichen allerdings weniger vor. Aber selbst diese lange Arbeitszeit genügte der Habsucht der Kapitalisten nicht. Es galt, das in Gebäuden und Maschinen steckende Kapital mit allen möglichen Mitteln rentbar zu machen, es so stark wie möglich arbeiten zu lassen. Die Fabrikanten führten daher das schändliche System des Nachtarbeitens ein; bei einigen waren zwei stehende Klassen von Arbeitern, jede so stark, um die ganze Fabrik besetzen zu können, und die eine Klasse arbeitete die zwölf Tages-, die andre die zwölf Nachtstunden. Man kann sich leicht denken, welche Folgen eine solche dauernde Beraubung der Nachtruhe, die durch keinen Tagesschlaf zu ersetzen ist, auf die körperliche Lage, namentlich kleiner und größerer Kinder und selbst Erwachsener, haben mußte. Aufreizung des ganzen Nervensystems, verbunden mit allgemeiner Schwächung und Erschlaffung des ganzen Körpers, waren die notwendigen Resultate. Dazu die Beförderung und Aufreizung der Trunksucht, des regellosen Geschlechtsverkehrs; ein Fabrikant bezeugt (Tufnell, evid. p. 91), daß während zwei Jahren, wo in seiner Fabrik nachts gearbeitet wurde, die doppelte Zahl unehelicher Kinder geboren und überhaupt eine solche Demoralisation produziert wurde, daß er das Nachtarbeiten habe aufgeben müssen. Andre Fabrikanten verfuhren noch barbarischer, ließen viele Arbeiter 30 bis 40 Stunden durcharbeiten, und das *wöchentlich mehrere Male*, indem ihre Ersatzmannschaft nicht vollzählig war, sondern nur den Zweck hatte, immer einen Teil der Arbeiter zu ersetzen und ihm ein paar Stunden Schlaf zu erlauben. Die Berichte der Kommission über diese Barbarei und ihre Folgen übertreffen alles, was mir sonst in diesem Fach bekannt ist. Solche Scheußlichkeiten, wie hier erzählt werden, finden sich nirgends wieder – und wir werden sehen, daß die Bourgeoisie das Zeugnis der Kommission fortwährend als *zu ihren Gunsten* in Anspruch nimmt. Die Folgen hiervon traten bald genug hervor: Die Kommissäre erzählen von einer Menge Krüppel, die ihnen vorgekommen seien und die entschieden der langen Arbeitszeit ihre Verkrüppelung zu verdanken hätten. Diese Verkrüppelung besteht gewöhnlich aus Verkrümmung des Rückgrats und der Beine und wird von Francis Sharp. M. R. C. S. (Mitglied des königlichen Kollegiums der Wundärzte) in Leeds folgendermaßen beschrieben:

„Ich sah die eigentümliche Verdrehung der untern Enden des Schenkelknochens nie, bevor ich nach Leeds kam. Anfangs glaubte ich, es sei Rachitis, aber die Menge der sich im Spital präsentierenden Patienten und das Vorkommen der Krankheit in einem Alter (8 bis 14 Jahre), in welchem Kinder gewöhnlich nicht mehr der Rachitis unterworfen sind, sowie der Umstand, daß das Übel erst angefangen hatte, seitdem die Kinder in der Fabrik arbeiteten, bewogen mich bald, meine Meinung zu ändern. Ich habe bis jetzt ungefähr hundert solcher Fälle gesehen und kann aufs entschiedenste aussprechen, daß sie die Folge von Überarbeitung sind; soviel ich weiß, waren es alles Fabrikkinder, und sie selbst schreiben das Übel jener Ursache zu. – Die Anzahl der mir vorgekommenen Fälle von verkrümmtem Rückgrat, offenbar die Folge von zu langem Aufrechtstehen, wird nicht geringer als dreihundert sein" (Dr. Loudon, evid. p. 12, 13).

Ebenso Dr. Hey in Leeds, 18 Jahre lang Arzt am Krankenhause:

„Verbildungen des Rückgrats sehr häufig unter den Fabrikleuten. Einige die Folgen bloßer Überarbeitung, andere die Wirkung von langer Arbeit auf eine ursprünglich schwache oder durch schlechte Nahrung geschwächte Konstitution." „Verkrüppelungen schienen häufiger zu sein als diese Krankheiten; die Knie waren nach innen gebeugt, die Bänder der Knöchel sehr häufig aufgelockert und erschlafft und die langen Knochen der Beine gebogen. Besonders waren die dicken Enden dieser langen Knochen verdreht und übermäßig entwickelt, und diese Patienten kamen von den Fabriken, in welchen häufig sehr lange gearbeitet wurde" (Dr. Loudon, evid. p. 16).

Dasselbe sagen die Wundärzte Beaumont und Sharp von Bradford aus. Die Berichte der Kommissäre Drinkwater, Power und Dr. Loudon enthalten eine Menge, die von Tufnell und Dr. Sir David Barry, die sich weniger auf diesen Punkt richten, einzelne Beispiele solcher Verkrümmungen (Drinkwater, evid. p. 69 zwei Brüder, p. 72, 80, 146, 148, 150 zwei Brüder, 155 und viele andere; Power, evid. p. 63, 66, 67 zweimal, 68 dreimal, 69 zweimal; in Leeds p. 29, 31, 40, 43, 53ff.; Dr. Loudon, evid. p. 4, 7 viermal, 8 mehrere Male etc.; Sir D. Barry, p. 6, 8, 13, 21, 22, 44, 55 dreimal etc.; Tufnell, p. 5, 16 etc.). Die Kommissäre für Lancashire, Cowell, Tufnell und Dr. Hawkins, haben diese Seite der medizinischen Resultate des Fabriksystems fast ganz vernachlässigt, obwohl dieser Distrikt vollkommen mit Yorkshire in der Anzahl von Krüppeln wetteifern kann. Ich bin selten durch Manchester gegangen, ohne drei bis vier Krüppeln zu begegnen, die gerade an denselben Verkrümmungen des Rückgrats und der Beine litten wie die beschriebenen, und ich habe oft genug gerade hierauf geachtet und achten können. Ich kenne selbst einen Krüppel, der genau der obigen Beschreibung von Dr. Hey entspricht und der sich seinen Zustand in der Fabrik des Herrn Douglas in Pendleton, die überhaupt bei den Arbeitern wegen der früheren langen, Nächte hindurch fortgesetzten Arbeitszeit noch im schönsten Rufe steht, geholt hat. Man sieht es auch dieser Art von Krüppeln gleich an, woher ihre Verbildung kommt, sie sehen alle ganz gleich aus, die Knie sind einwärts und rückwärts, die Füße einwärts gebogen, die Gelenke mißgestaltet und dick und oft das Rückgrat vorwärts oder seitwärts gekrümmt. Am ärgsten aber scheinen es die menschenfreundlichen Fabrikanten im Seidendistrikt von Macclesfield getrieben zu haben, was mit daher kommt, daß in diesen Fabriken sehr junge Kinder, von fünf und sechs Jahren, arbeiteten. In den nachträglichen Zeugnissen des Kommissärs Tufnell finden wir die Aussagen eines Fabrikdirigenten Wright (p. 26), dessen beide Schwestern aufs schändlichste verkrüppelt wurden und der einmal die Anzahl von Krüppeln in mehreren Straßen, einige darunter die reinlichsten und nettesten von Macclesfield, gezählt hatte; er fand in Townley Street zehn, George Street fünf, Charlotte Street vier, Watercots fünfzehn, Bank Top drei, Lord Street sieben, Mill Lane zwölf, Great George Street zwei, im Armenhause zwei, Park Green einen,

Pickford Street zwei Krüppel, deren Familien alle einstimmig erklärten, daß diese durch übermäßige Arbeit in den Seidentramierfabriken verwachsen seien. P. 27 wird ein Knabe vorgeführt, der so verwachsen war, daß er keine Treppe hinaufkommen konnte, und Beispiele von Mädchen erwähnt, die in Rücken und Hüften verkrüppelt seien.

Andere Verbildungen sind ebenfalls aus dieser Überarbeitung hervorgegangen, besonders Plattfüßigkeit, die dem Sir D. Barry häufig vorkam (z.B. p. 21 zweimal ff.) und ebenfalls von den Ärzten und Wundärzten in Leeds (Loudon, p. 13, 16 etc.) als häufig vorkommend angegeben wird. In den Fällen, wo eine stärkere Konstitution, eine bessere Nahrung und sonstige Umstände den jungen Arbeiter befähigten, diesen Einwirkungen einer barbarischen Ausbeutung zu widerstehen, finden wir wenigstens Schmerzen in Rücken, Hüften und Beinen, geschwollene Knöchel, varikose Adern oder große, hartnäckige Geschwüre an den Schenkeln und Waden. Diese Übel sind fast allgemein bei den Arbeitern gefunden worden; die Berichte Stuarts, Mackintoshs, Sir D. Barrys enthalten Hunderte von Beispielen, ja sie wissen fast von keinem, der nicht an irgendeinem dieser Übel litte; und in den übrigen Berichten wird das Vorkommen derselben Folgen wenigstens von vielen Ärzten bezeugt. Die Berichte über Schottland stellen es außer Zweifel durch zahllose Beispiele, daß dreizehnstündige Arbeit noch bei achtzehn- bis zweiundzwanzigjährigen männlichen und weiblichen Arbeitern wenigstens *diese* Folgen hervorbringt, und zwar sowohl in den Flachsspinnereien von Dundee und Dunfermline wie in den Baumwollfabriken von Glasgow und Lanark.

Alle diese Übel erklären sich leicht aus der Natur der Fabrikarbeit, die allerdings, wie die Fabrikanten sagen, sehr „leicht" ist, aber eben wegen ihrer Leichtigkeit erschlaffender als irgendeine andere. Die Arbeiter haben wenig zu tun, müssen aber die ganze Zeit *stehen*, ohne sich setzen zu können. Wer sich etwa auf eine Fensterbank oder einen Korb setzt, wird gestraft; und diese dauernde aufrechte Stellung, dieser fortwährende mechanische Druck des Oberkörpers auf Rückgrat, Hüften und Beine bringt ganz notwendig die erwähnten Folgen hervor. Dies Stehen ist allerdings nicht notwendig zur Arbeit, wie denn auch in Nottingham in den Dublierzimmern wenigstens Sitze eingeführt sind (die Folge davon war die Abwesenheit jener Übel und folglich die Willigkeit der Arbeiterinnen, lange Arbeitszeit mitzumachen), aber in einer Fabrik, wo der Arbeiter nur für den Bourgeois arbeitet und wenig Interesse daran hat, seine Arbeit gut zu tun, würde er allerdings wahrscheinlich mehr Gebrauch davon machen, als dem Fabrikanten angenehm und vorteilhaft wäre – und damit dem Bourgeois etwas weniger rohes Material verdorben wird, müssen die Arbeiter die Gesundheit ihrer Glieder opfern.* Diese lang anhaltende aufrechte Stellung bringt aber außerdem noch in Verbindung mit der meist schlechten Atmosphäre der Fabriken eine bedeutende Erschlaffung aller Körperkräfte und in deren Gefolge allerlei andere weniger lokale als generelle Übel hervor. Die Atmosphäre der Fabriken ist gewöhnlich zu gleicher Zeit feucht und warm, meist wärmer als nötig ist, und bei nicht *sehr* guter Ventilation sehr unrein, dumpfig und von geringem Sauerstoffgehalt, angefüllt mit Staub und dem Dunst des Maschinenöls, das fast überall den Boden beschmutzt, in ihn hereinzieht und ranzig wird; die Arbeiter selbst sind schon wegen der Wärme nicht zu dicht bekleidet und würden sich daher bei Ungleichmäßigkeit der Temperatur im Zimmer notwendig erkälten; der Luftzug ist ihnen in der Wärme unangenehm, die allmähliche Erschlaffung, die über alle körperlichen Funktionen schleicht, verringert die animalische Wärme, die von außenher aufrechterhalten werden muß, und so ist dem Arbeiter selbst nichts lieber, als wenn er bei gänzlich geschlossenen Fenstern in seiner warmen Fabrikluft bleiben kann. Hierzu tritt dann noch die Wirkung des häufigen plötzlichen Temperaturwechsels beim Herausgehen aus der heißen Fabrikatmosphäre in die frostkalte oder naßkalte freie Luft, die Unfähigkeit der Arbeiter, sich genügend gegen Regen zu schützen oder die nassen Kleider mit trocknen zu vertauschen, alles Umstände, die fortwährend Erkältungen produzieren. Und wenn man bedenkt, daß bei alledem fast kein einziger Muskel des Körpers wirklich angestrengt, wirklich in Tätigkeit gesetzt wird, außer etwa denen der Beine, daß der erschlaffenden, abspannenden Wirkung der genannten Umstände gar nichts entgegentritt, sondern daß alle Übung fehlt, die den Muskeln Kraft, den Fibern Elastizität und Konsistenz geben könnte, daß von Jugend auf den Arbeitern alle Zeit zur Bewegung in freier Luft abgeht, so wird man sich nicht mehr über die fast einstimmige Aussage der Mediziner im Fabrikbericht wundern, daß sie bei Fabrikarbeitern ganz besonders eine große Widerstandslosigkeit gegen Krankheitsanfälle, eine allgemeine Depression aller Lebenstätigkeiten, eine fortwährende Abspannung aller geistigen und körperlichen Kräfte gefunden hätten. Hören wir zuerst Sir D. Barry:

„Die ungünstigen Einflüsse der Fabrikarbeit auf die Arbeiter sind folgende: 1. die unumgängliche Notwendigkeit, ihre körperlichen und geistigen Anstrengungen zu einem gleichen Schritt mit den Bewegungen einer durch gleichmäßige und unaufhörliche Kraft bewegten Maschinerie zu zwingen; 2. die Ausdauer in einer aufrechten Stellung während unnatürlich langer und zu schnell aufeinanderfolgender Zeiträume;

* Auch im Spinnsaal einer Fabrik in Leeds waren Sitze eingeführt, Drinkwater evid. p. 85.

3. die Beraubung des Schlafs (durch lange Arbeitszeit, Schmerzen in den Beinen und allgemeineres körperliches Unwohlsein). Hierzu kommen oft noch niedrige, gedrängte, staubige oder feuchte Arbeitszimmer, unreine Luft, erhitzte Atmosphäre, fortwährender Schweiß. Daher verlieren besonders Knaben, mit sehr wenigen Ausnahmen, sehr bald die rosige Frische der Kindheit und werden blässer und dünner als andere Knaben. Selbst der Schuljunge des Handwebers, der mit nackten Füßen auf dem Lehmfußboden seiner Webstube steht, behält ein besseres Aussehen, weil er zuweilen etwas an die freie Luft geht. Aber das Fabrikkind hat keinen Augenblick frei, außer zum Essen, und kommt nie in die freie Luft, außer wenn es essen geht. Alle erwachsenen männlichen Spinner sind blaß und dünn, sie leiden an kapriziösem Appetit und Unverdaulichkeit, und da sie alle von Jugend auf in der Fabrik erzogen und wenig oder gar keine hochgewachsenen, athletischen Männer unter ihnen sind, so ist der Schluß gerechtfertigt, daß ihre Beschäftigung sehr ungünstig für die Entwicklung der männlichen Konstitution ist. Weiber ertragen die Arbeit weit besser" (ganz natürlich, wir werden aber sehen, daß auch sie ihre Krankheiten haben). (General Report by Sir D. Barry.)

Ebenso Power:

„Ich kann geradezu sagen, daß das Fabriksystem in Bradford eine sehr große Menge Krüppel erzeugt hat... und daß die Wirkung langanhaltender Arbeit auf den Körper nicht allein als wirkliche Verkrüppelung, sondern auch viel allgemeiner noch als unentwickeltes Wachstum, Erschlaffung der Muskeln und zarte Körperbildung hervortritt" (Power, Rept. p. 74).

Ferner der schon zitierte Wundarzt* F. Sharp in Leeds:

„Als ich von Scarborough nach Leeds hinüberzog, fiel es mir gleich auf, daß das allgemeine Aussehen der Kinder hier viel bleicher und die Fiber derselben weit weniger straff war als in Scarborough und der Umgegend. Ich fand ebenfalls, daß viele Kinder für ihr Alter ausnehmend klein waren ... Mir sind zahllose Fälle von Skrofeln, Lungenkrankheiten, mesenterischen Affektionen und Unverdaulichkeit vorgekommen, bei denen ich als Mediziner nicht den geringsten Zweifel habe, daß sie durch Arbeiten in den Fabriken entstanden sind. Ich bin der Ansicht, daß die nervöse Energie des Körpers durch die lange Arbeit geschwächt und der Grund vieler Krankheiten gelegt wird; wenn nicht fortwährend Leute vom Lande hereinzögen, so würde die Rasse der Fabrikarbeiter bald ganz ausarten."

Desgleichen Beaumont, Wundarzt in Bradford:

„Meiner Ansicht nach bringt das System, nach dem hier in den Fabriken gearbeitet wird, eine eigentümliche Schlaffheit des ganzen Organismus hervor und macht dadurch Kinder im höchsten Grade für Epidemien sowohl wie für zufällige Krankheiten

* Die sogenannten Wundärzte (surgeons) sind studierte Mediziner, geradesogut wie die promovierten Ärzte (physicians), und haben deshalb auch allgemein sowohl ärztliche wie wundärztliche Praxis. Sie werden im allgemeinen aus verschiedenen Gründen sogar den physicians vorgezogen.

empfänglich... Ich halte die Abwesenheit aller geeigneten Vorschriften wegen Ventilation und Reinlichkeit in Fabriken ganz entschieden für eine Hauptursache jener eigentümlichen Tendenz oder Empfänglichkeit für krankhafte Affektionen, die ich in meiner Praxis sooft gefunden habe."

Ebenso William Sharp junior[1] bezeugt:

„1. daß ich Gelegenheit gehabt habe, die Wirkungen des Fabriksystems auf die Gesundheit von Kindern unter den vorteilhaftesten Umständen" (in der Fabrik von Wood in Bradford, der besteingerichteten des Orts, wo er Fabrikarzt war) „zu beobachten; 2. daß diese Wirkung ganz entschieden und in sehr ausgedehntem Maße selbst unter diesen günstigen Verhältnissen schädlich ist; 3. daß im Jahre 1832 drei Fünftel sämtlicher in Woods Fabrik beschäftigten Kinder von mir medizinisch behandelt wurden; 4. daß die schädlichste Wirkung nicht das Vorherrschen verkrüppelter, sondern geschwächter und krankhafter Konstitutionen ist; 5. daß sich das alles sehr gebessert hat, seit die Arbeitszeit der Kinder von Wood auf zehn Stunden herabgesetzt wurde."

Der Kommissär Dr. Loudon selbst, der diese Zeugnisse anführt, sagt:

„Ich denke, es ist klar genug bewiesen worden, daß Kinder unvernünftig und unbarmherzig lange haben arbeiten und selbst Erwachsene ein Quantum Arbeit übernehmen müssen, das kaum irgendein menschliches Wesen aushalten kann. Die Folge davon ist, daß viele vor der Zeit gestorben, andere lebenslänglich mit einer fehlerhaften Konstitution behaftet worden sind, und die Befürchtung einer durch die erschütterten Konstitutionen der Überlebenden geschwächten Nachkommenschaft ist, physiologisch gesprochen, nur zu gegründet."

Und endlich Dr. Hawkins über Manchester:

„Ich glaube, den meisten Reisenden fällt die Kleinheit und Zartheit der Statur und die Blässe auf, die man so allgemein in Manchester und vor allen bei den Fabrikarbeitern findet. Ich bin nie in irgendeiner Stadt Großbritanniens oder Europas gewesen, worin die Ausartung der Gestalt und Farbe vom nationalen Normalmaßstabe so augenscheinlich war. Den verheirateten Weibern fehlen ganz auffallend alle charakteristischen Eigentümlichkeiten der englischen Frau usw... Ich muß gestehen, daß die mir vorgeführten Knaben und Mädchen aus den Fabriken von Manchester allgemein ein gedrücktes Aussehen und eine bleiche Farbe hatten; in dem Ausdruck ihrer Gesichter lag nichts von der gewöhnlichen Beweglichkeit, Lebhaftigkeit und Heiterkeit der Jugend. Viele erklärten mir, daß sie gar keinen Zug verspürten, Sonnabend abends und sonntags im Freien sich herumzutummeln, sondern daß sie vorzögen, ruhig zu Hause zu bleiben."

Fügen wir hier gleich eine andre Stelle aus Hawkins' Bericht ein, die zwar nur halb hieher gehört, aber eben deshalb ebensogut hier als anderswo stehen kann:

[1] *(1845)* irrtümlich Dr. Hay (siehe „Factories Inquiry Commission", Second Report, 1833, C. 3, p. 23)

„Unmäßigkeit, Ausschweifungen und Mangel an Vorsorge für die Zukunft sind die Hauptuntugenden der Fabrikbevölkerung, und diese Übelstände lassen sich leicht auf Sitten zurückführen, die unter dem heutigen System gebildet werden und *beinahe unvermeidlich daraus entspringen.* Es ist allgemein zugegeben, daß Unverdaulichkeit, Hypochondrie und generelle Schwäche diese Klasse in sehr großer Ausdehnung affizieren; nach zwölf Stunden monotoner Arbeit ist es nur zu natürlich, sich nach einem Reizmittel dieser oder jener Art umzusehen, aber wenn vollends die obigen Krankheitszustände hinzukommen, so wird man rasch und immer von neuem Zuflucht zu geistigen Getränken nehmen."

Für alle diese Aussagen der Ärzte und Kommissäre bietet der Bericht selbst Hunderte von Beweisfällen. Daß der Wuchs der jungen Arbeiter durch die Arbeit gehemmt wird, bezeugen Hunderte von Angaben desselben; unter andern gibt Cowell die Gewichte von 46 Knaben, alle 17 Jahre alt und aus einer Sonntagsschule, an, von denen 26 in Fabriken beschäftigte durchschnittlich 104,5 englische Pfund und 20 nicht in Fabriken arbeitende, aber der Arbeiterklasse angehörige durchschnittlich 117,7 englische Pfund wogen. Einer der bedeutendsten Fabrikanten von Manchester und Anführer der Opposition von seiten der Fabrikanten gegen die Arbeiter – ich glaube Robert Hyde Greg – sagt selbst einmal, wenn das so fortginge, so würden die Fabrikleute von Lancashire bald ein Geschlecht von Pygmäen werden.* Ein Rekrutierungslieutenant (Tufnell, p. 59) sagt aus, daß die Fabrikarbeiter sich wenig für den Militärdienst eignen; sie sähen dünn und schwächlich aus und würden oft von den Ärzten als untauglich zurückgewiesen. In Manchester könne er kaum Leute von 5 Fuß 8 Zoll bekommen, die Leute hätten fast alle nur 6 bis 7 Zoll, während in den Ackerbaudistrikten die meisten Rekruten 8 Zoll hätten (der Unterschied des englischen Maßes gegen das preußische beträgt auf 5 Fuß etwa 2 Zoll, um die das englische kleiner ist).

Die Männer sind infolge dieser Einflüsse sehr bald aufgerieben. Die meisten sind mit vierzig Jahren arbeitsunfähig, einige wenige halten sich bis zum fünfundvierzigsten, fast gar keine bis zum fünfzigsten Jahre. Dies wird, außer durch allgemeine Körperschwäche, zum Teil auch noch durch eine Schwächung des Gesichts hervorgebracht, welche die Folge des Mulespinnens ist, wobei der Arbeiter seine Augen auf eine lange Reihe feiner, parallellaufender Fäden heften und sie dadurch sehr anstrengen muß. Aus 1600 Arbeitern, die in mehreren Fabriken in Harpur und Lanark beschäftigt wurden, waren nur 10 über 45 Jahren; aus 22094 Arbeitern in verschiedenen Fabriken in Stockport und Manchester nur 143 über 45 Jahren. Von diesen 143 wurden 16 aus besonderer Gunst noch beibehalten, und einer tat Kinderarbeit.

* Diese Aussage ist nicht dem Fabrikbericht entnommen.

Eine Liste von 131 Spinnern enthielt nur sieben über 45 Jahren, und doch waren alle 131 wegen „zu hohen Alters" von den Fabrikanten, bei welchen sie um Arbeit anhielten, abgewiesen. Von 50 ausrangierten Spinnern in Bolton waren nur zwei über 50, und der Rest im Durchschnitt noch nicht 40 Jahre alt – und alle waren wegen zu hohen Alters brotlos! Herr Ashworth, ein bedeutender Fabrikant, gibt in einem Briefe an Lord Ashley selbst zu, daß gegen das 40. Lebensjahr die Spinner nicht mehr die gehörige Quantität Garn aufzubringen vermögen und deshalb „zuweilen" entlassen werden; er nennt die vierzigjährigen Arbeiter „alte Leute"!* Ebenso spricht der Kommissär Mackintosh im Bericht von 1833:

„Obgleich ich durch die Art, wie Kinder beschäftigt werden, schon vorbereitet war, so wurde es mir doch schwer, den ältern Arbeitern ihre Angaben wegen ihres Alters zu glauben, so sehr früh altern diese Leute."

Wundarzt Smellie in Glasgow, der hauptsächlich Fabrikarbeiter behandelt, sagt ebenfalls, daß bei ihnen vierzig Jahre schon ein hohes Alter[1] (old age) seien (Stuart, evid. p. 101). Gleichlautende Zeugnisse finden sich Tufnell, evid. p. 3, 9, 15, Hawkins, Rept. p. 4; evid. p. 14 etc. etc. In Manchester ist dies frühe Altern der Arbeiter so allgemein, daß man fast jeden Vierziger für zehn bis fünfzehn Jahre älter ansieht, während die wohlhabenden Klassen, sowohl Männer als Frauen, ihr Aussehen sehr gut konservieren, wenn sie nicht zuviel trinken.

Die Wirkung der Fabrikarbeit auf den weiblichen Körper ist ebenfalls ganz eigner Art. Die Verbildungen, die die Folge langer Arbeitszeit sind, werden beim Weibe noch viel ernsthafter; Verbildungen des Beckens, teils durch unrichtige Lage und Entwicklung der Beckenknochen selbst, teils durch Verkrümmung des unteren Teils der Wirbelsäule werden häufig durch diese Ursache hervorgebracht.

„Obgleich", sagt Dr. Loudon in seinem Bericht, „kein Beispiel von einem verbildeten Becken und einigen andern Übeln mir vorkam, so sind doch diese Dinge derart, daß jeder Mediziner sie als wahrscheinliche Folge einer solchen Arbeitszeit bei Kindern hinstellen muß, und außerdem verbürgt von Männern von der höchsten medizinischen Glaubwürdigkeit."

Daß Fabrikarbeiterinnen schwerer gebären als andere Frauen, wird von mehreren Hebammen und Geburtshelfern bezeugt, ebenso, daß sie häufiger

* Alles der Rede von Lord Ashley (Unterhaussitzung vom 15. März 1844) entnommen.

[1] *(1892)* schon hohes Alter

abortieren, z. B. Dr. Hawkins, evid. p. 11 et 13. Dazu kommt noch, daß die Weiber an der allen Fabrikarbeitern gemeinsamen allgemeinen Schwäche leiden und, wenn sie schwanger sind, *bis zur Stunde der Entbindung* in den Fabriken arbeiten – natürlich, wenn sie zu früh aufhören, so müssen sie fürchten, daß ihre Stellen besetzt und sie selbst entlassen werden – auch verlieren sie den Lohn. Es kommt sehr häufig vor, daß Frauen, die den Abend noch arbeiteten, den nächsten Morgen entbunden sind, ja es ist nicht allzu selten, daß sie in den Fabriken selbst, zwischen den Maschinen niederkommen. Und wenn auch die Herren Bourgeois darin nichts Besondres finden, so werden mir doch ihre Frauen vielleicht zugeben, daß es eine Grausamkeit, eine infame Barbarei ist, ein schwangeres Weib indirekt zu zwingen, bis zum Tage ihrer Niederkunft täglich zwölf bis dreizehn (früher noch mehr) Stunden arbeitend, in stehender Positur, bei häufigem Bücken, zuzubringen. Das ist aber noch nicht alles. Wenn die Frauen nach der Niederkunft vierzehn Tage nicht zu arbeiten brauchen, so sind sie froh und halten es für lange. Manche kommen schon nach acht, ja nach drei bis vier Tagen wieder in die Fabrik, um die *volle* Arbeitszeit durchzumachen – ich hörte einmal, wie ein Fabrikant einen Aufseher frug: Ist die und die noch nicht wieder hier? – Nein. – Wie lang ist sie entbunden? – Acht Tage. – Die hätte doch wahrhaftig längst wiederkommen können. Jene da pflegt nur drei Tage zu Hause zu bleiben. – Natürlich; die Furcht, entlassen zu werden, die Furcht vor der Brotlosigkeit treibt sie, trotz ihrer Schwäche, trotz ihrer Schmerzen in die Fabrik; das Interesse des Fabrikanten leidet es nicht, daß seine Arbeiter krankheitswegen zu Hause bleiben, sie dürfen nicht krank werden, sie dürfen sich nicht unterstehen, ins Wochenbett zu kommen – sonst müßte er ja seine Maschinen stillsetzen oder seinen allerhöchsten Kopf mit der Einrichtung einer temporären Abänderung plagen; und ehe er das tut, entläßt er seine Leute, wenn sie sich unterfangen, unwohl zu sein. Hört (Cowell, evid. p. 77):

„Ein Mädchen fühlt sich sehr krank, kann kaum ihre Arbeit tun. – Warum sie nicht um Erlaubnis frage, nach Hause zu gehen? – Ach, Herr, der ‚Herr' ist sehr eigen darin, wenn wir einen Vierteltag abwesend sind, so riskieren wir, weggeschickt zu werden."

Oder (Sir D. Barry, evid. p. 44): Thomas MacDurt, Arbeiter, hat gelindes Fieber,

„kann nicht zu Hause bleiben, wenigstens nicht länger als vier Tage, weil er sonst fürchten muß, seine Arbeit zu verlieren."

Und so geht es in fast allen Fabriken. Die Arbeit junger Mädchen bringt in der Entwicklungsperiode derselben noch eine Menge sonstiger Unregelmäßigkeiten hervor. Bei einigen, besonders den bessergenährten, treibt die Hitze der Fabriken die Entwicklung rascher voran als gewöhnlich, so daß einzelne Mädchen von 12 bis 14 Jahren vollkommen ausgebildet sind; Roberton, der schon erwähnte, wie der Fabrikbericht sagt, „eminente" Geburtshelfer in Manchester, erzählt im „North of England Medical and Surgical Journal", daß ihm ein elfjähriges Mädchen vorgekommen, die nicht nur ein vollkommen ausgebildetes Weib, sondern sogar schwanger gewesen sei, und daß es gar nichts Seltnes in Manchester sei, wenn Frauenzimmer von 15 Jahren niederkämen. In solchen Fällen wirkt die Wärme der Fabriken gerade wie die Hitze tropischer Klimate, und wie in solchen Klimaten rächt sich die übermäßig frühe Entwicklung auch durch früh eintretendes Alter und Erschlaffung. Oft jedoch findet sich eine zurückgehaltene sexuale Entwicklung des weiblichen Körpers; die Brüste bilden sich spät oder gar nicht aus, wovon Cowell, p. 35, Beispiele gibt, die Menstruation tritt in vielen Fällen erst mit dem siebzehnten oder achtzehnten, zuweilen erst mit dem zwanzigsten Jahre ein und bleibt oft ganz aus (Dr. Hawkins, evid. p. 11, Dr. Loudon, p. 14 etc., Sir D. Barry, p. 5 etc.). Unregelmäßige Menstruation, mit vielen Schmerzen und Übeln verbunden, namentlich Bleichsucht ist sehr häufig, worüber die medizinischen Berichte einstimmig sind.

Die von solchen Frauen, besonders wenn sie während der Schwangerschaft arbeiten müssen, geborenen Kinder können nicht stark sein. Im Gegenteil, namentlich von Manchester aus werden sie im Bericht als sehr schwächlich geschildert, und nur Barry behauptet, daß sie gesund seien – sagt aber auch, daß in Schottland, wo er inspizierte, *fast gar keine verheirateten Frauen arbeiteten*; dazu liegen die meisten Fabriken dort, mit Ausnahme von Glasgow, auf dem Lande, und das trägt sehr viel zur Stärkung der Kinder bei. Die Arbeiterkinder in der nächsten Umgebung von Manchester sind fast alle blühend und frisch, während sie in der Stadt bleich und skrofulös aussehen; aber mit dem neunten Jahre verliert sich die Farbe plötzlich, weil sie dann in die Fabrik geschickt werden, und bald kann man sie nicht mehr von Stadtkindern unterscheiden.

Außerdem aber gibt es noch einige Zweige in der Fabrikarbeit, die besonders nachteilige Folgen haben. In vielen Zimmern der Baumwoll- und Flachsspinnereien fliegt eine Menge faseriger Staub umher, der namentlich in den Kardier- und Hechelzimmern Brustbeschwerden erzeugt. Einige Konstitutionen können ihn ertragen, andere nicht. Aber der Arbeiter hat keine Wahl, er muß das Zimmer nehmen, wo er Arbeit findet, seine Brust mag gut sein oder nicht. Die gewöhnlichsten Folgen dieses eingeatmeten Staubes sind Blutspeien, schwerer, pfeifender Atem, Schmerzen in der Brust, Husten,

Schlaflosigkeit, kurz alle Symptome von Asthma, die im schlimmsten Falle in der Auszehrung endigen (vergl. Stuart, p. 13, 70, 101, Mackintosh, p. 24 etc., Power Rept. on Nottingham, on Leeds, Cowell, p. 33 etc., Barry, p.12 ⟨fünf in einer Fabrik⟩, p. 17, 44, 52, 60 etc.; ebenso in dessen Bericht; Loudon, p. 13 etc. etc.). Besonders ungesund ist aber das Naßspinnen des Leinengarns, das von jungen Mädchen und Kindern getan wird. Das Wasser spritzt ihnen von den Spindeln auf den Leib, so daß die vordere Seite ihrer Kleider fortwährend bis auf die Haut durchnäßt ist und fortwährend Wasser auf dem Boden steht. In geringerem Maße findet das auch in den Dublierzimmern der Baumwollfabriken statt, und die Folge davon sind fortwährende Erkältungen und Affektionen der Brust. Eine heisere, rauhe Sprache ist allen Fabrikarbeitern gemein, vor allen aber den Naßspinnern und Dublierern. Stuart, Mackintosh und Sir D. Barry sprechen sich in den stärksten Ausdrücken über die Ungesundheit dieser Arbeit und die geringe Rücksicht der meisten Fabrikanten für die Gesundheit der diese Arbeit verrichtenden Mädchen aus. Eine andre Wirkung des Flachsspinnens sind eigentümliche Verdrehungen der Schulter, namentlich Vorspringen des rechten Schulterblatts, die aus der Natur der Arbeit folgen. Diese Art zu spinnen sowie das Throstlespinnen der Baumwolle bringen oft auch Krankheiten der Kniescheibe hervor, die zum Aufhalten der Spindel während der Anheftung zerrissener Fäden angewandt wird. Das häufige Bücken bei diesen beiden Arbeitszweigen und die Niedrigkeit der Maschinen haben überhaupt einen mangelhaften Wuchs zur Folge. In dem Throstlezimmer der Baumwollfabrik zu Manchester, in welcher ich beschäftigt war, erinnere ich mich nicht, ein einziges gut und schlank gewachsenes Mädchen gesehen zu haben; sie waren alle klein, schlecht gewachsen und eigentümlich gedrängten Baus, entschieden häßlich in ihrer ganzen Körperbildung. Außer allen diesen Krankheiten und Verkrüppelungen haben die Arbeiter aber noch auf eine andere Weise an ihren Gliedern Schaden zu leiden. Die Arbeit zwischen den Maschinen veranlaßt eine Menge Unglücksfälle, die mehr oder weniger ernster Natur sind und für den Arbeiter noch dazu die Folge haben, daß sie ihn teilweise oder ganz zu seiner Arbeit unfähig machen. Am häufigsten kommt es vor, daß ein einzelnes Glied von einem Finger abgequetscht wird, seltner schon, daß ganze Finger, eine halbe oder ganze Hand, ein Arm usw. von den Rädern ergriffen und zermalmt wird. Sehr häufig tritt nach diesen, selbst den geringeren Unfällen Maulsperre ein und zieht den Tod nach sich. Man sieht in Manchester außer den vielen Krüppeln auch eine große Anzahl Verstümmelter umhergehen; dem einen fehlt der ganze oder halbe Arm, dem andern der Fuß, dem dritten das halbe Bein; man glaubt unter einer Armee zu leben, die eben aus dem Feldzuge zurückkommt. Die gefährlichsten Stellen der Maschinerie sind aber die Riemen, welche die Triebkraft vom Schaft auf die einzelnen Maschinen leiten, besonders wenn sie Schnallen haben, die man indes selten mehr findet. Wer von diesen Riemen ergriffen wird, den reißt die treibende Kraft pfeilschnell mit sich herum, schlägt ihn oben gegen die Decke und unten gegen den Fußboden mit solcher Gewalt, daß selten ein Knochen am Körper ganz bleibt und augenblicklicher Tod erfolgt. Zwischen dem 12. Juni und 3. August 1844[1] berichtet der „Manchester Guardian" über folgende *ernstliche* Unglücksfälle – die leichtern erwähnt er gar nicht: 12. Juni, ein Knabe starb in Manchester an der Mundklemme infolge einer zwischen Rädern zerquetschten Hand. – 15. Juni[2], ein Junge in Saddleworth, von einem Rade ergriffen und mitgerissen, starb, ganz zerschmettert. – 29. Juni, ein junger Mann in Greenacres Moor bei Manchester, der in einer Maschinenfabrik arbeitete, geriet unter einen Schleifstein, der ihm zwei Rippen zerbrach und ihn sehr zerfleischte. – 24. Juli, ein Mädchen in Oldham starb, von einem Riemen fünfzigmal mit herumgerissen, kein Knochen blieb ganz. – 27. Juli, in Manchester geriet ein Mädchen in den Blower (die erste Maschine, welche die rohe Baumwolle aufnimmt) und starb an den erlittenen Verstümmelungen. – 3. August, ein Spulendrechsler starb, von einem Riemen fortgerissen, in Dukinfield – alle Rippen waren zerbrochen. – Das Krankenhaus von Manchester hatte im Jahre 1843 allein 962 Verwundungen und Verstümmelungen durch Maschinerie zu heilen, während die Anzahl aller übrigen Unglücksfälle im Bereich des Krankenhauses auf 2426 sich beliefen, so daß auf fünf Unglücksfälle aus allen andern Ursachen zwei durch Maschinerie kamen. Die in Salford vorgekommenen Unfälle sind hier nicht eingeschlossen, ebensowenig die, welche von Privatärzten geheilt wurden. Die Fabrikanten bezahlen bei solchen Unglücken, sie mögen arbeitsunfähig machen oder nicht, höchstens den Arzt und, wenn es sehr hoch kommt, den Lohn während der Dauer der Kur – wohin der Arbeiter später gerät, wenn er nicht arbeiten kann, ist ihnen gleichgültig.

Der Fabrikbericht sagt über diesen Gegenstand: In allen Fällen müsse der Fabrikant verantwortlich gemacht werden: denn Kinder könnten sich nicht in acht nehmen und Erwachsene würden sich in ihrem eignen Interesse schon in acht nehmen. Aber es sind Bourgeois, die den Bericht schreiben, und daher müssen sie sich widersprechen und nachher allerlei Salbaderei über „sündliche Verwegenheit" (culpable temerity) der Arbeiter

[1] *(1845)* und *(1892)* irrtümlich: 1843 – [2] *(1845)* und *(1892)* irrtümlich: 16. Juni

vorführen. Einerlei. Die Sache ist diese: Wenn Kinder sich nicht in acht nehmen *können*, so muß die Arbeit von Kindern verboten werden. Wenn Erwachsene sich nicht gehörig in acht *nehmen*, so müssen sie entweder Kinder sein, auf einer Bildungsstufe stehen, die ihnen nicht erlaubt, die Gefahr in ihrer ganzen Größe zu erkennen – und wer ist daran schuld als die Bourgeoisie, die sie in einer Lage erhält, in der sie sich nicht bilden *können*? – oder die Maschinen sind schlecht arrangiert und müssen mit Brustwehren oder Verschlägen umgeben werden, was auch dem Bourgeois zur Last fällt – oder der Arbeiter hat Motive, die die drohende Gefahr überwiegen, er muß rasch arbeiten, um Geld zu verdienen, und hat keine Zeit, sich in acht zu nehmen etc. – auch daran ist der Bourgeois schuld. Viele Unglücksfälle kommen z. B. vor, wenn die Arbeiter Maschinen reinigen wollen, während diese in Bewegung sind. Weshalb? Weil der Bourgeois die Arbeiter zwingt, während der Freistunden, wenn sie stillstehen, die Maschinen zu putzen, und der Arbeiter natürlich keine Lust hat, sich von seiner freien Zeit etwas abnagen zu lassen. So viel ist dem Arbeiter jede freie Stunde wert, daß er sich oft lieber zweimal wöchentlich in Lebensgefahr begibt, als sie dem Bourgeois opfert. Laßt die Fabrikanten die zum Putzen der Maschinen nötige Zeit von der Arbeitszeit nehmen, und es wird keinem Arbeiter mehr einfallen, laufende Maschinerie zu putzen. Kurz, in allen Fällen fällt die letzte Schuld auf den Fabrikanten, von dem im gelindesten Falle die lebenslängliche Unterstützung des arbeitsunfähig gewordenen Arbeiters oder bei Todesfällen seiner Familie zu verlangen wäre. In den ersten Zeiten der Industrie waren die Unfälle verhältnismäßig viel zahlreicher als jetzt, weil die Maschinen schlechter, kleiner, gedrängter und fast gar nicht verschlagen waren. Wie aber obige Angaben beweisen, ist ihre Zahl noch immer groß genug, um ernste Bedenken über einen Zustand rege zu machen, der erlaubt, daß so viele Verstümmelungen und Verwundungen zum Besten einer einzigen Klasse vorkommen und so mancher fleißige Arbeiter durch ein Unglück, das er im Dienst und durch Verschulden der Bourgeoisie erlitt, der Not und dem Hunger preisgegeben wird.

Eine schöne Reihe Krankheiten, bloß durch die scheußliche Geldgier der Bourgeoisie erzeugt! Weiber zum Gebären unfähig gemacht, Kinder verkrüppelt, Männer geschwächt, Glieder zerquetscht, ganze Generationen verdorben, mit Schwäche und Siechtum infiziert, bloß um der Bourgeoisie die Beutel zu füllen! Und wenn man erst die Barbarei der einzelnen Fälle liest, wie die Kinder von den Aufsehern nackt aus dem Bette geholt, mit den Kleidern auf dem Arm unter Schlägen und Tritten in die Fabriken gejagt (z. B. Stuart p. 39 und sonst) wurden, wie ihnen der Schlaf mit Schlägen vertrieben, wie sie trotzdem über der Arbeit eingeschlafen, wie ein armes Kind noch im Schlaf, und nachdem die Maschine stillgesetzt war, auf den Zuruf des Aufsehers aufsprang und mit geschlossenen Augen die Handgriffe seiner Arbeit durchmachte, wenn man liest, wie die Kinder, zu müde, nach Hause zu gehen, sich im Trockenzimmer unter der Wolle verbargen, um dort zu schlafen, und nur mit dem Riemen aus der Fabrik getrieben werden konnten, wie viele Hunderte jeden Abend so müde nach Hause kamen, daß sie vor Schläfrigkeit und Mangel an Appetit ihr Abendbrot nicht verzehren konnten, daß ihre Eltern sie kniend vor dem Bette fanden, wo sie während des Gebets eingeschlafen waren; wenn man das alles und noch hundert andere Infamien und Schändlichkeiten in diesem einen Berichte liest, alle auf den Eid bezeugt, durch mehrere Zeugen bestätigt, von Männern ausgesagt, die die Kommissäre selbst für glaubwürdig erklären, wenn man bedenkt, daß es ein „liberaler" Bericht ist, ein Bourgeoisiebericht[1], um den früheren der Tories umzustoßen und die Herzensreinheit der Fabrikanten herzustellen, daß die Kommissäre selbst auf seiten der Bourgeoisie sind und alles das wider Willen berichten – so soll man nicht entrüstet, nicht ingrimmig werden über diese Klasse, die sich mit Menschenfreundlichkeit und Aufopferung brüstet, während es ihr einzig auf die Füllung ihrer Börsen à tout prix[2] ankommt? Hören wir indes die Bourgeoisie, wie sie durch den Mund ihres auserwählten Knechts, des Doktor Ure, spricht:

Man habe, erzählt dieser in seiner „Philosophy of Manufactures", p. 277 u. folg., den Arbeitern vorgesagt, ihr Lohn stehe in keinem Verhältnis zu ihren Opfern und habe dadurch das gute Vernehmen zwischen Herren und Arbeitern gestört. Statt dessen hätten die Arbeiter sich durch Fleiß und Aufmerksamkeit empfehlen und über den Nutzen ihrer Herren freuen sollen, dann wären sie auch Aufseher, Geschäftsführer und endlich Associés geworden und hätten dadurch (o Weisheit, du sprichst wie eine Taube!) „zugleich die Nachfrage nach Arbeit im Markte vermehrt"! – „Wenn die Arbeiter nicht so unruhig wären, *so würde das Fabriksystem sich noch viel wohltätiger entwickelt haben.*" Darauf folgt denn eine lange Jeremiade über die vielen Widersetzlichkeiten der Arbeiter und bei Gelegenheit einer Arbeitseinstellung der bestbezahlten Arbeiter, der Feinspinner, folgender naive Ausspruch:

„Ja, es war ihr hoher Lohn, der es ihnen möglich machte, ein besoldetes Komitee zu halten und sich in nervöse Hypertrophie durch eine Diät hineinzumästen, die für ihre Arbeit viel zu kräftig und aufregend war!" (p. 298.)

Hören wir, wie der Bourgeois die Arbeit der Kinder schildert:

---

[1] *(1892)* ein Bourgeoisbericht – [2] um jeden Preis

„Ich habe manche Fabrik besucht, in Manchester und der Umgegend, und nie Kinder mißhandelt, körperlich gezüchtigt oder nur übel gelaunt gesehen. Sie schienen alle *heiter* (cheerful) und *alert*, an dem leichten Spiel ihrer Muskel sich *erfreuend* (taking pleasure), die ihrem Alter natürliche Beweglichkeit *in vollem Maße genießend*. Die Szene der Industrie, weit entfernt, traurige Emotionen in meinem Gemüt hervorzubringen, war mir stets *aufheiternd*. Es war *entzückend* (delightful), die Hurtigkeit zu beobachten, mit der sie die zerrissenen Fäden wieder vereinigten, sowie der Mule-Wagen zurückging, und sie in Muße zu sehen, wie sie, nachdem ihre zarten Fingerchen ein paar Sekunden in Tätigkeit gewesen waren, sich in allen erdenklichen Stellungen *amüsierten*, bis das Ausziehen und Aufwinden wieder fertig war. Die Arbeit dieser *flüchtigen* (lively) *Elfen* schien einem *Spiel* zu gleichen, worin ihnen ihre Übung eine gefällige Gewandtheit gab. Ihrer Geschicklichkeit sich bewußt, freuten sie sich, sie vor jedem Fremden zu zeigen. Von Erschöpfung keine Spur, denn wenn sie aus der Fabrik kamen, fingen sie auf dem nächsten Spielplatz sogleich an, sich herumzutummeln mit derselben Lebhaftigkeit wie Jungen, die eben aus der Schule kommen." (p. 301.)

(Natürlich, als ob nicht die Bewegung aller Muskeln ein unmittelbares Bedürfnis für den steif und zugleich schlaff gewordenen Körper wäre! Aber Ure hätte warten sollen, ob nicht diese augenblickliche Aufregung nach ein paar Minuten verschwunden sei. Und ohnehin konnte Ure dies doch nur *mittags*, nach fünf- bis sechsstündiger Arbeit, aber nicht *abends* sehen!) Was die Gesundheit der Arbeiter betrifft, so hat der Bourgeois die grenzenlose Frechheit, den eben an tausend Stellen zitierten und exzerpierten Bericht von 1833 als Zeugnis für die ausgezeichnete Gesundheit dieser Leute anzuführen, durch einzelne herausgerissene Zitate beweisen zu wollen, daß sich bei ihnen keine Spur von Skrofeln finde und, was ganz richtig ist, das Fabriksystem sie von allen akuten Krankheiten befreie (daß sie dafür alle chronischen an den Hals bekommen, verschweigt er natürlich). Man muß wissen, daß der Bericht aus drei dicken Foliobänden besteht, die durchzustudieren einem englischen wohlgenährten Bourgeois nicht einfällt, um die Frechheit begreifen zu können, mit der unser Freund Ure dem englischen Publikum die gröbsten Lügen aufheftet. Hören wir noch, wie er sich über das Fabrikgesetz von 1833[1] ausspricht, das von der liberalen Bourgeoisie gegeben wurde und dem Fabrikanten nur die notdürftigsten Beschränkungen auflegt, wie wir sehen werden. Dies Gesetz, namentlich der Schulzwang, sei eine absurde und despotische Maßregel gegen die Fabrikanten. Alle Kinder unter zwölf Jahren seien dadurch arbeitslos geworden, und was sei die Folge? Die Kinder, so von ihrer leichten und nützlichen Arbeit entlassen, bekämen nun gar keine Erziehung; *aus dem warmen Spinnsaal in die kalte*

[1] Bei Engels hier und im Folgenden (S. 393, 394) irrtümlich: 1834

Welt hinausgestoßen, existierten sie nur durch Betteln und Stehlen – ein Leben, traurig kontrastierend mit ihrer stets sich verbessernden Lage in der Fabrik und ihrer Sonntagsschule! Dies Gesetz erschwere unter der Maske der Philanthropie die Leiden der Armen und werde den *gewissenhaften* Fabrikanten in seiner nützlichen Arbeit äußerst hemmen, wo nicht ganz aufhalten (p. 405, 406ff.).

Die zerstörenden Wirkungen des Fabriksystems fingen schon früh an, allgemeine Aufmerksamkeit auf sich zu ziehen. Von dem Lehrlingsgesetz von 1802 sprachen wir schon. Später, gegen 1817, fing der nachherige Stifter des englischen Sozialismus, damals Fabrikant in Neu-Lanark (Schottland), Robert Owen, an, durch Petitionen und Denkschriften der vollziehenden Gewalt die Notwendigkeit gesetzlicher Garantien für die Gesundheit der Arbeiter, besonders der Kinder, vorzuhalten. Der verstorbene Sir R. Peel sowie andere Philanthropen schlossen sich ihm an und erwirkten nacheinander die Fabrikgesetze von 1819[1], 1825 und 1831, von denen die beiden ersten gar nicht, das letzte nur hier und da befolgt wurden[92]. Dies Gesetz von 1831, auf den Antrag von Sir J. C. Hobhouse basiert, setzte fest, daß in keiner Baumwollenfabrik Leute unter 21 Jahren nachts, d. h. zwischen abends halb acht und morgens halb sechs Uhr, arbeiten, und in allen Fabriken junge Leute unter 18 Jahren höchstens 12 Stunden täglich und 9 Stunden sonnabends arbeiten sollten. Da aber die Arbeiter nicht gegen ihre Brotherren zeugen durften, ohne entlassen zu werden, so half dies Gesetz wenig. In großen Städten, wo die Arbeiter unruhiger waren, kam allenfalls eine Übereinkunft der bedeutenderen Fabrikanten zustande, sich dem Gesetz fügen zu wollen, aber selbst hier gab es viele, die sich, wie die Fabrikanten auf dem Lande, gar nicht um das Gesetz kümmerten. Unterdes war unter den Arbeitern das Verlangen nach einer Zehnstundenbill rege geworden, d. h. einem Gesetz, das allen jungen Leuten unter dem achtzehnten Jahre verböte, länger als zehn Stunden zu arbeiten; die Arbeiterassoziationen erhoben diesen Wunsch durch Agitation zum allgemeinen der Fabrikbevölkerung, die humane Sektion der Torypartei, damals von Michael Sadler angeführt, griff diesen Plan auf und brachte ihn vor das Parlament. Sadler erhielt ein Parlamentskomitee zur Untersuchung des Fabriksystems bewilligt, und dies gab in der Session von 1832 seinen Bericht ab. Dieser Bericht war entschieden parteiisch, von lauter Feinden des Fabriksystems und zu einem Parteizweck verfaßt. Sadler ließ sich durch seine edle Leidenschaft zu den schiefsten und unrichtigsten Behauptungen verleiten, er lockte schon

[1] Bei Engels irrtümlich: 1818

durch die Art seiner Fragen den Zeugen Antworten ab, die zwar Wahres, aber in verkehrter, schiefer Form enthielten. Die Fabrikanten, über einen Bericht entsetzt, der sie als Ungeheuer schilderte, baten nun selbst um eine offizielle Untersuchung; sie wußten, daß ein genauer Bericht ihnen *jetzt* nur nützen könne, sie wußten, daß Whigs, echte Bourgeois am Staatsruder saßen, mit denen sie sich gut standen, deren Prinzipien einer Beschränkung der Industrie entgegen waren; sie erhielten richtig eine Kommission von lauter liberalen Bourgeois, deren Bericht derselbe war, den ich bisher so häufig zitierte. Der Bericht kommt der Wahrheit *etwas* näher als der des Sadlerschen Komitees, seine Abweichungen von ihr sind aber auf der entgegengesetzten Seite. Er zeigt auf jeder Seite Sympathie für die Fabrikanten, Mißtrauen gegen den Sadlerschen Bericht, Abneigung gegen die selbsttätigen Arbeiter und die Unterstützer der Zehnstundenbill; er erkennt nirgends das Recht der Arbeiter zu einer menschlichen Existenz, zu eigner Tätigkeit und eignen Meinungen an; er macht es ihnen zum *Vorwurf*, daß sie bei der Zehnstundenbill nicht nur an die Kinder, sondern auch an sich selbst dächten, er nennt die agitierenden Arbeiter Demagogen, Böswillige, Übelgesinnte usw., kurz, er steht auf seiten der Bourgeoisie – und doch kann er die Fabrikanten nicht weißwaschen, und doch bleibt eine solche Menge von Schändlichkeiten nach seinem eignen Geständnis auf den Schultern der Fabrikanten lasten, daß selbst nach diesem Bericht die Zehnstundenbill-Agitation, der Haß der Arbeiter gegen die Fabrikanten und die härtesten Bezeichnungen des Komitees gegen die letzteren vollständig gerechtfertigt sind. Nur mit dem Unterschiede, daß, während der Sadlersche Bericht den Fabrikanten offne, unverhüllte Brutalität vorwirft, es sich jetzt zeigte, daß diese Brutalität meist unter der Maske der Zivilisation und Menschlichkeit betrieben wurde. Erklärt sich doch Dr. Hawkins, der medizinische Kommissär für Lancashire, selbst entschieden für die Zehnstundenbill, gleich in der ersten Zeile seines Berichts! Und der Kommissär Mackintosh erklärt selbst, daß sein Bericht nicht die volle Wahrheit enthalte, da die Arbeiter nur sehr schwer dahin zu bringen seien, gegen ihre Brotherren zu zeugen, und die Fabrikanten – ohnehin schon durch die Aufregung unter den Arbeitern zu größerer Nachgiebigkeit gegen diese gezwungen – oft genug sich auf den Besuch der Kommission[1] präpariert, die Fabriken gefegt, die Schnelligkeit der Maschinenbewegung verringert hätten etc. Namentlich in Lancashire brauchten sie den Kniff, der Kommission die Aufseher der Arbeitssäle als „Arbeiter" vorzuführen, um diese für die Humanität der Fabrikanten, die

[1] *(1845)* irrtümlich: Besuch der Fabrikanten

gesunde Wirkung der Arbeit und die Gleichgültigkeit, ja Abneigung der Arbeiter gegen die Zehnstundenbill zeugen zu lassen. Aber diese Aufseher sind keine echten Arbeiter mehr, sie sind Deserteure ihrer Klasse, die sich für höheren Lohn in den Dienst der Bourgeoisie begeben haben und im Interesse der Kapitalisten gegen die Arbeiter kämpfen. Ihr Interesse ist das der Bourgeoisie, und daher sind sie den Arbeitern fast mehr verhaßt wie die Fabrikanten selbst. Und dennoch ist der Bericht vollkommen genügend, um die schändlichste Rücksichtslosigkeit der fabrizierenden Bourgeoisie gegen ihre Arbeiter, die ganze Infamie des industriellen Ausbeutungssystems in ihrer vollen Unmenschlichkeit zu zeigen. Nichts ist empörender, als hier in diesem Bericht auf der einen Seite die langen Register von Krankheiten und Verkrüppelungen durch Überarbeitung der kalten, berechnenden Nationalökonomie des Fabrikanten auf der andern gegenübergestellt zu sehen, wo dieser mit Zahlen zu beweisen sucht, daß er und ganz England mit ihm zugrunde gehen müßte, wenn man ihm nicht mehr erlaube, jährlich soundso viele Kinder zu Krüppeln zu machen – nur die schamlose Sprache des Herrn Ure, die ich eben angeführt habe, würde noch empörender sein, wenn sie nicht zu lächerlich wäre.

Die Folge dieses Berichts war das Fabrikgesetz von 1833, das die Arbeit von Kindern unter neun Jahren verbot (mit Ausnahme der Seidenfabriken), die Arbeitszeit der Kinder zwischen 9 und 13 Jahren auf 48 Stunden wöchentlich oder höchstens 9 an einem Tage, die von jungen Leuten zwischen dem 14. und 18. Lebensjahre auf 69 wöchentlich oder 12 höchstens an einem Tage beschränkte, ein Minimum von $1^1/_2$ Stunden Zwischenzeit für Mahlzeiten festsetzte und das Nachtarbeiten für alle unter 18 Jahren nochmals verbot. Zugleich wurde ein täglich zweistündiger zwangsmäßiger Schulbesuch für alle Kinder unter 14 Jahren eingeführt und der Fabrikant für straffällig erklärt, wenn er Kinder ohne Alterszertifikat vom Fabrikarzte oder ohne Schulbesuchszertifikat vom Lehrer beschäftige. Dafür durfte er wöchentlich einen Penny für den Lehrer vom Lohne des Kindes zurückbehalten. Außerdem wurden Fabrikärzte und Inspektoren ernannt, die zu jeder Zeit in die Fabrik gehen, die Arbeiter eidlich verhören durften und auf die Beachtung des Gesetzes durch Klage beim Friedensgericht zu halten hatten. Das ist das Gesetz, worüber Dr. Ure so grenzenlos schimpft!

Die Folge des Gesetzes und namentlich der Ernennung von Inspektoren war, daß die Arbeitszeit durchschnittlich auf zwölf bis dreizehn Stunden herabgesetzt und die Kinder so gut ersetzt wurden, als es ging. Damit verschwanden einige der schreiendsten Übel fast gänzlich; Verkrüppelungen kamen nur noch bei sehr schwachen Konstitutionen vor, die Wirkungen der Arbeit traten weniger eklatant ans Tageslicht. Indes haben wir im Fabrikbericht Zeugnisse genug, daß die gelinderen Übel, Anschwellung der Fußgelenke, Schwäche und Schmerzen in Beinen, Hüften und Rückgrat, varikose Adern, Geschwüre an den unteren Extremitäten, allgemeine Schwäche, besonders Schwächung des Unterleibs, Neigung zum Erbrechen, Mangel an Appetit abwechselnd mit Heißhunger, schlechte Verdauung, Hypochondrie, dann die Brustübel infolge des Staubes und der schlechten Atmosphäre der Fabriken usw. usw., alle auch in den Fabriken und bei denjenigen Individuen vorkamen, die nach den Vorschriften von Sir J. C. Hobhouses Gesetz – also zwölf bis höchstens dreizehn Stunden arbeiteten. Die Berichte aus Glasgow und Manchester sind hier namentlich zu vergleichen. Diese Übel sind auch nach dem Gesetz von 1833 geblieben und fahren bis auf den heutigen Tag fort, die Gesundheit der arbeitenden Klasse zu untergraben. Man hat dafür gesorgt, daß die brutale Gewinnsucht der Bourgeoisie eine heuchlerische, zivilisierte Form annahm, daß die Fabrikanten, durch den Arm des Gesetzes von allzu krassen Niederträchtigkeiten abgehalten, desto mehr scheinbaren Grund haben, ihre erlogene Humanität selbstgefällig auszukramen – das ist alles. Wenn heute eine neue Fabrikkommission ausginge, sie würde das meiste beim alten finden. Was den extemporierten Schulzwang betrifft, so blieb dieser ganz wirkungslos, da die Regierung nicht zu gleicher Zeit für gute Schulen sorgte. Die Fabrikanten stellten ausgediente Arbeiter an, zu denen sie die Kinder zwei Stunden täglich schickten und so dem Buchstaben des Gesetzes genügten – die Kinder lernten nichts. Und selbst die Berichte der Fabrikinspektoren, die sich nur auf das beschränken, was ihres Amts ist, nämlich die Befolgung des Fabrikgesetzes, geben Material genug, um daraus das notwendige Fortbestehen der erwähnten Übel schließen zu können. Inspektoren Horner und Saunders, in ihren Berichten vom Oktober und Dezember 1843, erzählen, daß eine Menge Fabrikanten in denjenigen Arbeitszweigen, wo die Arbeit von Kindern entbehrt oder durch sonst brotlos gewordene Erwachsene ersetzt werden kann, 14 bis 16 Stunden und drüber arbeiten lassen. Darunter seien namentlich viele junge Leute, die eben dem Gesetz entwachsen seien. Andere verletzen das Gesetz geradezu, verkürzen die Freistunden, lassen Kinder länger arbeiten, als erlaubt ist, und lassen es auf eine Anklage ankommen, da die etwaige Strafe doch sehr gering ist gegen den Nutzen, den sie von der Übertretung haben. Namentlich jetzt, wo das Geschäft besonders gut geht, haben die Fabrikanten große Versuchung dazu.

Unter den Arbeitern hörte indes die Zehnstunden-Agitation nicht auf; 1839 war sie wieder in vollem Zuge, und an des verstorbenen Sadlers Stelle trat im Unterhause Lord Ashley und außer demselben Richard Oastler, beide Tories. Oastler namentlich, der fortwährend in den Arbeiterdistrikten agitierte und schon zu Sadlers Zeiten agitiert hatte, ward der spezielle Günstling der Arbeiter. Sie nannten ihn nur ihren „guten alten König", den „König der Fabrikkinder", und in den ganzen Fabrikdistrikten ist kein Kind, das ihn nicht kennt und verehrt, das ihm nicht, wenn er in die Stadt kommt, mit den andern in Prozession entgegenzieht. Oastler opponierte auch sehr energisch gegen das neue Armengesetz und wurde deshalb von einem Herrn Thornhill, einem Whig, auf dessen Gut er Verwalter war und dem er eine Summe schuldete, wegen Schulden gefangengesetzt. Die Whigs boten ihm mehrmals an, seine Schuld zu bezahlen, ihn sonst zu begünstigen, wenn er seine Opposition gegen das Armengesetz aufgeben wolle. Vergebens. Er blieb im Gefängnis und schickte von da aus seine „Fleet papers"[93] gegen das Fabriksystem und das Armengesetz.

Die Tory-Regierung von 1841 wandte wieder ihre Aufmerksamkeit auf die Fabrikgesetze. Der Minister des Innern, Sir James Graham, schlug 1843 eine Bill vor, wodurch die Arbeitszeit der Kinder auf $6^1/_2$ Stunden beschränkt und der Schulzwang verschärft wurde; die Hauptsache dabei war aber die Errichtung besserer Schulen. Diese Bill scheiterte indes an der Eifersucht der Dissenters[1]; obwohl der Zwang für Dissenterkinder nicht auf den Religionsunterricht ausgedehnt wurde, so war doch die Schule überhaupt unter die Aufsicht der Staatskirche gestellt, und da die Bibel das allgemeine Lesebuch bilden, die Religion also dem ganzen Unterricht zugrunde liegen sollte, so fanden sich die Dissenter bedroht. Die Fabrikanten und überhaupt die Liberalen schlugen sich zu ihnen, die Arbeiter waren wegen der kirchlichen Frage geteilt und deshalb untätig, die Opposition gegen die Bill brachte, obwohl sie in den großen Fabrikstädten, z. B. Salford und Stockport, geschlagen wurde und in andern, wie Manchester, nur einige Punkte der Bill aus Furcht vor den Arbeitern angreifen konnte, dennoch an zwei Millionen Unterschriften für ihre Petitionen zusammen, und Graham ließ sich so weit einschüchtern, daß er die ganze Bill zurücknahm. Im nächsten Jahre ließ er die Bestimmungen wegen der Schulen weg und schlug bloß vor, statt der bisherigen Vorschriften die Arbeit von Kindern zwischen *acht* und dreizehn Jahren auf $6^1/_2$ Stunden täglich und zwar so, daß sie entweder den Vormittag oder den Nachmittag ganz frei hätten, die von jungen Leuten zwischen dreizehn und achtzehn Jahren und die aller Weiber auf zwölf Stunden festzustellen und außerdem einige Beschränkungen der bisher

[1] Andersdenkenden (der nicht zur anglikanischen Staatskirche gehörenden Protestanten)

häufigen Umgehung des Gesetzes einzuführen. Kaum war er damit aufgetreten, so begann die Zehnstunden-Agitation heftiger als je. Oastler wurde frei, eine Anzahl seiner Freunde und eine Kollekte unter den Arbeitern hatten seine Schuld bezahlt – und mit voller Kraft warf er sich in die Bewegung. Die Vertreter der Zehnstundenbill im Unterhause hatten zugenommen, die Massen von Petitionen, die von allen Seiten für die Zehnstundenbill einkamen, führten ihnen neue Unterstützer zu – am 19. März 1844 setzte Lord Ashley durch eine Majorität von 179 gegen 170 den Beschluß durch, daß der Ausdruck „Nacht" in der Fabrikbill die Zeit zwischen sechs Uhr abends und sechs Uhr morgens ausdrücken solle, wodurch also bei dem Verbot der Nachtarbeit die Arbeitszeit inklusive Freistunden auf 12 und der Sache nach exklusive Freistunden auf 10 gesetzt wurde. Aber das Ministerium war damit nicht einverstanden. Sir James Graham begann mit einem Rücktritt des Kabinetts zu drohen – und bei der nächsten Abstimmung über einen Paragraphen der Bill verwarf das Haus mit kleinen Majoritäten sowohl zehn als zwölf Stunden! Graham und Peel erklärten nun, daß sie eine neue Bill einbringen würden, und wenn diese nicht passierte, so würden sie abtreten; die neue Bill war genau die alte Zwölfstundenbill, nur mit Abänderungen der Form – und dasselbe Unterhaus, das im März diese Bill in ihren Hauptpunkten verworfen, nahm sie jetzt im Mai mit Haut und Haaren an! Die Ursache davon war, daß die meisten Unterstützer der Zehnstundenbill Tories waren, die lieber die Bill als das Ministerium fallen ließen; aber mögen die Motive gewesen sein, welche sie wollen, das Unterhaus hat sich durch diese Abstimmungen, deren eine die andere umwirft, bei allen Arbeitern in die größte Verachtung gebracht und die von den Chartisten behauptete Notwendigkeit seiner Reform selbst aufs glänzendste bewiesen. Drei Mitglieder, die früher gegen das Ministerium gestimmt hatten, stimmten später dafür und retteten es dadurch. Bei allen Abstimmungen stimmte die Masse der Opposition *für* und die Masse der Ministeriellen *gegen* das Kabinett.* Die obigen Vorschläge Grahams wegen respektive $6^1/_2$stündiger und 12stündiger Arbeit der beiden Arbeiterklassen sind also jetzt gesetzlich festgestellt und hierdurch sowie durch Beschränkung des Nachholens für verlorne Zeit (wenn Maschinerie zerbrach oder die Wasserkraft wegen Frost oder Dürre zu gering wurde) und andere kleinere Beschränkungen ist eine längere als zwölfstündige Arbeitszeit fast unmöglich gemacht. Es unterliegt

* Bekanntlich blamierte sich das Unterhaus in derselben Session noch einmal auf diese Weise in der Zuckerfrage, wo es zuerst gegen, später, nach Anwendung der „Regierungspeitsche", für die Minister entschied.

indes keinem Zweifel, daß in sehr kurzer Zeit die Zehnstundenbill wirklich durchgehen wird. Die Fabrikanten sind natürlich fast alle dagegen, es gibt vielleicht keine zehn, die dafür sind; sie haben alle ehrlichen und unehrlichen Mittel gegen diesen ihnen verhaßten Vorschlag aufgeboten, aber das hilft ihnen zu nichts, als daß sie sich den Haß der Arbeiter immer mehr und mehr zuziehen. Die Bill geht doch durch, was die Arbeiter *wollen*, das können sie, und daß sie die Zehnstundenbill wollen, haben sie im vorigen Frühjahr bewiesen. Die nationalökonomischen Argumente der Fabrikanten, daß eine Zehnstundenbill die Produktionskosten steigere, daß sie dadurch die englische Industrie unfähig mache, gegen auswärtige Konkurrenz zu kämpfen, daß der Arbeitslohn notwendig fallen müsse usw., sind allerdings *halb wahr*, aber sie beweisen nichts, als daß die industrielle Größe Englands nur durch barbarische Behandlung der Arbeiter, nur durch Zerstörung der Gesundheit, durch soziale, physische und geistige Vernachlässigung ganzer Generationen aufrechterhalten werden kann. Natürlich, wäre die Zehnstundenbill eine definitive Maßregel, so würde England dabei ruiniert; weil sie aber notwendig andere Maßregeln nach sich zieht, die England auf eine ganz andere als die bisher befolgte Bahn lenken müssen, deshalb wird sie ein Fortschritt sein.

Wenden wir uns nun zu einer andern Seite des Fabriksystems, die weniger als die daraus folgenden Krankheiten durch gesetzliche Vorschriften zu beseitigen ist. Wir sprachen schon im allgemeinen von der Art der Arbeit, und wir sprachen ausführlich genug, um aus dem Gegebenen weitere Schlüsse ziehen zu können. Die Beaufsichtigung von Maschinen, das Anknüpfen zerrissener Fäden ist keine Tätigkeit, die das Denken des Arbeiters in Anspruch nimmt, und auf der andern Seite wieder derart, daß sie den Arbeiter hindert, seinen Geist mit andern Dingen zu beschäftigen. Zu gleicher Zeit sahen wir, daß diese Arbeit ebenfalls den Muskeln, der körperlichen Tätigkeit keinen Spielraum bietet. Auf diese Weise ist es eigentlich keine Arbeit, sondern die reine Langeweile, das ertötendste, abmattendste, was es gibt – der Fabrikarbeiter ist dazu verurteilt, seine körperlichen und geistigen Kräfte gänzlich in dieser Langeweile verkommen zu lassen, er hat den Beruf, sich von seinem achten Jahre an den ganzen Tag zu langweilen. Dazu kann er keinen Augenblick abkommen – die Dampfmaschine geht den ganzen Tag, die Räder, Riemen und Spindeln schnurren und rasseln ihm in einem fort in die Ohren, und wenn er nur einen Augenblick ruhen will, so hat er gleich den Aufseher mit dem Strafenbuch hinter sich. Diese Verdammung zum Lebendigbegrabenwerden in der Fabrik, zum steten Achtgeben auf die unermüdliche Maschine wird von den Arbeitern als die härteste Tortur empfunden. Sie wirkt aber auch im höchsten Grade abstumpfend, wie auf den Körper so auch auf den Geist des Arbeiters. Man kann wirklich keine bessere Methode zur Verdummung erfinden als die Fabrikarbeit, und wenn dennoch die Fabrikarbeiter nicht nur ihren Verstand gerettet, sondern auch mehr als andere ausgebildet und geschärft haben, so war dies wieder nur durch die Empörung gegen ihr Schicksal und gegen die Bourgeoisie möglich – das einzige, was sie allenfalls noch bei der Arbeit denken und fühlen konnten. Und wenn diese Indignation gegen die Bourgeoisie nicht zum vorherrschenden Gefühl beim Arbeiter wird, so ist die notwendige Folge der Trunk und überhaupt alles das, was man gewöhnlich Demoralisation nennt. Schon die körperliche Abspannung und die infolge des Fabriksystems allgemein gewordenen Krankheiten waren dem offiziellen Kommissär Hawkins hinreichend, um aus ihnen die Notwendigkeit dieser Demoralisation abzuleiten – wieviel mehr noch, wenn auch die geistige Abspannung noch hinzutritt und die schon erwähnten Umstände, die *jeden* Arbeiter zur Demoralisation verlocken, hier auch ihre Einflüsse fühlbar machen! Wir dürfen uns daher auch gar nicht darüber wundern, daß namentlich in den Fabrikstädten die Trunksucht und die geschlechtliche Ausschweifung die Höhe erreicht hat, die ich früher schon geschildert habe.*

Weiter. Die Sklaverei, in der die Bourgeoisie das Proletariat gefesselt hält, kommt nirgends deutlicher ans Tageslicht als im Fabriksystem. Hier hört alle Freiheit rechtlich und faktisch auf. Der Arbeiter muß morgens um halb sechs in der Fabrik sein – kommt er ein paar Minuten zu spät, so wird er gestraft, kommt er zehn Minuten zu spät, so wird er gar nicht hineingelassen,

* Hören wir noch einen kompetenten Richter: „Wenn das Beispiel der Irländer in Verbindung mit der unablässigen Arbeit der ganzen baumwollfabrizierenden Klasse betrachtet wird, so werden wir uns über ihre schreckliche Demoralisation weniger wundern. Anhaltende und erschöpfende Arbeit Tag für Tag, Jahr für Jahr fortgesetzt, ist nicht berechnet, die intellektuellen und moralischen Fähigkeiten des Menschen zu entwickeln. Der trübselige Schlendrian einer endlosen Arbeitsqual (drudgery), worin derselbe mechanische Prozeß immer wieder durchgemacht wird, gleicht der Qual des Sisyphus; die Last der Arbeit, gleich dem Felsen, fällt immer wieder auf den abgematteten Arbeiter zurück. Der Geist erlangt weder Kenntnisse noch Denktätigkeit durch die ewige Arbeit derselben Muskeln; der Verstand schlummert ein in stumpfer Trägheit, aber der gröbere Teil unserer Natur erhält eine üppige Entwicklung. Den Menschen zu solcher Arbeit zu verdammen heißt die tierischen Anlagen in ihm kultivieren. Er wird gleichgültig, er verschmäht die seine Gattung auszeichnenden Triebe und Sitten. Er vernachlässigt die Bequemlichkeiten und feineren Freuden des Lebens, er lebt in schmutzigem Elend, bei magerer Nahrung und vergeudet den Rest seines Erwerbs in Ausschweifungen." – *Dr. J. P. Kay*, a.a.O.

bis das Frühstück vorüber ist, und verliert einen Vierteltag am Lohn (obgleich er nur $2^1/_2$ Stunden von 12 nicht arbeitet). Er muß auf Kommando essen, trinken und schlafen. Er hat zur Befriedigung der allerdringendsten Bedürfnisse die allergeringste Zeit, die zu ihrer Abmachung nötig ist. Ob seine Wohnung von der Fabrik eine halbe oder ganze Stunde weit abliegt, kümmert den Fabrikanten nicht. Die despotische Glocke ruft ihn aus dem Bette, ruft ihn vom Frühstück und Mittagstisch.

Und wie geht es ihm gar erst in der Fabrik! Hier ist der Fabrikant absoluter Gesetzgeber. Er erläßt Fabrikregulationen, wie er Lust hat; er ändert und macht Zusätze an seinem Kodex, wie es ihm beliebt; und wenn er das tollste Zeug hineinsetzt, so sagen doch die Gerichte dem Arbeiter:

„Ihr wart ja Euer eigner Herr, Ihr brauchtet ja einen solchen Kontrakt nicht einzugehen, wenn Ihr nicht Lust hattet; jetzt aber, da Ihr unter diesen Kontrakt Euch freiwillig begeben habt, jetzt müßt Ihr ihn auch befolgen."

Und so hat der Arbeiter noch den Spott des Friedensrichters, der selbst ein Bourgeois ist, und des Gesetzes, das von der Bourgeoisie gegeben wurde, in den Kauf. Solche Entscheidungen sind oft genug gegeben worden. Im Oktober 1844 stellten die Arbeiter des Fabrikanten Kennedy in Manchester die Arbeit ein. Kennedy verklagte sie auf Grund einer in der Fabrik angeschlagenen Vorschrift: daß aus jedem Zimmer nie mehr als zwei Arbeiter auf einmal kündigen dürften! Und das Gericht gab ihm recht und den Arbeitern die obige Antwort. („Manchester Guardian", 30. Oktober.) Und wie sind diese Regeln gewöhnlich! Hört: 1. Die Fabriktüre wird 10 Minuten nach dem Anfange der Arbeit geschlossen und niemand bis zum Frühstück hereingelassen. Wer während dieser Zeit abwesend ist, verwirkt für jeden Webstuhl 3 d. Strafe. 2. Jeder (Maschinenstuhl-)Weber, der während einer andern Zeit, während die Maschine in Bewegung ist, abwesend gefunden wird, verwirkt für jede Stunde und jeden Webstuhl, den er zu beaufsichtigen hat, 3 d. Wer während der Arbeitszeit ohne Erlaubnis des Aufsehers das Zimmer verläßt, wird ebenfalls 3 d. gestraft. 3. Weber, die keine Schere bei sich haben, verwirken für jeden Tag 1 d. 4. Alle Weberschiffchen, Bürsten, Ölkannen, Räder, Fenster etc., die zerbrochen werden, müssen von dem Weber bezahlt werden. 5. Kein Weber darf ohne *Aufkündigung, die eine Woche vorher geschehen muß*, aus dem Dienst treten. Der Fabrikant kann jeden Arbeiter *ohne Kündigung* für schlechte Arbeit oder unziemliches Betragen entlassen. 6. Jeder Arbeiter, der mit einem andern *sprechend*, der *singend* oder *pfeifend* betroffen wird, entrichtet 6 d. Strafe. Wer während der Arbeit von seinem Platze geht, ebenfalls 6 d.* – Mir liegt noch ein anderes

* „Stubborn Facts", p. 9ff.

Fabrikreglement vor, nach welchem jedem, der drei Minuten zu spät kommt, eine Viertelstunde, und jedem, der zwanzig Minuten zu spät kommt, ein Vierteltag am Lohn abgehalten wird. Wer vor dem Frühstück ganz wegbleibt, 1 sh. am Montag und 6 d. an jedem andern Tage etc. etc. Dies letztere ist das Reglement der Phoenix Works, in Jersey Street, Manchester. – Man wird mir sagen, solche Regeln seien notwendig, um in einer großen, geordneten Fabrik das nötige Ineinandergreifen der verschiedenen Manipulationen zu sichern; man wird sagen, eine solche strenge Disziplin sei hier ebenso notwendig wie bei der Armee – gut, es mag sein, aber was ist das für eine soziale Ordnung, die ohne solche schändliche Tyrannei nicht bestehen kann? Entweder heiligt der Zweck das Mittel, oder der Schluß von der Schlechtigkeit des Mittels auf die Schlechtigkeit des Zwecks ist ganz gerechtfertigt. Und wer Soldat gewesen ist, weiß, was es heißt, auch nur für kurze Zeit unter militärischer Disziplin zu stehen; diese Arbeiter sind aber dazu verdammt, vom neunten Jahre an bis zu ihrem Tode unter der geistigen und körperlichen Fuchtel zu leben, sie sind ärgere Sklaven als die Schwarzen in Amerika, weil sie schärfer beaufsichtigt werden – und dabei wird noch verlangt, daß sie menschlich leben, menschlich denken und fühlen sollen! Wahrlich, sie können es wieder nur im glühendsten Haß gegen ihre Unterdrücker und gegen die Ordnung der Dinge, die sie in eine solche Lage versetzt, die sie zu Maschinen herabwürdigt! Es ist aber noch viel schändlicher, daß es nach der *allgemeinen* Aussage der Arbeiter eine Menge Fabrikanten gibt, die die den Arbeitern auferlegten Geldstrafen mit der herzlosesten Strenge eintreiben, um aus den den besitzlosen Proletariern geraubten Pfennigen ihren Gewinn zu vergrößern. Auch Leach behauptet, daß die Arbeiter oft morgens die Uhr der Fabrik um eine Viertelstunde vorgerückt und infolgedessen bei ihrer Ankunft die Tür verschlossen finden, während der Schreiber mit dem Strafbuch drinnen durch die Zimmer geht und die große Menge der Fehlenden aufschreibt. Leach will selbst einmal 95 solcher ausgeschlossenen Arbeiter gezählt haben vor einer Fabrik, deren Uhr abends eine Viertelstunde *hinter* und morgens eine Viertelstunde *vor* den öffentlichen Uhren der Stadt ging. Der Fabrikbericht erzählt ähnliche Dinge. In einer Fabrik wurde die Uhr während der Arbeitszeit zurückgesetzt, so daß länger gearbeitet wurde als die richtige Zeit und der Arbeiter doch nicht mehr Lohn bekam; in einer andern wurde geradezu eine Viertelstunde länger gearbeitet, in einer dritten war eine gewöhnliche Uhr und eine Maschinenuhr, welche die Anzahl der Umdrehungen des Hauptschafts anzeigte; ging die Maschinerie langsam, so wurde nach der Maschinenuhr gearbeitet, bis die für 12 Stunden berechnete Anzahl Umdrehungen voll war; ging die Arbeit gut, so daß diese Zahl vor der rechten Zeit voll war, so mußten die Arbeiter dennoch bis zum Ende der zwölften Stunde fortarbeiten. Der Zeuge fügt hinzu, er habe einige Mädchen gekannt, die in guter Arbeit waren und Extrastunden arbeiteten, die aber doch lieber sich der Prostitution in die Arme geworfen, als daß sie sich diese Tyrannei hätten gefallen lassen (Drinkw[ater] evid. p. 80). Leach erzählt, um auf die Geldstrafen zurückzukommen, er habe zu wiederholten Malen gesehen, wie hochschwangere Frauen, die sich einen Augenblick bei ihrer Arbeit gesetzt hatten, um auszuruhen, für dies Vergehen um 6 d. gestraft wurden. Die Strafen wegen schlechter Arbeit werden vollends willkürlich auferlegt; die Ware wird im Lager nachgesehen, und hier schreibt der nachsehende Lagermeister die Strafen auf eine Liste, *ohne den Arbeiter auch nur herbeizurufen*; dieser erfährt erst, daß er gestraft worden ist, wenn ihm der Aufseher den Lohn ausbezahlt und die Ware vielleicht schon verkauft und jedenfalls auf die Seite gebracht ist. Leach besitzt eine solche Strafliste, die zusammengeheftet zehn Fuß lang ist und sich auf Pfd. St. 35-17-10 d. beläuft. Er erzählt, daß in der Fabrik, wo diese Liste aufgesetzt, ein neuer Lagermeister entlassen worden sei, weil er zu wenig strafe und so dem Fabrikanten fünf Pfund (34 Taler) wöchentlich zu wenig einbringe („Stubborn Facts", p. 13-17). Und ich wiederhole nochmals, daß ich Leach als einen durchaus zuverlässigen und einer Lüge unfähigen Mann kenne.

Aber auch außerdem ist der Arbeiter der Sklave seines Brotherrn. Wenn dem reichen Herrn die Frau oder Tochter des Arbeiters gefällt – so hat er nur zu verfügen, nur zu winken, und sie muß ihm ihre Reize opfern. Wenn der Fabrikant eine Petition zum Schutz der Bourgeoisie-Interessen mit Unterschriften zu bedecken wünscht – er braucht sie nur in seine Fabrik zu schicken. Will er eine Parlamentswahl durchsetzen – er schickt seine stimmfähigen Arbeiter in Reih und Glied an die Stimmbuden, und sie müssen wohl für den Bourgeois stimmen, sie mögen wollen oder nicht. Will er in einer öffentlichen Versammlung eine Majorität haben – er entläßt sie eine halbe Stunde früher als gewöhnlich und besorgt ihnen Plätze dicht an der Tribüne, wo er sie gehörig überwachen kann.

Dazu kommen aber noch zwei Einrichtungen, die ganz besonders dazu beitragen, den Arbeiter in die Botmäßigkeit des Fabrikanten zu zwingen – das *Trucksystem* und das *Cottagesystem*. Truck heißt bei den Arbeitern das Bezahlen des Lohns in Waren, und dieser Zahlmodus war früher ganz allgemein in England. Der Fabrikant errichtete, „zur Bequemlichkeit der Arbeiter und um sie vor den hohen Preisen der Krämer zu schützen", einen Laden, in dem für seine Rechnung Waren aller Art verkauft wurden; und damit der Arbeiter nicht etwa in andere Läden gehe, wo er die Waren billiger haben konnte – die Truckwaren des „Tommy-Shop" pflegten 25 bis 30 Prozent teurer zu sein als anderswo –, gab man ihm auch wohl eine Anweisung auf den Laden für den Betrag seines Lohns anstatt des Geldes. Der allgemeine Unwille über dies infame System veranlaßte 1831 den Truck-Akt, wodurch die Bezahlung in Waren[1] für die meisten Arbeiter für ungültig und ungesetzlich erklärt und mit Strafen belegt wurde; indes hat dies Gesetz, wie die meisten englischen Gesetze, nur hier und da faktische Kraft erhalten. In den Städten freilich ist es ziemlich genau durchgeführt, auf dem Lande aber ist das direkte und indirekte Trucksystem noch in voller Blüte. Auch in der Stadt Leicester kommt es sehr häufig vor. Mir liegen ungefähr ein Dutzend Fälle von Verurteilungen wegen dieses Vergehens vor, die von November 1843 bis Juni 1844 vorkamen und teils im „Manchester Guardian", teils im „Northern Star"[94] berichtet werden. Natürlich wird dies System jetzt nicht mehr so offen getrieben; der Arbeiter bekommt sein Geld meistens ausbezahlt, aber der Fabrikant hat Mittel genug, ihn zu zwingen, daß er seine Waren in dem Truckladen und nirgends anderswo kauft. Daher ist den Truckfabrikanten selten beizukommen, denn jetzt können sie ihr Unwesen unter dem Schutze des Gesetzes treiben, sobald sie nur dem Arbeiter das Geld wirklich in die Hände geben. Der „Northern Star" vom 27. April 1844 gibt einen Brief eines Arbeiters in Holmfirth bei Huddersfield in Yorkshire, dessen Orthographie ich wiedergeben will, soviel es möglich ist, und der sich auf einen Fabrikanten Bowers bezieht:

„Es ist vast Befremdent Zu dencken, Daß Daß verflugte Truk Sistim Besteehn Solde in Solger ausDenung Alz Eß thut zu Holmfirth Und niemannt gevunden Werden Der Die Kurrase Had Den Vabrickanden 1 stok Dafor zu Steken. hier Leyden 1 groose mengge erliger hand Weeber Durg Dißem Vervlugden Siststem Hier ist 1 probe auß fielen Der EdelMütigen Vrey Handelsklike* Ist 1 vabrickand Welger had Auff im Den flug Der Gansen geegendt Wegen Seine Abscheuligs bedragen gegen Seinen Armen weebern wen Sie ein stük Vertig Haben so 34 oder 36 Schiling Magt Gipd er Sie 20 Shi. In gelt Und Das übrige in Tug Oder KleyderZeug Und 40 oder 50 pro Zend teurer Alz bey Den andern Verkeuffern Und wie offt Sein Die waren oben Darein nog vaul. aber Wie sagd Der Frey Handels Merkur** Sie sein Nigt fervligtet Sie an zu Nemen Es Stet ganz in Irem beliben O Ja aber Sie Müsen Sie Endweder an Nemen oder ferHungeren. Wen sie Mer Als die 20 Shil. In Geldt haben Wolen So Können Sie 8 oder

* Die Anhänger der Anti-Korngesetz-Ligue.

** Der „Leeds Mercury" – bourgeois-radikales Blatt.

[1] *(1845)* irrtümlich: Lohn

14 täge auf eine kete Wardten Aber nemen Sie Die 20 Shi. Und Die waren So ist imer 1 Kete vor sie Zu haben. Das Ist vreyer Handel. lord Brohom (Brougham) sagd wir Solden Edwas zu Rüklegen in unseren Junge Täge Auff Das wir Nigt die armen Casse bedürven wen wir Ald sein sollen wir Die vaule waren zu Rüklegen. wen dis Nigt keme von einen Lord so solte Mann sagen Das sein geHirn Eben So vaul were Als Die waren wo mit wir unsere arbeid bezald krigen. als die Ungestempelden Zeitungen Aufkamen taten Da war Ein Menge so dis Der polizei anzeigden in Holmfirth Da waren die Blyths, die Estwoods Und s. w. etcet. Aber wo sein Sie jetz aber Es ist etwas Anderes unser trukVabrikand gehörd zu die Vromme Vreihandels Leute Er get 2 mal in Die kirge Jeden sondag Und sagd Dem pfaven Andegtig Nag wir Haben unter Laßen Die Dinge so wir Haten tun solen Und wir Haben getan Die dinge so Wir heten unter Lasen solen und in Uns ist kein gut Aber schohne unser guter Gott" (Worte der anglikanischen Litanei) „ja schohne unser biß Morgen so bezalen wir wider Unsern Webern in vaule Waren."

Das Cottagesystem sieht viel unschuldiger aus und ist auch auf eine viel unschuldigere Weise entstanden, obwohl es dieselben knechtenden Wirkungen für den Arbeiter hat. In der Nähe der Fabriken auf dem Lande fehlt es oft an Wohnungen für die Arbeiter; der Fabrikant ist oft genötigt, solche Wohnungen zu bauen, und tut es gern, da sie ihm reichlichen Nutzen auf sein ausgelegtes Kapital einbringen. Wenn die Eigentümer von Arbeitercottages etwa 6 Prozent jährlich von ihrem Kapital bekommen, so kann man rechnen, daß die Cottages dem Fabrikanten das Doppelte eintragen, da er, solange seine Fabrik nicht gänzlich stillsteht, immer Mieter hat, und zwar solche Mieter, die stets bezahlen. Er ist also von den beiden Hauptnachteilen frei, die die übrigen Hausbesitzer treffen: Er hat nie Cottages leer stehen und läuft kein Risiko. Die Miete einer Cottage ist aber darnach berechnet, daß sie diese Nachteile deckt, und wenn der Fabrikant also dieselbe Miete nimmt wie die übrigen, so macht er mit 12 bis 14 Prozent ein brillantes Geschäft auf Unkosten der Arbeiter. Denn es ist offenbar unrecht, daß er, wenn er im Häuservermieten Geschäfte macht, einen größeren, ja den doppelten Nutzen bezieht wie seine Konkurrenten und zu gleicher Zeit ihnen alle Möglichkeit nimmt, mit ihm zu konkurrieren. Doppeltes Unrecht aber ist es, daß er diesen Nutzen aus der Tasche der besitzlosen Klasse bezieht, die über jeden Pfennig haushalten muß – doch das ist *er* ja gewohnt, dessen ganzer Reichtum auf Unkosten seiner Arbeiter erworben ist. Aber das Unrecht wird zur Infamie, wenn der Fabrikant, wie es oft genug geschieht, die Arbeiter, die bei Strafe der Entlassung in seinen Häusern wohnen *müssen*, zur Bezahlung einer höheren als der gewöhnlichen Miete oder gar dazu zwingt, Miete für ein Haus zu bezahlen, das sie gar nicht bewohnen! Der *„Halifax Guardian"*, zitiert im liberalen *„Sun"*, behauptet, daß Hunderte von Arbeitern in Ashton-under-Lyne, Oldham und Rochdale usw. von ihren Brotherren genötigt seien, Miete für Häuser zu bezahlen, gleichviel ob sie diese Häuser bewohnten oder nicht.* Das Cottagesystem ist allgemein in den ländlichen Fabrikdistrikten; es hat ganze Ortschaften hervorgerufen, und meistens hat der Fabrikant wenig oder gar keine Konkurrenz mit seinen Häusern, so daß er seine Miete gar nicht nach den Forderungen andrer einzurichten braucht, sondern sie ansetzen kann, wie er will. Und welche Macht gibt das Cottagesystem erst dem Fabrikanten bei Zerwürfnissen mit den Arbeitern! Stellen diese die Arbeit ein, so hat er ihnen nur die Miete zu kündigen, und die Kündigungsfrist ist nur eine Woche; nach Verlauf derselben sind die Arbeiter nicht nur brotlos, sondern auch obdachlos, Vagabunden, dem Gesetz verfallen, das sie ohne Gnade einen Monat auf die Tretmühle schickt.

Das ist das Fabriksystem, so ausführlich geschildert, wie es mein Raum erlaubt, und so unparteiisch, wie es die Heldentaten der Bourgeoisie gegen wehrlose Arbeiter, Taten, bei denen man unmöglich gleichgültig bleiben kann, bei denen Gleichgültigkeit ein Verbrechen wäre, erlauben. Vergleichen wir doch einmal die Lage des freien Engländers von 1845 mit der des leibeignen Sachsen unter der Geißel des normännischen Barons von 1145. Der Leibeigne war glebae adscriptus, an die Scholle gefesselt; der freie Arbeiter ist es auch – durch das Cottagesystem; der Leibeigne schuldete dem Brotherrn das jus primae noctis, das Recht der ersten Nacht – der freie Arbeiter schuldet seinem Herrn nicht nur das, sondern sogar das Recht *jeder* Nacht. Der Leibeigne konnte kein Eigentum erwerben, alles, was er erwarb, durfte ihm der Grundherr nehmen – der freie Arbeiter hat ebenfalls kein Eigentum, kann keins erwerben durch den Druck der Konkurrenz, und was selbst der Normanne nicht tat, das tut der Fabrikant: durch das Trucksystem maßt er sich täglich die Verwaltung dessen an, wovon der Arbeiter seinen unmittelbaren Lebensunterhalt hat. Das Verhältnis des Leibeignen zum Grundherrn war durch Gesetze geregelt, die befolgt wurden, weil sie den Sitten entsprachen, sowie auch durch die Sitten selbst; des freien Arbeiters Verhältnis zu seinem Herrn ist durch Gesetze geregelt, die *nicht* befolgt werden, weil sie weder den Sitten noch dem Interesse des Herrn entsprechen. Der Grundherr konnte den Leibeignen nicht von der Scholle losreißen, ihn nicht ohne sie, und da fast alles Majorat und nirgends Kapital war, ihn überhaupt nicht verkaufen; die moderne Bourgeoisie zwingt den Arbeiter, sich selbst zu verkaufen. Der Leibeigne war Sklave des Grundstücks, auf dem er geboren

* „Sun" (Londoner Tageblatt) von Ende November 1844.

war; der Arbeiter ist Sklave der notwendigsten Lebensbedürfnisse und des Geldes, mit dem er sie zu kaufen hat – beide sind Sklaven der *Sache*. Der Leibeigne hat eine Garantie für seine Existenz an der feudalen Gesellschaftsordnung, in der jeder seine Stelle hat; der freie Arbeiter hat gar keine Garantie, weil er nur dann eine Stelle in der Gesellschaft hat, wenn die Bourgeoisie ihn braucht – sonst wird er ignoriert, als gar nicht vorhanden betrachtet. Der Leibeigne opfert sich seinem Herrn im Kriege – der Fabrikarbeiter im Frieden. Der Herr des Leibeignen war ein Barbar, er betrachtete seinen Knecht wie ein Stück Vieh; der Herr des Arbeiters ist zivilisiert, er betrachtet diesen wie eine Maschine. Kurz, die beiden stehen sich in allem so ziemlich gleich, und wenn auf einer Seite Nachteil ist, so ist es auf der des freien Arbeiters. Sklaven sind sie beide, nur daß die Knechtschaft des einen ungeheuchelt, offen, ehrlich ist und die des andern heuchlerisch, hinterlistig verheimlicht vor ihm selbst und allen andern, eine theologische Leibeigenschaft, die schlimmer ist als die alte. Die humanen Tories hatten recht, als sie den Fabrikarbeitern den Namen: white Slaves, weiße Sklaven, gaben. Aber die heuchlerische, sich versteckende Knechtschaft erkennt wenigstens das Recht auf Freiheit dem Scheine nach an; sie beugt sich der freiheitliebenden öffentlichen Meinung, und darin liegt der historische Fortschritt gegen die alte Sklaverei, daß wenigstens das *Prinzip* der Freiheit durchgesetzt ist – und die Unterdrückten werden schon dafür sorgen, daß dies Prinzip auch durchgeführt werde.

Zum Schluß ein paar Strophen eines Gedichts, das die Ansicht der Arbeiter selbst über das Fabriksystem ausspricht. Es ist von Edward P. Mead in Birmingham und der richtige Ausdruck der unter den Arbeitern herrschenden Gesinnung.[95]

Ein König lebt, ein zorniger Fürst,
Nicht des Dichters geträumtes Königsbild,
Ein Tyrann, den der weiße Sklave kennt,
Und der Dampf ist der König wild.

Er hat einen Arm, einen eisernen Arm,
Und obgleich er nur einen trägt;
In dem Arme schafft eine Zauberkraft,
Die Millionen schlägt.

Wie der Moloch grimm, sein Ahn, der einst
Im Tale Himmon saß,
Ist Feuersglut sein Eingeweid',
Und Kinder sind sein Fraß.

Seine Priesterschar, der Menschheit bar,
Voll Blutdurst, Stolz und Wut,
Sie lenken – o Schand'! – seine Riesenhand
Und zaubern Gold aus Blut.

Sie treten in Staub das Menschenrecht
Für das schnöde Gold, ihren Gott,
Des Weibes Schmerz ist ihnen Scherz,
Des Mannes Trän' ihr Spott.

Musik ist ihrem Ohr das Schrei'n
Des Armen im Todeskampf;
Skelette von Jungfrau'n und Knaben füll'n
Die Höllen des König Dampf.

Die Höll'n auf Erd'! sie verbreiten Tod,
Seit der Dampf herrscht, rings im Reich,
Denn des Menschen Leib und Seele wird
Gemordet d'rin zugleich.

Drum nieder den Dampf, den Moloch wild,
Arbeitende Tausende, all',
Bind't ihm die Hand, oder unser Land
Bringt er über Nacht zu Fall!

Und seine Vögte grimm, die Mill-Lords stolz,
Goldstrotzend und blutigrot,
Stürzen muß sie des Volkes Zorn,
Wie das Scheusal, ihren Gott!*

---

* Ich habe weder Zeit noch Raum, mich weitläufig auf die Entgegnungen der Fabrikanten auf die gegen sie seit zwölf Jahren gerichteten Anklagen einzulassen. Die Leute sind nun einmal nicht zu belehren, weil ihr vermeintliches Interesse sie blendet. Da ohnehin in obigem manche ihrer Einwände schon gelegentlich beseitigt sind, so bleibt mir nur folgendes zu sagen:

Ihr kommt nach Manchester, ihr wollt die englischen Zustände kennenlernen. Ihr habt gute Empfehlungen an „respektable" Leute, natürlich. Ihr laßt einige Äußerungen über die Lage der Arbeiter fallen. Man macht euch mit ein paar der ersten liberalen Fabrikanten bekannt, etwa Robert Hyde Greg, Edmund Ashworth, Thomas Ashton, oder so. Ihr erzählt ihm von euren[1] Absichten. Der Fabrikant versteht euch, er weiß, was er zu tun hat. Er fährt mit euch auf seine Fabrik auf dem Lande – Herr Greg nach Quarry-Bank in Cheshire, Herr Ashworth nach Turton bei Bolton, Herr Ashton nach Hyde. Er führt euch durch ein prächtiges, wohleingerichtetes, vielleicht mit Ventila-

---

[1] *(1845)*: Man erzählt ihm von seinen ...

toren versehenes Gebäude, er macht euch auf die hohen, luftigen Räume, die schönen Maschinen, hier und da auf gesundaussehende Arbeiter aufmerksam. Er gibt euch ein gutes Frühstück und schlägt euch vor, die Wohnungen der Arbeiter zu besuchen – er führt euch an die Cottages, die neu, reinlich und nett aussehen, und geht mit euch in diese und jene selbst hinein. Natürlich nur zu den Aufsehern, Mechanikern usw., damit ihr „Familien seht, die *ganz* von der Fabrik leben". Bei den andern dürftet ihr ja finden, daß nur Frau und Kinder arbeiten und der Mann Strümpfe stopft. Die Gegenwart des Fabrikanten hindert euch, indiskrete Fragen zu tun; ihr findet die Leute alle gut bezahlt, komfortabel, von wegen der Landluft verhältnismäßig gesund, ihr fangt an, euch von euren überspannten Ideen von Elend und Hungersnot zu bekehren. Daß aber das Cottagesystem die Arbeiter zu Sklaven macht, daß vielleicht ein Truckladen in der Nähe ist, das erfahrt ihr nicht, daß die Leute den Fabrikanten hassen, das zeigen sie euch nicht, weil er dabei ist. Er hat wohl gar auch Schule, Kirche, Lesezimmer etc. errichtet. Daß er die Schule dazu gebraucht, die Kinder an die Subordination zu gewöhnen, daß er im Lesezimmer nur solche Sachen duldet, in denen das Interesse der Bourgeoisie vertreten wird, daß er seine Leute wegschickt, wenn sie chartistische und sozialistische Blätter und Bücher lesen – das ist euch all verborgen. Ihr seht ein behagliches, patriarchalisches Verhältnis, ihr seht das Leben der Aufseher, ihr seht, was die Bourgeoisie den Arbeitern *verspricht*, wenn sie auch geistig ihre Sklaven werden wollen. Diese „ländliche Fabrikation" ist von jeher das Steckenpferd der Fabrikanten gewesen, weil hier die Nachteile des Fabriksystems, besonders die sanitären, teilweise durch die freie Luft und Umgebung aufgehoben werden und weil hier die *patriarchalische* Knechtschaft der Arbeiter sich am längsten erhält. Dr. Ure singt einen Dithyrambus darauf. Aber wehe, wenn die Arbeiter sich einfallen lassen, selbst zu denken und Chartisten zu werden – da hört die väterliche Zuneigung des Fabrikanten mit einem Male auf. Übrigens, wollt ihr etwa durch die Arbeiterviertel von Manchester geführt werden, wollt ihr die Ausbildung des Fabriksystems in einer Fabrik*stadt* sehen – ja, da könnt ihr lange warten, bis euch diese reichen Bourgeois dabei behülflich sind! Die Herren wissen nicht, was ihre Arbeiter wollen und in welcher Lage sie sind, und sie wollen, sie dürfen es nicht wissen, weil sie immer fürchten müssen, Dinge zu erfahren, bei denen sie unruhig werden oder gar ihrem Interesse zuwiderhandeln müßten. Ist auch höchst gleichgültig – was die Arbeiter durchzuführen haben, setzen sie schon allein durch.

Die übrigen Arbeitszweige

Wenn wir bei der Schilderung des Fabriksystems uns länger aufzuhalten hatten, weil es eine ganz neue Schöpfung der industriellen Zeit ist, so werden wir uns bei den übrigen Arbeitern desto kürzer fassen können, indem hier entweder das, was von den industriellen Proletariern überhaupt, oder was vom Fabriksystem im besondern gesagt ist, ganz oder teilweise seine Anwendung findet. Wir werden also nur zu berichten haben, inwiefern namentlich das Fabriksystem bei den einzelnen Arbeitszweigen sich einzudrängen gewußt hat und was sich sonst Eigentümliches bei ihnen vorfindet.

Die vier Arbeitszweige, auf die sich das Fabrikgesetz erstreckt, bezwecken die Anfertigung von Stoffen zur Kleidung. Wir werden am besten tun, hier gleich diejenigen Arbeiter folgen zu lassen, welche ihr Material aus diesen Fabriken erhalten, und zwar zuerst die *Strumpfwirker* von Nottingham, Derby und Leicester. Über diese Arbeiter berichtet der Child. Empl. Rept., daß die lange Arbeitszeit (die durch niedrigen Lohn erzwungen wird) vereint mit der sitzenden Lebensart und der Anstrengung der Augen, welche aus der Natur der Arbeit selbst hervorgeht, gewöhnlich den Körper im allgemeinen kränklich und besonders die Augen schwach macht. Ohne sehr starkes Licht kann bei Abend nicht gearbeitet werden, und so wenden die Weber gewöhnlich Glaskugeln an, um das Licht zu konzentrieren, was die Augen sehr angreift. Im vierzigsten Jahre müssen fast alle eine Brille gebrauchen. Die Kinder, welche dabei mit Spulen und Nähen (Säumen) beschäftigt werden, leiden gewöhnlich an ihrer Gesundheit und Konstitution bedeutenden Schaden. Sie arbeiten vom sechsten, siebenten oder achten Jahre an in kleinen, dumpfigen Zimmern zehn bis zwölf Stunden. Viele werden bei der Arbeit ohnmächtig, zu schwach für die gewöhnlichste Hausarbeit und so kurzsichtig, daß sie schon während der Kindheit Brillen tragen müssen. Viele wurden von den Kommissären mit allen Symptomen skrofulöser Konstitution gefunden, und die Fabrikanten weigern sich meistens wegen der Schwäche der Mädchen, die so gearbeitet haben, sie in der Fabrik zu beschäftigen. Der Zustand dieser Kinder wird als „ein Schandfleck für ein christliches Land" bezeichnet und der Wunsch nach gesetzlichem Schutz ausgesprochen (Grainger, Rept. App. Pt. 1, p. F. 16, ss. 132–142). Der Fabrikbericht setzt hinzu, daß die Strumpfwirker die am schlechtesten bezahlten Arbeiter in Leicester seien – sie verdienten 6 sh. und bei großer Anstrengung 7 sh. wöchentlich durch täglich sechzehn- bis achtzehnstündige Arbeit. Früher verdienten sie 20 bis 21 sh., aber die Einführung der vergrößerten Stühle habe ihr Geschäft verdorben, die große Majorität arbeite noch auf den älteren, einfachen Stühlen und konkurriere mühselig gegen den Fortschritt der Maschinerie. Also auch hier jeder Fortschritt ein Rückschritt für den Arbeiter! Aber trotz alledem, erzählt Kommissär Power, seien die Strumpfwirker stolz darauf, daß sie *frei* seien und *keine Fabrikglocke* hätten, die ihnen die Zeit zum Essen, Schlafen und Arbeiten zumesse. Die Lage dieser Arbeiterklasse ist in Beziehung auf den Lohn noch nicht besser als 1833, wo die Fabrikkommission die obigen Angaben machte – die Konkurrenz der sächsischen Strumpfwirker, die selbst kaum etwas zu beißen haben, sorgt dafür. Sie schlägt die Engländer auf fast allen fremden und in den geringen Qualitäten sogar im englischen Markt – muß es nicht eine Freude für den deutschen patriotischen Strumpfwirker sein, durch seinen Hunger die englischen Strumpfwirker auch brotlos zu machen, und wird er nicht zum größeren Ruhme der deutschen Industrie stolz und freudig forthungern, da doch Deutschlands Ehre es fordert, daß seine Schüssel nur halb voll sei? O, es ist eine schöne Sache um die Konkurrenz und den „Wettlauf der Nationen"! Im „Morning Chronicle" – wieder ein liberales Blatt, das Blatt der Bourgeoisie par excellence[1] – finden sich im Dezember 1843 einige Briefe von einem Strumpfwirker in Hinckley über die Lage seiner Arbeitsgenossen. Er berichtet unter andern von 50 Familien, zusammen 321 Personen, die von 109 Webstühlen lebten; jeder Webstuhl trug durchschnittlich $5^1/_6$ sh. ein, jede Familie verdiente durchschnittlich wöchentlich 11 sh. 4 Pence. Davon gingen ab für Hausmiete, Strumpfstuhlmiete, Kohlen, Licht, Seife, Nadeln zusammen 5 sh. 10 Pence, so daß für Nahrung auf jeden Kopf täglich $1^1/_2$ Pence – 15 Pfennige preußisch – übrigblieben, und für Kleidung gar nichts.

„Kein Auge", sagt der Strumpfwirker, „hat gesehen, kein Ohr gehört und kein Herz fassen können die Hälfte der Leiden, die diese armen Leute erdulden."

[1] im wahrsten Sinne des Wortes

Betten fehlten ganz oder zur Hälfte, die Kinder liefen zerlumpt und barfuß umher; die Männer sagten mit Tränen in den Augen: „Wir haben lange, lange kein Fleisch gehabt, wir haben fast vergessen, wie es schmeckt" – und zuletzt arbeiteten einige des Sonntags, obwohl die öffentliche Meinung alles eher verzeiht als das und obwohl der rasselnde Lärm des Webstuhls in der ganzen Nachbarschaft gehört wird.

„Aber", sagte einer, „seht doch meine Kinder an und laßt das Fragen. Meine Armut zwingt mich dazu; ich kann und will meine Kinder nicht ewig um Brot schreien hören, ohne das letzte Mittel zu versuchen, durch das ich mir ehrlich Brot erwerben kann. Vorigen Montag stand ich um zwei Uhr auf und arbeitete bis beinahe Mitternacht, die übrigen Tage von sechs Uhr morgens bis zwischen elf und zwölf in der Nacht. Ich bin es leid, ich will mich nicht ins Grab bringen. Jetzt höre ich jeden Abend um zehn Uhr auf und hole die verlorne Zeit sonntags nach."

Der Lohn ist weder in Leicester noch in Derby und Nottingham gestiegen gegen 1833, und was das schlimmste ist, in Leicester herrscht das Trucksystem, wie schon früher gesagt, in großer Ausdehnung. Es ist daher auch nicht zu verwundern, daß die Wirker dieser Gegend an allen Arbeiterbewegungen sehr lebhaften Anteil genommen haben, und um so tätiger und wirksamer, da die Stühle selbst meistens von *Männern* in Bewegung gesetzt werden.

In derselben Gegend, wo die Strumpfwirker leben, ist auch der Hauptsitz der *Spitzen*fabrikation. In den genannten drei Grafschaften sind im ganzen 2760 Spitzenmaschinen im Gange, während im übrigen Teile von England nur 786 existieren. Die Spitzenfabrikation ist durch eine streng durchgeführte Teilung der Arbeit sehr verwickelt geworden und hat eine Menge Zweige. Zuerst muß das Garn gespult werden, was von Mädchen von vierzehn Jahren aufwärts geschieht (winders); dann werden die Spulen von Knaben (threaders) vom achten Jahre aufwärts auf die Maschine gesetzt und der Faden durch feine Öffnungen, deren jede Maschine durchschnittlich 1800 hat, eingefädelt und seiner Bestimmung entgegengeleitet; dann macht der Arbeiter die Spitzen, die wie ein breites Tuch aus der Maschine kommen und von ganz kleinen Kindern durch Herausziehen der verbindenden Fäden in ihre einzelnen Stücke zerlegt werden – dies heißt running oder drawing lace, und die Kinder selbst lace-runners. Dann werden die Spitzen zum Verkauf fertiggemacht. – Die winders wie die threaders haben keine bestimmte Arbeitszeit, da sie in Anspruch genommen werden, sobald die Spulen einer Maschine abgelaufen sind; und da die Arbeiter auch nachts weben, so können sie zu jeder Zeit in die Fabrik oder Arbeitsstube des Webers gerufen werden. Diese Unregelmäßigkeit der Beschäftigung, das häufige

Nachtarbeiten, die unordentliche Lebensart, die daraus folgt, erzeugt eine Menge physischer und moralischer Übel, besonders regellosen und frühen geschlechtlichen Verkehr, worüber alle Zeugen einig sind. Die Arbeit selbst ist dem Auge sehr nachteilig; obwohl ein dauernder Nachteil bei den threaders nicht allgemein ausgemacht ist, so erzeugt sie doch Augenentzündungen und während des Einfädelns selbst Schmerzen, Tränenfluß, momentane Unklarheit des Gesichts etc. Bei den winders ist es aber ausgemacht, daß ihre Arbeit die Augen ernstlich angreift und außer den häufigen Entzündungen der Hornhaut auch den grauen und schwarzen Star nicht selten hervorbringt. Die Arbeit der Wirker selbst ist sehr schwer, da die Maschinen mit der Zeit immer breiter gemacht worden sind, so daß es jetzt fast nur solche gibt, die von drei Männern bearbeitet werden, von denen jeder nach vier Stunden den andern ablöst, so daß sie zusammen alle vierundzwanzig Stunden und jeder acht Stunden täglich arbeiten. Hieraus wird klar, weshalb die winders und threaders so oft nachts an die Arbeit müssen, damit die Maschine nicht zu lange stillstehe. Das Einfädeln der Spulen in 1800 Öffnungen nimmt ohnehin drei Kindern zwei Stunden Zeit weg. Manche Maschinen werden auch durch Dampfkraft getrieben und dadurch die Arbeit der Männer verdrängt, und da der Ch. E. Rept. immer nur von „Spitzenfabriken" spricht, wohin die Kinder gerufen würden, so scheint hieraus zu folgen, daß neuerdings entweder die Arbeit der Wirker in große Fabriksäle verlegt oder die Anwendung der Dampfwirkerei ziemlich allgemein geworden ist. In beiden Fällen Fortschritt des Fabriksystems. Am ungesundesten ist aber die Arbeit der runners, die meist Kinder von sieben, ja fünf oder vier Jahren sind. Kommissär Grainger fand sogar ein Kind *von zwei Jahren* mit dieser Arbeit beschäftigt. Das Verfolgen eines und desselben Fadens, der aus einem künstlich verschlungenen Gewebe mit der Nadel herausgenommen wird, ist dem Auge sehr schädlich, besonders wenn die Arbeit, wie dies gewöhnlich, vierzehn bis sechzehn Stunden fortgesetzt wird. Im gelindesten Falle tritt Kurzsichtigkeit in sehr hohem Grade, im schlimmsten, der oft genug vorkommt, unheilbare Erblindung durch den schwarzen Star ein. Außerdem aber werden die Kinder durch das fortwährende Krummsitzen schwächlich, engbrüstig und infolge schlechter Verdauung skrofulös; Störungen der Funktionen des Uterus bei Mädchen sind fast allgemein, und ebenso die Verkrümmung des Rückgrats, so daß „man die runners alle an ihrem Gange kennen kann". Dieselben Folgen hat sowohl für die Augen wie für die ganze Konstitution das *Sticken* der Spitzen. Die medizinischen Zeugen sind alle darüber einig, daß die Gesundheit aller beim Spitzenmachen beschäftigten Kinder bedeutend leidet, daß diese Kinder blaß, zart, schwach, zu klein für ihr Alter und weit seltener als andre fähig sind, einer Krankheit zu widerstehen. Ihre gewöhnlichen Übel sind: allgemeine Schwäche, häufige Ohnmachten, Schmerzen im Kopf, Seiten, Rücken und Hüften, Herzklopfen, Übelkeit, Erbrechen und Mangel an Appetit, Verkrümmung des Rückgrats, Skrofeln und Auszehrung. Besonders wird die Gesundheit des weiblichen Körpers fortwährend und tief untergraben; über Bleichsucht, schwere Geburten und Abortion wurde allgemein geklagt (Grainger, Report, durchgängig). Dazu berichtet derselbe Unterbeamte der Child. Empl. Comm., daß die Kinder sehr häufig schlecht und zerlumpt gekleidet seien und ungenügende Nahrung, meist nur Brot und Tee, oft monatelang kein Fleisch bekämen. Was den sittlichen Zustand derselben betrifft, so berichtet er:

„Alle Einwohner von Nottingham, Polizei, Geistlichkeit, Fabrikanten, Arbeiter und die Eltern der Kinder selbst sind der einhelligen Überzeugung, daß das gegenwärtige System der Arbeit eine höchst fruchtbare Quelle der Immoralität ist. Die threaders, meist Knaben, und die winders, meist Mädchen, werden zu gleicher Zeit in der Fabrik verlangt – oft mitten in der Nacht, und da ihre Eltern nicht wissen können, wie lange sie dort gebraucht werden, so haben sie die schönste Gelegenheit, ungehörige Verbindungen zu schließen und sich nach der Arbeit zusammen herumzutreiben. Das hat in keinem geringen Grade zu der Immoralität beigetragen, welche in Nottingham, laut der öffentlichen Stimme, in einer schrecklichen Ausdehnung existiert. Ohnehin wird die häusliche Ruhe und Bequemlichkeit der Familien, zu denen die Kinder und jungen Leute gehören, diesem höchst unnatürlichen Stand der Dinge gänzlich geopfert."

Ein anderer Zweig der Spitzenfabrikation, das Spitzenklöppeln, wird in den sonst ackerbauenden Grafschaften Northampton, Oxford, Bedford und Buckingham betrieben, und zwar meist von Kindern und jungen Leuten, die allgemein über schlechte Nahrung klagen und selten Fleisch zu essen bekommen. Die Arbeit selbst ist höchst ungesund. Die Kinder arbeiten in kleinen, schlecht ventilierten und dumpfigen Zimmern, stets sitzend und krumm gebeugt über das Klöppelkissen. Um den Körper in dieser anstrengenden Stellung zu unterstützen, tragen die Mädchen eine Schnürbrust mit hölzernem Blankscheit, das bei dem zarten Alter der meisten, in dem die Knochen noch sehr weich sind, und bei der gebückten Stellung das Brustbein und die Rippen gänzlich verrückt und allgemein Engbrüstigkeit veranlaßt. Die meisten sterben daher, nachdem sie infolge der sitzenden Arbeit und schlechten Atmosphäre eine Zeitlang an den schmerzlichsten (severest) Wirkungen schlechter Verdauung gelitten haben, an der Schwindsucht. Sie genießen fast gar keine Bildung, am wenigsten sittliche, lieben den Putz, und infolge von beidem ist ihr sittlicher Zustand sehr beklagenswert und Prostitution unter ihnen fast epidemisch (Ch. Empl. Comm., Burns, Report).

Das ist der Preis, um den die Gesellschaft den schönen Damen der Bourgeoisie das Vergnügen erkauft, Spitzen zu tragen – und ist es nicht ein sehr billiger Preis? Nur ein paar Tausend blinde Arbeiter, nur einige schwindsüchtige Proletariertöchter, nur eine sieche Generation der pöbelhaften Masse, die ihr Siechtum auf ihre gleich pöbelhaften Kinder und Kindeskinder vererben wird – was ist das alles? Nichts, gar nichts, unsere englische Bourgeoisie wird den Bericht der Regierungskommission gleichgültig beiseite legen und ihre Frauen und Töchter nach wie vor mit Spitzen schmücken. Es ist doch eine schöne Sache um die Gemütsruhe eines englischen Bourgeois!

Eine große Anzahl Arbeiter werden in Lancashire, Derbyshire und dem Westen von Schottland in den Kattundruckereien beschäftigt. In keiner Branche der englischen Industrie hat die Mechanik so glänzende Resultate hervorgebracht, aber auch in keiner hat sie den Arbeiter so gedrückt wie in dieser. Die Anwendung von dampfgetriebenen gravierten Zylindern, die Erfindung, mit solchen Zylindern vier bis sechs Farben zu gleicher Zeit zu drucken, hat die Handarbeit so vollkommen verdrängt, wie die Maschinen beim Spinnen und Weben der Baumwolle dies taten, und diese neuen Einrichtungen haben in den Druckereien noch viel mehr Arbeiter verdrängt, als dies beim Anfertigen der Stoffe geschah. Ein Mann, von einem Kinde unterstützt, tut mit der Maschine die Arbeit, die früher von 200 Arbeitern mit der Hand getan werden mußte; eine einzige Maschine liefert jede Minute 28 Yards (80 Fuß) bedrucktes Tuch. Infolgedessen sind die Kattundrucker in einer sehr schlimmen Lage; die Grafschaften Lancaster, Derby und Chester lieferten (laut Petition der Drucker ans Unterhaus) im Jahre 1842 elf Millionen Stück gedruckten Kattun; von diesen wurden 100000 durch Handarbeit allein, 900000 teilweise durch Maschinen mit Nachhülfe von Handdruck und 10 Millionen allein durch Maschinerie mit von einer bis zu sechs Farben bedruckt. Da die Maschinen meist neueren Datums sind und noch stets verbessert werden, so ist die Zahl der Handdrucker viel zu groß für das disponible Arbeitsquantum, und natürlich sind viele – in der Petition wird gesagt, ein Viertel der ganzen Zahl – ganz brotlos, während die übrigen durchschnittlich nur einen oder zwei, höchstens drei Tage in der Woche beschäftigt sind und schlecht bezahlt werden. Leach behauptet von einer Druckerei (Deeply Dale, bei Bury in Lancashire), daß die Handdrucker dort durchschnittlich nicht mehr als 5 sh. verdienten (Stubb. Facts, p. 47), während er allerdings wohl weiß, daß die an den Maschinen Arbeitenden ziemlich gut bezahlt werden. Die Druckereien sind also dem Fabriksystem vollständig beigetreten, aber ohne unter den diesem auferlegten gesetzlichen Beschränkungen zu stehen. Sie fabrizieren einen Modeartikel und haben daher keine regelmäßige Arbeitszeit. Haben sie wenig Aufträge, so arbeiten sie die halbe Zeit; tun sie mit einem Muster einen guten Treffer und geht das Geschäft flott, so wird bis zehn, zwölf Uhr, ja die ganze Nacht durch gearbeitet. In der Nähe meiner Wohnung bei Manchester war eine Druckerei, die manches Mal bis tief in der Nacht, wenn ich nach Hause kam, noch erleuchtet war, und ich habe oft gehört, daß dort die Kinder zuweilen so lange zu arbeiten hätten, daß sie auf den steinernen Treppen und im Vorhause in den Winkeln ein paar Augenblicke Ruhe und Schlaf zu erhaschen suchten. Ich weiß nicht *juristisch* gewiß, ob es wahr ist, sonst würde ich die Firma nennen. Der Bericht der Ch. E. Comm. ist hier sehr flüchtig, er berichtet bloß, daß in England wenigstens die Kinder meist ziemlich gut gekleidet und genährt sind (dies ist relativ, je nachdem ihre Eltern viel verdienen oder nicht), daß sie gar keine Bildung haben und moralisch wenig taugen. Wir brauchen bloß zu bedenken, daß diese Kinder unter dem Fabriksystem stehen, und können dann, auf das hierüber Gesagte weisend, weitergehen.

Von den übrigen, mit der Fabrikation von Kleiderstoffen beschäftigten Arbeitern bleibt uns wenig zu sagen; die *Bleicher* haben eine sehr ungesunde Arbeit, bei der sie fortwährend Chlor, einen der für die Lunge nachteiligsten Stoffe, einzuatmen haben; die Arbeit der *Färber* ist schon gesunder, in vielen Fällen sehr gesund, da sie Anstrengung des ganzen Körpers erfordert; wie diese Klassen bezahlt werden, darüber hört man wenig, und das ist Ursache genug zu dem Schluß, daß sie nicht unter dem Durchschnittslohn bekommen, weil sie sich sonst schon beschweren würden. Die *Samtscherer*, die bei dem großen Verbrauch von Baumwollensamt ziemlich zahlreich sind und sich auf 3000 bis 4000 belaufen, haben indirekt sehr hart durch den Einfluß des Fabriksystems gelitten. Die Ware, die früher mit Handwebstühlen gemacht wurde, war nicht ganz egal gewebt und erforderte eine geübte Hand im Aufschneiden der einzelnen Fadenreihen; seitdem sie mit mechanischen Stühlen gemacht, laufen die Reihen ganz egal, jeder Einschlagsfaden ist genau dem vorhergehenden parallel, und das Aufschneiden ist keine große Kunst mehr. Die durch Maschinerie brotlos gewordenen Arbeiter werfen sich auf das Samtscheren und drücken den Lohn durch ihre Konkurrenz; die Fabrikanten entdeckten, daß sie Weiber und Kinder zum Samtscheren gebrauchen konnten – und der Lohn sank auf den von Weibern und Kindern, während Hunderte von Männern verdrängt wurden, die

Fabrikanten entdeckten, daß sie die Arbeit in ihrem Fabriklokal billiger tun lassen konnten als in der Werkstatt des Arbeiters, für die sie doch die Miete indirekt bezahlten; seitdem stehen die zu Scherzimmern eingerichteten niedrigen Oberstockwerke vieler Cottages leer oder werden als Wohnungen vermietet, während der Samtscherer die Freiheit der Wahl seiner Arbeitsstunden verloren hat und unter die Botmäßigkeit der Fabrikglocke gebracht ist. Mir sagte ein Samtscherer, der 45 Jahre alt sein mochte, er könne sich der Zeit erinnern, wo er für dieselbe Arbeit, die er jetzt für 1 d. die Yard tun müsse, 8 d. erhalten habe; allerdings könne er das egalere Gewebe rascher scheren als das frühere, aber er könne in der Stunde lange nicht das Doppelte von dem tun, was er früher in derselben Zeit getan – so daß sein Wochenlohn auf weniger als $^1/_4$ seines früheren gesunken ist. Leach gibt (Stubb. F. p. 35) eine Liste der Löhne, die 1827 und 1843 für verschiedene Stoffe bezahlt wurden, woraus hervorgeht, daß die Artikel, welche 1827 4 d., $2^1/_4$ d., $2^3/_4$ d., 1 d. per Yard bezahlt wurden, im Jahre 1843 nur $1^1/_2$ d., $^3/_4$ d., 1 d. und $^3/_8$ d. per Yard Scherlohn erhielten. Das Verhältnis des durchschnittlichen wöchentlichen Verdienstes stellt sich nach Leach so: 1827 Pfd. St. 1-6-6 d., Pfd. St. 1-2-6 d., Pfd. St. 1-–-–, Pfd. St. 1-6-6 d., und für gleiche Waren 1843 Pfd. St. –-10-6 d., Pfd. St. –-7-6 d., Pfd. St. –-6-8 d., Pfd. St. –-10-–, und es gibt Hunderte von Arbeitern, die zu diesen letzten Lohnsätzen nicht einmal ankommen können. – Von den *Handwebern* der Baumwollenindustrie haben wir schon gesprochen; die übrigen Webestoffe werden fast ausschließlich durch Handweber verfertigt, die meist auf dieselbe Weise wie die Samtscherer durch Eindringen der durch Maschinen verdrängten Arbeiter gelitten haben, und außerdem, wie die Fabrikarbeiter, unter einem strengen Strafgesetz wegen schlechter Arbeit stehen. Nehmen wir die *Seidenweber*. Der Seidenfabrikant Brocklehurst, einer der bedeutendsten von ganz England, hat einem Parlamentskomitee Listen aus seinen Büchern vorgelegt, aus denen hervorgeht, daß er für dieselben Artikel, für die er 1821 30 sh., 14 sh., $3^1/_2$sh., $^3/_4$ sh., $1^1/_{12}$ sh., 10 sh. Lohn bezahlte, 1831 nur 9 sh., $7^1/_2$ sh., $2^1/_4$ sh., $^1/_3$ sh., $^1/_2$ sh., $6^1/_4$ sh. bezahlt, während doch *hier* keine Verbesserungen der Maschinerie eingetreten waren. Was H[er]r Brocklehurst aber tut, kann wohl als Norm für ganz England angenommen werden. Aus denselben Listen geht hervor, daß der Durchschnittsverdienst seiner Weber nach allen Abzügen 1821 wöchentlich $16^1/_2$ sh. und 1831 nur 6 sh. betrug. Seitdem ist der Lohn noch mehr gefallen – die Gewebe, die 1831 $^1/_3$ sh. oder 4 Pence Weblohn per Yard brachten, bezahlen 1843 nur $2^1/_2$ Pence (es sind die single sarsnets[1]) –

[1] einfachen Taftgewebe

und eine große Anzahl von Webern auf dem Lande können sich nur Arbeit verschaffen, wenn sie diese Gewebe für $1^1/_2$ bis 2 Pence annehmen. Dazu kommt die willkürliche[1] Lohnverkürzung. Jeder Weber, der eine Kette holt, bekommt eine Karte dazu, worauf gewöhnlich steht: daß zu diesen oder jenen Tagesstunden die Arbeit angenommen wird, daß ein Weber, der krankheitshalber nicht arbeiten kann, dies innerhalb drei Tagen am Kontor muß anzeigen lassen, sonst gilt Krankheit für keine Entschuldigung; daß es nicht als genügende Entschuldigung angenommen wird, wenn der Weber sagt, er habe auf Garn für den Einschlag warten müssen, daß für gewisse Versehen an der Arbeit (wenn z.B. auf eine gewisse Länge des Stoffs mehr Einschlagsfäden kommen, als vorgeschrieben etc.) *nicht weniger* als der halbe Lohn abgezogen werden soll und daß, wenn der Stoff nicht in der bestimmten Zeit fertig ist, für jede Yard des aufgegebenen Stücks ein Penny deduziert wird. Die Lohnverkürzungen infolge dieser Karten sind so bedeutend, daß z.B. ein Mann, der zweimal wöchentlich nach Leigh in Lancashire kommt, um die Gewebe anzunehmen[2], seinem Fabrikanten mindestens fünfzehn Pfund (100 Taler preußisch) an Strafgeldern jedes Mal mitbringt. So sagt er selbst – und er gilt für einen der Tolerantesten. Früher wurden dergleichen Sachen durch Schiedsrichter entschieden, aber da die Arbeiter meist entlassen wurden, wenn sie darauf drangen, so ist dies jetzt ganz abgekommen, und der Fabrikant verfährt ganz willkürlich, ist Ankläger, Zeuge, Richter, Gesetzgeber und Vollstrecker, alles in einer Person. Und geht der Arbeiter zum Friedensrichter, so heißt es: Dadurch, daß Ihr die Karte annahmt, seid Ihr einen Kontrakt eingegangen, und den müßt Ihr jetzt erfüllen. Gerade wie bei den Fabrikarbeitern. Ohnehin läßt der Fabrikant den Arbeiter jedesmal ein Dokument unterzeichnen, worin dieser erklärt, er „willige in die gemachten Abzüge". Und sperrt er sich, so wissen gleich alle Fabrikanten der Stadt, daß er ein Mann ist, der, wie Leach sagt, der

„durch Karten verbrieften Ordnung und Gesetzlichkeit widerstrebt und die Frechheit hat, an der Weisheit derer zu zweifeln, die, wie er wissen müßte, doch seine Vorgesetzten in der Gesellschaft sind" (Stubb. Facts, p. 37–40).

Natürlich, die Weber sind *vollkommen* frei, der Fabrikant zwingt sie ja nicht, seine Ketten und Karten zu nehmen, aber er sagt ihnen, wie Leach es in gutes Englisch übersetzt:

„Wollt ihr nicht in meiner Schmorpfanne gebraten werden, so könnt ihr auch geradezu ins Feuer spazieren" (if you don't like to be frizzled in my frying-pan, you can take a walk into the fire).

---

[1] *(1892)* willkürlichste – [2] *(1892)* abzunehmen

Die Seidenweber von London, in Spitalfields namentlich, haben seit geraumer Zeit periodisch im größten Elend gelebt, und daß sie auch jetzt noch mit ihrer Lage keine Ursache haben zufrieden zu sein, folgt daraus, daß sie einen höchst tätigen Anteil an allen englischen und namentlich Londoner Arbeiterbewegungen nehmen. Die unter ihnen herrschende Not war die Ursache des Fiebers, das im östlichen Teile von London ausbrach und die Kommission zur Untersuchung der sanitärischen Verhältnisse der Arbeiterklasse veranlaßte. Wie sehen aber aus dem jüngsten Bericht des Londoner Fieberhospitals, daß dies Fieber noch immer fortwütet.

Nach den Kleiderstoffen sind vor allen andern die *Metallwaren* die wichtigste Klasse der durch die englische Industrie produzierten Artikel. Diese Fabrikation hat ihre Hauptsitze in *Birmingham*, wo feinere Metallwaren aller Art, in *Sheffield*, wo sämtliche Messerwaren, und *Staffordshire*, namentlich Wolverhampton, wo die gröberen Artikel, Schlösser, Nägel etc., gemacht werden. Fangen wir bei Schilderung der Lage der in diesen Industriezweigen beschäftigten Arbeiter mit Birmingham an. Die Einrichtung der Arbeit hat in *Birmingham*, wie überhaupt in den meisten Orten, wo Metalle verarbeitet werden, etwas von dem alten handwerksmäßigen Charakter behalten; die kleinen Meister bestehen noch fort und arbeiten mit ihren Lehrlingen entweder in der Werkstatt zu Hause oder, wo sie Dampfkraft gebrauchen, in großen Fabrikgebäuden, die in kleine, einzeln an die Meister vermietete Werkstätten eingeteilt und in allen Zimmern mit einem durch die Dampfmaschine bewegten Schaft versehen sind, durch den sich wiederum andere Maschinerie treiben läßt. Léon Faucher (Verfasser einer Reihe Artikel über englische Arbeiterverhältnisse in der „Revue des deux Mondes“ [96], die wenigstens Studium verraten und jedenfalls besser sind, als was bis jetzt sowohl Engländer wie Deutsche darüber geschrieben haben) bezeichnet dies Verhältnis im Gegensatz zu der großen Fabrikation von Lancashire und Yorkshire mit dem Namen der Démocratie industrielle[1] und bemerkt, daß dies keine sehr günstigen Resultate auf die Lage der Meister wie der Gesellen habe. Diese Bemerkung ist ganz richtig, denn die vielen kleinen Meister, auf die sich der von der Konkurrenz geregelte, sonst von einem einzigen großen Fabrikanten absorbierte Gewinn verteilt, können nicht gut dabei bestehen. Die zentralisierende Tendenz des Kapitals hält sie niedergedrückt, für einen, der sich bereichert, werden zehn ruiniert und hundert durch den Druck des einen Reichen, der billiger verkaufen kann als sie, schlechter gestellt als vorher. Und in den Fällen, wo sie von vornherein gegen große Kapitalisten zu

[1] industriellen Demokratie

konkurrieren haben, versteht es sich von selbst, daß sie gegen diese Konkurrenz nur mühsam ankommen können. Die Lehrlinge haben es, wie wir sehen werden, bei den kleinen Meistern wenigstens ebenso schlecht als bei den Fabrikanten, nur mit dem Unterschiede, daß sie später selbst Meister werden und so eine gewisse Selbständigkeit erhalten – d. h., sie werden von der Bourgeoisie weniger direkt als in den Fabriken ausgebeutet. So sind diese kleinen Meister weder rechte Proletarier – da sie teilweise von der Arbeit der Lehrlinge leben und nicht die Arbeit [97] selbst, sondern das fertige Produkt verkaufen – noch rechte Bourgeois, da es der Hauptsache nach immer ihre eigne Arbeit ist, die sie erhält. Diese eigentümliche, vermittelnde Stellung der Arbeiter von Birmingham ist schuld daran, daß sie sich sehr selten der englischen Arbeiterbewegung ganz und unverhohlen angeschlossen haben. Birmingham ist eine politisch-radikale, aber keine entschieden chartistische Stadt. Indes bestehen auch eine Menge größerer Fabriken für Rechnung von Kapitalisten, und in diesen herrscht das Fabriksystem vollkommen – die Teilung der Arbeit, die hier bis ins allereinzelnste (z.B. in der Nadelfabrikation) durchgeführt ist, sowie die Dampfkraft erlaubt die Beschäftigung einer großen Menge Weiber und Kinder, und wir finden hier (im Ch. E. Rept.) ganz dieselben Züge wieder, die uns der Fabrikbericht gab – Arbeit der Frauen bis zur Stunde der Niederkunft, Unfähigkeit, der Haushaltung vorzustehen, Vernachlässigung des Hauswesens und der Kinder, Gleichgültigkeit, ja Abneigung gegen das Familienleben, und Demoralisation – ferner Verdrängung der Männer von der Arbeit, fortwährende Maschinenverbesserung, frühe Emanzipation der Kinder, Männer, die von den Frauen und Kindern ernährt werden etc. etc. Die Kinder werden als halbverhungert und zerlumpt geschildert – *die Hälfte soll nicht wissen, was satt werden heißt*, viele leben den ganzen Tag von so viel Brot, als sie für einen Penny (10 Pf. preußisch) bekommen, oder erhalten vor dem Mittagessen keine Nahrung; ja, es kamen Beispiele vor, daß Kinder von 8 Uhr morgens bis 7 Uhr abends nichts zu essen bekamen. Die Kleidung sehr häufig kaum hinreichend, ihre Blöße zu bedecken; viele selbst im Winter barfuß. Daher sind sie alle klein und schwach für ihr Alter und entwickeln sich selten irgendwie kräftig; und wenn man bedenkt, daß bei diesen wenigen Mitteln zur Reproduktion der physischen Kräfte noch harte, lang anhaltende Arbeit in geschlossenen Räumen kommt, so wird man sich nicht darüber wundern, daß sich wenig erwachsene Leute in Birmingham finden, die für den Militärdienst passen.

„Die Arbeiter", sagt ein Rekrutierungsarzt, „sind klein, schmächtig und von sehr geringer Körperstärke – viele obendrein in Brust oder Rückgrat verwachsen."

Nach der Angabe eines rekrutierenden Unteroffiziers sind die Leute in Birmingham kleiner als irgendwo anders, meist 5 Fuß 4 bis 5 Zoll groß, und aus 613 angeworbenen Rekruten wurden nur 238 tauglich befunden. Was die Bildung betrifft, so wurde schon oben (S. 338 ff.) eine Reihe von Aussagen und Beispielen hierüber aus den Metallbezirken gegeben, auf die ich hier verweise; übrigens geht aus dem Ch. E. Rept. hervor, daß in Birmingham über die Hälfte der Kinder zwischen 5 und 15 Jahren keine Schule irgendeiner Art besuchen, daß die schulbesuchenden Kinder oft wechseln, so daß ihnen unmöglich irgendeine nachhaltige Bildung gegeben werden kann, und daß die Kinder alle sehr früh aus der Schule weggenommen und an die Arbeit gesetzt werden. Was für Lehrer dabei angewandt werden, geht ebenfalls aus diesem Bericht hervor; eine Lehrerin antwortete auf die Frage, ob sie auch Unterricht in der Moral gebe: Nein, für 3 Pence wöchentlich Schulgeld sei das nicht zu verlangen; mehrere andere verstanden selbst diese Frage nicht, und andere hielten dies durchaus nicht für einen Teil ihrer Pflicht. Eine Lehrerin sagte, Moral lehre sie nicht, aber sie bemühe sich, den Kindern gute Prinzipien beizubringen, und dabei machte sie einen derben Sprachschnitzer. In den Schulen selbst fand der Kommissär fortwährenden Lärm und Unordnung. Daher ist der sittliche Zustand der Kinder selbst im höchsten Grade beklagenswert; die Hälfte aller Verbrecher ist unter 15 Jahre alt, und in *einem* Jahre wurden allein 90 zehnjährige Verbrecher, unter denen 44 Kriminalfälle, verurteilt. Ungeregelter Geschlechtsverkehr scheint nach der Ansicht der Kommissäre fast allgemein und zwar schon in sehr jugendlichem Alter vorzukommen. (Grainger, Rept. et evid.)

In dem Eisendistrikt von *Staffordshire* sieht es noch schlimmer aus. Bei den groben Eisenwaren, die hier gemacht werden, ist weder viel Teilung der Arbeit (mit gewissen Ausnahmen) noch Dampfkraft und Maschinerie anzuwenden. Hier – in Wolverhampton, Willenhall, Bilston, Sedgeley, Wednesfield, Darlaston, Dudley, Walsall, Wednesbury etc. – gibt es daher weniger Fabriken, aber desto mehr kleine Schmieden, in denen die kleinen Meister einzeln mit einem oder mehreren Lehrlingen, die ihnen bis zum einundzwanzigsten Jahre dienstbar sind, arbeiten. Die kleinen Meister sind ungefähr in derselben Lage wie die von Birmingham, aber die Lehrlinge haben es meist weit schlechter. Sie bekommen fast nur das Fleisch von kranken, gefallenen Tieren oder faules Fleisch und faule Fische zu essen, desgleichen zu früh geworfene Kälber und auf der Eisenbahn erstickte Schweine. Und dies tun nicht nur kleine Meister, sondern auch größere Fabrikanten, die 30 bis 40 Lehrlinge haben. Dies scheint in Wolverhampton wirklich allgemein zu sein. Die natürliche Folge davon sind häufige Unterleibs- und andere Krankheiten.

Dazu bekommen die Kinder meist nicht satt zu essen und haben selten andere Kleider als ihr Arbeitszeug, so daß sie schon deshalb nicht in die Sonntagsschule gehen. Die Wohnungen sind schlecht und schmutzig, oft in so hohem Grade, daß Krankheiten daraus entstehen, und trotz der sonst meistens gesunden Arbeit sind die Kinder deshalb klein, schlecht gewachsen, schwach und in vielen Fällen arg verkrüppelt. In Willenhall z.B. sind unzählige Leute, die von dem ewigen Feilen am Schraubstock einen Buckel und *ein* krummes Bein – das Hinterbein, hind-leg, wie sie's nennen – haben, so daß die Beine die Form eines K haben; dazu soll mindestens der dritte Teil der dortigen Arbeiter einen Bruch haben. Hier sowohl wie in Wolverhampton fanden sich zahllose Beispiele zurückgehaltener Pubertät sowohl bei Mädchen – auch diese arbeiten in den Schmieden! – als Knaben selbst bis zum neunzehnten Jahr. In Sedgeley und der Umgegend, wo fast nur Nägel geschmiedet werden, wohnen und arbeiten die Leute in erbärmlichen stallähnlichen Hütten, die an Schmutz ihresgleichen suchen. Mädchen und Knaben führen vom zehnten oder zwölften Jahre an den Hammer und gelten erst dann für voll ausgebildete Arbeiter, wenn sie tausend Nägel jeden Tag liefern. Für 1200 Nägel ist der Lohn $5^3/_4$ Pence oder nicht ganz 5 Silbergroschen. Jeder Nagel bekommt 12 Schläge, und da der Hammer $1^1/_4$ Pfd. wiegt, so muß der Arbeiter 18000 Pfd. heben, bis er diesen elenden Lohn verdient hat. Bei dieser schweren Arbeit und der ungenügenden Nahrung müssen die Kinder einen schlecht ausgebildeten, kleinen, schwachen Körper bekommen, wie dies auch durch die Angaben der Kommissäre bestätigt wird. Über den Stand der Bildung auch in diesem Distrikte sind oben schon Data gegeben worden. Die Bildung steht in diesem Bezirk wirklich unglaublich niedrig, die Hälfte aller Kinder besucht nicht einmal eine Sonntagsschule, und die andre Hälfte tut dies auch nur sehr unregelmäßig; sehr wenige im Vergleich mit andern Distrikten können lesen, und mit dem Schreiben ist's noch viel schlechter bestellt. Natürlich, denn zwischen dem siebenten und zehnten Jahre werden die Kinder an die Arbeit gestellt, gerade wenn sie *eben* fähig werden, eine Schule mit Nutzen zu besuchen, und die Sonntagsschullehrer – Schmiede oder Grubenleute – können oft kaum lesen und nicht einmal ihren Namen schreiben. Der moralische Zustand ist diesen Erziehungsmitteln entsprechend. In Willenhall, behauptet Kommissär Horne – und liefert reichliche Belege dazu –, existiert durchaus kein sittliches Gefühl unter den Arbeitern. Überhaupt fand er, daß die Kinder weder Pflichten gegen ihre Eltern kannten, noch Zuneigung für sie fühlten. Sie waren so wenig fähig zu überlegen, was sie sagten, so abgestumpft, so tierisch dumm, daß sie oft behaupteten, sie würden gut behandelt, es ginge ihnen vortrefflich, wenn sie zwölf bis vierzehn Stunden arbeiten mußten, in

Lumpen gingen, nicht satt zu essen bekamen und geschlagen wurden, daß sie es einige Tage nachher noch fühlten. Sie wußten von keiner andern Lebensweise, als von morgens bis abends sich abzuplagen, bis man ihnen erlaubte aufzuhören, und verstanden nicht einmal die ihnen unerhörte Frage: ob sie müde seien (Horne, Rept. and evid.).

In *Sheffield* ist der Lohn besser und daher mit ihm auch die äußere Lage der Arbeiter. Dagegen sind hier einige Arbeitszweige wegen ihrer außerordentlich nachteiligen Wirkung auf die Gesundheit zu bemerken. Gewisse Operationen bedingen den fortwährenden Druck von Werkzeugen gegen die Brust und erzeugen häufig die Schwindsucht, andere, z.B. Feilenhauen, hindern die allgemeine Entwicklung des Körpers und bringen Unterleibsbeschwerden hervor; das Knochenschneiden (zu Messerheften) zieht Kopfschmerzen, Gallenübel und bei Mädchen, deren viele dabei beschäftigt sind, Bleichsucht nach sich. Bei weitem die ungesundeste Arbeit ist aber das Schleifen der Klingen und Gabeln, das, besonders wenn es auf trocknen Steinen geschieht, unfehlbar einen frühen Tod nach sich zieht. Die Ungesundheit dieser Arbeit liegt teils in der gebückten Stellung, bei der die Brust und der Magen gedrückt wird, besonders aber in der Menge scharfkantigen, metallischen Staubes, der beim Schleifen abspringt, die Atmosphäre füllt und notwendig eingeatmet wird. Die Trockenschleifer werden durchschnittlich kaum 35, die Naßschleifer selten über 45 Jahre alt. Dr. Knight in Sheffield sagt:

„Ich kann die Schädlichkeit dieser Beschäftigung nur dadurch einigermaßen deutlich machen, daß ich die stärksten Trinker unter den Schleifern für die langlebigsten unter ihnen erkläre, weil sie am meisten von ihrer Arbeit abwesend sind. Im ganzen sind etwa 2500 Schleifer in Sheffield. Ungefähr 150 (80 Männer und 70 Knaben) sind Gabelschleifer – diese sterben zwischen dem 28. und 32. Lebensjahre; die Rasiermesserschleifer, die sowohl naß als trocken schleifen, sterben zwischen 40 und 45 Jahren, und die Tischmesserschleifer, die naß schleifen, sterben zwischen 40 und 50 Jahren."

Derselbe Arzt gibt folgende Schilderung des Verlaufs ihrer Krankheit, des sogenannten Schleifer-Asthma:

„Sie fangen ihre Arbeit gewöhnlich mit dem vierzehnten Jahre an, und wenn sie eine gute Konstitution haben, so spüren sie vor dem zwanzigsten Jahre selten viel Beschwerden. Dann fangen die Symptome ihrer eigentümlichen Krankheit an, sich zu zeigen; der Atem geht ihnen bei der geringsten Anstrengung, beim Treppen- oder Bergsteigen, gleich aus, sie halten die Schultern hoch, um die beständige und zunehmende Atemnot zu erleichtern, sie beugen sich nach vorn und scheinen überhaupt sich in der gedrückten Stellung, in der sie arbeiten, am behaglichsten zu fühlen; ihre Gesichtsfarbe wird schmutziggelb, ihre Gesichtszüge drücken Angst aus, sie klagen über Beklommenheit auf der Brust; ihre Stimme wird rauh und heiser, sie husten laut, wie wenn die Luft durch eine hölzerne Röhre getrieben würde. Von Zeit zu Zeit expektorieren sie bedeutende Quantitäten Staub, entweder mit Schleim vermengt oder in kugel- oder zylinderförmigen Massen, mit einem dünnen Überzuge von Schleim. Blutspeien, Unfähigkeit zu liegen, Nachtschweiß, kolliquative Diarrhöe, ungewöhnliche Abmagerung mit allen gewöhnlichen Symptomen der Lungenschwindsucht raffen sie endlich hin, nachdem sie monate-, ja oft jahrelang gesiecht haben, unfähig, sich und die Ihrigen durch Arbeit zu ernähren[1]. Ich muß hinzufügen, daß alle Versuche, die bis jetzt gemacht wurden, das Schleifer-Asthma zu verhindern oder zu heilen, gänzlich fehlgeschlagen sind."

Dies schrieb Knight vor zehn Jahren; seitdem hat sich die Zahl der Schleifer und die Wut der Krankheit vermehrt, man hat aber auch Versuche gemacht, durch verdeckte Schleifsteine und Ableitung des Staubes durch Zug der Krankheit zuvorzukommen. Diese sind wenigstens teilweise gelungen, aber die Schleifer selbst wollen ihre Anwendung nicht und haben sie sogar hier und da zerschlagen – weil sie glauben, daß dadurch mehr Arbeiter in ihr Geschäft kommen und ihren Lohn drücken würden; sie sind für „ein kurzes Leben, aber ein lustiges". Dr. Knight hat oft Schleifern, die mit den ersten Symptomen des Asthma zu ihm kamen, gesagt: Ihr holt euch den Tod, wenn ihr wieder zurück zum Schleifstein geht. Aber es hat nie geholfen; wer einmal Schleifer war, der war auch verzweifelt, als ob er sich dem Teufel verkauft hätte. Die Bildung ist in Sheffield auf einer sehr niedrigen Stufe; ein Geistlicher, der sich viel mit der Statistik der Erziehung beschäftigt hatte, war der Ansicht, daß aus 16500 Kindern der arbeitenden Klasse, die imstande seien, eine Schule zu besuchen, kaum 6500 lesen könnten; dies kommt daher, daß die Kinder schon mit dem siebenten und allerspätestens mit dem zwölften Jahre aus der Schule genommen werden und daß die Schulmeister nichts taugen (einer von ihnen war ein überführter Dieb, der nach seiner Entlassung aus dem Gefängnis kein anderes Mittel fand, sich zu ernähren, als die Schulmeisterei!). Die Immoralität scheint in Sheffield unter der Jugend größer zu sein als irgendwo anders (man weiß freilich kaum, welcher Stadt man den Preis zuerkennen soll, und wenn man die Berichte liest, so glaubt man von jeder, sie verdiene ihn). Die jungen Leute liegen sonntags den ganzen Tag auf der Straße, werfen Geld auf[98] oder hetzen Hunde aufeinander, gehen fleißig in die Branntweinschenken und sitzen dort mit ihren Schätzchen zusammen, bis sie spät abends paarweise einsame Promenaden machen. In einer Kneipe, die der Kommissär besuchte, saßen 40 bis 50 junge Leute beiderlei Geschlechts, fast alle unter 17 Jahren, jeder Junge bei seinem Mädel. Hier und da wurde Karten gespielt, in andern gesungen oder

[1] *(1845)* irrtümlich: erniedrigen

getanzt, überall getrunken. Dazwischen saßen erklärte Freudenmädchen von Profession. Kein Wunder also, daß, wie alle Zeugen aussagen, der frühe regellose Geschlechtsverkehr, jugendliche Prostitution, schon bei Individuen von 14 und 15 Jahren außerordentlich häufig in Sheffield ist. Verbrechen, und zwar von sehr wilder, verzweifelter Art, sind gang und gäbe; ein Jahr vor Ankunft des Kommissärs wurde eine Bande, meist junger Leute, gefangengenommen, als sie eben im Begriff war, die Stadt in Brand zu stecken; sie waren mit Lanzen und Brennstoffen vollkommen equipiert. Wir werden später sehen, daß die Arbeiterbewegung in Sheffield denselben wilden Charakter hat (Symons, Rept. and evid.).

Außer diesen Hauptstapelplätzen der Metallverarbeitung gibt es noch Stecknadelfabriken in Warrington (Lancashire), wo ebenfalls unter den Arbeitern, besonders den Kindern, viel Elend, Immoralität und Unwissenheit herrscht, und eine Anzahl Nagelschmieden in der Gegend von Wigan (Lancashire) und im Osten von Schottland; die Berichte aus diesen letzteren Distrikten stimmen fast ganz mit denen aus Staffordshire überein. Es bleibt uns nun noch ein einziger Zweig dieser Industrie – die *Maschinenfabrikation*, die namentlich in den Fabrikdistrikten, besonders in Lancashire betrieben wird und bei der das Eigentümliche die Verfertigung von Maschinen durch Maschinen ist, wodurch den sonst verdrängten Arbeitern die letzte Zufluchtsstätte, die Beschäftigung bei der Fabrikation der Maschinen, durch welche sie brotlos wurden, wieder genommen wurde. Maschinen zum Hobeln und Bohren, Maschinen, die Schrauben, Räder, Schraubenmuttern usw. schneiden, mechanische Drehbänke haben auch hier eine Menge Arbeiter, die früher zu gutem Lohn regelmäßig beschäftigt waren, brotlos gemacht, und wer Lust hat, kann deren in Manchester eine Menge sehen.

Nördlich von dem Eisendistrikt von Staffordshire liegt ein industrieller Bezirk, zu dem wir uns jetzt wenden wollen: die *Töpfereien* (potteries), deren Hauptsitz die Gemeinde (borough) Stoke ist, welche die Ortschaften Henley, Burslem, Lane End, Lane Delph, Etruria, Coleridge, Langport, Tunstall und Golden Hill mit zusammen 60000 Einwohnern umfaßt. Der Ch. E. Rept. berichtet hierüber: In einigen Zweigen dieser Fabrikation – von Steingut – haben die Kinder eine leichte Beschäftigung in warmen, luftigen Sälen; in andern dagegen wird von ihnen eine harte, anstrengende Arbeit verlangt, während sie weder hinreichende Nahrung noch gute Kleidung erhalten. Viele Kinder klagen: „Habe nicht genug zu essen, bekomme meist Kartoffeln und Salz, nie Fleisch, nie Brot, geh' nicht in die Schule, hab' keine Kleider nicht." – „Habe heute gar nichts zu Mittag gehabt, zu Hause haben sie nie ein Mittagessen, bekomme meist Kartoffeln und Salz, zuweilen Brot." –

„Dies sind alle Kleider, die ich habe, kein Sonntagszeug zu Hause." Unter den Kindern, deren Arbeit besonders nachteilig ist, sind die mould-runners zu bemerken, die die fertig geformte Ware mit der Form in die Trockenstube zu tragen haben und nachher, wenn die erstere gehörig getrocknet ist, die leere Form zurückbringen. Sie müssen so den ganzen Tag unter einem für ihr Alter schweren Gewicht ab und zu gehen, und die hohe Temperatur, in der sie dies zu tun haben, vermehrt ihre Abmattung noch bedeutend. Diese Kinder sind, mit kaum einer einzigen Ausnahme, mager, blaß, schwächlich, klein und schlecht gewachsen; sie leiden fast alle an Magenübeln, Erbrechen, Mangel an Appetit, und viele von ihnen sterben an der Auszehrung. Fast ebenso schwächlich sind die Knaben, die mit dem Namen jiggers bezeichnet werden, nach dem Rad (jigger), das sie zu drehen haben. Am schädlichsten aber ist bei weitem die Arbeit derer, die die fertige Ware in eine Flüssigkeit, welche große Quantitäten Blei und häufig auch viel Arsenik enthält, eintauchen oder die frischeingetauchte Ware in die Hände zu nehmen haben. Die Hände und Kleider dieser Arbeiter – Männer und Kinder – sind immer naß von dieser Flüssigkeit, die Haut wird weich und löst sich bei dem fortwährenden Anfassen rauher Gegenstände ab, so daß die Finger oft bluten und fortwährend in einem Zustande sind, der die Absorption dieser gefährlichen Stoffe im höchsten Grade begünstigt. Die Folgen davon sind heftige Schmerzen und ernstliche Krankheiten des Magens und der Eingeweide, hartnäckige Konstipation, Kolik, zuweilen Auszehrung und *am allerhäufigsten Epilepsie* bei Kindern. Bei Männern tritt gewöhnlich teilweise Lähmung der Handmuskeln, colica pictorum und Lähmung ganzer Glieder ein. Ein Zeuge erzählt, daß zwei Knaben, die mit ihm arbeiteten, bei der Arbeit in Krämpfen gestorben seien; ein anderer, der zwei Jahre als Knabe beim Eintauchen geholfen, erzählt, er habe anfangs heftige Unterleibsbeschwerden gehabt, dann einen Krampf, infolgedessen er zwei Monate bettlägerig war, seitdem Krämpfe immer häufiger, jetzt alle Tage, *oft zehn bis zwanzig epileptische Anfälle an einem Tage*. Seine rechte Seite sei gelähmt, und wie die Ärzte ihm sagten, werde er nie den Gebrauch seiner Glieder wiedererhalten. In einer Fabrik im Eintauchhause vier Männer, alle epileptisch und an heftiger Kolik leidend, und elf Knaben, von denen auch schon einige epileptisch. Kurz, diese fürchterliche Krankheit tritt infolge dieser Beschäftigung ganz allgemein ein, und auch das zum größeren Geldgewinn der Bourgeoisie! In den Zimmern, in denen das Steingut gescheuert wird, ist die Atmosphäre mit fein pulverisiertem Kieselstaub angefüllt, dessen Einatmung ebenso schädlich wirkt wie die des Stahlstaubes bei den Sheffielder Schleifern. Den Arbeitern geht der Atem aus, sie können nicht ruhig liegen, leiden an wunder Kehle, heftigem

Husten und bekommen eine so leise Stimme, daß man sie kaum hören kann. Sie sterben auch alle an der Schwindsucht. In den potteries sollen verhältnismäßig viele Schulen sein, die den Kindern Gelegenheit zum Unterricht bieten, aber da sie so früh in die Fabriken geschickt werden und solange arbeiten müssen (meist zwölf und oft mehr Stunden), so sind sie nicht imstande, die Schulen zu benutzen, und daher konnten drei Viertel der vom Kommissär geprüften Kinder weder lesen noch schreiben, und der ganze Distrikt war in der tiefsten Unwissenheit. Kinder, die jahrelang Sonntagsschulen besucht haben, waren nicht imstande, einen Buchstaben vom andern zu unterscheiden, und im ganzen Distrikt steht außer der intellektuellen auch die sittliche und religiöse Bildung auf einer sehr niedrigen Stufe (Scriven, Rept. and evid.).

Auch in der *Glasfabrikation* kommen Arbeiten vor, die zwar Männern wenig zu schaden scheinen, aber dennoch von Kindern nicht ertragen werden können. Die harte Arbeit, die Unregelmäßigkeit der Arbeitszeit, das häufige Nachtarbeiten und besonders die große Hitze der Arbeitslokale (100 bis 130° Fahrenheit[1]) erzeugen bei Kindern allgemeine Schwäche und Krankheit, schlechten Wuchs, und besonders Augenübel, Unterleibskrankheiten und bronchitische und rheumatische Affektionen. Viele Kinder sind blaß, haben rote, oft wochenlang erblindete Augen, leiden an heftiger Übelkeit, Erbrechen, Husten, Erkältungen und Rheumatismus. Bei dem Herausnehmen der Ware aus den Öfen müssen die Kinder häufig in eine solche Hitze hineingehen, daß ihnen die Bretter, auf denen sie stehen, unter den Füßen in Brand geraten. Die Glasbläser sterben meist früh an Schwäche und Brustleiden. (Leifchild, Rept. App. Pt. II, p. L 2, ss. 11, 12; Franks, Rept. App. Pt. II, p. K 7, s. 48; Tancred, Evid. App. Pt. II, p. i 76 etc., alle im Ch. E. Rept.).

Im allgemeinen bezeugt derselbe Bericht in allen Zweigen der Industrie das allmähliche, aber sichere Eindringen des Fabriksystems, das sich besonders durch die Beschäftigung von Weibern und Kindern zu erkennen gibt. Ich habe es nicht für nötig gehalten, überall die Fortschritte der Maschinerie und die Verdrängung der erwachsenen Männer weiterzuverfolgen. Wer mit dem Industriewesen einigermaßen bekannt ist, wird sich dies leicht selbst ergänzen können, während mir hier der Raum mangelt, diese bei Gelegenheit des Fabriksystems in ihren Resultaten entwickelte Seite des jetzigen Produktionssystems in ihren Einzelheiten zu verfolgen. Überall wendet man Maschinen an und vernichtet dadurch die letzte Spur der Unabhängigkeit des Arbeiters. Überall löst sich durch die Arbeit der Frau und der Kinder die Familie auf

[1] *(1845)* und *(1892)* irrtümlich: 300 bis 330° Fahrenheit

oder wird gar durch die Brotlosigkeit des Mannes auf den Kopf gestellt; überall liefert die Unvermeidlichkeit der Maschinerie dem großen Kapitalisten das Geschäft und mit ihm die Arbeiter in die Hände. Die Zentralisation des Besitzes schreitet unaufhaltsam vorwärts, die Trennung der Gesellschaft in große Kapitalisten und besitzlose Arbeiter wird täglich schärfer, die industrielle Entwicklung der Nation rückt mit Riesenschritten auf eine unausbleibliche Krisis los.

Ich erwähnte schon oben, daß in den *Handwerken* die Macht des Kapitals und mitunter auch die Teilung der Arbeit dasselbe Resultat herbeigeführt, die kleine Bourgeoisie verdrängt und an ihre Stelle große Kapitalisten und besitzlose Arbeiter gesetzt haben. Über diese Handwerker ist im Grunde wenig zu sagen, da alles, was auf sie Bezug hat, bereits da seine Stelle gefunden hat, wo von dem industriellen Proletariat im allgemeinen die Rede war; auch hat sich hier in der Art der Arbeit und ihrem Einflusse auf die Gesundheit seit dem Eintritt der industriellen Bewegung wenig verändert. Aber die Berührung mit den eigentlichen Industriearbeitern, der Druck der großen Kapitalisten, der viel fühlbarer wurde als der der kleinen Meister, zu denen der Geselle doch noch in einem persönlichen Verhältnisse stand, die Einflüsse großstädtischen Lebens und der fallende Lohn haben fast alle Handwerker zu tätigen Teilnehmern der Arbeiterbewegungen gemacht. Wir werden hierüber sogleich zu reden haben und wenden uns inzwischen zu einer Klasse der arbeitenden Bevölkerung von London, die wegen der außerordentlichen Barbarei, mit welcher sie von der Geldgier der Bourgeoisie ausgebeutet wird, besondere Beachtung verdient. Ich meine die Putzmacherinnen und Nähterinnen.

Es ist eigentümlich, daß gerade die Verfertigung derjenigen Artikel, welche zum Schmuck der *Damen von der Bourgeoisie* dienen, mit den traurigsten Folgen für die Gesundheit der dabei beschäftigten Arbeiter verknüpft ist. Wir sahen dies schon oben bei der Spitzenfabrikation und haben jetzt wieder die Putzmacherläden von London zum Beweise für diese Angabe. Diese Etablissements beschäftigen eine Menge junger Mädchen – es sollen ihrer im ganzen 15000 sein –, welche im Hause wohnen und essen, meist vom Lande herkommen und so die vollständigen Sklaven der Brotherrschaft sind. Während der fashionablen Saison, die etwa vier Monate im Jahre dauert, sind selbst in den besten Etablissements die Arbeitsstunden täglich fünfzehn und, wenn dringende Geschäfte vorkommen, achtzehn; in den meisten Läden indes wird während dieser Zeit ohne alle feste Zeitbestimmung gearbeitet, so daß die Mädchen nie mehr als sechs, oft nur drei oder vier, ja zuweilen nur zwei Stunden in vierundzwanzig zur Ruhe und zum Schlaf frei haben und neunzehn bis zweiundzwanzig Stunden gearbeitet wird, wenn sie nicht, was oft genug vorkommt, die ganze Nacht durcharbeiten müssen! Die einzige Grenze, die ihrer Arbeit gesetzt wird, ist die positive physische Unfähigkeit, die Nadel auch nur eine Minute länger zu führen. Es kommen Fälle vor, wo diese hülflosen Geschöpfe neun Tage lang hintereinander nicht aus den Kleidern kamen und nur gelegentlich dann und wann ein paar Augenblicke auf einer Matratze ausruhen konnten, wo man ihnen das Essen kleingeschnitten vorsetzte, damit sie es in der kürzestmöglichen Zeit verschlucken könnten; kurz, diese unglücklichen Mädchen werden durch die moralische Sklavenpeitsche – die Drohung der Entlassung – in einer so anhaltenden und unablässigen Arbeit erhalten, wie sie kein starker Mann, geschweige denn zarte Mädchen von 14 bis 20 Jahren ertragen können. Dazu die dumpfige Luft der Arbeitszimmer und ebenfalls der Schlafsäle, die gebückte Stellung, die oft schlechte, schwerverdauliche Kost – alles das, aber vor allem die lange Arbeit und Absperrung von der freien Luft, erzeugt die traurigsten Resultate für die Gesundheit der Mädchen. Mattigkeit und Erschlaffung, Schwäche, Verlust des Appetits, Schmerzen in den Schultern, dem Rücken und den Hüften, besonders aber Kopfschmerzen treten sehr bald ein; dann Verkrümmung des Rückgrats, hohe, verwachsene Schultern, Abmagerung, geschwollene, fließende und schmerzhafte Augen, die bald kurzsichtig werden, Husten, Engbrüstigkeit und kurzer Atem sowie alle weiblichen Entwicklungskrankheiten. Die Augen leiden in vielen Fällen so stark, daß unheilbare Blindheit, gänzliche Desorganisation des Auges eintritt, und wenn das Gesicht gut genug bleibt, um eine Fortsetzung der Arbeit möglich zu machen, so endigt gewöhnlich die Schwindsucht das kurze, traurige Leben dieser Putzmacherinnen. Selbst bei denjenigen, die diese Arbeit früh genug verlassen, bleibt die körperliche Gesundheit für immer zerstört, die Kraft der Konstitution gebrochen; sie sind fortwährend, besonders in der Ehe, siech und schwächlich und bringen kränkliche Kinder zur Welt. Alle Ärzte, die von dem Kommissär (der Ch. Empl. Comm.) befragt wurden, äußerten sich einstimmig dahin, daß keine Lebensweise erfunden werden könne, die mehr als diese dahin ziele, die Gesundheit zu vernichten und einen frühen Tod herbeizuführen.

Mit derselben Grausamkeit, nur etwas mehr indirekt, werden die *Nähterinnen* überhaupt in London ausgebeutet. Die Mädchen, welche sich mit der Anfertigung von Schnürleibchen beschäftigen, haben eine harte, mühsame, das Auge anstrengende Arbeit, und was ist der Lohn, den sie bekommen? Ich weiß es nicht, aber das weiß ich, daß der Unternehmer, der Bürgschaft für das ihm überlieferte Material geben muß und die Arbeit an die einzelnen Nähterinnen verteilt, $1^1/_2$ Penny, 15 Pfennig preußisch, für das Stück erhält. Davon geht sein Nutzen noch ab, und der ist mindestens $^1/_2$ Penny – höchstens also 1 Penny geht in die Tasche des armen Mädchens. Die Mädchen, welche Halsbinden nähen, müssen sich zu sechzehnstündiger Arbeit verpflichten und erhalten wöchentlich $4^1/_2$ sh., $1^1/_2$ Taler preußisch, wofür sie etwa soviel kaufen können wie für 20 Silbergroschen in der teuersten Stadt Deutschlands.* Am schlimmsten aber ergeht es denen, die Hemden nähen. Sie bekommen für ein gewöhnliches Hemd $1^1/_2$ Pence – früher bekamen sie 2 bis 3 Pence, aber seitdem das Armenhaus von St.Pancras, das von einer *bourgeoisie-radikalen*[1] Behörde verwaltet wird, anfing zu $1^1/_2$ Pence Arbeit zu übernehmen, mußten die armen Frauenzimmer es auch tun. Für feine, verzierte Hemden, die bei achtzehnstündiger Arbeit in einem Tage fertiggemacht werden können, wird 6 Pence, 5 Silbergroschen, bezahlt. Der Lohn dieser Nähterinnen beträgt hiernach und nach vielseitigen Aussagen von Arbeiterinnen und Übernehmern[2], bei sehr angestrengter, tief in die Nacht hinein fortgesetzter Arbeit wöchentlich $2^1/_2$ bis 3 Shilling! Und was dieser schändlichen Barbarei die Krone aufsetzt, ist, daß die Nähterinnen den Betrag der ihnen anvertrauten Materialien teilweise deponieren müssen, was sie natürlich nicht anders können, als wenn sie – wie dies auch die Eigentümer wissen – einen Teil derselben verpfänden und entweder mit Verlust einlösen, oder, wenn sie die Stoffe nicht auslösen *können*, vor das Friedensgericht wandern müssen, wie dies einer Nähterin im November 1843 geschah. Ein armes Mädchen, das in diesem Falle war und nicht wußte, was es anfangen sollte, ertränkte sich im August 1844 in einem Kanal. Diese Nähterinnen leben gewöhnlich in kleinen Dachstübchen im größten Elende, wo sich ihrer so viele in einem Zimmer zusammendrängen, als der Raum nur eben erlaubt, und wo im Winter meist die animalische Wärme der Anwesenden das einzige Heizungsmittel ist. Dort sitzen sie über ihre Arbeit gebückt und nähen von morgens vier oder fünf bis Mitternacht, verwüsten ihre Gesundheit in ein paar Jahren und bringen sich in ein frühes Grab, ohne sich auch nur die allerdringendsten Bedürfnisse verschaffen zu können**, während unten zu

* Vgl. „Weekly Dispatch", 17.März 1844.

** Thomas Hood, der talentvollste aller jetzigen englischen Humoristen und, wie alle Humoristen, voll menschlichen Gefühls, aber ohne alle geistige Energie, veröffentlichte im Anfange des Jahres 1844, als das Elend der Nähterinnen alle Zeitungen füllte, ein schönes Gedicht: „The Song of the Shirt", das Lied vom Hemde, das manche mitleidige, aber nutzlose Träne den Augen der Bourgeoisietöchter entlockte. Ich habe nicht Raum genug, um es hier wiedergeben zu können; es stand ursprünglich im „Punch" und machte dann die Runde durch die Zeitungen. Da die Lage der Nähterinnen damals in allen Zeitungen besprochen wurde, sind spezielle Zitate überflüssig.

[1] *(1892) bourgeois-radikalen* – [2] *(1892)* Unternehmern (offenbar Druckfehler)

ihren Füßen die glänzenden Karossen der hohen Bourgeoisie vorbeirollen und während vielleicht zehn Schritt weiter ein erbärmlicher Dandy an einem Abend mehr Geld im Pharo verliert, als sie sich im ganzen Jahre erwerben können.

Das ist die Lage des englischen industriellen Proletariats. Überall, wohin wir uns wenden, finden wir dauerndes oder temporäres Elend, Krankheiten, die aus der Lage oder der Arbeit entstehen, Demoralisation; überall Vernichtung, langsame, aber sichere Untergrabung der menschlichen Natur in körperlicher wie geistiger Beziehung. Ist das ein Zustand, der dauern kann?

Dieser Zustand kann und wird nicht dauern. Die Arbeiter, die große Majorität des Volks, wollen es nicht. Sehen wir zu, was *sie* von diesem Zustande sagen.

Arbeiterbewegungen

Man wird mir zugeben, selbst wenn ich es nicht so oft im einzelnen nachgewiesen hätte, daß die englischen Arbeiter sich in dieser Lage nicht glücklich fühlen können; daß die ihrige keine Lage ist, in der ein Mensch oder eine ganze Klasse von Menschen menschlich denken, fühlen und leben können[1]. Die Arbeiter müssen sich also bestreben, aus dieser vertierenden Lage herauszukommen, sich eine bessere, menschlichere Stellung zu verschaffen, und dies können sie nicht tun, ohne gegen das Interesse der Bourgeoisie als solcher, das eben in der Ausbeutung der Arbeiter besteht, anzukämpfen; die Bourgeoisie aber verteidigt ihr Interesse mit allen Kräften, die sie durch den Besitz und die ihr zu Gebote stehende Staatsmacht aufzuwenden imstande ist. Sowie der Arbeiter sich aus der jetzigen Lage der Dinge herausarbeiten will, wird der Bourgeois sein erklärter Feind.

Der Arbeiter merkt es aber außerdem jeden Augenblick, daß die Bourgeoisie ihn wie eine Sache, wie ihr Eigentum behandelt, und schon deshalb tritt er als Feind der Bourgeoisie auf. Ich habe oben an hundert Beispielen nachgewiesen und hätte an hundert andern nachweisen können, daß unter den jetzigen Verhältnissen der Arbeiter seine Menschheit nur durch den Haß und die Empörung gegen die Bourgeoisie retten kann. Und daß er mit der heftigsten Leidenschaft gegen die Tyrannei der Besitzenden protestieren *kann*, dafür sorgt seine Erziehung oder vielmehr Erziehungslosigkeit und das viele heiße irische Blut, das in die englische Arbeiterklasse übergegangen ist. Der englische Arbeiter ist kein Engländer mehr, kein kalkulierender Geldmensch wie sein besitzender Nachbar, er hat voller entwickelte Gefühle, seine angeborne nordische Kälte wird durch die Ungebundenheit, in der seine Leidenschaften sich ausbilden und die Herrschaft über ihn erringen konnten, aufgewogen. Die Verstandesbildung, die die selbstsüchtige Anlage des eng-

[1] *(1892)* kann

lischen Bourgeois so bedeutend entwickelt, die die Selbstsucht zu seiner herrschenden Leidenschaft gemacht und alle Gefühlskraft auf den einen Punkt der Geldgier konzentriert hat, fehlt dem Arbeiter, und dafür sind seine Leidenschaften stark und mächtig wie beim Ausländer. Die englische Nationalität ist im Arbeiter vernichtet.

Wenn, wie wir sahen, dem Arbeiter kein einziges Feld für die Betätigung seiner Menschheit gelassen ist als die Opposition gegen seine ganze Lebenslage, so ist es natürlich, daß gerade in dieser Opposition die Arbeiter am liebenswürdigsten, am edelsten, am menschlichsten erscheinen müssen. Wir werden sehen, daß alle Kraft, alle Tätigkeit der Arbeiter sich auf diesen einen Punkt richtet und daß selbst die Bemühungen, sich sonstige humane Bildung zu erwerben, alle in direkter Verbindung mit ihm stehen. Wir werden allerdings von einzelnen Gewaltsamkeiten und selbst Brutalitäten zu berichten haben, aber es ist immer zu bedenken, daß der soziale Krieg in England offen besteht und daß, wenn es das Interesse der Bourgeoisie ist, diesen Krieg heuchlerisch, unter dem Scheine des Friedens und selbst der Philanthropie zu führen, dem Arbeiter nur eine Offenlegung der wahren Verhältnisse, eine Zerstörung dieser Heuchelei dienen kann; daß also selbst die gewaltsamsten Feindseligkeiten der Arbeiter gegen die Bourgeoisie und ihre Diener nur der offene, unverhohlene Ausdruck dessen sind, was die Bourgeoisie den Arbeitern verstohlen und heimtückisch antut.

Die Empörung der Arbeiter gegen die Bourgeoisie hat bald nach der industriellen Entwicklung angefangen und verschiedene Phasen durchgemacht. Es ist hier nicht der Ort, die historische Bedeutung dieser Phasen für die Entwicklung des englischen Volks näher darzulegen; dies muß ich mir für eine spätere Arbeit vorbehalten und mich einstweilen auf die bloßen Tatsachen, soweit sie zur Charakteristik der Lage des englischen Proletariats dienen, beschränken.

Die erste, rohste und unfruchtbarste Form dieser Empörung war das Verbrechen. Der Arbeiter lebte in Not und Elend und sah, daß andere Leute es besser hatten als er. Seinem Verstande leuchtete nicht ein, weshalb er grade, der doch mehr für die Gesellschaft tat als der reiche Faulenzer, unter diesen Umständen leiden sollte. Die Not besiegte noch dazu den angestammten Respekt vor dem Eigentum – er stahl. Wir sahen, wie mit der Ausdehnung der Industrie das Verbrechen zunahm, wie die jährliche Zahl der Verhaftungen im steten Verhältnis zu der der konsumierten Baumwollballen steht.

Aber die Arbeiter sahen bald ein, daß dies nichts half. Die Verbrecher konnten nur einzeln, nur als Individuen durch ihren Diebstahl gegen die bestehende Gesellschaftsordnung protestieren; die ganze Macht der Gesellschaft warf sich auf jeden einzeln und erdrückte ihn mit einer ungeheuren Übermacht. Zudem war der Diebstahl die ungebildetste, bewußtloseste Form der Protestation und schon deshalb nie der allgemeine Ausdruck für die öffentliche Meinung der Arbeiter, obwohl sie ihn im stillen billigen mochte. Die Arbeiter*klasse* ergriff erst Opposition gegen die Bourgeoisie, als sie sich gewaltsam der Einführung von Maschinerie widersetzte, wie dies gleich im Anfange der industriellen Bewegung geschah. Die ersten Erfinder, Arkwright usw., wurden schon auf diese Weise verfolgt und ihre Maschinen zerschlagen; später kamen eine Menge von Aufständen gegen Maschinerie vor, bei denen es fast genauso zuging wie bei den böhmischen Druckerunruhen im Juni 1844 [76]; die Fabriken wurden demoliert und die Maschinen zertrümmert.

Auch diese Art der Opposition war nur vereinzelt, auf gewisse Lokalitäten beschränkt und richtete sich nur gegen eine einzige Seite der jetzigen Verhältnisse. War der augenblickliche Zweck erreicht, so fiel die volle Wucht der gesellschaftlichen Macht auf die wieder wehrlosen Übeltäter und züchtigte sie nach Herzenslust, während die Maschinerie dennoch eingeführt wurde. Man mußte eine neue Form für die Opposition finden.

Hierzu half ein Gesetz, das vom alten, unreformierten, oligarchisch-torystischen Parlament erlassen wurde, ein Gesetz, das später, als durch die Reformbill der Gegensatz zwischen Bourgeoisie und Proletariat gesetzlich sanktioniert und die Bourgeoisie zur herrschenden Klasse erhoben wurde, nie mehr das Unterhaus passiert hätte. Dies Gesetz ging im Jahre 1824 durch und hob alle Akte auf, durch welche bisher Verbindungen zwischen Arbeitern zu Arbeiterzwecken verboten gewesen waren. Die Arbeiter bekamen das bisher nur der Aristokratie und Bourgeoisie gehörende *Recht der freien Assoziation.* Geheime Verbindungen hatten zwar schon bisher immer unter den Arbeitern bestanden, hatten es aber nie zu großen Resultaten bringen können. In Schottland hatte unter andern, wie Symons („Arts and Artisans", p. 137ff.) erzählt, schon 1812 unter den Webern in Glasgow eine allgemeine Arbeitseinstellung stattgefunden, die durch eine geheime Assoziation zustande gebracht wurde. Sie wiederholte sich 1822, und bei dieser Gelegenheit wurde zweien Arbeitern, die sich der Assoziation nicht anschließen wollten und infolgedessen von den Assoziierten als Verräter an ihrer Klasse betrachtet wurden, Vitriolöl ins Gesicht geschüttet, wodurch sie den Gebrauch der Augen verloren. Ebenso war 1818 die Assoziation der schottischen Grubenarbeiter mächtig genug, um eine allgemeine Arbeitseinstellung durchsetzen zu können. Diese Assoziationen ließen ihre Mitglieder einen Eid der Treue und Verschwiegenheit ablegen, hatten regelmäßige Listen, Kassen, Buchführung und lokale Verzweigungen. Aber die Heimlichkeit, mit der alles getrieben wurde, lähmte ihre Entwicklung. Als dagegen die Arbeiter 1824 das freie Assoziationsrecht erhielten, wurden diese Verbindungen sehr bald über ganz England ausgedehnt und mächtig. In allen Arbeitszweigen bildeten sich solche Vereine (trades unions) mit der unverhohlenen Absicht, den einzelnen Arbeiter gegen die Tyrannei und Vernachlässigung der Bourgeoisie zu schützen. Ihre Zwecke waren: den Lohn festzustellen und en masse, als *Macht* mit den Arbeitgebern zu unterhandeln, den Lohn nach dem Nutzen[1] des Arbeitgebers zu regulieren, ihn zu erhöhen, wenn gelegene Zeit kam, und ihn in jedem einzelnen Handwerke überall gleich hoch zu erhalten; deshalb pflegten sie mit den Kapitalisten wegen einer allgemein zu beobachtenden Lohnskala zu unterhandeln und jedem einzelnen, der sich weigerte, dieser Skala beizutreten, die Arbeit aufzukündigen. Ferner, durch Beschränkung der Annahme von Lehrlingen die Nachfrage nach Arbeitern immer lebhaft und dadurch den Lohn hochzuhalten, der hinterlistigen Lohnverkürzung der Fabrikanten durch Einführung von neuen Maschinen und Werkzeugen etc. soviel wie möglich entgegenzuarbeiten; und endlich, brotlose Arbeiter durch Geldmittel zu unterstützen. Dies geschieht entweder direkt aus der Vereinskasse oder durch eine Karte, worauf die nötige Legitimation verzeichnet steht und auf die hin der Arbeiter von einem Orte zum andern wandert, von seinen Gewerbsgenossen unterstützt und über die beste Gelegenheit, Arbeit zu erhalten, unterrichtet wird. Diese Wanderschaft heißt bei den Arbeitern the tramp, und der so Wandernde ein tramper. Um diese Zwecke zu erreichen, wird ein Präsident und Sekretär mit Gehalt – da zu erwarten steht, daß kein Fabrikant solche Leute beschäftigen werde – sowie ein Komitee ernannt, das die wöchentlichen Beiträge erhebt und über deren Verwendung zu den Zwecken der Assoziation wacht. Wenn es möglich war und sich vorteilhaft erwies, so vereinigten sich die Handwerksgenossen einzelner Distrikte auch wohl zu einer föderierten Verbindung und hielten zu bestimmten Zeiten Versammlungen von Delegierten. In einzelnen Fällen ist es versucht worden, die Genossen *eines* Gewerks über ganz England zu *einer* großen Verbindung zu vereinigen und mehrere Male – zuerst 1830 – eine allgemeine Arbeiterassoziation des ganzen Reichs, mit besonderer Organisation jedes Gewerks in sich, zu vereinigen. Diese Assoziationen hielten sich indes nie lange und kamen selten auch nur für den Augenblick zustande, da nur eine außerordentliche allgemeine Aufregung imstande ist, eine solche Verbindung möglich und wirksam zu machen.

[1] *(1892)* Profit

Die Mittel, die diese Verbindungen zur Erreichung ihrer Zwecke anzuwenden pflegen, sind folgende. Weigert sich ein einzelner oder mehrere Meister, den von der Assoziation festgesetzten Lohn zu bezahlen, so wird ihm eine Deputation geschickt oder eine Petition (man sieht, die Arbeiter wissen die Gewalt des absoluten Fabrikherrn in seinem kleinen Staate anzuerkennen) eingereicht; hilft das nicht, so befiehlt die Assoziation, die Arbeit einzustellen, und alle Arbeiter gehen nach Hause. Diese Arbeitseinstellung (turn-out oder strike) ist entweder partial, wenn einer oder einige, oder allgemein, wenn sämtliche Arbeitgeber des Gewerks sich weigern, den Lohn nach den Vorschlägen der Assoziation zu regeln. So weit gehen die gesetzlichen Mittel der Verbindung, falls nämlich die Arbeitseinstellung, was nicht immer der Fall ist, unter vorheriger Kündigung geschieht. Aber diese gesetzlichen Mittel sind eben sehr schwach, sobald es noch Arbeiter gibt, die außer der Assoziation stehen oder sich von ihr durch augenblickliche, vom Bourgeois gebotene Vorteile trennen lassen. Namentlich bei partialen Arbeitseinstellungen kann sich der Fabrikant leicht aus diesen räudigen Schafen (Knobsticks[1] genannt) rekrutieren und dadurch die Anstrengungen der vereinigten Arbeiter fruchtlos machen. Gewöhnlich werden diese Knobsticks dann von den Verbindungsgliedern bedroht, gescholten, geschlagen oder sonst gemißhandelt, kurz, auf jede Weise eingeschüchtert; eine Klage folgt, und da die gesetzliebende Bourgeoisie bis jetzt noch die Macht hat, so ist die Kraft der Assoziation durch den ersten gesetzwidrigen Akt, durch die erste gerichtliche Klage gegen ihre Mitglieder fast jedesmal gebrochen.

Die Geschichte dieser Verbindungen ist eine lange Reihe von Niederlagen der Arbeiter, unterbrochen von wenigen einzelnen Siegen. Es ist natürlich, daß alle diese Anstrengungen das Gesetz der Ökonomie nicht ändern können, daß sich der Lohn durch das Verhältnis der Nachfrage zum Angebot im Arbeitsmarkte richtet[2]. Daher sind diese Verbindungen gegen alle *großen* Ursachen, die auf dies Verhältnis wirken, ohnmächtig; in einer Handelskrisis muß die Assoziation den Lohn selbst herabsetzen oder sich gänzlich auflösen, und bei einer bedeutenden Steigerung der Nachfrage nach Arbeit kann sie den Lohn nicht höherstellen, als es ohnehin von selbst durch die Konkurrenz der Kapitalisten geschehen würde. Aber gegen kleinere, einzeln wirkende Ursachen sind sie allerdings mächtig. Hätte der Fabrikant von den Arbeitern keine konzentrierte, massenhafte Opposition zu erwarten, so würde er um seines Nutzens willen allmählich den Lohn immer mehr und mehr drücken; der Kampf der Konkurrenz, den er gegen die andern Fabrikanten

[1] Streikbrecher; auch Arbeiter, die unter dem Tariflohn arbeiten – [2] *(1892)* bestimmt

zu bestehen hat, würde ihn sogar dazu zwingen und der Lohn bald auf sein Minimum sinken. Diese Konkurrenz der Fabrikanten *unter sich* wird aber *in Durchschnittsverhältnissen* allerdings durch die Opposition der Arbeiter gehemmt. Jeder Fabrikant weiß, daß die Folge einer nicht durch Umstände, denen auch seine Konkurrenten unterworfen sind, gerechtfertigten Lohnverkürzung ein Strike sein würde, der ihm sichern Schaden bringt, weil sein Kapital für die Dauer desselben müßig stehen, seine Maschinerie verrosten würde, während es in einem solchen Falle allerdings noch sehr ungewiß ist, ob er seine Lohnverkürzung durchsetzt und er die Gewißheit hat, daß, sowie sie ihm gelingt, seine Konkurrenten ihm folgen, die Preise des Fabrikats drücken und ihm dadurch den Nutzen derselben wieder entziehen werden. Dann bringen die Verbindungen allerdings öfter eine schnellere Erhöhung des Lohnes nach einer Krisis hervor, als diese sonst eintreten würde; der Fabrikant hat ja das Interesse, den Lohn nicht früher zu erhöhen, als die Konkurrenz seiner Mitfabrikanten ihn dazu zwingt, während jetzt die Arbeiter selbst einen höheren Lohn fordern, wenn der Markt sich bessert und sie den Fabrikanten unter solchen Umständen wegen geringerer Auswahl von Arbeitern oft durch eine Arbeitseinstellung zur Lohnerhöhung zwingen können. Aber wie gesagt, gegen bedeutendere Ursachen, die den Arbeitsmarkt verändern, sind die Verbindungen wirkungslos. In solchen Fällen treibt der Hunger die Arbeiter allmählich dazu, zu jeden Bedingungen die Arbeit wieder anzutreten, und wenn erst einige wieder eingetreten sind, so ist die Macht der Assoziation gebrochen, weil diese wenigen Knobsticks mit den noch im Markte befindlichen Warenvorräten die Bourgeoisie in den Stand setzen, die schlimmsten Folgen der Geschäftsstörung zu beseitigen. Die Fonds der Assoziation werden durch die Menge der zu Unterstützenden bald erschöpft, der Kredit, den die Krämer gegen hohe Zinsen geben, wird auf die Dauer verweigert, und die Not zwingt die Arbeiter, in das Joch der Bourgeoisie zurückzukehren. Weil aber die Fabrikanten in ihrem eignen Interesse – freilich ist es nur durch die Opposition der Arbeiter ihr Interesse geworden – alle unnötigen Lohnverkürzungen vermeiden müssen, während die Arbeiter in jeder durch die Handelsverhältnisse bedingten Herabsetzung des Lohns eine Verschlechterung ihrer Lage fühlen, gegen die sie sich möglichst zu wahren haben, deshalb fallen die meisten Turnouts zum Nachteil der Arbeiter aus. Man wird fragen, weshalb denn die Arbeiter in solchen Fällen, wo doch die Nutzlosigkeit der Maßregel auf der Hand liegt, die Arbeit einstellen? Einfach, weil sie gegen die Herabsetzung des Lohns und selbst gegen die Notwendigkeit dieser Herabsetzung protestieren *müssen*, weil sie erklären müssen, daß sie, als Menschen, nicht nach den Verhältnissen sich zu schicken, sondern daß die Verhältnisse sich nach *ihnen*, den Menschen, zu richten haben; weil ihr Stillschweigen eine Anerkennung dieser Verhältnisse, eine Anerkennung sein würde des Rechtes der Bourgeoisie, während guter Handelsperioden die Arbeiter auszubeuten und sie in schlechten Zeiten verhungern zu lassen. Die Arbeiter müssen dagegen protestieren, solange sie noch nicht alles menschliche Gefühl verloren haben, und daß sie *so* und nicht anders protestieren, kommt daher, weil sie Engländer, praktische Leute sind, die ihren Protest durch eine *Tat* einlegen, und nicht wie die deutschen Theoretiker ruhig schlafen gehen, sobald ihr Protest gehörig protokolliert und ad acta gelegt ist, um dort ebenso ruhig zu schlafen wie die Protestierenden. Der tatsächliche Protest des Engländers dagegen hat seine Wirkung, er hält die Geldgier der Bourgeoisie in gewissen Schranken und erhält die Opposition der Arbeiter gegen die gesellschaftliche und politische Allmacht der besitzenden Klasse lebendig, während er ihnen allerdings auch das Geständnis abzwingt, daß etwas mehr als Arbeiterverbindungen und Turnouts nötig ist, um die Herrschaft der Bourgeoisie zu brechen. Was aber diesen Assoziationen und den aus ihnen hervorgehenden Turnouts die eigentliche Wichtigkeit gibt, ist das, daß sie der erste Versuch der Arbeiter sind, *die Konkurrenz aufzuheben*. Sie setzen die Einsicht voraus, daß die Herrschaft der Bourgeoisie nur auf der Konkurrenz der Arbeiter unter sich beruht, d. h. auf der Zersplitterung des Proletariats, aus der Entgegensetzung der einzelnen Arbeiter gegeneinander. Und gerade weil sie sich, wenn auch nur einseitig, nur auf beschränkte Weise gegen die Konkurrenz, gegen den Lebensnerv der jetzigen sozialen Ordnung richten, gerade deshalb sind sie dieser sozialen Ordnung so gefährlich. Der Arbeiter kann die Bourgeoisie und mit ihr die ganze bestehende Einrichtung der Gesellschaft an keinem wunderen Fleck angreifen als an diesem. Ist die Konkurrenz der Arbeiter unter sich gestört, sind alle Arbeiter entschlossen, sich nicht mehr durch die Bourgeoisie ausbeuten zu lassen, so ist das Reich des Besitzes am Ende. Der Arbeitslohn ist ja bloß deshalb von dem Verhältnisse von Nachfrage und Angebot, von der zufälligen Lage des Arbeitsmarktes abhängig, weil die Arbeiter sich bisher gefallen ließen, als Sache, die man kauft und verkauft, behandelt zu werden. Beschließen die Arbeiter, sich nicht mehr kaufen und verkaufen zu lassen, treten sie bei der Bestimmung, was denn eigentlich der Wert der Arbeit sei, als *Menschen* auf, die neben der Arbeitskraft auch einen Willen haben, so ist es aus mit der ganzen heutigen Nationalökonomie und den Gesetzen des Lohns. Die Gesetze des Lohns würden allerdings auf die Dauer sich wieder geltend machen, wenn die Arbeiter bei der Aufhebung der Konkurrenz unter sich selbst stehenbleiben; aber das können sie nicht, ohne ihre ganze bisherige Bewegung aufzugeben, ohne diese Konkurrenz der Arbeiter unter sich wiederherzustellen, d. h., sie können es überhaupt nicht. Die Notwendigkeit zwingt sie dazu, nicht nur einen *Teil* der Konkurrenz, sondern die Konkurrenz überhaupt aufzuheben – und das werden sie auch tun. Die Arbeiter sehen es schon jetzt täglich mehr ein, was sie an der Konkurrenz haben, sie sehen besser ein als die Bourgeois, daß auch die Konkurrenz der Besitzenden unter sich, indem sie die Handelskrisen hervorbringt, auf den Arbeiter drückt, und daß auch diese zu beseitigen ist. Sie werden es bald einsehen, *wie* sie dies anzufangen haben.

Daß diese Verbindungen sehr dazu beitragen, den Haß und die Erbitterung der Arbeiter gegen die besitzende Klasse zu nähren, braucht wohl nicht erst gesagt zu werden. Von diesen Verbindungen gehen daher – mit oder ohne Mitwissen der leitenden Mitglieder – in Zeiten ungewöhnlicher Aufregung einzelne Handlungen aus, die nur durch einen bis zur Verzweiflung gesteigerten Haß, durch eine wilde, alle Schranken durchbrechende Leidenschaft zu erklären sind. Dieser Art sind die oben erwähnten Fälle von Übergießung mit Vitriolöl und eine Reihe anderer, von denen ich einige erzählen will. 1831 wurde während einer heftigen Arbeiterbewegung der junge Ashton, Fabrikant in Hyde bei Manchester, eines Abends, als er durch die Felder ging, erschossen, und nie eine Spur des Täters entdeckt. Es ist kein Zweifel, daß es eine Tat der Rache von Arbeitern war. – Brandstiftungen und Sprengungsversuche sind sehr häufig. Freitag, den 29. September 1843 wurde ein Versuch gemacht, die Werkstatt des Sägenfabrikanten Padgin in Howard Street, *Sheffield,* in die Luft zu sprengen. Eine eiserne, mit Pulver gefüllte und zugekeilte Röhre war das Mittel dazu – der Schade war beträchtlich. Am folgenden Tag, den 30. September, fiel ein ähnlicher Versuch in der Messer- und Feilenfabrik von Ibbetson, *Shales Moor* bei *Sheffield,* vor. Herr Ibbetson hatte sich durch tätige Teilnahme an Bourgeoisie-Bewegungen, durch niedrigen Lohn, ausschließliche Beschäftigung von Knobsticks und Ausbeutung der Armengesetze zu seinem Vorteil (indem er während der Krisis 1842 die Arbeiter dadurch zur Annahme niedrigen Lohnes zwang, daß er die Weigernden der Armenverwaltung als solche, die Arbeit bekommen könnten, aber nicht wollten, und also keine Unterstützung verdienten, namhaft machte) verhaßt gemacht. Ziemlicher Schaden wurde durch die Explosion angerichtet, und alle Arbeiter, die ihn zu besehen kamen, bedauerten nur, „daß nicht die ganze Geschichte in die Luft gesprengt sei". – Freitag, den 6. Oktober 1843 ein Brandstiftungsversuch in der Fabrik von Ainsworth und Crompton in *Bolton,* richtete keinen Schaden an – es war der dritte oder vierte Versuch in einer sehr kurzen Zeit und in derselben Fabrik. – In der Sitzung des Stadtrats von

Sheffield am Mittwoch, den 10. Januar 1844 legte der Polizeikommissär eine eigens zum Sprengen gemachte Maschine von Gußeisen vor, die, mit vier Pfund Pulver gefüllt und mit einer angebrannten, aber erloschenen Lunte versehen, in der Fabrik des Herrn Kitchen, Earl Street, Sheffield, gefunden war. – Sonntag, den 20. Januar 1844 fiel eine Explosion in der Sägemühle von Bentley und White, *Bury*, Lancashire, vor, die, durch hineingeworfene Pulverpakete verursacht, bedeutenden Schaden anrichtete. – Donnerstag, den 1. Februar 1844 wurden die Soho Wheel Works in *Sheffield* in Brand gesteckt und ein Raub der Flammen. – Das sind sechs derartige Fälle in vier Monaten, die alle nur in der Erbitterung der Arbeiter gegen die Arbeitgeber ihren Grund haben. Welch ein sozialer Zustand derjenige sein muß, in dem solche Dinge nur *möglich* sind, brauche ich wohl nicht zu sagen. Diese Tatsachen sind Beleg genug, daß in England, selbst in flotten Geschäftsperioden, wie Ende 1843, der soziale Krieg erklärt ist und offen gehandhabt wird – und doch besinnt sich die englische Bourgeoisie noch immer nicht! – Aber der Fall, der am lautesten spricht, ist der der *Thugs von Glasgow**, der vor den Assisen dieser Stadt vom 3. bis 11. Januar 1838 verhandelt wurde. Aus den Verhandlungen ging hervor, daß die Assoziation der Baumwollspinner, die hier seit 1816 existierte, eine seltene Organisation und Kraft besaß. Die Mitglieder waren durch Eid an die Beschlüsse der Majorität gebunden und hatten während jedes Turnouts ein geheimes Komitee, das der großen Menge der Mitglieder nicht bekannt war und unbeschränkt über die Gelder verfügen konnte. Das Komitee stellte Preise auf die Köpfe von Knobsticks, verhaßten Fabrikanten und auf Brandstiftungen in Fabriken. Eine Fabrik wurde so in Brand gesteckt, in welcher weibliche Knobsticks anstatt der Männer zum Spinnen beschäftigt wurden; eine Frau MacPherson, Mutter eines dieser Mädchen, ermordet, und die beiden Mörder für Rechnung der Assoziation nach Amerika geschafft. – 1820 schon war auf einen Knobstick, namens MacQuarry, geschossen und dieser verwundet worden, wofür der Täter 15 Pfund Sterling von der Assoziation bekam. Später wurde ebenfalls auf einen gewissen Graham geschossen; der Täter erhielt 20 Pfund, wurde aber entdeckt und auf Lebenszeit transportiert. 1837 endlich, im Mai, fielen infolge eines Turnouts bei den Oatbank- und Mile-End-Fabriken Unruhen vor, wobei etwa ein Dutzend Knobsticks mißhandelt wurden; im Juli desselben Jahres dauerten die Unruhen noch fort, und ein gewisser Smith, ein Knobstick, wurde so mißhandelt, daß er starb. Jetzt wurde das Komitee verhaftet, die Unter-

* Thugs wurden diese Arbeiter nach dem ostindischen, bekannten Volksstamm genannt, dessen einziges Gewerbe der Meuchelmord aller Fremden ist, die ihm in die Hände fallen.

suchung begonnen und infolge derselben der Präsident und die Hauptmitglieder der Teilnahme an ungesetzlichen Verbindungen, der Mißhandlung der Knobsticks und der Brandstiftung in der Fabrik von James und Francis Wood schuldig befunden und für 7 Jahre transportiert. – Was sagen unsere guten Deutschen zu dieser Geschichte?*

Die besitzende Klasse und namentlich der fabrizierende Teil derselben, der unmittelbar mit den Arbeitern in Berührung kommt, eifert mit der größten Heftigkeit gegen diese Verbindungen und sucht den Arbeitern fortwährend die Nutzlosigkeit derselben mit Gründen zu beweisen, die nationalökonomisch ganz richtig, aber eben deswegen teilweise falsch und für einen Arbeiterverstand ganz und gar wirkungslos sind. Schon der Eifer der Bourgeoisie beweist, daß sie nicht uninteressiert bei der Sache ist, und abgesehen von dem unmittelbaren Schaden eines Turnouts stehen die Sachen hier so, daß das, was in die Taschen des Fabrikanten geht, notwendig aus der des Arbeiters gehen muß. Und wüßten selbst die Arbeiter nicht zu gut, daß die Verbindungen die wetteifernde Lohnkürzungslust ihrer Brotherrn wenigstens einigermaßen im Zaume halten, so würden sie schon deshalb dabeibleiben, weil sie den Fabrikanten, ihren Gegnern, dadurch schaden. Im Kriege ist der Schaden einer Partei der Nutzen der andern, und da die Arbeiter gegen ihre Fabrikherrn auf dem Kriegsfuße stehen, so ist das nur dasselbe, was die hohen Potentaten auch tun, wenn sie sich gegenseitig in die Haare geraten. – Vor allen andern Bourgeois ist wieder unser Freund, der Doktor Ure, der wütendste Feind aller Arbeiterverbindungen. Er schäumt vor Entrüstung über die „geheimen Tribunale" der Baumwollspinner, der mächtigsten Arbeitersektion, Tribunale, die sich rühmen, jeden ungehorsamen Fabrikanten paralysieren zu können, „und so den Mann ruinieren, der ihnen jahrelang Unterhalt gab". Er spricht von einer Zeit, „wo das erfinderische Haupt und das belebende

---

* „Was für eine Art ‚wilder Gerechtigkeit' (wild-justice) muß es gewesen sein in den Herzen dieser Männer, die sie antreibt, mit kalter Überlegung, im Konklave versammelt, ihren arbeitenden Mitbruder als Deserteur von seinem Stande und von der Sache seines Standes zum Tode eines Verräters und Deserteurs zu verurteilen, ihn hinzurichten, da ein öffentlicher Richter und Henker es nicht tut, durch einen heimlichen Henker, gleich dem alten Femgericht und geheimen Tribunal der Ritterzeit, das plötzlich in dieser Weise sich erneuert, mehr als einmal plötzlich vor das erstaunte Auge der Leute tritt, nicht in Panzerhemden, sondern in Samtjacken gekleidet, nicht in westfälischen Wäldern sich versammelnd, sondern im gepflasterten Gallowgate von Glasgow! – – Solch ein Gefühl muß weit verbreitet sein, und *stark* unter der *Menge*, wenn es auch nur in seiner höchsten Spitze eine solche Gestalt in *wenigen* annehmen kann!" – *Carlyle*, „Chartism" [London 1840], p. 41.

Herz der Industrie durch die unruhigen unteren Glieder in Knechtschaft erhalten wurden" – schade, daß die englischen Arbeiter sich nicht so leicht durch deine Fabel beschwichtigen lassen wie die römischen Plebejer, neuer Menenius Agrippa![99] –, und erzählt endlich folgende schöne Geschichte: Die Mule-Grobspinner hätten auch einmal ihre Kräfte bis zur Unerträglichkeit gemißbraucht. Hoher Lohn, anstatt zu dankbarem Sinne gegen den Fabrikanten und geistiger Ausbildung (in unschädlichen, der Bourgeoisie wohl gar nützlichen Wissenschaften, versteht sich) zu führen, habe in vielen Fällen Stolz hervorgebracht und Gelder zur Unterstützung des widerspenstigen Geistes in Strikes herbeigeschafft, mit denen eine Anzahl von Fabrikanten nach der andern ganz willkürlich heimgesucht worden sei. Während eines unglückseligen Lärms dieser Art in Hyde, Dukinfield und den umliegenden Ortschaften hätten sich die Fabrikanten der Gegend, besorgt, von den Franzosen, Belgiern und Amerikanern aus dem Markte vertrieben zu werden, an die Maschinenfabrik von Sharp, Roberts und Comp. mit der Bitte gewandt, das erfinderische Talent des Herrn Sharp auf die Konstruktion einer automatischen Mule zu lenken, um „das Geschäft von vergällender Sklaverei und drohendem Ruin zu retten".

„In wenig Monaten war eine Maschine fertig, die dem Anscheine nach mit dem Denkvermögen, Gefühl und Takt des erfahrnen Arbeiters begabt war. So sprang der *eiserne Mann*, wie die Arbeiter sie nennen, *aus den Händen des modernen Prometheus auf das Gebot der Minerva* – ein Geschöpf, bestimmt, unter den industriellen Klassen die Ordnung wiederherzustellen und den Engländern die Herrschaft der Industrie zu sichern. Die Nachricht von diesem herkulischen Wunder verbreitete Entsetzen in der Arbeiterverbindung, *und selbst ehe es, sozusagen, die Wiege verließ, erwürgte es die Hydra der Anarchie.*"

So beweist Ure ferner, daß die Erfindung der Maschine, womit vier und fünf Farben zu gleicher Zeit gedruckt werden, eine Folge der Unruhen unter den Kattundruckern gewesen sei, daß Widersetzlichkeiten der Kettenschlichter in den Maschinenwebereien eine neue vervollkommnete Maschine zum Schlichten hervorgerufen hätten, und noch andere dergleichen Fälle.* Derselbe Ure plagt sich kurz vorher, mehrere Bogen lang zu beweisen, daß Maschinerie den Arbeitern vorteilhaft sei! Ure ist übrigens nicht der einzige; im Fabrikbericht läßt Herr Ashworth, der Fabrikant, und mancher andre sich keine Gelegenheit entgehen, seinem Zorne über diese Assoziationen Luft zu machen. Diese weisen Bourgeois machen es gerade wie gewisse Regierungen und leiten alle Bewegungen, welche sie nicht verstehen, von dem Einflusse böswilliger Agitatoren, Übelgesinnter, Demagogen,

* *Ure*, „Philosophy of Manufactures", p. 366ff.

Schreier und junger Leute her; sie behaupten, die bezahlten Agenten dieser Verbindungen seien bei der Agitation interessiert, weil sie von ihr lebten – als ob nicht die Bourgeoisie diese Bezahlung nötig machte, weil sie solche Leute nicht beschäftigen will!

Die unglaubliche Häufigkeit dieser Arbeitseinstellungen beweist es am besten, wieweit der soziale Krieg schon über England hereingebrochen ist. Es vergeht keine Woche, ja fast kein Tag, wo nicht hier oder dort ein Strike vorkommt – bald wegen Lohnverkürzung, bald wegen verweigerter Lohnerhöhung, bald wegen Beschäftigung von Knobsticks, bald wegen verweigerter Abstellung von Mißbräuchen oder schlechten Einrichtungen, bald wegen neuer Maschinerie, bald aus hundert andern Ursachen. Diese Strikes sind allerdings erst Vorpostenscharmützel, zuweilen auch bedeutendere Gefechte; sie entscheiden nichts, aber sie sind der sicherste Beweis, daß die entscheidende Schlacht zwischen Proletariat und Bourgeoisie herannaht. Sie sind die Kriegsschule der Arbeiter, in der sie sich auf den großen Kampf vorbereiten, der nicht mehr zu vermeiden ist; sie sind die Pronunciamientos einzelner Arbeitszweige über ihren Anschluß an die große Arbeiterbewegung. Und wenn man einen Jahrgang des „Northern Star", des einzigen Blattes, das alle Bewegungen des Proletariats berichtet, vergleicht, so wird man finden, daß alle Arbeiter der Städte und der ländlichen Industrie sich zu Assoziationen vereinigt und von Zeit zu Zeit durch allgemeines Feiern gegen die Herrschaft der Bourgeoisie protestiert haben. Und als Kriegsschule sind sie von unübertrefflicher Wirkung. In ihnen entwickelt sich die eigentümliche Tapferkeit des Engländers. Es heißt auf dem Kontinent, die Engländer und besonders die Arbeiter seien feig, sie könnten keine Revolution machen, weil sie nicht gleich den Franzosen jeden Augenblick Emeuten machen, weil sie sich das Bourgeoisie-Regime so scheinbar ruhig gefallen lassen. Dies ist ganz falsch. Die englischen Arbeiter geben keiner Nation an Mut etwas nach, sie sind ebenso unruhig wie die Franzosen, aber sie kämpfen anders. Die Franzosen, die durchaus politischer Natur sind, kämpfen auch gegen soziale Übel auf politischem Wege; die Engländer, für die die Politik nur um des Interesses, um der bürgerlichen Gesellschaft willen existiert, kämpfen, statt gegen die Regierung, direkt gegen die Bourgeoisie, und dies kann mit Effekt einstweilen nur auf friedlichem Wege geschehen. Die Geschäftsstockung und das ihr folgende Elend erzeugte 1834 zu Lyon den Aufstand für die Republik, 1842 zu Manchester den allgemeinen Turnout für die Volkscharte und hohen Lohn. Daß aber zu einem Turnout auch Mut und das bedeutender, ja oft ein viel höherer Mut, eine viel kühnere, festere Entschlossenheit gehört als zu einer Emeute, das versteht sich von selbst. Es ist wahrhaft keine Kleinigkeit für einen Arbeiter, der das Elend aus Erfahrung kennt, ihm mit Frau und Kindern entgegenzugehen, Hunger und Not monatelang zu ertragen und dabei fest und unerschütterlich zu bleiben. Was ist der Tod, was sind die Galeeren, die dem französischen Revolutionär bevorstehen, gegen das langsame Verhungern, gegen den täglichen Anblick der verhungernden Familie, gegen die Gewißheit der dereinstigen Rache der Bourgeoisie, die der englische Arbeiter der Unterwerfung unter das Joch der besitzenden Klasse vorzieht? Wir werden unten ein Beispiel von diesem hartnäckigen, unüberwindlichen Mute des englischen Arbeiters sehen, der sich erst dann der Gewalt ergibt, wenn aller Widerstand zwecklos und unsinnig wäre. Und gerade in dieser ruhigen Ausdauer, in dieser lang anhaltenden Entschlossenheit, die täglich hundert Proben zu bestehen hat, gerade hierin entwickelt der englische Arbeiter die achtunggebietendste Seite seines Charakters. Leute, die so viel erdulden, um einen einzigen Bourgeois zu beugen, werden auch imstande sein, die Macht der ganzen Bourgeoisie zu brechen. Aber auch abgesehen davon hat der englische Arbeiter oft genug Mut gezeigt. Daß der Turnout von 1842 keine weiteren Folgen hatte, lag daran, daß teils die Arbeiter durch die Bourgeoisie in ihn hineingejagt, teils selbst über ihren Zweck weder klar noch einig waren. Aber sonst haben sie ihren Mut da, wo es sich um bestimmte *soziale* Zwecke handelte, oft genug bewiesen. Von der wälschen[1] Insurrektion 1839 nicht zu reden, wurde während meiner Anwesenheit in Manchester (im Mai 1843) dort ein vollständiges Gefecht geliefert. Eine Ziegelfabrik (Pauling & Henfrey) hatte nämlich die Form der Ziegel vergrößert, ohne den Lohn zu erhöhen, und verkaufte die größeren Ziegel natürlich zu höherem Preise. Die Arbeiter, denen höherer Lohn abgeschlagen wurde, gingen fort, und die Assoziation der Ziegelmacher erklärte die Firma in die Acht. Mit vieler Mühe gelang es dieser indes, sich aus der Umgegend und den Knobsticks Arbeiter zu verschaffen, gegen die zuerst Intimidation gebraucht wurde. Die Firma stellte zur Bewachung des Hofes zwölf Männer, alles ehemalige Soldaten und Polizeidiener, auf und bewaffnete sie mit Flinten. Als nun die Intimidation nichts half, überfiel eines Abends um zehn Uhr eine Schar Ziegelmacher, die in militärischer Ordnung, die ersten Glieder mit Flinten bewaffnet, heranzog, den Hof, der kaum vierhundert Schritt von einer Infanteriekaserne entfernt liegt.* Die Leute drangen ein, und sobald sie die Wächter gewahr wurden, feuerten sie

* An der Ecke von Cross Lane und Regent Road – siehe den Plan von Manchester.[2]

[1] so bei Engels für: walisischen – [2] siehe S. 277

auf diese, zerstampften die ausgebreiteten nassen Ziegel, rissen die aufgehäuften Reihen der schon getrockneten ein, demolierten alles, was ihnen in den Weg kam, und drangen in ein Gebäude ein, wo sie die Möbel zerschlugen und die Frau des dort wohnenden Aufsehers mißhandelten. Unterdes hatten die Wächter sich hinter eine Hecke postiert, von der aus sie sicher und ungehindert feuern konnten; die Eingedrungenen standen vor einem brennenden Ziegelofen, der sie hell beleuchtete, so daß jede Kugel ihrer Gegner traf, während jeder Schuß von ihrer Seite fehlging. Das Feuern wurde indes über eine halbe Stunde fortgesetzt, bis die Munition verschossen und der Zweck des Besuchs, die Zerstörung aller zerstörbaren Gegenstände im Hof, erreicht war. Dann kam Militär angerückt und die Ziegelmacher zogen sich nach Eccles (drei Meilen von Manchester) zurück. Kurz vor Eccles hielten sie Appell, wobei jeder Mann nach seiner Nummer in der Sektion aufgerufen wurde, und zerstreuten sich dann, natürlich nur um der von allen Seiten anrückenden Polizei desto sicherer in die Hände zu fallen. Die Zahl der Verwundeten muß sehr bedeutend gewesen sein, doch wurden nur die bekannt, die nachher gefangen wurden. Einer von ihnen hatte drei Kugeln erhalten, in den Schenkel, in die Wade und in die Schulter, und sich damit über vier Meilen weit geschleppt. Diese Leute haben denn doch wohl bewiesen, daß sie auch revolutionären Mut haben und einen Kugelregen nicht scheuen; wenn aber unbewaffnete Massen, die selbst nicht wissen, was sie eigentlich wollen, auf abgeschlossenen Marktplätzen von ein paar Dragonern und Polizeidienern, die die Zugänge besetzen, im Zaum gehalten werden, wie dies 1842 geschah, so ist das durchaus kein Mangel an Mut, sondern die Masse würde sich ebensowenig gerührt haben, wären die Diener der öffentlichen, d. h. Bourgeoisgewalt nicht dagewesen. Wo das Volk bestimmte Zwecke im Auge hatte, da zeigte es Mut genug, z. B. bei dem Angriff auf Birleys Fabrik, die später durch Auffahrung von Artillerie geschützt werden mußte.

Bei dieser Gelegenheit ein paar Worte über die Heilighaltung des Gesetzes in England. Allerdings, dem Bourgeois ist das Gesetz heilig, denn es ist sein eigen Machwerk, mit seiner Einwilligung und zu seinem Schutz und Vorteil erlassen. Er weiß, daß, wenn auch ein einzelnes Gesetz ihm speziell schaden sollte, doch der ganze Komplex der Gesetzgebung seine Interessen schützt und vor allem die Heiligkeit des Gesetzes, die Unantastbarkeit der durch die aktive Willensäußerung des einen und die passive des andern Teils der Gesellschaft einmal festgestellten Ordnung die stärkste Stütze seiner sozialen Stellung ist. Weil der englische Bourgeois in dem Gesetze, wie in seinem Gott, sich selbst wiederfindet, deshalb hält er es heilig, deshalb hat für ihn der Stock des Polizeidieners, der ja eigentlich sein eigner

Stock ist, eine wunderbar beschwichtigende Macht. Aber für den Arbeiter wahrhaftig nicht. Der Arbeiter weiß zu gut und hat zu oft erfahren, daß das Gesetz für ihn eine Rute ist, die ihm der Bourgeois gebunden hat, und wenn er nicht muß, so kehrt er sich nicht ans Gesetz. Es ist lächerlich, zu behaupten, der englische Arbeiter habe vor der Polizei Furcht, wo doch in Manchester die Polizei alle Wochen Prügel erhält und voriges Jahr sogar einmal ein Sturm auf ein mit eisernen Türen und schweren Fensterladen gesichertes Stationshaus versucht wurde. Die Macht der Polizei im Turnout 1842 lag, wie gesagt, nur in der Ratlosigkeit der Arbeiter selbst.

Da nun die Arbeiter das Gesetz nicht respektieren, sondern bloß seine Macht gelten lassen, wo sie nicht die Macht haben, es zu ändern, so ist das allernatürlichste, daß sie wenigstens Vorschläge zur Änderung des Gesetzes haben[1], daß sie an die Stelle des Bourgeoisie-Gesetzes ein Proletariergesetz stellen wollen. Dies vorgeschlagene Gesetz des Proletariats ist die *Volkscharte* (people's charter), die der Form nach rein politisch ist und eine demokratische Basis für das Unterhaus verlangt. Der *Chartismus* ist die kompakte Form der Opposition gegen die Bourgeoisie. In den Verbindungen und Turnouts blieb die Opposition immer einzeln, es waren einzelne Arbeiter oder Arbeitersektionen, die gegen einzelne Bourgeois kämpften; wurde der Kampf allgemein, so war dies wenig[2] Absicht von seiten der Arbeiter, und wenn es absichtlich geschah, so lag der Absicht der Chartismus zugrunde. Aber im Chartismus ist es die ganze Arbeiterklasse, die gegen die Bourgeoisie aufsteht und vor allem die politische Gewalt derselben, die gesetzliche Mauer, mit der sie sich umgeben hat, angreift. Der Chartismus ist hervorgegangen aus der *demokratischen* Partei, die sich in den achtziger Jahren des vorigen Jahrhunderts, *zugleich mit und in dem Proletariat*, entwickelte, während der französischen Revolution an Stärke gewann, nach dem Frieden als „*radikale*" Partei auftrat, damals in Birmingham und Manchester, wie früher in London, ihren Hauptsitz hatte, den Oligarchen des alten Parlaments durch Vereinigung mit der liberalen Bourgeoisie die Reformbill abnötigte und sich seitdem immer schärfer als Arbeiterpartei gegenüber der Bourgeoisie konsolidierte. 1838[3] entwarf ein Komitee der allgemeinen Londoner Arbeitergesellschaft (Working Men's Association), William Lovett an der Spitze, die Volkscharte, deren „sechs Punkte" folgende sind: 1. Allgemeines Stimmrecht für jeden mündigen Mann, der bei gesundem Verstande und keines Verbrechens überführt ist; 2. jährlich zu erneuernde Parlamente; 3. Diäten für die Parlamentsmitglieder, damit auch Unbemit-

[1] *(1892)* machen – [2] *(1892)* selten – [3] *(1845)* und *(1892)* irrtümlich: 1835

telte eine Wahl annehmen können; 4. Wahlen durch Ballotage, um Bestechung und Einschüchterung durch die Bourgeoisie zu vermeiden; 5. gleiche Wahldistrikte, um gleich billige Repräsentation zu sichern, und 6. Abschaffung der – ohnehin illusorischen – ausschließlichen Wählbarkeit derjenigen, die 300 Pfd. Sterling in Grundbesitz haben, so daß jeder Wähler auch wählbar ist. – Diese sechs Punkte, die sich alle auf die Konstituierung des Unterhauses beschränken, sind, so unschuldig sie aussehen, dennoch hinreichend, die englische Verfassung samt Königin und Oberhaus zu zertrümmern. Das sogenannte monarchische und aristokratische Element der Verfassung kann sich nur deshalb halten, weil die Bourgeoisie ein Interesse an seiner *scheinbaren* Erhaltung hat; und eine andere als eine bloße Scheinexistenz hat beides nicht mehr. Aber wenn erst die ganze öffentliche Meinung hinter dem Unterhause steht, wenn dies den Willen nicht mehr bloß der Bourgeoisie, sondern der ganzen Nation ausdrückt, so wird es alle Macht so vollständig in sich absorbieren, daß auch der letzte Heiligenschein von dem Haupte des Monarchen und der Aristokratie fällt. Der englische Arbeiter respektiert weder Lords noch Königin, während diese von der Bourgeoisie zwar der Sache nach wenig gefragt, aber der Person nach vergöttert werden. Der englische Chartist ist politisch Republikaner, obgleich er das Wort nie oder doch selten in den Mund nimmt; während er allerdings mit den republikanischen Parteien aller Länder sympathisiert und sich lieber einen Demokraten nennt. Aber er ist mehr als bloßer Republikaner; seine Demokratie ist keine bloß politische.

Der Chartismus war allerdings von seinem Anfange 1835 an hauptsächlich eine Bewegung unter den Arbeitern, aber noch nicht scharf von der radikalen kleinen Bourgeoisie getrennt. Der Arbeiterradikalismus ging Hand in Hand mit dem Radikalismus der Bourgeoisie; die Charte war das Schibboleth beider, sie hatten ihre „Nationalkonvente" jedes Jahr zusammen, es schien eine Partei zu sein. Die kleine Bourgeoisie war damals gerade infolge der Enttäuschung über die Resultate der Reformbill und wegen der schlechten Geschäftsjahre 1837 bis 1839 sehr kriegerisch und mordlustig gestimmt, sie ließ sich also die heftige Chartistenagitation sehr gut gefallen. Von der Heftigkeit dieser Agitation hat man in Deutschland keine Vorstellung. Das Volk wurde aufgefordert, sich zu bewaffnen, oft auch geradezu, sich zu empören; man fabrizierte Piken, wie früher zur Zeit der französischen Revolution, und 1838 war unter andern ein gewisser Stephens, ein methodistischer Geistlicher, in Bewegung, der dem versammelten Volke von Manchester sagte:

„Ihr braucht euch nicht zu fürchten vor der Macht der Regierung, vor den Soldaten, Bajonetten und Kanonen, die euren Unterdrückern zu Gebote stehen; ihr habt ein Mittel, das ist viel mächtiger als alles das, eine Waffe, gegen welche Bajonette und Kanonen nichts ausrichten; und ein zehnjährig Kind kann diese Waffe schwingen – ihr braucht bloß ein paar Zündhölzchen zu nehmen und ein Bündel Stroh, das in Pech getränkt ist, und ich will sehen, was die Regierung und ihre Hunderttausende von Soldaten gegen diese eine Waffe ausrichten, wenn sie kühn gebraucht wird."*

Zu gleicher Zeit aber zeigte sich schon jetzt der eigentümliche, *soziale* Charakter des Arbeiter-Chartismus. Derselbe Stephens sagte in einer Versammlung von 200000 Menschen auf Kersall Moor, dem erwähnten Mons sacer von Manchester:

„Der Chartismus, meine Freunde, ist keine politische Frage, wobei es sich darum handelt, daß ihr das Wahlrecht bekommt usw.; sondern der Chartismus, das ist eine *Messer- und Gabel-Frage*, die Charte, das heißt gute Wohnung, gutes Essen und Trinken, gutes Auskommen und kurze Arbeitszeit."

So waren auch schon zu jener Zeit die Bewegungen gegen das neue Armengesetz und für die Zehnstundenbill in der engsten Verbindung mit dem Chartismus. Bei allen Meetings dieser Epoche war der *Tory* Oastler mittätig, und neben der in Birmingham adoptierten Nationalpetition für die Volkscharte wurden Hunderte von Petitionen für soziale Verbesserung der Lage der Arbeiter adoptiert; 1839 ging die Agitation ebenso lebhaft fort, und als sie am Ende des Jahres anfing etwas nachzulassen, beeilten sich Bussey, Taylor und Frost, zu gleicher Zeit im Norden von England, in Yorkshire und in Wales eine Emeute ausbrechen zu lassen. Frost mußte, da seine Sache verraten wurde, zu früh losbrechen, und hierdurch verunglückte sein Unternehmen; die im Norden erfuhren den unglücklichen Ausgang desselben noch früh genug, um zurückziehen zu können; zwei Monate später, im Januar 1840, brachen in Yorkshire mehrere sogenannte Polizei-Emeuten (spy outbreaks)[100] los, z. B. in Sheffield und Bradford, und die Aufregung ließ allmählich nach. Inzwischen warf sich die Bourgeoisie auf praktischere, ihr vorteilhaftere Projekte, namentlich auf die Korngesetze; die Antikorngesetzassoziation wurde in Manchester gebildet, und die Folge war eine Lockerung des Verbandes zwischen der radikalen Bourgeoisie und dem Proletariat. Die Arbeiter sahen bald ein, daß *ihnen* eine Abschaffung der Korngesetze wenig nutzen könne, während sie der Bourgeoisie allerdings sehr vorteilhaft sei, und waren daher nicht für dies Projekt zu gewinnen. Die Krisis von 1842 brach herein. Die Agitation wurde wieder ebenso lebhaft wie 1839. Diesmal nahm aber auch die reiche, fabrizierende Bourgeoisie daran teil, die gerade unter dieser Krisis sehr schwer litt. Die Antikorngesetzligue, so hieß die von den Fabrikanten von Manchester ausgegangene

* Wir haben gesehen, wie die Arbeiter sich dies zu Herzen nahmen.

Verbindung jetzt, nahm eine sehr radikale, gewaltsame Tendenz an. Ihre Journale und Agitatoren führten eine unverhohlen revolutionäre Sprache, die auch darin ihren Grund hatte, daß seit 1841 die konservative Partei am Ruder war. Wie früher die Chartisten, forderten jetzt sie direkt zur Empörung auf, und die Arbeiter, die von der Krisis am meisten zu leiden hatten, waren ebenfalls nicht untätig, wie die Nationalpetition dieses Jahres mit ihren $3^1/_2$ Millionen Unterschriften beweist. Kurz, wenn die beiden radikalen Parteien sich etwas entfremdet worden waren, so alliierten sie sich jetzt wieder; am 15. Februar 1842 wurde in Manchester bei einer Zusammenkunft von Liberalen und Chartisten eine Petition entworfen, die sowohl auf Abschaffung der Korngesetze wie auf Einführung der Charte drang und am folgenden Tag von beiden Parteien adoptiert wurde. Frühling und Sommer verstrich unter heftiger Agitation und zunehmendem Elend. Die Bourgeoisie war entschlossen, die Abschaffung der Korngesetze mit Hülfe der Krisis, der ihr folgenden Not[1] und der allgemeinen Aufregung durchzusetzen. Diesmal, als[2] die Tories am Ruder waren, gab sie sogar ihre Gesetzlichkeit halb auf; sie wollte revolutionieren, aber mit Hülfe der Arbeiter. Die Arbeiter sollten ihr die Kastanien aus dem Feuer holen und zum Besten der Bourgeoisie ihre Finger verbrennen. Schon wurde von vielen Seiten die schon früher (1839) von den Chartisten angeregte Idee eines *„heiligen Monats"*, eines allgemeinen Feierns aller Arbeiter, wieder aufgenommen; aber diesmal waren es nicht die Arbeiter, die feiern wollten, sondern die Fabrikanten, die ihre Fabriken schließen, die Arbeiter in die Landgemeinden, auf das Besitztum der Aristokratie schicken und dadurch das torystische Parlament und die Regierung zur Aufhebung der Kornzölle zwingen wollten. Natürlich wäre eine Empörung die Folge davon gewesen, aber die Bourgeoisie stand sicher im Hintergrunde und konnte den Erfolg abwarten, ohne sich, schlimmstenfalls, zu kompromittieren. Ende Juli fing das Geschäft an, sich zu bessern; es war die höchste Zeit, und um die Gelegenheit nicht unbenutzt vorübergehen zu lassen, setzten jetzt, *bei steigender Konjunktur* (vgl. die Handelsberichte aus Manchester und Leeds, Ende Juli und Anfang August) drei Firmen in Stalybridge den Lohn herunter – ob auf eigne Hand oder im Einverständnis mit den übrigen Fabrikanten und besonders der Ligue, will ich nicht entscheiden. Zwei zogen indes wieder zurück; die dritte, William Bailey und Brüder, blieb fest und sagte den sich beschwerenden Arbeitern, wenn dies ihnen nicht zusage, so täten sie vielleicht besser daran, eine Zeitlang zu spielen. Diese spöttische Äußerung nahmen die Arbeiter mit Hurrarufen

[1] *(1892)* ... mit Hülfe der Krisis, der Not und ... – [2] *(1892)* da

auf, verließen die Fabrik, durchzogen den Ort und riefen alle Arbeiter zum Feiern auf. In wenig Stunden stand jede Fabrik still, und die Arbeiter zogen in Prozession nach Mottram Moor, um ein Meeting zu halten. Dies war am 5. August. Am 8. August zogen sie nach Ashton und Hyde, fünftausend Mann stark, setzten alle Fabriken und Kohlengruben still und hielten Meetings, in denen aber nicht von Abschaffung der Korngesetze, wie die Bourgeoisie gehofft hatte, sondern von „ehrlichem Tagelohn für ehrliche Tagesarbeit" (a fair day's wage for a fair day's work) die Rede war. Am 9. August zogen sie nach Manchester, *wurden von den Behörden*, die alle Liberale waren, *zugelassen* und stellten die Fabriken still; am 11. waren sie in Stockport, wo ihnen erst, als sie das Armenhaus, dies Lieblingskind der Bourgeoisie, erstürmten, Widerstand geleistet wurde; am selben Tage war in Bolton allgemeines Feiern und Unruhen, denen sich die Behörden ebenfalls nicht widersetzten; bald war der Aufstand über alle Industriebezirke verbreitet, und alle Arbeiten, mit Ausnahme der Einsammlung der Ernte und der Zubereitung von Lebensmitteln, standen still. Aber auch die empörten Arbeiter blieben ruhig. Sie waren in diesen Aufstand hineingejagt, ohne es zu wollen; die Fabrikanten hatten sich mit Ausnahme eines einzigen – des *Tory* Birley in Manchester – der Arbeitseinstellung *ganz gegen ihre Sitte* nicht widersetzt; die Sache hatte angefangen, ohne daß die Arbeiter einen bestimmten Zweck hatten. Daher waren zwar alle darüber einig, daß sie sich nicht zum Besten ihrer korngesetzabschaffenden Fabrikanten wollten erschießen lassen, im übrigen aber wollten einige die Volkscharte durchsetzen, andere, die dies für zu frühzeitig hielten, bloß die Lohnsätze von 1840 erzwingen. Daran scheiterte die ganze Insurrektion. Wäre sie von Anbeginn eine absichtliche, bewußte Arbeiterinsurrektion gewesen, sie wäre wahrlich durchgedrungen; aber diese Massen, die von ihren Brotherren auf die Straße gejagt waren, ohne es zu wollen, die gar keine bestimmte Absicht hatten, konnten nichts tun. Inzwischen sah die Bourgeoisie, die keinen Finger gerührt hatte, um die Allianz vom 15. Februar zu betätigen, sehr bald ein, daß die Arbeiter sich nicht zu ihren Werkzeugen hergeben wollten und daß die Inkonsequenz, mit der sie sich von ihrem „gesetzlichen" Standpunkte entfernt hatte, ihr selbst Gefahr drohe; sie nahm daher ihre alte Gesetzlichkeit wieder vor und trat auf die Seite der Regierung gegen die Arbeiter, die sie selbst zum Aufstand erst gereizt und später forciert hatte. Sie ließ sich und ihre getreuen Diener zu Spezialkonstablen einschwören – auch die deutschen Kaufleute in Manchester nahmen daran teil und paradierten höchst unnützerweise mit ihren dicken Stöcken, die Zigarre im Munde, durch die Stadt – sie ließ in Preston auf das Volk feuern, und so stand dem absichtslosen Volksaufstand auf einmal nicht nur die Militärmacht der Regierung, sondern auch die ganze besitzende Klasse gegenüber. Die Arbeiter, die ohnehin keinen Zweck hatten, gingen allmählich auseinander, und die Insurrektion verlief ohne schlimme Folgen. Nachträglich beging die Bourgeoisie noch eine Schändlichkeit auf die andere, suchte sich durch einen Abscheu vor gewaltsamem Einschreiten des Volks, der schlecht zu ihrer revolutionären Sprache vom Frühjahr paßte, weißzuwaschen, schob die Schuld des Aufstandes auf chartistische „Aufwiegler" etc., während sie selbst weit mehr als diese getan hatte, den Aufstand zuwege zu bringen, und nahm ihren alten Standpunkt der Heilighaltung des Gesetzes mit einer Unverschämtheit ohnegleichen wieder ein. Die Chartisten, die fast gar nichts zum Aufstande beigetragen, die nur dasselbe tun[1], was auch die Bourgeoisie vorhatte, nämlich die Gelegenheit benutzen – diese wurden vor Gericht gestellt und verurteilt, während die Bourgeoisie ohne Schaden davonkam und während der Arbeitsstockung ihre Vorräte mit Nutzen verkauft hatte.

Die Frucht des Aufstandes war die ganz entschiedene Trennung des Proletariats von der Bourgeoisie. Die Chartisten hatten es bisher wenig verhehlt, daß sie durch jedes Mittel ihre Charte durchsetzen würden, selbst durch eine Revolution; die Bourgeoisie, die jetzt mit einem Male die Gefährlichkeit jeder gewaltsamen Umwälzung für ihre Stellung einsah, wollte nichts mehr von „physischer Gewalt" wissen und bloß durch „moralische Gewalt" – als ob diese etwas anderes sei, als die direkte oder indirekte Drohung der physischen Gewalt – ihre Zwecke ins Leben rufen. Dies war der eine Streitpunkt, der indes durch das spätere Vorgeben der Chartisten – die doch ebenso glaubwürdig sind wie die liberale Bourgeoisie – daß auch sie nicht an die physische Gewalt appellierten – der Sache nach weggeräumt wurde. Der zweite, hauptsächlichste Streitpunkt aber, der gerade den Chartismus in seiner Reinheit zur Erscheinung brachte, war die Korngesetzfrage. In dieser war die radikale Bourgeoisie interessiert, das Proletariat aber nicht. Die bisherige chartistische Partei spaltete sich daher in zwei Parteien, deren politische, ausgesprochene Prinzipien gänzlich übereinstimmen, die aber durchaus verschieden und unvereinbar sind. Auf dem Birminghamer Nationalkonvent im Januar 1843 schlug *Sturge*, der Repräsentant der radikalen Bourgeoisie, die Weglassung des *Namens* der Charte aus den Statuten der chartistischen Assoziation vor, angeblich, weil dieser Name durch die Insurrektion mit gewaltsamen revolutionären Erinnerungen verknüpft sei – eine Verknüpfung, die übrigens schon seit Jahren stattgefunden und gegen

[1] *(1892)* taten

die Herr Sturge bis dahin nichts einzuwenden gehabt hatte. Die Arbeiter wollten den Namen nicht fallenlassen, und als Sturge überstimmt wurde, wanderte der auf einmal loyal gewordene Quäker mit der Minorität aus dem Saale und konstituierte eine „Complete Suffrage Association" aus der radikalen Bourgeoisie. So widerwärtig waren dem noch vor kurzem jakobinischen Bourgeois diese Erinnerungen geworden, daß er selbst den Namen allgemeines Stimmrecht (universal suffrage) in den lächerlichen: komplettes Stimmrecht (complete suffrage) abänderte! Die Arbeiter lachten ihn aus und gingen ihren Weg ruhig weiter.

Von diesem Augenblicke an war der Chartismus eine reine, von allen Bourgeoisie-Elementen befreite etc. Arbeitersache. Die „kompletten" Journale – „Weekly Dispatch", „Weekly Chronicle", „Examiner" etc. – fielen allmählich in die schläfrige Manier der übrigen liberalen Blätter, verteidigten die Handelsfreiheit, griffen die Zehnstundenbill und alle ausschließlichen Arbeitermotionen an und ließen den Radikalismus im ganzen wenig hervortreten. Die radikale Bourgeoisie schloß sich in allen Kollisionen den Liberalen gegen die Chartisten an und machte überhaupt die Korngesetzfrage, die für den Engländer die Frage der freien Konkurrenz ist, zu ihrer Hauptaufgabe. Dadurch geriet sie unter die Botmäßigkeit der liberalen Bourgeoisie und spielt jetzt eine höchst jämmerliche Rolle.

Die chartistischen Arbeiter dagegen nahmen sich mit doppeltem Eifer aller Kämpfe des Proletariats gegen die Bourgeoisie an. Die freie Konkurrenz hat den Arbeitern Leiden genug gemacht, um ihnen verhaßt zu werden; ihre Vertreter, die Bourgeois, sind ihre erklärten Feinde. Der Arbeiter hat von der vollständigen Befreiung der Konkurrenz nur Nachteil zu erwarten. Seine bisherigen Forderungen, die Zehnstundenbill, Schutz des Arbeiters gegen den Kapitalisten, guter Lohn, garantierte Stellung, Abschaffung des neuen Armengesetzes, alles Dinge, die mindestens ebenso wesentlich zum Chartismus gehören wie die „sechs Punkte", gehen direkt gegen die freie Konkurrenz und Handelsfreiheit. Kein Wunder also, daß die Arbeiter, was die ganze englische Bourgeoisie nicht begreifen kann, von der freien Konkurrenz, Handelsfreiheit und Abschaffung der Korngesetze nichts wissen wollen und gegen letztere mindestens höchst gleichgültig, gegen ihre Verteidiger aber im höchsten Grade erbittert sind. Diese Frage ist gerade der Punkt, an dem sich das Proletariat von der Bourgeoisie, der Chartismus vom Radikalismus scheidet, und ein Bourgeoisverstand kann das nicht begreifen, weil er das Proletariat nicht begreifen kann.

Darin liegt aber auch der Unterschied der chartistischen Demokratie von aller bisherigen, politischen Bourgeoisie-Demokratie. *Der Chartismus ist* *wesentlich sozialer Natur.* Die „sechs Punkte", die dem radikalen Bourgeois eins und alles sind, höchstens noch einige Reformen der Konstitution hervorrufen sollen, sind dem Proletarier nur das Mittel. „Politische Macht unser Mittel, soziale Glückseligkeit unser Zweck", das ist jetzt der deutlich ausgesprochene Wahlspruch der Chartisten. Die „Messer- und Gabel-Frage" des Predigers Stephens war nur für einen Teil der Chartisten von 1838 eine Wahrheit; sie ist es 1845 für alle. Es gibt keinen bloßen Politiker mehr unter den Chartisten. Und wenn auch ihr Sozialismus noch sehr wenig entwickelt ist, wenn bis jetzt ihr Hauptmittel gegen das Elend in der Parzellierung des Grundbesitzes (allotment-system) besteht, die doch schon durch die Industrie überwunden wurde (siehe Einleitung), wenn überhaupt ihre meisten praktischen Vorschläge (Schutz für den Arbeiter etc.) dem Scheine nach reaktionärer Natur sind, so ist einesteils schon in diesen Maßregeln selbst die Notwendigkeit begründet, daß sie entweder der Macht der Konkurrenz wieder fallen und den alten Zustand erneuern – oder aber die Aufhebung der Konkurrenz selbst herbeiführen müssen; und andernteils bestimmt es der jetzige unklare Zustand des Chartismus, die Lostrennung von der rein politischen Partei, daß gerade *die unterscheidenden Merkmale* des Chartismus, die in seiner sozialen Seite liegen, weiterentwickelt werden müssen. Die Annäherung an den Sozialismus kann nicht ausbleiben, besonders wenn die nächste Krisis, die auf den jetzigen lebhaften Zustand der Industrie und des Handels allerspätestens bis 1847*, wahrscheinlich aber schon im nächsten Jahre folgen muß, eine Krisis, die alle früheren an Heftigkeit und Wut weit übertreffen wird, durch die Not die Arbeiter immer mehr auf soziale statt auf politische Hülfsmittel verweisen wird. Die Arbeiter werden ihre Charte durchsetzen, das ist natürlich; aber bis dahin werden sie noch über vieles klarwerden, was sie durch die Charte durchsetzen können und wovon sie jetzt noch wenig wissen.

Inzwischen geht auch die sozialistische Agitation vorwärts. Der englische *Sozialismus* kommt hier nur insofern in Betracht, als er auf die Arbeiterklasse influiert. Die englischen Sozialisten verlangen allmähliche Einführung der Gütergemeinschaft in „Heimatskolonien"[101] von 2000 bis 3000 Menschen, welche Industrie und Ackerbau treiben, gleiche Rechte und gleiche Erziehung genießen – Erleichterung der Ehescheidung und Einführung einer vernünftigen Regierung mit vollständiger Meinungsfreiheit und Abschaffung der Strafen, die durch vernünftige Behandlung des Verbrechers ersetzt werden sollen. Dies sind ihre *praktischen* Vorschläge – die theoretischen Prinzipien gehen uns hier nichts an. Der Sozialismus ging von *Owen*,

* (*1892*) Ist pünktlich eingetroffen.

einem Fabrikanten, aus und verfährt deshalb, während er der Sache nach über den Gegensatz von Bourgeoisie und Proletariat hinausgeht, in seiner Form dennoch mit vieler Nachsicht gegen die Bourgeoisie und vieler Ungerechtigkeit gegen das Proletariat. Die Sozialisten sind durchaus zahm und friedfertig, erkennen die bestehenden Verhältnisse, so schlecht sie sind, insofern als gerechtfertigt an, als sie jeden andern Weg als den der öffentlichen Überzeugung verwerfen, und sind doch zu gleicher Zeit so abstrakt, daß sie in der jetzigen Form ihrer Prinzipien diese öffentliche Überzeugung nie gewinnen würden. Dabei klagen sie fortwährend über die Demoralisation der unteren Klassen, sind blind gegen das Fortschrittselement in dieser Auflösung der gesellschaftlichen Ordnung und bedenken nicht, daß die Demoralisation des Privatinteresses und der Heuchelei unter den besitzenden Klassen bei weitem schlimmer ist. Sie erkennen keine historische Entwicklung an und wollen daher die Nation ohne weiteres, ohne Fortführung der Politik bis zu dem Ziele, wo sie sich selbst auflöst[1], sogleich in den kommunistischen Zustand versetzen. Sie begreifen zwar, weshalb der Arbeiter gegen den Bourgeois aufgebracht ist, sehen aber diese Erbitterung, die doch das einzige Mittel ist, die Arbeiter weiterzuführen, für unfruchtbar an und predigen eine für die englische Gegenwart noch viel fruchtlosere Philanthropie und allgemeine Liebe. Sie erkennen nur die psychologische Entwicklung an, die Entwicklung des abstrakten Menschen, der außer aller Verbindung mit der Vergangenheit steht, wo doch die ganze Welt auf dieser Vergangenheit beruht und der einzelne Mensch mit ihr. Daher sind sie zu gelehrt, zu metaphysisch, und richten wenig aus. Sie rekrutieren sich teilweise aus der Arbeiterklasse, von der sie aber nur einen sehr kleinen Teil, freilich die Gebildetsten und Charakterfestesten, herübergezogen haben. In seiner jetzigen Gestalt wird der Sozialismus nie Gemeingut der Arbeiterklasse werden können; er wird sich sogar erniedrigen müssen, einen Augenblick auf den chartistischen Standpunkt zurückzutreten; aber der durch den Chartismus hindurchgegangene, von seinen Bourgeoisie-Elementen gereinigte, echt proletarische Sozialismus, wie er sich schon jetzt bei vielen Sozialisten und bei vielen Chartistenführern, die fast alle Sozialisten sind*, entwickelt, wird allerdings, und das in kurzem, eine bedeutende Rolle in der Entwicklungsgeschichte des englischen Volkes übernehmen. Der englische Sozialismus,

* (*1892*) Sozialisten natürlich im allgemeinen, nicht im speziell owenistischen Sinn.

[1] In den englischen Ausgaben von 1887 und 1892 lautet dieser Teil des Satzes: „...up to the point at which this transition becomes both possible and necessary" [...bis zu dem Punkt, an welchem die Umwandlung sowohl möglich als auch notwendig wird].

der in seiner Basis weit über den französischen Kommunismus hinausgeht, in der Entwicklung[1] aber hinter ihm zurückbleibt, wird einen Augenblick auf den französischen Standpunkt zurückgehen müssen, um später über ihn hinauszugehen. Bis dahin werden sich freilich die Franzosen auch wohl weiterentwickeln. Der Sozialismus ist zu gleicher Zeit der entschiedenste Ausdruck der unter den Arbeitern herrschenden Irreligiosität, und darin so entschieden, daß die *bewußtlos*, bloß praktisch irreligiösen Arbeiter oft vor der Schärfe dieses Ausdrucks zurückschrecken. Aber auch hier wird die Not die Arbeiter zwingen, einen Glauben aufzugeben, von dem sie mehr und mehr einsehen, daß er nur dazu dient, sie schwach und ergeben in ihr Schicksal, gehorsam und treu gegen die sie aussaugende besitzende Klasse zu machen.

Wir sehen also, daß die Arbeiterbewegung in zwei Sektionen gespalten ist, in die Chartisten und Sozialisten. Die Chartisten sind am weitesten zurück, am wenigsten entwickelt, dafür aber echte, leibhaftige Proletarier, die Repräsentanten des Proletariats. Die Sozialisten weiterblickend, praktische Mittel gegen die Not vorschlagend, aber ursprünglich von der Bourgeoisie ausgegangen und dadurch nicht imstande, sich mit der Arbeiterklasse zu amalgamieren. Die Verschmelzung des Sozialismus mit dem Chartismus, die Reproduktion des französischen Kommunismus auf englische Weise wird das nächste sein und hat teilweise schon angefangen. Dann erst, wenn dies bewerkstelligt, wird die Arbeiterklasse wirklich die Herrscherin von England sein – die politische und soziale Entwicklung wird inzwischen vorwärtsgehen und diese neuentspringende Partei, diesen Fortschritt des Chartismus begünstigen.

Diese verschiedenen, oft zusammenfallenden, oft getrennten Sektionen von Arbeitern – Mitglieder der Verbindungen, Chartisten und Sozialisten – haben auf ihre eigene Faust eine Menge Schulen und Lesezimmer zur Hebung der geistigen Bildung gegründet. Jede sozialistische und fast jede chartistische Institution hat eine solche Anstalt, ebenso viele einzelne Handwerke. Hier wird den Kindern eine echt proletarische Erziehung gegeben, frei von allen Einflüssen der Bourgeoisie, und in den Lesezimmern liegen nur oder fast nur proletarische Journale und Bücher auf. Diese Anstalten sind sehr gefährlich für die Bourgeoisie, der es gelang, eine Anzahl ähnlicher Institute, die „Mechanics' Institutions"[102], dem proletarischen Einflusse zu entziehen und sie in Organe zur Verbreitung der für die Bourgeoisie nützlichen

[1] In den englischen Ausgaben von 1887 und 1892: theoretical development [theoretischen Entwicklung].

Wissenschaften unter den Arbeitern zu verwandeln. Hier werden jetzt die Naturwissenschaften gelehrt, die die Arbeiter von der Opposition gegen die Bourgeoisie abziehen und ihnen vielleicht die Mittel an die Hand geben zu Erfindungen, die der Bourgeoisie Geld einbringen – während dem Arbeiter *jetzt* die Naturkenntnis wahrhaftig ganz nutzlos ist, da er oft gar nicht einmal die Natur zu sehen bekommt in seiner großen Stadt und bei seiner langen Arbeit; hier wird die Nationalökonomie gepredigt, deren Abgott die freie Konkurrenz und deren einziges Resultat für den Arbeiter das ist, daß er nichts Vernünftigeres tun kann, als in stiller Resignation zu verhungern; hier ist alle Bildung zahm, geschmeidig, dienstfertig gegen die herrschende Politik und Religion eingerichtet, so daß sie eigentlich für den Arbeiter nur eine fortwährende Predigt des ruhigen Gehorsams und der Passivität, der Ergebung in sein Schicksal ist. Natürlich will die Masse der Arbeiter von diesen Instituten nichts wissen und wendet sich den proletarischen Lesezimmern, den Diskussionen von Verhältnissen zu, welche unmittelbar ihre eignen Interessen betreffen – und dann sagt die selbstgenügsame Bourgeoisie ihr Dixi et Salvavi[1] und wendet sich mit Verachtung von einer Klasse weg, welche die „leidenschaftlichen Wutausbrüche böswilliger Demagogen einer soliden Bildung vorzieht". Daß übrigens die Arbeiter auch für „solide Bildung", wenn sie unvermischt mit der interessierten Weisheit der Bourgeoisie vorgetragen wird, Sinn haben, beweisen die häufigen Vorlesungen über naturwissenschaftliche, ästhetische und nationalökonomische Themata, die an allen proletarischen Instituten, besonders den sozialistischen, häufig gehalten und sehr gut besucht werden. Ich habe manchmal Arbeiter, deren Samtröcke nicht mehr zusammenhalten wollten, mit mehr Kenntnis über geologische, astronomische und andre Gegenstände sprechen hören, als mancher gebildete Bourgeois in Deutschland davon besitzt. Und wie sehr es dem englischen Proletariat gelungen ist, sich eine selbständige Bildung zu erwerben, zeigt sich besonders darin, daß die epochemachenden Erzeugnisse der neueren philosophischen, politischen und poetischen Literatur fast nur von den Arbeitern gelesen werden. Der Bourgeois, der Knecht des sozialen Zustandes und der mit ihm verbundenen Vorurteile ist, fürchtet, segnet und kreuzigt sich vor allem, was wirklich einen Fortschritt begründet; der Proletarier hat offne Augen dafür und studiert es mit Genuß und Erfolg. In dieser Beziehung haben besonders die Sozialisten Unendliches zur Bildung des Proletariats getan, sie haben die französischen Materialisten, *Helvétius*, *Holbach*, *Diderot* usw., übersetzt und nebst den besten englischen Sachen in

[1] Ich habe gesprochen und mich gerettet

billigen Ausgaben verbreitet. *Strauß*' „Leben Jesu" und *Proudhons* „Eigentum" zirkulieren ebenfalls nur unter Proletariern. Shelley, der geniale prophetische *Shelley*, und *Byron* mit seiner sinnlichen Glut und seiner bittern Satire der bestehenden Gesellschaft haben ihre meisten Leser unter den Arbeitern; die Bourgeois besitzen nur kastrierte Ausgaben, „family editions", die nach der heuchlerischen Moral von heute zurechtgestutzt sind. Die beiden größten praktischen Philosophen der letzten Zeit, *Bentham* und *Godwin*, sind, namentlich letzterer, ebenfalls fast ausschließliches Eigentum des Proletariats; wenn auch *Bentham* unter der radikalen Bourgeoisie eine Schule besitzt, so ist es doch nur dem Proletariat und den Sozialisten gelungen, aus ihm einen Fortschritt zu entwickeln. Das Proletariat hat sich auf diesen Grundlagen eine eigene Literatur gebildet, die meist aus Journalen und Broschüren besteht und an Gehalt der ganzen Bourgeoisie-Literatur bei weitem voraus ist. Hierüber ein andermal.

Eins ist noch zu bemerken: Die Fabrikarbeiter, und unter ihnen besonders die der Baumwollenbezirke, bilden den Kern der Arbeiterbewegungen. Lancashire und speziell Manchester ist der Sitz der stärksten Arbeiterverbindungen, der Zentralpunkt des Chartismus, der Ort, der die meisten Sozialisten zählt. Je weiter das Fabriksystem in einen Arbeitszweig eingedrungen, desto mehr nehmen die Arbeiter an der Bewegung teil; je schärfer der Gegensatz zwischen Arbeitern und Kapitalisten, desto entwickelter, desto schärfer das proletarische Bewußtsein im Arbeiter. Die kleinen Meister von Birmingham, obwohl sie bei den Krisen mit leiden, stehen doch auf einer unglücklichen Mitte zwischen proletarischem Chartismus und krämerhaftem Radikalismus. Im allgemeinen aber sind alle Arbeiter der Industrie für eine oder die andere Form der Auflehnung gegen das Kapital und die Bourgeoisie gewonnen, und darin sind alle einig, daß sie, als „Working Men" – ein Titel, auf den sie stolz sind und der die gewöhnliche Anrede in Chartistenversammlungen ist – eine eigne Klasse mit eignen Interessen und Prinzipien, mit eigner Anschauungsweise gegenüber allen Besitzenden bilden, und zugleich – daß in ihnen die Kraft und die Entwicklungsfähigkeit der Nation ruht.

Das Bergwerksproletariat

Die Beschaffung der rohen und Brennmaterialien für eine so kolossale Industrie wie die englische nimmt ebenfalls eine bedeutende Zahl von Arbeitern in Anspruch. Von den der Industrie notwendigen Stoffen liefert aber England selbst – außer der Wolle, die auf Rechnung der Ackerbaubezirke kommt – nur die Mineralien, die Metalle und die Steinkohlen. Während in Cornwall ergiebige Kupfer-, Zinn-, Zink- und Bleibergwerke sind, liefern Staffordshire, Nord-Wales und andere Bezirke große Mengen von Eisen und fast ganz Nord- und Westengland, Mittelschottland und einige Distrikte von Irland einen Überfluß an Steinkohlen.*

In dem Bergbau von *Cornwall* sind teils unter der Erde, teils auf der Oberfläche an 19000 Männer und 11000 Weiber und Kinder beschäftigt.

* Nach dem Zensus von 1841 beträgt die Anzahl der im Bergbau beschäftigten Arbeiter in Großbritannien (außer Irland):

	Männer über 20 Jahr	Männer unter 20 Jahr	Weiber über 20 Jahr	Weiber unter 20 Jahr	Zusammen
Kohlengruben	83408	32475	1185	1165	118233
Kupferbergwerke	9866	3428	913	1200	15407
Bleibergwerke	9427	1932	40	20	11419
Eisenbergwerke	7773	2679	424	73	10949
Zinnbergwerke	4602	1349	68	82	6101
Diverse, und bei denen das Mineral nicht angegeben	24162	6591	472	491	31716
Zusammen:	139238	48454	3102	3031	193825

Da die Kohlen- und Eisenwerke meist von denselben Leuten bearbeitet werden, so ist ein Teil der als Kohlenarbeiter angegebenen Leute und ferner noch ein sehr bedeutender Teil der in der letzten Rubrik angegebenen Arbeiter den Eisenwerken zuzuschreiben.

In den Bergwerken selbst arbeiten fast nur Männer und Knaben von zwölf Jahren aufwärts. Die materielle Stellung dieser Arbeiter scheint nach dem Ch. E. Rept. ziemlich erträglich zu sein, und die Engländer prunken oft genug mit ihren kräftigen und kühnen cornischen Bergknappen, die den Erzadern selbst bis unter den Grund des Meeres nachspüren. Aber der Ch. E. Rept. urteilt doch anders in Beziehung auf die Kräftigkeit dieser Leute. Er weist in dem intelligenten Bericht des *Dr. Barham* nach, daß die Einatmung einer wenig sauerstoffhaltigen, mit Staub und dem Rauch des beim Sprengen gebrauchten Pulvers vermischten Atmosphäre, wie sie sich auf dem Grund der Bergwerke findet, die Lunge ernstlich affiziert, die Tätigkeit des Herzens stört und die Verdauungsorgane erschlafft; daß die anstrengende Arbeit, und besonders das Auf- und Absteigen auf Leitern, das bei einigen Bergwerken selbst jungen kräftigen Männern über eine Stunde Zeit wegnimmt und täglich vor und nach der Arbeit geschieht, sehr zur Entwicklung dieser Übel beiträgt, und daß infolge davon die Männer, welche früh in die Bergwerke gehen, lange nicht die körperliche Ausbildung erhalten, welche man bei den auf der Oberfläche arbeitenden Weibern findet; daß viele jung an der galoppierenden und die meisten in den besten Jahren an der langsamen Schwindsucht sterben; daß sie früh altern und zwischen dem 35. und 45. Lebensjahr arbeitsunfähig werden, und daß sehr viele durch den raschen Übergang aus der warmen Luft des Schachts, nachdem sie unter heftigem Schweiß die Leitern mühsam heraufgeklettert sind in die kalte Luft der Oberfläche, sich akute Entzündungen der ohnehin krankhaften Respirationsorgane zuziehen, welche sehr häufig tödlich wirken. Die Arbeit auf der Oberfläche, das Zerschlagen und Sortieren der Erze, wird von Mädchen und Kindern betrieben und als sehr gesund geschildert, da es in freier Luft getan wird.

Im Norden von England, an der Grenze der Grafschaften Northumberland und Durham, sind die bedeutenden Bleibergwerke von Alston Moor. Die Berichte aus dieser Gegend – ebenfalls im Ch. E. Rept., Bericht des Kommissärs Mitchell – stimmen fast ganz mit denen aus Cornwall überein. Auch hier wird über Mangel an Sauerstoff, Überfluß an Staub, Pulverrauch, Kohlensäure und schwefligen Gasen in der Atmosphäre der Stollen geklagt. Infolgedessen sind die Bergleute, wie in Cornwall, klein von Statur und leiden vom 30. Jahre an aufwärts fast alle an Brustbeschwerden, die endlich, besonders wenn die Arbeit, wie fast immer, fortgesetzt wird, in vollständige Schwindsucht übergehen und so das durchschnittliche Lebensalter dieser Leute wesentlich verkürzen. Wenn die Bergknappen dieser Gegend etwas länger leben als die cornischen, so kommt dies daher, daß sie erst mit dem 19. Jahre anfangen, den Schacht zu befahren, während in Cornwall, wie wir sahen, diese Arbeit schon mit dem 12. Jahre begonnen wird. Indes stirbt auch hier die Majorität nach ärztlichen Aussagen zwischen dem 40. und 50. Lebensjahr. Aus 79 Bergleuten, deren Tod im öffentlichen Register des Distrikts eingeschrieben war und die durchschnittlich 45 Jahre alt geworden waren, waren 37 an der Schwindsucht und 6 an Asthma gestorben. In den umliegenden Ortschaften Allendale, Stanhope und Middleton war die Lebensdauer resp. 49, 48 und 47 Jahre durchschnittlich, und die Todesfälle infolge von Brustbeschwerden machten resp. 48, 54 und 56 Prozent der ganzen Zahl aus. Es ist zu bedenken, daß sämtliche Angaben sich nur auf solche Bergleute beziehen, die ihre Arbeit *nicht vor dem 19. Jahre* antraten. Vergleichen wir hiermit die sogenannten schwedischen Tabellen – ausführliche Mortalitätstabellen[1] über alle Einwohner von Schweden – die in England für den bis jetzt richtigsten Maßstab der durchschnittlichen Lebensdauer der britischen Arbeiterklasse gelten. Nach ihnen erreichen männliche Individuen, die das 19. Lebensjahr zurückgelegt haben, ein Alter von durchschnittlich $57^1/_2$ Jahren, und sonach wird das Leben der nordenglischen Bergleute um durchschnittlich 10 Jahre durch ihre Arbeit verkürzt. Die schwedischen Tabellen gelten aber für den Maßstab der Lebensdauer der *Arbeiter* und bieten somit eine Darstellung der Lebenschancen in den ohnehin schon ungünstigen Verhältnissen des Proletariats, geben also schon eine geringere als die normale Lebensdauer an. – In dieser Gegend finden wir auch die Logierhäuser und Schlafstellen wieder, die wir schon in den großen Städten kennenlernten, und mindestens in derselben schmutzigen, ekelhaften und gedrängten Gestalt wie dort. Mitchell war in einem solchen Zimmer, das 18 Fuß lang und 15 Fuß breit und zur Aufnahme von 42 Männern und 14 Knaben, zusammen also 56 Personen in 14 Betten – von denen die Hälfte wie in einem Schiff *über* den andern angebracht – eingerichtet war. Keine Öffnung war da, um die schlechte Luft hinauszulassen; obwohl in drei Nächten niemand dort geschlafen hatte, so war der Geruch und die Atmosphäre doch so, daß Mitchell sie keinen Augenblick ertragen konnte. Wie mag sie erst in einer heißen Sommernacht unter 56 Schlafgästen sein! Und das ist nicht das Zwischendeck eines amerikanischen Sklavenschiffs, es ist die Wohnung „freigeborner Briten".

Gehen wir jetzt zu den wichtigsten Zweigen des englischen Bergbaues, den Eisenbergwerken und Kohlengruben über, die der Ch. E. Rept. zusammen abhandelt, und zwar mit der ganzen Ausführlichkeit, die die Wichtigkeit des Gegenstandes erfordert. Fast der ganze erste Teil dieses Berichts

[1] Sterblichkeitstabellen

beschäftigt sich mit der Lage der in diesen Bergwerken beschäftigten Arbeiter. Nach der detaillierten Schilderung indes, die ich von der Lage der industriellen Arbeiter gegeben habe, wird es mir hier möglich sein, mich so kurz zu fassen, wie die Rücksicht auf die dem Umfang dieser Schrift zu setzenden Schranken es erfordert.

In den Kohlen- und Eisenbergwerken, die ungefähr auf gleiche Weise ausgebeutet werden, arbeiten Kinder von 4, 5, 7 Jahren; die meisten sind indes über 8 Jahre alt. Sie werden gebraucht, um das losgebrochene Material von der Bruchstelle nach dem Pferdeweg oder dem Hauptschacht zu transportieren und um die Zugtüren, welche die verschiedenen Abteilungen des Bergwerks trennen, bei der Passage von Arbeitern und Material zu öffnen und wieder zu schließen. Zur Beaufsichtigung dieser Türen werden meist die kleinsten Kinder gebraucht, die auf diese Weise 12 Stunden täglich im Dunkeln einsam in einem engen, meist feuchten Gange sitzen müssen, ohne selbst auch nur so viel Arbeit zu haben, als nötig wäre, sie vor der verdummenden, vertierenden Langeweile des Nichtstuns zu schützen. Der Transport der Kohlen und des Eisensteins dagegen ist eine sehr harte Arbeit, da dies Material in ziemlich großen Kufen ohne Räder über den holprigen Boden der Stollen fortgeschleift werden muß, oft über feuchten Lehm oder durch Wasser, oft steile Abhänge hinauf, und durch Gänge, die zuweilen so eng sind, daß die Arbeiter auf Händen und Füßen kriechen müssen. Zu dieser anstrengenden Arbeit werden daher ältere Kinder und heranwachsende Mädchen genommen. Je nach den Umständen kommt entweder ein Arbeiter auf die Kufe oder zwei jüngere, von denen einer zieht und der andere schiebt. Das Loshauen, das von erwachsenen Männern oder starken jungen Burschen von 16 Jahren und drüber geschieht, ist ebenfalls eine sehr ermüdende Arbeit. – Die gewöhnliche Arbeitszeit ist 11 bis 12 Stunden, oft länger, in Schottland bis zu 14 Stunden, und sehr häufig wird doppelte Zeit gearbeitet, so daß sämtliche Arbeiter 24, ja nicht selten 36 Stunden hintereinander unter der Erde und in Tätigkeit sind. Feste Stunden für Mahlzeiten sind meist unbekannt, so daß die Leute essen, wenn sie Hunger und Zeit haben.

Die äußere Lage der Grubenarbeiter wird im allgemeinen als ziemlich gut und ihr Lohn als hoch im Vergleich zu dem der sie umgebenden Ackerbautaglöhner (die freilich verhungern) geschildert, mit Ausnahme einiger Teile von Schottland und dem irischen Kohlenbezirk, wo großes Elend herrscht. Wir werden Gelegenheit haben, später auf diese, ohnehin relative, im Hinblick auf die ärmste Klasse von ganz England gemachte Angabe zurückzukommen. Einstweilen wollen wir die Übel, die aus dem jetzigen Betrieb der Grubenarbeit folgen, betrachten, und die Leser mögen dann entscheiden, ob irgendein Geldlohn imstande ist, den Arbeiter für solche Leiden zu entschädigen.

Die Kinder und jungen Leute, welche mit dem Schleppen der Kohlen und des Eisensteins beschäftigt sind, klagen allgemein über große Müdigkeit. Selbst in den am rücksichtslosesten betriebenen industriellen Etablissements finden wir eine so allgemeine und so sehr aufs äußerste getriebene Abspannung nicht. Der ganze Bericht liefert dazu auf jeder Seite eine Reihe von Beispielen. Es kommt jeden Augenblick vor, daß die Kinder, sowie sie nach Hause kommen, sich auf den steinernen Fußboden vor dem Herde werfen und sogleich einschlafen, daß sie keinen Bissen Nahrung mehr zu sich nehmen können und im Schlaf von den Eltern gewaschen und zu Bette gebracht werden müssen, ja daß sie unterwegs sich vor Müdigkeit hinwerfen und tief in der Nacht von ihren Eltern dort aufgesucht und schlafend gefunden werden. Allgemein scheint es zu sein, daß diese Kinder den größten Teil des Sonntags im Bette zubringen, um sich einigermaßen von der Anstrengung der Woche zu erholen; Kirche und Schule werden nur von wenigen besucht, und bei diesen klagen die Lehrer über große Schläfrigkeit und Abstumpfung bei aller Lernbegierde. Bei den älteren Mädchen und Frauen findet dasselbe statt. Sie werden auf die brutalste Weise überarbeitet. – Diese Müdigkeit, die fast immer bis zu einem höchst schmerzhaften Grade gesteigert wird, verfehlt ihre Wirkungen auf die Konstitution nicht. Die nächste Folge einer solchen übermäßigen Anstrengung ist, daß alle Lebenskraft zur einseitigen Ausbildung der Muskeln verbraucht wird, so daß besonders die Muskeln der Arme und Beine, des Rückens, der Schultern und der Brust, die bei dem Schleppen und Schieben hauptsächlich in Tätigkeit gesetzt werden, eine außerordentlich üppige Entwicklung erhalten, während der ganze übrige Körper Mangel an Nahrung leidet und verkrüppelt. Vor allen Dingen bleibt der Wuchs klein und zurückgehalten; fast alle Grubenarbeiter sind kurz von Körperbau, mit Ausnahme derer von Warwickshire und Leicestershire, die unter besonders günstigen Verhältnissen arbeiten. Dann wird die Pubertät sowohl bei Knaben wie Mädchen zurückgehalten, bei ersteren oft bis zum 18. Jahre; dem Kommissär Symons kam sogar ein neunzehnjähriger Knabe vor, der, mit Ausnahme der Zähne, in keinem Teile weiterentwickelt war als ein Knabe von 11 bis 12 Jahren. Diese Verlängerung der Kindheitsepoche ist im Grunde auch weiter nichts als ein Beweis gehemmter Entwicklung und verfehlt nicht, im späteren Alter ihre Früchte zu tragen. Verkrümmung der Beine, eingebogene Knie und auswärts gebogene Füße, Verkrümmung des Rückgrats und andere Mißbildungen stellen sich unter diesen Umständen und bei so geschwächten Konstitutionen infolge der fast immer gezwungenen Körperstellung bei der Arbeit um so leichter ein und sind so häufig, daß sowohl in Yorkshire und Lancashire wie in Northumberland und Durham von vielen, selbst Ärzten behauptet wird, man könne einen Grubenarbeiter unter hundert andern Leuten schon an seiner Körperbildung kennen. Besonders die Weiber scheinen sehr von der Arbeit zu leiden und sind selten, wenn überhaupt jemals, so gerade wie andere Weiber. Daß Mißbildungen des Beckens und infolgedessen schwere, ja tödliche Geburten ebenfalls aus der Arbeit der Weiber in den Gruben entstehen, wird auch hier bezeugt. Außer diesen lokalen Verkrüppelungen haben die Grubenarbeiter aber noch an einer Reihe von speziellen Krankheiten zu leiden, die ziemlich mit denen der übrigen Bergleute zusammenfallen und leicht aus der Art der Arbeit zu erklären sind. Der Unterleib leidet vor allem; der Appetit verliert sich, Magenschmerzen, Übelkeit und Erbrechen treten in den meisten Fällen ein, dazu heftiger Durst, der nur mit dem schmutzigen, oft lauen Wasser des Bergwerks gelöscht werden kann; die Verdauungstätigkeit wird gehemmt und dadurch die übrigen Krankheiten gefördert. Krankheiten des Herzens, besonders Hypertrophie, Entzündung des Herzens und des Pericardium, Kontraktion der Aurikulo-ventrikular-Kommunikationen und des Eingangs der Aorta, werden ebenfalls von mehreren Seiten als häufige Übel der Grubenarbeiter angegeben und leicht durch Überarbeitung erklärt. Desgleichen die fast allgemeinen Bruchschäden, die ebenfalls die direkte Folge von übermäßiger Muskelanstrengung sind. Teils aus derselben Ursache, teils aus der – hier so leicht zu vermeidenden – schlechten, mit Kohlensäure und Kohlenwasserstoffgas gemischten, staubgefüllten Atmosphäre der Gruben entstehen eine Menge schmerzhafter und gefährlicher Lungenkrankheiten, besonders Asthma, das in einigen Distrikten mit dem 40., in andern schon mit dem 30. Lebensjahre bei den meisten Grubenarbeitern zum Vorschein kommt und sie in kurzer Zeit arbeitsunfähig macht. Bei denjenigen, die in nassen Stollen zu arbeiten haben, tritt die Beklemmung auf der Brust natürlich schon viel früher ein; in einigen Gegenden Schottlands zwischen dem 20. und 30. Jahre, während welcher Zeit die angegriffenen Lungen außerdem für Entzündungen und fieberhafte Affektionen sehr empfänglich sind. Eine eigentümliche Krankheit dieser Art Arbeiter ist das Schwarzspeien (black spittle), das aus einer Durchdringung der ganzen Lunge mit feiner Kohle entsteht und sich in allgemeiner Schwäche, Kopfschmerzen, Brustbeklemmung und schwarzer, dickschleimiger Expektoration äußert. In einigen Gegenden erscheint dies Übel in milder Form, in andern dagegen erscheint es ganz unheilbar, besonders in Schottland; hier zeigt sich außer einer Steigerung der erwähnten

Symptome ein sehr kurzer, pfeifender Atem, schneller Puls (über 100 in einer Minute), abgebrochener Husten; die Abmagerung und Schwäche nimmt zu und macht den Patienten bald arbeitsunfähig. In allen Fällen führt dies Übel hier den Tod nach sich. Dr. MacKellar in Pencaithland, East Lothian, sagt aus, daß in allen den Gruben, welche gut ventiliert seien, diese Krankheit gar nicht vorkomme, während oft genug Arbeiter, die aus gut ventilierten in schlecht ventilierte Gruben übergingen, von ihr ergriffen würden. Die Gewinnsucht der Grubenbesitzer, die die Anlegung von Ventilationsschachten unterläßt, ist also schuld daran, daß diese Krankheit überhaupt existiert. Rheumatismus ist ebenfalls, mit Ausnahme von Warwickshire und Leicestershire, ein allgemeines Übel der Grubenarbeiter, das besonders aus den häufigen nassen Arbeitslokalen entsteht. – Das Resultat aller dieser Krankheiten ist, daß in allen Distrikten *ohne Ausnahme* die Grubenarbeiter früh altern und nach dem 40. Jahre bald – es ist verschieden nach den verschiedenen Distrikten – arbeitsunfähig werden. Daß ein Grubenarbeiter nach dem 45. oder gar 50. Lebensjahre seine Beschäftigung noch verfolgen kann, kommt äußerst selten vor. Mit 40 Jahren, wird allgemein angegeben, fängt ein solcher Arbeiter an, in sein Greisenalter zu treten. Dies gilt von denen, die die Kohlen loshauen; die Auflader, die fortwährend schwere Blöcke Kohlen in die Kufen zu heben haben, altern schon mit dem 28. oder 30. Jahre, so daß es ein Sprüchwort in den Kohlendistrikten gibt: Die Auflader werden alte Männer, ehe sie junge sind. Daß dies frühe Altern der Grubenarbeiter auch einen frühen Tod herbeiführt, versteht sich von selbst, und so ist denn auch ein Sechziger eine große Seltenheit unter ihnen; ja selbst in Süd-Staffordshire, wo die Gruben verhältnismäßig gesund sind, erreichen nur wenige das 51. Jahr. – Bei diesem frühen Altern der Arbeiter finden wir denn auch ganz natürlich, wie bei den Fabriken, häufige Arbeitslosigkeit der Eltern, die von ihren oft noch sehr jungen Kindern ernährt werden. – Fassen wir nun die Resultate der Arbeit in Kohlengruben nochmals kurz zusammen, so finden wir, um mit Dr. Southwood Smith, einem der Kommissäre, zu reden – daß einerseits durch Verlängerung der Kindheitsperiode, andererseits durch frühes Altern diejenige Lebensepoche, in der der Mensch im vollen Besitze seiner Kräfte ist, das Mannesalter, um ein bedeutendes verkürzt und die Lebensdauer überhaupt durch einen frühen Tod verringert wird. Auch das ins Debet der Bourgeoisie!

Alles das ist nur der Durchschnitt der englischen Gruben. Es gibt ihrer aber viele, in denen es noch weit schlimmer aussieht, nämlich diejenigen, in welchen dünne Kohlenflöze ausgebeutet werden. Die Kohlen würden zu teuer kommen, wollte man außer dem Kohlenlager auch noch einen Teil der anstoßenden Sand- und Lehmschichten wegräumen; daher lassen die Besitzer nur jene ausgraben, und dadurch werden die Gänge, die sonst vier, fünf und mehr Fuß hoch sind, so niedrig, daß an aufrechtes Stehen nicht zu denken ist. Der Arbeiter liegt auf der Seite und bricht mit seiner Hacke die Kohlen los, indem er den Ellenbogen als Angelpunkt aufstützt – daraus entsteht Entzündung des Gelenks und in den Fällen, wo er knien muß, dasselbe Übel am Kniegelenk. Die Weiber und Kinder, die die Kohlen zu schleppen haben, kriechen auf Händen und Füßen, mit einem Geschirr und einer Kette, die in vielen Fällen zwischen den Beinen durchgeht, an die Kufe gespannt, durch die niedrigen Stollen, während ein anderer von hinten mit Kopf und Händen nachschiebt. Das Drücken mit dem Kopf erzeugt lokale Irritation, schmerzhafte Anschwellungen und Geschwüre. In vielen Fällen sind die Stollen auch naß, so daß diese Arbeiter durch schmutziges oder salziges, ebenfalls Irritation der Haut erzeugendes Wasser von mehreren Zollen tief zu kriechen haben. Man kann sich leicht vorstellen, wie sehr die den Grubenarbeitern ohnehin eigentümlichen Krankheiten durch eine so scheußliche Sklavenarbeit begünstigt werden.

Das sind noch nicht alle Übel, die auf das Haupt des Grubenarbeiters fallen. Im ganzen britischen Reich gibt es keine Arbeit, bei der man auf so vielerlei Weise ums Leben kommen kann, wie gerade diese. Die Kohlengrube ist der Schauplatz einer Menge der schreckenerregendsten Unfälle, und gerade diese kommen direkt auf Rechnung des Bourgeoisie-Eigennutzes. Das Kohlenwasserstoffgas, das sich so häufig in ihnen entwickelt, bildet durch seine Vermischung mit atmosphärischer Luft eine explosible[1] Luftart, die sich durch die Berührung mit einer Flamme entzündet und jeden tötet, der sich in ihrem Bereich befindet. Solche Explosionen fallen fast alle Tage hier oder dort vor; am 28. September 1844 war eine in Haswell Colliery (Durham), welche 96 Menschen tötete. Das kohlensaure Gas, das sich ebenfalls in Menge entwickelt, lagert an den tiefern Stellen der Gruben oft über Mannshöhe und erstickt jeden, der hineingerät. Die Türen, die die einzelnen Teile der Gruben trennen, sollen die Fortpflanzung der Explosionen und die Bewegung der Gase hindern, aber da man sie kleinen Kindern zur Bewachung übergibt, die oft einschlafen oder sie vernachlässigen, so ist diese Vorsichtsmaßregel illusorisch. Durch eine gute Ventilation der Gruben vermittelst Luftschachten wäre die nachteilige Wirkung beider Gase gänzlich zu vermeiden, aber dazu gibt der Bourgeois sein Geld nicht her und befiehlt lieber den Arbeitern, nur von der Davyschen Lampe Gebrauch zu machen, die ihm wegen ihres düstern Scheins oft ganz nutzlos ist und die er

[1] *(1892)* explosive

deshalb lieber mit der einfachen Kerze vertauscht. Kommt dann eine Explosion, so war es Nachlässigkeit der Arbeiter, wo doch der Bourgeois durch gute Ventilation jede Explosion hätte fast unmöglich machen können. Ferner fällt alle Augenblicke ein Stollen ganz oder teilweise ein und begräbt die Arbeiter oder zerquetscht sie; es ist das Interesse des Bourgeois, daß die Flöze soviel irgend möglich ausgegraben werden, und daher auch diese Art Unglücksfälle. Dann sind die Seile, an denen die Arbeiter in den Schacht fahren, oft schlecht und reißen, so daß die Unglücklichen herunterfallen und zerschmettert werden. Alle diese Unglücksfälle – ich habe keinen Raum für einzelne Beispiele – raffen jährlich, nach dem „Mining Journal"[103], etwa 1400 Menschenleben dahin. Der „Manchester Guardian" berichtet allein aus Lancashire mindestens zwei bis drei in jeder Woche. Fast in allen Bezirken sind die Totenschau-Juries in allen Fällen von den Grubenbesitzern abhängig, und wo dies nicht der Fall ist, da sorgt der Schlendrian der Gewohnheit dafür, daß das Verdikt auf *„Tod durch Zufall"* lautet. Ohnehin kümmert sich die Jury wenig um den Zustand der Grube, weil sie nichts davon versteht. Aber der Ch. E. Rept. nimmt keinen Anstand, die Besitzer der Gruben geradezu für die große Mehrzahl dieser Fälle verantwortlich zu machen.

In Beziehung auf die Bildung und Sittlichkeit der bergbauenden Bevölkerung, so soll diese nach dem Ch. E. Rept. in Cornwall ziemlich und in Alston Moor sogar vortrefflich sein; dagegen steht sie in den Kohlendistrikten allgemein sehr niedrig. Die Leute leben auf dem Lande, in vernachlässigten Gegenden, und wenn sie ihre saure Arbeit tun, so kümmert sich außer der Polizei kein Mensch um sie. Daher kommt es und von dem zarten Alter, in welchem die Kinder an die Arbeit gestellt werden, daß ihre geistige Bildung durchaus vernachlässigt ist. Die Wochenschulen stehen ihnen nicht offen, die Abend- und Sonntagsschulen sind illusorisch, die Lehrer taugen nichts. Daher können nur wenige lesen und noch weniger schreiben. Das einzige, wofür ihre Augen noch offengeblieben, war nach der Aussage der Kommissäre, daß ihr Lohn viel zu gering für ihre saure und gefährliche Arbeit sei. – In die Kirche gehen sie nie oder selten; alle Geistlichen klagen über eine Irreligiosität ohnegleichen. In der Tat finden wir unter ihnen eine Unwissenheit über religiöse und weltliche Dinge, gegen welche die oben in Beispielen dargelegte vieler Industriearbeiter noch gering ist. Die religiösen Kategorien sind ihnen nur aus den Fluchworten bekannt. Ihre Moralität wird schon durch die Arbeit zerstört. Daß die Überarbeitung aller Grubenarbeiter den Trunk notwendig erzeugen muß, liegt auf der Hand. Was das Geschlechtsverhältnis betrifft, so arbeiten in den Gruben wegen der dort herrschenden Wärme Männer, Weiber und Kinder in vielen Fällen ganz

COAL MINES.
Nature of Employment.
East of Scotland.

365. Fig. 18 represents the mode of putting backwards with the face to the tub.

Fig. 18.

366. The boxes or carriages employed in putting are of two sorts, the hutchie and the slype; the hutchie being an oblong square-sided box with four wheels, which usually runs on a rail; and the slype is a wood-framed box, curved and shod with iron at the bottom, holding from 2¼ to 5 cwt. of coal, adapted to the seams through which it is dragged. The lad or lass is harnessed over the shoulders and back with a strong leathern girth, which behind is furnished with an iron hook, which attaches itself to a chain fastened to the coal-cart or slype, and is thus dragged along. The dresses of these girls are made of coarse hempen stuff, (sacking), fitting close to the figure, the coverings to their heads are of the same material; little or no flannel is used, and their clothing, being of an absorbent nature, frequently gets completely saturated shortly after descending the pit, especially where the roofs are soft (Ibid, § 30: p. 388).

367. Where the seams are narrow and the roofs low, Children and Young Persons of both sexes drag on all-fours, like horses. In these seams the carriages called slypes, already described, are used: Fig. 19. The workings in these narrow

Fig. 19.

seams are from 100 to 200 yards from the main-roads, and the passages through which they have to crawl with their loads do not exceed from 22 to 28 inches in height. "The danger and the difficulties," observes the Sub-Commissioner, "of dragging on roads, dipping from one foot in three to one foot in six, may be more easily conceived than explained; and the state which females are in after pulling like horses through these holes—their perspiration, their exhaustion, and very frequently even their tears, it is painful in the extreme to witness; yet, when the work is done, they return to it with a vigour which is surprising, considering how they inwardly hate it" (Ibid. § 8: App. Pt. I., p. 383).—Of the severity of the labour performed by young women in these pits, the account of her work given by Margaret Hipps (fig. 19) may serve as an example.

Margaret Hipps, seventeen years old, putter, Stoney Rigg Colliery, Stirlingshire: "My employment, after reaching the wall-face, is to fill a bagie, or slype, with 2½ to 3 cwt. of coal. I then hook it on to my chain, and drag it through the seam, which is 26 to 28 inches high, till I get to the main-road—a good distance, probably 200 to 400 yards. The pavement I drag over is wet, and I am obliged at all times to crawl on hands and feet with my bagie hung to the chain and ropes. (See fig. 19.) It is sad sweating and sore fatiguing work, and frequently maims the women" (R. H. Franks, Esq., Evidence, No. 233: App. Pt. I., p. 479, l. 50).—[Sub-Commissioner: "It is almost incredible that human beings can submit to such employment, crawling on hands and knees, harnessed like horses, over soft slushy floors more difficult than dragging the same weights through our lowest common-sewers, and more difficult in consequence of the inclination, which is frequently one in three to one in six"] (Ibid. l. 61).—See also witnesses, Nos. 102, 231, 236, 262, 362.

368. Another form of severe labour, to which Children of eight years of age and upwards are put, is that of pumping water in the pits.

Alexander Gray, ten years old, below-ground pump-boy, New Craighall Colliery, Inveresk:

Eine Seite aus dem Bericht der Children's Employment Commission

und in den meisten beinahe nackt, und was die Folgen davon in der finstern, einsamen Grube sind, mag sich jeder selbst denken. Die Zahl der unehelichen Kinder, die hier unverhältnismäßig groß ist, spricht für das, was unter der halbwilden Bevölkerung dort unten vorgeht, beweist aber auch, daß der illegitime Verkehr der Geschlechter hier noch nicht, wie in den Städten, bis zur Prostitution gesunken ist. Die Arbeit der Weiber hat dieselben Folgen wie in den Fabriken, sie löst die Familie auf und macht die Mütter durchaus unfähig zur Verrichtung ihrer häuslichen Beschäftigungen.

Als der Ch. E. Rept. dem Parlament vorgelegt wurde, beeilte sich Lord *Ashley*, eine Bill vorzuschlagen, worin die Arbeit der Weiber in Bergwerken ganz verboten und die der Kinder sehr beschränkt wurde. Die Bill ging durch[104], ist aber in den meisten Gegenden ein toter Buchstabe geblieben, da nicht auch Bergwerksinspektoren ernannt wurden, um nach ihrer Ausführung zu sehen. Die Umgehung ist in den ländlichen Distrikten, wo die Bergwerke liegen, ohnehin schon sehr erleichtert, und da darf es uns nicht wundern, wenn voriges Jahr dem Minister des Innern die offizielle Anzeige von seiten der Verbindung der Grubenarbeiter gemacht wurde, daß in den Gruben des Herzogs von Hamilton in Schottland über 60 Frauenzimmer arbeiteten, oder wenn der „Manchester Guardian" einmal berichtete, daß, wenn ich nicht irre, bei Wigan ein Mädchen durch eine Explosion in der Grube umgekommen sei und kein Mensch sich weiter darum kümmerte, daß auf diese Weise eine Ungesetzlichkeit an den Tag kam. In einzelnen Fällen mag es abgestellt worden sein, aber im allgemeinen besteht das alte Verhältnis unverändert fort.

Das sind aber noch nicht alle Beschwerden, die auf die Grubenleute fallen. Die Bourgeoisie, nicht zufrieden damit, die Gesundheit dieser Leute zu ruinieren, ihr Leben stündlich in Gefahr zu bringen, ihnen alle Gelegenheit zur Bildung zu nehmen, beutet sie auch sonst noch auf die unverschämteste Weise aus. Das Trucksystem ist hier nicht Ausnahme, sondern Regel und wird auf die unverhohlenste, direkteste Weise betrieben. Das Cottagesystem ist ebenfalls allgemein und hier meist Notwendigkeit, wird aber auch hier zur besseren Ausbeutung der Arbeiter angewandt. Dazu noch allerlei sonstige Betrügereien. Während die Kohlen nach dem Gewicht verkauft werden, wird dem Arbeiter meist der Lohn nach dem Maß berechnet, und wenn er seine Kufe nicht ganz voll hatte, so bekommt er *gar keinen* Lohn, während er keinen Heller für Übermaß bezahlt erhält. Ist in der Kufe mehr als ein gewisses Quantum Grieß, was doch weniger vom Arbeiter als von der Beschaffenheit der Kohlenflöze abhängt, so ist nicht nur der ganze Lohn, sondern auch noch eine Strafe verwirkt. Das Strafgeldersystem ist in den

Gruben überhaupt so vollkommen ausgebildet, daß zuweilen ein armer Teufel, der die ganze Woche gearbeitet hat und kommt, seinen Lohn zu holen, vom Aufseher – denn der straft ganz nach Belieben und ohne den Arbeiter herbeizuholen – erfährt, daß er nicht nur keinen Lohn zu erwarten, sondern noch soundsoviel an Strafen nachzuzahlen hat! Der Aufseher hat überhaupt absolute Macht über den Lohn, er notiert die gelieferte Arbeit und kann dem Arbeiter, der ihm glauben muß, bezahlen, was er will. In einigen Gruben, wo nach dem Gewicht bezahlt wird, werden falsche Dezimalwaagen gebraucht, deren Gewichte nicht durch die öffentliche Autorität geeicht zu werden brauchen; in einer war sogar eine Regel, daß jeder Arbeiter, der wegen Unrichtigkeit der Waage klagen wollte, *dies dem Aufseher drei Wochen vorher anzeigen mußte*! In vielen Gegenden, besonders in Nordengland, ist es Sitte, daß die Arbeiter auf ein Jahr engagiert werden; sie verpflichten sich, während der Zeit für keinen andern zu arbeiten, aber der Besitzer verpflichtet sich durchaus nicht, ihnen Arbeit zu geben, so daß sie oft monatelang arbeitslos sind und, wenn sie woanders Arbeit suchen, wegen Dienstvernachlässigung sechs Wochen auf die Tretmühle geschickt werden. In andern Verträgen wird den Leuten Arbeit bis zu 26 Shilling jede 14 Tage gesichert, aber nicht gegeben; in andern Distrikten leihen die Besitzer den Arbeitern kleine, nachher abzuverdienende Summen und fesseln sie dadurch an sich. Im Norden ist es allgemeine Sitte, stets den Lohn einer Woche zurückzuhalten, um dadurch die Leute zu fesseln. Und um die Sklaverei dieser geknechteten Arbeiter zu vollenden, sind fast alle Friedensrichter der Kohlendistrikte selbst Grubenbesitzer oder Verwandte und Freunde von solchen und haben in diesen unzivilisierten, armen Gegenden, wo es wenig Zeitungen – und auch diese im Dienst der herrschenden Klasse – und wenig politische Agitation gibt, eine fast unumschränkte Macht. Man kann sich kaum eine Vorstellung davon machen, wie diese armen Grubenarbeiter von den in eigner Sache urteilenden Friedensrichtern ausgesogen und tyrannisiert worden sind.

Eine lange Zeit ging das so voran. Die Arbeiter wußten nicht besser, als daß sie dazu da seien, bis aufs Blut geschunden zu werden. Allmählich aber fand sich auch unter ihnen, namentlich in den Fabrikdistrikten, wo die Berührung mit den intelligenteren Fabrikarbeitern ihren Einfluß nicht verfehlte, ein oppositioneller Geist gegen die schamlose Unterdrückung der „*Kohlenkönige*". Sie fingen an, Assoziationen zu bilden und von Zeit zu Zeit die Arbeit einzustellen. In den zivilisierteren Teilen schlossen sie sich sogar mit Leib und Seele den Chartisten an. Der große Kohlendistrikt des Nordens von England, der allem industriellen Verkehr abgeschlossen war, blieb indes immer noch zurück, bis endlich, nach vielen Versuchen und Anstrengungen, teils der Chartisten, teils der intelligenteren Grubenleute selbst, im Jahre 1843 ein allgemeiner Geist des Widerstands auch hier erwachte. Eine solche Bewegung ergriff die Arbeiter von Northumberland und Durham, daß sie sich an die Spitze einer allgemeinen Verbindung der Grubenleute des ganzen Reichs stellten und einen Chartisten, den Advokaten *W. P. Roberts* aus Bristol, der sich schon bei den früheren Chartistenprozessen ausgezeichnet hatte, zu ihrem „Generalprokurator" ernannten. Die „Union" verbreitete sich bald über die große Mehrzahl der Distrikte; überall wurden Agenten ernannt, die Versammlungen hielten und Mitglieder anwarben; bei der ersten Konferenz von Deputierten in Manchester im Januar 1844 waren über 60000, bei der zweiten in Glasgow, ein halbes Jahr später, schon über 100000 Mitglieder. Alle Angelegenheiten der Grubenleute wurden hier beraten und über die größeren Arbeitseinstellungen Beschlüsse gefaßt. Mehrere Journale, besonders die Monatsschrift „The Miner's Advocate" zu Newcastle-upon-Tyne, wurden gegründet und die Rechte der Grubenleute darin vertreten.

Am 31. März 1844 liefen die Dienstverträge aller Grubenleute in Northumberland und Durham ab. Sie ließen sich von Roberts einen neuen Vertrag aufsetzen, worin sie verlangten: 1. Bezahlung nach dem Gewicht statt nach dem Maß; 2. Ermittlung des Gewichts durch gewöhnliche, von den öffentlichen Inspektoren revidierte Waagschalen und Gewichte; 3. halbjährliche Dienstzeit; 4. Abschaffung des Strafensystems und Bezahlung der wirklich gelieferten Arbeit; 5. Verpflichtung der Besitzer, den in ihrem ausschließlichen Dienst befindlichen Arbeitern wenigstens vier Tage in der Woche Arbeit oder den Lohn für vier Tage zu garantieren. Der Vertrag wurde den Kohlenkönigen übersandt und eine Deputation ernannt, um mit ihnen zu unterhandeln; diese aber antworteten, die „Union" existiere nicht für sie, sie hätten nur mit den einzelnen Arbeitern zu tun und würden die Verbindung nie anerkennen. Auch legten sie einen andern Vertrag vor, der von allen den obigen Punkten nichts wissen wollte und natürlich von den Arbeitern verweigert wurde. Somit war der Krieg erklärt. Am 31. März 1844 legten 40000 Grubenleute ihre Hacken nieder, und sämtliche Gruben in den beiden Grafschaften standen leer. Die Fonds der Assoziation waren so bedeutend, daß auf mehrere Monate jeder Familie eine Unterstützung von $2^1/_2$ sh. wöchentlich zugesichert werden konnte. Während so die Arbeiter die Geduld ihrer Brotherrn auf die Probe stellten, organisierte Roberts mit einer Unermüdlichkeit ohnegleichen den Turnout und die Agitation, ließ Versammlungen halten, durchreiste England in die Kreuz und Quer, sammelte Unterstützungen für die Feiernden, predigte Ruhe und Gesetzlichkeit und führte zugleich einen Feldzug gegen die despotischen Friedensrichter und Truckmeister aus, wie er noch nie in England vorgekommen war. Schon im Anfange des Jahres hatte er diesen begonnen. Wo irgendein Grubenarbeiter von den Friedensgerichten verurteilt war, verschaffte er sich beim Hofe der Queen's Bench [105] ein Habeas Corpus [106], brachte seinen Klienten vor den Hof nach London und erhielt ihn immer freigesprochen. So sprach Richter Williams von der Queen's Bench am 13. Januar drei von den Friedensrichtern zu Bilston (Süd-Staffordshire) verurteilte Grubenleute los; das Verbrechen dieser Leute war, daß sie sich weigerten, an einer Stelle zu arbeiten, welcher Einsturz drohte und wirklich, ehe sie zurückkamen, eingestürzt war! Bei einer früheren Gelegenheit hatte Richter Patteson sechs Arbeiter losgesprochen, so daß der Name Roberts allmählich anfing, den grubenbesitzenden Friedensrichtern fürchterlich zu werden. In Preston saßen ebenfalls vier seiner Klienten; er machte sich in der ersten Woche des Februar auf, um die Sache an Ort und Stelle zu untersuchen, fand aber, als er ankam, die Verurteilten *vor* Ablauf der Strafzeit schon entlassen. In Manchester saßen sieben; Roberts erhielt Habeas Corpus und vom Richter Wightman vollständige Freisprechung. In Prescot saßen neun Grubenarbeiter, die wegen angeblicher Ruhestörung in St. Helens (Süd-Lancashire) schuldig erklärt und auf ihr Urteil warteten; als Roberts hinkam, wurden sie sogleich freigelassen. Alles das geschah in der ersten Hälfte des Februar. Im April befreite Roberts auf dieselbe Weise einen Grubenarbeiter aus dem Gefängnis zu Derby, vier aus dem zu Wakefield (Yorkshire) und vier aus dem zu Leicester. So ging es eine Zeitlang fort, bis die „Dogberries", wie diese Friedensrichter nach dem bekannten Charakter in Shakespeares „Viel Lärmen um nichts" genannt werden, etwas Respekt bekamen. Ebenso ging es mit dem Trucksystem. Einen nach dem andern von diesen ehrlosen Grubenbesitzern schleppte Roberts vor Gericht und erzwang von den widerwilligen Friedensrichtern Urteile gegen sie; solch eine Furcht verbreitete sich unter ihnen vor diesem windschnellen Generalprokurator, der überall zu gleicher Zeit zu sein schien, daß z.B. in Belper bei Derby eine Truckfirma bei seiner Ankunft folgendes Plakat anschlagen ließ:

„Bekanntmachung. Pentrich-Kohlenzeche."

„Die Herren Haslam halten es für nötig (um jedem Irrtum zuvorzukommen), anzuzeigen, daß alle in ihrer Zeche beschäftigten Leute ihren Lohn ganz in Geld ausbezahlt erhalten werden und ihn ausgeben können, wo und wie es ihnen beliebt. Wenn sie im Laden der Herren Haslam ihre Waren kaufen, so werden sie dieselben, wie bisher, zu Engrospreisen erhalten, jedoch wird nicht erwartet, daß sie sie dort kaufen, und es wird ihnen dieselbe Arbeit und derselbe Lohn gegeben werden, sie mögen in diesem oder irgendeinem andern Laden kaufen."

Diese Triumphe erregten den lautesten Jubel unter der ganzen englischen Arbeiterklasse und führten der „Union" eine Menge neuer Mitglieder zu. Inzwischen ging das Feiern im Norden voran. Keine Hand wurde gerührt, und Newcastle, der Hauptexporthafen für Kohlen, war so entblößt davon, daß man von der schottischen Küste Kohlen dorthin bringen mußte, obwohl im Englischen to carry coals to Newcastle[1] so viel heißt, wie bei den Griechen Eulen nach Athen tragen, d. h. etwas ganz Überflüssiges tun. Anfangs, solange die Fonds der „Union" vorhielten, ging alles gut, aber gegen den Sommer wurde den Arbeitern der Kampf sehr erschwert. Die höchste Not herrschte unter ihnen; sie hatten kein Geld, denn die Beiträge der Arbeiter aller Industriezweige in ganz England machten doch auf die große Anzahl der Feiernden wenig aus; sie mußten bei den Krämern mit Schaden borgen; die ganze Presse, mit Ausnahme weniger proletarischen Journale, war gegen sie; die Bourgeoisie, selbst die wenigen unter ihr, die Gerechtigkeitssinn genug gehabt hätten, sie zu untersützen, erfuhren aus den feilen liberalen und konservativen Blättern nur Lügen über die Sache; eine Deputation von zwölf Grubenleuten, die nach London ging, brachte bei dem dortigen Proletariat eine Summe auf, die aber auch bei der Menge der Unterstützungsbedürftigen wenig half; trotz alledem blieben die Grubenleute fest und, was noch mehr sagen will, bei allen Feindseligkeiten und Herausforderungen der Grubenbesitzer und ihrer getreuen Diener ruhig und friedlich. Kein Akt der Rache wurde geübt, kein einzelner Abtrünniger mißhandelt, kein einziger Diebstahl verübt. So hatte das Feiern schon an vier Monate gedauert, und noch immer hatten die Besitzer keine Aussicht, die Oberhand zu bekommen. Ein Weg stand ihnen noch offen. Sie erinnerten sich des Cottagesystems; es fiel ihnen ein, daß die Häuser der Widerspenstigen *ihr* Eigentum seien. Im Juli wurde den Arbeitern die Miete gekündigt, und in einer Woche alle vierzigtausend vor die Türe gesetzt. Diese Maßregel wurde mit einer empörenden Barbarei durchgeführt. Kranke und Schwache, Greise und Säuglinge, selbst gebärende Frauen wurden schonungslos aus den Betten gerissen und in den Chausseegraben geworfen. Ein Agent machte sich sogar den Genuß, ein hochschwangeres Weib mit eigner Hand bei den Haaren aus dem Bette und auf die Straße zu schleifen. Militär und Polizei stand in Masse dabei, bereit, auf das erste Zeichen von Widerstand und auf den ersten Wink der Friedensrichter, die die ganze brutale Prozedur leiteten, einzuhauen. Auch das überstanden die Arbeiter, ohne sich zu rühren. Man hatte gehofft, sie würden Gewalt brauchen, man reizte sie mit aller Macht zur Widersetzlichkeit, um nur einen

[1] Kohlen nach Newcastle tragen

Vorwand zu haben, dem Feiern durch Militär ein Ende zu machen; die obdachlosen Grubenleute, eingedenk der Ermahnungen ihres Prokurators, blieben unbeweglich, setzten schweigend ihre Möbel auf die Moorflächen oder abgeernteten Felder und hielten aus. Einige, die keinen andern Platz wußten, kampierten in den Chausseegräben, andere auf andrer Leute Grundstücken, wo sie dann verklagt und, weil sie „Schaden zum Betrage eines Halfpenny" getan hätten, in ein Pfund Kosten verurteilt wurden, die sie natürlich nicht bezahlen konnten und auf der Tretmühle abbüßten. So haben sie acht und mehr Wochen in dem nassen Spätsommer des vorigen Jahres (1844) unter freiem Himmel mit ihren Familien gewohnt, ohne anderes Obdach für sich und ihre Kleinen als die kattunenen Vorhänge ihrer Betten, ohne andere Hülfsmittel als die geringen Unterstützungen der „Union" und den abnehmenden Kredit der Krämer. Darauf ließ Lord Londonderry, der in Durham bedeutende Gruben besitzt, den Krämern *„seiner Stadt"* Seaham mit seinem allerhöchsten Zorn drohen, wenn sie fortführen, *„seinen"* widerspenstigen Arbeitern Kredit zu geben. Dieser „edle" Lord war überhaupt der Harlekin des ganzen Turnouts durch die lächerlichen und schwülstigen, schlecht stilisierten „Ukase" an die Arbeiter, die er von Zeit zu Zeit, aber immer ohne andere Wirkung als die Heiterkeit der Nation, erließ.* Als alles nicht mehr fruchten wollte, ließen die Besitzer mit großen Unkosten aus Irland und den entfernteren Teilen von Wales, wo es noch keine Arbeiterbewegungen gibt, Leute kommen, um in ihren Gruben zu arbeiten, und als so die Konkurrenz der Arbeiter unter sich wiederhergestellt war, brach die Macht der Feiernden zusammen. Die Besitzer zwangen sie, sich von der „Union" loszusagen, Roberts zu verlassen und die von ihnen diktierten Bedingungen anzunehmen. So endigte anfangs September der große fünfmonatliche Kampf der Grubenleute gegen die Besitzer – ein Kampf, der von der Seite der Unterdrückten mit einer Ausdauer, einem Mut, einer Intelligenz und Besonnenheit geführt wurde, die uns die höchste Bewunderung abnötigen. Welch einen Grad von wahrhaft menschlicher Bildung, von Begeisterung und Charakterstärke setzt ein solcher Kampf bei einer Masse von vierzigtausend Männern voraus, die, wie wir sahen, im Ch. E. Rept. noch 1840 als durchaus roh und sittenlos geschildert werden! Wie hart muß aber auch der Druck gewesen sein, der diese vierzigtausend dahin brachte, sich wie *ein* Mann zu erheben und wie eine nicht nur disziplinierte, sondern auch begeisterte Armee, die nur *einen* Willen hat, den Kampf mit der größten Kaltblütigkeit und Ruhe bis zu dem Punkte fortzusetzen,

* (*1892*) Nichts Neues unter der Sonne, wenigstens nicht in Deutschland. Unsre „König Stumm" sind eben auch nur Abklatsche längst vergangner, heute in ihrer Heimat unmöglicher englischer Urbilder.

wo fernerer Widerstand Unsinn wäre! Und welch einen Kampf – nicht gegen sichtbare, tödliche Feinde, sondern gegen Hunger und Not, Elend und Obdachlosigkeit, gegen die eignen, durch die Brutalität des Reichtums bis zum Wahnsinn herausgeforderten Leidenschaften – hätten sie sich gewaltsam empört, so wären sie, die Waffenlosen, zusammengeschossen worden, und ein paar Tage hätten den Sieg der Besitzer entschieden. Diese Gesetzlichkeit war nicht die Furcht vor dem Konstablerstocke, sie war reine Überlegung, sie war der beste Beweis von der Intelligenz und Selbstbeherrschung der Arbeiter.

So unterlagen auch diesmal die Arbeiter, trotz ihrer beispiellosen Ausdauer, der Macht der Kapitalisten. Aber es war nicht fruchtlos. Vor allen Dingen hat dieser neunzehn Wochen lange Turnout die Grubenleute Nordenglands für immer dem geistigen Tod entrissen, in dem sie bisher lagen; sie haben aufgehört zu schlafen, sind wach für ihre Interessen und haben sich der Bewegung der Zivilisation, besonders aber der Arbeiterbewegung angeschlossen. Der Turnout, der erst die ganze Barbarei der Besitzer gegen sie zum Vorschein brachte, hat die Arbeiteropposition hier für immer etabliert und mindestens drei Viertel der ganzen Zahl zu Chartisten gemacht – und die Akquisition von dreißigtausend so energischen, so bewährten Leuten ist den Chartisten wahrlich viel wert. Dann aber hat die Ausdauer und Gesetzlichkeit des ganzen Turnouts, vereinigt mit der tätigen Agitation, die ihn begleitete, doch die öffentliche Aufmerksamkeit auf die Grubenarbeiter gelenkt. Bei Gelegenheit der Debatte über den Ausfuhrzoll auf Kohlen brachte Thomas Duncombe, das einzige entschieden chartistische Unterhausmitglied, die Lage der Grubenarbeiter im Parlament zur Sprache, ließ ihre Petition am Tisch des Hauses verlesen und zwang durch einen Vortrag auch die Journale der Bourgeoisie, wenigstens in den Parlamentsverhandlungen einmal eine richtige Darstellung der Sache aufzunehmen. Gleich nach dem Turnout fiel die Explosion zu Haswell vor; Roberts reiste nach London, erlangte eine Audienz bei Peel, drang als Repräsentant der Grubenarbeiter auf gründliche Untersuchung des Falls und setzte es durch, daß die ersten geologischen und chemischen Notabilitäten Englands, die Professoren Lyell und Faraday, beauftragt wurden, sich an Ort und Stelle zu verfügen. Da bald darauf noch mehrere Explosionen folgten und die Akten von Roberts wiederum dem Premierminister vorgelegt wurden, so versprach dieser, in der nächsten Parlamentssession (der jetzigen von 1845) wo möglich die nötigen Maßregeln zum Schutz der Arbeiter vorzuschlagen. Alles das wäre nicht erfolgt, hätten sich die Leute nicht durch den Turnout als freiheitsliebende, achtunggebietende Männer bewährt und hätten sie Roberts nicht engagiert.

Kaum war es bekannt, daß die Grubenleute des Nordens gezwungen seien, die „Union“ aufzugeben und Roberts zu entlassen, so traten die Grubenleute von Lancashire in einer Union von etwa zehntausend Arbeitern zusammen und garantierten ihrem Generalprokurator sein Gehalt von 1200 Pfund jährlich. Sie brachten im Herbst vorigen Jahres monatlich über 700 Pfund zusammen, von denen etwas über 200 Pfund für Gehalte, Gerichtskosten etc. und der Rest meistens als Unterstützung feiernder Arbeiter, die teils brotlos waren, teils die Arbeit wegen Zwistigkeiten mit den Besitzern niedergelegt hatten, verwendet wurde. So sehen die Arbeiter immer mehr ein, daß sie vereinigt auch eine respektable Macht sind und im höchsten Notfall allerdings der Macht der Bourgeoisie trotzen können. Und diese Einsicht, der Gewinn aller Arbeiterbewegungen ist den sämtlichen Grubenleuten Englands durch die „Union“ und den Turnout von 1844 zuteil geworden. In sehr kurzer Zeit wird der Unterschied der Intelligenz und Energie, der jetzt noch zugunsten der Industriearbeiter besteht, verschwunden sein, und die Bergleute des Reichs werden sich ihnen in jeder Beziehung an die Seite stellen können. So wird ein Stück Terrain nach dem andern unter den Füßen der Bourgeoisie unterwühlt, und wie lange wird es dauern, so stürzt ihr ganzes Staats- und Gesellschaftsgebäude samt der Basis, auf der es steht, zusammen.

Aber sie läßt sich nicht warnen. Die Auflehnung der Grubenarbeiter erbitterte sie nur noch mehr; statt in ihr einen Fortschritt der Bewegung unter den Arbeitern im allgemeinen zu sehen, statt sich dadurch zur Besinnung bringen zu lassen, fand die besitzende Klasse in ihr nur Veranlassung zum Zorn gegen eine Klasse von Menschen, die närrisch genug war, mit der bisherigen Behandlungsweise sich nicht mehr einverstanden zu erklären. Sie sah in den gerechten Forderungen der Besitzlosen nur unverschämte Unzufriedenheit, wahnsinnige Auflehnung gegen „göttliche und menschliche Ordnung“ und im günstigsten Falle einen mit aller Macht wieder zu unterdrückenden Erfolg „übelgesinnter Demagogen, die von der Agitation leben und zu faul sind zum Arbeiten“. Sie suchte – natürlich erfolglos – den Arbeitern Leute wie Roberts und die Agenten der Assoziation, die ganz natürlich von dieser unterhalten wurden, als pfiffige Betrüger darzustellen, die *ihnen*, den armen Arbeitern, den letzten Heller aus der Tasche lockten. – Wenn eine solche Verrücktheit bei der besitzenden Klasse existiert, wenn sie durch ihren augenblicklichen Vorteil so geblendet wird, daß sie selbst für die deutlichsten Zeichen der Zeit keine Augen mehr hat, so muß man wahrlich alle Hoffnungen auf eine friedliche Lösung der sozialen Frage für England aufgeben. Die einzig mögliche Auskunft bleibt eine gewaltsame Revolution, die ganz gewiß nicht ausbleiben wird.

Das Ackerbauproletariat

Schon in der Einleitung sahen wir, wie gleichzeitig mit der kleinen Bourgeoisie und dem Wohlstande der bisherigen Arbeiter auch die kleine Bauernschaft ruiniert wurde, indem die bisherige Vereinigung der industriellen mit der ackerbauenden Arbeit sich auflöste, die vakant gewordenen Felder in große Pachten zusammengeworfen und die kleinen Bauern durch die überwiegende Konkurrenz der großen Wirtschaften aus dem Felde geschlagen wurden. Statt, wie bisher, selbst Grundbesitzer oder Pächter zu sein, wurden sie gezwungen, ihre Wirtschaft aufzugeben und sich als Ackerknechte bei den großen Pächtern und Gutsbesitzern zu verdingen. Eine Zeitlang war dieser Zustand, wenn auch gegen ihren früheren verschlechtert, doch erträglich. Die Ausdehnung der Industrie hielt der vermehrten Bevölkerung die Waagschale, bis endlich der industrielle Fortschritt etwas langsamer zu werden anfing und die stets neuen Vervollkommnungen der Maschinerie die Industrie außerstand setzten, den ganzen Überschuß der arbeitenden Bevölkerung aus den Ackerbaubezirken zu absorbieren. Von diesem Zeitpunkte an zeigte sich das Elend, das bisher in den Fabrikdistrikten allein und auch da nur zeitweise existiert hatte, auch in den Ackerbaubezirken. Dazu kam, daß ungefähr um dieselbe Zeit der fünfundzwanzigjährige Krieg mit Frankreich aufhörte; die verminderte Produktion auf den Kriegsschauplätzen, die Sperrung der Zufuhren und die Notwendigkeit, die britischen Armeen in Spanien zu versorgen, hatten dem britischen Ackerbau einen künstlichen Aufschwung gegeben und zudem eine Menge von Arbeitskräften der Arbeit entzogen. Diese Stockung der Zufuhr, die Notwendigkeit des Exports und der Mangel an Arbeitern hörten nun mit einem Male auf, und die notwendige Folge war, wie die Engländer es nennen, agricultural distress, Ackerbau-Elend. Die Pächter mußten ihr Korn niedrig verkaufen und konnten daher nur niedrigen Lohn bezahlen. Um die Kornpreise hoch zu halten, wurden 1815 die Korngesetze passiert, die die Einfuhr von Korn solange prohibierten, als der Preis des Weizens unter 80 Shilling für das Quarter war. Später wurden diese natürlich fruchtlosen Gesetze noch mehrere Male verändert, ohne indes das Elend der Ackerbaudistrikte mildern zu können. Alles, was sie taten, war das, daß sie die Krankheit, die bei freier Konkurrenz des Auslandes akut geworden wäre und ihre Krisen gehabt hätte, in eine chronische verwandelten, die einen gleichmäßigen, aber immer noch harten Druck auf die Lage der ackerbauenden Arbeiter ausübte.

In der ersten Zeit nach der Entstehung des Ackerbauproletariats entwickelte sich hier das patriarchalische Verhältnis, das gleichzeitig für die Industrie zerstört wurde – dasselbe Verhältnis des Bauern zu seinen Ackerknechten, wie es in Deutschland fast überall jetzt noch besteht. Solange dies bestand, trat die Not unter den Arbeitern weniger und seltner hervor, die Knechte teilten das Schicksal der Pächter und wurden nur im schlimmsten Notfalle entlassen. Jetzt ist das aber anders. Die Leute sind fast alle Tagelöhner, die von den Pächtern beschäftigt werden, wenn diese ihrer bedürfen, und daher oft wochenlang, besonders aber winters, gar keine Arbeit haben. Bei dem patriarchalischen Verhältnis, wo die Knechte und ihre Familien auf dem Hofe des Pächters wohnten und ihre Kinder dort heranwuchsen, wo also natürlich der Pächter die heranwachsende Generation auf seinem Hofe zu beschäftigen suchte und die Taglöhner die Ausnahme, nicht die Regel ausmachten, fand sich auf jedem Gute eine größere Zahl Arbeiter als, streng genommen, nötig war. Daher lag es auch im Interesse der Pächter, dies Verhältnis aufzulösen, den Ackerknecht vom Hof zu treiben und ihn in einen Taglöhner zu verwandeln. Dies geschah ziemlich allgemein gegen das Ende der zwanziger Jahre dieses Jahrhunderts, und die Folge davon war, daß jetzt die bisher, um den Ausdruck der Physik zu gebrauchen, latente Überflußbevölkerung entbunden, der Lohn gedrückt und die Armensteuern enorm gesteigert wurden. Von dieser Zeit an wurden die Ackerbaudistrikte die Hauptsitze des *permanenten*, wie die Fabrikdistrikte die des *wechselnden Pauperismus*, und die Umgestaltung der Armengesetze war die erste Maßregel, welche die öffentliche Macht gegen die täglich wachsende Verarmung der Landgemeinden ergreifen mußte. Dazu kam aber noch, daß, bei fortwährender Ausbreitung des Systems der Bewirtschaftung im großen, die Einführung von Dresch- und andern Maschinen in den Ackerbau und die vielfach eingeführte Arbeit von Weibern und Kindern in den Feldern, die so allgemein ist, daß ihre Folgen neulich durch eine besondre, offizielle Kommission untersucht wurden, auch hier eine große Zahl von Arbeitern brotlos machen. Wir sehen also, wie auch hier das System der industriellen Produktion sich durch große Wirtschaft, Aufhebung des patriarchalischen Verhältnisses – die gerade hier von der größten Bedeutung ist – und Einführung von Maschinerie, Dampfkraft und Arbeit von Weibern und Kindern Eingang verschafft und die letzte, stabilste Seite der arbeitenden Menschheit in die revolutionäre Bewegung hineingerissen hat. Je länger aber der Ackerbau seine Stabilität bewährt hatte, um so schwerer fiel die Last nun auf den Arbeiter, um so gewaltsamer äußerte sich hier die Desorganisation des alten sozialen Zusammenhangs. Die „Übervölkerung" trat mit einem Male ans Tageslicht und war nicht, wie in den Industriebezirken, durch vermehrte Produktion zu beseitigen. Neue Fabriken konnten immer angelegt werden, wenn Abnehmer für ihre Produkte da waren, aber neues Land konnte nicht geschafft werden. Die Kultur der unbebauten Gemeindeländereien war eine zu riskante Spekulation, als daß sich seit dem Frieden viel Kapital hierauf geworfen hätte. Die notwendige Folge davon war, daß die Konkurrenz der Arbeiter unter sich auf den höchsten Punkt gesteigert wurde und der Lohn auf sein Minimum fiel. Solange das alte Armengesetz existierte, wurde den Arbeitern aus der Armenkasse zugesetzt; natürlich fiel der Lohn hierdurch noch mehr, indem jetzt die Pächter einen möglichst großen Teil desselben der Armenkasse zuzuschieben suchten. Die schon durch die überflüssige Bevölkerung nötig gewordene Steigerung der Armensteuer wurde hierdurch nur vermehrt und so das neue Armengesetz, wovon wir noch sprechen werden, nötig gemacht. Dies machte die Sache indes nicht besser. Der Arbeitslohn stieg nicht, die überflüssige Bevölkerung war nicht wegzuschaffen, und die Grausamkeit des neuen Gesetzes diente nur dazu, das Volk aufs höchste zu erbittern. Selbst die Armensteuer, die anfangs abnahm, erreichte nach wenigen Jahren dieselbe Höhe, die sie früher hatte. Die einzige Frucht war die, daß wenn früher drei bis vier Millionen Halbpaupers bestanden hatten, jetzt eine Million ganzer Paupers zum Vorschein kam und die übrigen darum auch halbe Paupers, nur ohne Unterstützung blieben. Das Elend der Ackerbaubezirke hat mit jedem Jahre zugenommen. Die Leute leben in der größten Not, ganze Familien müssen sich mit 6, 7 oder 8 Shilling wöchentlich durchschlagen und haben zeitweise gar nichts. Hören wir eine Schilderung, die ein liberales Parlamentsglied[1] von dem Zustande dieser Bevölkerung schon 1830 entwarf:

„Ein englischer Bauer" (d. h. Ackerbautaglöhner) „und ein englischer Pauper – die Worte sind synonym. Sein Vater war ein Pauper und seiner Mutter Milch war ohne nährende Kraft; von Kind auf hat er schlechte Nahrung und immer nur halbsatt bekommen, und jetzt noch fühlt er die Qual unbefriedigten Hungers fast immer, wenn er nicht schläft. Er ist halbbekleidet, ohne mehr Feuerung, als grade ausreicht, seine

[1] *(1892)* Parlamentsmitglied

magern Mahlzeiten zu kochen, und so kehren Kälte und Nässe stets mit dem Wetter bei ihm ein und verlassen ihn nur mit dem Wetter. Er ist verheiratet, aber er kennt nicht die Freuden des Gatten und Vaters. Sein Weib und seine Kleinen, hungrig, selten warm, oft krank und hülflos, stets sorgenvoll und hoffnungslos wie er, sind natürlich gierig, selbstsüchtig und quälerisch, und so, um seine eignen Worte zu gebrauchen, haßt er ihren Anblick (hates the sight of them) und geht nur zu seiner Baracke zurück, weil sie ihm immer noch etwas mehr Schutz gegen Regen und Wind gewährt als eine Hecke. Er muß seine Familie erhalten, wo er es doch nicht kann; das gibt Bettelei, heimliche Anschläge aller Art und endigt in ausgebildeter Verschlagenheit. Wenn er auch Lust hätte, so fehlte ihm doch der Mut, um, wie andre, energischere Leute seiner Klasse, ein Wilddieb oder Schmuggler im großen zu werden; aber er stibitzt gelegentlich und lehrt seine Kinder lügen und stehlen. Sein unterwürfiges und sklavisches Betragen gegen seine reichen Nachbarn zeigt, daß sie ihn rauh und mit Verdacht behandeln; daher fürchtet und haßt er sie, aber er wird ihnen nie auf gewaltsame Weise Leid antun. Er ist durch und durch depraviert, zu sehr herabgedrückt, um die Kraft der Verzweiflung noch zu haben. Sein elendes Leben ist kurz, Rheumatismus und Asthma bringen ihn ins Arbeitshaus, wo er seinen letzten Atemzug ohne eine einzige angenehme Rückerinnerung tun und für einen andern Unglücklichen Platz machen wird, der ebenso leben und sterben mag wie er."

Unser Autor fügt hinzu, daß es außer dieser Klasse der Ackerbautaglöhner noch eine zweite gebe, die etwas energischer und physisch, intellektuell und moralisch besser begabt sei; diejenigen nämlich, die zwar ebenso elend lebten, aber nicht in dieser Lage geboren seien. Diese seien bessere Familienmitglieder, aber Schmuggler und Wilddiebe, die oft blutige Konflikte mit den Wildhütern und Douaniers der Küste hätten, oft durch die Gefängnisse, die häufig ihr Aufenthalt würden, sich noch mehr gegen die Gesellschaft erbittern lernten und in ihrem Haß gegen die Besitzenden so der ersten Klasse ganz gleich ständen.

„Und", schließt er, „aus Höflichkeit (by courtesy) wird diese ganze Klasse die ‚kühne Bauerschaft von England' (bold peasantry of England, nach Shakespeare) genannt."*

Bis auf den heutigen Tag gilt diese Schilderung für den größten Teil der Taglöhner in den Ackerbaubezirken. Die „Times" sandte im Juni 1844 einen Korrespondenten in diese Gegenden, um über die Lage dieser Klasse zu berichten, und der Bericht, den er gibt, stimmt vollkommen mit Obigem über-

*_E.G.Wakefield_, M.P., „Swing unmasked, or the Causes of Rural Incendiarism" [Der entlarvte Swing (siehe hierzu S. 478/79), oder die Ursachen der ländlichen Brandstiftungen], London 1831. – Pamphlet. Die obigen Zitate stehen p. 9–13, und sind die Stellen, welche sich im Original auf das damals noch bestehende alte Armengesetz beziehen, in der Übersetzung weggelassen.

ein. In einigen Gegenden war der Lohn nicht höher als sechs Shilling wöchentlich, also nicht höher als in vielen Gegenden Deutschlands, während die Preise aller Lebensbedürfnisse in England doch wenigstens doppelt so hoch sind als hier. Wie das Leben beschaffen ist, das diese Leute führen, läßt sich denken. Ihre Nahrung schlecht und knapp, ihre Kleidung zerlumpt und ihre Wohnung eng und erbärmlich – eine kleine elende Hütte ohne alle Komforts, und für junge Leute Logierhäuser, wo Männer und Frauen fast gar nicht getrennt sind und die zu illegitimem Verkehr herausfordern. Ein paar unbeschäftigte Tage im Monat müssen solche Leute notwendig in das tiefste Elend stürzen. Dazu können sie sich nicht assoziieren, um den Lohn hoch zu halten, weil sie zerstreut wohnen, und weigert einer, zu niedrigem Lohn zu arbeiten, so sind Dutzende von Brotlosen und Armenhausgenossen, die sich freuen, wenn ihnen das Geringste geboten wird, während dem Weigernden als einem faulen, liederlichen Taugenichts von der Armenverwaltung jede andre Unterstützung als die verhaßte des Armenhauses abgeschlagen wird; denn in der Verwaltung sitzen ja grade die Pächter, von denen oder deren Nachbarn und Standesgenossen er allein Arbeit erhalten kann. Und nicht nur aus einem oder dem andern der ackerbauenden Distrikte Englands erhalten wir solche Berichte; im Gegenteil, die Not ist gleich groß im Süden und Osten, im Norden und Westen; die Lage der Arbeiter in Suffolk und Norfolk stimmt genau mit der von Devonshire, Hampshire und Sussex; der Lohn ist in Dorsetshire und Oxfordshire so niedrig wie in Kent und Surrey, Buckinghamshire und Cambridgeshire.

Eine besonders hervorzuhebende Barbarei gegen das Ackerbauproletariat sind die Jagdgesetze, die in England so streng sind wie nirgends, während zu gleicher Zeit der Wildstand über alle Begriffe zahlreich ist. Der englische Bauer, der nach alter Sitte und Gewohnheit in der Wilddieberei nur eine ganz natürliche, noble Äußerung des Mutes und der Verwegenheit sieht, wird durch den Gegensatz zwischen seinem eignen Elend und dem car tel est notre plaisir[1] des Lords, der Tausende von Hasen und jagdbaren Vögeln zu seinem Privatvergnügen hegt, noch mehr dazu gereizt. Er legt Schlingen, schießt auch wohl einmal ein Stück Wild – es schadet ja dem Lord im Grunde nichts, der hat ja doch Überfluß daran, und *ihm* bringt es einen Braten übers Feuer für seine hungernde Familie. Wird er entdeckt, so wandert er ins Gefängnis, beim Wiederholungsfalle wird er mindestens sieben Jahre transportiert. Aus der Strenge dieser Strafen entstehen die häufigen blutigen Konflikte mit den Wildhütern, die jedes Jahr eine Reihe von Morden herbeiführen. Das

[1] denn das ist unser Vergnügen

Gewerbe eines Wildhüters wird dadurch nicht nur gefährlich, sondern auch verrufen und geächtet. Im vorigen Jahre kamen zwei Fälle vor, daß Wildhüter sich lieber eine Kugel durch den Kopf jagten als bei ihrem Handwerk blieben. Das ist der wohlfeile Preis, um den sich die grundbesitzende Aristokratie das edle Vergnügen der Jagd erkauft – aber was verschlägt das den edlen „lords of the soil"[1]? Ob ein paar Überflüssige mehr oder minder am Leben sind, ist ja doch höchst gleichgültig, und wenn die Hälfte der „Überflüssigen" erst infolge der Jagdgesetze auf die Seite geschafft wären, so würde es der übrigbleibenden Hälfte desto besser gehen – so räsoniert die Philanthropie der englischen Besitzenden.

Aber obwohl die ländlichen Verhältnisse, die isolierten Wohnungen, die Stabilität der Umgebung, der Beschäftigung und also auch der Ideen aller Entwicklung entschieden ungünstig sind, so trägt die Armut und Not auch hier ihre Früchte. Die Industrie- und Bergwerksarbeiter kamen bald über die erste Stufe der Opposition gegen den sozialen Zustand, über die unmittelbare Auflehnung des Vereinzelten durch Verbrechen, hinaus; die Bauern stecken noch bis auf den heutigen Tag in dieser ersten Stufe. Ihre beliebte Weise des sozialen Krieges ist die Brandstiftung. In dem Winter, der auf die Julirevolution folgte, im Winter 1830/31 wurden diese Brandstiftungen zum ersten Mal allgemein, nachdem schon anfangs Oktober in Sussex und den anstoßenden Grafschaften Unruhen wegen verstärkter Küstenpolizei (wodurch das Schmuggeln erschwert und die Küste, nach dem Ausdruck eines Pächters, ruiniert wurde), wegen Neuerungen in der Armenverwaltung, niedrigen Lohns und Maschineneinführung stattgefunden und die ganze Gegend in Aufregung versetzt hatten. Im Winter also wurden den Pächtern die Korn- und Heuschober auf den Feldern, ja die Scheunen und Ställe unter ihren Fenstern angezündet. Fast jede Nacht flammten ein paar solcher Feuer und verbreiteten Entsetzen unter den Pächtern und Grundeigentümern. Die Täter wurden nie oder sehr selten entdeckt, und das Volk übertrug diese Brandstiftungen auf eine mythische Person, die es *Swing* nannte. Man zerbrach sich die Köpfe darüber, wer dieser Swing sein möge, woher diese Wut unter den Armen der Landdistrikte entstehe; an die große bewegende Kraft, die *Not*, die Unterdrückung dachten die wenigsten – in den Ackerbaudistrikten selbst gewiß niemand. Seit jenem Jahre haben sich die Brandstiftungen mit jedem Winter, mit der für die Taglöhner brotlosen Jahreszeit, wiederholt. Im Winter 1843/44 waren sie wieder einmal außerordentlich häufig. Mir liegen eine Reihe Nummern des „Northern Star" aus jener Zeit vor, deren

[1] deutsch etwa: „Herren von Ar und Halm"

jede mehrere Berichte von Brandstiftungen mit Angabe der Quelle enthält. Die fehlenden Nummern dieses wöchentlichen Blattes in der folgenden Liste liegen mir nicht vor, enthalten aber jedenfalls noch eine Menge Fälle. Ohnehin kann ein solches Blatt nicht alle Fälle geben. „N[orthern] S[tar]", 25. November 1843: zwei Fälle, von mehreren früheren wird gesprochen. – 16. Dezember: In Bedfordshire seit 14 Tagen allgemeine Aufregung wegen häufiger Brandstiftungen, deren jede Nacht mehrere vorkommen. In den letzten Tagen *zwei* große Pachthöfe niedergebrannt. In Cambridgeshire *vier* große Pachthöfe, Hertfordshire *einer* und außerdem noch *fünfzehn* Brandstiftungen in verschiedenen Gegenden. – 30. Dezember in Norfolk *eine*, Suffolk *zwei*, Essex *zwei*, Herts *drei*, Cheshire *eine*, Lancashire *eine*, in Derby, Lincoln und dem Süden *zwölf* Brandstiftungen. – 6. Januar 1844: im ganzen *zehn*, 13. Januar: *sieben*, 20. Januar: *vier* Brandstiftungen. Von jetzt an werden wöchentlich im Durchschnitt drei bis vier Brände gemeldet, und zwar nicht nur wie früher bis ins Frühjahr, sondern bis in den Juli und August hinein, und daß mit dem Herannahen der strengen Jahreszeit 1844/45 diese Art Verbrechen einen neuen Aufschwung nahm, beweisen die mir seitdem zugekommenen englischen Zeitungen und die Berichte in deutschen Blättern.

Was sagen meine Leser zu einem solchen Zustande der stillen, idyllischen Landdistrikte von England? Ist das sozialer Krieg oder nicht? Ist das ein natürlicher, ein der Dauer fähiger Zustand? Und doch sind hier die Pächter und Grundbesitzer ebenso dumm und verstockt, ebenso blind gegen alles, was ihnen nicht bares Geld in die Tasche schafft, wie in den Industriebezirken die Fabrikanten und Bourgeois überhaupt. Wenn diese ihren Arbeitern alles Heil von der *Abschaffung* der Korngesetze versprechen, so versprechen die Grundbesitzer und ein großer Teil der Pächter den ihrigen den Himmel von der *Beibehaltung* derselben. Aber in beiden Fällen gelingt es den Besitzenden nicht, die Arbeiter für ihre Lieblingsmarotte zu gewinnen. Wie die Fabrikarbeiter, so sind auch die Ackerbautaglöhner gegen die Abschaffung oder Beibehaltung der Korngesetze durchaus gleichgültig. Dennoch ist die Frage für beide wichtig. Durch die Abschaffung der Korngesetze wird nämlich die freie Konkurrenz, die jetzige soziale Wirtschaft auf die Spitze getrieben; alle weitere Entwicklung innerhalb der bestehenden Verhältnisse hört dann auf, und der einzige mögliche Fortschritt ist dann die radikale Umwälzung des sozialen Zustandes. Den Ackerbautaglöhnern hat die Sache noch folgende Bedeutung. Die Freigebung der Korneinfuhr bedingt – wie, kann ich *hier* nicht entwickeln – die Emanzipation der Pächter von den Grundbesitzern, mit andern Worten die Verwandlung der torystischen Pächter in liberale. Dazu hat die Antikorngesetzligue – und das ist ihr einziges Verdienst –

schon tüchtig vorgearbeitet. Werden aber die Pächter liberal, d. h. bewußte Bourgeois, so werden die Taglöhner notwendig Chartisten und Sozialisten, d. h. bewußte Proletarier. Das eine zieht das andre nach sich. Und daß schon jetzt unter den Ackerbauproletariern eine neue Bewegung anfängt sich geltend zu machen, zeigt eine Versammlung, welche Graf *Radnor*, ein *liberaler* Grundbesitzer, im Oktober 1844 bei *Highworth*, wo seine Güter liegen, abhalten ließ, um Beschlüsse gegen die Korngesetze zu passieren, und wo die Arbeiter, durchaus apathisch gegen diese Gesetze, ganz andre Dinge, nämlich kleine Pachtungen zu billiger Pacht für sich forderten und dem Grafen Radnor allerlei bittere Wahrheiten ins Gesicht sagten. – So dringt die Bewegung der arbeitenden Klasse auch in die abgelegnen, stabilen, geistig toten Ackerbaubezirke und wird hier bei der herrschenden Not sehr bald ebenso sicher begründet und lebendig sein wie in den Fabrikdistrikten.

Was die religiöse Stufe der Ackerbautaglöhner betrifft, so haben sie allerdings mehr Religion als die industriellen Arbeiter, aber sie sind doch sehr mit der Kirche – denn in diesen Bezirken gibt es fast nur Anhänger der Hochkirche – zerfallen. Ein Korrespondent des „Morning Chronicle", der mit der Unterschrift: *Einer, der hinter dem Pfluge gepfiffen hat*[1], Berichte über die von ihm bereisten Ackerbaubezirke gibt, erzählt unter anderm folgende Unterhaltung mit einigen Taglöhnern nach der Kirche:

„Ich frug einen dieser Leute, ob der heutige Prediger ihr eigner Geistlicher sei – yes, blast him[2], ja, wohl ist er unser eigner Pfaff, er bettelt in einem fort, er hat immer gebettelt, solange ich ihn kenne." (Es war nämlich eine Predigt für die Heidenmission gehalten worden.) – „Und seit ich ihn kenne, auch, setzte ein anderer hinzu, und ich hab' nie einen Pfaffen gekannt, der nicht immer für dies oder das gebettelt hätte. – Ja, sagte eine Frau, die eben aus der Kirche kam, und seht, wie der Lohn heruntergeht, und seht mal die reichen Vagabunden an, wo die Pfaffen mit essen und trinken und auf die Jagd gehen. So helf' mir Gott, wir sind eher reif, ins Arbeitshaus zu gehen und zu verhungern, als für Pfaffen zu bezahlen, die unter die Heiden gehen. – Und warum, sagte eine andre, warum schicken sie nicht die Pfaffen hin, die alle Tage im Dome zu Salisbury plärren, und das für niemand als für die nackten Steine? Warum gehen *die* nicht unter die Heiden? – *Die* gehen nicht, sagte der Alte, den ich zuerst gefragt, weil sie reich sind, sie haben mehr Land, als sie brauchen, sie wollen Geld haben, um sich die armen Pfaffen vom Halse zu schaffen; ich weiß, was sie wollen, dafür kenn' ich sie zu lange. – Aber, gute Freunde, frug ich, ihr kommt doch nicht immer mit solchen bittern Gefühlen gegen den Prediger aus der Kirche? Weshalb geht ihr denn sonst überhaupt hin? – Weshalb gehen wir hin, sagte die Frau, wir müssen wohl, wenn wir nicht alles verlieren wollen, Arbeit und alles, wir müssen wohl. – Ich sah später, daß sie einige kleine Vor-

[1] Pseudonym Alexander Somervilles – [2] ja, hol' ihn der Teufel

rechte wegen Feuerung und etwas Kartoffelland, das sie bezahlen mußten, erhielten, *wenn sie in die Kirche gingen*!"

Nach einer Schilderung ihrer Armut und Unwissenheit schließt unser Korrespondent:

„Und nun versichre ich kühn, daß die Lage dieser Leute, ihre Armut, ihr Haß gegen die Kirche, ihre äußerliche Fügsamkeit und ihre innerliche Bitterkeit gegen die kirchlichen Würdenträger *die Regel ist durch die Landgemeinden von England* und das Gegenteil nur die Ausnahme."

Wenn uns die Bauernschaft des eigentlichen Englands die Folgen zeigt, die ein zahlreiches Ackerbauproletariat bei großen Gütern auf den Zustand der Landgemeinden hat, so sehen wir in *Wales* das Vorkommen der kleinen Pächter. Wenn die englischen Landgemeinden den Gegensatz von Proletariern und großen Kapitalisten reproduzieren, so entspricht der Zustand der welschen[1] Bauern dem fortschreitenden Ruin der kleinen Bourgeoisie in den Städten. In Wales existieren meist nur kleine Pächter, die nicht imstande sind, ihre Ackerbauprodukte mit gleichem Vorteil ebenso billig zu verkaufen wie die großen, begünstigteren englischen Pächter, mit denen sie in demselben Markte konkurrieren. Dazu läßt die Beschaffenheit des Landes an vielen Stellen nur die Viehzucht zu, die wenig profitabel ist, und dann sind diese Welschen[2] schon wegen ihrer aparten Nationalität, an der sie festhalten, noch viel stabiler als die englischen Pächter. Vor allem aber die Konkurrenz unter sich und mit ihren englischen Nachbarn und die daraus folgende Steigerung des Grundzinses hat sie so heruntergebracht, daß sie kaum leben können, und weil sie die wahre Ursache ihrer schlimmen Lage nicht einsehen, so suchen sie diese in allerlei Kleinigkeiten, hohen Weggeldern usw., die zwar die Ausbildung der Agrikultur und den Verkehr hemmen, aber doch von jedem, der eine Pachtung übernimmt, als bestehende Lasten in Anschlag gebracht und also eigentlich doch vom Grundeigentümer bezahlt werden. Dazu hat hier das neue Armengesetz, da die Pächter selbst stets in Gefahr schweben, ihm zu verfallen, auch unter ihnen sich gründlich verhaßt gemacht. Im Februar 1843 brach die Unzufriedenheit der welschen[1] Bauern in den bekannten Rebekka-Unruhen aus; die Männer zogen Weiberkleider an, schwärzten ihre Gesichter und fielen in zahlreichen bewaffneten Scharen über die Tore, die in England die Stelle der Schlagbäume vertreten, her, zerschlugen sie unter Jubelgeschrei und Schießen, demolierten auch die Häuschen der Weggeldempfänger, schrieben Drohbriefe im Namen der fingierten „Rebekka" und stürmten sogar einmal das Arbeitshaus in Caermarthen. Als später Truppen

[1] so bei Engels für walisischen – [2] so bei Engels für Waliser

einberufen und die Polizei verstärkt wurde, führten sie diese mit außerordentlicher Geschicklichkeit auf Abwege, zerstörten Tore hier, während das Militär, dem die Signalhörner von allen Bergen her voraustönten, in der entgegengesetzten Richtung marschierte, und gingen endlich, als die Truppen zu sehr verstärkt wurden, zu einzelnen Brandstiftungen und selbst Mordversuchen über. Wie immer, waren diese größeren Verbrechen das Ende der Bewegung. Viele sagten sich aus Unwillen, andere aus Furcht los, und die Ruhe trat von selbst wieder ein. Die Regierung schickte eine Kommission zur Untersuchung der Geschichte und ihrer Ursachen, und damit war alles am Ende. Die Armut der Bauern währt indes fort und wird, da sie bei den bestehenden Verhältnissen in der Gesellschaft nur größer, aber nicht geringer werden kann, gelegentlich einmal ernsthaftere Sachen produzieren als diese humoristischen Rebekka-Maskeraden.

Wenn in England das System der großen Bewirtschaftung und in Wales das der kleineren Pachtung in seinen Resultaten uns vorgeführt wird, so haben wir in *Irland* die Folgen der Parzellierung des Bodens vor Augen. Die große Masse der Bevölkerung von Irland besteht aus kleinen Pächtern, welche eine erbärmliche Lehmhütte ohne innere Abteilung und ein Kartoffelstück gepachtet haben, das gerade groß genug ist, um ihnen für den Winter die notdürftigste Nahrung zu verschaffen. Bei der großen Konkurrenz, die zwischen diesen kleinen Pächtern herrscht, ist der Grundzins auf eine unerhörte Höhe, auf das Doppelte, Drei- und Vierfache des englischen gestiegen. Denn jeder Ackerbautaglöhner sucht Pächter zu werden, und obwohl die Teilung der Ländereien schon so hoch gestiegen ist, so bleiben dennoch eine große Menge sich um Pachtungen bewerbender Taglöhner übrig. Obgleich in Großbritannien 32 Millionen englische Morgen und in Irland nur 14 Millionen Morgen bebaut sind, obgleich Großbritannien jährlich für 150 Millionen Pfund Sterling und Irland nur für 36 Millionen Pfund Sterling Ackerbauprodukte erzeugt, so sind in Irland doch 75000 Ackerbautaglöhner *mehr* als in der Nachbarinsel.* Wie groß die Konkurrenz um den Boden also in Irland sein muß, geht aus diesem außerordentlichen Mißverhältnis hervor, besonders wenn man bedenkt, daß schon die britischen Taglöhner in der äußersten Not leben. Die Folge dieser Konkurrenz ist natürlich ein so hoher Grundzins, daß es den Pächtern nicht möglich wird, viel besser zu leben als die Taglöhner. Auf diese Weise wird das irische Volk in einer erdrückenden Armut gehalten, aus der es sich bei den jetzigen sozialen Verhältnissen nicht herausreißen kann. Die Leute leben in den elendesten Lehmhütten, die kaum zu Viehställen geeignet sind, haben den Winter über knappe Nahrung – oder wie

* Bericht der Armengesetz-Kommission über Irland. Parlamentssession von 1837.

der zitierte Bericht es ausdrückt, sie haben 30 Wochen im Jahr Kartoffeln genug, um sich halbsatt zu essen, und für die übrigen 22 Wochen gar nichts. Kommt dann im Frühjahr die Zeit, wo der Vorrat zu Ende geht oder wegen der auswachsenden Keime ungenießbar wird, so geht die Frau mit ihren Kindern betteln und durchstreicht, den Teekessel in der Hand, die ganze Gegend, während der Mann nach bestellter Aussaat entweder im Lande selbst oder in England Arbeit sucht und zur Kartoffelernte sich wieder bei seiner Familie einfindet. In diesem Zustande leben neun Zehntel des irischen Landvolks. Sie sind arm wie die Kirchenmäuse, tragen die elendesten Lumpen und stehen auf der tiefsten Bildungsstufe, die in einem halbzivilisierten Lande möglich ist. Nach dem zitierten Bericht leben unter einer Bevölkerung von $8^1/_2$ Millionen 585000 Familienhäupter in totaler Armut (destitution), und nach andern, von Sheriff Alison* angeführten, Quellen sind in Irland 2300000 Menschen, die ohne öffentliche oder Privatunterstützung nicht leben können; also sind 27 Prozent der Bevölkerung Paupers!

Die Ursache dieser Armut sind die bestehenden sozialen Verhältnisse, namentlich die Konkurrenz, nur hier in einer andern Form, in der der Parzellierung des Bodens. Man hat sich abgemüht, andere Ursachen aufzufinden; man behauptet, die Stellung des Pächters zum Grundbesitzer, der seine Ländereien in großen Stücken an Pächter verdingt, die wieder ihre Unterpächter und Unter-Unterpächter haben, so daß oft zehn Zwischendränger zwischen dem Grundbesitzer und dem eigentlichen Bebauer sind – man hat behauptet, das allerdings schändliche Gesetz, das dem Grundbesitzer das Recht gibt, wenn sein nächster Pächter nicht bezahlt, den wirklichen Bebauer wegzutreiben, selbst wenn dieser an seinen Oberpächter seinen Zins bezahlt hat, das sei Schuld an der Armut. Aber dies bedingt ja nur die *Form*, in der das Elend zur Erscheinung kommt. Macht die kleinen Pächter selbst zu Grundbesitzern, was wird die Folge sein? Die Mehrzahl wird selbst dann, wenn sie keine Pacht mehr zu bezahlen hat, nicht von ihrem Felde leben können, und was sich etwa bessert, wird durch den fortwährenden raschen Zuwachs der Bevölkerung in wenig Jahren wieder ausgeglichen. Denen, die dadurch in bessere Verhältnisse kommen, wachsen dann die Kinder heran, die jetzt infolge der Not und des Mangels in den ersten Jahren sterben. Von andern Seiten ist behauptet worden, die schamlose Unterdrückung des Volks durch die Engländer sei schuld daran. Allerdings *daran*, daß die Armut etwas früher eintrat, aber nicht daran, daß sie überhaupt eintrat. Oder die protestantische Staatskirche, die der katholischen Nation aufgedrängt wurde – verteilt auf die Irländer das, was sie nimmt, und es kommen noch keine zwei Taler auf

* „Principles of Population", II. vol.

den Kopf. Ohnehin sind die Zehnten ja eine Steuer auf den *Grundbesitz*, nicht auf den Pächter, obwohl dieser sie auszahlte; jetzt – nach der Kommutationsbill[1] von 1838 – bezahlt der Grundbesitzer sie direkt und rechnet dafür soviel mehr Pacht, so daß der Pächter darum nicht besser dran ist. Und so werden noch hundert andere Ursachen angeführt, die ebensowenig beweisen. Die Armut ist eine notwendige Folge der gegenwärtigen sozialen Einrichtungen, und außer diesen kann nur für die Art und Weise, in der die Armut auftritt, nicht aber für die Armut selbst eine Ursache gesucht werden. Daß aber die Armut in Irland so und nicht anders auftritt, daran ist der nationale Charakter des Volks und seine geschichtliche Entwicklung schuld. Die Irländer sind ein seinem[2] ganzen Charakter nach mit den romanischen Nationen, den Franzosen und besonders den Italienern, verwandtes Volk. Die schlechten Seiten ihrer Nationalität haben wir oben schon von Carlyle entwickelt gesehen; hören wir nun einen Irländer, der wenigstens etwas mehr recht hat als der für das germanische Wesen eingenommene Carlyle:

„Sie sind unruhig und doch träg (indolent); aufgeweckt und indiskret, stürmisch, ungeduldig und ohne Voraussicht; tapfer aus Instinkt, großmütig, ohne viel zu überlegen; rasch bei der Hand, um Beleidigungen zu rächen und zu vergeben, Freundschaften zu schließen und aufzusagen; verschwenderisch begabt mit Genie, sparsam mit Urteilskraft."*

Bei den Irländern herrscht das Gefühl, die Leidenschaft durchaus vor, der Verstand muß sich ihnen fügen. Ihr sinnliches, erregbares Wesen läßt die Überlegung und ruhige, anhaltende Tätigkeit nicht zur Entwicklung kommen – ein solches Volk taugt zur Industrie, wie sie jetzt betrieben wird, durchaus nicht. Daher blieben sie beim Ackerbau, und selbst hier auf der niedrigsten Stufe. Bei den kleinen Parzellen, die hier nicht, wie in Frankreich und am Rhein, künstlich aus der Zersplitterung großer Güter entstanden**, sondern von jeher dagewesen sind, war an eine Verbesserung des Bodens durch angelegtes Kapital nicht zu denken, und so würde es nach Alisons Angabe 120 Millionen Pfd. St. erfordern, um den Boden in Irland auf

* „The State of Ireland" [Der Zustand Irlands]. London 1807; 2nd edition 1821. – Pamphlet.

** (*1892*) Irrtum. Der kleine Ackerbau war seit dem Mittelalter herrschende Betriebsform geblieben. Die kleinen Bauernhöfe bestanden also schon vor der Revolution. Was diese änderte, war nur das *Eigentum* daran; sie nahm es den Feudalherren und übertrug es, direkt oder indirekt, an die Bauern.

[1] *(1892)* Kommutationsakte – [2] *(1892)* dem

dieselbe, noch gar nicht so hohe Stufe der Produktivität zu bringen, welche der englische Boden erhalten hat. Die englische Einwanderung, welche die Kulturstufe des irischen Volks hätte heben können, hat sich mit der brutalsten Ausbeutung desselben begnügt, und während die Irländer durch ihre Einwanderung der englischen Nation einen Gärungsstoff mitgeteilt haben, der in der Zukunft seine Früchte tragen wird, so hat Irland doch der englischen Einwanderung wenig zu verdanken.

Die Versuche der irischen Nation, sich aus der bestehenden Verkommenheit zu retten, sind einerseits Verbrechen, die hier in den Landdistrikten an der Tagesordnung sind und fast alle in Mordtaten gegen die nächsten Feinde – die Agenten der Grundbesitzer oder deren gehorsame Diener, die protestantischen Eindringlinge, die großen Pächter, deren Gut aus den Kartoffelfeldern von hundert vertriebenen Familien zusammengesetzt usw. – bestehen und namentlich im Süden und Westen häufig vorkommen; andererseits in der Repeal-Agitation [107]. Nach dem oben Gesagten ist es klar, daß die ungebildeten Irländer in den Engländern ihre nächsten Feinde sehen müssen und der nächste Fortschritt für sie in der Erringung nationaler Selbständigkeit liegt. Ebenso klar ist aber auch, daß die Armut durch keine Repeal mit abgeschafft, sondern daß durch sie nur bewiesen werden kann, wie die Ursache des irischen Elends, die jetzt noch auswärts zu liegen scheint, zu Hause zu suchen ist. Ob indes die wirkliche Durchführung der Repeal nötig ist, um den Irländern zu dieser Einsicht zu verhelfen, will ich dahingestellt sein lassen. Bis jetzt haben weder der Chartismus noch der Sozialismus besondern Erfolg in Irland gehabt.

Ich schließe meine Bemerkungen über Irland hiermit um so eher, als die Repeal-Agitation von 1843 und der O'Connellsche Prozeß die Veranlassung waren, daß das irische Elend in Deutschland mehr und mehr bekannt wurde.

So haben wir denn das Proletariat der britischen Inseln durch alle Zweige seiner Tätigkeit verfolgt und überall Elend und Not, überall durchaus unmenschliche Lebensverhältnisse gefunden. Wir haben mit dem Proletariat die Unzufriedenheit entstehen, wachsen, sich ausbilden und organisieren, wir haben offne, blutige und unblutige Kämpfe des Proletariats gegen die Bourgeoisie gesehen. Wir haben die Prinzipien untersucht, nach denen das Schicksal, die Hoffnungen und Befürchtungen der Proletarier sich bestimmen, und gefunden, daß keine Aussicht auf Besserung ihrer Lage da ist. Wir haben Gelegenheit gehabt, hier und da die Bourgeoisie in ihrem Benehmen gegen das Proletariat zu beobachten, und gefunden, daß sie nur sich im Auge hatte, nur ihren eignen Vorteil verfolgte. Um indes nicht ungerecht zu sein, wollen wir ihre Handlungsweise etwas näher untersuchen.

Die Stellung der Bourgeoisie zum Proletariat

Wenn ich hier von der Bourgeoisie spreche, so schließe ich gleich die sogenannte Aristokratie mit ein, denn diese ist nur Aristokratie, nur privilegiert gegenüber der Bourgeoisie, aber nicht gegenüber dem Proletariat. Der Proletarier sieht in ihnen beiden nur den Besitzenden, d. h. den Bourgeois. Vor dem Privilegium des Besitzes verschwinden alle andern Privilegien. Der Unterschied ist nur der, daß der eigentliche Bourgeois dem industriellen und teilweise dem Bergwerksproletarier, als *Pächter* auch dem Ackerbautaglöhner gegenübersteht, während der sogenannte Aristokrat nur mit einem Teil der bergbauenden und mit den ackerbauenden Proletariern in Berührung kommt.

Mir ist nie eine so tief demoralisierte, eine so unheilbar durch den Eigennutz verderbte, innerlich zerfressene und für allen Fortschritt unfähig gemachte Klasse vorgekommen wie die englische Bourgeoisie – und hier meine ich vor allem die eigentliche Bourgeoisie, besonders die liberale, Korngesetzabschaffende. Für sie existiert nichts in der Welt, was nicht nur um des Geldes willen da wäre, sie selbst nicht ausgenommen, denn sie lebt für nichts, als um Geld zu verdienen, sie kennt keine Seligkeit als die des schnellen Erwerbs, keinen Schmerz außer dem Geldverlieren.* Bei dieser Habsucht und Geldgier ist es nicht möglich, daß eine einzige menschliche Anschauung unbefleckt bleibe. Gewiß, diese englischen Bourgeois sind gute Ehemänner und Familienmitglieder, haben auch sonst allerlei sogenannte Privattugenden und erscheinen im gewöhnlichen Verkehr ebenso respektabel und anständig wie alle anderen Bourgeois; selbst im Handel sind sie besser zu traktieren wie die

* Carlyle gibt in seinem „Past and Present" [Vergangenheit und Gegenwart] (London 1843) eine ausgezeichnet schöne Schilderung der englischen Bourgeoisie und ihrer ekelhaften Geldsucht, die ich in den „Deutsch-Französischen Jahrbüchern" teilweise übersetzt habe und auf die ich verweise.[108]

Deutschen, sie mäkeln und dingen nicht soviel wie unsere Krämerseelen, aber was hilft das alles? In letzter Instanz ist doch das eigne Interesse und speziell der Gelderwerb das einzig entscheidende Moment. Ich ging einmal mit einem solchen Bourgeois nach Manchester hinein und sprach mit ihm von der schlechten, ungesunden Bauart, von dem scheußlichen Zustande der Arbeiterviertel und erklärte, nie eine so schlecht gebaute Stadt gesehen zu haben. Der Mann hörte das alles ruhig an, und an der Ecke, wo er mich verließ, sagte er: And yet, there is a great deal of money made here – und doch wird hier enorm viel Geld verdient – guten Morgen, Herr! Es ist dem englischen Bourgeois durchaus gleichgültig, ob seine Arbeiter verhungern oder nicht, wenn er nur Geld verdient. Alle Lebensverhältnisse werden nach dem Gelderwerb gemessen, und was kein Geld abwirft, das ist dummes Zeug, unpraktisch, idealistisch. Darum ist auch die Nationalökonomie, die Wissenschaft des Gelderwerbs, die Lieblingswissenschaft dieser Schacherjuden. Jeder ist Nationalökonom. Das Verhältnis des Fabrikanten zum Arbeiter ist kein menschliches, sondern ein rein ökonomisches. Der Fabrikant ist das „Kapital", der Arbeiter ist die „Arbeit". Und wenn der Arbeiter sich nicht in diese Abstraktion hineinzwängen lassen will, wenn er behauptet, daß er nicht „die Arbeit", sondern ein Mensch ist, der allerdings unter anderem auch die Eigenschaft des Arbeitens hat, wenn er sich einfallen läßt zu glauben, er brauche sich nicht als „die Arbeit", als Ware im Markte kaufen und verkaufen zu lassen, so steht dem Bourgeois der Verstand still. Er kann nicht begreifen, daß er mit den Arbeitern noch in einem andern Verhältnis steht als in dem des Kaufs und Verkaufs, er sieht in ihnen keine Menschen, sondern *„Hände"* (hands), wie er sie fortwährend ins Gesicht tituliert, er erkennt keine andere Verbindung, wie Carlyle sagt, zwischen Mensch und Mensch an, als *bare Zahlung*. Selbst das Band zwischen ihm und seiner Frau ist in neunundneunzig Fällen aus hundert nur „bare Zahlung". Die elende Sklaverei, in der das Geld den Bourgeois hält, ist durch die Bourgeoisieherrschaft selbst der Sprache aufgedrückt. Das Geld macht den Wert des Mannes aus; dieser Mann ist zehntausend Pfund wert – he is worth ten thousand pounds, d. h. er besitzt sie. Wer Geld hat, ist „respectable", gehört zur „besseren Sorte von Leuten" (the better sort of people), ist „einflußreich" (influential), und was er tut, macht Epoche in seinem Kreise. Der Schachergeist geht durch die ganze Sprache, alle Verhältnisse werden in Handelsausdrücken dargestellt, in ökonomischen Kategorien erklärt. Nachfrage und Zufuhr, Begehr und Angebot, supply and demand, das sind die Formeln, nach denen die Logik des Engländers das ganze menschliche Leben beurteilt. Daher die freie Konkurrenz in jeder Beziehung, daher das Regime des laissez-faire und laissez-aller[109] in der Verwaltung, in der Medizin, in der Erziehung und bald wohl auch in der Religion, wo die Herrschaft der Staatskirche mehr und mehr zusammenbricht. Die freie Konkurrenz will keine Beschränkung, keine Staatsaufsicht, der ganze Staat ist ihr zur Last, sie wäre am vollkommensten in einem ganz staatlosen Zustande, wo jeder den andern nach Herzenslust ausbeuten kann, wie z.B. in Freund Stirners „Verein". Da die Bourgeoisie aber den Staat, schon um das ihr ebenso nötige Proletariat im Zaum zu halten, nicht entbehren kann, so wendet sie ihn gegen dies und sucht ihn sich soweit wie möglich entfernt zu halten.

Man glaube aber ja nicht, daß der „gebildete" Engländer diese Selbstsucht so offen zur Schau trage. Im Gegenteil, er verdeckt sie mit der schnödesten Heuchelei. – Wie, die englischen Reichen sollten nicht an die Armen denken, sie, die wohltätige Anstalten errichtet haben, wie kein anderes Land sie aufweisen kann? Jawohl, wohltätige Anstalten! Als ob dem Proletarier damit gedient wäre, daß ihr ihn erst bis aufs Blut aussaugt, um nachher eure selbstgefälligen, pharisäischen Wohltätigkeitskitzel an ihm üben zu können und vor der Welt als gewaltige Wohltäter der Menschheit dazustehen, wenn ihr dem Ausgesogenen den hundertsten Teil dessen wiedergebt, was ihm zukommt! Wohltätigkeit, die den, der sie gibt, noch mehr entmenscht als den, der sie nimmt, Wohltätigkeit, die den Zertretenen noch tiefer in den Staub tritt, die da verlangt, der entmenschte, aus der Gesellschaft ausgestoßene Paria soll erst auf sein Letztes, auf seinen Anspruch an die Menschheit verzichten, soll erst um ihre *Gnade betteln*, ehe sie die Gnade hat, ihm durch ein Almosen den Stempel der Entmenschung auf die Stirne zu drücken! Doch was soll das alles. Hören wir die englische Bourgeoisie selbst. Es ist noch kein Jahr, da las ich im „Manchester Guardian" folgenden Brief an den Redakteur, der ohne alle weitere Bemerkung als eine ganz natürliche, vernünftige Sache abgedruckt war:

Herr Redakteur!

Seit einiger Zeit begegnet man auf den Hauptstraßen unserer Stadt einer Menge von Bettlern, die teils durch ihre zerlumpte Kleidung und ihr krankes Aussehen, teils durch ekelhafte, offne Wunden und Verstümmelungen das Mitleid der Vorübergehenden auf eine häufig sehr unverschämte und molestierende Weise rege zu machen suchen. Ich sollte meinen, wenn man nicht nur seine Armensteuer bezahlt, sondern auch reichlich zu den wohltätigen Anstalten beiträgt, so hätte man doch genug getan, um das Recht zu haben, vor solchen unangenehmen und unverschämten Behelligungen sichergestellt zu werden; und wofür bezahlt man denn eine so hohe Steuer zum Unterhalt der städtischen Polizei, wenn diese einen nicht einmal so weit schützt, daß man ruhig in die Stadt oder heraus gehn kann? – Ich hoffe, die Veröffentlichung dieser Zeilen in Ihrem vielgelesenen Blatt wird die öffentliche Gewalt veranlassen, diesen Übelstand (nuisance) zu beseitigen, und verharre

Ihre ergebene Dienerin

Eine Dame

Da habt ihr's! Die englische Bourgeoisie ist wohltätig aus Interesse, sie schenkt nichts weg, sie betrachtet ihre Gaben als einen Handel, sie macht mit den Armen ein *Geschäft* und sagt: Wenn ich soviel an wohltätige Zwecke verwende, *so erkaufe ich mir dadurch das Recht*, weiter nicht behelligt zu werden, so verpflichtet ihr euch dafür, in euren dunklen Höhlen zu bleiben und nicht durch die offne Darlegung eures Elends meine zarten Nerven anzugreifen! Verzweifeln sollt ihr immerhin, aber ihr sollt im stillen verzweifeln, das bedinge ich mir aus, das erkaufe ich mir mit meiner Subskription von 20 Pfund für das Krankenhaus! O über diese infame Wohltätigkeit eines christlichen Bourgeois! – Und so schreibt *„eine Dame"*, jawohl, Dame, sie tut wohl daran, sich so zu unterzeichnen, sie hat glücklicherweise nicht mehr den Mut, sich ein *Weib* zu nennen! Wenn aber die „Damen" *so* sind, wie wird es erst mit den „Herren" stehen? – Man wird sagen, es sei ein einzelner Fall. Aber nein, der obige Brief drückt geradezu die Gesinnung der großen Majorität der englischen Bourgeoisie aus, sonst hätte ihn ja auch der Redakteur nicht aufgenommen, sonst wäre ja wohl irgendeine Erwiderung gefolgt, nach der ich mich in den folgenden Nummern vergebens umgesehen habe. Und was die Wirksamkeit des Wohltuns betrifft, so sagt ja der Kanonikus *Parkinson* selbst, daß die Armen weit mehr von ihresgleichen als von der Bourgeoisie unterstützt werden; und so eine Unterstützung von einem braven Proletarier, der selbst weiß, wie der Hunger tut, für den das Teilen des knappen Mahles ein Opfer ist, das er aber mit Freuden bringt – solch eine Unterstützung hat dann auch einen ganz andern Klang als das hingeworfene Almosen des schwelgenden Bourgeois.

Auch sonst heuchelt die Bourgeoisie eine grenzenlose Humanität – aber nur dann, wenn ihr eigenes Interesse es erheischt. So in ihrer Politik und Nationalökonomie. Sie hat sich nun ins fünfte Jahr damit abgequält, den Arbeitern zu beweisen, daß sie nur im Interesse der Proletarier die Korngesetze abzuschaffen wünsche. Das Lange und Breite von dieser Sache ist aber dies: Die Korngesetze, welche den Brotpreis höher halten, als dieser in andern Ländern steht, erhöhen dadurch auch den Arbeitslohn und erschweren dadurch dem Fabrikanten die Konkurrenz gegen andere Länder, in denen der Brotpreis und infolgedessen der Lohn niedriger steht. Werden die Korngesetze nun abgeschafft, so fällt der Brotpreis, und der Arbeitslohn nähert sich dem der übrigen zivilisierten Länder Europas, was jedem nach den oben entwickelten Prinzipien, durch die der Lohn sich reguliert, klar sein wird. Der Fabrikant kann also leichter konkurrieren, die Nachfrage nach englischen Waren wächst und mit ihr die Nachfrage nach Arbeitern. Infolge dieser vermehrten Nachfrage wird allerdings der Lohn wieder etwas steigen und die brotlosen Arbeiter beschäftigt werden; aber wie lange dauert das? Die „überflüssige Bevölkerung" Englands und besonders Irlands reicht hin, um die englische Industrie, selbst wenn sie sich verdoppelte, mit den nötigen Arbeitern zu versehen; in wenig Jahren würde der geringe Vorteil der Korngesetzabschaffung wieder ausgeglichen sein, eine neue Krisis erfolgen, und wir wären soweit wie vorher, während der erste Stimulus in der Industrie auch die Vermehrung der Bevölkerung beschleunigen würde. Das alles sehen die Proletarier sehr gut ein und haben es den Bourgeois hundertmal ins Gesicht gesagt; aber trotzdem schreit das Geschlecht der Fabrikanten, das nur den *unmittelbaren* Vorteil, den ihm die Abschaffung der Korngesetze bringen würde, im Auge hat, dies Geschlecht, das borniert genug ist, nicht zu sehen, wie auch ihm kein *dauernder* Vorteil aus dieser Maßregel erwachsen kann, indem die Konkurrenz der Fabrikanten unter sich den Gewinn der einzelnen bald auf das alte Niveau zurückbringen würde – trotzdem schreit dies Geschlecht bis heute den Arbeitern vor, nur um ihretwillen geschehe das alles, nur um der verhungernden Millionen willen schössen die Reichen der liberalen Partei ihre Hunderte und Tausende von Pfunden in die Kasse der Antikorngesetzligue – wo doch jeder weiß, daß sie nur mit der Wurst nach dem Schinken werfen, daß sie darauf rechnen, das alles zehnfach und hundertfach in den ersten Jahren nach Abschaffung der Korngesetze wieder zu verdienen. Aber die Arbeiter lassen sich – und besonders seit der Insurrektion von 1842, nicht mehr durch die Bourgeoisie irreführen. Sie verlangen von jedem, der sich für ihr Wohl zu plagen vorgibt, daß er, als Prüfstein der Echtheit seiner Absichten, sich für die Volkscharte erkläre, und protestieren damit gegen alle fremde Hülfe, denn in der Charte verlangen sie nur die *Macht, sich selbst* zu helfen. Wer das nicht tut, dem erklären sie mit vollem Rechte den Krieg, sei er offner Feind oder falscher Freund. – Übrigens hat die Antikorngesetzligue den Arbeitern gegenüber die verächtlichsten Lügen und Kniffe gebraucht, um sie zu gewinnen. Sie hat ihnen weismachen wollen, daß der Geldpreis der Arbeit im umgekehrten Verhältnis zum Kornpreise stehe, daß der Lohn hoch, wenn das Korn niedrig stehe, und umgekehrt – ein Satz, den sie mit den lächerlichsten Argumenten hat zu beweisen gesucht und der in sich selbst lächerlicher ist als irgendeine andere aus dem Munde eines Ökonomen geflossene Behauptung. Wenn das nicht half, so hat man den Arbeitern die ungeheuerste Glückseligkeit infolge des vermehrten Begehrs im Arbeitsmarkt versprochen, ja man hat sich nicht entblödet, zwei Modelle von Brotlaiben durch die Straßen zu tragen, auf deren größtem geschrieben stand: *Amerikanisches Achtpfenniglaib, Lohn 4 Shilling täglich*, und auf dem andern, viel kleineren: *Englisches Achtpfenniglaib, Lohn 2 Shilling täglich*. Die Arbeiter haben sich aber nicht irremachen lassen. Sie kennen ihre Brotherren zu gut.

Und wenn man die Gleisnerei dieser schönen Versprechungen erst recht erkennen will, so betrachte man die Praxis. Wir haben im Verlauf unserer Berichte gesehen, wie die Bourgeoisie das Proletariat auf alle mögliche Weise zu ihren Zwecken ausbeutet. Wir haben bisher indes nur die einzelnen Bourgeois auf ihre eigne Faust das Proletariat mißhandeln sehen. Gehen wir nun zu den Verhältnissen über, in denen die Bourgeoisie als Partei, ja als Staatsmacht gegen das Proletariat auftritt. – Daß zuerst die ganze Gesetzgebung den Schutz des Besitzenden gegen den Besitzlosen bezweckt, liegt auf der Hand. Nur weil es Besitzlose gibt, sind die Gesetze notwendig; und wenn dies auch nur in wenigen Gesetzen, z.B. gegen das Vagabondieren und die Obdachlosigkeit, worin das Proletariat als solches für gesetzwidrig erklärt wird, direkt ausgeprochen ist, so liegt doch die Feindschaft gegen das Proletariat dem Gesetze so sehr zum Grunde, daß die Richter, besonders die Friedensrichter, die selbst Bourgeois sind und mit denen das Proletariat am meisten in Berührung kommt, diesen Sinn ohne weiteres im Gesetze finden. Wird ein Reicher vorgeführt oder vielmehr vorgeladen, so bedauert der Richter, daß er ihm so viel Mühe machen muß, wendet die Sache soviel er irgend kann zu seinen Gunsten, und wenn er ihn verurteilen muß, so tut es ihm wieder unendlich leid usw., und das Resultat ist eine elende Geldstrafe, die der Bourgeois mit Verachtung auf den Tisch schmeißt und sich entfernt. Kommt aber ein armer Teufel in den Fall, vor dem Friedensrichter zu erscheinen, so hat er fast immer die Nacht im Arresthause mit einer Menge anderer zugebracht, wird von vornherein als schuldig betrachtet und angeschnauzt, seine Verteidigung mit einem verächtlichen: „O, wir kennen diese Ausreden" – beseitigt und ihm eine Strafe auferlegt, die er nicht bezahlen kann und mit einem oder mehreren Monaten auf der Tretmühle abbüßen muß. Und wenn man ihm nichts beweisen kann, so wird er als Schuft und Vagabond (a rogue and a vagabond – die Ausdrücke kommen fast immer zusammen vor) dennoch auf die Tretmühle geschickt. Die Parteilichkeit der Friedensrichter, besonders auf dem Lande, übersteigt wirklich alle Vorstellung, und es ist so an der Tagesordnung, daß alle nicht zu eklatanten Fälle von den Zeitungen ganz ruhig und ohne weitere Glossen berichtet werden. Es ist aber auch nicht anders zu erwarten. Einerseits legen diese „Dogberries" das Gesetz nur nach dem Sinn aus, der in ihm liegt, und andererseits sind sie ja selbst Bourgeois, die vor allen Dingen im Interesse ihrer Klasse den Grundpfeiler aller wahren Ordnung sehen. Und wie die Friedensrichter, so benimmt sich auch die Polizei. Der Bourgeois kann tun, was er will, gegen ihn ist der Polizeidiener immer höflich und hält sich streng ans Gesetz; aber der Proletarier wird grob und brutal behandelt, seine Armut wirft schon den *Verdacht* aller möglichen Verbrechen auf ihn und verschließt ihm zugleich das Rechtsmittel gegen alle Willkürlichkeiten der Gewalthaber; für ihn existieren deshalb die schützenden Formen des Gesetzes nicht, ihm dringt die Polizei ohne weiteres ins Haus, verhaftet und mißhandelt ihn, und bloß wenn einmal eine Arbeiterassoziation wie die Grubenarbeiter einen Roberts engagieren[1], bloß dann kommt es an den Tag, wie wenig die schützende Seite des Gesetzes für den Proletarier existiert, wie häufig er alle Lasten des Gesetzes zu tragen hat, ohne einen seiner Vorteile zu genießen.

Bis auf die heutige Stunde kämpft die besitzende Klasse im Parlament gegen das bessere Gefühl der noch nicht ganz der Selbstsucht Verfallenen, um das Proletariat mehr und mehr zu unterjochen. Ein Gemeindeplatz nach dem andern wird weggenommen und bebaut, wodurch allerdings die Kultur gehoben, aber dem Proletariat viel Schaden getan wird. Wo Gemeindeplätze existierten, konnte der Arme darauf einen Esel, ein Schwein oder einige Gänse halten, die Kinder und jungen Leute hatten einen Platz, wo sie spielen und sich im Freien herumtreiben konnten; dies hört immer mehr auf, der Verdienst des Armen wird geringer, und das junge Volk, dem sein Spielplatz genommen ist, geht dafür in die Kneipen. Eine Menge solcher Parlamentsakten zur Urbarmachung von Gemeindeplätzen gehen in jeder Session durch.– Als die Regierung in der Session von 1844 sich entschloß, die allen Verkehr monopolisierenden Eisenbahngesellschaften zu zwingen, auch den Arbeitern das Reisen gegen ein ihren Umständen angemessenes Fahrgeld (1 Penny die Meile, etwa 5 Silbergroschen die deutsche Meile) möglich zu machen, und deshalb vorschlug, daß täglich ein solcher Zug dritter Klasse auf jeder Eisenbahn eingeführt werde, schlug der „ehrwürdige Vater in Gott", der Bischof von London, vor, daß der Sonntag, der einzige Tag, an dem beschäftigte Arbeiter überhaupt reisen *können*, von diesem Zwang ausgenommen und so das Reisen am Sonntag nur den Reichen, nicht aber den Armen gestattet werde. Dieser Vorschlag war indes zu geradeaus, zu unverhohlen, als daß er hätte durchgehen können, und man ließ ihn fallen. – Ich habe nicht Raum genug,

[1] *(1892)* engagiert

um die vielen versteckten Angriffe auf das Proletariat, auch nur einer einzigen Session, aufzuzählen. Nur noch einen aus derselben Session von 1844. Ein ganz obskures Parlamentsglied[1], ein Herr Miles, schlug eine Bill zur Regulierung des Verhältnisses von Herren und Dienern vor, die ziemlich unscheinbar aussah. Die Regierung nahm sich der Bill an, und sie wurde einem Komitee übergeben. Inzwischen brach der Turnout der Grubenarbeiter im Norden aus, und Roberts hielt seine Triumphzüge durch England mit seinen freigesprochenen Arbeitern. Als nun die Bill aus dem Komitee kam, fand sich, daß einige höchst despotische Klauseln eingeschaltet waren, besonders eine, durch die dem Brotherrn die Macht gegeben wurde, jeden Arbeiter, der mit ihm mündlich oder schriftlich irgendeine beliebige Arbeit, wenn auch nur eine gelegentliche Handreichung kontrahiert hatte, im Falle von Dienstverweigerung oder *sonstigem ungeziemendem Betragen* (misbehaviour) vor irgendeinen beliebigen (any) Friedensrichter zu schleppen und auf seinen oder seiner Agenten und Aufseher Eid hin – also auf den Eid des Klägers – zu Gefängnis und Zwangsarbeit bis zu zwei Monaten verurteilen zu lassen. Diese Bill regte die Arbeiter bis zur höchsten Wut auf, um so mehr als die Zehnstundenbill zu gleicher Zeit vor dem Parlament war und bedeutende Agitation hervorgebracht hatte. Hunderte von Versammlungen wurden gehalten, Hunderte von Arbeiterpetitionen nach London an den Sachwalter des Proletariats im Parlament, Thomas *Duncombe*, geschickt. Dieser war, außer dem „jungen Engländer" Ferrand, der einzige energische Opponent, aber als die übrigen Radikalen sahen, daß das Volk sich gegen die Bill erklärte, kroch einer nach dem andern hervor und stellte sich Duncombe zur Seite, und da auch die liberale Bourgeoisie bei der Aufregung der Arbeiter nicht den Mut hatte, sich für die Bill auszusprechen, da überhaupt niemand sich dem Volke gegenüber lebhaft für sie interessierte, so fiel sie glänzend durch.

Die offenste Kriegserklärung der Bourgeoisie gegen das Proletariat ist indes die *Malthussche Theorie der Population* und das aus ihr entstandene *neue Armengesetz*. Von der Malthusschen Theorie ist schon mehrere Male die Rede gewesen. Wiederholen wir kurz ihr Hauptresultat, daß die Erde stets übervölkert sei und daher stets Not, Elend, Armut und Unsittlichkeit herrschen müsse; daß es das Los und die ewige Bestimmung der Menschheit sei, in zu großer Zahl und daher in verschiedenen Klassen zu existieren, von denen die einen mehr oder weniger reich, gebildet, moralisch und die andern mehr oder weniger arm, elend, unwissend und unsittlich seien. Hieraus folgt

[1] *(1892)* Parlamentsmitglied

denn für die Praxis – und diese Schlüsse zieht Malthus selbst –, daß Wohltaten und Armenkassen eigentlich Unsinn seien, da sie nur dazu dienen, die überzählige Bevölkerung, deren Konkurrenz den Lohn der andern drücke, aufrechtzuerhalten und zur Vermehrung anzureizen; daß die Beschäftigung von Armen durch die Armenverwaltung ebenso unsinnig sei, indem, da doch nur eine bestimmte Quantität von Arbeitserzeugnissen verbraucht werden könne, für jeden brotlosen Arbeiter, der beschäftigt wird, ein anderer bisher beschäftigter brotlos werden muß und so die Privatindustrie auf Kosten der Armenverwaltungs-Industrie Schaden leidet; daß es sich also nicht darum handelt, die überzählige Bevölkerung zu ernähren, sondern sie auf die eine oder die andere Weise möglichst zu beschränken. Malthus erklärt mit dürren Worten das bisher behauptete Recht jedes Menschen, der in der Welt existiere, auf seine Existenzmittel für baren Unsinn. Er zitiert die Worte eines Dichters: Der Arme kommt zum festlichen Tisch der Natur und findet kein leeres Gedeck für sich – und setzt hinzu – und die Natur befiehlt ihm, sich zu packen (she bids him to be gone) – „denn er hat ja vor seiner Geburt die Gesellschaft nicht erst gefragt, ob sie ihn haben wolle". Diese Theorie ist jetzt die Leibtheorie aller echten englischen Bourgeois, und zwar ganz natürlich, da sie für diese das bequemste Faulbett ist und ohnehin für die bestehenden Verhältnisse viel Richtiges hat. Wenn es sich also nicht mehr darum handelt, die „überzählige Bevölkerung" nutzbar zu machen, in *brauchbare* Bevölkerung zu verwandeln, sondern bloß darum, die Leute auf möglichst leichte Weise verhungern zu lassen und sie zugleich daran zu hindern, daß sie zuviel Kinder in die Welt setzen, so ist das natürlich Kleinigkeit – vorausgesetzt, daß die überflüssige Bevölkerung ihre eigne Überflüssigkeit einsieht und den Hungertod sich wohlschmecken läßt. Dazu ist aber, trotz der angestrengtesten Bemühungen der humanen Bourgeoisie, den Arbeitern dies beizubringen, vorderhand noch keine Aussicht. Die Proletarier haben sich vielmehr in den Kopf gesetzt, daß sie mit ihren fleißigen Händen gerade die Nötigen, und die reichen Herren Kapitalisten, die nichts tun, eigentlich die Überflüssigen seien.

Da aber die Reichen noch die Macht besitzen, so müssen sich die Proletarier gefallen lassen, daß sie, falls sie selbst es nicht gutwillig einsehen wollen, vom Gesetz für wirklich überflüssig erklärt werden. Dies ist im neuen Armengesetz geschehen. Das alte Armengesetz, das auf der Akte vom Jahre 1601 (43rd of Elizabeth)[1] beruht, ging naiverweise noch von dem Prinzip aus, daß es die Pflicht der Gemeinde sei, für den Lebensunterhalt der Armen

[1] (43. Jahr der Regierung Elisabeths)

zu sorgen. Wer keine Arbeit hatte, erhielt Unterstützung, und der Arme sah auf die Dauer, wie billig, die Gemeinde für verpflichtet an, ihn vor dem Verhungern zu schützen. Er forderte seine wöchentliche Unterstützung als ein Recht, nicht als eine Gnade, und das wurde zuletzt der Bourgeoisie doch zu arg. 1833, als sie eben durch die Reformbill an die Herrschaft und zugleich der Pauperismus der Landdistrikte zur vollen Entfaltung gekommen war, begann sie sogleich die Reform auch der Armengesetze von ihrem Standpunkte aus. Eine Kommission wurde ernannt, die die Verwaltung der Armengesetze untersuchte und eine große Menge Mißbräuche entdeckte. Man fand die ganze Arbeiterklasse des platten Landes pauperisiert und ganz oder teilweise von der Armenkasse abhängig, da diese, wenn der Lohn niedrig stand, den Armen einen Zusatz gab; man fand, daß dies System, wodurch der Arbeitslose erhalten, der Schlechtbezahlte und mit vielen Kindern Gesegnete unterstützt, der Vater unehelicher Kinder zur Alimentation angehalten und die Armut überhaupt als des Schutzes bedürftig anerkannt wurde – man fand, daß dies System das Land ruiniere,

„ein Hemmnis der Industrie, eine Belohnung für unüberlegte Heiraten, ein Stimulus zur Vermehrung der Bevölkerung sei und den Einfluß einer vermehrten Volkszahl auf den Arbeitslohn unterdrücke; daß es eine Nationaleinrichtung sei, um die Fleißigen und Ehrlichen zu entmutigen und die Trägen, Lasterhaften und Überlegungslosen zu beschützen; daß es die Bande der Familie zerstöre, die Anhäufung von Kapitalien systematisch verhindre, das existierende Kapital auflöse und die Steuerzahlenden ruiniere; und obendrein setze es in der Alimentation eine Prämie auf uneheliche Kinder." (Worte des Berichts der Armengesetzkommissäre.)*

Diese Schilderung der Wirkungen des alten Armengesetzes ist im ganzen gewiß richtig; die Unterstützung begünstigt die Trägheit und die Vermehrung der „überflüssigen" Bevölkerung. Unter den jetzigen sozialen Verhältnissen ist es ganz klar, daß der Arme gezwungen wird, Egoist zu sein, und wenn er die Wahl hat und gleich gut lebt, lieber nichts tut als arbeitet. Daraus folgt aber nur, daß die jetzigen sozialen Verhältnisse nichts taugen, nicht aber, daß – wie die malthusianischen Kommissäre folgerten – die Armut als ein Verbrechen nach der Abschreckungstheorie zu behandeln sei.

Diese weisen Malthusianer waren aber so fest von der Unfehlbarkeit ihrer Theorie überzeugt, daß sie keinen Augenblick Anstand nahmen, die

* „Extracts from Information received by the Poor-Law-Commissioners" [Auszüge aus dem von den Armengesetzkommissären erhaltenen Bericht]. Published by Authority. London 1833.

Armen in das Prokrustesbett ihrer Meinungen zu werfen und sie nach diesen mit der empörendsten Härte zu behandeln. Mit Malthus und den übrigen Anhängern der freien Konkurrenz überzeugt, daß es am besten sei, jeden für sich selbst sorgen zu lassen, das laissez-faire konsequent durchzuführen, hätten sie die Armengesetze am liebsten ganz abgeschafft. Da sie hierzu indes doch weder Mut noch Autorität hatten, schlugen sie ein möglichst malthusianisches Armengesetz vor, das noch barbarischer ist als das laissez-faire, weil es da aktiv eintritt, wo dies nur passiv ist. Wir sahen, wie Malthus die Armut, genauer die Brotlosigkeit unter dem Namen der Überflüssigkeit für ein Verbrechen erklärt, das die Gesellschaft mit dem Hungertode bestrafen soll. So barbarisch waren die Kommissäre nun gerade nicht; der krasse, direkte Hungertod hat selbst für einen Armengesetzkommissär etwas zu Schreckliches. Gut, sagten sie, ihr Armen habt das Recht, zu existieren, aber auch *nur* zu existieren; das Recht, euch zu vermehren aber habt ihr nicht, ebensowenig wie das Recht, *menschlich* zu existieren. Ihr seid eine Landplage, und wenn wir euch nicht wie jede andere Landplage sofort beseitigen können, so sollt ihr doch fühlen, daß ihr eine solche seid und wenigstens im Zaume gehalten, außerstand gesetzt werden müßt, andere „Überflüssige", direkt oder durch Verführung zur Trägheit und Brotlosigkeit, zu produzieren. Leben sollt ihr, aber leben zum warnenden Exempel allen denen, die Veranlassung haben könnten, auch überflüssig zu werden.

Sie schlugen nun das neue Armengesetz vor, das 1834 durch das Parlament ging und bis heute in Kraft besteht. Alle Unterstützung in Geld oder Lebensmitteln wurde abgeschafft; die einzige Unterstützung, welche gewährt wurde, war die Aufnahme in die überall sofort erbauten Arbeitshäuser. Die Einrichtung dieser Arbeitshäuser (workhouses), oder, wie das Volk sie nennt, Armengesetz-Bastillen (poor-law bastiles), ist aber derart, daß sie jeden abschrecken muß, der noch irgendwie Aussicht hat, sich ohne diese Art der öffentlichen Mildtätigkeit durchzuschlagen. Damit die Armenkasse nur in den dringendsten Fällen beansprucht und die eignen Anstrengungen eines jeden auf den höchsten Grad gesteigert werden, ehe er sich entschließt, sich von ihr unterstützen zu lassen, ist das Arbeitshaus zum zurückstoßendsten Aufenthalt gemacht, den das raffinierte Talent eines Malthusianers erfinden kann. Die Nahrung ist schlechter als die der ärmsten beschäftigten Arbeiter, während die Arbeit schwerer ist; sonst würden diese ja den Aufenthalt im Armenhause ihrer jämmerlichen Existenz draußen vorziehen. Fleisch, besonders frisches, wird selten gereicht, meist Kartoffeln, möglichst schlechtes Brot und Hafermehlbrei, wenig oder gar kein Bier. Selbst die Diät der Gefängnisse ist durchgängig besser, so daß die Bewohner des Arbeitshauses häufig irgendein Vergehen absichtlich sich zuschulden kommen lassen, um nur ins Gefängnis zu kommen. Denn auch das Arbeitshaus ist ein Gefängnis; wer sein Quantum Arbeit nicht tut, bekommt nichts zu essen, wer herausgehen will, muß erst um Erlaubnis bitten, die ihm je nach seinem Betragen oder der Meinung, die der Inspektor davon hat, verweigert werden kann; Tabak ist verboten, ebenso die Annahme von Geschenken von Freunden und Verwandten außerhalb des Hauses; die Paupers tragen eine Arbeitshaus-Uniform und sind der Willkür des Inspektors ohne Schutz überliefert. Damit ihre Arbeit nicht etwa mit der Privatindustrie konkurriere, gibt man ihnen meist ziemlich nutzlose Beschäftigungen; die Männer klopfen Steine, „soviel ein starker Mann mit Anstrengung in einem Tage tun kann", die Weiber, Kinder und Greise zupfen alte Schiffstaue, ich habe vergessen, zu welchem unbedeutenden Zweck. Damit die „Überflüssigen" sich nicht vermehren, oder die „demoralisierten" Eltern nicht auf ihre Kinder wirken können, werden die Familien getrennt; der Mann wird in diesen Flügel, die Frau in jenen, die Kinder in einen dritten geschickt, und sie dürfen einander nur zu bestimmten, selten wiederkehrenden Zeiten sehen, und auch dann nur, wenn sie sich nach der Meinung der Beamten gut betragen haben. Und um den Ansteckungsstoff des Pauperismus vollständig in diesen Bastillen vor der Außenwelt abzuschließen, dürfen die Bewohner derselben nur mit Bewilligung der Beamten Besuch im Sprechzimmer annehmen, überhaupt nur unter ihrer Aufsicht oder Erlaubnis mit Leuten außerhalb verkehren.

Bei alledem soll die Kost gesund, die Behandlung menschlich sein. Aber der Geist des Gesetzes spricht zu laut, als daß diese Forderung irgendwie erfüllt werden könne. Die Armengesetzkommissäre und die ganze englische Bourgeoisie täuscht sich, wenn sie die Durchführung des Prinzips ohne die der Konsequenzen für möglich hält. Die Behandlung, die das neue Gesetz dem Buchstaben nach vorschreibt, steht mit dem ganzen Sinn desselben im Widerspruch; wenn das Gesetz der Sache nach die Armen für Verbrecher, die Armenhäuser für Strafgefängnisse, ihre Bewohner für außer dem Gesetz, außer der Menschheit stehende Gegenstände des Ekels und Abscheus erklärt, so hilft alles Befehlen des Gegenteils gar nichts. In der Praxis wird denn auch der Geist und nicht der Buchstabe des Gesetzes bei der Behandlung der Armen befolgt. Hier einige wenige Beispiele.

Im Arbeitshause zu *Greenwich* wurde im Sommer 1843 ein fünfjähriger Knabe drei Nächte zur Strafe in die Totenkammer gesperrt, wo er auf den Deckeln der Särge schlafen mußte. – Im Arbeitshause zu *Herne* geschah dasselbe mit einem kleinen Mädchen, das während der Nacht das Bett nicht trocken hielt; diese Art Strafe scheint überhaupt sehr beliebt zu sein. Dies Arbeitshaus, das in einer der schönsten Gegenden von Kent liegt, zeichnet sich auch dadurch aus, daß alle Fenster nach innen, nach dem Hofe zu gehen und bloß zwei neugebrochene den Bewohnern desselben einen Blick in die Außenwelt gestatten. Der Schriftsteller, der dies im „Illuminated Magazine" erzählt, schließt seine Schilderung mit den Worten:

„Wenn Gott den Menschen für Verbrechen so bestraft, wie der Mensch den Menschen straft für die Armut, dann wehe den Söhnen Adams!"

Im November 1843 starb zu Leicester ein Mann, der zwei Tage vorher aus dem Arbeitshause zu *Coventry* entlassen worden war. Die Details über die Behandlung der Armen in dieser Anstalt sind empörend. Der Mann, George Robson, hatte eine Wunde an der Schulter, deren Kur gänzlich vernachlässigt wurde; er wurde an die Pumpe gestellt, um sie mit dem gesunden Arm in Bewegung zu setzen; dabei bekam er nur die gewöhnliche Armenhauskost, die er wegen der Schwächung seines Körpers durch die unbeachtete Wunde nicht verdauen konnte; er wurde notwendig schwächer, und je mehr er klagte, desto brutaler wurde die Behandlung. Wenn seine Frau, die auch im Arbeitshause war, ihm ihr bißchen Bier bringen wollte, so wurde sie gescholten und mußte es in Gegenwart der Aufseherin austrinken. Er wurde krank, aber auch dann keine bessere Behandlung. Zuletzt wurde er auf sein Begehren mit seiner Frau unter dem Geleite der beleidigendsten Ausdrücke entlassen. Zwei Tage darauf starb er in Leicester, wie der bei der Totenschau gegenwärtige Arzt erklärte, infolge der vernachlässigten Wunde und der für seinen Zustand schlechterdings unverdaulichen Kost. Bei seiner Entlassung wurden ihm Briefe eingehändigt, in denen Geld für ihn war, die sechs Wochen lang zurückgehalten und nach einer Regel des Etablissements vom Vorsteher eröffnet worden waren! – Im Arbeitshause zu *Birmingham* fielen so schändliche Dinge vor, daß endlich im Dezember 1843 ein Beamter abgeschickt wurde, um die Sache zu untersuchen. Er fand, daß vier Trampers (wir haben oben eine Erklärung dieses Ausdrucks gehabt) in ein Hundeloch (black-hole) unter der Treppe nackend eingesperrt und 8 bis 10 Tage in diesem Zustande gehalten worden waren, oft hungrig, ohne vor Mittag etwas zu essen zu erhalten, und in der strengsten Jahreszeit. Ein kleiner Junge war durch sämtliche Strafgefängnisse der Anstalt geschickt worden, zuerst in eine feuchte, gewölbte, enge Rumpelkammer, dann zweimal ins Hundeloch, das zweite Mal drei Tage und drei Nächte, dann ebensolange ins alte Hundeloch, was noch schlechter war, dann ins Trampzimmer, ein stinkendes, ekelhaft schmutziges, enges Loch mit hölzernen Schlafpritschen, wo der

Beamte bei seiner Revision noch zwei zerlumpte, vor Kälte zusammengekrochene Knaben fand, die bereits vier Tage dort gesessen hatten. Im Hundeloch saßen oft sieben und im Trampzimmer oft zwanzig Trampers zusammengepfropft. Auch Weiber waren zur Strafe, weil sie nicht in die Kirche gehen wollten, ins Hundeloch gesteckt, und eine war sogar vier Tage ins Trampzimmer gesperrt worden, wo sie Gott weiß was für Gesellschaft fand, und alles das, während sie krank war und Medizin einnahm! Ein anderes Weib war zur Strafe ins Tollhaus geschickt worden, obwohl sie vollkommen bei Verstande war. – Im Arbeitshause zu *Bacton* in Suffolk war im Januar 1844 eine ähnliche Untersuchung, woraus hervorging, daß hier eine Blödsinnige als Krankenwärterin angestellt war und allerlei verkehrtes Zeug mit den Kranken trieb, und daß Kranke, die nachts oft unruhig waren oder aufstanden, mit über dem Bettzeug und unter dem Bette her geführten Stricken festgebunden wurden, um den Wärterinnen die Mühe des Aufbleibens zu ersparen – ein Kranker wurde in diesem Zustande tot gefunden[1]. – Im Armenhause von *St. Pancras*, London, wo die billigen Hemden verfertigt werden, erstickte ein Epileptischer während eines Anfalls im Bette, ohne daß ihm jemand zu Hülfe gekommen wäre. In demselben Hause schlafen vier bis sechs, ja zuweilen acht Kinder in einem Bette. – Im *Shoreditch*-Arbeitshause in London wurde ein Mann eine Nacht mit einem Kranken, der im heftigsten Fieber lag, in ein Bett gesteckt, und das Bett war noch dazu voll Ungeziefer. – Im Arbeitshause zu *Bethnal Green*, London, wurde eine im sechsten Monat schwangere Frau mit ihrem noch nicht zweijährigen Kinde vom 28. Februar bis 20. März 1844 im Empfangszimmer eingeschlossen, ohne ins Arbeitshaus selbst aufgenommen zu werden – von Betten und Orten der Befriedigung der natürlichsten Bedürfnisse keine Spur. Ihr Mann wurde ins Arbeitshaus gebracht, und als er bat, man möge seine Frau aus ihrer Einsperrung befreien, erhielt er für diese Insolenz vierundzwanzig Stunden Arrest bei Wasser und Brot. – Im Arbeitshause zu *Slough* bei Windsor lag im September 1844 ein Mann am Tode; seine Frau reiste hin, kam nachts zwölf Uhr an, eilte zum Arbeitshause und wurde nicht zugelassen; am nächsten Morgen erst erhielt sie Erlaubnis, ihn zu sehen, und auch dann nur auf eine halbe Stunde und in Gegenwart der Aufseherin, die bei jedem folgenden Besuch der Frau sich zudrängte und ihr nach einer halben Stunde sagte, jetzt müsse sie gehen. – Im Arbeitshause zu *Middleton* in Lancashire waren zwölf, zuzeiten achtzehn Paupers beiderlei Geschlechts, die in einem Zimmer schliefen. Diese Anstalt steht nicht unter dem neuen, sondern einem

[1] *(1892)* aufgefunden

frühern, exzeptionellen Armengesetz (Gilbert's Act). Der Inspektor hatte eine Brauerei für seine Rechnung im Arbeitshause angelegt. – In *Stockport* wurde am 31. Juli 1844 ein 72jähriger Greis aus dem Armenhause vor den Friedensrichter geschleppt, weil er sich weigerte, Steine zu klopfen, und vorgab, wegen seines Alters und eines steifen Knies könne er diese Arbeit nicht tun. Vergebens erbot er sich, irgendeine Arbeit zu übernehmen, die seiner Körperstärke angemessen sei – er wurde zu 14 Tagen Zwangsarbeit auf der Tretmühle verurteilt. – Im Arbeitshause zu *Basford* fand ein revidierender Beamter im Februar 1844, daß die Bettücher in dreizehn Wochen, die Hemden in vier Wochen, die Strümpfe in zwei bis zehn Monaten nicht gewechselt worden waren, so daß von fünfundvierzig Knaben nur drei noch Strümpfe hatten und die Hemden alle zerlumpt waren. Die Betten wimmelten von Ungeziefer, und die Eßnäpfe wurden aus den Urineimern gewaschen. – Im *West-Londoner* Armenhause war ein Portier, der syphilitisch war und seine Krankheit vier Mädchen mitgeteilt hatte, dennoch nicht entlassen worden, und ein andrer Portier nahm ein taubstummes Mädchen aus einem der Zimmer, verbarg sie vier Tage in seinem Bett und schlief bei ihr. Auch er wurde nicht weggeschickt.

Wie im Leben, so im Tode. Die Armen werden auf die rücksichtsloseste Weise, wie krepiertes Vieh, verscharrt. Der Armenkirchhof von *St. Bride*, London, ist ein nackter Morast, der seit Karl II. zum Kirchhof benutzt wird, voll Knochenhaufen; jeden Mittwoch werden die verstorbenen Paupers in ein 14 Fuß tiefes Loch geworfen, der Pfaff rasselt eiligst seine Litanei ab, das Loch wird lose verscharrt, um nächsten Mittwoch wieder geöffnet und solange mit Leichen gefüllt zu werden, bis keine mehr hineingeht. Der Verwesungsgeruch davon verpestet die ganze Nachbarschaft. – In *Manchester* liegt der Armenkirchhof der Altstadt gegenüber am Irk, ebenfalls ein wüster, unebener Platz. Vor etwa zwei Jahren wurde eine Eisenbahn durchgeführt. Wäre es ein respektabler Kirchhof gewesen, wie würde die Bourgeoisie wie die Geistlichkeit Zeter über Entheiligung geschrien haben! Aber es war ein Armenkirchhof, es war die Ruhestätte von Paupers und Überflüssigen, und so genierte man sich durchaus nicht. Man nahm sich nicht einmal die Mühe, die noch nicht ganz verwesten Leichen auf die andere Seite des Kirchhofs zu bringen, man scharrte auf, wie es gerade diente, und schlug Pfähle in frische Gräber, so daß das mit verwesenden Stoffen geschwängerte Wasser des sumpfigen Bodens oben herausquoll und die Umgebung mit den widerlichsten und schädlichsten Gasen erfüllte. Ich mag die ekelhafte Roheit, die hier an den Tag kam, nicht weiter in ihren Details schildern.

Wird man sich noch wundern, daß die Armen sich noch weigern, die öffentliche Unterstützung unter diesen Bedingungen anzunehmen? daß sie lieber verhungern als in diese Bastillen gehen? Mir liegen fünf Fälle vor, wo die Leute wirklich und geradezu verhungerten und noch wenige Tage vor ihrem Tode, als ihnen die Armenverwaltung die Unterstützung außer dem Arbeitshause abschlug, lieber in ihre Not zurück als in diese Hölle gingen. Insofern haben die Armengesetzkommissäre ihren Zweck vollkommen erreicht. Aber zu gleicher Zeit haben die Arbeitshäuser auch die Erbitterung der arbeitenden Klasse gegen die besitzende, die zum größten Teil für das neue Armengesetz schwärmt, höher gesteigert als irgendeine Maßregel der machthabenden Partei. Von Newcastle bis Dover ist unter den Arbeitern nur *eine* Stimme der Empörung über das neue Gesetz. Die Bourgeoisie hat in ihm ihre Meinung über ihre Pflichten gegen das Proletariat so deutlich ausgesprochen, daß sie auch von den Dümmsten verstanden wurde. So geradezu, so unverhohlen war es noch nie behauptet worden, daß die Besitzlosen nur da sind, um sich von den Besitzenden ausbeuten zu lassen und um zu verhungern, wenn die Besitzenden von ihnen keinen Gebrauch machen können. Darum aber hat dies neue Armengesetz auch so wesentlich zur Beschleunigung der Arbeiterbewegung und namentlich zur Verbreitung des Chartismus beigetragen, und da es auf dem Lande am meisten in Ausführung gekommen ist, so erleichtert es die Entwicklung der proletarischen Bewegung, die den Landdistrikten bevorsteht.

Fügen wir noch hinzu, daß auch in *Irland* seit 1838 ein gleiches Armengesetz besteht, das für 80000 Paupers dieselben Asyle vorbereitet. Auch hier hat es sich verhaßt gemacht und würde sich noch verhaßter gemacht haben, wenn es irgendwie zu der Wichtigkeit hätte kommen können, die es in England erreichte. Aber was bedeutet die schlechte Behandlung von 80000 Proletariern in einem Lande, wo es ihrer dritthalb Millionen gibt! – In Schottland existieren, mit lokalen Ausnahmen, gar keine Armengesetze.

Ich hoffe, nach dieser Schilderung des neuen Armengesetzes und seiner Wirkungen wird man kein Wort zu hart finden, was ich von der englischen Bourgeoisie gesagt habe. In dieser öffentlichen Maßregel, wo sie in corpore[1], als Macht auftritt, spricht sie es aus, was sie eigentlich will, was sie mit all den kleineren, dem Scheine nach nur auf einzelne Tadel werfenden Handlungen gegen das Proletariat meint. Und daß diese Maßregel nicht nur von einer Sektion der Bourgeoisie ausging, sondern den Beifall der ganzen Klasse genießt, das beweisen unter andern die Parlamentsdebatten von 1844. Die liberale Partei hatte das neue Armengesetz erlassen; die konservative,

[1] geschlossen

ihren Minister Peel an der Spitze, verteidigt sie und ändert nur einige Lumpereien daran in der Poor-Law-*Amendment*-Bill[1] von 1844. Eine liberale Majorität gab, eine konservative bestätigte das Gesetz, und die edlen Lords gaben ihr „Content"[2] beide Male. So ist die Ausstoßung des Proletariats aus Staat und Gesellschaft ausgesprochen; so ist es offen erklärt, daß die Proletarier keine Menschen sind und nicht als Menschen behandelt zu werden verdienen. Überlassen wir es ruhig den Proletariern des britischen Reichs, sich ihre Menschenrechte wiederzuerobern.*

Das ist die Lage der britischen Arbeiterklasse, wie ich sie während einundzwanzig Monaten durch meine eignen Augen und durch offizielle und sonstige authentische Berichte kennengelernt habe. Und wenn ich diese Lage, wie ich auf den vorstehenden Seiten oft genug ausgesprochen habe, für eine schlechterdings unerträgliche halte, so bin ich nicht der einzige, der das tut. Schon Gaskell erklärt 1833, daß er an einem friedlichen Ausgange

* Um allen Mißdeutungen und daraus entstehenden Einwürfen vorzubeugen, will ich noch bemerken, daß ich von der Bourgeoisie als einer *Klasse* gesprochen habe und alle von einzelnen angeführten Dinge mir nur als Belege für die Denk- und Handlungsweise der *Klasse* gelten. Daher habe ich mich auch nicht auf die Unterscheidung der verschiedenen Sektionen und Parteien der Bourgeoisie einlassen können, die nur historisch und theoretisch von Bedeutung sind, und daher kann ich auch die wenigen Mitglieder der Bourgeoisie, die sich als ehrenwerte Ausnahmen gezeigt haben, nur beiläufig erwähnen. Es sind dies einerseits die entschiedneren Radikalen, die fast Chartisten sind, wie die Unterhausmitglieder und Fabrikanten Hindley aus Ashton und Fielden aus Todmorden (Lancashire), andrerseits die humanen Tories, die sich neuerdings als *„junges England"* konstituiert haben und zu denen besonders die Parlamentsmitglieder Disraeli, Borthwick, Ferrand, Lord John Manners etc. gehören. Auch Lord Ashley steht ihnen nahe. Die Absicht des „jungen Englands" ist eine Wiederherstellung des alten „merry England"[3] mit seinen glänzenden Seiten und seinem romantischen Feudalismus; dieser Zweck ist natürlich unausführbar und sogar lächerlich, eine Satire auf alle historische Entwicklung, aber die gute Absicht, der Mut, sich gegen das Bestehende und die bestehenden Vorurteile aufzulehnen und die Niederträchtigkeit des Bestehenden anzuerkennen, ist schon etwas wert. Ganz einsam steht der Deutsch-Engländer *Thomas Carlyle*, der, ursprünglich Tory, weiter geht als die Erwähnten. Er geht der sozialen Unordnung von allen englischen Bourgeois am tiefsten auf den Grund und fordert Organisation der Arbeit. Ich hoffe, daß Carlyle, der den rechten Weg gefunden hat, auch imstande sein wird, ihn zu verfolgen. Meine und vieler Deutschen beste Wünsche begleiten ihn! – (*1892*) Aber die Februarrevolution machte ihn zum vollendeten Reaktionär; der gerechte Zorn über die Philister schlug um in versauerte Philister-Verdrießlichkeit über die historische Woge, die ihn auf den Strand warf.

[1] Armengesetz-*Novelle* – [2] „Einverständnis" – [3] „fröhlichen Englands"

verzweifelt und daß eine Revolution schwerlich ausbleiben könne. Carlyle erklärt 1838 den Chartismus und das revolutionäre Treiben der Arbeiter aus dem Elend, in dem sie leben, und wundert sich nur, daß diese so ruhig acht lange Jahre am Tisch des Barmekiden[110] gesessen haben, wo sie von der liberalen Bourgeoisie mit leeren Versprechungen gespeist wurden – und 1844 erklärt er, daß die Organisation der Arbeit sogleich in Angriff genommen werden müsse,

„wenn Europa, wenigstens England, noch lange bewohnbar bleiben solle".

Und die „*Times*", das „erste Journal Europas", sagt im Juni 1844 geradezu:

„*Krieg den Palästen, Friede den Hütten, das ist ein Schlachtruf des Schreckens, der noch einmal durch unser Land ertönen mag. Mögen die Reichen sich in acht nehmen!*"

Nehmen wir indes noch einmal die Chancen der englischen Bourgeoisie vor. Im schlimmsten Fall gelingt es der ausländischen, besonders der amerikanischen Industrie, die englische Konkurrenz auch nach der, in wenig Jahren nötigen, Abschaffung der Korngesetze aushalten zu können. Die deutsche Industrie macht jetzt große Anstrengungen, die amerikanische hat sich mit Riesenschritten entwickelt. Amerika mit seinen unerschöpflichen Hülfsmitteln, mit den unermeßlichsten Kohlen- und Eisenlagern, mit einem beispiellosen Reichtum an Wasserkraft und schiffbaren Flüssen, besonders aber mit seiner energischen, tätigen Bevölkerung, gegen welche die Engländer noch phlegmatische Schlafmützen sind, Amerika hat in weniger als zehn Jahren eine Industrie geschaffen, welche in gröberen Baumwollenwaren (dem Hauptartikel der englischen Industrie) schon jetzt mit England konkurriert, die Engländer aus dem nord- und südamerikanischen Markt verdrängt hat und in China neben der englischen verkauft wird. In andern Industriezweigen geht es ebenso. Ist ein Land dazu begabt, das industrielle Monopol an sich zu reißen, so ist es Amerika. Wird also auf diese Weise die englische Industrie geschlagen – wie dies in den nächsten zwanzig Jahren, wenn die jetzigen sozialen Zustände bleiben, wohl nicht anders geschehen kann, so wird die Majorität des Proletariats auf immer „überflüssig" und hat keine andre Wahl als zu verhungern oder – zu revolutionieren. Denkt die englische Bourgeoisie an diese Chance? Im Gegenteil, ihr liebster Ökonom, MacCulloch, doziert ihr aus seiner Studierstube heraus: Es ist gar nicht daran zu denken, daß so ein junges Land wie Amerika, das noch gar nicht ordentlich bevölkert ist, mit Erfolg Industrie treiben oder gar gegen ein altes industrielles Land wie England konkurrieren könne. Es wäre wahnsinnig von den Amerikanern, wenn sie das versuchen wollten, denn sie können nur Geld dabei verlieren, laßt sie hübsch beim Ackerbau bleiben, und wenn sie erst das ganze Land bebaut haben, dann wird die Zeit auch wohl kommen, wo sie mit Vorteil Industrie treiben können. – Und das sagt der weise Ökonom, und die ganze Bourgeoisie betet's ihm nach, während die Amerikaner einen Markt nach dem andern wegnehmen, während ein verwegner amerikanischer Spekulant vor kurzem eine Partie amerikanischer Waren *nach England* schickte, wo sie zur Wiederexportation verkauft wurden!

Aber selbst für den Fall, daß England das industrielle Monopol behielte, daß seine Fabriken fortwährend an Zahl wüchsen, was würde die Folge sein? Die Handelskrisen würden bleiben, und mit der Ausdehnung der Industrie und der Vermehrung des Proletariats immer gewaltsamer, immer schauderhafter werden. Das Proletariat würde durch den fortschreitenden Ruin der kleinen Mittelklasse, durch die mit Riesenschritten sich entwickelnde Zentralisation des Kapitals in den Händen weniger, in geometrischer Proportion zunehmen und bald die ganze Nation, mit Ausnahme weniger Millionäre, ausmachen. In dieser Entwicklung tritt aber eine Stufe ein, wo das Proletariat sieht, wie leicht es ihm wäre, die bestehende soziale Macht zu stürzen, und dann folgt eine Revolution.

Doch weder der eine noch der andre Fall wird eintreten. Die Handelskrisen, der mächtigste Hebel aller selbständigen Entwicklung des Proletariats, werden, in Verbindung mit der auswärtigen Konkurrenz und dem steigenden Ruin der Mittelklasse, die Sache kürzer abmachen. Ich glaube nicht, daß das Volk sich noch mehr als eine Krisis wird gefallen lassen. Wahrscheinlich bringt schon die nächste, 1846 oder 1847 eintretende Krisis die Abschaffung der Korngesetze und die Charte. Was die Charte für revolutionäre Bewegungen veranlassen wird, steht zu erwarten. Aber bis zur dann folgenden Krisis, die nach der Analogie der bisherigen 1852 oder 1853 eintreten müßte, durch die Abschaffung der Korngesetze jedoch verzögert wie durch andre Umstände, auswärtige Konkurrenz etc., beschleunigt werden kann, bis zu dieser Krisis wird es das englische Volk wahrlich überdrüssig sein, zum Vorteil der Kapitalisten sich ausbeuten zu lassen und, wenn die Kapitalisten seiner nicht mehr bedürfen, zu verhungern. Wenn sich bis dahin die englische Bourgeoisie nicht besinnt – und das tut sie allem Anschein nach gewiß nicht –, so wird eine Revolution folgen, mit der sich keine vorhergehende messen kann. Die zur Verzweiflung getriebenen Proletarier werden die Brandfackel ergreifen, von der Stephens ihnen gepredigt hat; die Volksrache wird mit einer Wut geübt werden, von der uns das Jahr 1793 noch keine Vorstellung gibt. Der Krieg der Armen gegen die Reichen wird der blutigste sein, der je geführt worden ist. Selbst der Übertritt eines Teils der Bourgeoisie zur Proletariatspartei, selbst eine allgemeine Besserung der Bourgeoisie würde nichts helfen. Die allgemeine Sinnesänderung der Bourgeoisie würde ohnehin nur bis zu einem schlaffen Juste-milieu gehen können; die entschiedner den Arbeitern sich Anschließenden würden eine neue Gironde bilden und als solche im Lauf der gewaltsamen Entwicklung untergehen. Die Vorurteile einer ganzen Klasse streifen sich nicht ab wie ein alter Rock – am wenigsten bei der stabilen, befangenen, eigennützigen englischen Bourgeoisie. Das sind alles Schlüsse, die mit der größten Bestimmtheit gefolgert werden können, Schlüsse, deren Voraussetzungen unbestreitbare Tatsachen, einerseits der geschichtlichen Entwicklung, andrerseits der menschlichen Natur sind. Das Prophezeien ist nirgends so leicht als gerade in England, weil hier alles so klar und scharf in der Gesellschaft entwickelt ist. Die Revolution *muß* kommen, es ist jetzt schon zu spät, um eine friedliche Lösung der Sache herbeizuführen; aber milder kann sie allerdings werden als die oben prophezeite. Das wird aber weniger von der Entwicklung der Bourgeoisie, als von der des Proletariats abhängen. In demselben Verhältnis nämlich, in welchem das Proletariat sozialistische und kommunistische Elemente in sich aufnimmt, genau in demselben Verhältnis wird die Revolution an Blutvergießen, Rache und Wut abnehmen. Der Kommunismus steht seinem Prinzipe nach über dem Zwiespalt zwischen Bourgeoisie und Proletariat, er erkennt ihn nur in seiner historischen Bedeutung für die Gegenwart, nicht aber als für die Zukunft berechtigt an; er will gerade diesen Zwiespalt aufheben. Er erkennt daher, solange der Zwiespalt besteht, die Erbitterung des Proletariats gegen seine Unterdrücker allerdings als eine Notwendigkeit, als den bedeutendsten Hebel der *anfangenden* Arbeiterbewegung an, aber er geht über diese Erbitterung hinaus, weil er eben eine Sache der Menschheit, nicht bloß der Arbeiter ist. Ohnehin fällt es keinem Kommunisten ein, an einzelnen Rache üben zu wollen oder überhaupt zu glauben, daß der einzelne Bourgeois in den bestehenden Verhältnissen anders handeln könne, als er handelt. Der englische Sozialismus (d. h. Kommunismus) beruht geradezu auf diesem Prinzip der Unzurechnungsfähigkeit des einzelnen. Je mehr also die englischen Arbeiter sozialistische Ideen in sich aufnehmen, desto mehr wird ihre jetzige Erbitterung, die es doch, wenn sie so gewaltsam bleibt, wie sie jetzt ist, zu nichts bringen würde, überflüssig, desto mehr werden ihre Schritte gegen die Bourgeoisie an Wildheit und Roheit verlieren. Wäre es überhaupt möglich, das ganze Proletariat kommunistisch zu machen, ehe der Kampf ausbricht, so würde er sehr friedlich ablaufen; das ist aber nicht mehr möglich, es ist schon zu spät dazu. Ich glaube indes, daß bis zum Ausbruch des *ganz* offnen, direkten Krieges der Armen gegen die Reichen, der jetzt in England unvermeidlich geworden ist, sich wenigstens so viel Klarheit über die soziale Frage im Proletariat verbreiten wird, daß mit Hülfe der Ereignisse die kommunistische Partei imstande sein wird, das brutale Element der Revolution auf die Dauer zu überwinden und einem neunten Thermidor [111] vorzubeugen. Ohnehin wird die Erfahrung der Franzosen nicht umsonst gemacht worden sein, und dazu sind ja schon jetzt die meisten Chartistenführer Kommunisten. Und da der Kommunismus *über* dem Gegensatze zwischen Proletariat und Bourgeoisie steht, so wird es auch dem besseren Teile der Bourgeoisie – der aber entsetzlich gering ist und nur auf Rekrutierung unter den Heranwachsenden rechnen kann – leichter werden, sich ihm anzuschließen, als dem ausschließlich proletarischen Chartismus.

Wenn diese Schlüsse hier nicht hinreichend begründet sein sollten, so wird sich wohl anderswo Gelegenheit finden, sie als notwendige Resultate der historischen Entwicklung Englands nachzuweisen. Aber ich bleibe dabei: Der Krieg der Armen gegen die Reichen, der jetzt schon im einzelnen und indirekt geführt wird, wird auch im allgemeinen, im ganzen und direkt in England geführt werden. Es ist zu spät zur friedlichen Lösung. Die Klassen sondern sich schroffer und schroffer, der Geist des Widerstandes durchdringt die Arbeiter mehr und mehr, die Erbitterung steigt, die einzelnen Guerillascharmützel konzentrieren sich zu bedeutenderen Gefechten und Demonstrationen, und ein kleiner Anstoß wird bald hinreichen, um die Lawine in Bewegung zu setzen. Dann wird allerdings der Schlachtruf durch das Land schallen: „Krieg den Palästen, Friede den Hütten!" – dann wird es aber zu spät sein, als daß sich die Reichen noch in acht nehmen könnten.

THE

NEW MORAL WORLD:

AND

GAZETTE OF THE RATIONAL SOCIETY.

Enrolled under Acts of Parliament, 10 Geo. IV. c. 56, and 4, 5, Will. IV. c. 40.

"ANY GENERAL CHARACTER, FROM THE BEST TO THE WORST, FROM THE MOST IGNORANT TO THE MOST ENLIGHTENED, MAY BE GIVEN TO ANY COMMUNITY, EVEN TO THE WORLD AT LARGE, BY THE APPLICATION OF PROPER MEANS, WHICH MEANS ARE TO A GREAT EXTENT AT THE COMMAND AND UNDER THE CONTROL OF THOSE WHO HAVE INFLUENCE IN THE AFFAIRS OF MEN."—ROBERT OWEN.

W. JOHNSTON, PRINTER, LITTLE RED LION COURT, CHARTERHOUSE LANE, LONDON

No. 25. VOL. VI. *Third Series.* SATURDAY, DECEMBER 13, 1844. PRICE 2d.

[Friedrich Engels]

[Sozialismus auf dem Kontinent[112]]

[„The New Moral World" [113] Nr. 15
vom 5. Oktober 1844]

Auf meiner Heimfahrt besuchte ich in Paris einen kommunistischen Klub der mystischen Schule. Ich wurde von einem Russen eingeführt, der die deutsche und französische Sprache vollkommen beherrscht und der ihnen gegenüber sehr geschickt mit Feuerbachs Beweisführung* auftrat. Bei ihnen hat der Terminus Gott die gleiche Bedeutung wie *Love Spirit*[1] bei den Ham-Common-Leuten. Sie bezeichneten das jedoch als sekundäre Frage und waren praktisch mit uns einig, indem sie sagten: „*Enfin, l'athéisme c'est votre religion*": – Schließlich ist der Atheismus Eure Religion. Religion bedeutet im Französischen *Überzeugung, Gefühl,* nicht Anbetung. Sie bestätigten, daß das Geschrei und Getöse der *Bourgeois* beziehungsweise der Mittelklasse gegen England völliger Unsinn ist, und sie bemühten sich sehr, uns davon zu überzeugen, daß sie nicht das geringste nationale Vorurteil hätten, daß sich die Arbeiter Frankreichs gar nicht um Marokko[114] scheren, sondern wissen, daß die *ouvriers,* Arbeiter, aller Länder Verbündete sind, die die gleichen Interessen haben. Die französische Mittelklasse ist ebenso egoistisch, habgierig und gesellschaftlich unerträglich wie die englische, aber die französischen *ouvriers* sind feine Kerle. Wir haben unter den Russen in Paris gute Fortschritte gemacht. Es gibt in Paris drei oder vier Adlige und Besitzer von Leibeigenen, die radikale Kommunisten und Atheisten sind.

Wir besitzen in Paris eine deutsche kommunistische Zeitung, den „*Vorwärts!*"[115], der zweimal wöchentlich erscheint. In Belgien ist eine aktive

* Das Auflösen der Gottesidee im Menschen.

[1] *Geist der Liebe*

kommunistische Agitation im Gange, und eine Zeitung, „*Débat Social*“[116], wird in Brüssel herausgegeben. In Paris gibt es ungefähr ein halbes Dutzend kommunistische Zeitungen. *Socialiste* und *Socialitaire* sind in Frankreich Modebegriffe, und Louis-Philippe, der Erz*bourgeois*, unterstützt die „*Democratie Pacifique*“[117] – mit Geld und Protektion. Das religiöse Benehmen der französischen Sozialisten ist meist heuchlerisch; die Leute sind vollkommen irreligiös, und die ersten Opfer der nächsten Revolution werden die Pfaffen sein.

Die Kölner haben enorme Fortschritte gemacht. Als wir uns in einem Lokal versammelten, füllten wir einen ziemlich großen Raum mit unserer Gesellschaft, die meist aus Anwälten, Medizinern, Künstlern etc. bestand; auch drei oder vier Leutnants der Artillerie waren dabei, wovon der eine ein sehr kluger Kerl ist. In Düsseldorf haben wir einige Anhänger, darunter einen sehr begabten Dichter. In Elberfeld sind ungefähr ein halbes Dutzend meiner Freunde und einige andere Kommunisten. In der Tat, es gibt kaum eine Stadt in Norddeutschland, in der es nicht einige radikale Anti-Proprietarians[1] und Atheisten gibt. Edgar Bauer in Berlin ist gerade wegen seines jüngsten Buches zu drei Jahren Gefängnis verurteilt worden.[118]

Aus dem Englischen.

[1] Gegner des Eigentums

[Friedrich Engels]

Rascher Fortschritt des Kommunismus in Deutschland

[I]

[„The New Moral World" Nr. 25
vom 13. Dezember 1844]

Da ich hoffe, daß Ihre Landsleute erfreut sein werden, etwas über die Fortschritte unserer gemeinsamen Sache auf dieser Seite des Kanals zu hören, schicke ich Ihnen einige Zeilen für Ihre Zeitung. Gleichzeitig freue ich mich, zeigen zu können, daß das deutsche Volk, obwohl es, wie gewöhnlich, die Frage der sozialen Reform mit einiger Verspätung aufwarf, jetzt alle Anstrengungen macht, um die verlorene Zeit wieder einzuholen, und wirklich, die Geschwindigkeit, mit der der Sozialismus in diesem Lande Fortschritte gemacht hat, ist ganz wunderbar. Vor zwei Jahren gab es nur zwei Personen, die sich überhaupt für soziale Fragen interessierten; vor einem Jahr wurde die erste sozialistische Schrift gedruckt[119]. Zwar gab es einige hundert deutsche Kommunisten im Ausland, da sie aber Arbeiter waren, hatten sie wenig Einfluß und konnten nicht erreichen, daß ihre Schriften unter den „oberen Klassen" Verbreitung fanden. Überdies waren die Hindernisse, die dem Sozialismus im Wege standen, ungeheuer: Preßzensur, kein Recht zur öffentlichen Versammlung, kein Assoziationsrecht, despotische Gesetze und geheime Gerichtshöfe mit bezahlten Richtern, die jeden bestraften, der auf irgendeine Weise das Volk zum Denken zu bringen wagte. Und trotz alledem, wie ist die Lage der Dinge jetzt in Deutschland? An Stelle der beiden armen Teufel, die über Sozialismus für ein Publikum schrieben, das mit der Frage in keiner Weise vertraut oder daran interessiert war, haben wir Dutzende von klugen Schriftstellern, die das neue Evangelium Tausenden predigen, die begierig alles hören möchten, was mit der Sache zusammenhängt; wir haben verschiedene Zeitungen, die so radikal sozialistisch sind, wie die Zensur es zuläßt, besonders die *„Trier'sche Zeitung"*[120] und den *„Sprecher"*[121] von Wesel; wir geben unter der Preßfreiheit von Paris eine Zeitung[115] heraus, und es gibt außer solchen, die unter direktem Regierungseinfluß stehen, keine Zeitschrift, die nicht täglich, und in sehr anerkennenden Worten, den Sozialismus und die Sozialisten kommentiert. Unseren Gegnern fehlt der moralische Mut, uns ganz offen entgegenzutreten. Sogar die Regierungen sind gezwungen, allen *legalen* Bewegungen, die zum Sozialismus hinstreben, wohlwollend zu begegnen. Überall werden Gesellschaften gegründet, sowohl zur Verbesserung der Lage der Arbeiter als auch zu ihrer geistigen Ausbildung, und einige der höchsten Beamten der preußischen Regierung haben sich an diesen Vereinigungen aktiv beteiligt. Kurz, der Sozialismus ist zur Tagesfrage in Deutschland geworden, und im Laufe eines Jahres ist eine starke sozialistische Partei herangewachsen, die schon jetzt allen politischen Parteien Respekt einflößt und um die sich besonders die Liberalen dieses Landes eifrig bemühen. Bis jetzt ist unser Bollwerk das Bürgertum, eine Tatsache, die den englischen Leser vielleicht befremden wird, falls er nicht weiß, daß diese Klasse in Deutschland viel weniger eigennützig, viel unvoreingenommener und intelligenter ist als die in England, und zwar aus dem einfachen Grunde, weil sie ärmer ist. Wir hoffen jedoch, daß uns in kurzer Zeit die arbeitenden Klassen unterstützen werden, die immer und überall die Stärke und den Hauptbestandteil der sozialistischen Parteien bilden müssen und die durch Elend, Unterdrückung und Arbeitsmangel wie auch durch die Aufstände in den Industriegebieten Schlesiens und Böhmens [76] aus ihrer Lethargie gerissen worden sind. Lassen Sie mich bei dieser Gelegenheit ein Bild von Hübner, einem der besten deutschen Maler, erwähnen, das wirksamer für den Sozialismus agitiert hat als hundert Flugschriften. Es zeigt einige schlesische Weber, die einem Fabrikanten gewebtes Leinen bringen, und stellt sehr eindrucksvoll dem kaltherzigen Reichtum auf der einen Seite die verzweifelte Armut auf der anderen gegenüber. Der gutgenährte Fabrikant wird mit einem Gesicht, rot und gefühllos wie Erz, dargestellt, wie er ein Stück Leinen, das einer Frau gehört, zurückweist; die Frau, die keine Möglichkeit sieht, den Stoff zu verkaufen, sinkt in sich zusammen und wird ohnmächtig, umgeben von ihren zwei kleinen Kindern und kaum aufrecht gehalten von einem alten Mann; ein Angestellter prüft ein Stück, dessen Eigentümer in schmerzlicher Besorgnis auf das Ergebnis warten; ein junger Mann zeigt seiner verzagten Mutter den kärglichen Lohn, den er für seine Arbeit bekommen hat; ein alter Mann, ein Mädchen und ein Knabe sitzen auf einer Steinbank und warten, daß sie an die Reihe kommen; und zwei Männer, jeder mit einem Packen zurückgewiesenen Stoffes auf dem Rücken, verlassen gerade den Raum, einer von ihnen ballt voll Wut die Faust, während der andere die Hand auf des Nachbarn Arm legt und zum Himmel zeigt, als ob er sagt: Sei ruhig, es gibt einen Richter, der ihn strafen wird. Diese ganze Szene spielt sich in einem kalt und ungemütlich aussehenden Vorsaal mit Steinfußboden ab; nur der Fabrikant steht auf einem Stück Teppich, während sich auf der anderen Seite des Gemäldes, hinter einer Barriere ein Ausblick in ein luxuriös eingerichtetes Kontor mit herrlichen Gardinen und Spiegeln öffnet, wo einige Angestellte schreiben, unberührt von dem, was hinter ihnen vorgeht, und wo der Sohn des Fabrikanten, ein junger Geck, sich auf die Barriere lehnt, eine Reitgerte in der Hand, eine Zigarre raucht und die unglücklichen Weber kühl betrachtet. Dieses Gemälde ist in mehreren Städten Deutschlands ausgestellt worden und hat verständlicherweise so manches Gemüt für soziale Ideen empfänglich gemacht. Zur gleichen Zeit hatten wir die Genugtuung, daß der hervorragendste Geschichtsmaler unseres Landes, Karl Lessing, sich zum Sozialismus bekehrte. Tatsächlich nimmt der Sozialismus schon jetzt in Deutschland eine zehnmal stärkere Position ein als in England. Gerade heute morgen habe ich einen Artikel in der liberalen „Kölnischen Zeitung“[122] gelesen, dessen Verfasser aus verschiedenen Gründen von den Sozialisten angegriffen worden war; er verteidigt sich in dem Artikel, und worauf läuft seine Verteidigung hinaus? Er bekennt sich selbst zum Sozialismus, mit dem einzigen Unterschied, daß er mit politischen Reformen beginnen möchte, während wir alles auf einmal haben wollen. Und diese „Kölnische Zeitung“ ist in bezug auf Einfluß und Verbreitung die zweitgrößte Zeitung Deutschlands. Es ist sonderbar, aber zumindest im Norden Deutschlands kann man nicht an Bord eines Dampfers gehen, in einem Eisenbahnwagen oder einer Postkutsche reisen, ohne jemand zu treffen, der nicht wenigstens einige soziale Ideen in sich aufgenommen hätte und der nicht mit einem darin übereinstimmte, daß etwas getan werden müsse, um die Gesellschaft zu reorganisieren. Ich komme gerade von einer Reise in einige Nachbarstädte zurück, und ich fand keinen einzigen Ort, an dem ich nicht wenigstens ein halbes Dutzend oder ein Dutzend vortreffliche Sozialisten getroffen hätte. In meiner eigenen Familie – und sie ist sehr fromm und regierungstreu – zähle ich sechs oder mehr Mitglieder, deren jedes überzeugt worden ist, ohne daß es von den übrigen beeinflußt worden wäre. Wir haben Anhänger unter Menschen aller Art: Kaufleute, Fabrikanten, Rechtsanwälte, Regierungsbeamte und Offiziere, Ärzte, Redakteure, Landwirte etc.; eine große Anzahl unserer Schriften befindet sich im Druck, obwohl bisher kaum drei oder vier erschienen sind, und wenn wir in den kommenden vier oder fünf Jahren solche Fortschritte wie in den vergangenen 12 Monaten machen, werden wir imstande sein, eine kommunistische Gemeinde zu gründen. Wie Sie sehen, werden wir deutschen Theoretiker praktische Geschäftsleute. Es wurde tatsächlich einer aus unseren Reihen aufgefordert, einen Organisationsplan und Satzungen für eine arbeitsfähige Gemeinde nach den

Plänen von Owen, Fourier etc. auszuarbeiten und die Erfahrungen der amerikanischen Ansiedlungen sowie Ihr eigenes Experiment in Harmony[123], von dem ich hoffe, daß es gut vorangeht, zu verwerten. Dieser Plan wird in den verschiedenen Orten diskutiert und mit Abänderungen veröffentlicht werden. Die aktivsten literarischen Persönlichkeiten unter den deutschen Sozialisten sind: Dr. Karl Marx, Paris; Dr. M[oses] Heß, zur Zeit Köln; Dr. K[arl] Grün, Paris; Friedrich Engels, Barmen (Rheinpreußen); Dr. O[tto] Lüning, Rheda/Westfalen; Dr. H[ermann] Püttmann, Köln, und verschiedene andere. Außer diesen hat sich Heinrich Heine, der hervorragendste unter allen lebenden deutschen Dichtern, uns angeschlossen und hat einen Band politischer Lyrik veröffentlicht, der auch einige Gedichte enthält, die den Sozialismus verkünden. Er ist der Verfasser des berühmten Liedes „Die schlesischen Weber", von dem ich Ihnen eine Übersetzung gebe, das aber, wie ich befürchte, in England als Gotteslästerung angesehen werden wird. Jedenfalls möchte ich es Ihnen mitteilen und nur bemerken, daß es sich auf den Schlachtruf der Preußen im Jahre 1813 „Mit Gott für König und Vaterland!" bezieht, der seither ein beliebter Ausspruch der loyalen Partei gewesen ist. Hier das Lied[124]:

Im düstern Auge keine Träne,
Sie sitzen am Webstuhl und fletschen die Zähne:
Deutschland, wir weben dein Leichentuch,
Wir weben hinein den dreifachen Fluch –
    Wir weben, wir weben!

Ein Fluch dem Gotte, zu dem wir gebeten
In Winterskälte und Hungersnöten;
Wir haben vergebens gehofft und geharrt,
Er hat uns geäfft und gefoppt und genarrt –
    Wir weben, wir weben!

Ein Fluch dem König, dem König der Reichen,
Den unser Elend nicht konnte erweichen,
Der den letzten Groschen von uns erpreßt
Und uns wie Hunde erschießen läßt –
    Wir weben, wir weben!

Ein Fluch dem falschen Vaterlande,
Wo nur gedeihen Schmach und Schande,
Wo jede Blume früh geknickt,
Wo Fäulnis und Moder den Wurm erquickt –
    Wir weben, wir weben!

several others. Besides those, Henry Heine, the most eminent of all living German poets, has joined our ranks, and published a volume of political poetry, which contains also some pieces preaching Socialism. He is the author of the celebrated *Song of the Silesian Weavers*, of which I give you a prosaic translation, but which, I am afraid, will be considered blasphemy in England. At any rate, I will give it you, and only remark, that it refers to the battle-cry of the Prussians in 1813:—"With God for King and fatherland!" which has been ever since a favourite saying of the loyal party. But for the song, here it is:—

Without a tear in their grim eyes,
They sit at the loom, the rage of despair in their faces;
"We have suffered and hunger'd long enough;
Old Germany, we are weaving a shroud for thee
And weaving it with a triple curse.
"We are weaving, weaving!

"The first curse to the God, the blind and deaf god,
Upon whom we relied, as children on their father;
In whom we hoped and trusted withal,
He has mocked us, he has cheated us nevertheless.
"We are weaving, weaving!

"The second curse for the King of the rich,
Whom our distress could not soften nor touch;
The King, who extorts the last penny from us,
And sends his soldiers, to shoot us like dogs.
"We are weaving, weaving!

"A curse to the false fatherland,
That has nothing for us but distress and shame,
Where we suffered hunger and misery—
We are weaving thy shroud, Old Germany!
We are weaving, weaving!

With this song, which in its German original is one of the most powerful poems I know of, I take leave from you for this time, hoping soon to be able to report on our further progress and social literature.—Yours sincerely,

An Old Friend of Yours in Germany.

Schluß des Artikels „Rascher Fortschritt des Kommunismus in Deutschland“ mit Engels' Übersetzung des Gedichts „Die schlesischen Weber“ von Heinrich Heine

Das Schiffchen fliegt, der Webstuhl kracht,
Wir weben emsig Tag und Nacht –
Altdeutschland, wir weben dein Leichentuch,
Wir weben hinein den dreifachen Fluch,
Wir weben, wir weben!

Mit diesem Lied, das im deutschen Original eines der stärksten Gedichte ist, das ich kenne, verabschiede ich mich für diesmal von Ihnen und hoffe, Ihnen bald über unseren weiteren Fortschritt und die soziale Literatur berichten zu können.

Ein alter Freund von Ihnen in Deutschland

Geschrieben etwa am 9. November 1844.
Aus dem Englischen.

[II]

[„The New Moral World" Nr. 37
vom 8. März 1845]

Barmen, 2. Februar 1845.

Seit ich Ihnen das letztemal geschrieben habe, hat die Sache des Kommunismus den gleichen schnellen Fortschritt gemacht wie gegen Ende des Jahres 1844. Vor kurzem war ich in verschiedenen Städten am Rhein und habe überall festgestellt, daß unsere Ideen, seit ich diese Orte zum letztenmal besucht hatte, täglich mehr an Boden gewonnen haben und noch gewinnen. Überall fand ich neue Anhänger, die so viel Energie beim Diskutieren und Verbreiten der Idee des Kommunismus aufbieten, wie man sich nur wünschen kann. In allen Städten Preußens sind sehr viele öffentliche Veranstaltungen mit dem Ziel abgehalten worden, Vereinigungen zu bilden, um der wachsenden Verelendung, der Unwissenheit und dem Verbrechen unter den breiten Massen der Bevölkerung entgegenzutreten. Diese Versammlungen wurden zunächst von der Regierung unterstützt, dann aber, als sie zu selbständig wurden, von ihr behindert; trotzdem lenkten sie die öffentliche Aufmerksamkeit auf die soziale Frage und trugen sehr viel zur Verbreitung unserer Prinzipien bei. Die Kölner Versammlung war von den Reden der führenden Kommunisten derart beeindruckt, daß ein Komitee zur Ausarbeitung der Satzungen des Vereins gewählt wurde, das in seiner Mehrheit aus entschiedenen Kommunisten bestand. Der Hauptinhalt der Satzungen gründete sich selbstverständlich auf kommunistische Prinzipien. Die Satzungen über die Organisation der Arbeit, über den Schutz der Arbeiter gegen die Macht des Kapitals etc. wurden von der Versammlung fast einstimmig angenommen. Die Genehmigung der Regierung, die in unserem Lande für alle Vereinigungen erforderlich ist, wurde natürlich nicht erteilt; da aber diese Versammlungen doch stattgefunden hatten, stand die Frage der Gemeinwesen in ganz Köln überall zur Diskussion. In Elberfeld wurde als Grundprinzip der Vereinigung verkündet, *daß alle Menschen das gleiche Recht auf Bildung haben und an den Früchten der Wissenschaft teilhaben sollen*; die Satzungen sind jedoch von der Regierung noch nicht bestätigt worden und werden aller Wahrscheinlichkeit nach das Los der Kölner Satzungen teilen, da die Pfaffen sofort eine eigene Vereinigung gegründet haben, als ihr Plan, die Gesellschaft zu einer Unterabteilung der Stadtmission zu machen, von der Versammlung abgelehnt worden war. Die liberale Vereinigung wird von der Regierung verboten und die Vereinigung der Pfaffen unterstützt werden. Das hat jedoch wenig zu bedeuten, da die Frage, nachdem sie einmal aufgeworfen worden ist, nun in der ganzen Stadt allgemein diskutiert wird. Andere Vereine sind in Münster, Kleve, Düsseldorf etc. gebildet worden, und es bleibt abzuwarten, mit welchem Ergebnis. Was die kommunistische Literatur betrifft, so ist eine Schriftensammlung, die sich mit diesem Thema beschäftigt, von H[ermann] Püttmann, Köln, veröffentlicht worden[125], die unter anderem sowohl einen Bericht über die amerikanischen Ansiedlungen als auch über Ihre eigene Niederlassung in Hampshire enthält, was sehr viel dazu beigetragen hat, das Vorurteil über die Undurchführbarkeit unserer Ideen zu beseitigen. Herr Püttmann hat zur gleichen Zeit die Ankündigung einer Vierteljahrsschrift[126] veröffentlicht, deren erste Nummer er im kommenden Mai herauszugeben beabsichtigt und die ausschließlich der Verbreitung unserer Ideen gewidmet sein wird. Die Herren Heß aus Köln und Engels aus Barmen werden mit der Herausgabe einer weiteren Monatsschrift[127] beginnen, deren erste Nummer am kommenden 1. April erscheinen soll; diese Zeitschrift wird nur *Tatsachen* enthalten, die den Zustand der zivilisierten Gesellschaft zeigen und die Notwendigkeit einer radikalen Reform der Gesellschaft durch die Überzeugungskraft der Tatsachen beweisen. Eine neue Arbeit von Dr. Marx, die einen Überblick über die Prinzipien der Nationalökonomie und die Politik im allgemeinen enthält, wird in Kürze veröffentlicht werden[128]. Dr. Marx ist von der konservativen französischen Regierung gezwungen worden, seinen Wohnsitz in Paris aufzugeben. Er beabsichtigt, nach Belgien zu gehen, und wenn die Rache der preußischen Regierung (die die französischen Minister veranlaßt hat, Marx auszuweisen) ihn auch dort verfolgen wird, muß er nach England gehen. Aber die wichtigste Tatsache, die ich seit meinem letzten Brief erfahren habe, ist die, daß sich Dr. Feuerbach, gegenwärtig das hervorragendste philosophische Genie in Deutschland, als Kommunist bekannt hat. Ein Freund von uns besuchte ihn kürzlich auf seinem einsamen Landsitz in einem entlegenen Winkel Bayerns; diesem gegenüber erklärte er, er sei durchaus überzeugt, daß der Kommunismus nur die notwendige Konsequenz der Prinzipien darstelle, die er verkündet habe, und daß der Kommunismus tatsächlich nur die *Praxis* dessen sei, was er lange zuvor theoretisch verkündet habe. Feuerbach sagte, er habe niemals soviel Freude an irgendeinem Buch gehabt wie an dem ersten Teil von Weitlings „Garantien"[129]. Noch nie habe ich jemandem ein Buch gewidmet, sagte er, aber jetzt habe ich große Lust, meine nächste Arbeit Weitling zu widmen. So ist die Verbindung zwischen den deutschen Philosophen, deren hervorragendster Vertreter Feuerbach ist, und den deutschen Arbeitern, die durch Weitling vertreten werden, fast hergestellt, eine Verbindung, die von Dr. Marx vor einem Jahr vorausgesagt wurde.[130] Wenn die Philosophen mit uns denken und die Arbeiter mit uns kämpfen – gibt es da noch eine Macht auf Erden, die stark genug wäre, unserem Fortschritt zu widerstehen?

Ein alter Freund von Ihnen in Deutschland

Aus dem Englischen.

[III]

[„The New Moral World" Nr. 46 vom 10. Mai 1845]

Sehr geehrter Herr,

nachdem ich eine Zeitlang gewisser Ursachen wegen nicht imstande war, Ihnen über den Stand der Angelegenheiten in Deutschland zu schreiben, setze ich jetzt meine Berichte fort, in der Hoffnung, daß sie Ihre Leser interessieren und daß sie einander mit geringeren Unterbrechungen folgen werden als bisher. Ich freue mich, Ihnen berichten zu können, daß wir den gleichen raschen und stetigen Fortschritt machen wie vor meinem letzten Bericht. Seit ich Ihnen das letztemal geschrieben habe, hat es die preußische Regierung für gefährlich befunden, die „Vereine für das Wohl der arbeitenden Klassen" weiterhin zu unterstützen. Sie hat festgestellt, daß diese Vereine überall sozusagen kommunistisch infiziert wurden und hat deshalb alles getan, was in ihrer Macht steht, die Weiterentwicklung dieser Vereine zu-

unterbinden oder wenigstens zu hemmen. Anderseits war die Mehrheit der Mitglieder dieser Gesellschaften, die sich aus Angehörigen des Bürgertums zusammensetzen, völlig ratlos hinsichtlich der Schritte, die man zum Wohl des arbeitenden Volkes unternehmen könnte. Die Kommunisten bewiesen sogleich, daß alle ihre Maßnahmen – Sparkassen, Prämien und Preise für die besten Arbeiter und ähnliches mehr – zu nichts führen, und gaben sie damit dem öffentlichen Gelächter preis. So ist die Absicht des Bürgertums, die Arbeiterklasse durch Heuchelei und verlogene Philanthropie irrezuführen, völlig vereitelt worden, während wir eine Gelegenheit erhielten, wie sie in einem Lande mit einer patriarchalischen Polizeiregierung ziemlich selten ist: die Regierung und die Geldleute hatten alle Scherereien und wir den ganzen Nutzen.

Doch wurden nicht nur diese Versammlungen zur kommunistischen Agitation ausgenutzt. In Elberfeld, dem Zentrum des Industriebezirks von Rheinpreußen, wurden regelmäßige kommunistische Versammlungen abgehalten. Die Kommunisten dieser Stadt wurden von einigen der angesehensten Bürger eingeladen, um mit ihnen ihre Prinzipien zu diskutieren. Die erste dieser Versammlungen fand im Februar statt und trug einen mehr privaten Charakter. Es nahmen ungefähr vierzig bis fünfzig Personen daran teil, darunter der Staatsanwalt des Bezirks und andere Mitglieder des Gerichts wie auch Vertreter fast aller führenden Handels- und Industriefirmen. Dr. Heß, dessen Namen zu erwähnen ich mehr denn einmal in Ihren Spalten Gelegenheit hatte, eröffnete die Versammlung, indem er Herrn Koettgen, einen Kommunisten, als Versammlungsleiter vorschlug, wogegen kein Einspruch erfolgte. Dr. Heß hielt dann einen Vortrag über den gegenwärtigen Stand der Gesellschaft und die Notwendigkeit, das alte System der Konkurrenz aufzugeben, das er als ein System regelrechter Räuberei bezeichnete. Der Vortrag wurde mit viel Beifall aufgenommen (die Mehrheit der Zuhörerschaft waren Kommunisten); danach sprach Herr Friedrich Engels (der vor einiger Zeit einige Abhandlungen über den Kommunismus auf dem Kontinent in Ihren Spalten veröffentlichte[131]) des längeren über die Durchführbarkeit und über die Vorteile des kommunistischen Systems. Er führte auch einige Einzelheiten über die kommunistischen Ansiedlungen in Amerika und Ihre eigene Kolonie zu Harmony als Beweis für seine Behauptungen an. Darauf folgte eine sehr angeregte Diskussion, in welcher der Standpunkt der Kommunisten von den vorgenannten und einigen anderen Rednern verteidigt wurde, während der Staatsanwalt Dr. Benedix, eine literarische Persönlichkeit und einige andere die Opposition vertraten. Die Versammlung, die gegen neun Uhr abends begann, wurde bis ein Uhr morgens fortgesetzt.

Die zweite Versammlung wurde eine Woche darauf im großen Saal des ersten Hotels der Stadt abgehalten. Der Raum war mit den „Respektspersonen" des Ortes gefüllt. Herr Koettgen, der Vorsitzende der vorhergehenden Versammlung, machte einige Bemerkungen über den zukünftigen Stand und die Aussichten der Gesellschaft vom Standpunkt der Kommunisten, wonach Herr Engels eine Rede hielt[132], in der er bewies (was man aus der Tatsache entnehmen kann, daß kein Wort dagegen gesagt wurde), daß der gegenwärtige Zustand in Deutschland derartig sei, daß er in sehr kurzer Zeit nichts anderes als eine soziale Revolution erzeugen könne, daß diese nahe bevorstehende Revolution nicht durch irgendwelche möglichen Maßnahmen zur Förderung des Handels und der Industrie abgewendet werden könne und daß das einzige Mittel zur Verhinderung einer solchen Revolution – einer Revolution, schrecklicher als alle gewöhnlichen Umstürze der Vergangenheit – die Einführung und die Vorbereitung des kommunistischen Systems sei. Die Diskussion, an der sich auf seiten der Kommunisten einige Herren Juristen beteiligten, die zu diesem Zweck aus Köln und Düsseldorf gekommen waren, war wieder sehr angeregt und wurde bis nach Mitternacht ausgedehnt. Es wurden auch einige kommunistische Gedichte des Herrn Dr. Müller aus Düsseldorf, der anwesend war, vorgetragen.

Eine Woche später fand eine dritte Versammlung statt, auf der wiederum Dr. Heß sprach; außerdem wurden einige Einzelheiten über die kommunistischen Ansiedlungen in Amerika aus einer gedruckten Abhandlung vorgelesen. Die Diskussion wurde vor Abschluß der Versammlung wieder aufgenommen.

Einige Tage danach wurde in der Stadt ein Gerücht verbreitet, daß die nächste Versammlung von der Polizei aufgelöst und die Sprecher verhaftet werden sollten. Der Bürgermeister von Elberfeld ging tatsächlich zu dem Hotelbesitzer und drohte, ihm die Lizenz zu entziehen, wenn er künftighin wieder derartige Versammlungen in seinem Hause zulassen würde. Die Kommunisten setzten sich deshalb sofort mit dem Bürgermeister in Verbindung und erhielten am Vortage der nächsten Versammlung ein an die Herren Heß, Engels und Koettgen gerichtetes Rundschreiben, worin die Provinzialregierung mit einem großen Aufwand an Zitaten aus überlieferten und geschriebenen Gesetzen solche Versammlungen für illegal erklärte und drohte, sie gewaltsam zu unterbinden, falls man sie nicht aufgeben würde. Die Versammlung fand am folgenden Sonnabend statt. Der Bürgermeister und der Staatsanwalt (der nach der ersten Versammlung ferngeblieben war) waren anwesend, unterstützt von einem Trupp bewaffneter Polizisten, die von Düsseldorf per Bahn geschickt worden waren. Natürlich wurden unter solchen

Umständen keine öffentlichen Ansprachen gehalten. Die Versammlung befaßte sich mit Beefsteaks und Wein und gab der Polizei keinen Anlaß zum Einschreiten.

Diese Maßnahmen konnten jedoch unserer Sache nur dienen. Diejenigen, die noch nichts von ihr gehört hatten, fühlten sich nun veranlaßt, sich über die Sache zu informieren, da die Regierung ihr solche Bedeutung beimaß, und ein großer Teil derjenigen, die, ohne unsere Vorschläge zu kennen oder um sie zu verspotten, zur Diskussion erschienen waren, ging mit größerem Respekt vor dem Kommunismus heim. Dieser Respekt wurde teilweise auch durch die achtunggebietende Art hervorgerufen, in der unsere Partei repräsentiert wurde. Fast jede Patrizier- und vermögende Familie der Stadt war durch eines ihrer Mitglieder oder durch einen Verwandten an der großen Tischgesellschaft der Kommunisten vertreten. Kurz, die Wirkung dieser Versammlungen auf die öffentliche Meinung des gesamten Industriebezirks war wirklich wunderbar, und einige Tage darauf wurden diejenigen, die unsere Sache öffentlich verteidigt hatten, von einer Anzahl Menschen bestürmt, die um Bücher und Zeitungen baten, aus denen sie einen Überblick über das ganze System gewinnen könnten. Soweit uns bekannt ist, sollen die gesamten Protokolle in Kürze veröffentlicht werden.

Was die kommunistische Literatur betrifft, so ist auf diesem Gebiet der Agitation eine große Aktivität entfaltet worden. Das Publikum dürstet buchstäblich nach Aufklärung: es verschlingt jedes Buch, das auf diesem Gebiet veröffentlicht wird. Dr. Püttmann hat eine Sammlung von Essays veröffentlicht[125], sie enthält einen ausgezeichneten Aufsatz von Dr. Heß über die Not der heutigen Gesellschaft und die Mittel zu ihrer Abhilfe, eine ausführliche Beschreibung der elenden Lage des arbeitenden Volkes in Schlesien mit einer Geschichte der Aufstände im vergangenen Frühjahr, einige andere Artikel über den Zustand der Gesellschaft in Deutschland und schließlich einen Bericht über die amerikanischen und die Harmony-Gemeinden (aus Mr. Finchs Briefen[133] und aus „Einer, der hinter dem Pfluge gepfiffen hat"[134]) von F. Engels. Das Buch wurde trotz Verfolgung durch die preußische Regierung überall schnell verkauft. Es ist eine Anzahl von Monatsschriften ins Leben gerufen worden: „Das Westphälische Dampfboot"[135] in Bielefeld, von Lüning herausgegeben, enthält populäre Essays über Sozialismus und Berichte über die Lage des arbeitenden Volkes; das „Volksblatt" in Köln[136], mit entschiedenerer sozialistischer Tendenz; und der „Gesellschaftsspiegel" in Elberfeld von Dr. Heß, der ausdrücklich gegründet wurde zur Veröffentlichung von Tatsachen, die für den gegenwärtigen Zustand der Gesellschaft charakteristisch sind, und zur Verteidigung der Rechte der arbeitenden Klassen. Eine Vierteljahrsschrift, die „Rheinischen Jahrbücher" von Dr. Püttmann, ist ebenfalls gegründet worden; die erste Nummer ist jetzt im Druck und wird in Kürze erscheinen.

Auf der anderen Seite ist jenen deutschen Philosophen der Krieg erklärt worden, die sich weigern, aus ihren reinen Theorien praktische Schlußfolgerungen zu ziehen, und die behaupten, daß der Mensch nichts weiter zu tun habe, als über metaphysische Fragen nachzugrübeln. Die Herren Marx und Engels haben eine ausführliche Widerlegung der von B[runo] Bauer verteidigten Prinzipien veröffentlicht[137]; und die Herren Heß und Bürgers sind dabei, die Theorie von M[ax] Stirner zu widerlegen. Bauer und Stirner sind die Vertreter der letzten Schlußfolgerungen der *abstrakten* deutschen Philosophie und deshalb die einzigen bedeutenden philosophischen Gegner des Sozialismus – oder vielmehr des Kommunismus, denn hierzulande bedeutet das Wort Sozialismus nichts anderes als die verschiedenen verschwommenen, unbestimmten und unbestimmbaren Vorstellungen derjenigen, die sehen, daß etwas getan werden muß, und die sich dennoch nicht entschließen können, vorbehaltlos auf das Gemeinschaftssystem einzugehen.

Im Druck sind auch Dr. Marx' „Kritik der Politik und Nationalökonomie"[128], Herrn F. Engels' „Die Lage der arbeitenden Klasse in England", „Anekdota oder eine Sammlung von Aufsätzen über Kommunismus"[138]; und in wenigen Tagen wird mit der Übersetzung der besten französischen und englischen Werke über soziale Reform begonnen werden.

Infolge des elenden politischen Zustandes in Deutschland und des willkürlichen Vorgehens seiner patriarchalischen Regierungen besteht kaum eine andere Möglichkeit der Verbindung zwischen den Kommunisten in den verschiedenen Gegenden als die literarische. Die Zeitschriften, besonders die „Rheinischen Jahrbücher", stellen ein Zentrum für diejenigen dar, die durch die Presse für den Kommunismus eintreten. Eine gewisse Verbindung wird durch Reisende aufrechterhalten, das aber ist alles. Die Vereinigungen sind illegal, und sogar die Korrespondenz ist nicht ungefährlich, da die „geheimen Büros" in letzter Zeit eine ungewöhnliche Aktivität an den Tag gelegt haben. So haben wir nur aus den Zeitungen die Nachricht von der Existenz zweier kommunistischer Vereinigungen in Posen und im schlesischen Gebirge erhalten. Es wird berichtet, daß sich in Posen, der Hauptstadt Preußisch-Polens, eine Anzahl junger Leute zu einer Geheimgesellschaft zusammengeschlossen haben, die auf kommunistischen Prinzipien fußt, und daß sie die Absicht hegten, von der Stadt Besitz zu ergreifen; das Komplott wurde entdeckt und seine Verwirklichung verhindert. Das ist alles, was wir über die Sache wissen. Soviel ist jedoch sicher, daß sehr viele junge Leute aus aristokratischen und wohlhabenden polnischen Familien verhaftet worden sind; daß seither (seit mehr als zwei Monaten) alle Wachtposten verdoppelt und mit scharfen Patronen versehen wurden und daß zwei Jugendliche (im Alter von 12 und 19 Jahren), die Brüder Rymarkiewicz, geflohen und von den Behörden noch nicht festgenommen werden konnten. Eine große Anzahl der Gefangenen sind Jugendliche zwischen 12 und 20 Jahren. Die andere sogenannte Verschwörung in den schlesischen Bergen soll große Ausdehnung gehabt und auch kommunistische Ziele verfolgt haben. Es wird behauptet, daß sie beabsichtigt habe, die Festung Schweidnitz einzunehmen, die ganze Gebirgskette zu besetzen und sich von dort aus an das leidende Arbeitervolk in ganz Deutschland zu wenden. Wieweit das der Wahrheit entspricht, kann niemand beurteilen; aber in diesem unglücklichen Gebiet haben, auf die Aussagen eines Polizeispitzels hin, auch Verhaftungen stattgefunden; und ein wohlhabender Fabrikant, Herr Schlöffel, ist nach Berlin übergeführt worden, wo er jetzt als mutmaßlicher Führer der Verschwörung dem Gericht übergeben wurde.

Die Vereine der deutschen Kommunisten unter den arbeitenden Klassen in der Schweiz, Frankreich und England sind weiterhin sehr aktiv, obwohl sie in Frankreich und in einigen Teilen der Schweiz sehr unter der Polizei zu leiden haben. Die Zeitungen teilen mit, daß ungefähr sechzig Mitglieder der kommunistischen Vereinigung in Genf aus der Stadt und dem Kanton ausgewiesen worden sind. A[ugust] Becker, einer der begabtesten Schweizer Kommunisten, hat einen Vortrag, den er in Lausanne gehalten hat, unter dem Titel „Was wollen die Kommunisten?" veröffentlicht; dieser Vortrag gehört zu dem Besten und Geistreichsten, was wir in dieser Art kennen. Ich möchte behaupten, daß er eine englische Übersetzung wert wäre, und ich würde mich freuen, wenn jemand unter Ihren Lesern mit der deutschen Sprache hinreichend vertraut wäre, um diese Übersetzung zu übernehmen. Es handelt sich natürlich nur um eine kleine Broschüre.

Ich hoffe, meine Berichte von Zeit zu Zeit fortsetzen zu können, und bleibe

ein alter Freund von Ihnen in Deutschland

Geschrieben etwa am 5. April 1845.

Aus dem Englischen.

[Friedrich Engels]

Beschreibung der in neuerer Zeit entstandenen und noch bestehenden kommunistischen Ansiedlungen

Wenn man sich mit den Leuten über Sozialismus oder Kommunismus unterhält, so findet man sehr häufig, daß sie einem in der Sache selbst ganz recht geben und den Kommunismus für etwas sehr Schönes erklären; „aber", sagen sie dann, „es ist eine Unmöglichkeit, dergleichen jemals in der Wirklichkeit auszuführen". Dieser Einwurf wird einem so häufig gemacht, daß es dem Schreiber dieses für nützlich und notwendig erscheint, ihn durch einige Tatsachen zu beantworten, welche in Deutschland noch sehr wenig bekannt sind und wodurch dieser Einwand ganz und gar beseitigt wird. Der Kommunismus, das soziale Leben und Wirken in Gemeinschaft der Güter, ist nämlich nicht nur möglich, sondern in vielen Gemeinden Amerikas und an einem Orte in England bereits wirklich ausgeführt, und das mit dem besten Erfolge, wie wir sehen werden.

Übrigens, wenn man jenem Einwande etwas näher auf den Grund geht, so findet man, daß er sich in zwei weitere auflöst; nämlich erstens: es würden sich keine Arbeiter zu den niedrigen und unangenehmen Handarbeiten hergeben; und zweitens: es würden, bei einem gleichen Anrecht auf den gemeinschaftlichen Besitz, die Leute sich um diesen Besitz streiten, und so würde die Gemeinschaft wieder zerfallen. – Der erste Einwurf löst sich einfach so: diese Arbeiten sind, einmal in der Gemeinschaft, nicht mehr niedrig; und dann, sie lassen sich durch verbesserte Einrichtungen, Maschinen u. dergl. fast ganz beseitigen. So werden in New York in einem großen Gasthofe die Stiefel mit Dampf geputzt, und in der kommunistischen Ansiedelung zu Harmony in England (wovon unten) fegen die nach englischer bequemer Art eingerichteten Abtritte (water closets) sich nicht nur selbst, sondern sind auch mit Röhren versehen, die den Unrat direkt in den großen Düngerbehälter abführen. – Was aber den zweiten Einwurf betrifft, so sind bis jetzt alle kommunistischen Kolonien nach zehn bis fünfzehn Jahren so enorm reich geworden, daß sie von allem Wünschenswerten mehr haben, als sie verzehren können, also gar keine Veranlassung zum Streit da ist.

Der Leser wird finden, daß die meisten der in Nachfolgendem geschilderten Ansiedelungen von allerhand religiösen Sekten ausgegangen sind, welche meistens über verschiedene Gegenstände sehr abgeschmackte und unvernünftige Ansichten hegen, und will der Schreiber dieses nur kurz bemerken, daß diese Ansichten durchaus mit dem Kommunismus nichts zu schaffen haben. Es ist auch offenbar einerlei, ob diejenigen, welche die Ausführbarkeit der Gemeinschaft durch die Tat beweisen, an *einen* Gott, an zwanzig oder an gar keinen glauben; wenn sie eine unvernünftige Religion haben, so ist das ein Hindernis, das der Gemeinschaft im Wege steht, und wenn sich trotzdem die Gemeinschaft hier im Leben bewährt, wieviel eher muß sie bei andern möglich sein, die von solchen Verrücktheiten frei sind. Von den neueren Ansiedelungen sind auch fast alle ganz frei von religiösen Flausen, und die englischen Sozialisten, obwohl sie sehr tolerant sind, haben fast alle gar keine Religion, deshalb sie auch in dem bigotten England sehr verrufen und verleumdet werden. Daß aber an all diesen üblen Nachreden nichts ist, müssen selbst ihre Gegner gestehen, wenn's ans Beweisen geht.

Die ersten Leute, welche in Amerika und überhaupt in der Welt eine Gesellschaft auf dem Grund der Gütergemeinschaft zustande brachten, waren die sogenannten Shakers. Diese Leute sind eine eigne Sekte, welche sehr sonderbare religiöse Meinungen haben, nicht heiraten und überhaupt keinen Verkehr der Geschlechter dulden, und was dergleichen mehr ist. Dies aber geht uns hier nichts an. Die Sekte der Shakers entstand vor ungefähr siebenzig Jahren. Ihre Stifter waren arme Leute, die sich vereinigten, in brüderlicher Liebe und Gemeinschaft der Güter zusammenzuleben und ihren Gott auf ihre Weise zu verehren. Sie fanden, obwohl ihre religiösen Ansichten und besonders das Verbot der Ehe viele abschreckte, dennoch Anhang und haben jetzt *zehn große Gemeinden*, deren jede drei- bis achthundert Mitglieder stark ist. Jede dieser Gemeinden ist eine schöne, regelmäßig gebaute Stadt, mit Wohnhäusern, Fabriken, Werkstätten, Versammlungshäusern und Scheunen; sie haben Blumen- und Gemüsegärten, Obstbäume, Wälder, Weinberge, Wiesen und Ackerland im Überfluß; dazu Vieh aller Art, Pferde und Rinder, Schafe, Schweine und Federvieh mehr als sie brauchen können und von der allerbesten Zucht. Ihre Scheunen sind immer voll Korn, ihre Vorratskammern voll Kleiderstoffe, so daß ein englischer Reisender, der sie besuchte, gesagt hat: er könne nicht begreifen, warum diese Leute, die doch alles im Überfluß besäßen, noch arbeiteten; es sei denn, daß sie aus purem

Zeitvertreib arbeiteten, da sie sonst nichts zu tun hätten. Unter diesen Leuten gibt es keinen, der gegen seinen Willen zu arbeiten hätte, und keinen, der sich um Arbeit vergebens bemüht. Sie haben keine Armenhäuser und Spitäler, weil keinen einzigen Armen und Notleidenden, keine verlassenen Witwen und Waisen; sie kennen keinen Mangel und brauchen ihn nicht zu fürchten. In ihren zehn Städten ist kein einziger Gensd'arme oder Polizeidiener, kein Richter, Advokat oder Soldat, kein Gefängnis oder Zuchthaus; und doch geht alles ordentlich zu. Die Gesetze des Landes sind nicht für sie da und könnten ihretwegen ebensogut abgeschafft werden, ohne daß ein Hahn darnach krähte; denn sie sind die ruhigsten Bürger und *haben nie einen Verbrecher für die Gefängnisse geliefert*. Sie leben, wie gesagt, in der vollständigsten Gemeinschaft der Güter und haben keinen Handel und kein Geld unter sich. Eine dieser Städte, Pleasant Hill bei Lexington im Staate Kentucky, wurde voriges Jahr von einem englischen Reisenden namens Finch besucht, der die folgende Schilderung davon entwirft.

„Pleasant Hill besteht aus vielen großen und hübschen Häusern von Ziegeln und Haustein, Fabriken, Werkstätten, Ställen und Scheunen, alle in der schönsten Ordnung und mit die besten in ganz Kentucky; das Ackerland der Shakers war leicht zu erkennen an der schönen steinernen Mauer, mit der es eingefaßt war, und an seiner ausgezeichneten Bebauung; eine große Anzahl wohlgenährter Kühe und Schafe weideten in den Feldern, und viele fette Schweine lasen in den Obstgärten die abgefallenen Früchte auf. Die Shakers besitzen hier beinahe viertausend amerikanische Morgen Landes, von denen etwa zwei Drittel angebaut sind. Diese Kolonie wurde um das Jahr 1806 von einer einzigen Familie angefangen; später kamen andere hinzu, und so vermehrten sie sich allmählich; einige brachten etwas Geld mit, andere gar nichts. Sie hatten mit vielen Schwierigkeiten zu kämpfen, und da sie meist sehr arm waren, mußten sie anfangs viel entbehren; aber durch Fleiß, Sparsamkeit und Mäßigkeit haben sie das alles überwunden und haben jetzt Überfluß an allem und sind niemandem einen Pfennig schuldig. Diese Gesellschaft besteht in diesem Augenblick aus ungefähr dreihundert Mitgliedern, worunter fünfzig oder sechzig Kinder unter sechzehn Jahren. Sie haben keine Herren und keine Diener, noch viel weniger Sklaven; sie sind frei, reich und glücklich. Sie haben zwei Schulen, eine für Knaben, die andere für Mädchen, in denen Lesen, Schreiben, Rechnen, englische Sprache und die Grundsätze ihrer Religion gelehrt werden; sie lehren den Kindern keine Wissenschaften, weil sie glauben, diese seien nicht nötig zum Seligwerden. Da sie keine Ehen dulden, so müßten sie aussterben, wenn nicht immer neue Mitglieder zu ihnen kämen; aber obwohl das Verbot der Ehe viele Tausende abschreckt und manche ihrer besten Mitglieder deswegen wieder fortgehen, so kommen doch immer soviel neue Mitglieder, daß ihre Zahl sich stets vermehrt. Sie treiben Viehzucht, Ackerbau und Feldbau und ziehen selbst den Flachs, die Wolle und die Seide, die sie in ihren eignen Fabriken verspinnen und verweben. Was sie mehr machen, als sie brauchen können, verkaufen oder vertauschen sie bei ihren Nachbarn. Sie arbeiten gewöhnlich, solange es hell ist. Der Verwaltungsrat hat ein öffentliches Büro, in dem die Bücher und Rechnungen geführt werden, und jedes Mitglied hat das Recht, diese Rechnungen durchzusehen, sooft es ihm beliebt. Sie wissen selbst nicht, wie reich sie sind, da sie nie ein Register ihrer Güter aufnehmen; sie sind zufrieden zu wissen, daß alles was sie haben, ihnen gehört, da sie keinem etwas schulden. Bloß einmal im Jahre machen sie ein Register der Summen, die ihre Nachbarn ihnen schuldig sind.

Die Gemeinde ist in fünf Familien (Abteilungen) von vierzig bis achtzig Mitgliedern geteilt; jede Familie hat ihre aparte Wirtschaft und wohnt in einem großen, hübschen Hause zusammen; *jeder bekommt, was er braucht, aus dem allgemeinen Vorratshaus der Gemeinde ohne alle Bezahlung und soviel er nötig hat.* Jede Familie hat einen Diakon, der dafür sorgt, daß alle bekommen, was sie *bedürfen*, und der den Wünschen eines jeden soviel wie möglich *zuvorkommt*. Ihre Kleidung ist nach Art der Quäker, einfach, nett und reinlich; ihre Nahrung ist sehr *mannigfaltig* und durchaus von der *besten Beschaffenheit*. Wenn sich ein neues Mitglied zur Aufnahme meldet, so muß es nach den Gesetzen der Gemeinde alles, was es hat, in die Gemeinschaft geben und kann es nie zurückverlangen, selbst wenn es austritt; aber trotzdem geben sie doch jedem, der sie verläßt, ebensoviel zurück als er mitgebracht hat. Wenn ein Mitglied weggeht, das nichts mitgebracht hat, so darf es nach den Gesetzen auch keine Entschädigung für seine Arbeit verlangen, da es auf allgemeine Kosten ernährt und gekleidet wurde, solange es arbeitete; doch auch in diesem Falle ist es üblich, jedem ein Geschenk mit auf den Weg zu geben, wenn er im Frieden von ihnen geht.

Ihre Regierung ist nach der Art der ersten Christen eingerichtet. Jede Gemeinde hat zwei Geistliche, einen Mann und eine Frau, welche wieder zwei Stellvertreter haben. Diese vier Geistlichen stehen an der Spitze des Ganzen und entscheiden alle Streitigkeiten. Jede Familie der Gemeinde hat wieder zwei Älteste mit zwei Stellvertretern und einen Diakon oder Verwalter. Das Besitztum der Gemeinde wird vom Verwaltungsrat geordnet, der aus drei Mitgliedern besteht, die ganze Anlage beaufsichtigt, die Arbeiten leitet und mit den Nachbarn Handel treibt. Er darf ohne Einwilligung der Gemeinde kein Grundstück kaufen oder verkaufen. Dazu gibt es natürlich Aufseher und Geschäftsführer in den verschiedenen Arbeitszweigen; sie haben es aber zur Regel gemacht, *daß nie von irgend jemand Befehle gegeben werden, sondern Alle durch Güte überzeugt werden sollen.*"

Eine andre Ansiedlung von Shakers, Neu-Libanon im Staate Neu-York, wurde von einem zweiten englischen Reisenden namens Pitkeithley im Jahre 1842 besucht. Herr Pitkeithley besah die ganze Stadt, die gegen achthundert Einwohner zählt und wozu sieben- bis achttausend Morgen Land gehören, aufs genaueste, untersuchte ihre Werkstätten und Fabriken, ihre Gerbereien, Sägemühlen und so weiter und erklärt die ganze Anlage für *vollkommen*. Auch er wundert sich über den Reichtum dieser Leute, die mit nichts anfingen und jetzt mit jedem Jahre reicher werden, und sagt:

„Sie sind glücklich und heiter unter sich; da ist kein Zank, sondern im Gegenteil: Freundschaft und Liebe herrschen in ihrem ganzen Wohnsitz, und in allen Teilen desselben besteht eine Ordnung und Regelmäßigkeit, die ihresgleichen nicht hat."

Soviel von den Shakers. Sie leben, wie gesagt, in vollständiger Gemeinschaft der Güter und haben zehn solcher Gemeinden in den Vereinigten Staaten von Nordamerika.

Außer den Shakers gibt es aber noch andre auf Gemeinschaft der Güter begründete Ansiedlungen in Amerika. Vor allen sind hier die *Rappiten* zu erwähnen. *Rapp* ist ein Prediger aus *Württemberg*, der sich um 1790 mit seiner Gemeinde von der lutherischen Kirche lossagte und, da er von der Regierung verfolgt wurde, 1802 nach Amerika ging. Seine Anhänger folgten ihm im Jahre 1804, und so siedelte er sich mit etwa hundert Familien in Pennsylvanien an. Sie hatten etwa 25000 Taler zusammen im Vermögen, wofür sie Grundstücke und Werkzeuge kauften. Ihr Land war ein unbebauter Urwald und kostete sie soviel, als ihr ganzes Vermögen betrug; doch bezahlten sie es erst nach und nach. Sie vereinigten sich nun zur Gütergemeinschaft, und zwar machten sie folgenden Vertrag:

1. Jeder gibt alles, was er hat, in die Gemeinschaft, ohne dadurch irgendeinen Vorteil zu erlangen. In der Gemeinschaft sind alle gleich.

2. Die Gesetze und Vorschriften der Gesellschaft sind gleich bindend für alle.

3. Alle arbeiten nur für das Wohlergehen der ganzen Gesellschaft und nicht jeder für sich allein.

4. Wer die Gesellschaft verläßt, hat keinen Anspruch auf Vergütung für seine Arbeit, bekommt aber alles zurück, was er eingelegt hat; und wer nichts eingelegt hat und in Frieden und Freundschaft scheidet, bekommt ein freiwilliges Geschenk auf den Weg.

5. Dafür verpflichtet sich die Gemeinde, jedes Mitglied und seine Familie mit den nötigen Lebensbedürfnissen und der nötigen Pflege in Krankheit und Alter zu versehen, und wenn die Eltern sterben oder austreten und ihre Kinder zurücklassen, so wird die Gemeinde diese Kinder erziehen.

In den ersten Jahren ihrer Gemeinschaft, wo sie eine Wildnis urbar zu machen und jährlich noch an 7000 Taler von dem Kaufgelde des Grundstücks abzutragen hatten, ging es ihnen natürlich schlecht. Dadurch wurden mehrere der Reicheren abgeschreckt, traten aus und nahmen ihr Geld zurück, was die Schwierigkeiten der Ansiedler noch sehr vermehrte. Aber die meisten hielten treulich aus, und so hatten sie schon nach fünf Jahren, im Jahre 1810, ihre sämtlichen Schulden bezahlt. Im Jahre 1815 verkauften sie aus verschiedenen Gründen ihre ganze Ansiedlung und kauften wiederum zwanzigtausend Morgen Urwald im Staate Indiana. Nach ein paar Jahren hatten sie hier die hübsche Stadt *New-Harmony* errichtet und das meiste Land urbar gemacht, Weinberge und Kornfelder, eine Wollen- und Baumwollenfabrik angelegt und wurden täglich reicher. 1825 verkauften sie ihre ganze Kolonie für zweimal hunderttausend Taler an Herrn Robert Owen und zogen zum drittenmal in den Urwald. Diesmal siedelten sie sich an dem großen Strom Ohio an und bauten die Stadt *Economy*, welche größer und schöner ist als irgendeine, in der sie früher wohnten. Im Jahre 1831 kam der Graf Leon mit einer Gesellschaft von ungefähr dreißig Deutschen nach Amerika, um sich ihnen anzuschließen. Sie nahmen diese neuen Ankömmlinge gern auf; aber der Graf hetzte einen Teil der Mitglieder gegen Rapp auf, weshalb in einer Versammlung der ganzen Gemeinde beschlossen wurde, daß Leon und die Seinigen weg müßten. Die Übrigbleibenden bezahlten den Unzufriedenen über *hundertzwanzigtausend Taler* aus, und von diesem Gelde stiftete Leon eine zweite Kolonie, die aber wegen schlechter Verwaltung mißglückte; die Teilnehmer daran zerstreuten sich, und *Graf Leon* starb bald darauf als ein *Landstreicher* in Texas. Die Ansiedlung *Rapps* dagegen blüht bis auf den heutigen Tag. Über ihre jetzige Lage berichtet der erwähnte Reisende Finch:

„Die Stadt *Economy* besteht aus drei langen und breiten Straßen, welche von fünf ebenso breiten Querstraßen durchschnitten werden, sie hat eine Kirche, einen Gasthof, eine Wollen-, Baumwollen- und Seidenfabrik, eine Anstalt zur Zucht von Seidenwürmern, öffentliche Warenlager zur Benutzung der Mitglieder und zum Verkauf an Fremde, ein Naturalienkabinett, Werkstätten für die verschiedenen Handwerke, Wirtschaftsgebäude und große schöne Wohnhäuser für die verschiedenen Familien mit einem großen Garten bei jedem Hause. Das dazugehörige Ackerland ist an zwei Stunden lang und eine Viertelstunde breit, enthält große Weinberge, einen Obstgarten von siebenunddreißig Morgen nebst Ackerland und Wiesen. Die Zahl der Mitglieder ist gegen vierhundertundfünfzig, die alle wohlgekleidet und gut genährt sind und prächtig wohnen, heitere, zufriedene, glückliche und tugendhafte Leute, die seit vielen Jahren keinen Mangel kennen.

Auch sie waren eine Zeitlang sehr gegen die Ehe eingenommen, doch heiraten sie jetzt und haben Familien und wünschen sehr die Zahl der Mitglieder zu vermehren, wenn geeignete Leute sich ihnen anbieten sollten. Ihre Religion ist das Neue Testament, aber *sie haben kein besonderes Glaubensbekenntnis und lassen jedem seine eigne Meinung*, solange er die andern gewähren läßt und nicht wegen Glaubenssachen Streit anhebt. Sie nennen sich *Harmonisten*. Sie haben keine bezahlten Geistlichen, Herr Rapp, der über achtzig Jahre alt ist, ist sowohl Geistlicher als Verwalter und Schiedsrichter. Sie musizieren gern, haben zuweilen Konzerte und musikalische Abendunterhaltungen. Die Ernte wurde den Tag vor meiner Ankunft mit einem großen Konzert in den Feldern angefangen. In ihren Schulen wird Lesen, Schreiben, Rechnen und Sprachunterricht gegeben; aber keine Wissenschaften, gerade wie bei den Shakers. Sie arbeiten viel länger als sie nötig haben, nämlich Winter und Sommer von Sonnenaufgang bis Sonnenuntergang; alle arbeiten, und die im Winter nicht in den Fabriken unterkommen, finden Arbeit beim Dreschen, der Viehzucht usw. Sie haben 75 Milchkühe, große Schafherden, viele Pferde, Schweine und Geflügel, und von dem, was sie erspart haben, haben sie große Summen bei Kaufleuten und Wechslern ausstehen; und obwohl sie durch Bankerotte einen bedeutenden Teil dieser Ausstände verloren haben, so haben sie doch noch eine Menge *nutzlosen Geldes*, die mit jedem Jahre größer wird.

Ihr Bestreben war von Anbeginn, alles selbst zu machen, was sie brauchten, damit sie so wenig wie möglich von andern zu kaufen hätten und am Ende mehr machten, als sie brauchten; später bezogen sie eine Herde von hundert spanischen Schafen zur Verbesserung der Schafzucht, wofür sie fünfzehntausend Taler bezahlten. Sie waren mit die ersten, welche in Amerika anfingen, wollene Waren zu verfertigen. Dann fingen sie an, Weinberge anzulegen, Flachs zu bauen, eine Baumwollenfabrik zu errichten und die Zucht und Verarbeitung der Seide zu betreiben. In allen Dingen aber sorgen sie zuerst dafür, sich selbst reichlich zu versehen, ehe sie irgend etwas verkaufen.

Sie leben in Familien von zwanzig bis vierzig Leuten, deren jede ein eignes Haus und eine eigne Wirtschaft hat. Alles was sie bedarf, erhält die Familie aus den gemeinschaftlichen Vorratshäusern. *Sie haben Überfluß für alle, und sie bekommen alle unentgeltlich soviel sie wünschen.* Wenn sie Kleider brauchen, so gehen sie zum Schneidermeister, zur Näherin oder zum Schuhmacher und bekommen sie gemacht nach ihrem Geschmack. Das Fleisch und die übrigen Nahrungsmittel werden jeder Familie nach der Anzahl ihrer Mitglieder zugeteilt, und sie haben alles *reichlich und im Übermaß*."

Eine andere in Gütergemeinschaft lebende Gemeinde hat sich zu *Zoar* im Staate Ohio angesiedelt. Auch diese Leute sind *württembergische Separatisten*, die sich zu gleicher Zeit wie Rapp von der lutherischen Kirche lossagten und, nachdem sie zehn Jahre lang von dieser und der Regierung verfolgt worden waren, ebenfalls auswanderten. Sie waren sehr arm und konnten nur durch die Unterstützung menschenfreundlicher Quäker in London und Amerika zu ihrem Ziele kommen. Sie kamen im Herbst 1817 in Philadelphia unter der Leitung ihres Pfarrers *Bäumler* an, kauften von einem Quäker das Stück Land, das sie jetzt noch besitzen und das siebentausend Morgen groß ist. Der Kaufpreis, der gegen sechstausend Taler betrug, sollte allmählich abgetragen werden. Als sie an Ort und Stelle ankamen und ihr Geld zählten, fanden sie, daß auf jeden Kopf gerade sechs Taler kamen. Das war alles; von dem Kaufpreise des Grundstücks war noch kein Heller bezahlt, und von diesen paar Talern sollten sie Saatkorn, Ackergerät und

Lebensmittel bis zur nächsten Ernte kaufen. Sie fanden einen Wald mit ein paar Blockhäusern vor, den sie urbar zu machen hatten; aber sie begaben sich frisch an die Arbeit, brachten ihre Felder bald in einen ackerbaren Zustand und bauten schon im nächsten Jahre eine Kornmühle. *Anfangs teilten sie ihr Land in kleinere Stücke*, deren jedes von einer Familie für ihre eigne Rechnung und als ihr *Privateigentum* bebaut wurde. *Aber sie sahen bald, daß dies nicht anging*, denn weil jeder nur *für sich* arbeitete, konnten sie die Wälder nicht schnell genug ausrotten und urbar machen, konnten sich überhaupt gegenseitig *nicht recht unterstützen*, und so gerieten viele in Schulden und *waren in Gefahr, ganz arm zu werden*. Nach anderthalb Jahren also, im April 1819, *vereinigten sie sich zu einer Gütergemeinschaft*, entwarfen eine Verfassung und erwählten einstimmig ihren Pfarrer Bäumler zum Direktor. Sie bezahlten jetzt alle Schulden der Mitglieder, erhielten zwei Jahre Ausstand für den Kaufpreis des Grundstücks und arbeiteten mit doppeltem Eifer und vereinten Kräften. Bei dieser neuen Einrichtung standen sie sich so gut, daß sie schon vier Jahre vor der ausgemachten Zeit den ganzen Kaufpreis ihrer Ländereien mit Zinsen abgetragen hatten, und wie es ihnen im übrigen geht, wird die folgende Beschreibung zweier Augenzeugen dartun:

Ein amerikanischer Kaufmann, der sehr häufig nach Zoar kommt, schildert diesen Ort als ein vollkommnes Muster von Reinlichkeit, Ordnung und Schönheit, mit einem prächtigen Gasthof, einem Palast zur Wohnung für den alten Bäumler, einem schönen öffentlichen Garten von zwei Morgen mit einem großen Treibhause und schönen, wohlgebauten Häusern und Gärten. Er schildert die Leute als sehr glücklich und zufrieden, arbeitsam und ordentlich. Seine Beschreibung wurde in der Zeitung von Pittsburg (Ohio) veröffentlicht („Pittsburg Daily Advocate and Advertiser“, July 17., 1843).

Der mehrerwähnte *Finch* erklärt diese Gemeinde für die am vollkommensten eingerichtete von allen, die in Amerika in Gütergemeinschaft leben. Er gibt ein langes Verzeichnis ihrer Reichtümer, erzählt, daß sie eine Flachsspinnerei und eine Wollenfabrik haben, eine Gerberei, Eisengießereien, zwei Kornmühlen, zwei Sägemühlen, zwei Dreschmaschinen und eine Masse Werkstätten für alle möglichen Handwerke. Dazu sagt er, daß ihr Ackerland besser bebaut sei als alles andre, was er in Amerika gesehen habe. – Das „Pfennig-Magazin“ schätzt den Besitz der Separatisten auf hundertsiebenzig- bis hundertachtzigtausend Taler, die *alle* in fünfundzwanzig Jahren verdient wurden, da sie mit gar nichts anfingen als sechs Taler für den Kopf. Es sind ihrer etwa zweihundert. Auch sie hatten eine Zeitlang die Ehen untersagt, sind aber, wie die Rappisten, davon zurückgekommen und heiraten jetzt.

Finch gibt eine Abschrift der Verfassung dieser Separatisten, die der Hauptsache nach in folgendem besteht:

Alle Beamten der Gesellschaft werden gewählt, und zwar von sämtlichen Mitgliedern derselben, die über einundzwanzig Jahre alt sind, aus ihrer eignen Mitte. Diese Beamten bestehen aus:

1. *Drei Verwaltern*, von denen jährlich einer neu gewählt wird und die jederzeit von der Gesellschaft abgesetzt werden können. Diese verwalten das sämtliche Eigentum der Gesellschaft und versehen die Mitglieder mit den nötigen Lebensbedürfnissen, Wohnung, Kleidung und Nahrung so gut, wie es die Umstände erlauben und ohne Ansehen der Person. Sie ernennen Unterverwalter für die verschiedenen Arbeitszweige, schlichten kleine Streitigkeiten und können, in Vereinigung mit dem Gesellschaftsrat, neue Vorschriften erlassen, die aber nie der Verfassung widersprechen dürfen.

2. Aus dem *Direktor*, der solange in seinem Amte bleibt, als er das Vertrauen der Gesellschaft besitzt und sämtliche Geschäfte als oberster Beamter leitet. Er hat das Recht zu kaufen und zu verkaufen, Kontrakte zu schließen, kann aber in allen wichtigen Angelegenheiten nur mit Einwilligung der drei Verwalter handeln.

3. Aus dem *Gesellschaftsrat*, der aus fünf Mitgliedern besteht, von denen jährlich eines austritt, und der die höchste Macht in der Gesellschaft besitzt, mit den Verwaltern und dem Direktor Gesetze erläßt, die übrigen Beamten beaufsichtigt und Streitigkeiten schlichtet, wenn die Parteien mit der Entscheidung der Verwalter nicht zufrieden sind; und

4. aus dem *Zahlmeister*, der auf vier Jahre gewählt wird, und der allein von allen Mitgliedern und Beamten das Recht hat, *Geld* in Verwahrung zu haben.

Im übrigen verordnet die Verfassung, daß eine Erziehungsanstalt errichtet werden soll, daß sämtliche Mitglieder all ihr Eigentum für immer in die Gemeinschaft geben und es nie zurückverlangen können, daß neue Mitglieder nur, nachdem sie ein Jahr mit der Gesellschaft gelebt und wenn sie die Stimmen aller Mitglieder für sich haben, aufgenommen und die Verfassung nur dann geändert werden kann, wenn zwei Drittel der Mitglieder dafür sind. – –

Diese Schilderungen könnten leicht noch sehr ausgeführt werden, denn fast alle Reisende, die ins Innere von Amerika gehen, besuchen eine oder die andere der erwähnten Ansiedlungen, und *fast alle Reisebeschreibungen* schildern sie. Aber auch *kein einziger* ist imstande gewesen, diesen Leuten etwas Übles nachzusagen, im Gegenteil, alle haben nur zu loben gefunden und können höchstens die religiösen Vorurteile, besonders der Shakers, tadeln, welche aber mit der Lehre der Gütergemeinschaft augenscheinlich nichts zu tun haben. So könnte ich noch die Werke der Miß Martineau, der Herren Melish und Buckingham und vieler andern anführen; da aber in obigem genug gesagt ist, und die Leute doch alle dasselbe erzählen, so ist dies nicht nötig.

Der Erfolg, dessen die Shakers, Harmonisten und Separatisten sich erfreuen, sowie das allgemeine Bedürfnis einer neuen Ordnung der menschlichen Gesellschaft und die daraus entsprungenen Bemühungen der Sozialisten und Kommunisten, haben viele andre Leute in Amerika veranlaßt, in den letzten Jahren ähnliche Versuche anzustellen. So hat Herr *Ginal*, ein *deutscher Prediger* in Philadelphia, eine Gesellschaft gebildet, welche 37000 Morgen Wald in dem Staat Philadelphia angekauft, dort über achtzig Häuser errichtet und schon an fünfhundert Personen, *meistens Deutsche*, dort angesiedelt hat. Sie haben eine große Gerberei und Töpferei, viele Werkstätten und Vorratshäuser, und es geht ihnen recht gut. Daß sie in *Gütergemeinschaft* leben, versteht sich, wie bei allen nachfolgenden Beispielen von selbst. Ein Herr *Hizby*, Eisenfabrikant zu Pittsburg (Ohio), hat in seiner Vaterstadt eine ähnliche Gesellschaft errichtet, die im vorigen Jahre etwa 4000 Morgen Landes in der Nähe jener Stadt gekauft und die Absicht hat, eine Ansiedlung mit Gemeinschaft der Güter darauf anzulegen. – Ferner besteht eine solche Ansiedlung im Staate Neu-York zu *Skaneateles*, welche von *J. A. Collins*, einem englischen Sozialisten, im Frühjahr 1843[1] mit dreißig Mitgliedern angefangen wurde; dann zu *Minden* im Staate Massachusetts, wo seit 1842 etwa hundert Personen angesiedelt sind; dann *zwei* in *Pike County* im Staate Pennsylvanien, die ebenfalls neuerdings errichtet wurden; dann eine zu *Brook Farm*, Massachusetts, wo fünfzig Mitglieder und dreißig Schüler auf etwa zweihundert Morgen leben und eine ausgezeichnete Schule unter der Leitung des unitarischen Predigers *G. Ripley* errichtet haben; sodann eine zu Northampton in demselben Staate, die seit 1842 besteht und hundertzwanzig Mitglieder auf fünfhundert Morgen Landes, mit Ackerbau, Viehzucht und in Sägemühlen, Seidenfabriken und Färberei beschäftigt, und schließlich eine Ansiedlung ausgewanderter englischer Sozialisten zu *Equality* bei *Milwaukee* im Staate *Wisconsin*, welche im vorigen Jahre von Thomas *Hunt* angefangen wurde und rasch fortschreitet. Außer diesen sollen noch mehrere Gemeinschaften neuerdings gegründet sein, worüber aber

[1] Im Original: 1813 (wahrscheinlich Druckfehler)

noch Nachrichten fehlen. – Soviel ist indessen gewiß, daß die Amerikaner und namentlich die armen Arbeiter in den großen Städten Neu-York, Philadelphia, Boston usw. sich die Sache zu Herzen genommen und viele Gesellschaften zur Stiftung derartiger Ansiedlungen gegründet haben und daß alle Augenblicke neue Gemeinschaften angelegt werden. Die Amerikaner sind es müde, noch länger die Knechte der wenigen Reichen zu sein, die sich von der Arbeit des Volks nähren; und bei der großen Tätigkeit und Ausdauer dieser Nation ist es augenscheinlich, daß die Gemeinschaft der Güter bald in einem bedeutenden Teile ihres Landes eingeführt sein wird.

Aber nicht nur in Amerika, auch in England ist es versucht worden, die Gütergemeinschaft durchzuführen. Hier hat der menschenfreundliche *Robert Owen* seit dreißig Jahren diese Lehre gepredigt, sein ganzes großes Vermögen zugesetzt und sein Letztes hingegeben, um die jetzt bestehende Kolonie zu *Harmony* in *Hampshire* zu gründen. Nachdem er eine Gesellschaft zu diesem Zwecke gestiftet, hat diese ein Grundstück von 1200 Morgen angekauft und dort eine Gemeinschaft nach den Vorschlägen Owens errichtet. Sie zählt jetzt über hundert Mitglieder, die in einem großen Gebäude zusammenwohnen und bis jetzt hauptsächlich im Feldbau beschäftigt worden sind. Da sie gleich von vornherein als ein vollkommenes Muster der neuen Gesellschaftsordnung eingerichtet werden sollte, so war ein bedeutendes Kapital dazu nötig, und bis jetzt sind schon an zweimal hunderttausend Taler hineingesteckt worden. Ein Teil dieser Gelder wurde angeliehen und mußte von Zeit zu Zeit zurückgezahlt werden, so daß hieraus viele Schwierigkeiten entstanden und viele Anlagen wegen Mangel an Geld nicht vollendet und einträglich gemacht werden konnten. Und da die Mitglieder der Gemeinde nicht die alleinigen Eigentümer der Anlage waren, sondern von der Direktion der Gesellschaft der Sozialisten, welcher die Anlage gehört, regiert wurden, so entstanden auch hieraus hin und wieder Mißverständnisse und Unzufriedenheit. Aber trotz alledem geht die Sache ihren Gang voran, die Mitglieder vertragen sich untereinander, nach dem Zeugnisse aller Besucher, aufs beste, helfen sich gegenseitig voran, und bei allen Schwierigkeiten ist das Bestehen der Anlage jetzt doch gesichert. Die Hauptsache ist, daß alle Schwierigkeiten nicht aus der Gemeinschaft entstehen, sondern daraus, daß die Gemeinschaft noch nicht vollständig durchgeführt ist. Denn wäre sie dies, so würden die Mitglieder nicht all ihren Verdienst zur Abbezahlung von Zinsen und geborgten Geldern verwenden müssen, sondern sie könnten davon die Anlage vervollständigen und besser bewirtschaften; und dann würden sie auch ihre Verwaltung selbst wählen und nicht immer von der Direktion der Gesellschaft abhängig sein.

Von der Anlage selbst gibt ein praktischer Ökonom, der ganz England durchreiste, um sich von dem Zustande des Ackerbaus zu unterrichten und mit der Unterschrift: „Einer, der hinter dem Pfluge gepfiffen hat“[134], der Londoner Zeitung „Morning Chronicle“ darüber zu berichten, folgende Beschreibung („M[orning] Chr[onicle]“, Dec. 13., 1842).

Nachdem er durch eine sehr schlecht bebaute, mehr mit Unkraut als mit Getreide bewachsene Gegend gekommen war, hörte er zum ersten Male in seinem Leben in einem nahen Dorfe etwas über die Sozialisten in Harmony. Ein wohlhabender Mann dort erzählte ihm, daß sie ein großes Grundstück bebauten, und zwar sehr gut bebauten, daß alle die lügenhaften Gerüchte, die über sie verbreitet seien, nicht wahr seien, daß es der Pfarre zur großen Ehre gereichen würde, wenn nur die Hälfte ihrer Einwohner sich so anständig aufführen wollten wie diese Sozialisten und daß ebensosehr zu wünschen wäre, daß die Gutsbesitzer der Umgegend den Armen so viel und so vorteilhafte Beschäftigung gäben wie jene Leute. Sie hätten ihre eignen Ansichten vom Eigentum, aber bei alledem führten sie sich sehr gut auf und gäben der ganzen Umgegend ein gutes Beispiel. Er fügte hinzu: Ihre religiösen Meinungen sind verschieden: einige gehen in diese, andere in jene Kirche, und sie sprechen nie über Religion oder Politik mit den Leuten aus dem Dorfe. Mir antworteten zwei auf mein Befragen, es gäbe keine bestimmte religiöse Meinung unter ihnen und jeder könne glauben, was er wolle. Wir alle waren sehr bestürzt, als wir hörten, daß sie hierher kämen; aber jetzt finden wir, daß sie sehr gute Nachbarn sind, unsern Leuten ein gutes Beispiel von Sittlichkeit geben, viele unsrer Armen beschäftigen, und da sie nie versuchen, uns ihre Meinungen beizubringen, so haben wir gar keine Ursache, mit ihnen unzufrieden zu sein. Sie zeichnen sich alle durch anständiges und wohlerzogenes Betragen aus, und keiner hier in der Gegend wagt etwas gegen ihre sittliche Aufführung zu sagen.

Unser Berichterstatter hörte noch von andern dasselbe und ging dann nach Harmony. Nachdem er wieder durch schlecht bebaute Felder gekommen war, stieß er auf ein sehr gut bewirtschaftetes Rübenfeld mit einer reichlichen, schönen Ernte und sagte zu seinem Freunde, einem Pächter aus der Gegend: Wenn das sozialistische Rüben sind, so lassen sie sich gut an. Bald darauf begegneten ihm siebenhundert sozialistische Schafe, die ebenfalls prächtig waren, und kamen dann an das große, geschmackvolle und solide Wohngebäude. Alles war indes noch unvollendet, Ziegel und Bauholz, halbfertige Mauern und ungegrabener Boden. Sie traten ein, wurden höflich und freundlich aufgenommen und im Gebäude umhergeführt. Im Erdgeschoß war ein großer Eßsaal und die Küche, von der aus die vollen Schüsseln mit einer Maschine in den Eßsaal und die leeren zurück in die Küche gebracht wurden. Einige Kinder zeigten den Fremden diese Maschine und zeichneten sich durch reine nette Kleidung, gesundes Aussehen und anständiges Betragen aus. Die Frauen in der Küche sahen ebenfalls sehr reinlich und anständig aus, und der Besucher wunderte sich sehr, daß sie unter all den ungewaschenen Schüsseln – das Mittagessen war eben vorüber – noch so nett und rein aussehen konnten. Die Küche selbst war über alle Beschreibung schön eingerichtet, und der Londoner Baumeister, der sie gemacht, erklärte, daß in London selbst sehr wenige Küchen so vollständig und kostspielig eingerichtet seien, eine Bemerkung, in die unser Besucher einstimmt. Bei der Küche waren bequeme Waschhäuser, Bäder, Kellerräume und aparte Räume, wo jedes Mitglied bei seiner Rückkehr von der Arbeit sich waschen konnte.

Im nächsten Stockwerk war ein großes Ballzimmer und darüber die Schlafzimmer, alle sehr bequem eingerichtet.

Der Garten, siebenundzwanzig Morgen groß, war in der besten Ordnung, und überhaupt war eine große Tätigkeit nach allen Seiten hin zu bemerken. Da wurden Ziegel gemacht, Kalk gebrannt, gebaut und Straßen angelegt; hundert Morgen Weizen waren schon gesäet, und es sollte noch mehr Weizenfeld angelegt werden; ein Teich zur Aufnahme flüssigen Düngers wurde angelegt, und aus dem Wäldchen, das sich auf der Besitzung befand, wurde die Pflanzenerde zum Düngen gesammelt; kurz, alles wurde getan, um die Ertragsfähigkeit des Bodens zu heben.

Unser Besucher schließt:

„Ich glaube, daß ihr Grundstück durchschnittlich eine jährliche Miete von drei Pfund (einundzwanzig Taler) für den Morgen wert ist, und sie bezahlen nur fünfzehn Shilling (fünf Taler). – Sie haben einen vortrefflichen Handel gemacht, wenn sie nur vernünftig wirtschaften, und was man auch von ihren sozialen Häusern sagen möge, so muß man gestehen, daß sie ihre Besitzung auf eine ausgezeichnete Weise bebauen."

Setzen wir dieser Beschreibung noch einiges über die innere Einrichtung dieser Gemeinschaft hinzu. Die Mitglieder wohnen in einem großen Hause zusammen, und zwar hat jeder sein apartes Schlafzimmer, das aufs bequemste eingerichtet ist; die Hauswirtschaft wird für alle zusammen von einem Teile der Frauen betrieben, wodurch natürlich sehr viel Unkosten, Zeit und Mühe erspart wird, die bei vielen kleinen Haushaltungen verloren gehen würden, und wodurch viele Bequemlichkeiten erreicht werden, die in kleinen Wirtschaften gar nicht möglich sind. So heizt das Feuer der Küche zugleich alle Zimmer des Hauses mit warmer Luft und durch Röhren ist warmes und kaltes Wasser in jedes Zimmer geleitet, und was dergleichen Annehmlichkeiten und Vorteile mehr sind, die nur bei einer gemeinschaftlichen Einrichtung stattfinden können. Die Kinder werden in die Schule gegeben, die mit der Anlage verbunden ist, und dort auf allgemeine Kosten erzogen. Die Eltern können sie sehen, wenn sie wollen, und die Erziehung ist sowohl für die körperliche wie für die geistige Ausbildung und für das gemeinschaftliche Leben berechnet. Mit religiösen und theologischen Zänkereien, mit Griechisch und Lateinisch werden die Kinder nicht geplagt; dafür lernen sie desto besser die Natur, ihren eignen Körper und ihre geistigen Fähigkeiten kennen und erholen sich auf den Feldern von dem wenigen Sitzen, das ihnen zugemutet wird; denn die Schule wird ebensooft unter freiem Himmel als in geschlossenen Räumen gehalten, und die Arbeit ist ein Teil der Erziehung. Die sittliche Erziehung beschränkt sich auf die Anwendung des einen Satzes: Was du nicht willst, das andere dir tun sollen, das tue du ihnen nicht, also auf die Durchführung vollkommner Gleichheit und brüderlicher Liebe.

Die Ansiedlung steht, wie gesagt, unter der Leitung des Präsidenten und der Direktion der Gesellschaft der Sozialisten; diese Direktion wird alljährlich vom Kongreß, zu dem jede Zweiggesellschaft ein Mitglied schickt, erwählt und hat unumschränkte Vollmachten innerhalb der Statuten der Gesellschaft und mit Verantwortlichkeit gegen den Kongreß. Die Gemeinschaft wird also regiert von Leuten, die außer der Gemeinschaft leben, und da kann es nicht fehlen, daß es Mißverständnisse und Häkeleien absetzt; indessen, wenn selbst der Versuch zu Harmony hieran und an Geldverlegenheiten scheitern sollte, wozu aber durchaus keine Aussicht vorhanden ist, so würde dies nur ein Grund mehr für die Gemeinschaft der Güter sein, da diese beiden Schwierigkeiten nur darin ihren Grund haben, daß die Gemeinschaft noch nicht vollständig durchgeführt ist. Aber trotz alledem ist das Bestehen der Ansiedlung gesichert, und wenn sie auch nicht so rasch fortschreiten und vollendet werden kann, so werden doch die Gegner der Gemeinschaft den Triumph nicht erleben, daß sie zugrunde geht.

Wir sehen also, daß die Gemeinschaft der Güter gar nichts Unmögliches ist, sondern daß im Gegenteil alle diese Versuche vollkommen geglückt sind. Wir sehen auch, daß die Leute, welche in Gemeinschaft leben, bei weniger Arbeit besser leben, mehr Muße zur Ausbildung ihres Geistes haben, und daß sie bessere und sittlichere Menschen sind als ihre Nachbarn, die das Eigentum beibehalten haben. Alles das haben auch die Amerikaner, Engländer, Franzosen und Belgier sowie eine Menge Deutscher bereits eingesehen. In allen Ländern gibt es eine Anzahl Leute, welche sich mit der

Verbreitung dieser Lehre beschäftigen und für die Gemeinschaft Partei ergriffen haben.

Wenn diese Sache für alle wichtig ist, so ist sie es ganz besonders für die armen Arbeiter, die nichts besitzen, die ihren Lohn, den sie heute verdienen, morgen wieder verzehren und jeden Augenblick durch unvorhergesehene und unvermeidliche Zufälle brotlos werden können. Diesen wird hierin eine Aussicht auf eine unabhängige, sichere und sorgenfreie Existenz, auf eine vollkommene Gleichberechtigung mit denen gegeben, die jetzt durch ihren Reichtum den Arbeiter zu ihrem Sklaven machen können. Diese Arbeiter geht die Sache am meisten an. In andern Ländern bilden die Arbeiter den Kern der Partei, die Gütergemeinschaft verlangt, und es ist die Pflicht auch der deutschen Arbeiter, sich die Sache ernstlich zu Herzen zu nehmen.

Wenn die Arbeiter untereinander einig sind, zusammenhalten und *einen* Zweck verfolgen, so sind sie unendlich viel stärker als die Reichen. Und wenn sie vollends einen so vernünftigen und das Beste aller Menschen wollenden Zweck im Auge haben, wie die Gemeinschaft der Güter, so versteht es sich ja von selbst, daß die besseren und verständigeren unter den Reichen sich mit den Arbeitern einverstanden erklären und ihnen beistehen. Es gibt auch schon eine große Menge wohlhabender und gebildeter Leute in allen Teilen Deutschlands, welche sich für die Gütergemeinschaft offen erklärt haben und die Ansprüche des Volks auf die von der reichen Klasse mit Beschlag belegten Güter dieser Erde verteidigen.

„Deutsches Bürgerbuch für 1845",
Darmstadt 1845.
S. 326–340.

[Friedrich Engels]

[Zwei Reden in Elberfeld[139]]

[I]

Meine Herren!

Wir leben, wie Sie eben gehört haben und wie ich es ohnehin als allgemein bekannt voraussetzen darf, in einer Welt der freien Konkurrenz. Sehen wir uns denn diese freie Konkurrenz und die von ihr erzeugte Weltordnung etwas näher an. In unserer heutigen Gesellschaft arbeitet jeder auf seine eigne Hand, jeder sucht sich für seinen Kopf zu bereichern und kümmert sich nicht im geringsten um das, was die andern tun; von einer vernünftigen Organisation, von einer Verteilung der Arbeiten ist keine Rede, sondern im Gegenteil, jeder sucht dem andern den Rang abzulaufen, sucht die günstige Gelegenheit für seinen Privatvorteil auszubeuten und hat weder Zeit noch Lust, daran zu denken, daß sein eigenes Interesse im Grunde doch mit dem aller übrigen Menschen zusammenfällt. Der einzelne Kapitalist steht im Kampfe mit allen übrigen Kapitalisten, der einzelne Arbeiter mit allen übrigen Arbeitern; alle Kapitalisten kämpfen gegen alle Arbeiter, wie die Masse der Arbeiter notwendig wieder gegen die Masse der Kapitalisten zu kämpfen hat. In diesem Kriege Aller gegen Alle, in dieser allgemeinen Unordnung und gegenseitigen Ausbeutung besteht das Wesen der heutigen bürgerlichen Gesellschaft. Eine solche ungeregelte Wirtschaft, m[eine] H[erren], muß aber notwendig auf die Dauer für die Gesellschaft die unheilvollsten Resultate erzielen; die ihr zum Grunde liegende Unordnung, die Vernachlässigung des wahren, allgemeinen Wohls muß über kurz oder lang in einer eklatanten Weise zutage kommen. Der Ruin der kleinen Mittelklasse, des Standes, der die Hauptgrundlage der Staaten des vorigen Jahrhunderts bildete, ist die erste Folge dieses Kampfes. Wir sehen es ja täglich, wie diese Klasse der Gesellschaft durch die Macht des Kapitals erdrückt wird, wie z. B. die einzelnen Schneidermeister durch die Läden fertiger Kleider, die Möbelschreiner durch die Möbelmagazine ihre besten Kunden verlieren und aus kleinen Kapitalisten, aus Mitgliedern der *besitzenden* Klasse, in abhängige, für Rechnung anderer arbeitende Proletarier, in Mitglieder der *besitzlosen* Klasse verwandelt werden. Der Ruin der Mittelklasse ist eine vielbeklagte Folge unserer vielgepriesenen Gewerbefreiheit, er ist ein notwendiges Resultat der Vorteile, die der große Kapitalist über seinen weniger besitzenden Konkurrenten hat, er ist das energischste Lebenszeichen der Tendenz des Kapitals, sich in wenig Händen zu konzentrieren. Diese Tendenz des Kapitals ist ebenfalls von vielen Seiten anerkannt; es wird allgemein darüber geklagt, daß sich der Besitz täglich mehr und mehr in den Händen Weniger anhäufe, und dagegen die große Mehrzahl der Nation mehr und mehr verarme. So entsteht dann der schroffe Gegensatz von wenigen Reichen auf der einen und vielen Armen auf der anderen Seite; ein Gegensatz, der in England und Frankreich bereits auf eine drohende Spitze gesteigert ist und auch bei uns sich mit jedem Tage zu größerer Schärfe entwickelt. Und solange die jetzige Basis der Gesellschaft beibehalten wird, solange wird es unmöglich sein, diesem Fortschritt der Bereicherung weniger Einzelnen und der Verarmung der großen Masse Einhalt zu tun; der Gegensatz wird sich schärfer und schärfer ausbilden, bis endlich die Not die Gesellschaft zu einer Reorganisation nach vernünftigeren Prinzipien zwingt.

Das, m[eine] H[erren], sind aber noch lange nicht alle Folgen der freien Konkurrenz. Da ein jeder auf seine eigne Hand produziert und konsumiert, ohne sich um die Produktion und Konsumtion der anderen viel zu kümmern, so muß notwendigerweise sehr bald ein schreiendes Mißverhältnis zwischen der Produktion und der Konsumtion eintreten. Da die heutige Gesellschaft den Kaufleuten, Spekulanten und Krämern die Verteilung der produzierten Güter anvertraut, von denen jeder einzelne wieder nur seinen eigenen Vorteil im Auge hat, so wird in der Austeilung – auch abgesehen von der Unmöglichkeit für den Besitzlosen, sich den genügenden Anteil zu verschaffen –, so wird in der Austeilung der Produkte dasselbe Mißverhältnis eintreten. Wo hat der Fabrikant die Mittel, zu erfahren, wieviel von seinem Fabrikat auf diesem und jenem Markte gebraucht, und wenn er dies erfahren könnte, wieviel dann von seinen Konkurrenten nach jedem dieser Märkte geschickt wird? Wie soll er, der in den meisten Fällen gar nicht einmal weiß, wohin die Ware gehen wird, die er eben fabriziert –, wie soll er nun gar wissen können, wieviel seine auswärtigen Konkurrenten nach jedem der betreffenden Märkte liefern werden? Er weiß von dem allem nichts, er fabriziert wie seine Konkurrenten ins Blaue hinein und tröstet sich damit, daß die anderen dies eben auch tun müssen. Er hat keine andere Richtschnur als den ewig schwankenden Stand der Preise, der bei entfernten Märkten im Augenblicke, wo er seine Ware absendet, schon ein ganz anderer ist als in dem Augenblicke, in dem der ihn darüber unterrichtende Brief geschrieben wurde, und der im Augenblicke, wo die Ware ankommt, wieder anders ist als im Augenblicke, wo sie abgesandt wurde. Bei einer solchen Regellosigkeit der Produktion ist es denn auch ganz natürlich, wenn jeden Augenblick Stockungen des Verkehrs eintreten, die natürlich um so bedeutender sein müssen, je fortgeschrittener die Industrie und der Handel eines Landes ist. Das Land der ausgebildetsten Industrie, England, bietet uns daher hier die schlagendsten Beispiele. Durch die Ausbildung des Verkehrs, durch die vielen Spekulanten und Kommissionäre, die sich hier zwischen den produzierenden Fabrikanten und die wirklichen Konsumenten eingedrängt haben, wird es dem englischen Fabrikanten noch viel schwieriger gemacht als dem deutschen, auch nur das geringste über das Verhältnis der Vorräte und der Produktion zur Konsumtion zu erfahren; er hat dazu fast alle Märkte der Welt zu versorgen – er erfährt fast in keinem einzigen Falle, wohin seine Ware geht, und so findet es sich bei der ungeheuren Produktionskraft der englischen Industrie sehr häufig, daß alle Märkte plötzlich überfüllt sind. Der Verkehr stockt, die Fabriken arbeiten halbe Zeit oder gar nicht, eine Reihe von Fallissementen tritt ein, die Vorräte müssen zu Spottpreisen losgeschlagen werden, und ein großer Teil des Kapitals, das mit Mühe gesammelt war, geht so durch eine solche Handelskrisis wieder verloren. Solcher Handelskrisen haben wir in England seit dem Anfange dieses Jahrhunderts eine ganze Reihe und in den letzten zwanzig Jahren alle fünf oder sechs Jahre eine gehabt[140]. Die letzten, die von 1837 und 1842, werden den meisten von Ihnen, m[eine] H[erren], noch deutlich in der Erinnerung sein. Und wenn unsere Industrie auch so großartig, unser Absatz so weitverzweigt wäre wie die Industrie und der Handel Englands, so würden wir dieselben Resultate erleben, während jetzt bei uns die Wirkung der Konkurrenz in der Industrie und im Verkehr in einer allgemeinen, dauernden Depression aller Geschäftszweige, in einem unglückseligen Mittelzustande zwischen entschiedener Blüte und gänzlichem Verkommen, in einem Zustande der gelinden Stockung, d. h. der Stabilität, sich fühlbar macht.

M[eine] H[erren], was ist der eigentliche Grund dieser Übelstände? Woraus entspringt der Ruin der Mittelklasse, der schroffe Gegensatz von arm und reich, die Stockungen des Verkehrs und die daraus entstehende Verschwendung von Kapital? Aus keiner anderen Ursache als aus der Zersplitterung der Interessen. Wir arbeiten alle, ein jeder für seinen eigenen Vorteil, unbekümmert um das Wohl der anderen, und es ist doch eine augenscheinliche, eine sich von selbst verstehende Wahrheit, daß das Interesse, das Wohl, das Lebensglück jedes einzelnen mit dem seiner Mitmenschen unzertrennlich zusammenhängt. Wir müssen uns alle gestehen, daß keiner von uns seine Mitmenschen entbehren kann, daß schon das Interesse uns alle aneinander fesselt, und doch schlagen wir dieser Wahrheit mit unseren Handlungen geradezu ins Gesicht, und doch richten wir unsere Gesellschaft so ein, als ob unsere Interessen nicht dieselben, sondern einander ganz und gar entgegengesetzt wären. Wir haben gesehen, was die Folgen dieses Grundirrtums waren; wollen wir diese schlimmen Folgen beseitigen, so müssen wir den Grundirrtum reformieren, und das beabsichtigt eben der Kommunismus.

In der kommunistischen Gesellschaft, wo die Interessen der einzelnen nicht einander entgegengesetzt, sondern vereinigt sind, ist die Konkurrenz aufgehoben. Von einem Ruin einzelner Klassen, von Klassen überhaupt, wie heutzutage Reiche und Arme, kann, wie sich von selbst versteht, keine Rede mehr sein. Sowie bei der Produktion und Austeilung der zum Leben nötigen Güter der Privaterwerb, der Zweck des einzelnen sich auf eigne Faust zu bereichern, wegfällt, fallen auch die Krisen des Verkehrs von selbst weg. In der kommunistischen Gesellschaft wird es ein leichtes sein, sowohl die Produktion wie die Konsumtion zu kennen. Da man weiß, wieviel ein einzelner im Durchschnitt braucht, so ist es leicht zu berechnen, wieviel von einer gewissen Anzahl Individuen gebraucht wird, und da die Produktion alsdann nicht mehr in den Händen einzelner Privaterwerber, sondern in den Händen der Gemeinde und ihrer Verwaltung ist, so ist es eine Kleinigkeit, *die Produktion nach den Bedürfnissen zu regeln.*

Wir sehen also, wie in der kommunistischen Organisation die Hauptübel des jetzigen sozialen Zustandes wegfallen. Wenn wir indes etwas mehr ins Detail gehen, so werden wir finden, daß die Vorteile einer solchen Organisation hierbei nicht stehenbleiben, sondern sich auch auf die Beseitigung einer Menge anderer Übelstände erstrecken, von denen ich heute nur einige ökonomische erwähnen will. Die jetzige Einrichtung der Gesellschaft ist in ökonomischer Beziehung gewiß die unvernünftigste und unpraktischste, die wir uns denken können. Die Entgegensetzung der Interessen bringt es mit sich, daß eine große Menge Arbeitskraft auf eine Weise verwendet wird, von der die Gesellschaft keinen Nutzen hat, daß ein bedeutendes Quantum Kapital unnötigerweise verlorengeht, ohne sich zu reproduzieren. Wir sehen dies schon bei den Handelskrisen; wir sehen, wie Massen von Produkten, die doch alle von Menschen mühsam erarbeitet waren, zu Preisen weggeschleudert werden, die dem Verkäufer Verlust lassen; wir sehen, wie durch Bankerotte Massen von Kapitalien, die doch mühsam angehäuft waren, den Besitzern unter den Händen verschwinden. Gehen wir indes etwas mehr ins

Detail des jetzigen Verkehrs. Bedenken Sie, durch wie viele Hände jedes Produkt gehen muß, bis es in die des wirklichen Konsumenten gerät –, bedenken Sie, m[eine] H[erren], wie viele spekulierende und überflüssige Zwischenschieber sich jetzt zwischen den Produzenten und den Konsumenten eingedrängt haben! Nehmen wir ein Beispiel, etwa einen Baumwollballen, der in Nordamerika fabriziert wird. Der Ballen geht aus den Händen des Pflanzers in die des Faktors an irgendeiner beliebigen Station des Mississippi über, er wandert den Fluß hinunter nach New Orleans. Hier wird er verkauft – zum zweiten Male, da ihn der Faktor schon vom Pflanzer kaufte – verkauft, meinetwegen an den Spekulanten, der ihn wieder an den Exporteur verkauft. Der Ballen geht nun etwa nach Liverpool, wo wieder ein gieriger Spekulant seine Hände nach ihm ausstreckt und ihn an sich reißt. Dieser verhandelt ihn wieder an einen Kommissionär, der für Rechnung – wir wollen sagen, eines deutschen Hauses – kauft. So wandert der Ballen nach Rotterdam, den Rhein herauf, durch noch ein Dutzend Hände von Spediteuren, nachdem er ein dutzendmal aus- und eingeladen worden ist –, und dann erst ist er in den Händen, nicht des Konsumenten, sondern des Fabrikanten, der ihn erst konsumierbar macht, sein Garn vielleicht dem Weber, dieser das Gewebe dem Drucker, der dem Grossisten und dieser wieder dem Detaillisten verhandelt, der dann endlich die Ware dem Konsumenten liefert. Und alle diese Millionen Zwischenschieber, Spekulanten, Faktoren, Exporteurs, Kommissionäre, Spediteure, Grossisten und Detaillisten, die doch an der Ware selbst nichts tun, sie wollen alle leben und ihren Profit dabei machen – und machen ihn auch im Durchschnitt, denn sonst könnten sie nicht bestehen. M[eine] H[erren], gibt es keinen einfacheren, wohlfeileren Weg, einen Baumwollballen von Amerika nach Deutschland und das aus demselben verfertigte Fabrikat in die Hände des wirklichen Konsumenten zu liefern als diesen weitläuftigen des zehnmaligen Verkaufens, des hundertmaligen Umladens und Transportierens aus einem Magazin ins andere? Ist dies nicht ein schlagender Beweis der vielen Verschwendung von Arbeitskraft, die durch die Zersplitterung der Interessen herbeigeführt wird? In der vernünftig organisierten Gesellschaft ist von einem solchen umständlichen Transporte keine Rede. Ebenso leicht wie man wissen kann, wieviel eine einzelne Kolonie an Baumwolle oder Baumwollfabrikaten gebraucht, um bei dem Beispiele stehenzubleiben – ebenso leicht wird es der Zentralverwaltung sein, zu erfahren, wieviel sämtliche Ortschaften und Gemeinden des Landes gebrauchen. Ist eine solche Statistik einmal organisiert, was in einem oder zwei Jahren leicht geschehen kann, so wird sich der Durchschnitt des jährlichen Konsums nur im Verhältnis der steigenden Bevölkerung verändern; es ist also ein leichtes, zur gehörigen Zeit vorauszubestimmen, welches Quantum von jedem einzelnen Artikel das Bedürfnis des Volkes erfordern wird –, man wird die ganze, große Quantität sich direkt an der Quelle bestellen, man wird sie direkt, ohne Zwischenschieber, ohne mehr Aufenthalt und Umladungen, als wirklich in der Natur der Kommunikation begründet sind, also mit einer großen Ersparnis von Arbeitskraft, beziehen können; man wird nicht nötig haben, den Spekulanten, Groß- und Kleinhändlern ihren Nutzen zu bezahlen. Aber das ist noch nicht alles – diese Zwischenschieber werden nicht nur auf diese Weise der Gesellschaft unschädlich, sie werden ihr sogar vorteilhaft gemacht. Während sie jetzt zum Nachteil aller anderen eine Arbeit tun, die im besten Falle überflüssig ist und ihnen doch den Lebensunterhalt, ja in vielen Fällen große Reichtümer einbringt, während sie also jetzt dem allgemeinen Besten direkt nachteilig sind, werden sie dann die Hände zu nützlicher Tätigkeit frei bekommen und eine Beschäftigung ergreifen können, worin sie sich als wirkliche, nicht nur scheinbare, erheuchelte Mitglieder der menschlichen Gesellschaft und Teilnehmer an ihrer Gesamttätigkeit erweisen.

Die jetzige Gesellschaft, welche den einzelnen Menschen mit allen übrigen in Feindschaft bringt, erzeugt auf diese Weise einen sozialen Krieg Aller gegen Alle, der notwendigerweise bei einzelnen, namentlich Ungebildeten, eine brutale, barbarisch-gewaltsame Form annehmen muß – die Form des Verbrechens. Um sich gegen das Verbrechen, gegen die offene Gewalttat zu schützen, bedarf die Gesellschaft eines weitläuftigen, verwickelten Organismus von Verwaltungs- und Gerichtsbehörden, der eine unendliche Menge von Arbeitskräften in Anspruch nimmt. In der kommunistischen Gesellschaft würde sich auch dies unendlich vereinfachen, und gerade deshalb – so bizarr es auch klingen mag – gerade deshalb, weil in dieser Gesellschaft die Verwaltung nicht nur einzelne Seiten des sozialen Lebens, sondern das ganze soziale Leben in allen seinen einzelnen Tätigkeiten, nach allen seinen Seiten hin, zu administrieren haben würde. Wir heben den Gegensatz des einzelnen Menschen gegen alle andern auf – wir setzen dem sozialen Krieg den sozialen Frieden entgegen, wir legen die Axt an die *Wurzel* des Verbrechens – und machen dadurch den größten, bei weitem größten Teil der jetzigen Tätigkeit der Verwaltungs- und Justizbehörden überflüssig. Schon jetzt verschwinden die Verbrechen der Leidenschaft immer mehr gegen die Verbrechen der Berechnung, des Interesses – die Verbrechen gegen *Personen* nehmen ab, die Verbrechen gegen das *Eigentum* nehmen zu. Die fortschreitende Zivilisation mildert die gewaltsamen Ausbrüche der Leidenschaft schon in der jetzigen, auf dem Kriegsfuß stehenden, wieviel mehr in der kommunistischen, friedlichen Gesellschaft! Die Verbrechen gegen das Eigentum fallen von selbst da weg, wo jeder erhält, was er zur Befriedigung seiner natürlichen und geistigen Triebe bedarf, wo die sozialen Abstufungen und Unterschiede wegfallen. Die Kriminaljustiz hört von selbst auf, die Ziviljustiz, die doch fast lauter Eigentumsverhältnisse oder wenigstens solche Verhältnisse, die den sozialen Kriegszustand zur Voraussetzung haben, behandelt, fällt ebenfalls weg; Streitigkeiten können dann nur seltne Ausnahmen sein, wo sie jetzt die natürliche Folge der allgemeinen Feindschaft sind, und werden leicht sich durch Schiedsrichter schlichten lassen. Die Verwaltungsbehörden haben jetzt ebenfalls in dem fortwährenden Kriegszustand die Quelle ihrer Beschäftigung – die Polizei und die ganze Administration tut weiter nichts, als daß sie dafür sorgt, daß der Krieg ein verdeckter, indirekter bleibe, daß er nicht in offne Gewalt, in Verbrechen ausarte. Wenn es aber unendlich leichter ist, den Frieden zu erhalten, als den Krieg in gewisse Schranken zu bannen, so ist es auch unendlich leichter, eine kommunistische als eine konkurrierende Gemeinde zu verwalten. Und wenn schon jetzt die Zivilisation die Menschen gelehrt hat, ihr Interesse in der Aufrechterhaltung der öffentlichen Ordnung, der öffentlichen Sicherheit, des öffentlichen Interesses zu suchen, also die Polizei, Verwaltung und Justiz möglichst überflüssig zu machen, um wieviel mehr wird dies der Fall sein in einer Gesellschaft, in der die Gemeinschaft der Interessen zum Grundprinzip erhoben ist, in dem das öffentliche Interesse sich nicht mehr von dem jedes einzelnen unterscheidet! Was jetzt schon *trotz* der sozialen Einrichtung besteht, wieviel mehr wird das geschehen, wenn es nicht mehr durch die sozialen Einrichtungen gehindert, sondern unterstützt wird! Wir dürfen also auch von dieser Seite her auf einen beträchtlichen Zuwachs von Arbeitskräften rechnen, welche der jetzige soziale Zustand der Gesellschaft entzieht.

Eine der kostspieligsten Einrichtungen, deren die jetzige Gesellschaft nicht entbehren kann, sind die stehenden Heere, welche der Nation den kräftigsten, brauchbarsten Teil der Bevölkerung entziehen und sie zwingen, diesen dadurch unproduktiv gewordenen Teil zu ernähren. Wir wissen es an unserem eignen Staatsbudget, was uns das stehende Heer kostet – vierundzwanzig Millionen jährlich und die Entziehung von zweimalhunderttausend der kräftigsten Arme aus der Produktion. In der kommunistischen Gesellschaft würde es keinem Menschen einfallen, an ein stehendes Heer zu denken. Wozu auch? Zur Bewahrung der inneren Ruhe des Landes? Es wird, wie wir oben sahen, keinem einzigen einfallen, diese innere Ruhe zu stören. Die Furcht vor Revolutionen ist ja nur die Folge der Opposition der Interessen; wo die Interessen aller zusammenfallen, kann von einer solchen

Furcht keine Rede sein. – Zu einem Angriffskriege? Wie sollte eine kommunistische Gesellschaft dazu kommen, einen Angriffskrieg zu unternehmen –, sie, die sehr gut weiß, daß sie im Kriege nur Menschen und Kapital verliert, während sie höchstens ein paar widerwillige, also eine Störung in die soziale Ordnung bringende Provinzen erlangen kann! – Zu einem Verteidigungskriege? Dazu bedarf es keines stehenden Heeres, da es ein leichtes sein wird, jedes fähige Mitglied der Gesellschaft auch neben seinen übrigen Beschäftigungen so weit in der wirklichen, nicht parademäßigen Waffengewandtheit zu üben, als zur Verteidigung des Landes nötig ist. Und bedenken Sie dabei, m[eine] H[erren], daß das Mitglied einer solchen Gesellschaft im Falle eines Krieges, der ohnehin *nur gegen antikommunistische* Nationen vorkommen könnte, ein *wirkliches* Vaterland, einen *wirklichen* Herd zu verteidigen hat, daß er also mit einer Begeisterung, mit einer Ausdauer, mit einer Tapferkeit kämpfen wird, vor der die maschinenmäßige Geschultheit einer modernen Armee wie Spreu auseinanderfliegen muß; bedenken Sie, welche Wunder der Enthusiasmus der revolutionären Armeen von 1792 bis 1799 getan hat, die doch nur für eine *Illusion*, für ein *Scheinvaterland* kämpften, und Sie werden einsehen müssen, von welcher Kraft ein Heer sein muß, das für keine Illusion, sondern für eine handgreifliche Wirklichkeit sich schlägt. Diese unzähligen Massen von Arbeitskräften also, welche jetzt den zivilisierten Völkern durch die Armeen entzogen werden, würden in einer kommunistischen Organisation sonach der Arbeit zurückgegeben werden; sie würden nicht nur soviel erzeugen, wie sie verbrauchen, sondern noch weit mehr Produkte, als zu ihrem Unterhalt nötig sind, an die öffentlichen Vorratshäuser abliefern können.

Eine noch viel schlimmere Verschwendung von Arbeitskräften findet sich in der bestehenden Gesellschaft in der Art, wie die Reichen ihre soziale Stellung ausbeuten. Ich will von dem vielen unnützen und geradezu lächerlichen Luxus, der seine Quelle nur in der Sucht, sich auszuzeichnen, hat und eine Menge Arbeitskräfte in Anspruch nimmt, gar nicht sprechen. Aber gehen Sie, m[eine] H[erren] einmal geradezu in das Haus, das innerste Heiligtum eines Reichen, und sagen Sie mir, ob es nicht die tollste Vergeudung von Arbeitskraft ist, wenn hier eine Menge von Menschen zur Bedienung eines einzigen in Anspruch genommen und mit Faulenzen, oder wenn es hoch kommt, nur mit solchen Arbeiten beschäftigt werden, die ihre Quelle in der Isolierung jedes Menschen auf seine vier Wände haben? Diese Menge Dienstmädchen, Köchinnen, Lakaien, Kutscher, Hausknechte, Gärtner und wie sie alle heißen, was tun sie denn eigentlich? Wie *wenig Augenblicke* sind sie des Tages beschäftigt, um ihrer Herrschaft das Leben *wirklich* angenehm zu machen, um der Herrschaft die freie Ausbildung und Ausübung ihrer menschlichen Natur und ihrer angebornen Kräfte zu erleichtern –, und wie *viele Stunden* des Tages sind sie mit Arbeiten beschäftigt, die nur in der schlechten Einrichtung unsrer gesellschaftlichen Verhältnisse ihre Ursache haben –, hinten auf dem Wagen stehen, den Marotten der Herrschaft zu Diensten sein, Schoßhunde nachtragen und andre Lächerlichkeiten. In der vernünftig organisierten Gesellschaft, wo jeder in die Lage versetzt wird, leben zu können, auch ohne den Marotten der Reichen zu frönen und ohne auf solche Marotten zu verfallen –, in dieser Gesellschaft kann natürlich auch die jetzt so vergeudete Arbeitskraft der Luxusbedienung zum Vorteil aller und zu ihrem eignen Vorteil verwandt werden.

Eine weitere Verschwendung von Arbeitskraft findet in der heutigen Gesellschaft ganz direkt durch den Einfluß der Konkurrenz statt, indem diese eine große Anzahl brotloser Arbeiter schafft, die gern arbeiten *möchten*, aber keine Arbeit erhalten *können*. Da nämlich die Gesellschaft gar nicht darauf eingerichtet ist, von der wirklichen Verwendung der Arbeitskräfte Notiz nehmen zu können, da es jedem einzelnen überlassen ist, sich eine Erwerbsquelle zu suchen, so ist es ganz natürlich, daß bei der Verteilung der wirklich oder scheinbar nützlichen Arbeiten eine Anzahl Arbeiter leer ausgehen. Dies ist um so eher der Fall, als der Kampf der Konkurrenz jeden einzelnen antreibt, seine Kräfte aufs höchste anzustrengen, alle Vorteile zu benutzen, die sich ihm bieten, teure Arbeitskräfte durch wohlfeilere zu ersetzen, wozu die steigende Zivilisation täglich mehr und mehr Mittel bietet – oder, mit andern Worten, ein jeder muß daran arbeiten, andre brotlos zu machen, die Arbeit andrer auf die eine oder die andre Weise zu verdrängen. So findet sich denn in jeder zivilisierten Gesellschaft eine große Anzahl arbeitsloser Leute, die gern arbeiten möchten, aber keine Arbeit finden, und diese Anzahl ist größer, als man gewöhnlich glaubt. Da finden wir diese Leute denn, wie sie sich auf die eine oder andre Weise *prostituieren*, betteln, Straßen kehren, an den Ecken stehen, von gelegentlichen kleinen Diensten mit Mühe und Not Leib und Seele zusammenhalten, mit allen erdenklichen kleinen Waren hökern und herumhausieren – oder, wie wir es heute abend an ein paar armen Mädchen gesehen haben, mit der Guitarre von Ort zu Ort ziehen, für Geld spielen und singen, genötigt, sich jede unverschämte Ansprache, jede beleidigende Zumutung gefallen zu lassen, um nur ein paar Groschen zu verdienen. Wie viele endlich gibt es, die der *eigentlichen* Prostitution als Opfer verfallen! M[eine] H[erren], die Anzahl dieser Brotlosen, denen nichts übrigbleibt, als auf die eine oder andre Weise sich zu prostituieren, ist sehr groß – unsre Armenverwaltungen wissen davon zu erzählen –, und vergessen

Sie nicht, daß die Gesellschaft diese Leute trotz ihrer Nutzlosigkeit auf die eine oder die andre Art dennoch ernährt. Wenn also die Gesellschaft die Kosten für ihren Unterhalt zu tragen hat, so sollte sie auch dafür sorgen, daß diese Arbeitslosen ihren Unterhalt *ehrbar* verdienten. Das aber *kann* die jetzige, konkurrierende Gesellschaft nicht.

Wenn Sie, m[eine] H[erren], dies alles bedenken – und ich hätte noch eine Menge anderer Beispiele anführen können, wie die jetzige Gesellschaft ihre Arbeitskräfte vergeudet –, wenn Sie dies bedenken, so werden Sie finden, daß der menschlichen Gesellschaft ein Überfluß an Produktionskräften zu Gebote steht, der nur auf eine vernünftige Organisation, auf eine geordnete Verteilung wartet, um mit dem größten Vorteil für alle in Tätigkeit zu treten. Sie werden hiernach, m[eine] H[erren], beurteilen können, wie wenig die Befürchtung gegründet ist, als müßte bei einer gerechten Verteilung der gesellschaftlichen Tätigkeit dem einzelnen eine solche Last von Arbeit zufallen, daß sie ihm alle Beschäftigung mit anderen Dingen unmöglich mache. Im Gegenteil können wir annehmen, daß bei einer solchen Organisation die jetzt übliche Arbeitszeit des einzelnen schon durch die Benutzung der jetzt gar nicht oder unvorteilhaft angewandten Arbeitskräfte auf die Hälfte reduziert werden wird.

Die Vorteile indes, welche die kommunistische Einrichtung durch *Benutzung verschwendeter Arbeitskräfte* bietet, sind *noch nicht die bedeutendsten*. Die größte Ersparnis von Arbeitskraft liegt *in der Vereinigung der einzelnen Kräfte* zur sozialen Kollektivkraft und in der Einrichtung, welche auf diese Konzentration der bis jetzt einander gegenüberstehenden Kräfte beruht. Ich will mich hier an die Vorschläge des englischen Sozialisten *Robert Owen* anschließen, da diese die praktischsten und am meisten ausgearbeiteten sind. Owen schlägt vor, an die Stelle der jetzigen Städte und Dörfer mit ihren vereinzelten, einander im Wege stehenden Wohnhäusern große Paläste aufzuführen, die, in einem Quadrat von etwa 1650 Fuß Länge und Breite gebaut, einen großen Garten einschließen und etwa zwei- bis dreitausend Menschen bequem beherbergen können. Daß ein solches Gebäude, während es den Einwohnern die Bequemlichkeiten der besten jetzigen Wohnungen bietet, dennoch weit wohlfeiler und leichter zu errichten ist, als die nach dem jetzigen System für ebensoviele Leute benötigten, größtenteils schlechteren Einzelwohnungen, liegt auf der Hand. Die vielen Zimmer, die jetzt fast in jedem anständigen Hause leer stehen oder ein bis zweimal des Jahres gebraucht werden, fallen ohne alle Unbequemlichkeit weg; die Ersparnis an Raum für Vorratskammern, Keller etc. ist ebenfalls sehr groß. – Gehen wir aber auf das Detail der Hauswirtschaft ein, so werden wir erst recht die

Vorteile der Gemeinschaft einsehen. Welch eine Menge von Arbeit und Material wird nicht bei der jetzigen, zersplitterten Wirtschaft verschwendet – z. B. bei der Heizung! Sie müssen für jedes Zimmer einen besonderen Ofen haben; ein jeder Ofen will besonders geheizt, in Brand gehalten, beaufsichtigt werden; das Brennmaterial muß nach allen diesen verschiedenen Orten hingebracht, die Asche weggeholt werden; wieviel einfacher und wohlfeiler ist es nicht, an die Stelle dieser vereinzelten Heizung eine großartige Gesamtheizung, z. B. mit Dampfröhren und einem einzigen Heizungszentrum zu setzen, wie dies schon jetzt in großen Gesellschaftslokalen, Fabriken, Kirchen etc. geschieht! Ferner die Beleuchtung durch Gas, die jetzt noch dadurch kostspielig wird, daß selbst die dünneren Röhren unter der Erde liegen müssen, und die Röhren überhaupt wegen des großen Raumes, der in unseren Städten zu beleuchten ist, von unverhältnismäßiger Länge sein müssen, während bei der vorgeschlagenen Einrichtung alles auf einem Raume von 1650 Fuß im Quadrat konzentriert und die Menge der brennenden Gasflammen dennoch ebenso groß, das Resultat also mindestens ebenso lohnend ist wie in einer mäßigen Stadt. Dann die Bereitung der Mahlzeiten – welche Verschwendung von Raum, Material und Arbeitskraft bei der jetzigen zersplitterten Wirtschaft, wo jede Familie ihr bißchen Essen besonders kocht, ihr apartes Geschirr hat, ihre aparte Köchin anstellt, ihre Speisen apart vom Markte, aus dem Garten, vom Fleischer und Bäcker holen muß! Man kann ruhig annehmen, daß bei einer gemeinschaftlichen Speisebereitung und Aufwartung zwei Drittel der jetzt bei dieser Arbeit beschäftigten Arbeitskräfte erspart und das übrige Drittel dennoch seine Arbeit besser und aufmerksamer wird verrichten können, als dies jetzt geschieht. Und endlich die Hausarbeiten selbst! Wird sich ein solches Gebäude nicht unendlich viel leichter reinigen und in gutem Stande halten lassen, wenn, wie es hier möglich ist, diese Art der Arbeit gleichfalls organisiert und regelmäßig verteilt ist, als die zwei- bis dreihundert getrennten Häuser, welche bei der jetzigen Einrichtung die Wohnungen einer gleichen Zahl sein würden?

Dies, m[eine] H[erren], sind einige wenige von den unendlichen Vorteilen, welche in ökonomischer Beziehung aus der kommunistischen Organisation der menschlichen Gesellschaft hervorgehen müssen. Es ist uns nicht möglich, in einigen Stunden und mit wenigen Worten unser Prinzip Ihnen klarzumachen und gehörig nach allen Seiten hin zu begründen. Dies ist auch keineswegs unsere Absicht. Wir können und wollen nichts, als über einige Punkte Aufklärung geben und diejenigen, denen die Sache noch fremd ist, zum Studium derselben veranlassen. Und soviel wenigstens hoffen wir, Ihnen heute abend klargemacht zu haben, daß der Kommunismus weder der menschlichen Natur, dem Verstand und dem Herzen widerstrebt, noch daß er eine Theorie ist, die, ohne irgend Rücksicht auf die Wirklichkeit zu nehmen, bloß in der Phantasie ihre Wurzel hat.

Man fragt, wie denn diese Theorie in die Wirklichkeit einzuführen sei, welche Maßregeln wir vorzuschlagen haben, um ihre Einführung vorzubereiten. Es gibt verschiedene Wege zu diesem Ziele; die Engländer werden wahrscheinlich damit beginnen, daß sie einzelne Kolonien errichten und es jedem überlassen, ob er beitreten will oder nicht; die Franzosen dagegen werden wohl den Kommunismus auf nationalem Wege vorbereiten und durchführen. Wie die Deutschen es anfangen werden, darüber läßt sich bei der Neuheit der sozialen Bewegung in Deutschland wenig sagen. Einstweilen will ich unter den vielen möglichen Wegen der Vorbereitung nur einen einzigen erwähnen, von dem in der letzten Zeit mehrfach die Rede gewesen ist –, nämlich die Durchführung dreier Maßregeln, welche notwendig den praktischen Kommunismus zur Folge haben müssen.

Die erste würde eine *allgemeine Erziehung* aller Kinder ohne Ausnahme auf Staatskosten sein –, eine Erziehung, welche für alle gleich ist und bis zu dem Zeitpunkte fortdauert, in dem das Individuum fähig ist, als selbständiges Mitglied der Gesellschaft aufzutreten. Diese Maßregel würde nur ein Akt der Gerechtigkeit gegen unsere mittellosen Mitbrüder sein, da offenbar jeder Mensch ein Anrecht auf die vollständige Entwickelung seiner Fähigkeiten besitzt, und die Gesellschaft sich doppelt an den einzelnen vergeht, wenn sie die Unwissenheit zu einer notwendigen Folge der Armut macht. Daß die Gesellschaft mehr Vorteil von gebildeten als von unwissenden, rohen Mitgliedern hat, liegt auf der Hand, und wenn ein gebildetes Proletariat, wie das wohl zu erwarten steht, nicht gesonnen sein würde, in der unterdrückten Stellung zu bleiben, in der unser heutiges Proletariat sich befindet, so ist doch ebenfalls nur von einer *gebildeten* Arbeitsklasse die Ruhe und Besonnenheit zu erwarten, welche zu einer friedlichen Umbildung der Gesellschaft nötig ist. Daß das *ungebildete* Proletariat aber ebenfalls keine Lust hat, in seiner Lage zu bleiben, das beweisen uns die schlesischen und böhmischen Unruhen [76] auch für Deutschland – von anderen Völkern gar nicht zu sprechen.

Die zweite Maßregel wäre eine totale *Reorganisation des Armenwesens*, derart, daß die sämtlichen brotlosen Bürger in Kolonien untergebracht würden, in welchen sie mit Agrikultur- und Industriearbeit beschäftigt und ihre Arbeit zum Nutzen der ganzen Kolonie organisiert würde. Bis jetzt hat man die Kapitalien der Armenverwaltung auf Zinsen ausgeliehen und so den Reichen neue Mittel gegeben, die Besitzlosen auszubeuten. Man lasse endlich einmal diese Kapitalien wirklich zum Nutzen der Armen arbeiten, man verwende den ganzen Ertrag dieser Kapitalien, nicht bloß ihre drei Prozent Zinsen, für die Armen, man gebe ein großartiges Beispiel der Assoziation von Kapital und Arbeit! Auf diese Weise würde die Arbeitskraft aller Brotlosen zum Nutzen der Gesellschaft verwendet, sie selbst aus demoralisierten, gedrückten Paupers in sittliche, unabhängige, tätige Menschen verwandelt und in eine Lage versetzt, die sehr bald den vereinzelten Arbeitern beneidenswert erscheinen und die durchgreifende Reorganisation der Gesellschaft vorbereiten würde.

Zu diesen beiden Maßregeln gehört Geld. Um dies aufzubringen und um zugleich die sämtlichen bisherigen, ungerecht verteilten Steuern zu ersetzen, wird in dem vorliegenden Reformplane eine allgemeine, progressive Kapitalsteuer vorgeschlagen, deren Prozentsatz mit der Größe des Kapitals steigt. Auf diese Weise würde die Last der öffentlichen Verwaltung von einem jeden nach seiner Fähigkeit getragen werden und nicht mehr, wie bisher in allen Ländern, hauptsächlich auf die Schultern derer fallen, die am wenigsten imstande sind, sie zu erschwingen. Ist doch im Grunde das Prinzip der Besteuerung ein rein kommunistisches, da das Recht der Steuererhebung in allen Ländern aus dem sogenannten Nationaleigentum abgeleitet wird. Denn entweder ist das Privateigentum heilig, so gibt es kein Nationaleigentum, und der Staat hat nicht das Recht, Steuern zu erheben; oder der Staat hat dies Recht, dann ist das Privateigentum nicht heilig, dann steht das Nationaleigentum über dem Privateigentume, und der Staat ist der wahre Eigentümer. Dies letztere Prinzip ist das allgemein anerkannte –, nun gut, m[eine] H[erren], wir verlangen vorderhand ja nur, daß einmal Ernst mit diesem Prinzip gemacht werde, daß der Staat sich zum allgemeinen Eigentümer erkläre und als solcher das öffentliche Eigentum zum öffentlichen Besten verwalte – und daß er als ersten Schritt hierzu einen Modus der Besteuerung einführe, der sich nur nach der Fähigkeit eines jeden zur Steuerzahlung und nach dem wirklichen öffentlichen Besten richte.

Sie sehen also, m[eine] H[erren], daß es nicht darauf abgesehen ist, die Gütergemeinschaft über Nacht und wider den Willen der Nation einzuführen, sondern daß es sich vor allem nur um die Feststellung des *Zweckes* und der *Mittel* und *Wege* handelt, wie wir diesem Ziele entgegengehen können. Daß aber das kommunistische Prinzip das der Zukunft sein wird, dafür spricht der Entwickelungsgang aller zivilisierten Nationen, dafür spricht die rasch fortschreitende Auflösung aller bisherigen sozialen Institutionen, dafür spricht die gesunde menschliche Vernunft und vor allem das menschliche Herz.

[II]

Meine Herren!

Bei unserer letzten Zusammenkunft ist mir vorgeworfen worden, daß ich meine Beispiele und Belege fast nur aus fremden Ländern, namentlich aus England, genommen habe. Man hat gesagt, Frankreich und England gehe uns nichts an, wir lebten in Deutschland, und es sei unsere Sache, die Notwendigkeit und Vortrefflichkeit des Kommunismus für Deutschland zu beweisen. Man hat zugleich uns vorgeworfen, die historische Notwendigkeit des Kommunismus überhaupt keineswegs genügend dargetan zu haben. Dies ist ganz richtig und war auch nicht anders möglich. Eine historische Notwendigkeit läßt sich nicht in so kurzer Zeit beweisen wie die Kongruenz zweier Dreiecke, sie kann nur durch Studium und Eingehen auf weitläufige Voraussetzungen bewiesen werden. Ich will indes heute das meinige tun, um diese beiden Vorwürfe zu beseitigen, ich werde zu beweisen suchen, daß der Kommunismus für *Deutschland* – wenn keine historische, doch eine *ökonomische Notwendigkeit* ist.

Betrachten wir zuerst die gegenwärtige soziale Lage Deutschlands. Daß viel Armut unter uns existiert, ist bekannt. Schlesien und Böhmen haben selbst gesprochen. Von der Armut der Mosel- und Eifelgegenden[141] wußte die „Rheinische Zeitung" viel zu erzählen. Im Erzgebirge herrscht seit undenklicher Zeit fortwährendes großes Elend. Nicht besser sieht es in der Senne und den westfälischen Leinendistrikten aus. Von allen Gegenden Deutschlands her wird geklagt, und es ist auch nicht anders zu erwarten. Unser Proletariat ist zahlreich und muß es sein, wie wir bei der oberflächlichsten Betrachtung unserer sozialen Lage einsehen müssen. Daß in den *Industriebezirken* ein zahlreiches Proletariat sein muß, liegt in der Natur der Sache. Die Industrie kann nicht ohne eine große Anzahl von Arbeitern existieren, die ihr gänzlich zu Gebote stehen, nur für sie arbeiten und auf jeden anderen Erwerb verzichten, die industrielle Beschäftigung macht bei dem Bestehen der Konkurrenz jede andere Beschäftigung unmöglich. Daher finden wir in allen Industriedistrikten ein Proletariat, das zu zahlreich, zu augenscheinlich ist, als daß es geleugnet werden könnte. – In den *Ackerbaudistrikten* dagegen soll kein Proletariat existieren, wie von vielen Seiten her behauptet wird. Aber wie ist dies möglich? In den Gegenden, wo großer Grundbesitz vorherrscht, ist ein solches Proletariat notwendig, die großen Wirtschaften haben Knechte und Mägde nötig, können nicht ohne Proletarier existieren. In den Gegenden, wo der Grundbesitz parzelliert ist, läßt sich das Aufkommen einer besitzlosen

Klasse ebenfalls nicht vermeiden; man teilt die Güter bis zu einem gewissen Grade, und dann hört das Teilen auf; und da dann nur einer aus der Familie das Gut übernehmen kann, so müssen die anderen wohl Proletarier, besitzlose Arbeiter werden. Dabei geht das Teilen denn gewöhnlich solange voran, bis das Gut zu klein ist, um eine Familie ernähren zu können, und es bildet sich eine Klasse von Leuten, die wie die kleine Mittelklasse der Städte, einen Übergang aus der besitzenden in die besitzlose Klasse bildet, durch ihren Besitz von anderer Beschäftigung zurückgehalten und doch nicht befähigt ist, von ihm zu leben. Auch unter dieser Klasse herrscht großes Elend.

Daß dieses Proletariat an Zahl stets zunehmen muß, dafür bürgt uns die zunehmende Verarmung der Mittelklassen, von der ich heute vor acht Tagen ausführlich sprach, und die Tendenz des Kapitals, sich in wenigen Händen zu konzentrieren. Ich brauche heute wohl auf diese Punkte nicht zurückzukommen und bemerke nur, daß diese Ursachen, welche das Proletariat fortwährend erzeugen und vermehren, dieselben bleiben und dieselben Folgen haben werden, solange die Konkurrenz besteht. Unter allen Umständen muß das Proletariat nicht nur fortexistieren, sondern auch sich fortwährend ausdehnen, eine immer drohendere Macht in unserer Gesellschaft werden, solange wir fortfahren, jeder auf seine eigne Faust und im Gegensatz zu allen anderen zu produzieren. Das Proletariat wird aber einmal eine Stufe der Macht und Einsicht erreichen, bei der es sich den Druck des ganzen sozialen Gebäudes, das fortwährend auf seinen Schultern ruht, nicht mehr wird gefallen lassen, wo es eine gleichmäßigere Verteilung der sozialen Lasten und Rechte verlangen wird; und dann wird – wenn sich die menschliche Natur bis dahin nicht ändert – eine soziale Revolution nicht zu vermeiden sein.

Dies ist eine Frage, auf die unsere Ökonomen bis jetzt noch gar nicht eingegangen sind. Sie kümmern sich nicht um die Verteilung, sondern bloß um die Erzeugung des Nationalreichtums. Wir wollen indes für einen Augenblick davon abstrahieren, daß, wie eben bewiesen, eine soziale Revolution überhaupt schon die Folge der Konkurrenz ist; wir wollen einmal die einzelnen Formen, unter denen die Konkurrenz auftritt, die verschiedenen ökonomischen Möglichkeiten für Deutschland betrachten und sehen, was die Folge einer jeden sein muß.

Deutschland –, oder genauer zu sprechen, der deutsche Zollverein[142], hat für den Augenblick einen Juste-milieu-Zolltarif. Unsere Zölle sind zu wirklichen Schutzzöllen zu niedrig, zur Handelsfreiheit zu hoch. So sind drei Dinge möglich: Entweder gehen wir zur vollständigen Handelsfreiheit über, oder wir schützen unsere Industrie durch hinreichende Zölle, oder wir bleiben bei dem jetzigen System. Sehen wir die einzelnen Fälle an.

Wenn wir die *Handelsfreiheit* proklamieren und unsere Zölle aufheben, so ist unsere gesamte Industrie mit Ausnahme weniger Zweige ruiniert. Von Baumwollspinnerei, von mechanischer Weberei, von den meisten Zweigen der Baumwollen- und Wollenindustrie, von bedeutenden Branchen der Seidenindustrie, von beinahe der ganzen Eisengewinnung und Eisenverarbeitung kann *dann* keine Rede mehr sein. Die in allen diesen Zweigen plötzlich brotlos gewordenen Arbeiter würden in Masse auf den Ackerbau und die Trümmer der Industrie geworfen werden, der Pauperismus würde überall aus dem Boden wachsen, die Zentralisation des Besitzes in den Händen weniger würde durch eine solche Krisis beschleunigt werden, und nach den Vorgängen in Schlesien zu urteilen, wäre die Folge dieser Krisis notwendig eine soziale Revolution.

Oder wir verschaffen uns *Schutzzölle*. Diese sind neuerdings die Schoßkinder unserer meisten Industriellen geworden und verdienen daher nähere Betrachtung. Herr *List* hat die Wünsche unserer Kapitalisten in ein System gebracht[143], und an dieses von ihnen ziemlich allgemein als Credo anerkannte System will ich mich halten. Herr List schlägt allmählich steigende Schutzzölle vor, die endlich hoch genug werden sollen, daß sie den Fabrikanten den inländischen Markt sichern; dann sollen sie eine Zeitlang auf dieser Höhe bleiben und dann allmählich wieder erniedrigt werden, so daß endlich, nach einer Reihe von Jahren, aller Schutz aufhört. Nehmen wir einmal an, dieser Plan werde ausgeführt, die steigenden Schutzzölle seien dekretiert. Die Industrie wird sich heben, das noch müßige Kapital wird sich auf industrielle Unternehmungen werfen, die Nachfrage nach Arbeitern und mit ihr der Lohn wird steigen, die Armenhäuser leeren sich, es tritt ein allem Anscheine nach höchst blühender Zustand ein. Dies dauert solange, bis unsre Industrie ausgedehnt genug ist, um den heimischen Markt zu versorgen. Weiter kann sie sich nicht ausdehnen, denn da sie den *heimischen* Markt ohne Schutz nicht behaupten kann, so wird sie noch viel weniger auf neutralen Märkten gegen die auswärtige Konkurrenz etwas ausrichten. Jetzt, meint Herr List, würde indes die inländische Industrie schon stark genug sein, um weniger Schutz zu bedürfen, und die Herabsetzung könne anfangen. Geben wir dies für einen Augenblick zu. Die Zölle werden erniedrigt. Wenn nicht bei der ersten, so tritt doch ganz gewiß bei der zweiten oder dritten Zollherabsetzung eine solche Verringerung des Schutzes ein, daß die auswärtige – sagen wir geradezu die englische Industrie auf dem deutschen Markte mit unsrer eignen konkurrieren kann. Herr List wünscht dies selbst.

Was werden aber die Folgen davon sein? Die deutsche Industrie hat von diesem Augenblicke an alle Schwankungen, alle Krisen der englischen mit auszuhalten. Sobald die überseeischen Märkte mit englischen Waren überfüllt sind, werden die Engländer, gerade wie sie es jetzt tun, und wie Herr List es mit vieler Rührung schildert, ihre sämtlichen Vorräte auf den deutschen Markt, den nächsten zugänglichen, werfen und so den Zollverein wieder zu ihrem „Trödelmagazin" machen. Dann wird die englische Industrie sich bald wieder erheben, weil sie die ganze Welt zum Markte hat, weil die ganze Welt ihrer nicht entbehren kann, während die deutsche nicht einmal für ihren eignen Markt unentbehrlich ist, während sie in ihrem eignen Hause die Konkurrenz der Engländer fürchten muß und an dem Überfluß der während der Krisis ihren Abnehmern zugeworfenen englischen Waren laboriert. Dann wird unsre Industrie alle schlechten Perioden der englischen bis auf die Hefen zu kosten haben, während sie an den Glanzperioden dieser letzteren nur bescheidenen Anteil nehmen kann – kurz, dann werden wir gerade so weit sein, wie wir jetzt sind. Und damit wir gleich das Endresultat bekommen, dann wird derselbe gedrückte Zustand eintreten, in welchem jetzt die halbgeschützten Zweige sich befinden, dann wird ein Etablissement nach dem andern eingehen, ohne daß neue entstehen, dann werden unsre Maschinen veralten, ohne daß wir imstande sein werden, sie durch neue, verbesserte zu ersetzen, dann wird der Stillstand in einen Rückschritt sich verwandeln und nach Herrn Lists eigner Behauptung ein Industriezweig nach dem andern verkommen und endlich ganz eingehen. Dann aber haben wir ein zahlreiches Proletariat, das durch die Industrie geschaffen wurde und nun keine Lebensmittel, keine Arbeit hat; und dann, m[eine] H[erren], wird dies Proletariat mit der Forderung an die besitzende Klasse treten, beschäftigt und ernährt zu werden.

Das wird der Fall sein, wenn die Schutzzölle herabgesetzt werden. Nehmen wir nun an, sie würden nicht herabgesetzt, sie blieben stehen, und man wollte abwarten, daß die Konkurrenz der inländischen Fabrikanten unter sich sie illusorisch mache, um sie dann herabzusetzen. Die Folge hiervon wird sein, daß die deutsche Industrie, sobald sie imstande ist, den heimischen Markt vollständig zu versorgen, stillsteht. Neue Etablissements sind nicht nötig, da die bestehenden für den Markt ausreichen und an neue Märkte, wie schon oben gesagt, nicht zu denken ist, solange man überhaupt des Schutzes bedarf. Aber eine Industrie, deren *Ausdehnung* nicht fortschreitet, kann sich auch nicht *vervollkommnen*. Wie nach außen, wird sie nach innen stationär. Die Verbesserung der Maschinerie existiert für sie nicht. Die alten Maschinen kann man doch nicht wegwerfen, und für die neuen finden sich keine neuen Etablissements, in denen sie Anwendung finden könnten. Andre Nationen schreiten indes voran, und der Stillstand unsrer Industrie wird wieder ein Rückschritt. Bald werden die Engländer durch ihren Fortschritt befähigt sein, so wohlfeil zu produzieren, daß sie mit unsrer zurückgebliebenen Industrie *trotz* des Schutzzolls auf unsrem eignen Markte konkurrieren können, und da im Kampf der Konkurrenz, wie in jedem andern Kampf, der Stärkere siegt, so ist unsre endliche Niederlage gewiß. Dann tritt derselbe Fall ein, von dem ich eben sprach: das künstlich erzeugte Proletariat wird von den Besitzenden etwas verlangen, was sie, solange sie exklusiv Besitzende bleiben wollen, nicht leisten können, und die soziale Revolution tritt ein.

Jetzt ist noch ein Fall möglich, nämlich der sehr unwahrscheinliche, daß es uns Deutschen durch die Schutzzölle gelingen werde, unsre Industrie dahin zu bringen, daß sie ohne Schutz gegen die Engländer konkurrieren könne. Nehmen wir an, dies sei der Fall; was wird die Folge davon sein? Sobald wir anfangen, den Engländern auf auswärtigen, neutralen Märkten Konkurrenz zu machen, so wird sich ein Kampf auf Tod und Leben zwischen unsrer und der englischen Industrie erheben. Die Engländer werden alle ihre Kräfte aufbieten, um uns aus den bisher von ihnen versorgten Märkten entfernt zu halten, sie müssen es, weil sie hier an ihrer Lebensquelle, an dem gefährlichsten Punkt angegriffen werden. Und mit all den Mitteln, die ihnen zu Gebote stehen, mit all den Vorteilen einer hundertjährigen Industrie, wird es ihnen gelingen, uns zu schlagen. Sie werden unsre Industrie auf unsren eignen Markt beschränkt halten und sie dadurch stationär machen – und dann tritt derselbe Fall ein, der eben entwickelt wurde, wir bleiben stehen, die Engländer schreiten vorwärts, und unsre Industrie ist bei ihrem unvermeidlichen Verfall nicht imstande, das durch sie künstlich erzeugte Proletariat zu ernähren –, die soziale Revolution tritt ein.

Gesetzt aber, wir besiegten die Engländer auch auf neutralen Märkten, wir rissen einen ihrer Abzugskanäle nach dem andern an uns –, was hätten wir in diesem so gut wie unmöglichen Fall gewonnen? Im glücklichsten Fall würden wir dann die industrielle Karriere, die England uns vorgemacht hat, noch einmal durchmachen und über kurz oder lang da ankommen – wo England jetzt steht – nämlich am Vorabende einer sozialen Revolution. Aller Wahrscheinlichkeit nach würde es aber solange gar nicht dauern. Durch die fortwährenden Siege der deutschen Industrie würde die englische notwendig ruiniert und die ohnehin den Engländern bevorstehende massenhafte Erhebung des Proletariats gegen die besitzenden Klassen nur beschleunigt. Die schnell eintretende Brotlosigkeit würde die englischen Arbeiter zur Revolution treiben, und wie die Dinge jetzt stehen, würde eine solche soziale

Revolution auf die Länder des Kontinents, namentlich Frankreich und Deutschland, eine ungeheure Rückwirkung ausüben, die um so stärker werden müßte, je mehr durch die forcierte Industrie in Deutschland ein künstliches Proletariat erzeugt worden wäre. Eine solche Umwälzung würde sogleich europäisch werden und die Träume unsrer Fabrikanten von einem industriellen Monopol Deutschlands sehr unsanft stören. Daß aber eine englische und eine deutsche Industrie friedlich nebeneinander bestehen könnten, das macht schon die Konkurrenz unmöglich. Eine jede Industrie muß, ich wiederhole es, fortschreiten, um nicht zurückzubleiben und unterzugehen, sie muß sich ausdehnen, neue Märkte erobern, fortwährend durch neue Etablissements vergrößert werden, um fortschreiten zu können. Da aber, seitdem China offen steht[144], keine neuen Märkte mehr erobert werden, sondern nur die bestehenden besser ausgebeutet werden können, da also die Ausdehnung der Industrie in Zukunft langsamer gehen wird als bisher, so kann England jetzt noch viel weniger einen Konkurrenten dulden, als dies bisher der Fall war. Es muß, um seine Industrie vor dem Untergange zu schützen, die Industrie aller andern Länder darniederhalten; die Behauptung des industriellen Monopols ist für England nicht mehr eine bloße Frage des größeren oder geringeren Gewinns, sie ist eine *Lebensfrage* geworden. Der Kampf der Konkurrenz zwischen Nationen ist ohnehin schon viel heftiger, viel entscheidender als der zwischen Individuen, weil es ein konzentrierterer Kampf, ein Kampf von Massen ist, den nur der entschiedene Sieg des einen und die entschiedene Niederlage des andern Teils endigen kann. Und darum würde auch ein solcher Kampf zwischen uns und den Engländern, mag sein Resultat sein, wie es will, weder für unsre, noch für die englischen Industriellen von Vorteil sein, sondern nur, wie ich eben entwickelte, eine soziale Revolution nach sich ziehen.

Wir haben demnach gesehen, m[eine] H[erren], was Deutschland sowohl von der Handelsfreiheit wie von dem Schutzsystem in allen möglichen Fällen zu erwarten hat. Wir hätten nur noch eine ökonomische Möglichkeit vor uns, nämlich den Fall, daß wir bei den jetzt bestehenden Juste-milieu-Zöllen blieben. Wir haben aber schon oben gesehen, was die Folgen davon sein würden. Unsere Industrie müßte, ein Zweig nach dem andern, zugrunde gehen, die Industriearbeiter würden brotlos werden, und wenn die Brotlosigkeit bis auf einen gewissen Grad gediehen, in einer Revolution gegen die besitzenden Klassen losbrechen.

Sie sehen also, m[eine] H[erren], auch im einzelnen das bestätigt, was ich im Anfange allgemein, von der Konkurrenz überhaupt ausgehend, entwickelte –, nämlich, daß die unvermeidliche Folge unserer bestehenden sozialen Verhältnisse unter allen Bedingungen und in allen Fällen eine *soziale Revolution* sein wird. Mit derselben Sicherheit, mit der wir aus gegebenen mathematischen Grundsätzen einen neuen Satz entwickeln können, mit derselben Sicherheit können wir aus den bestehenden ökonomischen Verhältnissen und den Prinzipien der Nationalökonomie auf eine bevorstehende soziale Revolution schließen. Sehen wir uns indes diese Umwälzung einmal etwas näher an; in welcher Gestalt wird sie auftreten, was werden ihre Resultate sein, worin wird sie sich von den bisherigen gewaltsamen Umwälzungen unterscheiden? Eine soziale Revolution, m[eine] H[erren], ist ganz etwas anderes als die bisherigen politischen Revolutionen; sie geht nicht, wie diese, gegen das Eigentum des Monopols, sondern gegen das Monopol des Eigentums; eine soziale Revolution, m[eine] H[erren], das ist *der offene Krieg der Armen gegen die Reichen.* Und solch ein Kampf, in dem alle die Triebfedern und Ursachen unverhohlen und offen zu ihrer Wirkung kommen, die in den bisherigen historischen Konflikten dunkel und versteckt zum Grunde lagen, solch ein Kampf droht allerdings heftiger und blutiger werden zu wollen als alle seine Vorgänger. Das Resultat dieses Kampfes kann ein zweifaches sein. Entweder greift die sich empörende Partei nur die Erscheinung, nicht das Wesen, nur die Form, nicht die Sache selbst an, oder sie geht auf die Sache selbst ein und faßt das Übel bei der Wurzel selbst an. Im ersten Falle wird man das Privateigentum bestehen lassen und nur anders verteilen, so daß die Ursachen bestehen bleiben, welche den jetzigen Zustand herbeigeführt haben und über kurz oder lang wieder einen ähnlichen Zustand und eine neue Revolution herbeiführen müssen. Aber, m[eine] H[erren], ist dies möglich? Wo finden wir eine Revolution, die das nicht wirklich durchgesetzt hätte, wovon sie ausging? Die englische Revolution setzte sowohl die religiösen wie die politischen Grundsätze durch, deren Bekämpfung von seiten Karls I. sie hervorrief; die französische Bourgeoisie hat in ihrem Kampfe mit dem Adel und der alten Monarchie alles erobert, was sie wünschte, alle die Mißbräuche abgestellt, die sie zum Aufstande trieben. Und der Aufstand der Armen sollte eher ruhen, bis er die Armut und ihre Ursachen abgeschafft hätte? Es ist nicht möglich, m[eine] H[erren], es würde gegen alle geschichtliche Erfahrung streiten, so etwas anzunehmen. Auch der Bildungsstand der Arbeiter, besonders in England und Frankreich, erlaubt uns nicht, dies für möglich zu halten. Es bleibt also nichts übrig als die andere Alternative, nämlich, daß die zukünftige soziale Revolution auch auf die wirklichen Ursachen der Not und Armut, der Unwissenheit und des Verbrechens eingehen, daß sie also eine wirkliche soziale Reform durchsetzen werde. Und dies kann nur durch die Proklamation des kommunistischen Prinzips geschehen. Betrachten Sie nur, m[eine] H[erren], die Gedanken, welche den Arbeiter in den Ländern, wo auch der Arbeiter denkt, bewegen; sehen Sie in Frankreich die verschiedenen Fraktionen der Arbeiterbewegung, ob sie nicht *alle* kommunistisch sind; gehen Sie nach England und hören Sie, was für Vorschläge den Arbeitern zur Verbesserung ihrer Lage gemacht werden – ob sie nicht *alle* auf dem Prinzip des gemeinschaftlichen Eigentums beruhen; studieren Sie die verschiedenen Systeme der sozialen Reform, wie viele von ihnen Sie finden werden, die nicht kommunistisch sind? Von allen Systemen, die heutzutage noch von Bedeutung sind, ist das einzige nicht kommunistische das von Fourier, der seine Aufmerksamkeit mehr auf die soziale Organisation der menschlichen Tätigkeit als auf die Verteilung ihrer Erzeugnisse richtete. Alle diese Tatsachen rechtfertigen den Schluß, daß eine zukünftige soziale Revolution mit der Durchführung des kommunistischen Prinzips endigen werde, und lassen kaum eine andere Möglichkeit zu.

Sind diese Folgerungen richtig, m[eine] H[erren], ist die soziale Revolution und der praktische Kommunismus das notwendige Resultat unserer bestehenden Verhältnisse –, so werden wir uns vor allen Dingen mit den Maßregeln zu beschäftigen haben, wodurch wir einer gewaltsamen und blutigen Umwälzung der sozialen Zustände vorbeugen können. Und da gibt es nur *ein* Mittel, nämlich die friedliche Einführung oder wenigstens Vorbereitung des Kommunismus. Wollen wir also nicht die *blutige* Lösung des sozialen Problems, wollen wir nicht den täglich größer werdenden Widerspruch zwischen der Bildung und der Lebenslage unserer Proletarier sich bis zu der Spitze steigern lassen, wo nach allen unseren Erfahrungen über die menschliche Natur die brutale Gewalt, die Verzweiflung und Rachgier diesen Widerspruch lösen wird, dann, m[eine] H[erren], müssen wir uns ernstlich und unbefangen mit der sozialen Frage beschäftigen; dann müssen wir es uns angelegen sein lassen, das unsrige zur Vermenschlichung der Lage der modernen Heloten beizutragen. Und wenn vielleicht manchem von Ihnen es scheinen möchte, als ob die Hebung der bis jetzt erniedrigten Klassen nicht ohne eine Erniedrigung seiner eigenen Lebenslage geschehen könnte, so ist doch zu bedenken, daß es sich darum handelt, eine solche Lebenslage für *alle Menschen* zu schaffen, daß ein jeder seine menschliche Natur frei entwickeln, mit seinen Nächsten in einem menschlichen Verhältnisse leben kann und vor keinen gewaltsamen Erschütterungen seiner Lebenslage sich zu fürchten braucht; so ist zu bedenken, daß dasjenige, was einzelne aufopfern sollen, nicht ihr wahrhaft menschlicher Lebensgenuß, sondern nur der durch unsere schlechten Zustände erzeugte Schein des Lebensgenusses ist, etwas, was wider die eigne Vernunft und das eigne Herz derer geht, die sich jetzt dieser scheinbaren

Vorzüge erfreuen. Das wahrhaft menschliche Leben mit allen seinen Bedingungen und Bedürfnissen wollen wir so wenig zerstören, daß wir es im Gegenteil erst recht herzustellen wünschen. Und wenn Sie, auch abgesehen davon, nur einmal recht bedenken wollen, auf was unser jetziger Zustand in seinen Folgen hinauslaufen muß, in welches Labyrinth von Widersprüchen und Unordnungen er uns führt –, dann, m[eine] H[erren], werden Sie es gewiß der Mühe wert finden, die soziale Frage ernsthaft und gründlich zu studieren. Und wenn ich Sie dazu veranlassen kann, so ist der Zweck meines Vortrags vollständig erreicht.

Vorgetragen in Elberfeld
am 8. und 15. Februar 1845.
„Rheinische Jahrbücher
zur gesellschaftlichen Reform", 1845.
Erster Band. S. 45–62 und 71–81.

The Northern Star,
AND NATIONAL TRADES' JOURNAL.
VOL. VIII, NO. 409 LONDON, SATURDAY, SEPTEMBER 13. 1845 PRICE FIVEPENCE or Five Shillings and Sixpence per Quarter

[Friedrich Engels]

Das kürzliche Gemetzel in Leipzig — Die deutsche Arbeiterbewegung

[„The Northern Star" Nr. 409
vom 13. September 1845]

Das Gemetzel in Leipzig[145], das Sie in Ihrer letzten Nummer kommentiert und über das Sie vor einigen Wochen einen ausführlichen Bericht gebracht haben, beschäftigt noch immer die Aufmerksamkeit der deutschen Zeitungen. Dieses Gemetzel, das an Niedertracht nur von der Peterloo-Metzelei[146] übertroffen wird, ist bei weitem der schändlichste Schurkenstreich, den der Militärdespotismus in unserem Lande je ersonnen hat. Als das Volk rief: „Es lebe Ronge, nieder mit dem Papsttum", versuchte Prinz Johann von Sachsen, nebenbei bemerkt, einer von unseren vielen reimenden und bücherschreibenden Prinzen, der eine sehr schlechte Übersetzung der „Hölle"[147] des italienischen Dichters Dante veröffentlicht hat – dieser „höllische" Übersetzer also versuchte, seinem literarischen Ruf militärischen Ruhm hinzuzufügen, indem er eine höchst heimtückische Kampagne gegen die unbewaffneten Massen in die Wege leitete. Er befahl dem von der Obrigkeit herbeigerufenen Schützenbataillon, sich in mehrere Abteilungen aufzuteilen und die Zugänge zu dem Hotel zu besetzen, in dem seine literarische „königliche Hoheit" ihr Hauptquartier aufgeschlagen hatte. Die Soldaten gehorchten, sie preßten die Menschen in einem kleinen Ring zusammen und gingen in der Richtung auf den Hoteleingang gegen sie vor; und dieses unvermeidliche Eindringen der Leute in den geheiligten Eingang der königlichen Residenz, das durch die von Prinz Johann befohlene militärische Handlung verursacht worden war –, eben dieser Umstand wurde zum Vorwand genommen, auf die Menschen zu schießen; mit eben diesem Umstand haben die Regierungszeitungen die Schießerei zu rechtfertigen versucht! Das ist noch nicht alles; die Menschen wurden zwischen den einzelnen Abteilungen zusammengedrängt, und der Plan seiner königlichen Hoheit wurde durch ein

Kreuzfeuer auf die wehrlosen Massen ausgeführt; wohin sie sich auch wandten, wurden sie von wiederholten Gewehrsalven empfangen; und hätten nicht die Soldaten, die menschlicher waren als Prinz Johann, zumeist über die Köpfe der Menschen geschossen, hätte es ein fürchterliches Blutbad gegeben. Die Empörung, die dieser Schurkenstreich hervorgerufen hat, ist allgemein; die loyalsten Untertanen, die wärmsten Anhänger der gegenwärtigen Ordnung teilen sie und wenden sich mit Abscheu gegen diese Vorgänge. Die Sache wird eine sehr starke Wirkung in Sachsen haben, dem Teil Deutschlands, der mehr als alle anderen stets eine Neigung zum *Reden* an den Tag gelegt hat, während Taten bitter nötig waren. Die Sachsen, mit ihrer kleinen konstitutionellen Regierung, mit ihrem schwatzenden Parlament, ihren liberalen Abgeordneten, liberalen und aufgeklärten Pfaffen etc., waren in Norddeutschland die Vertreter des gemäßigten Liberalismus, des deutschen Whiggismus, und bei alledem mehr die Sklaven des Königs von Preußen als die Preußen selbst. Was die preußische Regierung auch immer beschloß, mußte das sächsische Ministerium ausführen; ja, kürzlich hat sich die preußische Regierung nicht einmal die Mühe gemacht, sich an das sächsische Ministerium zu wenden, sondern wandte sich direkt an die unteren sächsischen Behörden, als ob es sich nicht um sächsische, sondern um ihre eigenen Beamten handelte! Sachsen wird von Berlin regiert, nicht von Dresden! Und bei ihrem ganzen Reden und Prahlen wissen die Sachsen sehr gut, daß die bleierne Hand Preußens schwer genug auf ihnen lastet. All diesem Reden und Prahlen, all diesem Eigendünkel und dieser Selbstzufriedenheit, das die Sachsen zu einer besonderen, gegen Preußen in Opposition stehenden Nation machen möchte etc., wird das Leipziger Gemetzel ein Ende bereiten. Die Sachsen müssen jetzt einsehen, daß sie sich unter der gleichen Militärherrschaft befinden wie alle anderen Deutschen, und daß trotz aller Verfassung, liberalen Gesetze, liberalen Zensur und liberalen Reden des Königs das Kriegsrecht das einzige Recht ist, das in ihrem kleinen Lande wirklich existiert. Und noch etwas anderes trägt dazu bei, daß diese Leipziger Affäre den Geist der Rebellion in Sachsen verbreitet: Trotz allen Geredes der sächsischen Liberalen fängt die Mehrheit des sächsischen Volkes erst zu reden an; Sachsen ist ein Industrieland, und unter seinen Leinewebern, Strumpfwirkern, Baumwollspinnern, Spitzenklöpplern, Kohlen- und Erzbergleuten herrscht seit undenklichen Zeiten ein entsetzliches Elend. Die proletarische Bewegung, die sich seit den schlesischen Aufständen, der sogenannten Weberschlacht im Juni 1844, über ganz Deutschland verbreitet hat, ist an Sachsen nicht spurlos vorübergegangen. Vor einiger Zeit hat es an verschiedenen Orten Unruhen unter den Arbeitern beim

Eisenbahnbau und auch unter den Kattundruckern gegeben, und es ist mehr als wahrscheinlich, daß der Kommunismus, obwohl bis jetzt noch keine positiven Beweise dafür angeführt werden können, hier ebenso wie überall sonst unter den Arbeitern Fortschritte macht; und wenn die sächsischen Arbeiter das Kampffeld betreten, werden sie sich bestimmt nicht mit Gerede zufriedengeben wie ihre Arbeitgeber, die liberalen „Bourgeois".

Lassen Sie mich Ihre Aufmerksamkeit etwas mehr auf die Bewegung der Arbeiterklasse in Deutschland lenken. In der vergangenen Woche haben Sie unserem Lande in Ihrer Zeitung eine glorreiche Revolution[148] – keine wie die von 1688 – vorausgesagt. Damit haben Sie vollkommen recht, nur möchte ich Ihre Äußerung, daß es die Jugend Deutschlands sei, die eine solche Änderung zustande bringen werde, berichtigen oder vielmehr klarer definieren. Diese Jugend darf man nicht im Bürgertum suchen. Die revolutionäre Tat wird in Deutschland aus der Mitte der Arbeiterschaft heraus ihren Anfang nehmen. Es stimmt, daß es in unserem Bürgertum eine beträchtliche Anzahl Republikaner und sogar Kommunisten gibt sowie auch junge Menschen, die, wenn es jetzt zu einem allgemeinen Aufstand käme, in der Bewegung sehr nützlich wären, aber diese Menschen sind „Bourgeois", Profitmacher, berufsmäßige Fabrikanten; und wer gibt uns die Garantie, daß sie nicht durch ihren Beruf, durch ihre soziale Stellung demoralisiert werden, die sie zwingen, von der Arbeit anderer Menschen zu leben und die fett werden als Blutsauger, als „Exploiteurs" der Arbeiterklasse? Und sofern sie der Gesinnung nach Proletarier bleiben, obwohl sie dem Beruf nach Bourgeois sind, so wird ihre Zahl unendlich klein sein, im Vergleich zur wirklichen Zahl der Angehörigen des Bürgertums, die ihres Interesses wegen an der bestehenden Ordnung festhalten und deren einzige Sorge es ist, sich die Taschen zu füllen. Glücklicherweise rechnen wir mit dem Bürgertum überhaupt nicht. Die Bewegung der Proletarier hat sich mit so erstaunlicher Geschwindigkeit entwickelt, daß wir in ein oder zwei Jahren eine glorreiche Heerschau über Demokraten und Kommunisten aus der Arbeiterschaft werden abhalten können – denn hierzulande sind Demokratie und Kommunismus, soweit es sich um die Arbeiterklasse handelt, völlig identisch. Die schlesischen Weber gaben im Jahre 1844 das Signal; die böhmischen und sächsischen Kattundrucker und Eisenbahnarbeiter, die Berliner Kattundrucker und tatsächlich die Industriearbeiter in fast allen Teilen Deutschlands antworteten mit Streiks und Teilrevolten; die letzteren wurden fast immer durch die gesetzlichen Verbote von Vereinigungen hervorgerufen. Die Bewegung hat jetzt fast das ganze Land ergriffen und nimmt ruhig, aber stetig ihren Fortgang, während das Bürgertum seine Zeit mit der Agitation für „Verfassungen",

„Preßfreiheit", „Schutzzölle", „Deutschkatholizismus" und „protestantische Kirchenreform" verbringt. Obwohl alle diese bürgerlichen Bewegungen nicht ganz ohne Verdienste sind, berühren sie die arbeitenden Klassen überhaupt nicht; sie haben ihre eigene Bewegung – a knife-and-fork movement[1]. Mehr darüber in meinem nächsten Brief.

Geschrieben zwischen dem 8. und 11. September 1845.
Aus dem Englischen.

[1] eine Kampfbewegung für das tägliche Brot

[Friedrich Engels]

Victorias Besuch — Die „Königshäuser" im Streit — Krach zwischen Vic und der deutschen Bourgeoisie — Die Verurteilung der Pariser Zimmerleute

[„The Northern Star" Nr. 410
vom 20. September 1845]

Ihre kleine Königin hat mit ihrem Besuch bei den Preußen eine schöne Verwirrung angerichtet. Sie behandelte den König mit solcher Mißachtung, daß er froh war, sie loszuwerden, und dies nach ihrer Abreise sehr offen zeigte. Das Bürgertum ist ebenfalls sehr erregt über die verächtliche Art und Weise, in der sie die Töchter der *„haute bourgeoisie"* von Köln behandelte. Die Tochter des Kölner Bürgermeisters mußte „Ihrer Majestät" eine Tasse Tee servieren, und Vic nahm die Tasse nicht, weil sie von einer Nicht-*Adligen* (!) berührt worden war. Sie nahm nur den Löffel und trank damit den Tee in kleinen Schlückchen, während sie gleichzeitig den Kopf abwandte und das Mädchen mit betonter Verachtung behandelte. Das arme Mädchen stand am ganzen Leibe zitternd da und wußte nicht, ob es stehenbleiben oder weggehen sollte. Geschah ihm recht; diese geldstolzen *Bourgeois* sind mit all ihrer Schlauheit, mit ihrer Anbetung der Könige und Königinnen am Ende nichts weiter als Einfaltspinsel und verdienen es, als solche behandelt zu werden. Ihre Königin trieb die Verachtung so weit, daß das bißchen Charakterstärke, das diese Bourgeois besitzen, geweckt wurde und sie dazu veranlaßte, sich in gewissem Maße zu widersetzen. Sie hatte 3500 Taler (£ 500) für den Baufonds des Kölner Doms gestiftet, und die beleidigten Bürger Kölns beriefen eine Versammlung ein, um darüber zu diskutieren, ob es angehe, ihr das Geld zurückzugeben! Die Versammlung wurde von Polizei und Militär aufgelöst. Wie ich jedoch höre, hegen sie die Absicht, das Geld durch eigene Subskription aufzubringen und es nach England oder Irland als Spende für Ihre verhungernden Armen zu schicken. Ich hoffe, sie werden es tun. John Bull mußte ganz schön für die blutsaugenden deutschen Fürsten bluten, und es ist nur gerecht, daß die deutsche Bourgeoisie etwas von dem zurückgibt, was dem armen John so schändlich entzogen wurde. Wie ich höre, entsprang die betonte Verachtung, mit der Ihre Königin unseren herrlichen König und seinen Hof behandelte, der Tatsache, daß die hinkende Königin von Preußen den Arm des Prinzen Albert ausschlug und den des Erzherzogs Friedrich von Österreich vorzog, weil dieser von höherer Abstammung ist. Es ist sehr komisch, diese Fürsten untereinander und die Bourgeoisie mit den Fürsten im Streit zu sehen, während sie die ganze Zeit hindurch nicht die Bewegung bemerken, die in den untersten Schichten um sie herum entsteht –, nicht eher die Gefahr sehen, bis es zu spät ist.

Sie haben im „*Star*“ niemals das Urteil des Pariser Tribunals gegen die streikenden Zimmerleute bekanntgegeben, die wegen Assoziation angeklagt wurden – Vincent, der Anführer, wurde, ich glaube, zu drei Jahren, zwei andere zu je einem Jahr, weitere zu sechs Monaten (Gefängnis) verurteilt. Jedenfalls hält man zumindest jene draußen, deren Meister nicht nachgeben wollen. Zwei Drittel der Meister haben die Forderungen der Arbeiter bewilligt, und infolge des obigen Urteils sind die Brettschneider (*scieurs-à-long*) und andere mit dem Bau verbundene Gewerbe ebenfalls in den Ausstand getreten. Diese Angelegenheit wird sich ungemein günstig auswirken.

Aus dem Englischen.

[Friedrich Engels]

Deutsche Zustände

Brief I

[„The Northern Star" Nr. 415
vom 25. Oktober 1845]

An den Redakteur des „Northern Star"

Sehr geehrter Herr,

Ihrem Wunsche entsprechend beginne ich mit diesem Brief eine Artikelserie über den gegenwärtigen Zustand meines Heimatlandes. Um zu erreichen, daß meine Ansichten über den Gegenstand klar verständlich werden, und um diese als wohlbegründet zu erweisen, muß ich mit einigen Worten eingehen auf die Geschichte Deutschlands seit dem Ereignis, das die moderne Gesellschaft bis in ihre tiefste Grundlage erschüttert hat – ich meine die Französische Revolution.

Das alte Deutschland war zu jener Zeit unter dem Namen *Heiliges Römisches Reich*[149] bekannt, und es bestand aus Gott weiß wie vielen kleinen Staaten, Königreichen, Kurfürstentümern, Herzogtümern, Erzherzog- und Großherzogtümern, Fürstentümern, Grafschaften, Baronien und freien Reichsstädten – jeder Staat unabhängig von dem andern und nur unterworfen der Macht (wenn es eine solche gab, was indessen seit Jahrhunderten nicht mehr der Fall gewesen) des Kaisers und Reichstags. Die Unabhängigkeit dieser kleinen Staaten ging so weit, daß in jedem Krieg gegen „den Erzfeind" (Frankreich natürlich) einige von ihnen sich mit dem König von Frankreich verbündeten und offen gegen ihren eigenen Kaiser Krieg führten. Der Reichstag, der aus Gesandtschaften aller dieser kleinen Staaten, unter dem Vorsitz des Reichserzkanzlers, bestand und die Macht des Kaisers einschränken sollte, war ständig versammelt, ohne jemals zu irgendwelchen Resultaten zu kommen, und seien es auch die unbedeutendsten. Man schlug seine Zeit tot mit den geringfügigsten Fragen des Zeremoniells, zum Beispiel ob die Gesandtschaft des Freiherrn von Soundso (die vielleicht aus dem Hauslehrer seines Sohnes und einem alten livrierten Lakaien oder ausgedienten Wildhüter bestand) den Vortritt haben solle vor der Gesandtschaft des Freiherrn von Soundso, oder ob der Vertreter der einen Reichsstadt den Vertreter einer anderen zu grüßen habe, ohne dessen Gruß abzuwarten, etc.

Dann gab es da Hunderttausende kleiner Privilegien, die den Privilegierten selbst meist lästig waren, die sie jedoch als Ehrensache betrachteten, und über die sie deshalb mit der äußersten Hartnäckigkeit stritten. Diese und ähnliche wichtige Dinge nahmen auf dem weisen Reichstag so viel Zeit in Anspruch, daß diese ehrenwerte Versammlung keine Minute erübrigen konnte, um das Wohl des Reiches zu erörtern. Infolgedessen war die größtmögliche Unordnung und Konfusion an der Tagesordnung. Das Reich, sowohl in Kriegs- als auch in Friedenszeiten innerlich gespalten, machte von der Reformationszeit bis 1789 eine Reihe innerer Kriege durch, und in jedem dieser Kriege war Frankreich mit derjenigen Partei verbündet, die der schwachen und leicht zu besiegenden Partei des Kaisers entgegenstand, wobei es natürlich seinen Löwenanteil am Raube davontrug. Auf diese Weise wurden zuerst Burgund, dann die drei Bistümer Metz, Toul und Verdun, dann der Rest von Lothringen, schließlich Teile von Flandern und Elsaß vom Heiligen Römischen Reich getrennt und mit Frankreich vereinigt. So erhielt die Schweiz die Erlaubnis, vom Reiche unabhängig zu werden[150]; so wurde Belgien durch Vermächtnis Karls V. den Spaniern ausgeliefert; und allen diesen Ländern ging es nach ihrer Trennung von Deutschland besser. Zu diesem fortschreitenden äußeren Ruin des Reiches kam die größtmögliche innere Unordnung. Jeder kleine Fürst war ein blutsaugender, willkürlicher Despot seinen Untertanen gegenüber. Das Reich kümmerte sich nicht weiter um die inneren Angelegenheiten irgendwelcher Staaten, außer daß es einen Gerichtshof bildete (das Reichskammergericht[151] zu Wetzlar), der die Rechtsklagen der Untertanen gegen ihre Herrscher behandeln sollte, aber dieser edle Gerichtshof widmete sich diesen Prozessen so sehr, daß man niemals von dem Abschluß auch nur eines Prozesses gehört hat. Es ist fast unglaublich, welche Grausamkeiten und Willkürakte von den hochmütigen Fürsten gegen ihre Untertanen begangen wurden. Diese Fürsten, die nur ihrem Vergnügen und ihren Ausschweifungen lebten, räumten ihren Ministern und Regierungsbeamten jede despotische Gewalt ein, und diesen war es somit gestattet, ohne irgendeine Bestrafung zu riskieren, das unglückliche Volk in den Staub zu treten, nur unter der einen Bedingung, daß sie die Schatzkammer ihres Herrn füllten und seinen Harem mit einer unerschöpflichen Zufuhr weiblicher Schönheiten versorgten. Auch der Adel, soweit er nicht unabhängig war, sondern der Hoheit eines Königs, Bischofs oder Fürsten unterstand, behandelte das Volk mit größerer Verachtung, als er Hunden zuteil werden ließ, und preßte aus der Arbeit seiner Leibeigenen soviel Geld heraus, als er irgend konnte – denn die Leibeigenschaft war damals in Deutschland eine allgemeine Erscheinung. Ebensowenig gab es irgendein Anzeichen von Freiheit in den eigens als frei bezeichneten Reichsstädten, denn hier regierten mit noch größerer Tyrannei der Bürgermeister und der selbstgewählte Senat, deren Ämter im Laufe der Jahrhunderte ebenso erblich geworden waren wie die Kaiserkrone. Nichts kommt dem infamen Benehmen dieser kleinen bürgerlichen Aristokraten der Städte gleich, und in der Tat, man würde es nicht glauben, daß der Zustand Deutschlands vor fünfzig Jahren so war, wenn er nicht noch im Gedächtnis vieler lebte, die sich an diese Zeit erinnern, und wenn er nicht durch hundert Autoritäten bestätigt würde. Und das Volk! Was sagte *das Volk* dazu? Was tat es? Nun, das Bürgertum, die geldgierigen Bourgeois, fanden in dieser fortdauernden Verwirrung eine Quelle des Wohlstands, sie wußten, daß sie im trüben am besten fischen konnten; sie ließen sich unterdrücken und beleidigen, weil sie an ihren Feinden eine Rache nehmen konnten, die ihrer würdig war; *sie rächten sich für das ihnen zugefügte Unrecht, indem sie ihre Unterdrücker betrogen.* Mit dem Volk vereinigt hätten sie die alten Herrschaften stürzen und das Reich neu begründen können, geradeso, wie es das englische Bürgertum von 1640 bis 1688 teilweise getan hatte und wie es dann die französische Bourgeoisie zu tun gerade im Begriff stand. Aber nein, das deutsche Bürgertum hatte nicht diese Energie, es gab niemals vor, solchen Mut zu haben; es wußte, daß Deutschland nichts war als ein Dunghaufen, es hatte sich aber in diesem Dunghaufen gemütlich eingerichtet, weil es selber Dung war, und es saß warm in dem Dung, von dem es umgeben war. Das arbeitende Volk aber war nicht schlechter dran als heute, ausgenommen die Bauernschaft, die größtenteils leibeigen war und nichts ohne die Hilfe der Städte tun konnte, da ständig Söldnerarmeen bei ihr einquartiert waren, die jeden Versuch einer Revolte in Blut zu ersticken drohten.

So war der Zustand Deutschlands gegen Ende des vorigen Jahrhunderts. Das ganze Land war eine lebende Masse von Fäulnis und abstoßendem Verfall. Niemand fühlte sich wohl. Das Gewerbe, der Handel, die Industrie und die Landwirtschaft des Landes waren fast auf ein Nichts herabgesunken; die Bauernschaft, die Gewerbetreibenden und Fabrikanten litten unter dem doppelten Druck einer blutsaugenden Regierung und schlechter Geschäfte; der Adel und die Fürsten fanden, daß ihre Einkünfte, trotz der Auspressung ihrer Untertanen, nicht so gesteigert werden konnten, daß sie mit ihren wachsenden Ausgaben Schritt hielten; alles war verkehrt, und ein allgemeines Unbehagen herrschte im ganzen Lande. Keine Bildung, keine Mittel, um auf das Bewußtsein der Massen zu wirken, keine freie Presse, kein Gemeingeist, nicht einmal ein ausgedehnter Handel mit anderen Ländern – nichts als Gemeinheit und Selbstsucht – ein gemeiner, kriechender, elender Krämergeist durchdrang das ganze Volk. Alles war überlebt, bröckelte ab, ging rasch dem Ruin entgegen, und es gab nicht einmal die leiseste Hoffnung auf eine vorteilhafte Änderung; die Nation hatte nicht einmal genügend Kraft, um die modernden Leichname toter Institutionen hinwegzuräumen.

Die einzige Hoffnung auf Besserung wurde in der Literatur des Landes gesehen. Dieses schändliche politische und soziale Jahrhundert war zugleich die große Epoche der deutschen Literatur. Um das Jahr 1750 wurden alle großen Geister Deutschlands geboren, die Dichter *Goethe* und *Schiller*, die Philosophen *Kant* und *Fichte* und kaum zwanzig Jahre später der letzte große deutsche Metaphysiker[1], *Hegel*. Jedes bemerkenswerte Werk dieser Zeit atmet einen Geist des Trotzes und der Rebellion gegen die deutsche Gesellschaft, wie sie damals bestand. *Goethe* schrieb den „*Götz von Berlichingen*", eine dem Andenken eines Rebellen gewidmete dramatische Huldigung. *Schiller* schrieb „*Die Räuber*", in denen ein edler junger Mann gefeiert wird, der der ganzen Gesellschaft offen den Krieg erklärt. Doch das waren ihre Jugendwerke; als die Dichter älter wurden, verloren sie alle Hoffnung; *Goethe* beschränkte sich auf Satire schärfster Art, und *Schiller* wäre verzweifelt, hätte er nicht die Zuflucht gefunden, welche die Wissenschaft und vornehmlich die große Geschichte des alten Griechenlands und Roms ihm boten. Diese beiden können als Beispiele für die übrigen genommen werden. Selbst die besten und bedeutendsten Köpfe der Nation gaben alle Hoffnung auf die Zukunft ihres Landes auf.

Plötzlich schlug die Französische Revolution wie ein Donnerschlag in dieses Chaos, das Deutschland hieß. Die Wirkung war gewaltig. Das Volk, das zu wenig aufgeklärt und von alters her zu sehr daran gewöhnt war, tyrannisiert zu werden, blieb unbewegt. Aber das Bürgertum und der bessere Teil des Adels begrüßten die Nationalversammlung und das Volk Frankreichs mit einem einzigen Ruf freudiger Zustimmung. Kein einziger von all den Hunderten oder Tausenden damals lebender deutscher Dichter ließ es sich nehmen, den Ruhm des französischen Volkes zu besingen. Aber diese Begeisterung war von deutscher Art, sie war rein metaphysisch, sie sollte nur den Theorien der französischen Revolutionäre gelten. Sobald diese Theorien durch das Gewicht und die Fülle der Tatsachen in den Hintergrund geschoben wurden, sobald das Übereinkommen des französischen Hofes mit dem französischen Volk trotz des theoretischen Bündnisses auf Grund der theoretischen Verfassung von 1791 in der Praxis unmöglich wurde, sobald das Volk seine Souveränität durch den „10. August"[152] praktisch geltend machte, und als überdies am 31. Mai 1793 diese Theorie durch den Sturz der

[1] Metaphysik wird hier im Sinne der Philosophie angewandt, die Fragen behandelt, die außerhalb der Grenzen der Erfahrung stehen.

Girondisten[153] gänzlich zum Verstummen gebracht wurde – da verwandelte sich diese Begeisterung Deutschlands in einen fanatischen Haß gegen die Revolution. Natürlich hatte diese Begeisterung nur solchen Aktionen wie der Nacht des 4. August 1789[154] gelten sollen, als der Adel auf seine Privilegien verzichtete, aber die guten Deutschen dachten niemals an solche Aktionen, deren praktische Konsequenzen sich stark von den Schlußfolgerungen unterschieden, die wohlmeinende Theoretiker ziehen konnten. Die Deutschen waren nie gewillt gewesen, diese Konsequenzen gutzuheißen, die für viele Parteien, wie wir alle sehr wohl wissen, ziemlich ernsthaft und unangenehm waren. So wurde die ganze Masse, die anfänglich ein begeisterter Freund der Revolution gewesen war, nun ihr größter Gegner, und da sie natürlich durch die servile deutsche Presse die entstelltesten Nachrichten aus Paris erhielt, gab sie ihrem alten ruhigen heiligen römischen Dunghaufen den Vorzug vor der gewaltigen Aktivität eines Volkes, das die Ketten der Sklaverei mit starker Hand abwarf und allen Despoten, Aristokraten und Priestern seine Herausforderung ins Gesicht schleuderte.

Aber die Tage des Heiligen Römischen Reiches waren gezählt. Die französischen revolutionären Armeen marschierten geradeswegs ins Innerste Deutschlands, machten den Rhein zur Grenze Frankreichs und predigten überall Freiheit und Gleichheit. In Scharen vertrieben sie die Adligen, Bischöfe und Äbte und alle jene kleinen Fürsten, die so lange Zeit eine Marionettenrolle in der Geschichte gespielt hatten. Sie brachen eine Lichtung, als ob sie Ansiedler gewesen wären, die in den Hinterwäldern des amerikanischen fernen Westens vordrangen; das vorsintflutliche Dickicht der „christlich-germanischen" Gesellschaft verschwand vor ihrem Siegesmarsch wie Wolken vor der aufgehenden Sonne. Als dann der energische Napoleon das revolutionäre Werk in seine eigene Hand nahm, als er die Revolution mit sich selbst identifizierte – dieselbe Revolution, die nach dem 9. Thermidor 1794[111] von dem geldgierigen Bürgertum erstickt worden war –, als er, die Demokratie mit „dem einen Haupt", wie ein französischer Autor ihn nannte, seine Armeen immer wieder über Deutschland dahinfluten ließ, wurde die „christlich-germanische" Gesellschaft endgültig zerstört. Napoleon war Deutschland gegenüber nicht der willkürliche Despot, der er nach Ansicht seiner Feinde gewesen sein soll; in Deutschland war Napoleon der Repräsentant der Revolution, der Verkünder ihrer Grundsätze, der Zerstörer der alten feudalen Gesellschaft. Er ging natürlich despotisch vor, aber nicht halb so despotisch wie die Deputierten des Konvents es getan haben würden und wirklich taten, wohin sie auch kamen; nicht halb so despotisch wie die Fürsten und Adligen zu tun pflegten, die er an den Bettelstab brachte. Napoleon wandte die *Schreckens-*

herrschaft, die in Frankreich ihr Werk getan hatte, *in der Form des Krieges auf andere Länder* an – und diese „Schreckensherrschaft" war in Deutschland dringend notwendig. Napoleon liquidierte das Heilige Römische Reich und verminderte die Zahl der Kleinstaaten in Deutschland durch die Bildung größerer Staaten. Er brachte sein Gesetzbuch in die eroberten Länder mit, ein Gesetzbuch, das allen bestehenden unendlich überlegen war und die Gleichheit im Prinzip anerkannte. Er zwang die Deutschen, die bis dahin nur für *Privatinteressen* gelebt hatten, ihre Kräfte für die Durchführung einer großen Idee überwältigender gesellschaftlicher Interessen einzusetzen. Aber gerade das war es, was die Deutschen gegen ihn aufbrachte. Er erzürnte die Bauernschaft durch solche Maßnahmen, die sie von der Unterdrückung durch den Feudalismus erlösten, weil er ihre Vorurteile und althergebrachten Gewohnheiten an der Wurzel traf. Er erzürnte das Bürgertum durch solche Maßnahmen, die den Grundstein für die deutsche Industrie legten. Das Verbot aller englischen Waren und der Krieg mit England[155] waren die Ursache, daß sie selbst zu fabrizieren begannen, aber das Verbot machte gleichzeitig Kaffee und Zucker, Rauch- und Schnupftabak sehr teuer; und das genügte natürlich, um den Unwillen der deutschen patriotischen Krämer wachzurufen. Außerdem waren sie nicht die Leute, die irgendeinen der großen Pläne Napoleons verstehen konnten. Sie verfluchten ihn, weil er ihre Söhne in jene Kriege hinwegführte, die mit dem Geld der englischen Aristokratie und Bourgeoisie angestiftet worden waren; sie begrüßten gerade jene Klassen der Engländer als Freunde, die die wahren Urheber der Kriege waren, die an diesen Kriegen *verdienten* und die ihre deutschen Werkzeuge nicht nur während des Krieges, sondern auch danach betrogen. Sie verfluchten ihn, weil sie auf ihre alte, elende Lebensart beschränkt zu bleiben wünschten, worin sie sich um nichts als ihr eigenes kleines Interesse zu kümmern hatten, weil sie mit großen Ideen und öffentlichem Interesse nichts zu tun haben wollten. Als dann schließlich Napoleons Armee in Rußland zerschlagen war, ergriffen sie die Gelegenheit, das eiserne Joch des großen Eroberers abzuwerfen.

Der „glorreiche Befreiungskrieg" von 1813/14 und 1815, die „glorreichste Periode der deutschen Geschichte" etc., wie sie genannt worden ist, war ein Wahnsinn, der jedem ehrlichen und intelligenten Deutschen noch manches künftige Jahr das Blut in die Wangen treiben wird.[156] Gewiß, es gab damals viel Enthusiasmus, aber wer waren diese Enthusiasten? Zunächst die Bauernschaft, die stupideste Menschenklasse auf Erden, eine Klasse, die, feudalen Vorurteilen anhängend, in Massen losbrach, bereit, lieber zu sterben als jenen den Gehorsam aufzukündigen, die sie, wie ehedem ihre Väter und Großväter, ihre Herren genannt hatte, und die sich darein ergab, getreten und mit Reitpeitschen geschlagen zu werden. Dann die Studenten und die Jugendlichen überhaupt, die diesen Krieg als einen Krieg des Prinzips, ja sogar als einen Religionskrieg betrachteten; denn sie glaubten, daß sie zum Kampfe aufgerufen seien nicht nur für das Prinzip der Legitimität, das sie ihre Nationalität nannten, sondern auch für die Heilige Dreieinigkeit und die Existenz Gottes; in allen Gedichten, Flugschriften und Aufrufen jener Zeit werden die Franzosen als Vertreter des Atheismus, des Unglaubens und der Verworfenheit hingestellt und die Deutschen als Vertreter der Religion, der Frömmigkeit und der Redlichkeit. Drittens einige aufgeklärtere Männer, die diesen Ideen einige Begriffe von „Freiheit", „Verfassungen" und einer „freien Presse" beimischten; aber diese bildeten bei weitem die Minderheit. Viertens dann Söhne von Gewerbetreibenden, Kaufleuten, Spekulanten etc., die für das Recht kämpften, auf den billigsten Märkten zu kaufen und Kaffee ohne Beimischung von Zichorie zu trinken; natürlich verbargen sie ihre Ziele unter den Ausdrücken des Tagesenthusiasmus, „Freiheit", „großes deutsches Volk", „nationale Unabhängigkeit" etc. Das waren die Männer, die mit Hilfe der Russen, Engländer und Spanier Napoleon schlugen.

In meinem nächsten Brief werde ich zur Geschichte Deutschlands seit dem Sturz Napoleons übergehen. Lassen Sie mich nur hinzufügen, um die oben gegebene Ansicht über diesen außerordentlichen Mann einzuschränken, daß er, je länger er regierte, um so mehr sein schließliches Schicksal verdiente. Seine Thronbesteigung will ich ihm nicht vorwerfen; die Macht des Bürgertums in Frankreich, das sich niemals um öffentliche Interessen kümmerte, vorausgesetzt, daß seine Privatinteressen sich günstig entwickelten, und die Teilnahmslosigkeit des Volkes, das keinen endgültigen Vorteil für sich aus der Revolution entspringen sah und nur zur Kriegsbegeisterung geweckt werden konnte, erlaubte keinen anderen Kurs; aber daß er sich mit den alten antirevolutionären Dynastien verband, indem er die Tochter des österreichischen Kaisers heiratete, daß er, anstatt jede Spur des alten Europas zu zerstören, lieber einen Kompromiß mit ihm zu schließen suchte, daß er nach der Ehre strebte, der Erste unter den europäischen Monarchen zu sein, und deshalb seinen Hof den ihrigen so ähnlich wie möglich machte – das war sein großer Fehler. Er stieg auf das Niveau der anderen Monarchen hinab, er suchte die Ehre, ihresgleichen zu sein, er beugte sich vor dem Prinzip der Legitimität –, und so war es nur natürlich, daß die Legitimisten[157] den Usurpator aus ihrer Gesellschaft ausstießen.

15. Oktober 1845 Ergebenst

Ihr deutscher Korrespondent

Aus dem Englischen.

Brief II

[„The Northern Star" Nr. 417 vom 8. November 1845]

An den Redakteur des „Northern Star"

Sehr geehrter Herr,

nachdem ich in meinem ersten Brief den Zustand Deutschlands vor und während der Französischen Revolution und ebenso während der Herrschaft Napoleons beschrieben, nachdem ich geschildert habe, wie und von welchen Parteien der große Eroberer gestürzt wurde, nehme ich jetzt den Faden meiner Erzählung wieder auf, um zu zeigen, was Deutschland nach dieser „glorreichen Restauration" seiner nationalen Unabhängigkeit aus sich gemacht hat.

Der Gesichtswinkel, unter dem ich alle diese Ereignisse betrachtete, war der Art und Weise, in der sie gewöhnlich dargestellt werden, diametral entgegengesetzt; meine Auffassung ist jedoch bis auf den letzten Buchstaben durch die Ereignisse der folgenden Periode der deutschen Geschichte bestätigt worden. Wäre der Krieg gegen Napoleon wirklich ein Krieg der Freiheit gegen den Despotismus gewesen, so hätte er zur Folge gehabt, daß alle jene Nationen, die Napoleon unterworfen hatte, nach seinem Sturz die Prinzipien der Gleichheit proklamiert hätten und ihre Segnungen genießen würden. Ganz das Gegenteil war jedoch der Fall. Englischerseits war der Krieg von der erschreckten Aristokratie begonnen und von der Plutokratie unterstützt worden, weil sie in ihm durch die wiederholten Anleihen und das Anwachsen der Nationalschuld eine Quelle enormen Profits sahen und sich ihnen die Gelegenheit bot, auf die südamerikanischen Märkte zu gelangen, um diese mit ihren eigenen Waren zu überfluten sowie diejenigen französischen, spanischen und holländischen Kolonien zu erobern, die ihnen geeignet erschienen, ihre Taschen noch besser zu füllen. Der Krieg war ihnen eine Gelegenheit, den Grundsatz „Britannia, rule the waves"[1] auf despotische Weise zu verwirklichen, so daß sie den Handel jeder anderen Nation, deren Konkurrenz die fortschreitende eigene Bereicherung zu gefährden drohte, nach Herzenslust schikanieren konnten; und schließlich wollten sie ihr Recht auf enorme Profite behaupten, indem sie – Napoleons Kontinentalsystem zum Trotz – die europäischen Märkte belieferten.

[1] „Britannien, beherrsche die Wogen" (aus einem bekannten englischen Lied, das die britischen Machtbestrebungen verherrlicht).

Das waren die *wirklichen* Ursachen des langen Krieges, soweit die Klassen in Betracht kommen, deren Händen damals die Regierung Englands anvertraut war; was aber den Vorwand betrifft, daß die Grundprinzipien der englischen Verfassung durch die Französische Revolution gefährdet gewesen seien, so zeigt er nur, was für ein köstliches Kunstwerk diese „Höchstleistung der menschlichen Vernunft" gewesen sein muß. Was Spanien betrifft, so hatte der Krieg als eine Verteidigung des Prinzips der legitimen Thronfolge und der inquisitorischen Despotie der Geistlichkeit begonnen. Die Prinzipien der Verfassung von 1812 wurden später eingeführt, um dem Volk einen gewissen Ansporn zu geben, den Kampf fortzusetzen, obwohl *sie selber* französischen Ursprungs waren. Italien hatte niemals in Opposition zu Napoleon gestanden, da es aus seinen Händen nichts als Vorteile empfangen und ihm sogar seine ganze Existenz als Nation zu verdanken hatte. Dasselbe war der Fall mit Polen. Was Deutschland Napoleon zu verdanken hatte, habe ich in meinem ersten Brief geschildert.

Von sämtlichen Siegermächten wurde der Sturz Napoleons als der *Untergang der Französischen Revolution* und als Triumph der Legitimität betrachtet. Die Folgen waren natürlich die Wiederherstellung dieses Prinzips im Innern, zunächst unter der Verkleidung solcher Sentimentalitäten wie „Heilige Allianz"[158], „ewiger Friede", „öffentliches Wohl", „Vertrauen zwischen Fürst und Untertan" etc. etc., später unverkleidet durch das Bajonett und den Kerker. Die Ohnmacht der Sieger wurde hinreichend dargetan durch die eine Tatsache, daß schließlich das besiegte französische Volk, mit einer ihm aufgezwungenen verhaßten Dynastie, die von 150000 fremden Musketen aufrechterhalten wurde, ihren siegreichen Feinden dennoch solche Ehrfurcht einflößte, daß es eine leidlich liberale Verfassung erhielt, während die anderen Nationen trotz all ihrer Anstrengungen und all ihrer Freiheitsprahlereien nichts erhielten als zu Anfang schöne Worte und hinterher blaue Bohnen. Die Niederschlagung der Französischen Revolution wurde gefeiert durch die Niedermetzelung von Republikanern im Süden Frankreichs, durch das Auflodern der Scheiterhaufen der Inquisition und die Wiederherstellung des heimischen Despotismus in Spanien und Italien sowie durch die Maulkorbgesetze und „Peterloo"[146] in England. Wir werden nun sehen, daß die Ereignisse in Deutschland einen ähnlichen Verlauf nahmen.

Das Königreich Preußen war der erste unter allen deutschen Staaten, der Napoleon den Krieg erklärt hatte. Es wurde damals regiert von Friedrich Wilhelm III., mit dem Spitznamen „der Gerechte", einem der größten Holzköpfe, die je einen Thron geziert. Er war zum Korporal und zum Inspektor von Uniformknöpfen geboren; er war liederlich, ohne Leidenschaft, und gleichzeitig ein Moralprediger, er war unfähig, anders als im Infinitiv zu sprechen und wurde als Schreiber von Proklamationen nur von seinem Sohn übertroffen; er kannte nur zwei Gefühle – Furcht und feldwebelhafte Anmaßung. Während der ersten Hälfte seiner Herrschaft war sein vorherrschender Geisteszustand die Furcht vor Napoleon, der ihn mit der Großmut der Verachtung behandelte, indem er ihm die Hälfte seines Königreichs zurückgab, die zu behalten er nicht der Mühe für wert hielt. Es war diese Furcht, die ihn antrieb, einer Partei von Halb-und-halb-Reformern – Hardenberg, Stein, Schön, Scharnhorst etc. – zu gestatten, an seiner Stelle zu regieren, die eine liberalere Gemeindeorganisation einführten, die Erbuntertänigkeit abschafften, die feudalen Dienste in Rente oder in eine fixe Summe mit fünfundzwanzigjähriger Tilgung verwandelten und vor allem die militärische Organisation einführten, die dem Volk gewaltige Macht verschafft und früher oder später gegen die Regierung gebraucht werden wird. Sie trafen auch die „Vorbereitungen" für eine Verfassung, die jedoch noch nicht in Erscheinung getreten ist. Wir werden bald sehen, welche Wendung in den Ereignissen in Preußen nach der Niederschlagung der Französischen Revolution eintrat.

Nachdem das „korsische Ungeheuer" in sicheren Gewahrsam gebracht worden war, gab es sofort einen großen Kongreß großer und kleiner Despoten in Wien, der die Beute und die Prisengelder verteilen und feststellen sollte, wieweit die vorrevolutionären Zustände wiederhergestellt werden könnten. Nationen wurden gekauft und verkauft, geteilt und vereinigt, je nachdem, wie es den Interessen und Zwecken ihrer Beherrscher am besten entsprach. Es waren nur drei Staaten vertreten, die wußten, was sie wollten: England, das die Absicht hatte, seine Handelsvorherrschaft aufrechtzuerhalten und auszudehnen, den Löwenanteil am Raub der Kolonien davonzutragen und alle übrigen zu schwächen; Frankreich, das nicht allzusehr in Mitleidenschaft gezogen werden und alle anderen schwächen wollte, und Rußland, das die Absicht hatte, seine Macht und sein Territorium zu vermehren und alle anderen zu schwächen, während die übrigen sich leiten ließen von Sentimentalitäten und kleinlichem Egoismus und einige unter ihnen sogar von einer Art lächerlicher Uninteressiertheit. Die Folge war, daß Frankreich den deutschen Großstaaten das Spiel verdarb, daß Rußland den besten Teil Polens erhielt und daß England seine Seemacht mehr durch den Frieden als durch den Krieg ausdehnte und die Vorherrschaft auf allen kontinentalen Märkten erlangte, was ohne Nutzen für das englische Volk, aber ein Mittel enormer Bereicherung für das englische Bürgertum war. Die deutschen Staaten, die an nichts anderes als an ihr liebes Legitimitätsprinzip dachten, wurden noch einmal übers Ohr gehauen und verloren durch den Frieden alles, was sie durch den Krieg gewonnen hatten. Deutschland blieb in 38 Staaten zersplittert, eine Aufteilung, die jeden inneren Fortschritt hinderte und bewirkte, daß Frankreich ihm mehr als gewachsen ist; die deutschen Staaten blieben der beste Markt für die englischen Waren und dienten nur der Bereicherung des englischen Bürgertums. Diese Klasse des englischen Volkes hat es leicht, sich einer Freigebigkeit zu rühmen, die sie veranlaßte, enorme Summen zu schicken, um den Krieg gegen Napoleon in Gang zu halten; aber selbst wenn wir einmal annehmen, daß sie es waren, und nicht das arbeitende Volk, das diese Hilfsgelder in Wirklichkeit zu bezahlen hatte, so hatten sie nur die Absicht, durch ihre Freigebigkeit die kontinentalen Märkte wieder zu öffnen; und das taten sie mit solchem Erfolg, daß die Profite, die sie seit dem Frieden allein aus Deutschland bezogen, hinreichen würden, um jene Summen wenigstens sechsmal zu ersetzen. Es ist wirklich eine Bourgeois-Freigebigkeit, die anfangs in Form von Hilfsgeldern Geschenke macht und dann dafür sorgt, daß der Beschenkte sie in Form von Profiten sechsfach zurückzahlt. Würden sie diese Hilfsgelder so eifrig gezahlt haben, wenn am Ende des Krieges das Gegenteil der Fall gewesen und England mit deutschen Waren überflutet worden wäre, statt daß Deutschland von einigen wenigen englischen Kapitalisten in Handelsfesseln gehalten wird?

Jedenfalls wurde Deutschland von hinten und vorn betrogen, am meisten von seinen eigenen sogenannten Freunden und Verbündeten. Ich für meinen Teil würde mir hierüber nicht viel Sorge machen, da ich sehr wohl weiß, daß wir uns einer Reorganisation der europäischen Gesellschaft nähern, die solche Tricks auf der einen Seite und solchen Schwachsinn auf der andern Seite verhindern wird; was ich zeigen möchte, ist erstens, daß weder das englische Volk noch irgendein anderes Volk an dem Betrug, der an den deutschen Despoten verübt wurde, profitiert hat, sondern daß er ganz und gar anderen Despoten oder doch einer besonderen Klasse, deren Interesse dem des Volkes entgegengesetzt ist, zugute kam; und zweitens, daß gleich die erste Tat der wiedereingesetzten deutschen Despoten ihre völlige Unfähigkeit zeigte. Wir wollen uns nunmehr den inneren Angelegenheiten Deutschlands zuwenden.

Wir haben gesehen, wer die Beteiligten waren, die mit Hilfe des englischen Geldes und der russischen Barbarei die Französische Revolution niederwarfen. Sie waren in zwei Sektionen geteilt; erstens die hitzköpfigen Wortführer der alten „christlich-germanischen" Gesellschaft, die Bauernschaft und die begeisterte Jugend, die vom Fanatismus der Hörigkeit, der

Nationalität, der Legitimität und der Religion getrieben wurden; und zweitens die nüchternen Männer des Bürgertums, die „ihre Ruhe haben wollten", um Geld zu verdienen und es zu verausgaben, ohne durch die freche Dazwischenkunft großer historischer Ereignisse belästigt zu werden. Dieser letztere Teil war zufrieden, sobald er den Frieden und das Recht erreicht hatte, auf den billigsten Märkten zu kaufen, Kaffee ohne Beimischung von Zichorie zu trinken und von allen politischen Angelegenheiten ausgeschlossen zu sein. Die „christlichen Germanen" jedoch wurden jetzt aktive Stützen der restaurierten Regierungen und taten alles, was in ihrer Macht stand, die Geschichte auf das Jahr 1789 zurückzuschrauben. Diejenigen, die dem Volke wünschten, es möge einige der Früchte seiner Anstrengungen genießen, waren stark genug gewesen, ihre Losungen zum Schlachtruf von 1813 zu machen, aber nicht zur Praxis von 1815. Sie erhielten einige schöne Versprechungen – Verfassungen, freie Presse etc. –, und das war alles; in der Praxis wurde alles sorgfältig so gelassen, wie es früher gewesen war. Die französierten Teile Deutschlands wurden soweit wie möglich von den Spuren des „fremden Despotismus" gesäubert, und nur die Provinzen auf dem linken Rheinufer behielten ihre französischen Institutionen. Der Kurfürst von Hessen ging so weit, daß er sogar die *Zöpfe seiner Soldaten* wiederherstellte, die von den gottlosen Händen der Franzosen abgeschnitten worden waren. Kurz, Deutschland bot ebenso wie jedes andere Land das Bild einer schamlosen Reaktion, die sich nur durch einen Zug von Furchtsamkeit und Schwäche auszeichnete; es hat nicht einmal jenen Grad von Energie aufgebracht, womit in Italien, Spanien, Frankreich und England revolutionäre Prinzipien bekämpft wurden.

Das Betrugssystem, dem Deutschland auf dem Wiener Kongreß unterworfen worden war, wurde nun von den verschiedenen deutschen Staaten untereinander praktiziert. Um die Macht der verschiedenen Staaten zu schwächen, zwangen ihnen Preußen und Österreich eine Art Bastardverfassungen auf, die die Regierungen schwächten, ohne dem Volk oder selbst den bürgerlichen Klassen irgendeine Macht zu geben. In Deutschland, das als eine Konföderation von Staaten konstituiert worden war, deren Gesandtschaften, von den Regierungen allein delegiert, den Bundestag bildeten, war nicht zu befürchten, daß das Volk zu stark werden könnte, da jeder Staat durch die Beschlüsse des Bundestags, die für ganz Deutschland Gesetz waren, gebunden war, ohne daß sie irgendeiner Repräsentativversammlung zur Billigung vorgelegt zu werden brauchten. In diesem Bundestag verstand es sich von selbst, daß Preußen und Österreich das absolute Regiment führten; sie brauchten den kleineren Fürsten bloß zu drohen, ihnen im Kampf mit ihren Repräsentativversammlungen ihre Unterstützung zu entziehen, um sie so zu erschrecken, daß sie unbedingt gehorchten. Durch diese Mittel, durch ihre überwältigende Macht und weil sie die wahren Repräsentanten des Prinzips waren, von dem jeder deutsche Fürst seine Macht ableitet, haben sie sich zu absoluten Beherrschern Deutschlands aufgeschwungen. Was immer auch in den kleinen Staaten geschehen möge, es bleibt in der Praxis ohne Effekt. Die Kämpfe des liberalen Bürgertums Deutschlands blieben fruchtlos, solange sie auf die kleineren süddeutschen Staaten beschränkt blieben; sie wurden wichtig, sobald das Bürgertum Preußens aus seiner Lethargie aufgeschreckt wurde. Da man nun vom österreichischen Volk schwerlich sagen kann, daß es zur zivilisierten Welt gehört, und da es sich infolgedessen seinem väterlichen Despotismus ruhig unterordnet, so ist Preußen der Staat, der als das Zentrum der modernen deutschen Geschichte, als das Barometer für die Bewegungen der öffentlichen Meinung angesehen werden kann.

Nach dem Sturz Napoleons verlebte der König von Preußen einige seiner glücklichsten Jahre. Er war zwar von hinten und vorne betrogen worden. England hatte ihn betrogen, Frankreich hatte ihn betrogen, seine eigenen teuren Freunde, der Kaiser von Österreich und der Kaiser von Rußland, betrogen ihn immer und immer wieder; aber in der Fülle seines Herzens bemerkte er das nicht einmal – er konnte sich nicht die Möglichkeit vorstellen, daß es in der Welt irgendwo solche Schufte gäbe, die Friedrich Wilhelm III., „den Gerechten", betrügen könnten. Er war glücklich. Napoleon war gestürzt. Er hatte *keine Furcht*. Er bestand auf Artikel 13 der Deutschen Bundesakte[159], der eine Verfassung für jeden Staat versprach. Er bestand auf dem andern Artikel über die Freiheit der Presse. Ja, am 22. Mai 1815 erließ er sogar eine Proklamation, die mit den Worten begann – Worten, in denen sein huldvolles Glücksgefühl wunderbar vermischt war mit seiner feldwebelhaften Anmaßung: *„Es soll eine Repräsentation des Volks gebildet werden!"* Sein nächster Schritt war der Befehl, eine Kommission zu ernennen, die eine Verfassung für sein Volk ausarbeiten sollte; und selbst 1819, als revolutionäre Symptome in Preußen auftraten, als die Reaktion in ganz Europa am meisten grassierte und als die glorreiche Frucht der Kongresse ihre höchste Reife erreichte, selbst damals erklärte er, in Zukunft solle keine öffentliche Anleihe aufgelegt werden ohne die Zustimmung der künftigen Repräsentativversammlungen des Königreichs.

Leider war diese glückliche Zeit nicht von Dauer! Im Gemüt des Königs wich die Furcht vor Napoleon nur zu bald der *Furcht vor der Revolution*. Darüber jedoch in meinem nächsten Brief.

Ich habe nur noch ein Wort hinzuzufügen. Immer, wenn in englischen demokratischen Versammlungen ein Trinkspruch ausgebracht wird auf die „Patrioten aller Länder", ist gewiß Andreas Hofer unter ihnen. Nun, nach allem, was ich über die Feinde Napoleons in Deutschland gesagt habe, ist Hofers Name wert, von Demokraten mit Hochrufen begrüßt zu werden? Hofer war ein stupider, ignoranter, bigotter, fanatischer Bauer, dessen Enthusiasmus der Enthusiasmus der Vendée[160], der Enthusiasmus von „Kirche und Kaiser" war. Er kämpfte tapfer – aber das taten auch die Vendéer gegen die Republikaner. Er kämpfte für den väterlichen Despotismus Wiens und Roms. Demokraten Englands, um der Ehre des deutschen Volkes willen laßt den bigotten Andreas Hofer künftig außer Betracht! Deutschland hat bessere Patrioten als ihn. Warum nicht Thomas Münzer erwähnen, den berühmten Führer des Bauernaufstandes von 1525, der ein wahrer Demokrat war, soweit das zu der Zeit möglich war? Warum nicht Georg Forster feiern, den deutschen Thomas Paine, der die französische Revolution in Paris bis zuletzt gegen alle seine Landsleute unterstützte und auf dem Schafott starb? Warum nicht eine Menge andere, die für Realitäten fochten, und nicht für Illusionen?

Ergebenst
Ihr deutscher Korrespondent

Geschrieben Ende Oktober 1845.
Aus dem Englischen.

Brief III

[„The Northern Star" Nr. 438 vom 4. April 1846]

An den Redakteur des „Northern Star"

Sehr geehrter Herr,

ich muß Sie und Ihre Leser wirklich bitten, meine augenscheinliche Nachlässigkeit zu entschuldigen, die darin bestand, daß ich die Briefserie über das obige Thema, die ich für diese Zeitung zu schreiben begonnen habe, nicht früher fortsetzte. Sie können jedoch versichert sein, daß nichts anderes als die Notwendigkeit, einige Wochen ausschließlich der deutschen Bewegung zu widmen, mich davon abhalten konnte, die von mir übernommene angenehme Aufgabe auszuführen, die englische Demokratie über die Zustände in meinem Heimatland zu informieren.

Ihre Leser werden sich vielleicht einigermaßen der Feststellungen in meinem ersten und zweiten Brief erinnern. Ich habe dort geschildert, wie der alte, verfaulte Zustand Deutschlands 1792 bis 1813 von den französischen Armeen an der Wurzel getroffen wurde; wie Napoleon durch das Bündnis der *Feudalherren* oder Aristokraten und der *Bourgeois* oder gewerbetreibenden Mittelklassen Europas gestürzt wurde; wie in den folgenden Friedensschlüssen die deutschen Fürsten von ihren Verbündeten und sogar von dem besiegten Frankreich betrogen wurden; wie die deutsche Bundesakte und der heutige politische Zustand Deutschlands zustande kamen; und wie Preußen und Österreich, indem sie die kleineren Staaten veranlaßten, Verfassungen zu gewähren, sich zu ausschließlichen Herren Deutschlands machten. Lassen wir Österreich als ein halbbarbarisches Land außer Betracht, so kommen wir zu dem Ergebnis, daß Preußen das Schlachtfeld ist, auf dem das zukünftige Schicksal Deutschlands entschieden werden wird.

Wir sagten in unserem letzten Brief, daß Friedrich Wilhelm III., König von Preußen, nachdem er von der Furcht vor Napoleon erlöst worden war und ein paar glückliche, weil furchtlose Jahre verbracht hatte, einen anderen Popanz fand, der ihn erschreckte – „die Revolution". Wir werden jetzt sehen, in welcher Weise „die Revolution" in Deutschland eingeführt wurde.

Nach dem Sturz Napoleons, der, wie ich erneut feststellen muß, von den Königen und Aristokraten jener Zeit völlig mit der Niederschlagung der Französischen Revolution oder, wie sie es nannten, *der* Revolution identifiziert wurde, hielt die antirevolutionäre Partei nach 1815 in allen Ländern die Zügel der Regierung in der Hand. Die feudalen Aristokraten regierten in allen Kabinetten von London bis Neapel, von Lissabon bis St. Petersburg. Aber das Bürgertum, das die Sache bezahlt und das geholfen hatte, sie zuwege zu bringen, wollte seinen Anteil an der Macht haben. Es war keineswegs das Interesse des Bürgertums, das die wiederhergestellten Regierungen in den Vordergrund rückten. Im Gegenteil, die bürgerlichen Interessen wurden überall vernachlässigt und sogar offen ignoriert. Die Annahme des englischen Korngesetzes von 1815[161] ist das schlagendste Beispiel einer Tatsache, die ganz Europa gemeinsam war; und doch war das Bürgertum damals mächtiger als je zuvor. Handel und Manufakturen hatten sich überall ausgebreitet und hatten den Reichtum der fetten *Bourgeois* zum Anschwellen gebracht; ihr vermehrter Wohlstand fand seinen Ausdruck in ihrem vermehrten Spekulationsgeist und ihrer wachsenden Nachfrage nach Komfort und Luxusartikeln. Es war also unmöglich, daß sie sich schweigend darin fügten, von einer Klasse regiert zu werden, die seit Jahrhunderten in Verfall war, deren Interessen denen des Bürgertums entgegengesetzt waren und deren momentane Rückkehr zur Macht eben das Werk der Bourgeois war. Der Kampf zwischen Bürgertum und Aristokratie war unvermeidlich; er begann fast augenblicklich nach dem Frieden.

Da das Bürgertum nur durch das Geld mächtig ist, kann es politische Macht nicht anders erlangen als dadurch, daß es das Geld zum einzigen Kriterium für die Fähigkeit einer Person macht, an der Gesetzgebung mitzuarbeiten. Es muß alle feudalen Privilegien, alle politischen Monopole vergangener Zeiten in das eine große Privilegium und Monopol des *Geldes* aufgehen lassen. Die politische Herrschaft der bürgerlichen Klassen hat daher eine im wesentlichen *liberale* Erscheinungsform. Sie zerstören alle alten Unterschiede der verschiedenen in einem Lande nebeneinander bestehenden Stände, alle willkürlichen Privilegien und Freiheiten; sie sind gezwungen, das Wahlprinzip zur Grundlage der Regierung zu machen, die Gleichheit im Prinzip anzuerkennen, die Presse von den Fesseln der monarchistischen Zensur zu befreien, das Geschworenengericht einzuführen, um die besondere Richterklasse loszuwerden, die einen Staat im Staate bildet. Soweit erscheinen sie durchaus als Demokraten. Aber sie führen alle diese Verbesserungen nur soweit ein, wie damit alle früheren persönlichen und erblichen Privilegien durch das Privilegium des *Geldes* ersetzt werden. So wird das Wahlprinzip, durch den Eigentumszensus bei der Zuerkennung des Rechtes zu wählen und gewählt zu werden, den bürgerlichen Klassen vorbehalten. Die Gleichheit wird wieder beseitigt, indem sie auf bloße „Gleichheit vor dem Gesetz" beschränkt wird, was nichts anderes bedeutet als Gleichheit trotz der Ungleichheit von reich und arm – Gleichheit innerhalb der Grenzen der grundlegenden, bestehenden Ungleichheit –, was, kurz gesagt, nichts anderes bedeutet, als der *Ungleichheit* den Namen der Gleichheit zu geben. So ist die Freiheit der Presse an sich ein bürgerliches Privilegium, denn der Druck erfordert *Geld* und Käufer für das Gedruckte, und diese Käufer müssen wiederum Geld haben. So ist das Geschworenengericht ein bürgerliches Privilegium, da besonders dafür gesorgt wird, niemand anders als „Respektspersonen" auf die Geschworenenbank zu bringen.

Ich habe es für notwendig gehalten, diese wenigen Bemerkungen zur Frage der bürgerlichen Regierung zu machen, um zwei Tatsachen zu erläutern. Die erste ist die, daß in der Zeit von 1815 bis 1830 die im wesentlichen demokratische Bewegung der arbeitenden Klassen in allen Ländern mehr oder weniger der liberalen Bewegung der *Bourgeois* untergeordnet worden ist. Das arbeitende Volk, obwohl fortgeschrittener als das Bürgertum, konnte noch nicht die völlige Verschiedenheit von Liberalismus und Demokratie, von Emanzipation der bürgerlichen Klassen und Emanzipation der arbeitenden Klassen erkennen; es konnte den Unterschied zwischen der Freiheit des *Geldes* und der Freiheit des *Menschen* nicht erkennen, bevor das Geld politisch frei gemacht, bevor das Bürgertum zur ausschließlich herrschenden Klasse geworden war. Deshalb petitionierten die Demokraten von Peterloo nicht nur für das allgemeine Stimmrecht, sondern gleichzeitig auch für die Abschaffung des Korngesetzes; deshalb kämpften die Proletarier 1830 in Paris und drohten 1831 in England für die politischen Interessen der *Bourgeoisie* zu kämpfen. In allen Ländern war das Bürgertum von 1815 bis 1830 der machtvollste Teil der revolutionären Partei und stellte daher ihre Führer. Die arbeitenden Klassen sind notwendigerweise ein Instrument in der Hand des Bürgertums, solange das Bürgertum *selber revolutionär* oder progressiv ist. Die besondere Bewegung der arbeitenden Klassen ist deshalb in diesem Fall stets nur von sekundärer Bedeutung. Aber von dem gleichen Tage, an dem das Bürgertum die volle politische Macht erlangt, von dem Tage, an dem alle feudalen und aristokratischen Interessen zunichte gemacht werden von der Macht des *Geldes*, von dem Tage, an dem das Bürgertum *aufhört*, progressiv und revolutionär zu sein, und selber stationär wird, von dem gleichen Tage an übernimmt die Bewegung der Arbeiterklasse die Führung und wird zur *nationalen Bewegung. Man lasse heute die Korngesetze fallen, und morgen wird die Charte die führende Frage in England – morgen wird die chartistische Bewegung jene Kraft, jene Energie, jenen Enthusiasmus und jene Ausdauer offenbaren, die den Erfolg verbürgen.*

Die zweite Tatsache, zu deren Erläuterung ich mir einige wenige Bemerkungen über die bürgerliche Regierung gestattet habe, bezieht sich ausschließlich auf Deutschland. Da die Deutschen eine Nation von Theoretikern und in der Praxis wenig erfahren sind, nahmen sie die geläufigen Trugschlüsse, die das französische und englische Bürgertum verfocht, als heilige Wahrheiten hin. Die bürgerlichen Klassen Deutschlands waren froh, daß sie bei ihrem kleinen Privatgeschäft, das sich durchaus „schmalspurig" abwickelte, in Ruhe gelassen wurden; überall, wo sie eine Verfassung erlangt hatten, rühmten sie sich ihrer Freiheit, aber sie mischten sich wenig in die politischen Staatsgeschäfte ein; überall, wo sie keine hatten, waren sie froh, der Mühe, Abgeordnete zu wählen und deren Reden zu lesen, enthoben zu sein. Das arbeitende Volk brauchte jenen großen Hebel, der es in Frankreich und England auf die Beine gebracht hatte – ausgedehnte Manufakturen –, und seine Konsequenz, die Herrschaft des Bürgertums. Es blieb deshalb ruhig. Die Bauernschaft fühlte sich in jenen Teilen Deutschlands unterdrückt, wo die modernen französischen Institutionen wieder durch das alte feudale *Regime* ersetzt worden waren, aber diese Unzufriedenheit brauchte einen anderen Ansporn, um in offene Rebellion auszubrechen. So bestand die revolutionäre Partei in Deutschland von 1815 bis 1830 nur aus *Theoretikern.* Sie rekrutierte sich aus den Universitäten; sie bestand ausschließlich aus Studenten.

Man hatte es für unmöglich befunden, das alte System von 1789 in Deutschland wiedereinzuführen. Die veränderten Zeitumstände zwangen die Regierungen, ein neues System zu erfinden, das Deutschland eigentümlich war. Die Aristokratie war gewillt zu regieren, aber zu schwach; das Bürgertum war weder gewillt zu regieren noch stark genug dazu – beide jedoch waren stark genug, um die Regierung zu einigen Konzessionen zu veranlassen. Die Regierungsform war daher eine Art Bastardmonarchie. In einigen Staaten schuf eine Verfassung einen Anschein von Garantie für die Aristokratie und das Bürgertum; für die übrigen gab es überall eine *bürokratische* Regierung – das ist eine Monarchie, die angeblich die Interessen des Bürgertums durch gute Verwaltung wahrnimmt, eine Verwaltung, die jedoch von Aristokraten geleitet und deren Tätigkeit vor den Augen des Publikums soviel wie möglich verborgen gehalten wird. Die Folge davon ist die Entstehung einer besonderen Klasse von administrativen Regierungsbeamten, in deren Händen die Hauptmacht konzentriert ist und die gegen alle anderen Klassen in Opposition steht. Es ist die barbarische Form der Herrschaft des Bürgertums.

Aber diese Regierungsform befriedigte weder die „Aristokraten", „christlichen Germanen", „Romantiker", „Reaktionäre" noch die „Liberalen". Sie schlossen sich deshalb gegen die Regierungen zusammen und gründeten die studentischen Geheimbünde Aus der Vereinigung dieser beiden Sekten – denn Parteien kann man sie nicht nennen – erwuchs jene Sekte von Bastardliberalen, die in ihren Geheimbünden von einem deutschen Kaiser mit Krone, Purpur, Zepter und all dem übrigen Zubehör dieser Art Apparatur träumten, nicht zu vergessen einen langen grauen oder roten Bart, umgeben von einer Ständeversammlung, in der die Geistlichkeit, der Adel, die Bürger und die Bauern hübsch getrennt sein sollten. Es war die lächerlichste Mischung feudaler Brutalität mit modernem bürgerlichem Trug, die man sich vorstellen kann. Aber das war gerade das Richtige für die Studenten, die Begeisterung brauchten, ganz einerlei wofür und zu welchem Preis. Dennoch, diese lächerlichen Idiosynkrasien zusammen mit den Revolutionen in Spanien, Portugal und Italien[162], den Bewegungen der Carbonari in

Frankreich[163] und der Reformbewegung in England[164] erschreckten die Monarchen so, daß sie schier den Verstand verloren. Friedrich Wilhelm III. hatte nun seinen Popanz, „die Revolution" – unter welchem Namen alle diese verschiedenen und einander teilweise widersprechenden Bewegungen zusammengefaßt wurden.

Eine Anzahl von Einkerkerungen und summarischen Verfolgungen unterdrückten diese „Revolution" in Deutschland; die französischen Bajonette in Spanien und die österreichischen in Italien sicherten für eine Weile die Überlegenheit der legitimen Könige und göttlichen Rechte. Selbst das göttliche Recht des Großtürken, seine griechischen Untertanen zu hängen und zu vierteilen, wurde eine Zeitlang von der Heiligen Allianz unterstützt; aber dieser Fall war zu flagrant, und die Griechen erhielten die Erlaubnis, dem türkischen Joch zu entschlüpfen.[165]

Schließlich gaben die drei Tage in Paris[166] das Signal für einen allgemeinen Ausbruch der Unzufriedenheit des Bürgertums, der Aristokratie und des Volkes in ganz Europa. Die aristokratische polnische Revolution[167] wurde niedergeschlagen; die bürgerlichen Klassen Frankreichs und Belgiens vermochten sich politische Macht zu sichern; das englische Bürgertum erreichte ebenfalls dieses Ziel, und zwar durch die Reformbill[79]; die teilweise vom Volke getragenen, teilweise bürgerlichen, teilweise nationalen Insurrektionen Italiens wurden unterdrückt; und in Deutschland verkündeten zahlreiche Insurrektionen und Bewegungen eine neue Ära der Volksagitation und der bürgerlichen Agitation.

Der neue und heftige Charakter der liberalen Agitation in Deutschland von 1830 bis 1834 zeigte, daß die bürgerlichen Klassen die Frage nun selbst aufgegriffen hatten. Da Deutschland jedoch in zahlreiche Staaten geteilt ist, von denen fast jeder eine besondere Zollgrenze und besondere Zollsätze hatte, so gab es in diesen Bewegungen keine Gemeinsamkeit der Interessen. Das Bürgertum Deutschlands wollte politisch frei werden, nicht um die öffentlichen Angelegenheiten in Übereinstimmung mit seinen *Interessen* zu regeln, sondern weil es sich schämte, im Vergleich zu den Franzosen und Engländern eine so servile Position einzunehmen. Seiner Bewegung fehlte die substantielle Basis, die den Erfolg des Liberalismus in Frankreich und England sichergestellt hatte; sein Interesse an der Frage war weit mehr theoretisch als praktisch; es war im allgemeinen desinteressiert. Die französischen *Bourgeois* von 1830 waren das nicht. Laffitte sagte am Tage nach der Revolution: „Nun werden wir Bankiers regieren"; und das tun sie bis auf den heutigen Tag. Das englische Bürgertum wußte ebenfalls sehr wohl, was es wollte, als es den Zehn-Pfund-Zensus einführte; da die deutschen bürgerlichen Klassen aber, wie gesagt, schmalspurige Geschäftsmänner, bloße Enthusiasten – Bewunderer der „Preßfreiheit", „Geschworenengerichte", „konstitutionellen Garantien für das Volk", „Volksrechte", „Volksvertretung" und dergleichen waren, die sie nicht für Mittel, sondern für Zwecke hielten, so nahmen sie den Schatten für das Wesen und bekamen daher gar nichts. Diese Bewegung des Bürgertums war jedoch hinreichend, um mehrere Dutzend Revolutionen zuwege zu bringen, von denen zwei oder drei einige Erfolge zu erreichen vermochten: eine große Anzahl von Volksversammlungen, eine Menge Geschwätz und Ruhmredigkeit in den Zeitungen und den ganz schwachen Anfang einer demokratischen Bewegung unter den Studenten, Arbeitern und Bauern.

Ich werde nicht auf die ziemlich ermüdenden Einzelheiten dieser großmäuligen und erfolglosen Bewegung eingehen. Überall, wo etwas Wichtiges gewonnen wurde, wie die Preßfreiheit in Baden, schritt der Deutsche Bundestag ein und machte der Sache ein Ende. Die ganze Posse wurde abgeschlossen durch eine Wiederholung der summarischen Verhaftungen von 1819 und 1823 sowie durch eine Geheimliga aller deutschen Fürsten, die 1834 durch Beschluß einer Delegiertenkonferenz zu Wien gebildet wurde, um jeden weiteren Fortschritt des Liberalismus zu verhindern. Die Beschlüsse dieser Konferenz sind vor einigen Jahren veröffentlicht worden.[168]

Von 1834 bis 1840 starb in Deutschland jede öffentliche Bewegung aus. Die Agitatoren von 1830 und 1834 waren entweder im Gefängnis oder verstreut im Ausland, wohin sie geflohen waren. Der Kampf gegen den immer strenger werdenden Zensor und die wachsende Nachlässigkeit und Gleichgültigkeit der bürgerlichen Klassen wurde von jenen fortgesetzt, die viel von ihrer bürgerlichen Furchtsamkeit während der Zeit der Agitation behalten hatten. Die Führer der Parlamentsopposition hielten weiter ihre Reden in den Kammern, aber die Regierungen fanden Mittel und Wege, um sich die Stimmen der Mehrheiten zu sichern. Es bot sich keine weitere Gelegenheit, irgendwelche wie immer geartete öffentliche Bewegung in Deutschland zustande zu bringen; die Regierungen handelten in allen Stücken nach ihrem Gutdünken.

An allen diesen Bewegungen nahmen die bürgerlichen Klassen *Preußens* fast *keinen* Anteil. Das arbeitende Volk machte seiner Unzufriedenheit im ganzen Lande in zahlreichen Emeuten Luft, die jedoch keinen bestimmten Zweck hatten und daher kein Resultat erzielten. Die Apathie der Preußen war die stärkste Kraft des Deutschen Bundes. Sie zeigte, daß die Zeit für eine allgemeine Bewegung des Bürgertums in Deutschland noch nicht gekommen war.

In meinem nächsten Brief[1] werde ich zu der Bewegung der vergangenen sechs Jahre übergehen, vorausgesetzt, daß es mir gelingt, die notwendigen Materialien zusammenzubringen, um den Geist der deutschen Regierungen an einigen ihrer eigenen Taten zu charakterisieren, im Vergleich zu denen die Taten Ihres edlen Innenministers engelrein und unschuldig sind.[169]

Bis dahin, sehr geehrter Herr, verbleibe ich ergebenst

Ihr deutscher Korrespondent

20. Februar 1846

Aus dem Englischen.

[1] Ein weiterer Brief von Friedrich Engels wurde nicht veröffentlicht.

[Friedrich Engels]

Geschichte der englischen Korngesetze

[„Telegraph für Deutschland"
Nr. 193, Dezember 1845]

Bis zur Mitte des vorigen Jahrhunderts exportierte England fast jährlich Getreide und hatte sehr selten eine Zufuhr dieses Lebensmittels vom Auslande her nötig. Seit jener Zeit indessen drehte sich die Sache um. Die unter diesen Umständen notwendigerweise niedrigen Preise des Getreides auf der einen und die hohen Fleischpreise auf der andern Seite veranlaßten die Verwandlung vieler Ackerländereien und Viehweiden, während zu gleicher Zeit die Industrie und mit ihr die Volkszahl durch die Erfindung wichtiger Maschinen einen bisher nie gekannten Aufschwung erfuhr. So wurde England genötigt, zuerst seine Kornausfuhr aufzugeben und später selbst Korn vom Auslande zu importieren. Der fünfundzwanzigjährige Krieg gegen Frankreich während der Revolution, der die Zufuhr erschwerte, nötigte England, sich mehr oder weniger auf seinen eigenen Boden zu beschränken. Die Hindernisse, die der Krieg den Zufuhren in den Weg legte, hatten dieselben Wirkungen wie ein Schutzzoll. Die Getreidepreise stiegen, die Grundrente stieg ebenfalls in den meisten Fällen auf das Doppelte, in einigen Fällen sogar auf das Fünffache des frühern Betrags. Die Folge davon war, daß ein großer Teil des erst neuerdings in Weide verwandelten Bodens wiederum dem Korn zugewandt wurde. Die Grundbesitzer Englands, die, beiläufig gesagt, aus ein paar hundert Lords und etwa 60000 nichtadeligen Baronets und Squiren bestehen, wurden durch dieses Steigen ihrer Einkünfte zu einem verschwenderischen Leben und zu einem Wetteifer im Luxus verleitet, dem sehr bald auch ihre gesteigerten Renten nicht mehr genügten. In kurzer Zeit lasteten schwere Schulden auf den Gütern. Als der Friede 1814 die Einfuhrhindernisse beseitigte, die Kornpreise fielen und die Pächter bei ihrem hohen Zins die Produktionskosten ihres Korns nicht mehr realisieren konnten, waren nur zwei Auswege möglich. Entweder die Herabsetzung des Grundzinses durch die Gutsbesitzer oder die Ersetzung des faktischen durch einen wirklichen Schutzzoll. Die Grundbesitzer, die außer ihrer Herrschaft im Oberhause und im Ministerium auch noch (vor der Reformbill[79]) eine ziemlich unumschränkte Macht im Unterhause besaßen, wählten natürlich das Letztere und führten 1815 unter dem Wutgeschrei der Mittelklassen und des damals noch von ihnen geleiteten Volks und unter dem Schutze der Bajonette die Korngesetze durch. Das erste Korngesetz von 1815 verbot die Korneinfuhr geradezu, solange der Kornpreis in England unter 80 Shilling per Quarter blieb. Zu diesem Preise und darüber[1] wurde das fremde Korn frei eingelassen. Dieses Gesetz entsprach aber weder den Interessen der industriellen noch der ackerbautreibenden Bevölkerung und wurde 1822 etwas modifiziert. Diese Modifikation indessen trat nie in praktische Wirkung, da während der nächsten Jahre die Preise immer niedrig blieben und nie die Höhe erreichten, bei welcher fremdes Korn zugelassen wurde. Trotz aller Verbesserungen des Gesetzes und trotz der Untersuchungen mehrerer Parlaments-Komitees kamen die Pächter nicht zu ihren Produktionskosten, und so erfanden endlich Huskisson und Canning die berühmte sliding-scale[170], welche von ihren Nachfolgern im Ministerium zum Gesetz erhoben wurde. Nach dieser stieg der Einfuhrzoll mit dem Fallen und fiel mit dem Steigen der Kornpreise im Inlande. Hierdurch sollte der englische Pächter einen so hohen und konstanten Kornpreis gesichert erhalten, daß er seinen hohen Grundzins bequem entrichten könnte. Aber auch dieses half nichts. Das System wurde immer unhaltbarer, die Mittelklassen, die seit der Reformbill im Unterhause herrschten, wurden mehr und mehr gegen die Korngesetze eingenommen, und Sir Robert Peel war bereits ein Jahr nach seinem Eintritt ins Ministerium genötigt, die Zollsätze zu erniedrigen.

Inzwischen hatte sich die Opposition gegen die Korngesetze organisiert. Die industrielle Mittelklasse, die durch die Verteuerung des Korns gezwungen worden, ihren Arbeitern höhere Löhne zu zahlen, entschloß sich, alles aufzubieten, um diese ihr gehässigen Gesetze – die letzten Spuren der alten Herrschaft des Agrikultur-Interesses, die zugleich dem Auslande die Konkurrenz mit der englischen Industrie erleichtert – um jeden Preis abzuschaffen. Gegen Ende des Jahres 1838 stifteten einige der ersten Fabrikanten Manchesters eine Anti-Korngesetz-Assoziation, die sich bald in der Umgegend wie in anderen Fabrikbezirken ausdehnte, den Namen Anti-Korngesetz-League annahm, Subskriptionen eröffnete, ein Journal (Anti-Bread-Tax-Circular[171]) gründete, bezahlte Volksredner von einem Orte zum andern sandte und alle in England üblichen Mittel der Agitation zur Erreichung ihres Zweckes aufwandte. Die Anti-Korngesetz-League zeichnete

[1] im Original: darunter

sich während der ersten Jahre ihres Bestehens, die in eine vierjährige Geschäftsstockung fielen, durch ein äußerst heftiges Auftreten aus. Als aber mit dem Anfang des Jahres 1842 die Geschäftsstockung sich in eine entschiedene Handelskrisis verwandelte, welche die arbeitende Klasse des Landes in das schauderhafteste Elend stürzte, wurde die Anti-Korngesetz-League entschieden revolutionär. Ihr Motto wurde der Spruch des Jeremias: „Den das Schwert schlägt, der ist besser daran, als der, der vom Hunger geschlagen wird"; ihr Journal forderte das Volk mit deutlichen Worten zur Empörung auf und drohte den Grundbesitzern mit „der Pick und der Brandfackel". Ihre wandernden Agitatoren durchzogen das ganze Land und predigten in einer Sprache, die der des Journals nichts nachgab. Meetings folgten auf Meetings, Petitionen über Petitionen ans Parlament wurden verbreitet, und als dieses seine Sitzungen eröffnete, versammelte sich zu gleicher Zeit in der unmittelbaren Nähe des Parlamentsgebäudes ein Kongreß von Deputierten der League. Als Peel trotz alledem die Korngesetze nicht abschaffte, sondern nur modifizierte, erklärte dieser Kongreß:

„Das Volk habe von der Regierung nichts mehr zu erwarten; es müsse sich nur auf sich selbst verlassen; die Räder der Regierungsmaschine müßten mit einem Male und auf der Stelle stillgesetzt werden; die Zeit zum Sprechen sei vorüber, die Zeit zum Handeln sei gekommen; man hoffe, das Volk werde nicht ferner zum Vorteil einer schwelgenden Aristokratie verhungern wollen, und wenn alles nichts helfe, so gäbe es noch ein Mittel, wodurch die Regierung zur Nachgiebigkeit gezwungen werden könne; man müsse" (erklärte dieser aus den ersten Fabrikanten und Munizipalbeamten großer Fabrikstädte des Landes bestehende Kongreß) „das Volk auf die Ackerbaubezirke werfen, die allen Pauperismus erzeugt hätten; aber das Volk dürfe nicht dorthin gehen wie ein Haufe demütiger ‚*Paupers*', sondern als wenn es sich ‚bei einem Todfeinde einzuquartieren hätte'."

Dieses große Mittel der Fabrikanten, wodurch sie in 24 Stunden eine Versammlung von 500000 Menschen auf der Rennbahn von Manchester zusammenbringen und eine Insurrektion gegen die Korngesetze ins Leben rufen wollten, bestand in der *Schließung ihrer Fabriken*.

[„Telegraph für Deutschland"
Nr. 194, Dezember 1845]

Im Juli fing das Geschäft an sich zu bessern. Es kamen vermehrte Aufträge ein, und die Fabrikanten merkten, daß die Krisis sich ihrem Ende nahe. Noch war das Volk indes aufgeregt und das Elend allgemein; aber wenn etwas geschehen sollte, so war es hohe Zeit. Plötzlich also setzte ein Fabrikant in

Stalybridge in einem Augenblick, wo ein Steigen des Lohnes wegen des verbesserten Geschäfts zu erwarten gewesen wäre, den Lohn seiner Arbeiter herunter und zwang sie dadurch zu feiern, um ihren Lohn aufrechtzuerhalten. Die Arbeiter, denen auf diese Weise das Signal zur Insurrektion gegeben war, setzten sämtliche Fabriken der Stadt und Umgegend still, was ihnen leicht gelang, da die Fabrikanten (alle Mitglieder der Anti-Corn-Law League) ihnen gegen ihre Gewohnheit durchaus keinen Widerstand leisteten. Sie hielten Versammlungen, in denen die Fabrikanten selbst präsidierten und die Aufmerksamkeit des Volks auf die Korngesetze zu leiten suchten. Am 9. August 1842, vier Tage nach Ausbruch der Insurrektion, zogen die Arbeiter nach Manchester, wo sie durchaus keinen Widerstand fanden und sämtliche Fabriken stillsetzten. Der einzige Fabrikant, der sich ihnen widersetzte, war ein Konservativer und ein Feind der League. Die Insurrektion verbreitete sich über sämtliche Fabrikdistrikte; nirgends setzten ihnen die städtischen Behörden (von denen bekanntlich bei dergleichen Fällen in England *alles* abhängt), die sämtlich Mitglieder der Anti-Korn[gesetz]-League waren, Widerstand entgegen. Bis hierher ging der League *alles* nach Wunsch. Aber sie hatten sich in einem Punkt verrechnet. Das Volk, welches sie in die Insurrektion hineingejagt hatten, um die Abschaffung der Korngesetze zu erzwingen, kümmerte sich nicht im geringsten um diese Gesetze. Es verlangte den Lohn von 1840 und die Volks-Charte[172]. Sobald die League dies merkte, wandte sie sich gegen ihre Bundesgenossen. Ihre sämtlichen Glieder ließen sich als Special Constabler einschwören und bildeten eine neue Armee zur Unterdrückung der Insurrektion und im Dienste der ihnen feindlichen Regierung. Die unfreiwillige Insurrektion des Volkes, das zu einer solchen noch gar nicht vorbereitet war, wurde bald überwunden; die Korngesetze blieben vor wie nach bestehen, und sowohl die Mittelklasse als das Volk waren um eine Lehre reicher geworden. Die Anti-Korngesetz-League, um einen eklatanten Beweis zu geben, daß sie durch die verfehlte Insurrektion nicht aufs Haupt geschlagen sei, eröffnete 1843 einen neuen großartigen Feldzug mit der Forderung einer Beisteuer von 50000 Pfund Sterling an ihre Glieder, welche sie in Jahresfrist überreichlich zusammenbrachte. Sie begann ihre Agitationen von neuem, aber sie sah sich bald genötigt, sich ein neues Publikum zu suchen. Sie tat immer damit groß, daß sie von 1843 an in den Fabrikbezirken nichts mehr zu tun fand und zu den Ackerbaubezirken übergehen konnte. Die Sache hat aber ihren Haken. Nach der Insurrektion von 1842 durfte sie in den Fabrikdistrikten keine öffentliche Versammlungen mehr halten, ohne von dem wütenden Volke, das sie so schmählich verraten hatte, im buchstäblichen Sinne des Worts geprügelt und mit Schimpf und

Schande von der Bühne heruntergeworfen zu werden. Wollte sie also ihre Doktrinen anbringen, so war sie gezwungen, in die Ackerbaubezirke zu gehen. Hier hat sie einige wirkliche Verdienste erworben, indem sie bei den Pächtern eine Art Schamgefühl über ihre bisherige Abhängigkeit von den Grundbesitzern erweckt und die ackerbauende Klasse für allgemeinere Interessen zugänglich gemacht hat. Im Jahre 1844 schrieb sie, durch den Erfolg ihrer frühern Subskriptionen ermuntert, eine neue Kontribution von 100000 Pfund Sterling aus. Am nächsten Tage versammelten sich die Fabrikanten in Manchester und zeichneten in einer halben Stunde 12000 Pfund Sterling. Im November 1844 waren bereits 82000 Pfund zusammen, von denen 57000 bereits ausgegeben. Wenige Monate darauf eröffneten sie in London eine Ausstellung, die der League ebenfalls enorme Summen eingetragen haben muß. Wenn wir nun fragen, was die Motive dieser kolossalen Bewegung gewesen sind, die sich von Manchester aus über ganz England verbreitet und die ungeheure Majorität der englischen Mittelklasse mit sich fortgerissen hat, die aber – wir wiederholen es – bei der Arbeiterklasse auch nicht ein Atom Sympathie gefunden hat: so erkennen wir zuerst das Privatinteresse der industriellen und handeltreibenden Mittelklasse Großbritanniens. Für diese Klasse ist ein System von der größten Wichtigkeit, das ihr, wie sie wenigstens glaubt, auf ewige Zeiten das Weltmonopol des Handels und der Industrie sichert, indem es ihr möglich macht, einen ebenso niedrigen Lohn wie ihre Konkurrenten zu zahlen und den ganzen Vorzug zu exploitieren, den England durch einen achtzigjährigen Vorsprung in der modernen Industrie besitzt. Nach dieser Seite hat also bloß die Mittelklasse und nicht das Volk Vorteile aus der Abschaffung der Korngesetze. Zweitens verlangt die Mittelklasse diese Maßregel als ein Supplementargesetz zur Reformbill. Durch die Reformbill, die den Wahlzensus einführte und das alte Wahlprivilegium einzelner Individuen und Korporationen aufhob, war die geldbesitzende Mittelklasse dem Prinzip nach zur Herrschaft gekommen; aber in der Wirklichkeit behielt die Klasse der Grundbesitzer noch eine bedeutende Übermacht im Parlament, indem sie *direkt* 143 Grafschaftsmitglieder, *indirekt* fast alle Deputierte für kleine Städte ins Parlament schickt und außerdem noch durch die torystischen Abgeordneten der Städte mit vertreten wird. Diese Majorität des Ackerbau-Interesses brachte 1841 *Peel* und die *Torys* ins Kabinett. Die Abschaffung der Korngesetze würde der politischen Macht der Grundbesitzer im Unterhause, d. h. tatsächlich und der ganzen englischen Legislatur den Todesstoß geben, indem sie die Pächter von den Grundherren unabhängig machen würde. Sie würde das Kapital als die höchste Macht Englands proklamieren; aber zu gleicher Zeit die englische Konstitution in ihren Grundfesten erschüttern; einen wesentlichen Bestandteil des gesetzgebenden Körpers, nämlich die Grundaristokratie, alles Reichtums und aller Macht berauben und dadurch von einem anderen größeren Einfluß auf die Zukunft Englands sein als manche andere politische Maßregel. Wir finden aber wieder, daß auch von dieser Seite die Abschaffung der Korngesetze dem Volke keinerlei Vorteil darbiete.

Geschrieben im Herbst 1845.

[Friedrich Engels]

Nachträgliches über die Lage der arbeitenden Klassen in England

Ein englischer Turnout

In meinem Buche über den obigen Gegenstand war es mir nicht möglich, für die einzelnen Punkte tatsächliche Beweise zu geben. Ich mußte, um das Buch nicht zu dickleibig und ungenießbar zu machen, meine Aussagen für hinreichend bewiesen halten, wenn ich sie durch Belegstellen aus offiziellen Dokumenten, uninteressierten Schriftstellern oder Schriften derjenigen Parteien beglaubigt hatte, gegen deren Interesse ich auftrat. Dies war hinreichend, um mich in denjenigen Fällen, wo ich nicht aus eigener Anschauung sprechen konnte, vor Widerspruch zu schützen, soweit ich auf einzelne Schilderungen bestimmter Lebenslagen einging. Aber es war nicht hinreichend, um in dem Leser die unwidersprechliche Gewißheit zu erzeugen, die nur durch schlagende, unwidersprechliche *Tatsachen* gegeben werden kann und die namentlich in einem Jahrhundert, das durch die unendliche „Weisheit der Väter" zum Skeptizismus gezwungen ist, durch keine bloßen Räsonnements, wenn auch noch so guter Autoritäten, sich hervorbringen läßt. Vollends da, wo es sich um große Resultate handelt, wo die Tatsachen sich zu Prinzipien zusammenfassen, wo nicht die Lage einzelner kleiner Sektionen des Volks, sondern die gegenseitige Stellung ganzer Klassen darzustellen ist, sind Tatsachen durchaus nötig. Ich konnte sie aus den soeben erwähnten Gründen in meinem Buche nicht überall geben. Ich werde diesen unvermeidlichen Mangel nun hier nachholen und von Zeit zu Zeit Tatsachen geben, wie ich sie in den mir zu Gebote stehenden Quellen finde. Um zu gleicher Zeit zu beweisen, daß meine Schilderung auch noch heute richtig ist, nehme ich nur solche Fakta, die sich nach meiner Abreise aus England im vorigen Jahre zugetragen haben und mir erst seit dem Druck des Buches bekanntgeworden sind.

Die Leser meines Buches werden sich erinnern, daß es mir hauptsächlich auf die Schilderung der gegenseitigen Stellung der Bourgeoisie und des Proletariats und der Notwendigkeit des Kampfes zwischen diesen beiden

Klassen ankam; daß es mir speziell darum zu tun war, die vollständige Berechtigung des Proletariats zu diesem Kampfe zu beweisen und die schönen Redensarten der englischen Bourgeoisie durch ihre häßlichen Handlungen zu verdrängen. Von der ersten Seite bis zur letzten schrieb ich an der Anklageakte gegen die englische Bourgeoisie. Ich werde jetzt noch einige hübsche Beweisstücke vorlegen. Übrigens habe ich über diese englischen Bourgeois Leidenschaft genug angedeutet; es fällt mir nicht ein, mich nachträglich noch einmal darüber zu ereifern, und ich werde dabei, soviel an mir ist, meine gute Laune behalten.

Der erste gute Bürger und brave Familienvater, der uns vorkommt, ist ein alter Freund, oder es sind ihrer vielmehr zwei. Die Herren *Pauling & Henfrey* hatten bereits Anno 1843, Gott weiß zum wievielten Male, Streit mit ihren Arbeitern, die sich durch keine guten Gründe von ihrer Forderung, für vermehrte Arbeit vermehrten Lohn haben zu wollen, abbringen ließen und die Arbeit einstellten. Die Herren Pauling & Henfrey, welche bedeutende Bauunternehmer sind und viele Ziegelbrenner, Zimmerleute usw. beschäftigen, nahmen andre Arbeiter; dies gab Streit und zu guter Letzt eine blutige Schlacht mit Flinten und Knüppeln auf der Ziegelbrennerei von Pauling & Henfrey, die mit der Transportation von einem halben Dutzend Arbeitern nach Van Diemens Land[173] endigte, wie dies alles des breiteren in der zitierten Schrift[1] zu lesen ist. Die Herren Pauling & Henfrey müssen aber jedes Jahr mit ihren Arbeitern etwas zu tun haben, sonst sind sie nicht glücklich, und so fingen sie im Oktober 1844 wieder Häkeleien an. Diesmal waren es die Zimmerleute, deren Wohl sich die philanthropischen Bauunternehmer zu bewirken vorgenommen hatten. Seit undenklicher Zeit herrschte unter den Zimmerleuten in Manchester und der Umgebung die Gewohnheit, von Lichtmeß[2] bis zum 17. November kein „Licht anzuzünden", d. h. während der langen Tage von morgens sechs bis abends sechs Uhr zu arbeiten und während der kurzen Tage anzufangen, sobald es hell, und aufzuhören, sobald es dunkel wurde. Vom 17. November an wurden dann die Lichter angesteckt und die volle Zeit gearbeitet. Pauling & Henfrey, schon lange dieser „barbarischen" Gewohnheit überdrüssig, entschlossen sich, diesen Rest der „dunklen Zeiten" mit Hülfe der Gasbeleuchtung zu vernichten, und als eines Abends die Zimmerleute nicht mehr bis sechs Uhr sehen konnten, ihre Werkzeuge weglegten und zu ihren Röcken griffen, steckte der Werkmeister das Gas an und bemerkte, sie müßten bis sechs Uhr arbeiten. Die Zimmerleute, denen dies nicht behagte, beriefen eine allgemeine

[1] Siehe vorl. Band, S. 442/443 – [2] 2. Februar

Versammlung der Arbeiter ihres Handwerks. Herr Pauling frug hocherstaunt seine Arbeiter, ob sie etwa nicht zufrieden seien, sie hätten ja eine Versammlung berufen. Einige bemerkten, nicht sie direkt, sondern der Vorstand des Handwerksvereins habe die Versammlung berufen, worauf Herr Pauling erwiderte, er schere sich den Teufel um den Handwerksverein, aber er wolle ihnen einen Vorschlag machen: Wenn sie sich das Lichtanzünden gefallen ließen, so wolle er ihnen sonnabends dafür drei Stunden freigeben und – der Großmütige – ihnen auch erlauben, täglich eine Extraviertelstunde zu arbeiten, die sie besonders bezahlt erhalten würden! Dafür sollten sie dann auch freilich, wenn alle andern Werkstätten anfingen, die Lichter anzuzünden, eine halbe Stunde länger arbeiten! Die Arbeiter überlegten sich diesen Vorschlag und berechneten, daß hierdurch während der kurzen Tage die Herren Pauling & Henfrey täglich eine ganze Arbeitsstunde profitieren würden, daß jeder Arbeiter im ganzen 92 Stunden, d. h. $9^1/_4$ Tag extra zu arbeiten haben würde, ohne einen Pfennig dafür zu erhalten, und daß bei der von der Firma beschäftigten Anzahl Arbeiter die genannten Herren dadurch während der Wintermonate 400 Pfd. St. (2100 Taler) am Lohn ersparen würden. Die Arbeiter hielten also ihre Versammlung, setzten ihren Handwerksgenossen auseinander, daß, wenn eine Firma dies durchsetze, alle andern ihr nachfolgen würden und dadurch eine allgemeine, indirekte Lohnherabsetzung zustande käme, welche die Zimmerleute des Distrikts um jährlich ca. 4000 Pfd. St. berauben würde. Es wurde also beschlossen, daß sämtliche Zimmerleute von Pauling & Henfrey am nächsten Montag ihre vierteljährliche Kündigung einreichen und, falls ihre Arbeitgeber sich nicht besönnen, die Arbeit nach Ablauf derselben einstellen sollten. Dafür versprach der Handwerksverein, sie während des etwaigen Feierns durch eine allgemeine Kontribution zn unterstützen.

Am Montag, den 21. Oktober, gingen die Arbeiter hin und kündigten, worauf man ihnen antwortete, sie könnten gleich gehen, was sie natürlich taten. An demselben Abend fand eine andere Versammlung sämtlicher Bauhandwerker statt, wobei alle einzelnen beim Bauen beschäftigten Arbeitszweige den Feiernden ihre Unterstützung zusagten. Am folgenden Mittwoch und Donnerstag stellten sämtliche in der Umgegend für Pauling & Henfrey beschäftigten Zimmerleute ebenfalls ihre Arbeit ein, und der *Strike* war somit vollständig im Zuge.

Die so plötzlich aufs trockne gesetzten Bauunternehmer schickten alsbald nach allen Richtungen, selbst bis nach Schottland, Leute aus, um Arbeiter zu engagieren, da in der ganzen Umgegend keine Seele zu finden war, die in ihren Sold treten wollte. In wenigen Tagen kamen richtig dreizehn Leute aus Staffordshire an. Sobald aber die Feiernden Gelegenheit fanden, mit ihnen zu sprechen, ihnen auseinandersetzten, daß sie wegen Zwistigkeiten, und aus welchen Gründen, die Arbeit eingestellt hätten, weigerten sich mehrere der neuen Ankömmlinge, fortzuarbeiten. Hiergegen hatten nun die Brotherren ein praktisches Mittel, sie ließen die Widerspenstigen zusamt dem Verführer vor den Friedensrichter, *Daniel Maude*, Esquire, laden. Ehe wir ihnen dahin folgen, müssen wir vorerst die Tugenden von Daniel Maude, Esquire, in ihr gehöriges Licht setzen.

Daniel Maude, Esquire, ist der „stipendiary magistrate" oder bezahlte Friedensrichter von Manchester. Gewöhnlich sind die englischen Friedensrichter reiche Bourgeois oder Grundbesitzer, mitunter auch Geistliche, die vom Ministerium ernannt werden. Da aber diese Dogberries vom Gesetze nichts verstehen, so begehen sie die größten Verstöße, blamieren die Bourgeoisie und schaden ihr, indem sie selbst einem Arbeiter gegenüber, wenn er von einem pfiffigen Advokaten verteidigt wird, sehr häufig in Verwirrung gebracht werden und entweder bei seiner Verurteilung eine gesetzliche Form vernachlässigen, die einen erfolgreichen Appell nach sich zieht, oder sich gar zu einer Freisprechung verleiten lassen. Dabei haben die reichen Fabrikanten großer Städte und industrieller Bezirke keine Zeit, sich tagtäglich im Friedensgericht zu langweilen, und stellen lieber einen Remplaçant[1]. In diesen Städten werden also meist besoldete Friedensrichter, studierte Juristen, auf Verlangen der Städte selbst angestellt, die imstande sind, der Bourgeoisie sämtliche Kniffe und Distinktionen des englischen Rechts, mit Zusätzen und Verbesserungen im Notfall, zugute kommen zu lassen. Wie sie sich dabei benehmen, werden wir an dem vorliegenden Exempel sehen.

Daniel Maude, Esquire, ist einer der liberalen Friedensrichter, die unter der Regierung des Whigministeriums in Masse angestellt wurden. Von seinen Heldentaten in und außer der Arena des Manchester Borough Court wollen wir zwei erwähnen. Als es im Jahre 1842 den Fabrikanten gelang, die Arbeiter von Süd-Lancashire in eine Insurrektion zu forcieren, die anfangs August in Stalybridge und Ashton ausbrach, zogen am 9. August gegen 10000 Arbeiter von dort nach Manchester, *Richard Pilling*, der Chartist, an der Spitze, „um mit den Fabrikanten auf der Börse von Manchester zu unterhandeln und auch, um zu sehen, wie der dortige Markt sich mache". Am Eingange der Stadt empfing sie Daniel Maude, Esquire, mit der ganzen löblichen Polizeimannschaft, einem Detachement Kavallerie und einer

[1] Stellvertreter

Kompanie Schützen. Dies war aber alles nur der Form halber, da es im Interesse der Fabrikanten und Liberalen war, daß die Insurrektion sich ausdehne und die Abschaffung der Korngesetze erzwinge. Daniel Maude, Esq., war mit seinen würdigen Kollegen vollkommen hierin einverstanden, fing an, mit den Arbeitern zu kapitulieren, und ließ sie unter dem Versprechen, den „Frieden zu halten" und eine bestimmte Route zu verfolgen, in die Stadt. Er wußte sehr gut, daß die Insurgenten dies nicht tun würden, und wünschte es auch gar nicht – er hätte durch einige Energie die ganze forcierte Insurrektion im Keime zerstreuen können, aber dann hätte er ja nicht im Interesse seiner Korngesetz-abschaffenden Freunde gehandelt, sondern im Interesse des Herrn *Peel*; so ließ er das Militär sich zurückziehen und die Arbeiter in die Stadt, wo sie gleich alle Fabriken stillsetzten. Als aber die Insurrektion einen entschiedenen Charakter *gegen* die liberale Bourgeoisie annahm und die „höllischen Korngesetze" gänzlich ignorierte, da nahm Daniel Maude, Esq., wieder seine richterliche Würde an, ließ die Arbeiter zu Dutzenden verhaften und wegen „Friedensbruchs" ohne Gnade ins Gefängnis spazieren – so daß er erst die Friedensbrüche machte und sie nachher bestrafte. Ein anderer charakteristischer Zug aus der Karriere dieses Salomon von Manchester ist folgender. Die Antikorngesetzligue hält in Manchester, seitdem sie öffentlich mehrere Male geprügelt worden ist, geheime Versammlungen, zu denen man Billetts haben muß – deren Beschlüsse und Petitionen aber vor dem großen Publikum für die einer öffentlichen Versammlung, für Manifestationen der „öffentlichen Meinung" von Manchester gelten sollen. Um dieser lügenhaften Prahlerei der liberalen Fabrikanten ein Ende zu machen, besorgten sich drei oder vier Chartisten, unter denen mein guter Freund *James Leach*, einige Billetts und gingen in eine solche Versammlung. Als Herr *Cobden* sich erhob, um zu sprechen, richtete James Leach an den Präsidenten die Frage, ob dies eine öffentliche Versammlung sei. Statt aller Antwort rief dieser die Polizei herein und ließ Leach ohne weiteres verhaften! Ein zweiter Chartist stellte die Frage nochmals – ein dritter, ein vierter, sie wurden einer nach dem andern von den „ungesottenen Krebsen" (der Polizei), die in Massen an der Türe standen, aufgegriffen und aufs Rathaus spediert. Am nächsten Morgen erschienen sie vor Daniel Maude, Esq., der bereits über alles unterrichtet war. Sie wurden angeklagt, eine Versammlung gestört zu haben, kamen kaum zu Worte und hörten dann eine feierliche Rede von Daniel Maude, Esq., an, worin er ihnen sagte, er kenne sie, sie seien politische Vagabonden, die nichts täten als in allen Versammlungen Skandal schlagen, ordentliche gesetzte Leute beunruhigen, und dem Dinge müsse ein Ende gemacht werden. Darum – Daniel Maude, Esq., wußte wohl, daß er sie nicht in eine wirkliche Strafe verurteilen konnte – darum wolle er sie diesmal in die Kosten verurteilen.

Vor diesen *Daniel Maude*, Esquire, dessen Bourgeoistugenden wir soeben geschildert haben, wurden also die widerspenstigen Arbeiter von *Pauling & Henfrey* geschleppt. Sie hatten aber der Vorsicht halber einen Advokaten mitgebracht. Zuerst kam der neuangekommene Arbeiter aus Staffordshire vor, der sich weigerte, da fortzuarbeiten, wo andre zu ihrer Selbstverteidigung die Arbeit eingestellt hatten. Die Herren Pauling & Henfrey hatten eine schriftliche Verpflichtung der von Staffordshire angekommenen Arbeiter in Händen*, die jetzt dem Friedensrichter vorgelegt wurde. Der Verteidiger der Arbeiter warf ein, daß dies Übereinkommen an einem Sonntag unterzeichnet, also ungültig sei. Daniel Maude, Esq., gab mit vieler Würde zu, daß „Geschäftstransaktionen", die an einem Sonntag vollzogen seien, nicht gültig seien; aber er könne nicht glauben, daß die Herren Pauling & Henfrey dies für eine „Geschäftstransaktion" ansähen! Er erklärte also dem armen Teufel, ohne ihn lange zu fragen, ob er das Dokument für eine „Geschäftstransaktion" „ansehe", er müsse entweder fortarbeiten oder drei Monate sich auf der Tretmühle amüsieren. – O Salomon von Manchester! – Nachdem dieser Fall erledigt, brachten die Herren Pauling & Henfrey den zweiten Angeklagten vor. Dieser hieß *Salmon* und war einer der alten Arbeiter der Firma, die die Arbeit eingestellt hatten. Er war angeklagt, die neuen Arbeiter eingeschüchtert zu haben, um sie gleichfalls zum Feiern zu veranlassen. Der Zeuge – einer dieser letzteren – sagte aus, Salmon habe ihn beim Arme gefaßt und mit ihm gesprochen. Daniel Maude, Esq., frug, ob der Angeklagte vielleicht Drohungen gebraucht oder ihn geschlagen habe? – Nein! sagte der Zeuge. Daniel Maude, Esq., erfreut, eine Gelegenheit zu finden, seine Unparteilichkeit leuchten zu lassen – nachdem er eben seine Pflichten gegen die Bourgeoisie erfüllt –, erklärte, es liege nichts vor, was den Angeklagten inkriminiere. Er habe ein volles Recht, auf der öffentlichen Chaussee spazierenzugehen und mit andern Leuten zu sprechen, solange er keine einschüchternden Worte oder Handlungen sich zuschulden kommen lasse – er spreche

* Dieser Kontrakt enthielt folgendes: Der Arbeiter verpflichte sich, *sechs Monate* für Pauling & Henfrey zu arbeiten und *mit dem Lohn zufrieden zu sein, den sie ihm geben würden*; daß aber Pauling & Henfrey nicht gebunden seien, ihn sechs Monate zu behalten, sondern ihn *jeden Augenblick* mit wöchentlicher Kündigung entlassen könnten; und daß Pauling & Henfrey seine Reisekosten von Staffordshire nach Manchester zwar auslegen, sie aber aus seinem Lohne durch wöchentliche Abzüge von 2 Schill. (20 S[ilber]gr[oschen]) zurückhalten sollten! Wie gefällt euch dies schöne Stück von einem Kontrakt?

ihn deshalb frei. Aber die Herren Pauling & Henfrey hatten wenigstens das Vergnügen gehabt, gegen Erlegung der Gerichtskosten den etc. Salmon eine Nacht in der Violine zubringen zu lassen – und das war schon etwas. Auch dauerte Salmons Freude nicht lange. Denn nachdem er Donnerstag, den 31. Oktober, freigelassen war, stand er bereits Dienstag, den 5. November, wieder vor Daniel Maude, Esq., angeklagt, die Herren Pauling & Henfrey auf der Straße angefallen zu haben. An demselben Donnerstag, an dem Salmon freigesprochen worden war, kam eine Anzahl Schotten, die durch lügnerische Vorwände, die Zwistigkeiten seien am Ende und Pauling & Henfrey könnten in ihrer Gegend nicht Arbeiter genug für ihre ausgedehnten Kontrakte finden usw., nach Manchester gelockt waren, dort an. Am Freitag kamen mehrere schottische Schreiner, die seit längerer Zeit in Manchester arbeiteten, zu ihnen, um ihren Landsleuten die Ursache der Arbeitseinstellung zu erklären. Eine große Menge ihrer Handwerksgenossen – gegen 400 – versammelten sich um das Wirtshaus, wo die Schotten untergebracht waren. Man hielt sie dort aber als Gefangene und stellte einen Werkmeister als Schildwache vor die Tür. Nach einiger Zeit kamen die Herren Pauling & Henfrey, um ihre neuen Arbeiter in eigner Person zur Werkstatt zu geleiten. Als der Zug herauskam, sprachen die draußen Versammelten den Schotten zu, nicht gegen die Handwerksregeln von Manchester zu arbeiten und ihren Landsleuten keine Schande zu machen. Zwei der Schotten blieben wirklich etwas zurück, und Herr Pauling lief ihnen selbst nach, um sie vorwärtszuschleppen. Die Menge hielt sich ruhig, hinderte nur das zu rasche Gehen des Zuges und sprach den Leuten zu, sich nicht in fremde Angelegenheiten zu mischen, wieder nach Hause zu gehen usw., Herr Henfrey wurde endlich ärgerlich; er sah mehrere seiner alten Arbeiter und unter andern Salmon; um also dem Ding ein Ende zu machen, griff er diesen beim Arm; Herr Pauling ergriff ihn beim andern Arm, und beide riefen aus Leibeskräften nach der Polizei. Der Polizeikommissär kam hinzu und fragte, welche Anklage gegen den Mann gemacht werde? worauf die beiden Associés in großer Verlegenheit waren; aber, sagten sie – „wir kennen den Mann". O, sagte der Kommissär, das ist ja hinreichend, dann können wir ihn ja einstweilen gehen lassen. Die Herren Pauling & Henfrey, genötigt, irgendeine Klage gegen Salmon vorzubringen, besannen sich mehrere Tage, bis sie endlich auf den Rat ihres Advokaten die obige Anklage einreichten. Als alle Zeugen gegen Salmon verhört worden waren, stand plötzlich für den Angeklagten *W. P. Roberts*, „der Generalanwalt der Grubenarbeiter", der Schrecken aller Friedensrichter, auf und frug, ob er seine Zeugen noch bringen solle, da gar nichts gegen Salmon vorgebracht sei? Daniel Maude, Esq., ließ ihn seine

Zeugen verhören, die bewiesen, daß Salmon sich ruhig verhalten habe, bis Herr Henfrey ihn gefaßt habe. Als die Verhandlungen pro und contra beendigt waren, erklärte Daniel Maude, Esq., er wolle Sonnabend sein Urteil geben. Die Anwesenheit des Generalanwalts Roberts bewog ihn offenbar, zweimal zu überlegen, ehe er einmal sprach.

Am Samstag brachten Pauling & Henfrey außer der bisherigen noch eine *Kriminal*anklage auf Verschwörung und Intimidation vor, gegen drei ihrer alten Arbeiter, *Salmon, Scott* und *Mellor*. Sie wollten dem Handwerksverein dadurch einen tödlichen Stich versetzen, und um dem gefürchteten Roberts gegenüber sicher zu sein, ließen sie einen angesehenen Juristen von London, Herrn *Monk*, kommen. Herr Monk brachte als Zeugen zuerst einen der neuengagierten Schotten, *Gibson*, vor, der auch schon vorigen Dienstag gegen Salmon als Zeuge gedient hatte. Er sagte aus, daß am Freitag, den 1. November, als er und seine Genossen aus dem Wirtshaus gekommen seien, eine Menge Leute sie umringt, hier und da gestoßen und gezogen hätten und daß die drei Angeklagten unter der Menge gewesen seien. Jetzt fing Roberts an, diesen Zeugen zu verhören, und konfrontierte ihn mit einem andern Arbeiter und frug, ob er, Gibson, nicht gestern abend diesem Arbeiter gesagt habe, er hätte vergangenen Dienstag bei seiner Zeugenaussage *nicht gewußt, daß er eidlich verhört worden sei*, und überhaupt nicht gewußt, was er im Gerichtshofe zu tun und zu sagen habe. Gibson antwortete: Er kenne den Mann nicht, er sei gestern abend mit zwei Leuten zusammen gewesen; aber da es dunkel gewesen, so könne er nicht sagen, ob dieser einer davon gewesen sei; *auch sei es möglich, daß er etwas der Art gesagt habe*, da die Eidesform in Schottland anders sei als in England, er erinnere sich nicht genau. Hier stand Herr Monk auf und behauptete, Herr Roberts habe nicht das Recht, dergleichen Fragen zu tun, worauf Herr Roberts erwiderte, dergleichen Einwürfe seien ganz am Ort, wenn man eine schlechte Sache zu vertreten habe, aber er habe das Recht, zu fragen, was er wolle, nicht nur, wo der Zeuge geboren sei, sondern auch, wo er sich seitdem jeden Tag aufgehalten und was er jeden Tag gegessen habe. Daniel Maude, Esq., bestätigte dies Recht des Herrn Roberts und gab ihm nur den väterlichen Rat, sich soviel wie möglich bei der Sache zu halten. Nachdem Herr Roberts nun noch den Zeugen hatte aussagen lassen, daß er erst am Tage nach dem Vorfall, der die Anklage begründete, also am zweiten November, wirklich angefangen habe, für Pauling & Henfrey zu arbeiten, entließ er ihn. Jetzt trat Herr Henfrey selbst als Zeuge auf und sagte dasselbe über den Vorfall aus wie Gibson. Hierauf stellte ihm Herr Roberts die Frage: Suchen Sie nicht einen unbilligen Vorteil über Ihre Konkurrenten? Herr Monk machte wieder Einwendungen gegen diese Frage.

Gut, sagte Roberts, ich will sie deutlicher stellen. Wissen Sie, Herr Henfrey, daß die Arbeitsstunden der Zimmerleute in Manchester durch gewisse Regeln bestimmt sind?

Herr Henfrey: Ich habe mit diesen Regeln nichts zu tun, ich habe das Recht, meine eigenen Regeln zu machen.

Herr Roberts: Ganz recht. Auf Ihren Eid, Herr Henfrey, verlangen Sie nicht von Ihren Arbeitern eine längere Arbeitszeit als die übrigen Bauunternehmer und Zimmermeister?

Herr Henfrey: Ja.

Herr Roberts: Wieviel Stunden ungefähr?

Herr Henfrey wußte es nicht genau, zog aber sein Taschenbuch hervor, um zu kalkulieren.

Daniel Maude, Esq.: Sie brauchen es nicht lange zu berechnen, wenn Sie uns nur ungefähr sagen wollen, wieviel es beträgt.

Herr Henfrey: Nun, ungefähr eine Stunde morgens und eine Stunde abends während sechs Wochen vor der Zeit, wann gewöhnlich die Lichter angesteckt werden, und ebensoviel während sechs Wochen nach dem Tage, an dem man gewöhnlich aufhört, Licht anzuzünden.

Daniel Maude, Esq.: Das sind also 72 Stunden vor Lichtanzünden und 72 Stunden nachher, also 144 Stunden in zwölf Wochen, die jeder Ihrer Arbeiter mehr arbeiten muß?

Herr Henfrey: Ja.

Diese Ankündigung wurde vom Publikum mit starken Zeichen des Unwillens aufgenommen; Herr Monk sah wütend auf Herrn Henfrey und Herr Henfrey konfus auf seinen Juristen, und Herr Pauling zupfte Herrn Henfrey am Rockschoß – aber es war zu spät; Daniel Maude, Esq., der wohl sah, daß er heute wieder den Unparteiischen spielen müsse, hatte das Geständnis gehört und öffentlich gemacht.

Nachdem noch zwei unbedeutende Zeugen verhört worden waren, sagte Herr Monk, hiermit sei sein Beweis gegen die Angeklagten beendigt.

Daniel Maude, Esq., sagte nun, die klagende Partei habe keine Kriminaluntersuchung gegen die Angeklagten begründet, indem sie nicht bewiesen hätte, daß die bedrohten Schotten vor dem ersten November in Pauling & Henfreys Dienst genommen seien, indem kein Mietvertrag oder keine Beschäftigung der Leute vor dem *zweiten* November bewiesen sei, während die Denunziation am *ersten* November deponiert worden sei; an diesem Tage waren also die Leute noch nicht in Pauling & Henfreys Dienst, und die Angeklagten waren berechtigt, sie auf jede gesetzliche Weise davon abzuhalten, in Pauling & Henfreys Dienste zu treten. Herr Monk sagte hiergegen, die

Kläger seien gemietet gewesen von dem Augenblick an, wo sie Schottland verlassen und das Dampfschiff betreten hätten. Daniel Maude, Esq., bemerkte, allerdings habe man gesagt, daß ein solcher Mietvertrag gemacht worden sei, aber dies Dokument sei nicht eingereicht worden. Herr Monk erwiderte, dies Dokument liege in Schottland, und er bitte Herrn Maude, den Fall so lange stehenzulassen, bis es herbeigebracht werden könne. Hier fiel Herr Roberts ein: Dies sei ihm neu. Der Beweis für die Anklage sei für geschlossen erklärt und dennoch verlange Kläger, daß die Sache vertagt werden solle, um neue Beweisstücke einzubringen. Er bestehe darauf, daß man fortfahre. Daniel Maude, Esq., beschloß, beides sei überflüssig, da keine unterstützte Anklage vorliege – worauf die Angeklagten entlassen wurden.

Inzwischen waren die Arbeiter auch nicht untätig gewesen. Woche auf Woche hielten sie Versammlungen in der Zimmermannshalle oder der Sozialistenhalle, forderten die verschiedenen Handwerksvereine zu Unterstützungen auf, die reichlich kamen, hörten nicht auf, die Handlungsweise von Pauling & Henfrey überall bekanntzumachen, und schickten endlich Delegierte nach allen Richtungen, um überall, wo Pauling & Henfrey anwerben ließen, die Ursache dieser Werbungen unter ihren Handwerksgenossen bekanntzumachen und sie dadurch zu verhindern, in den Dienst dieser Firma zu treten. Bereits wenige Wochen nach dem Anfange des Feierns waren sieben Delegierte auf Reisen und Plakate an den Ecken aller bedeutenden Städte des Landes, die die arbeitslosen Zimmerleute vor Pauling & Henfrey warnten. Am 9. November statteten einige dieser zurückgekehrten Delegierten Bericht über ihre Sendung ab. Einer derselben, namens *Johnson*, der in Schottland gewesen war, erzählte, wie der Abgesandte von Pauling & Henfrey dreißig Arbeiter in Edinburgh angeworben hatte; aber sobald sie von ihm den wahren Stand der Dinge gehört hatten, erklärten sie, daß sie lieber verhungern wollten als unter solchen Umständen nach Manchester gehen. Ein zweiter war in Liverpool gewesen und hatte die ankommenden Dampfschiffe beaufsichtigt; aber kein einziger Mann war angekommen, und so hatte er nichts zu tun vorgefunden. Ein dritter hatte Cheshire bereist, aber wohin er kam, fand er nichts mehr zu tun, denn der „Northern Star“, das Journal der Arbeiter, hatte überall den wahren Stand der Sache verbreitet und den Leuten alle Lust benommen, nach Manchester zu gehen; ja, in einer Stadt, in Macclesfield, hatten die Zimmerleute bereits eine Kontribution zur Unterstützung der Feiernden erhoben und versprochen, ihm im Notfalle einen Shilling per Mann noch nachträglich beizusteuern. An anderen Orten bewog er die Handwerksgenossen, solche Kontributionen auszuschreiben.

Um noch einmal den Herren Pauling & Henfrey Gelegenheit zu geben, sich mit den Arbeitern zu verständigen, versammelten sich Montag, den 18. November, sämtliche beim Bauen beteiligte Handwerke in der Zimmermannshalle, ernannten eine Deputation, die diesen Herren eine Adresse überbringen sollte, und zogen in Prozession, mit Fahnen und Emblemen, nach dem Lokale von Pauling & Henfrey. Zuerst die Deputation, ihr folgte das Komitee zur Organisation der Arbeitseinstellung, dann kamen die Zimmerleute, die Ziegelformer und -bäcker, die Tagelöhner, die Maurer, die Holzsäger, die Glaser, die Pliesterer, die Anstreicher, ein Trupp Musikanten, die Steinhauer, die Möbelschreiner. Sie passierten vor dem Hotel ihres Generalanwalts Roberts und grüßten ihn im Vorbeigehen mit lauten Hurras. Angekommen vor dem Lokal, trat die Deputation vor, während die Menge weiterzog, um sich in Steversons Square zu einer öffentlichen Versammlung zu formieren. Die Deputation wurde von der Polizei empfangen, die ihre Namen und Adressen abforderte, ehe sie sie weiterziehen ließ. Im Kontor angekommen, erklärten ihnen die Associés Herren *Sharps & Pauling*, sie würden keine geschriebene Adresse von einer bloß der Einschüchterung halber zusammengebrachten Masse empfangen. Diesen Zweck leugnete die Deputation, da die Prozession nicht einmal haltgemacht habe, sondern gleich weitergezogen sei. Während indes diese fünftausend Mitglieder zählende Prozession weiterzog, wurde die Deputation endlich empfangen und in Gegenwart der Chefs der Polizei, eines Offiziers und dreier Zeitungsberichterstatter in ein Zimmer geführt. Herr Sharps, Associé von Pauling & Henfrey, usurpierte den Präsidentenstuhl mit der Bemerkung, die Deputation möge sich in acht nehmen mit dem, was sie sage, da alles gehörig protokolliert und nach Umständen gerichtlich gegen sie gebraucht werden würde. – Man fing jetzt an, sie zu fragen, worüber sie klagten usw.; man sagte, man wolle den Leuten Arbeit geben, nach den Regeln, die in Manchester üblich seien. Die Deputation frug, ob die in Staffordshire und Schottland aufgegabelten Leute nach den Bestimmungen des Handwerks in Manchester arbeiteten? – Nein, war die Antwort, mit diesen Leuten haben wir eine besondre Übereinkunft. – Also Eure Leute sollen wieder Arbeit bekommen, und zwar unter den üblichen Bedingungen? – O, wir unterhandeln mit keiner Deputation, aber laßt die Leute nur kommen, so sollen sie erfahren, zu welchen Bedingungen wir ihnen Arbeit geben wollen. – Herr Sharps fügte hinzu, alle Firmen, in denen sein Name sei, haben sich stets gut gegen die Arbeiter benommen und den höchsten Lohn bezahlt. Die Deputation antwortete, daß, wenn er in der Firma Pauling, Henfrey & Co. beteiligt sei, wie sie gehört habe, diese Firma den besten Interessen der Arbeiter heftig opponiert habe. – Ein Ziegelbrenner,

Mitglied der Deputation, wurde gefragt, worüber sein Handwerk denn zu klagen habe. – O, über nichts gerade jetzt, aber wir haben genug gehabt.* – O, habt Ihr genug gehabt, habt Ihr? antwortete grinsend Herr Pauling und nahm Gelegenheit, eine lange Vorlesung über Handwerksvereine, Arbeitseinstellungen usw. zu halten, und über das Elend, worin sie den Arbeiter brächten – worauf einer der Deputation bemerkte, sie seien keineswegs gesonnen, sich ihre Rechte Stück für Stück nehmen zu lassen und z.B., wie es jetzt verlangt werde, 144 Stunden jährlich umsonst zu arbeiten. – Herr Sharps bemerkte, daß der Verlust, den die Teilnehmer der Prozession dadurch hätten, daß sie an dem Tage nicht arbeiteten, wie die Kosten des Feierns, der Verlust der Feiernden an Lohn etc. auch zu rechnen sei. – Einer der Deputation: Das geht niemanden an als uns selbst, und wir werden Euch nicht bitten, aus Eurer Tasche einen Heller dazu beizutragen. Darauf zog die Deputation ab, stattete den versammelten Handwerkern in der Zimmermannshalle Bericht ab, wobei bekannt wurde, daß nicht nur sämtliche Arbeiter, die für Pauling & Henfrey in der Umgegend arbeiteten (die nicht Zimmerleute waren, also die Arbeit nicht eingestellt hatten), gekommen waren, um an der Prozession teilzunehmen, sondern auch heute morgen mehrere der neu importierten Schotten die Arbeit niedergelegt hatten. Auch zeigte ein Anstreicher an, daß Pauling & Henfrey an ihr Handwerk dieselben unbilligen Forderungen gestellt hatten wie an die Schreiner, daß sie aber ebenfalls gesonnen seien, Widerstand zu leisten. Es wurde beschlossen, um die Sache zu vereinfachen und den Kampf zu verkürzen, sollten sämtliche Bauhandwerker der Firma Pauling & Henfrey die Arbeit einstellen. Dies geschah. Den nächsten Sonnabend hörten die Anstreicher und montags die Glaser auf zu arbeiten, und an dem neuen Theater, für dessen Erbauung Pauling & Henfrey kontrahiert hatten, arbeiteten statt 200 Leuten nach wenig Tagen nur noch zwei Maurer und vier Tagelöhner. Auch von den neuen Ankömmlingen stellten mehrere die Arbeit ein.

Pauling, Henfrey & Co. schäumten. Als wieder drei der neuen Ankömmlinge zu feiern anfingen, wurden sie Freitag, den 22. November, vor Daniel Maude, Esq., geschleppt. Die früheren Schlappen hatten nichts geholfen. Zuerst kam ein gewisser *Read* vor, des Kontraktbruches angeklagt; man legte einen Kontrakt vor, den der Angeklagte in Derby unterzeichnet hatte. Roberts, der wieder an seinem Platze war, bemerkte gleich, daß zwischen dem Kontrakt und der Anklage nicht die geringste Verwandtschaft bestehe, sie seien

* Vgl. oben – das blutige Gefecht auf Pauling & Henfreys Ziegelbrennerei [siehe S. 592; vgl. auch S. 442/43].

zwei ganz verschiedne Dinge. Daniel Maude, Esq., sah dies gleich ein, da der fürchterliche Roberts es gesagt hatte, aber er hatte sich lange vergebens zu plagen, um es dem Sachwalter der Gegenpartei begreiflich zu machen. Endlich bat dieser sich Erlaubnis aus, dies zu ändern, und kam nach einiger Zeit mit einer Anklage wieder, die noch viel schlechter war als die erste. Als er sah, daß dies auch nicht zog, bat er um weiteren Aufschub, und Daniel Maude, Esq., erlaubte ihm, sich bis Freitag, den 30. November, zu besinnen; also eine ganze Woche. Ob er dann durchkam, finde ich nicht verzeichnet, da mir hier gerade die eine Nummer in der Zeitungsserie fehlt, die den Entscheid enthalten muß. Roberts indes ging jetzt in die Offensive über und ließ mehrere der angeworbenen Arbeiter sowie einen Werkmeister von Pauling & Henfrey vorladen, weil sie in das Haus eines der Feiernden gedrungen waren und seine Frau gemißhandelt hatten; in zwei andern Fällen waren einige der feiernden Arbeiter angegriffen worden. Daniel Maude, Esq., mußte die Angeklagten zu seinem Leidwesen sämtlich verurteilen, aber er behandelte sie möglichst gelind und ließ sie nur Kaution für künftiges gutes Betragen geben.

Endlich, in den letzten Tagen des Dezember, gelang es den Herren Pauling, Henfrey & Co., gegen zwei ihrer Gegner, ebenfalls wegen Mißhandlung eines ihrer Arbeiter, ein Urteil zu erwirken. Diesmal war aber das Gericht nicht so gelinde. Es verurteilte sie ohne weiteres zu einem Monat Gefängnis und zur Kaution für gutes Betragen nach dieser Zeit.

Von jetzt an werden die Nachrichten über den Strike spärlich. Am 18. Januar war er noch in vollem Gange. Spätere Berichte habe ich nicht gefunden. Wahrscheinlich ist er abgelaufen wie die meisten andern; Pauling, Henfrey & Co. werden sich im Laufe der Zeit eine hinreichende Anzahl Arbeiter aus entlegenen Gegenden und aus einzelnen Überläufern der Gegner verschafft, die Masse der Gegner wird nach längerem oder kürzerem Feiern und damit verknüpftem Elend – wofür sie das Bewußtsein tröstet, sich nichts vergeben und den Lohn ihrer Genossen aufrechterhalten zu haben – anderswo ein Unterkommen gefunden haben; und was die streitigen Punkte betrifft, so werden Pauling, Henfrey & Co. gefunden haben, daß diese sich so streng nicht durchsetzen lassen, da auch für sie der Strike mit vielem Verlust verknüpft war – und die übrigen Unternehmer werden, nach einem so heftigen Kampfe, nicht daran denken, die alten Regeln des Zimmerhandwerks so bald zu ändern.

Brüssel *F. Engels*

„Das Westphälische Dampfboot",
Bielefeld 1846.
Januarheft S. 17–21, Februarheft S. 61–67.

[Friedrich Engels]

Ein Fragment Fouriers über den Handel[174]

[Einleitung und Nachwort]

Die Deutschen fangen nachgerade an, auch die kommunistische Bewegung zu verderben. Wie immer, auch hier die Letzten und Untätigsten, glauben sie ihre Schläfrigkeit durch Verachtung ihrer Vorgänger und philosophische Renommage verdecken zu können. Kaum existiert der Kommunismus in Deutschland, so wird er von einem ganzen Heere spekulativer Köpfe akkapariert, die wunders meinen, was sie getan hätten, wenn sie Sätze, die in Frankreich und England schon zu Trivialitäten geworden, in die Sprache der Hegelschen Logik übertragen und diese neue Weisheit als etwas noch nie Dagewesenes, als die „wahre deutsche Theorie", in die Welt schicken, um dann recht nach Herzenslust auf die „schlechte Praxis", auf die „Lächeln erregenden" sozialen Systeme der bornierten Franzosen und Engländer Kot werfen zu können. Diese allzeit fertige deutsche Theorie, die das unendliche Glück gehabt hat, ein wenig in die Hegelsche Geschichtsphilosophie hineinriechen zu können und von irgendeinem dürren Berliner Professor in den Schematismus der ewigen Kategorien eingereiht zu werden, die dann vielleicht Feuerbach, einige deutsche kommunistische Schriften und Herrn Stein über französischen Sozialismus durchgeblättert hat –, diese deutsche Theorie von der allerschlechtesten Sorte hat sich bereits ohne alle Schwierigkeit den französischen Sozialismus und Kommunismus nach Herrn Stein zurechtkonstruiert, ihm eine untergeordnete Stelle angewiesen, ihn „*überwunden*", ihn in die „höhere Entwicklungsstufe" der allzeit fertigen „deutschen Theorie" „*aufgehoben*". Es fällt ihr natürlich nicht ein, sich einigermaßen mit den aufzuhebenden Sachen selbst bekannt zu machen, Fourier, Saint-Simon, Owen und die französischen Kommunisten anzusehen – die mageren Auszüge des Herrn Stein genügen vollkommen, um diesen brillanten Sieg der deutschen Theorie über die lahmen Versuche des Auslandes zustande zu bringen.

Diesem komischen Stolz der deutschen Theorie, die nicht sterben kann, gegenüber, ist es durchaus nötig, den Deutschen einmal vorzuhalten, was sie dem Auslande alles verdanken, seitdem sie sich mit sozialen Fragen beschäftigen. Unter all den pomphaften Redensarten, die jetzt in der deutschen Literatur als die Grundprinzipien des wahren, reinen, deutschen, theoretischen Kommunismus und Sozialismus ausgerufen werden, ist bis jetzt auch nicht ein einziger Gedanke, der auf deutschem Boden gewachsen wäre. Was die Franzosen oder Engländer schon vor zehn, zwanzig, ja vierzig Jahren gesagt – und sehr gut, sehr klar, in sehr schöner Sprache gesagt hatten, das haben die Deutschen jetzt endlich seit einem Jahre stückweise kennengelernt und verhegelt, oder im allerbesten Falle haben sie es nachträglich noch einmal erfunden und in viel schlechterer, abstrakterer Form als ganz neue Erfindung drucken lassen. Ich nehme hiervon meine eigenen Arbeiten nicht aus. Was den Deutschen eigentümlich ist, ist nur die schlechte, abstrakte, unverständliche und schiefe Form, in der sie diese Gedanken ausgedrückt haben. Und wie es echten Theoretikern geziemt, haben sie bis jetzt von den Franzosen – die Engländer kennen sie noch fast gar nicht – außer den *allerallgemeinsten* Prinzipien nur das Schlechteste und Theoretischste, die Schematisierung der zukünftigen Gesellschaft, die *sozialen Systeme* ihrer Kenntnisnahme für würdig befunden. Die beste Seite, die *Kritik der bestehenden Gesellschaft*, die wirkliche Grundlage, die Hauptaufgabe aller Beschäftigung mit sozialen Fragen, hat man ruhig beiseite geschoben. Davon gar nicht zu sprechen, daß diese weisen Theoretiker den einzigen Deutschen, der *wirklich* etwas getan hat, *Weitling*, ebenfalls mit Verachtung oder gar nicht zu erwähnen pflegen.

Ich will diesen weisen Herren ein kleines Kapitel von Fourier vorhalten, woran sie sich ein Exempel nehmen können. Es ist wahr, Fourier ist nicht aus der Hegelschen Theorie hervorgegangen und hat deshalb leider nicht zur Erkenntnis der absoluten Wahrheit, nicht einmal zum absoluten Sozialismus kommen können; es ist wahr, Fourier hat sich durch diesen Mangel leider verleiten lassen, die Methode der Serien an die Stelle der absoluten Methode zu setzen, und dadurch ist er dahin gekommen, die Verwandlung des Meeres in Limonade, die couronnes boréale und australe[1], den Anti-Löwen[175] und die Begattung der Planeten zu konstruieren, aber wenn es so sein muß, will ich doch lieber mit dem heitern Fourier an alle diese Geschichten glauben, als an das absolute Geisterreich, wo es gar keine Limonade gibt, an die Identität von Sein und Nichts und die Begattung der ewigen Kategorien. Der französische Unsinn ist wenigstens lustig, wo der deutsche Unsinn morose und

[1] nördliche und südliche Korona

tiefsinnig ist. Und dann hat Fourier die bestehenden sozialen Verhältnisse mit einer solchen Schärfe, einem solchen Witz und Humor kritisiert, daß man ihm seine auch auf einer genialen Weltanschauung beruhenden, kosmologischen Phantasien gerne verzeiht.

Das Fragment, was ich hier mitteile, fand sich unter dem Nachlasse Fouriers vor und ist im ersten Hefte der seit Anfang des Jahres 1845 von den Fourieristen herausgegebenen „Phalange" abgedruckt.* Ich lasse davon aus, was sich auf das positive System Fouriers bezieht und was sonst ohne Interesse ist, und verfahre überhaupt so frei damit, wie es mit den ausländischen Sozialisten durchweg geschehen muß, um ihre für bestimmte Zwecke geschriebenen Sachen einem Publikum genießbar zu machen, das diesen Zwecken fremd ist. Dies Fragment ist bei weitem nicht das genialste, was Fourier, auch nicht das beste von dem, was er über den Handel geschrieben hat – und doch hat noch kein deutscher Sozialist oder Kommunist, mit Ausnahme Weitlings, irgend etwas geschrieben, was diesem Brouillon auch nur im entferntesten gleich käme.

Um dem deutschen Publikum die Mühe zu ersparen, die „Phalange" selbst zu lesen, bemerke ich, daß diese Zeitschrift eine reine Geldspekulation der Fourieristen ist und die mitgeteilten Manuskripte Fouriers sehr ungleichen Wert haben. Die Herrn Fourieristen, die diese Revue herausgeben, sind deutsch gewordene, feierliche Theoretiker, die an die Stelle des Humors, mit dem ihr Meister die Welt der Bourgeoisie bloßlegte, einen heiligen, gründlichen, theoretischen Ernst der Wissenschaftlichkeit gesetzt haben und dafür verdientermaßen in Frankreich verhöhnt, in Deutschland geschätzt werden. Ihre Konstruktion der imaginären Triumphe des Fourierismus im ersten Heft der „Phalange" könnte einen Professor der absoluten Methode in Entzücken versetzen.

Ich fange meine Mitteilungen mit einem Satze an, der schon in der „Théorie des quatre mouvements" [1] abgedruckt wurde. Dies ist der Fall mit bedeutenden Abschnitten des vorliegenden Fragments, von denen ich indes nur das Nötigste geben werde.[176]

. . . .

* „La Phalange". Revue de la science sociale, XIVe année, 1re Série in 8°, Paris, aux Bureaux de la Phalange, 1845.–Publication des Manuscrits de Fourier: „Section ébauchée des trois unités externes" [Zeitschrift für Sozialwissenschaft, XIV. Jahrgang, 1. Serie in 8°, Paris, Verlag der Phalange, 1845. – Veröffentlichung der Manuskripte von Fourier: „Entwurf des Abschnitts über die drei äußeren Einheiten"], p. 1–42 des Januar- und Februarheftes.

[1] „Theorie der vier Bewegungen"

Soweit Fourier. Die Fortsetzung dieses Artikels im zweiten Hefte der „Phalange" enthält drei Kapitel über Agiotage, Aufkauf (accaparement) und Parasitismus, die aber bereits größtenteils in den „quatre mouvements" abgedruckt worden sind. Teils aus diesem Grunde, teils weil dies obige Fragment meinem Zwecke vollständig entspricht, breche ich hier ab.

Die gelehrten Herren Deutschen, die so eifrig auf dem „wilden Lebermeer" der grundlosen Theorie umhersegeln und vor allem nach *„dem Prinzip"* des „Sozialismus" fischen, mögen sich an dem commis marchand[1] Fourier ein Exempel nehmen. Fourier war kein Philosoph, er hatte einen großen Haß gegen die Philosophie und hat sie in seinen Schriften grausam verhöhnt und bei dieser Gelegenheit eine Menge Sachen gesagt, die unsere deutschen „Philosophen des Sozialismus" wohltäten, sich zu Herzen zu nehmen. Sie werden mir freilich entgegnen, daß Fourier ebenfalls „abstrakt" war, daß er mit seinen Serien Gott und die Welt trotz Hegel konstruierte, aber das rettet sie nicht. Die immer noch genialen Bizarrerien Fouriers entschuldigen nicht die ledernen sogenannten Entwicklungen der trockenen deutschen Theorie. Fourier konstruiert sich die Zukunft, nachdem er die Vergangenheit und Gegenwart richtig erkannt hat; die deutsche Theorie macht sich erst die vergangene Geschichte nach ihrem Belieben zurecht und kommandiert dann ebenfalls der Zukunft, welche Richtung sie nehmen soll. Man vergleiche z. B. Fouriers Epochen der sozialen Entwickelung (Wildheit, Patriarchat, Barbarei, Zivilisation) und ihre Charakterisierung mit der Hegelschen absoluten Idee, wie sie sich mühsam durch das Labyrinth der Geschichte durcharbeitet und trotz der *vier* Weltreiche am Ende doch noch mit Ach und Krach den Schein einer Trichotomie zustande bringt – von nachhegelschen Konstruktionen gar nicht zu sprechen. Denn wenn bei Hegel die Konstruktion doch noch einen Sinn, wenn auch einen verkehrten, hatte, so hat sie bei den nachhegelschen Entwickelungsfabrikanten gar keinen mehr.

Die Deutschen sollten wahrhaftig endlich aufhören, von ihrer Gründlichkeit so viel Wesens zu machen. Mit drittehalb mageren Daten sind sie imstande, Euch das Hundertste und Tausendste nicht nur zusammen, sondern auch in seinen Zusammenhang mit der Weltgeschichte zu bringen. Von der ersten besten Tatsache, die ihnen aus dritter Hand zukommt, von der sie gar nicht einmal wissen, ob sie sich so und nicht anders zugetragen hat, beweisen sie Euch, *daß* sie sich so und nicht anders habe zutragen *müssen*. Wer hat in Deutschland über soziale Fragen geschrieben und nicht auch über Fourier irgend etwas gesagt, wodurch die deutsche Gründlichkeit aufs gründlichste

[1] Kaufmannsgehilfen

blamiert wird! Da ist unter andern ein Herr Kaiser, der das „vortreffliche Werk von L. Stein“ sogleich zu einer welthistorischen Konstruktion benutzt hat, bei der es nur schade ist, daß sämtliche zugrunde gelegten Tatsachen falsch sind. Fourier hat von der deutschen Theorie schon wenigstens zwanzigmal seine „Stelle in der Entwickelung der absoluten Idee“ angewiesen erhalten – und jedesmal eine andere Stelle – und jedesmal verließ sich die deutsche Theorie in Beziehung auf den Tatbestand auf Herrn Stein oder sonstige unsaubere Quellen. Daher ist denn auch der deutsche „absolute Sozialismus“ so erschrecklich pauvre. Etwas „Menschentum“, wie man das Dings neuerlich tituliert, etwas „Realisierung“ dieses Menschentums oder vielmehr Ungetüms, etwas Weniges über das Eigentum aus Proudhon – dritte oder vierte Hand –, etwas Proletariatsjammer, Organisation der Arbeit, die Vereinsmisere zur Hebung der niederen Volksklassen, nebst einer grenzenlosen Unwissenheit über die politische Ökonomie und die wirkliche Gesellschaft – das ist die ganze Geschichte, die noch dazu durch die theoretische Unparteilichkeit, die „absolute Ruhe des Gedankens“, den letzten Tropfen Blut, die letzte Spur von Energie und Spannkraft verliert. Und mit dieser Langeweile will man Deutschland revolutionieren, das Proletariat in Bewegung setzen, die Massen denken und handeln machen?

Wenn sich unsere deutschen halb und ganz kommunistischen Dozenten nur die Mühe gegeben hätten, die Hauptsachen von Fourier, die sie doch so leicht haben konnten wie irgendein deutsches Buch, etwas anzusehen, welch eine Fundgrube von Material zum Konstruieren und sonstigen Gebrauch würden sie da entdeckt haben! Welche Masse von neuen Ideen – auch heute noch neu für Deutschland – hätte sich ihnen da dargeboten! Die guten Leute wissen bis auf die heutige Stunde der jetzigen Gesellschaft gar nichts vorzuwerfen als die Lage des Proletariats, und auch davon wissen sie nicht über die Maßen viel zu sagen. Allerdings ist die Lage des Proletariats der Hauptpunkt, aber ist damit die Kritik der heutigen Gesellschaft abgemacht? Fourier, der außer in späteren Schriften diesen Punkt kaum berührt, liefert den Beweis, wie man auch ohne ihn die bestehende Gesellschaft als durchaus verwerflich anerkennen, wie man allein durch die Kritik der Bourgeoisie, und zwar der Bourgeoisie in ihren inneren Beziehungen, abgesehen von ihrer Stellung zum Proletariat, zur Notwendigkeit einer sozialen Reorganisation kommen kann. Für diese Seite der Kritik ist Fourier bis jetzt einzig. Fourier deckt die Heuchelei der respektablen Gesellschaft, den Widerspruch zwischen ihrer Theorie und ihrer Praxis, die Langeweile ihrer ganzen Existenzweise unerbittlich auf; er verspottet ihre Philosophie, ihr Streben nach der perfection de la perfectibilité perfectibilisante[1] und der auguste vérité[2], ihre „reine Moral", ihre einförmigen sozialen Institutionen, und hält dagegen ihre Praxis, den doux commerce[3], den er meisterhaft kritisiert, ihre liederlichen Genüsse, die keine Genüsse sind, ihre Organisation der Hahnreischaft in der Ehe, ihre allgemeine Konfusion. Alles das sind Seiten der bestehenden Gesellschaft, von denen in Deutschland noch gar nicht die Rede gewesen ist. Freilich, man hat hier und da von der Freiheit der Liebe, von der Stellung, der Emanzipation des Weibes gesprochen; aber was hat man zustande gebracht? Ein paar konfuse Phrasen, einige Blaustrümpfe, etwas Hysterie und ein gut Teil deutschen Familienjammer – nicht einmal ein Bastard ist dabei herausgekommen!

Die Deutschen mögen zuerst einmal die praktische wie literarische soziale Bewegung des Auslandes kennenlernen – zu der praktischen Bewegung gehört die ganze englische und französische Geschichte seit achtzig Jahren, die Industrie Englands, die Revolution Frankreichs –, dann mögen sie praktisch und literarisch ebensoviel tun wie ihre Nachbarn, und *erst dann* wird es an der Zeit sein, dergleichen müßige Fragen aufzustellen, wie die über das größere oder geringere Verdienst der verschiedenen Nationen. Aber dann findet man kein Publikum mehr für diese spitzfindigen Disquisitionen.

Bis dahin tun die Deutschen am besten, vor allen Dingen sich mit den Leistungen des Auslandes bekannt zu machen. Alle bisher hierüber erschienenen Bücher sind ohne Ausnahme *schlecht*. Dergleichen kurze Zusammenfassungen können ohnehin im besten Falle nur die Kritik der Sachen, nicht die Sachen selbst geben. Diese sind teils selten und in Deutschland nicht zu haben, teils zu voluminös, teils mit Dingen vermischt, die nur noch von historischem und literarischem Interesse sind und das deutsche Publikum von 1845 nicht mehr interessieren. Um diese Sachen, deren wertvoller Inhalt für Deutschland auch jetzt noch neu ist, zugänglich zu machen, ist eine Auswahl und Bearbeitung nötig, wie sie die Franzosen, viel praktischer als wir auch in diesen Sachen, mit allen ihnen vom Auslande her zukommenden Stoff vornehmen. Eine solche Bearbeitung der epochemachenden sozialistischen Literatur des Auslandes wird in kurzem zu erscheinen anfangen. Mehrere deutsche Kommunisten, unter ihnen die besten Köpfe der Bewegung, die ebenso leicht eigene Arbeiten geben könnten, haben sich zu diesem Unternehmen vereinigt, das hoffentlich den weisen deutschen Theoretikern dartun wird,

[1] Vervollkommnung der vervollkommnenden Fähigkeit zur Vervollkommnung – [2] erhabenen Wahrheit – [3] lieben Handel

daß ihre ganze Weisheit eine alte, jenseits des Rheins und des Kanals schon längst pro et contra[1] durchdiskutierte ist. Wenn sie erst gesehen haben, was *vor* ihnen getan worden ist, werden sie Gelegenheit finden zu zeigen, was *sie* tun können.

Brüssel.

F. Engels

Geschrieben zwischen April
und Mitte Juli 1845

„Deutsches Bürgerbuch für 1846"
(Zweiter Jahrgang), Mannheim 1846
S. 1–4 und 52–56

[1] für und wider

[Friedrich Engels]

Das Fest der Nationen in London

(Zur Feier der Errichtung der französischen Republik, 22. September 1792.)[177]

„Was gehen uns die Nationen an? Was geht uns die französische Republik an? Sind nicht die Nationen längst begriffen, haben sie nicht alle ihre Stelle von uns angewiesen erhalten, haben wir nicht die Deutschen im theoretischen, die Franzosen im politischen Fach, die Engländer in der bürgerlichen Gesellschaft untergebracht? Und vollends die französische Republik! Was ist bei einer Entwicklungsstufe zu feiern, die längst überwunden ist, die sich durch ihre eignen Konsequenzen aufgehoben hat! Wenn ihr uns etwas aus England berichten wollt, entwickelt lieber die neueste Phase, in die das sozialistische Prinzip getreten ist, erzählt uns, ob noch immer der einseitige englische Sozialismus nicht einsieht, wie tief er unter unsrer prinzipiellen Höhe steht, wie er nur auf die Stelle eines *Momentes*, und zwar eines aufgehobenen Momentes, Anspruch machen kann!"

Ruhig, liebes Deutschland. Die Nationen und die französische Republik gehen uns sehr viel an.

Die Fraternisierung der Nationen, wie sie jetzt überall durch die extreme, proletarische Partei gegenüber dem alten naturwüchsigen Nationalegoismus und dem heuchlerischen, privategoistischen Kosmopolitismus der Handelsfreiheit vollzogen wird, ist mehr wert als sämtliche deutsche Theorien über den wahren Sozialismus.

Die Fraternisierung der Nationen unter der Fahne der *modernen Demokratie*, wie sie von der französischen Revolution ausgegangen, im französischen Kommunismus und englischen Chartismus sich entwickelt hat, zeigt, daß die Massen und ihre Repräsentanten besser wissen, was die Glocke geschlagen hat, als die deutsche Theorie.

„Aber davon ist ja gar nicht die Rede! Wer spricht denn von der Fraternisierung, *wie sie* etc., von der Demokratie, *wie sie* etc.? Wir sprechen von der Fraternisierung der Nationen an und für sich, von *der* Fraternisierung der Nationen, von *der* Demokratie, von der Demokratie schlechthin, von der Demokratie *als solcher*. Habt Ihr denn Euren Hegel ganz vergessen?"

„Wir sind keine Römer, wir rauchen Tabak".[178] Wir sprechen nicht von der antinationalen Bewegung, die *jetzt* in der *Welt* vor sich geht, wir sprechen von der Aufhebung der Nationalitäten, die sich vermittelst des reinen Gedankens – mit Hülfe der Phantasie, in Ermanglung der Tatsachen – in unsrem Kopfe vollzieht. Wir sprechen nicht von der *wirklichen* Demokratie, der ganz Europa in die Arme rennt, und die eine ganz besondere Demokratie ist, unterschieden von allen frühern Demokratien, wir sprechen von einer ganz andern Demokratie, die den Durchschnitt der griechischen, römischen, amerikanischen und französischen Demokratie bildet, kurz vom *Begriff* der Demokratie. Wir sprechen nicht von den *Dingen*, die dem neunzehnten Jahrhundert angehören und schlecht und vergänglich sind, wir sprechen von den Kategorien, die ewig sind und die da existierten, „ehe denn die Berge waren". Kurz, wir sprechen nicht von dem, wovon die Rede ist, sondern von ganz etwas anderem.

Um die Sache kurz zu fassen: wenn heutzutage bei Engländern und Franzosen und bei denjenigen Deutschen, die bei der praktischen Bewegung beteiligt, die keine Theoretiker sind, von Demokratie, von Fraternisierung der Nationen die Rede ist, so hat man sich dabei durchaus nichts bloß Politisches zu denken. Dergleichen Phantasien existieren nur noch bei den deutschen Theoretikern und einigen wenigen Ausländern, die nicht zählen. In der Wirklichkeit haben diese Worte jetzt einen sozialen Sinn, in den die politische Bedeutung aufgeht. Schon die Revolution war etwas ganz anderes als der Kampf um diese und jene Staatsform, wie man sich in Deutschland noch häufig genug einbildet. Der Zusammenhang der meisten Insurrektionen jener Zeit mit einer Hungersnot, die Bedeutung, die die Verproviantierung der Hauptstadt und die Verteilung der Vorräte schon von 1789 an hat, das Maximum, die Gesetze gegen den Aufkauf der Lebensmittel, der Schlachtruf der revolutionären Armeen: „Guerre aux palais, paix aux chaumières"[1] – das Zeugnis der Carmagnole[179], nach der der Republikaner neben du fer[2] und du coeur[3] auch du pain[4] haben muß – und hundert andre auf der Hand liegende Äußerlichkeiten beweisen schon, abgesehen von aller genaueren Untersuchung der Tatsachen, wie sehr die damalige Demokratie etwas ganz anderes war als eine bloße politische Organisation. Ohnehin ist es bekannt, daß die Konstitution von 1793[180] und der Terrorismus von derjenigen Partei ausging, die sich auf das empörte Proletariat stützte, daß der Sturz Robespierres den Sieg der Bourgeoisie über das Proletariat bezeichnet, daß die Verschwörung Babeufs für die Gleichheit die letzten Konsequenzen der

[1] „Krieg den Palästen, Friede den Hütten" – [2] Waffen – [3] Mut – [4] Brot

93er Demokratie – soweit sie damals möglich waren – an den Tag brachte. Die französische Revolution war von Anfang bis zu Ende eine soziale Bewegung, und nach ihr ist eine rein politische Demokratie vollends ein Unding geworden.

Die Demokratie, das ist heutzutage der Kommunismus. Eine andre Demokratie kann nur noch in den Köpfen theoretischer Visionäre existieren, die sich nicht um die wirklichen Ereignisse kümmern, bei denen nicht die Menschen und die Umstände die Prinzipien, sondern die Prinzipien sich selbst entwickeln. Die Demokratie ist proletarisches Prinzip, Prinzip der Massen geworden. Die Massen mögen über diese einzig richtige Bedeutung der Demokratie mehr oder weniger klar sein, aber für alle liegt wenigstens das dunkle Gefühl der sozialen gleichen Berechtigung in der Demokratie. Die demokratischen Massen können bei der Berechnung der kommunistischen Streitkräfte ruhig mitgezählt werden. Und wenn sich die proletarischen Parteien verschiedener Nationen vereinigen, so haben sie ganz recht, das Wort „Demokratie" auf ihre Fahnen zu schreiben, denn mit Ausnahme derjenigen, die nicht zählen, sind im Jahre 1846 alle europäischen Demokraten mehr oder weniger klare Kommunisten.

Die Feier der französischen Republik ist trotz aller „Überwindung" derselben für die Kommunisten aller Länder ebenfalls vollständig berechtigt. Erstens sind alle Völker, die dumm genug waren, sich zur Bekämpfung der Revolution gebrauchen zu lassen, den Franzosen öffentliche Genugtuung schuldig, seitdem sie einsehen gelernt haben, welch eine Sottise[1] sie aus Untertanentreue begingen; zweitens ist die ganze europäische soziale Bewegung von heute nur der zweite Akt der Revolution, nur die Vorbereitung für das Denouement[2] des Dramas, das 1789 in Paris anfing und jetzt ganz Europa zu seinem Schauplatz hat; drittens ist es in unsrer feigen, selbstsüchtigen, bettelhaften Bourgeoisepoche an der Zeit, das Gedächtnis jener großen Jahre zurückzurufen, wo ein ganzes Volk einen Augenblick alle Feigheit, alle Selbstsucht und Bettelhaftigkeit beiseite warf, wo es Männer gab, die den Mut der Ungesetzlichkeit hatten, die vor nichts zurückschreckten, und deren stählerne Energie es durchsetzte, daß vom 31. Mai 1793 bis zum 26. Juli 1794 in ganz Frankreich keine Memme, kein Krämer, kein Agioteur, kurz kein Bourgeois sich sehen lassen durfte. Wahrhaftig, es ist nötig, in der Zeit, wo ein Rothschild den europäischen Frieden zusammenhält, ein Vetter-Köchlin um Schutzzölle, ein Cobden um Handelsfreiheit schreit, und ein Diergardt die Erlösung der sündigen Menschheit durch Vereine zur Hebung der arbeitenden

---

[1] Dummheit – [2] Lösung

Klassen predigt – wahrhaftig, es ist nötig zu erinnern an Marat und Danton, Saint-Just und Babeuf, an die Siegesfreude von Jemappes und Fleurus[181]. Wenn diese gewaltige Zeit, diese ehernen Charaktere nicht noch immer in unsre Krämerwelt hereinragten, wahrhaftig, die Menschheit müßte verzweifeln und sich einem Vetter-Köchlin, Cobden oder Diergardt auf Diskretion in die Arme stürzen.

Endlich hat die Fraternisierung der Nationen heutzutage ebenfalls mehr als je eine rein soziale Bedeutung. Die Hirngespinste von europäischer Republik, ewigem Frieden unter der politischen Organisation sind ebenso lächerlich geworden wie die Phrasen von der Vereinigung der Völker unter der Ägide allgemeiner Handelsfreiheit; und während so alle chimärischen Sentimentalitäten dieser Art ganz außer Kurs kommen, fangen die Proletarier aller Nationen, ohne viel Wesens davon zu machen, schon an, unter dem Banner der kommunistischen Demokratie *wirklich zu fraternisieren*. Die Proletarier sind auch die einzigen, die dies wirklich können; denn die Bourgeoisie hat in jedem Lande ihre Spezialinteressen und kann, da ihr das Interesse das Höchste ist, nie über die Nationalität hinauskommen; und die paar Theoretiker bringen mit all ihren schönen „Prinzipien" nichts fertig, weil sie diese widersprechenden Interessen, wie überhaupt alles Bestehende, ruhig fortbestehen lassen und nur Phrasen machen können. Die Proletarier aber haben in allen Ländern ein und dasselbe Interesse, einen und denselben Feind, einen und denselben Kampf vor sich; die Proletarier sind der großen Masse nach schon von Natur ohne Nationalvorurteile, und ihre ganze Bildung und Bewegung ist wesentlich humanitarisch, antinational. Die Proletarier allein können die Nationalität vernichten, das erwachende Proletariat allein kann die verschiedenen Nationen fraternisieren lassen.

Die nachfolgenden Tatsachen werden den faktischen Beweis zu allem, was ich hier gesagt habe, liefern.

Schon am 10. August v. J. fand in London ein ähnliches Fest zur Feier eines dreifachen Jahrestages – der Revolution von 1792, der Proklamierung der Konstitution von 1793 und der Stiftung der „demokratischen Assoziation" durch die radikalste Fraktion der englischen Bewegungspartei von 1838/39 – statt.

Diese radikalste Fraktion bestand aus Chartisten, Proletariern, wie sich das von selbst versteht, die aber das Ziel der chartistischen Bewegung klar voraussahen und es zu beschleunigen strebten. Während es der Masse der Chartisten damals noch allein um die Übertragung der Staatsmacht an die Arbeiterklasse zu tun war, und noch wenige die Zeit gehabt hatten, über den Gebrauch dieser Macht nachzudenken, waren die Mitglieder dieser Assoziation, die in der damaligen Aufregung eine bedeutende Rolle spielte, darüber einig – sie waren zuerst Republikaner, und zwar Republikaner, die die Konstitution vom Jahre 93 als ihr Glaubensbekenntnis aufstellten, alle Verbindung mit der Bourgeoisie, auch der kleinen, zurückstießen und den Satz verteidigten, daß der Unterdrückte das Recht zum Gebrauch aller Mittel gegen seinen Bedrücker habe, die der Unterdrücker gegen ihn anwende. Auch hierbei blieben sie nicht stehen, sie waren nicht nur Republikaner, sondern Kommunisten, und zwar irreligiöse Kommunisten. Die Assoziation zerfiel mit der revolutionären Aufregung von 1838/39; aber ihre Wirksamkeit ist nicht verloren gewesen und hat sehr dazu beigetragen, die Energie der chartistischen Bewegung zu stärken, die in ihr liegenden kommunistischen Elemente zu entwickeln. Schon an diesem Feste des zehnten August wurden sowohl kommunistische wie kosmopolitische[1] Prinzipien ausgesprochen; neben der politischen wurde *soziale* Gleichheit gefordert und ein Toast auf die Demokraten aller Nationen mit Enthusiasmus aufgenommen.

Es waren schon früher in London Versuche gemacht worden, die Radikalen der verschiedenen Nationen zusammenzubringen; diese Versuche waren bald an inneren Spaltungen der englischen Demokraten und der Unkenntnis derselben von seiten der Ausländer, bald an prinzipiellen Differenzen der Parteiführer der verschiedenen Nationen gescheitert. So groß ist das Hindernis aller Vereinigung, das in der verschiedenen Nationalität liegt, daß selbst die seit Jahren in London ansässigen Ausländer, sosehr sie mit der englischen Demokratie sympathisierten, dennoch von der unter ihren Augen vorgehenden Bewegung, von dem wirklichen Stande der Dinge, so gut wie gar nichts wußten, die radikalen Bourgeois mit den radikalen Proletariern verwechselten und die prononciertesten Feinde in einer und derselben Versammlung freundschaftlich zusammenbringen wollten. Die Engländer wurden teils hierdurch, teils durch nationales Mißtrauen zu ähnlichen Verstößen geleitet, die um so leichter möglich waren, als das Gelingen einer solchen Verhandlung notwendig von dem größeren oder geringeren Einverständnis weniger an der Spitze stehender, einander persönlich selten bekannter Komiteemitglieder abhing. Bei den früheren Versuchen waren diese Individuen möglichst unglücklich gewählt, und dadurch wurde die Sache jedesmal sehr bald wieder zum Einschlafen gebracht. Aber das Bedürfnis einer solchen Fraternisierung war zu lebhaft. Jeder gescheiterte Versuch reizte nur zu einem neuen Anlauf. Wenn einige der demokratischen Wortführer in London der Sache überdrüssig wurden, so traten andre an ihre Stelle; im verflossenen August fanden

[1] *kosmopolitisch* ist hier und auf Seite 616 im Sinne „frei von nationaler Beschränktheit und nationalen Vorurteilen" zu verstehen.

wieder Annäherungen statt, die diesmal nicht fruchtlos waren[182], und eine bereits von andrer Seite her angekündigte Feier des 22. Septembers wurde benutzt, um die Allianz der in London ansässigen Demokraten aller Nationen öffentlich zu erklären.

In dieser Versammlung waren Engländer, Franzosen, Deutsche, Italiener, Spanier, Polen und Schweizer vereinigt. Auch Ungarn und die Türkei stellten je einen Mann Kontingent. Die drei großen Nationen des zivilisierten Europas, Engländer, Deutsche und Franzosen, führten das Wort und waren auf sehr würdige Weise vertreten. Präsident war natürlich ein Engländer, *Thomas Cooper* „der Chartist", der wegen Teilnahme an der Insurrektion von 1842 fast zwei Jahre im Gefängnis gehalten wurde und dort ein Epos im Stile des Childe Harold schrieb, das von den englischen Kritikern sehr gerühmt wird[183]. Der Hauptredner des Abends war englischerseits *George Julian Harney*, seit zwei Jahren Mitredakteur des „Northern Star". Der „Northern Star" ist das von O'Connor 1837 gegründete Organ des Chartismus, das, seitdem es von J. Hobson und Harney gemeinschaftlich redigiert wird, in jeder Beziehung eines der besten Blätter von Europa geworden ist – ich wüßte ihm nur einige kleine Pariser Arbeiterjournale, namentlich die „Union"[184] an die Seite zu stellen. Harney selbst ist ein echter Proletarier, von Jugend auf in der Bewegung beteiligt, eines der Hauptmitglieder der erwähnten demokratischen Assoziation von 1838/39 (er präsidierte am Feste des 10. August) und neben Hobson unbedingt der beste englische Schriftsteller, was ich gelegentlich den Deutschen zu beweisen gedenke. Harney ist über das Ziel der europäischen Bewegung vollständig im klaren und durchaus à la hauteur des principes[1], obwohl er nichts von den deutschen Theorien über den wahren Sozialismus weiß. Ihm gebührt das Hauptverdienst in der Veranstaltung dieses kosmopolitischen Festes; er hat keine Mühe gescheut, die verschiedenen Nationalitäten zusammenzubringen, die Mißverständnisse zu beseitigen, die persönlichen Differenzen zu überwinden.

Der von Harney ausgebrachte Toast lautete:

„Dem feierlichen Gedächtnis der aufrichtigen und tugendhaften französischen Republikaner von 1792. Möge die Gleichheit, die sie erstrebten, für die sie lebten, arbeiteten und starben, eine baldige Auferstehung in Frankreich erleben und ihr Reich über ganz Europa ausdehnen."

Harney, der mit doppelt und dreifach wiederholtem Beifall empfangen wurde, sagte:

---

[1] auf der Höhe der Prinzipien

„Es gab eine Zeit, wo eine Feier wie die gegenwärtige uns nicht nur der Verachtung, dem Hohn, dem Spott und der Verfolgung der privilegierten Klassen, sondern auch den Gewalttätigkeiten eines irregeleiteten und unwissenden Volks ausgesetzt haben würde – eines Volks, das nach den Lehren seiner Pfaffen und Herrscher die französische Revolution als etwas Schreckliches und Höllisches ansah, als etwas, worauf man mit Entsetzen zurückblickt, wovon man mit Abscheu spricht. Ihr werdet Euch erinnern – wenigstens die meisten von Euch – daß vor noch nicht langer Zeit, sowie hier in unsrem Vaterlande die Abschaffung eines schlechten oder die Erlassung eines guten Gesetzes gefordert wurde, sogleich das Geschrei über ‚Jakobiner' sich erhob. Verlangte man die Reform des Parlaments, die Herabsetzung der Steuern, die nationale Erziehung oder irgend etwas anderes, das nach Fortschritt schmeckte, man konnte sicher sein, daß ‚die französische Revolution', die ‚Schreckensherrschaft' und der ganze Rest jener blutigen Phantasmagorie wieder heraufbeschworen und gebührend zur Schau gestellt wurde, um die großen Kinder in Hosen und mit Bärten zu schrecken, die noch nicht selbst denken gelernt hatten. (Heiterkeit und Beifall.) Diese Zeit ist vergangen; dennoch zweifle ich, ob wir schon gelernt haben, die Geschichte jener großen Revolution richtig zu lesen. Es würde sehr leicht für mich sein, bei Gelegenheit dieses Toastes einige verführerische Gefühle über Freiheit, Gleichheit und Menschenrechte, die Koalition der europäischen Könige und die Taten Pitts und Braunschweigs abzudeklamieren; ich könnte alles das des breiteren behandeln, vielleicht Beifall für eine äußerst freisinnig gehaltene Rede erhalten, und doch die wirkliche Frage gar nicht berühren. Die große wirkliche Frage, die die französische Revolution zu lösen hatte, war die *Zerstörung der Ungleichheit* und die Einführung von Institutionen, welche dem französischen Volk das Glück sichern würden, das die Massen zu allen Zeiten bis jetzt entbehrt haben. Wenn wir die in der Revolution aufgetretenen Charaktere nach diesem Prüfstein beurteilen, so werden wir sie leicht richtig würdigen. Nehmt z.B. Lafayette als einen Vertreter des Konstitutionalismus, und er ist vielleicht der honettste[1] und beste Mann der ganzen Partei. Wenige Männer freuten sich größerer Popularität als Lafayette. In seiner Jugend ging er nach Amerika und beteiligte sich am amerikanischen Kampf gegen englische Tyrannei. Nach Erringung der amerikanischen Unabhängigkeit kehrte er nach Frankreich zurück, und bald darauf finden wir ihn als einen der Ersten in der Revolution, die jetzt in seinem eignen Lande anfing. Wiederum in seinem Alter, finden wir ihn als den populärsten Mann in Frankreich, wo er nach den drei Tagen[166] zum wahren Diktator gemacht wird, Könige absetzt und ernennt mit einem einzigen Wort. Lafayette hat in Europa und Amerika mehr Volksgunst genossen als vielleicht irgendeiner seiner Zeitgenossen; und diese Volksgunst würde er verdient haben, wenn er in seiner spätern Aufführung seinem ersten revolutionären Auftreten treugeblieben wäre. Aber Lafayette war nie der Freund der Gleichheit. (Hört, hört!) Allerdings, gleich anfangs gab er seinen Titel auf, entsagte seinen Feudalvorrechten – und soweit war alles gut. An der Spitze der Nationalgarde stehend, das

[1] ehrlichste

Idol der Bourgeoisie, gebietend selbst über die Neigungen der Arbeiterklasse, galt er eine Zeitlang für den Vorkämpfer der Revolution. Aber er blieb stehen, als es Zeit war, vorwärts zu gehen. Das Volk fand bald, daß mit der Zerstörung der Bastille und der Abschaffung der Feudalprivilegien, mit der Demütigung des Königs und der Aristokratie nichts erreicht war *als die Vergrößerung der Macht der Bourgeoisie*. Aber das Volk war hiermit nicht zufrieden (Beifall); – es verlangte Freiheit und Rechte für sich, *es verlangte, was wir verlangen – eine wahre, volle Gleichheit*. (Lauter Beifall.) Als Lafayette dies sah, wurde er Konservativer, hörte er auf, Revolutionär zu sein. Er war es, der die Annahme des Kriegsgesetzes vorschlug, um dadurch das Erschießen und Niederhauen des Volkes bei etwaigen Tumulten zu legitimieren – zu einer Zeit noch dazu, wo das Volk unter absoluter Hungersnot litt; und unter diesem Kriegsgesetz leitete Lafayette selbst die Niedermetzelung des Volks, als es am 17. Juli 1791 auf dem Champ de Mars[1] versammelt war, um nach der Flucht des Königs nach Varennes an die Nationalversammlung gegen die Wiedereinsetzung dieses abtrünnigen Staatsoberhauptes zu petitionieren. Später wagte es Lafayette, Paris mit seinem Schwert, die populären Klubs mit gewaltsamer Schließung zu bedrohen. Nach dem zehnten August[185] versuchte er, seine Soldaten zum Marsche gegen Paris zu verleiten; aber sie, bessere Patrioten als er, weigerten sich, und dann floh er und entsagte der Revolution. Und doch war Lafayette wohl der beste Mann unter allen Konstitutionellen. Aber weder er noch seine Partei haben mit unserem Toast etwas zu tun, denn sie waren nicht einmal dem Namen nach Republikaner. Sie gaben vor, die Souveränität des Volks anzuerkennen, während sie zu gleicher Zeit dies Volk in aktive und nichtaktive Bürger teilten und das Stimmrecht auf die Steuerzahlenden, die sie aktive Bürger nannten, beschränkten. Kurz, Lafayette und die Konstitutionellen waren bloße Whigs, wenig, wenn irgend besser als die Leute, die uns mit der Reform-Bill an der Nase herumgeführt haben. (Beifall.) Nach ihnen kommen die Girondisten, und diese sind die Leute, die gewöhnlich für die ‚aufrichtigen und tugendhaften Republikaner' ausgegeben werden. Ich kann diese Ansicht nicht teilen. Unmöglich können wir ihnen den Tribut unsrer Bewunderung für ihre Talente versagen, für die Beredsamkeit, die die Anführer dieser Partei auszeichnete, und zu der sich bei einigen, wie Roland, unerschütterliche Integrität, bei andern, wie Frau Roland, heroische Aufopferung, bei noch andern, wie Barbaroux, feuriger Enthusiasmus gesellt. Und wir können – mir geht es wenigstens so – nicht ohne tiefe Bewegung von dem schreckenerregenden und frühzeitigen Tode der Frau Roland oder des Philosophen Condorcet lesen. Aber bei alledem waren die Girondisten nicht die Leute, von denen das Volk Erlösung aus der sozialen Sklaverei erwarten durfte. Daß brave Leute unter ihnen waren, wird keinen Augenblick bezweifelt; daß sie aufrichtig in ihrer Überzeugung waren, kann zugegeben werden. Daß viele von ihnen mehr unwissend als schuldig waren, mögen wir vielleicht glauben – obwohl nur von denen, die umkamen; denn wenn wir die ganze Partei nach denen beurteilen müßten, die das sogenannte Schreckensreich überlebten, so wären wir zu dem Schluß gezwungen, daß eine niederträchtigere Rotte nie existierte. Diese überlebenden

[1] Marsfeld

Girondisten halfen die Konstitution von 1793 zerstören, führten die aristokratische Konstitution von 1795 ein, verschworen sich mit andern aristokratischen Fraktionen zur Ausrottung der echten Republikaner und halfen endlich Frankreich unter den Militärdespotismus des Usurpators Napoleon bringen. (Hört, hört!) Die Beredsamkeit der Girondisten ist hochgepriesen worden; aber wir unerschütterlichen Demokraten können sie nicht bloß deswegen bewundern, weil sie beredt waren – in der Tat, hätten wir so zu handeln, so müßten wir die höchsten Ehren dem erkauften und aristokratischen Mirabeau zuerkennen. Als das für die Freiheit aufgestandene Volk, die Fesseln vierzehnhundertjähriger Sklaverei sprengend, seine Wohnstätten verließ, um auf die Verschwörer im Innern, die Invasionsarmeen an den Grenzen zu stürzen, brauchte es etwas mehr als die beredten Diskurse und schöngewobenen Theorien der Gironde, um sich zu halten. ‚Brot, Stahl und Gleichheit' forderte das Volk – (Beifall) – Brot für seine hungernden Familien, Stahl gegen die Kohorten des Despotismus, Gleichheit als Ziel seiner Arbeit und Lohn für seine Opfer. (Lauter Beifall.) Die Girondisten dagegen sahen das Volk, um mit Thomas Carlyle zu sprechen, nur für ‚explosible Massen an, womit man Bastillen sprengt', die man als Werkzeuge gebraucht und als Sklaven behandelt. Sie schwankten zwischen dem Königtum und der Demokratie, sie versuchten vergebens, die ewige Gerechtigkeit durch ein Abfinden zu betrügen. Sie fielen, und ihr Fall war verdient. Die Männer von Energie traten sie nieder, das Volk fegte sie weg. Von den verschiedenen Fraktionen der Bergpartei finde ich nur Robespierre und seine Freunde der Erwähnung wert. (*Großer Beifall.*) Die große Masse des Berges bestand aus Räubern, die nur besorgt waren, für sich die Beute der Revolution zu erhaschen, und denen nichts am Volke lag, dessen Arbeit, Leiden und Mut die Revolution durchgesetzt hatte. Diese Desperados, eine Zeitlang die Sprache der Freunde der Gleichheit anwendend und mit ihnen gegen die Konstitutionellen und Girondins kämpfend, zeigten sich in ihrem wahren Licht, als die offenen Todfeinde der Gleichheit, sowie sie zur Herrschaft kamen. Durch diese Partei wurde Robespierre gestürzt und ermordet, und Saint-Just, Couthon und alle Freunde jenes unbestechlichen Gesetzgebers dem Tode geweiht. Nicht zufrieden, die Freunde der Gleichheit vernichtet zu haben, häuften diese Meuchelmörder noch auf ihren Namen die infamsten Verleumdungen und standen nicht an, ihre Opfer der Verbrechen anzuklagen, die sie selbst begangen hatten. Ich weiß, es ist noch immer unfashionable[1], Robespierre für etwas andres als ein Ungeheuer anzusehen, aber ich glaube, daß der Tag nahe ist, wo eine ganz andre Meinung über den Charakter dieses außerordentlichen Mannes sein wird. Ich will Robespierre nicht vergöttern, ihn nicht für vollkommen halten; aber mir scheint er immer einer der sehr wenigen revolutionären Volksführer gewesen zu sein, die die nötigen Mittel erkannten und anwandten, um politisches und soziales Unrecht auszurotten. (Großer Beifall.) Ich habe nicht Zeit, über den Charakter des unbeugsamen Marat, über Saint-Just, diese glänzende Inkorporation republikanischer Ritterlichkeit zu sprechen; ebenso habe ich nicht Zeit, die vortrefflichen legislativen Maßregeln aufzuzählen, die die energische Herrschaft Robespierres auszeichneten. Der Tag wird kommen, wiederhole ich, wo seinem Namen

[1] unpassend

Gerechtigkeit widerfahren wird. (Beifall.) – Für mich liegt der stärkste Beweis für den wirklichen Charakter Robespierres in dem allgemeinen Bedauern, das die ihn überlebenden aufrichtigen Demokraten für ihn empfanden – auch diejenigen von ihnen, die, seine Absichten verkennend, sich hatten verleiten lassen, seinen Sturz zu beschleunigen, die aber, als es zu spät war, ihre Torheit bitter bereuten. Babeuf war einer von diesen, der Urheber der berühmten, nach ihm benannten Verschwörung. Diese Verschwörung hatte zu ihrem Zweck die Errichtung einer wahren Republik, *in der die Selbstsucht des Individualismus unbekannt sein sollte* – (Beifall) – *in der Privateigentum und Geld, die Wurzel alles Übels, aufhören sollten zu existieren* – (Beifall) – in der das Glück aller basiert sein sollte auf die *gemeinsame Arbeit und die gleichen Genüsse von allen.* (*Großer Beifall.*) – Diese ruhmvollen Männer verfolgten ihr ruhmvolles Ziel bis zum Tode. Babeuf und Darthé besiegelten ihre Überzeugung mit ihrem Blut, und Buonarroti beharrte durch Jahre von Gefängnis, Mangel und Alter in seiner Verteidigung der großen Prinzipien, die wir heute abend zu proklamieren wagen. Dann muß ich noch die heroischen Deputierten Romme, Soubrany, Duroy, Duquesnoy und ihre Gefährten erwähnen, die, von den aristokratischen Verrätern des Konvents zum Tode verurteilt, in Gegenwart und zum Trotz ihrer Mörder sich selbst mit einem einzigen Dolch, der von Hand zu Hand ging, den Tod gaben. Soviel über den ersten Teil unsres Toastes. Der zweite Teil erfordert nur wenige Worte von meiner Seite, da hierüber am besten die anwesenden französischen Demokraten sprechen werden. Daß die Prinzipien der Gleichheit eine glorreiche Auferstehung erleben werden, daran ist kein Zweifel; in der Tat, diese Auferstehung haben sie schon erlebt, nicht allein in der Gestalt des Republikanismus, sondern auch des Kommunismus; denn soviel ich weiß, ist ganz Frankreich jetzt von kommunistischen Gesellschaften bedeckt; aber dies weiter auszuführen überlasse ich meinem Freunde Dr. Fontaine und seinen Landsleuten. Ich freue mich sehr, daß diese ehrenwerten Demokraten anwesend sind. Sie werden heute abend durch ihre eigenen Sinne sich von der Absurdität der Tiraden der französischen Kriegspartei gegen das englische Volk überzeugen können. (Beifall.) Wir stoßen diese nationalen Antipathien weit von uns zurück; wir verachten, wir haben Ekel vor diesen barbarischen Lockspeisen und Ködern, wie ‚natürliche Feinde', ‚Erbfeind' und ‚nationaler Ruhm'. (Lauter Beifall.) Wir hassen alle Kriege, ausgenommen die, zu welchen ein Volk gezwungen wird gegen innere Bedrückung und auswärtige Invasion. (Beifall.) Ja, mehr als das, *wir stoßen zurück das Wort ‚Ausländer' – es soll nicht länger in unserm demokratischen Wörterbuch existieren.* (*Großer Beifall.*) Wir mögen zur englischen, französischen, italienischen oder deutschen Sektion der europäischen Familie gehören, aber ‚das junge Europa' ist unser gemeinsamer Name, und unter seiner Fahne ziehen wir gemeinschaftlich aus gegen Tyrannei und Ungleichheit." (Dauernder und enthusiastischer Beifall.)

Nachdem ein deutscher Kommunist[1] die Marseillaise gesungen hatte, brachte *Wilhelm Weitling* den zweiten Toast aus:

[1] Josef Moll

„Dem jungen Europa. Mögen die Demokraten aller Nationen, von sich werfend die Eifersucht und Nationalantipathie der Vergangenheit, sich in einer brüderlichen Phalanx vereinigen zur Zerstörung der Tyrannei und zum allgemeinen Triumph der Gleichheit."

Weitling, der mit vielem Enthusiasmus empfangen wurde, las – da er nicht flüssig englisch spricht – folgende Rede ab:

„Freunde! Diese Versammlung ist ein Zeugnis für jenes gemeinsame Gefühl, das die Brust jedes Menschen durchglüht, für das Gefühl der allgemeinen Brüderlichkeit. Ja! obwohl wir infolge unsrer Erziehung verschiedene Laute gebrauchen, um dies gemeinsame Gefühl einander mitzuteilen, obwohl der Austausch dieses Gefühls durch die Verschiedenheiten der Sprache gehemmt wird, obwohl Tausende von Vorurteilen von unsern gemeinsamen Gegnern vereinigt und angewandt werden, um ein besseres Verständnis, eine allgemeine Brüderlichkeit eher zu hindern als zu befördern – dennoch, trotz aller dieser Hindernisse, läßt sich dieses gewaltige, liebevolle Gefühl nicht ausrotten – (Beifall) – dies Gefühl, das den Leidenden zu seinem Leidensgenossen, den Kämpfer für einen besseren Zustand zu seinem Mitkämpfer hinzieht. (Beifall.) Auch jene waren unsre Mitkämpfer, deren Revolution wir heute abend feiern; auch sie waren von denselben Sympathien belebt, die uns zusammenbringen und die uns vielleicht zu einem ähnlichen, und laßt uns hoffen, zu einem erfolgreicheren Kampfe führen werden. (Lauter Beifall.) – In Zeiten der Bewegung, wenn die Privilegien unsrer einheimischen Feinde große Gefahr laufen, bemühen diese sich, unsre Vorurteile über die Grenzen unsres natürlichen Vaterlandes hinauszuleiten und uns glauben zu machen, daß die Leute jenseits unsrem gemeinsamen Interesse feindselig sind. Welch ein Betrug! Wenn wir ruhig über die Sache nachdenken, so sehen wir sehr bald ein, daß unsre allernächsten Feinde unter uns selbst, in unsrer eignen Mitte sind. (Hört, hört, und Beifall.) Nicht den auswärtigen Feind haben wir zu fürchten – dieser arme Feind wird behandelt wie wir; wie wir muß er für Tausende von nichtsnutzigen Kerlen arbeiten; wie wir greift er zu den Waffen gegen irgendeine Gesellschaft von Menschen, weil er dazu gezwungen wird durch den Hunger und das Gesetz, dazu aufgereizt durch seine von Unwissenheit genährten Leidenschaften. Die Herrscher der Nationen sagen uns, unsre Brüder seien grausam und raubsüchtig; aber wer ist raubsüchtiger als die, die uns regieren, die uns in den Waffen unterrichten lassen, die um ihrer eignen Privilegien willen uns zum Kriege reizen und in den Krieg führen? (Beifall.) Ist es wirklich unser gemeinschaftliches Interesse, das den Krieg nötig macht? Ist es das Interesse der Schafe, von Wölfen angeführt, gegen andre, ebenfalls von Wölfen angeführte Schafe zu kämpfen? (Lauter Beifall.) Sie selbst sind unsre raubsüchtigsten Feinde; sie haben uns alles genommen, was unser war, um es in Vergnügungen und Liederlichkeit zu verschwenden. (Beifall.) Sie nehmen von uns, was unser ist, denn alles, was sie verschwenden, ist von uns produziert und sollte denen gehören, die es produzieren, ihren Weibern und Kindern, ihren Greisen und Kranken. (Lauter Beifall.) Aber seht, wie alles uns durch ihre schlauen Pfiffe gestohlen und für eine Rotte fauler Umsonstfresser aufgespart wird. (Beifall.) Ist es also möglich, durch einen ausländischen Feind noch mehr beraubt zu werden, als durch unsre eignen Feinde zu Hause? Ist es denn noch möglich, daß unser Volk vom Ausländer noch mehr gemordet wird als durch unsre gefühllosen Geldmänner, die uns berauben durch ihr Börsenspiel, Geldschachern und Spekulieren, durch ihr Geldsystem und ihre Bankerotte, durch ihre Monopole, Kirchen- und Grundrenten, die uns durch alle diese Mittel der nötigsten Lebensbedürfnisse berauben und den Tod von Millionen unsrer arbeitenden Brüder verursachen, denen sie nicht einmal Kartoffeln genug lassen, um davon ihr Leben zu fristen! (Großer Beifall.) Ist es daher nicht hinreichend klar, daß diejenigen, die alles durch das Geld und nichts ohne Geld sind, die wahren Feinde der Arbeiter in allen Ländern sind, daß unter allen Menschen keine andern Feinde des Menschengeschlechts existieren als die Feinde der Arbeiter? (Beifall.) Ist es also möglich, daß wir mehr bestohlen und mehr gemordet werden in der Zeit eines politischen Krieges, als es jetzt schon in einer sogenannten Friedenszeit geschieht? Nationalvorurteile, Blutvergießen und Räubereien werden von uns also bloß um des kriegerischen Ruhmes willen begünstigt? Was hat unser Interesse zu gewinnen von solchem dummen Ruhm? (Beifall.) Was haben wir überhaupt damit zu tun, wenn unser Interesse und unser besseres Gefühl ihm entgegenstehen? (Beifall.) Müssen wir nicht die Kosten tragen? (Beifall.) Müssen wir nicht dafür arbeiten und bluten? (Erneuerter Beifall.) Was für ein Interesse können wir bei allen diesen Landräubereien und Blutvergießen haben, außer daß wir solche Gelegenheiten benutzen, um umzukehren und uns gegen die Raub und Mord brütende Aristokratie aller Nationen zu wenden? (Enthusiastischer Beifall.) Es ist nur diese Aristokratie, immer diese Aristokratie, die systematisch raubt und mordet. Die Armen sind nur ihre gezwungenen und unwissenden Werkzeuge, die aus jeder Nation gewählt werden – diejenigen, die am meisten voll nationaler Vorurteile stecken, diejenigen, die alle Nationen von ihrer eignen unterjocht sehen möchten. Aber bringt sie her in diese Versammlung, und sie werden sich verständigen, sich einander die Hände reichen. Wenn vor einer Schlacht die Verteidiger der Freiheit zu den Reihen ihrer Brüder sprechen könnten, da würde keine Schlacht zustande kommen; im Gegenteil, es würde eine Versammlung von Freunden werden wie die unsrige. O, könnten wir nur eine solche Versammlung auf einem Schlachtfelde haben, wie bald würden wir fertig sein mit all den blut- und markaussaugenden Interessen, die uns jetzt unterdrücken und plündern! (Lauter Beifall.) Das, Freunde, sind die Äußerungen jenes allgemeinsamen Gefühls, dessen Wärme, konzentriert in dem Brennpunkt der allgemeinen Brüderlichkeit, ein Feuer des Enthusiasmus entzündet, das bald alle die hindernden Eisberge wegschmelzen wird, welche zu lange die Brüder getrennt gehalten haben." (Weitling nahm seinen Sitz unter lang anhaltendem Beifall wieder ein.)

Dr. *Berrier-Fontaine*, ein alter Republikaner, der schon in den ersten Jahren der Bourgeoisieherrschaft in Paris in der Société des droits de l'homme[1] eine Rolle gespielt, 1834 in den Aprilprozeß[186] verwickelt und aus Sainte-Pelagie mit den übrigen Angeklagten 1835 entwichen war (vergleiche Louis

[1] Gesellschaft für Menschenrechte

Blanc's „Geschichte der 10 Jahre"), der später mit der weiteren Entwicklung der revolutionären Partei in Frankreich fortschritt und mit dem Père[1] Cabet in freundschaftlicher Verbindung steht – Dr. Berrier-Fontaine trat nach Weitling auf. Er wurde mit stürmischem Applaus empfangen und sprach:

„Bürger! Meine Rede muß notwendig kurz sein, da ich nicht sehr gut englisch spreche. Es macht mir unaussprechliches Vergnügen zu sehen, daß die englischen Demokraten die französische Republik feiern. Ich bin von Herzen einverstanden mit den edlen Gefühlen, die Herr Julian Harney ausgesprochen hat. Ich versichere Euch, daß das französische Volk nicht daran denkt, das englische Volk als seinen Feind zu betrachten. Wenn einige französische Journalisten gegen die englische Regierung schreiben, so schreiben sie nicht gegen das englische Volk. Die Regierung Englands ist verhaßt in ganz Europa, weil sie nicht die Regierung des englischen Volks, sondern die der englischen Aristokratie ist. (Beifall.) Die französischen Demokraten, weit entfernt, die Feinde des englischen Volks zu sein, wünschen im Gegenteil mit ihm zu fraternisieren. (Lauter Beifall.) Die Republikaner Frankreichs fochten nicht allein für Frankreich, sondern für die ganze Menschheit; sie strebten die Gleichheit herzustellen und ihre Segnungen über die ganze Welt zu verbreiten. (Großer Beifall.) Sie erklärten die ganze Menschheit für ihre Brüder und stritten nur gegen die Aristokratien andrer Nationen. (Beifall.) Ich kann Euch versichern, Bürger, daß die Prinzipien der Gleichheit schon zu einem neuen Leben auferstanden sind. Der Kommunismus schreitet mit Riesenschritten durch ganz Frankreich vorwärts. Kommunistische Assoziationen breiten sich über das ganze Land aus, und ich hoffe, daß wir bald eine große Konföderation der Demokraten aller Nationen erleben werden, um den Triumph des republikanischen Kommunismus durch die ganze Länge und Breite Europas zu sichern." (Dr. Fontaine nahm seinen Sitz unter wiederholten Beifallsbezeugungen wieder ein.)

Nachdem der Toast auf das „junge Europa" mit drei schallenden cheers[2] und „noch einem cheer" aufgenommen war, wurden noch Toaste auf Thomas Paine, die gefallenen Demokraten aller Länder, dann Englands, Schottlands und Irlands, auf die deportierten Chartisten Frost, Williams, Jones und Ellis, auf O'Connor, Duncombe und die übrigen Propagandisten der Charte, und schließlich drei cheers für den „Northern Star" ausgebracht; demokratische Lieder in allen Sprachen (nur die deutsche finde ich nicht erwähnt) wurden gesungen und das Fest im brüderlichsten Geiste beschlossen.

Hier haben wir eine Versammlung von mehr als tausend Demokraten fast aller europäischen Nationen, die sich vereinigt hatten, ein anscheinend allem Kommunismus fremdes Ereignis, die Stiftung der französischen Republik zu feiern. Keine Verabredung war getroffen, um ein bestimmtes Publikum hinzubringen; nichts deutete an, daß etwas anderes ausgesprochen werden würde, als was die Londoner Chartisten unter Demokratie verstehen. Wir können

[1] Vater – [2] Hochrufen

also wohl annehmen, daß die Majorität der Versammlung die Masse der Londoner chartistischen Proletarier ziemlich richtig repräsentierte. Und diese Versammlung nahm die kommunistischen Prinzipien, das Wort Kommunismus selbst mit einstimmigem Enthusiasmus auf. Das Chartistenmeeting war ein kommunistisches Fest, und wie die Engländer selbst zugeben, ist „ein solcher Enthusiasmus, wie er an jenem Abend herrschte, in London seit Jahren nicht gesehen worden".

Habe ich recht, wenn ich sage, daß die Demokratie heutzutage der Kommunismus ist?

F. Engels

Geschrieben Ende 1845
„Rheinische Jahrbücher
zur gesellschaftlichen Reform", 1846
Zweiter Band, S. 1–19

[Karl Marx]

Erklärung

Nach dem „Rheinischen Beobachter“[187] vom 18. Januar (Nr. 18) enthält die „Trier'sche Zeitung“ eine Ankündigung der Redaktion, wonach unter mancherlei Schriftstellern auch „Marx“ als Mitarbeiter in diesem Blatte genannt wird. Um jeder Verwechselung zuvorzukommen, erkläre ich, daß ich *nie eine* Zeile für dieses Blatt geschrieben habe, dessen bürgerlich-philanthropische, keineswegs kommunistische Tendenzen mir durchaus fremd sind.

Brüssel, den 18. Januar 1846.

Karl Marx

„Trier'sche Zeitung“
Nr. 26 vom 26. Januar 1846.

Beilagen

Die Arbeiterbewegung in Amerika

[Vorwort zur amerikanischen Ausgabe der „Lage der arbeitenden Klasse in England"]

[„Der Sozialdemokrat" Nr. 24 und 25
vom 10. und 17. Juni 1887]

Zehn Monate sind verflossen, seit ich, auf Wunsch der Übersetzerin, den „Anhang" zu diesem Buch schrieb. Während dieser zehn Monate hat sich in der amerikanischen Gesellschaft eine Revolution vollzogen, die in jedem andern Lande mindestens zehn Jahre gebraucht hätte. Im Februar 1886 war die öffentliche Meinung Amerikas einstimmig in diesem einen Punkt: daß in Amerika eine Arbeiterklasse – im europäischen Sinn – überhaupt nicht bestehe; daß folglich ein Klassenkampf zwischen Arbeitern und Kapitalisten, wie er die europäische Gesellschaft entzweireißt, in der amerikanischen Republik unmöglich sei; und daß daher der Sozialismus ein von außen eingeführtes Gewächs sei, unfähig, im amerikanischen Boden Wurzel zu fassen. Und doch warf gerade damals der hereinbrechende Klassenkampf bereits seinen Riesenschatten vor sich her in den Streiks der pennsylvanischen Kohlengräber und vieler andern Gewerke, und ganz besonders in den Vorbereitungen – in allen Gegenden des Landes – zur großen Achtstundenbewegung, die für den Monat Mai angesetzt war und im Mai auch wirklich erfolgte. Daß ich schon damals diese Anzeichen richtig erkannte, daß ich eine Bewegung der Arbeiterklasse auf nationalem Maßstab voraussah, zeigt mein „Anhang". Was aber niemand voraussehn konnte, das war, daß die Bewegung in so kurzer Zeit mit solch unwiderstehlicher Kraft losbrechen, daß sie um sich greifen werde mit der Schnelligkeit eines Präriebrandes, daß sie schon jetzt die amerikanische Gesellschaft erschüttern werde bis in ihre Grundfesten.

Die Tatsache ist da, unangreifbar, unbestreitbar. Welchen Schrecken sie unter den herrschenden Klassen Amerikas verbreitet hat, wurde mir, in erheiternder Weise, offenbar durch amerikanische Journalisten, die mich vorigen Sommer mit ihrem Besuche beehrten; die neue Bewegung hatte sie in einen Zustand hülfloser, jammervoller Angst versetzt. Und doch war damals die Bewegung noch erst im Entstehen, bestand nur erst aus einer

Reihe verworrener, scheinbar zusammenhangsloser Zuckungen jener Klasse, die durch die Unterdrückung der Negersklaverei und durch die rasche, industrielle Entwicklung zur untersten Schicht der amerikanischen Gesellschaft geworden war. Aber schon vor Ablauf des Jahres zeigte sich, wie diese fremdartigen sozialen Krampfanfälle mehr und mehr nach einer bestimmten Richtung hin verliefen. Die spontanen, instinktiven Bewegungen dieser ungeheuren Arbeitermassen, ihre Verbreitung über ein ungeheures Landgebiet, der überall gleichzeitige Ausbruch ihrer gemeinsamen Unzufriedenheit mit einer elenden gesellschaftlichen Lage, überall dieselbe und denselben Ursachen geschuldet – alles das brachte diesen Massen die Tatsache zum Bewußtsein, daß sie eine neue, besondere Klasse in der amerikanischen Gesellschaft bildeten, eine Klasse von tatsächlich mehr oder weniger erblichen Lohnarbeitern, Proletariern. Und mit echt amerikanischem Instinkt führte dies Bewußtsein sie sofort zum nächsten Schritt zu ihrer Befreiung: zur Bildung einer politischen Arbeiterpartei, mit eignem Programm und mit der Eroberung des Kapitols und des Weißen Hauses als Ziel. Im Mai die Kämpfe um den achtstündigen Arbeitstag, die Unruhen in Chicago, Milwaukee usw., der Versuch der herrschenden Klassen, die aufkeimende Arbeiterbewegung durch rohe Gewalt und brutale Klassenjustiz zu unterdrücken; im November die junge Arbeiterpartei schon organisiert in allen großen Zentren, die Wahlen in New York, Chicago und Milwaukee. Mai und November erinnerten bisher den amerikanischen Bourgeois nur an die Verfallzeiten der Kupons der amerikanischen Staatsschuld; Mai und November werden sie von nun an auch an die Verfalltage erinnern, an denen das amerikanische Proletariat zum erstenmal *seine* Kupons zur Zahlung präsentierte.

In europäischen Ländern brauchte die Arbeiterklasse Jahre und abermals Jahre, bis sie vollständig begriff, daß sie eine besondere und, unter den bestehenden Umständen, ständige Klasse der modernen Gesellschaft bildet. Und wiederum brauchte sie Jahre, bis dies Klassenbewußtsein sie dahin führte, sich zu einer besondern politischen Partei zusammenzutun, einer Partei, die allen alten, von den verschiedenen Gruppen der herrschenden Klassen gebildeten Parteien unabhängig und feindlich gegenübersteht. Auf dem begünstigteren Boden Amerikas, wo keine feudalen Ruinen den Weg versperren, wo die Geschichte anfängt mit den im 17. Jahrhundert schon herausgearbeiteten Elementen der modernen bürgerlichen Gesellschaft, hat die Arbeiterklasse diese beiden Stufen ihrer Entwicklung in nur zehn Monaten durchgemacht.

Trotzdem ist das alles nur der Anfang. Daß die arbeitenden Massen die Gemeinsamkeit ihrer Beschwerden und Interessen fühlen, ihre Solidarität als Klasse gegenüber allen anderen Klassen; daß sie, um diesem Gefühl Ausdruck und Wirksamkeit zu geben, die zu solchem Schritt in jedem freien Lande bereitgehaltene politische Maschinerie in Bewegung setzen – das ist immer nur der erste Schritt. Der nächste Schritt besteht darin, das gemeinsame Heilmittel für diese gemeinsamen Leiden zu finden und in dem Programm der neuen Arbeiterpartei zum Ausdruck zu bringen. Und dieser Schritt – der wichtigste und schwierigste der ganzen Bewegung – ist in Amerika noch zu tun.

Eine neue Partei muß ein bestimmtes positives Programm haben, ein Programm, dessen Einzelheiten wechseln mögen mit den Umständen und mit der Entwicklung der Partei selbst, aber immerhin ein Programm, worüber die Partei in jedem gegebenen Augenblick einig ist. Solange dieses Programm noch nicht herausgearbeitet ist, solange wird auch die Partei nur noch als Keim existieren; sie mag lokale Existenz haben; aber keine nationale; sie mag eine Partei sein ihrer Bestimmung nach, aber noch nicht in der Wirklichkeit.

Welches aber auch die ursprüngliche Gestalt dieses Programms sein mag, so muß es sich stets fortentwickeln in einer Richtung, die im voraus bestimmt werden kann. Die Ursachen, die zwischen der Arbeiterklasse und der Kapitalistenklasse eine abgrundtiefe Kluft gerissen haben, sind dieselben in Amerika wie in Europa; die Mittel, diese Kluft auszufüllen, sind gleichfalls überall dieselben. Und daher muß das Programm des amerikanischen Proletariats, je weiter die Bewegung sich entwickelt, um so mehr zusammenfallen mit dem, welches nach sechzig Jahren des Zwistes und der Debatten das allgemein angenommene Programm des europäischen streitbaren Proletariats geworden ist. Es wird, wie dieses, als schließliches Ziel proklamieren die Eroberung der politischen Herrschaft durch die Arbeiterklasse als Mittel zur direkten Aneignung aller Produktionsmittel – Boden, Eisenbahnen, Bergwerke, Maschinen usw. – durch die Gesellschaft und zur gemeinsamen Benutzung dieser Produktionsmittel durch und für die Gesamtheit.

Nun erstrebt in der Tat die neue amerikanische Partei, wie alle und jede politische Partei, kraft der bloßen Tatsache ihrer Bildung, die Eroberung der politischen Herrschaft. Aber sie ist weit entfernt davon, mit sich einig zu sein über das, wozu diese politische Herrschaft gebraucht werden soll. In New York und den andern Großstädten des Ostens hat die Arbeiterklasse sich nach Gewerkschaften organisiert und in jeder Stadt eine mächtige Central Labor Union gebildet. In New York speziell erkor die Central Labor Union vorigen November Henry George zu ihrem Bannerträger; infolgedessen war ihr damaliges Wahlprogramm stark von Henry Georges Ansichten durchtränkt. In den großen Städten des Nordwestens wurde die Wahlschlacht auf Grundlage eines ziemlich unbestimmten Arbeiterprogramms ausgekämpft, worin der Einfluß der Georgeschen Ideen kaum, wenn überhaupt, sichtbar war. Und während in diesen großen

Mittelpunkten der Bevölkerung und der Industrie die Bewegung eine entschieden politische Form erhielt, finden wir daneben, über das ganze Land zerstreut, zwei weit verbreitete Arbeiterorganisationen: die Arbeitsritter und die Sozialistische Arbeiterpartei, von denen nur die letztere ein mit dem oben skizzierten, modernen europäischen Standpunkt übereinstimmendes Programm besitzt.

Von diesen drei mehr oder weniger bestimmten Formen, in denen die amerikanische Arbeiterbewegung uns gegenübertritt, ist die erste – die von *Henry George* geführte Bewegung in New York – für den Augenblick von vorwiegend nur lokaler Bedeutung. Unzweifelhaft ist New York bei weitem die wichtigste Stadt des Landes; aber New York ist nicht Paris, und die Vereinigten Staaten sind nicht Frankreich. Und es scheint mir, daß das Programm Henry Georges in seiner jetzigen Gestalt zu knapp ist, um die Grundlage zu bilden für mehr als eine lokale Bewegung, oder, im besten Fall, für mehr als eine kurzlebige Übergangsstufe der allgemeinen Bewegung. Für Henry George ist die Enteignung der Volksmasse vom Grundbesitz die große, allgemeine Ursache der Spaltung des Volks in Reiche und Arme. Das ist aber geschichtlich nicht ganz richtig. Im asiatischen und klassischen Altertum war die herrschende Form der Klassenunterdrückung die Sklaverei, d.h. nicht sowohl die *Ent*eignung der Massen von Grund und Boden, als vielmehr die *An*eignung ihrer Personen durch Dritte. Als beim Verfall der römischen Republik die freien italienischen Bauern von ihren Heimstätten expropriiert wurden, verwandelten sie sich in eine Klasse von „verlumpten Weißen" („poor whites", „white trash"), wie sie in den südlichen Sklavenstaaten der Union vor 1861 bestand; und zwischen Sklaven und verlumpten Freien, zwei zur Selbstbefreiung gleich untüchtigen Klassen, ging die alte Welt in die Brüche. Im Mittelalter war keineswegs die Enteignung der Volksmassen *vom* Boden, sondern vielmehr ihre Aneignung *an* den Boden die Grundlage des feudalen Drucks. Der Bauer *behielt* seine Heimstätte, wurde aber als Leibeigner oder Höriger an sie gefesselt und hatte dem Grundherrn Tribut in Arbeit oder in Produkten zu leisten. Erst bei Anbruch der neuen Zeit, gegen Ende des 15. Jahrhunderts, wurde die Expropriation der Bauern auf großer Stufenleiter durchgeführt, und zwar diesmal unter geschichtlichen Bedingungen, welche die besitzlos gewordenen Bauern allmählich in die moderne Klasse der Lohnarbeiter hinüberführten, in Leute, welche nichts besitzen außer ihrer Arbeitskraft und nur leben können von dem Verkauf dieser Arbeitskraft an andere. Wenn aber die Enteignung von Grund und Boden diese Klasse ins Leben rief, so gehörte die Entwicklung der kapitalistischen Produktionsweise, die moderne Großindustrie und die moderne Großackerwirtschaft dazu, sie zu verewigen, zu vermehren und sie in eine besondere Klasse mit besonderen Interessen und einer besonderen geschichtlichen Aufgabe zu verwandeln. Alles dies ist ausführlich dargestellt von Marx. („Kapital", I. Bd. Abschn. VII: „Die sogenannte ursprüngliche Akkumulation.") Nach Marx liegt die Ursache des gegenwärtigen Klassengegensatzes und der gegenwärtigen Erniedrigung der Arbeiterklasse in ihrer Enteignung von *allen* Produktionsmitteln, worin der Boden natürlich einbegriffen ist.

Nachdem Henry George einmal die Monopolisierung des Bodens zur einzigen Ursache der Armut und des Elends gemacht hat, findet er begreiflicherweise das Heilmittel darin, daß die Gesellschaft als solche den Boden wieder in Besitz nimmt. Nun verlangen die Sozialisten der Marxschen Schule ebenfalls, daß die Gesellschaft den Boden wieder in Besitz nimmt, und nicht nur den Boden, sondern alle andern Produktionsmittel ebenfalls. Aber selbst wenn wir hiervon absehen, so bleibt noch ein anderer Unterschied. Was soll mit dem Boden gemacht werden? Die heutigen Sozialisten, soweit Marx sie repräsentiert, verlangen, daß er gemeinsam besessen und gemeinsam für gemeinsame Rechnung bearbeitet werde, und daß dasselbe mit allen andern gesellschaftlichen Produktionsmitteln, Bergwerken, Eisenbahnen, Fabriken usw. geschehen soll. Henry George dagegen ist damit zufrieden, daß der Boden, ganz wie jetzt, an Einzelne stückweise verpachtet wird, sobald nur die Verpachtung geregelt und die Bodenrente, statt wie jetzt in Privattaschen, in die öffentliche Kasse fließt. Die Forderung der Sozialisten schließt eine vollständige Umwälzung des gesamten heutigen Systems der gesellschaftlichen Produktion ein. Die Forderung Henry Georges dagegen läßt die heutige gesellschaftliche Produktionsweise unberührt und ist auch in der Tat schon vor Jahren von der extremsten Richtung der Ricardianischen bürgerlichen Ökonomen aufgestellt worden. Auch sie verlangten die Konfiskation der Bodenrente durch den Staat.

Natürlich wäre es unbillig, anzunehmen, daß Henry George schon ein für allemal sein letztes Wort gesagt hat. Aber ich muß seine Theorie eben nehmen, wie ich sie finde.

Die zweite große Abteilung der amerikanischen Bewegung bilden die *Arbeitsritter*. Und in ihnen scheint sich der augenblickliche Entwicklungsstand der Bewegung am treuesten widerzuspiegeln, wie sie denn auch unzweifelhaft weitaus die zahlreichste der drei Abteilungen bilden. Ein riesenhafter Verein, verbreitet über unermeßliche Landstriche in unzähligen „assemblies", worin alle Schattierungen individueller und lokaler Ansichten innerhalb der Arbeiterklasse vertreten sind; sie alle vereinigt unter dem Dach eines Programms von entsprechender Unbestimmtheit, und zusammengehalten weit weniger durch ihre unausführbare Verfassung als durch das instinktive Gefühl, daß die bloße Tatsache ihres Sichzusammentuns für ihre gemeinsamen Strebeziele sie zum Rang einer großen Macht im Land erhebt; ein echt amerikanisches Widerspruchsrätsel, das die modernsten Bestrebungen mit dem mittelalterlichen Mummenschanz umkleidet und den demokratischsten und selbst rebellischsten Geist verbirgt hinter einer scheinbaren, aber in Wirklichkeit ohnmächtigen Despotie – das ist das Bild, das die Arbeitsritter einem europäischen Beobachter darbieten. Lassen wir uns aber nicht durch bloß äußerliche Absonderlichkeiten aufhalten, so können wir nicht umhin, in dieser kolossalen Arbeiteranhäufung eine ungeheure Masse schlummernder, potentieller Energie zu sehen, die im Begriff steht, sich langsam aber sicher in lebendige Kraft umzusetzen. Die Arbeitsritter sind die erste von der gesamten amerikanischen Arbeiterklasse geschaffne nationale Organisation. Einerlei was ihr Ursprung und ihre Geschichte, was ihre Mängel und kleinen Verrücktheiten, was ihr Programm und ihre Verfassung – hier sind sie tatsächlich das Werk der gesamten amerikanischen Klasse der Lohnarbeiter, das einzige nationale Band, das sie zusammenhält, das ihre Stärke ihnen selbst nicht minder als ihren Feinden fühlbar macht, das sie mit der stolzen Hoffnung künftiger Siege erfüllt. Und es wäre keineswegs richtig zu sagen, daß die Arbeitsritter entwicklungsunfähig[1] sind. Sie sind fortwährend in vollem Gang der Entwicklung und Umwälzung begriffen, eine wogende, gährende Masse bildsamen Stoffs, der daran arbeitet, die seiner Natur angemessene Form und Gestalt zu finden. Diese Form wird sich finden, so gewiß die historische Entwicklung, ebenso gut wie die der Natur, ihre eignen innewohnenden Gesetze hat. Ob dann die Arbeitsritter ihren jetzigen Namen beibehalten oder nicht, ist gleichgültig. Aber der Beobachter aus der Ferne wird kaum umhin können, in ihnen den Rohstoff zu sehn, aus dem die Zukunft der amerikanischen Arbeiterbewegung, und damit die Zukunft der amerikanischen Gesellschaft überhaupt, herausgearbeitet werden muß.

Die dritte Abteilung ist die *Sozialistische Arbeiterpartei*. Sie ist eine Partei nur dem Namen nach, denn nirgendwo in Amerika ist sie bis jetzt wirklich imstand gewesen, als politische Partei handelnd aufzutreten. Sie ist zudem bis zu einem gewissen Grad ein ausländisches Element in den Vereinigten Staaten; sie hat bis ganz neuerdings fast ausschließlich aus eingewanderten Deutschen bestanden, die sich ihrer eigenen Sprache bedienen und mit der englischen Landessprache nur wenig vertraut sind. Dafür aber, daß sie von fremder Wurzel kam, kam sie auch bewaffnet mit der Erfahrung, die sie in langjährigem Klassenkampf in Europa erworben, und mit einer Einsicht in die allgemeinen Bedingungen der Emanzipation der Arbeiterklasse, wie sie bei amerikanischen Arbeitern bis jetzt nur ausnahmsweise zu finden ist. Es ist dies ein Glück für das amerikanische Proletariat, das hiemit in den Stand gesetzt wird, den intellektuellen und moralischen Gewinn des vierzigjährigen Kampfs ihrer europäischen Klassengenossen sich anzueignen und zu benutzen und so seinen eigenen Sieg zu beschleunigen. Denn, wie gesagt, darüber kann kein Zweifel sein: das schließliche Pro-

[1] Im „Sozialdemokrat": entwicklungsfähig

gramm des amerikanischen Proletariats muß und wird im wesentlichen dasselbe sein wie das jetzt vom gesamten streitbaren Proletariat Europas angenommene, dasselbe wie das der deutsch-amerikanischen Sozialistischen Arbeiterpartei. Damit, und soweit, ist diese Partei berufen zu einem sehr wichtigen Anteil an der Bewegung. Aber um diesen Beruf zu erfüllen, wird sie auch ihre ausländische Tracht bis auf den letzten Rest abzustreifen haben. Sie muß durch und durch amerikanisch werden. Sie kann nicht verlangen, daß die Amerikaner zu ihr kommen; sie, die eingewanderte Minderheit, muß zu der ungeheuren Mehrheit der eingeborenen Amerikaner gehn. Und dazu muß sie vor allen Dingen Englisch lernen.

Der Verschmelzungsprozeß dieser verschiedenen Elemente der gewaltigen wogenden Masse – Elemente, in Wirklichkeit einander nicht widerstreitend, aber wohl kraft ihrer verschiedenen Ausgangspunkte einander entfremdet –, dieser Prozeß wird einige Zeit in Anspruch nehmen und nicht ohne mannigfache Reibung abgehen, wie sie sich schon jetzt an verschiedenen Punkten zeigt. So sind die Arbeitsritter in den Städten des Ostens hier und da in lokalem Kampf mit den organisierten Gewerkschaften. Aber eben diese Art Reibung existiert auch innerhalb der Arbeitsritter selbst, in deren Mitte Frieden und Harmonie keineswegs herrscht. Das sind aber keineswegs Anzeichen des Verfalls, worüber die Kapitalisten ein Recht hätten zu jubeln. Es sind vielmehr nur Beweise, daß die zahllosen Scharen von Arbeitern, die jetzt endlich in einer und derselben Gesamtrichtung in Bewegung geraten, bis jetzt weder den angemessenen Ausdruck für ihre gemeinsamen Interessen, noch die geeignetste Organisationsform gefunden haben. Bis jetzt sind sie nur noch die ersten Massenaushebungen des großen Revolutionskriegs, versammelt und ausgerüstet in einzelnen, noch selbständigen Lokalgruppen, alle bestimmt, ein einziges großes Heer zu bilden, aber noch ohne regelmäßige Organisation und gemeinsamen Feldzugsplan. Noch kreuzen sich hie und da die auf einen Sammelpunkt hinmarschierenden Kolonnen; Verwirrung, Zank und Streit, selbst Drohung ernstlichen Zusammenstoßes wird laut. Aber schließlich überwindet die Gemeinsamkeit des Endzieles alle kleinen Schwierigkeiten; es dauert nicht lange, und die verzettelten und lärmenden Bataillone tun sich zusammen zu einer festgegliederten Schlachtlinie voll Waffenglanz und drohendem Schweigen, gedeckt durch verwegene Plänkler in der Front und durch unerschütterliche Reserven im Rücken.

Dies Resultat zu erreichen, die Vereinigung dieser verschiedenen unabhängigen Körperschaften zu einer einzigen nationalen Arbeiterarmee mit einem gemeinsamen Programm – und sei dies Programm noch so unreif, solange es nur ein echtes Klassenprogramm von Arbeitern ist –, das ist der nächste große in Amerika zu vollziehende Schritt. Dies Ziel zu erreichen und das Programm zu einem diesem Ziel angemessenen zu machen, dazu kann niemand mehr beitragen als die Sozialistische Arbeiterpartei, wenn sie sich nur entschließt, dieselbe Taktik zu befolgen, die die europäischen Sozialisten befolgten zu der Zeit, als sie nur noch eine geringe Minderheit der Arbeiterklasse ausmachten. Diese Taktik wurde zuerst dargelegt im „Manifest der Kommunistischen Partei" von 1847 in folgenden Worten:

„Die Kommunisten" – das war der Name, den wir damals angenommen und den wir auch heute noch weit entfernt sind, zurückzuweisen – „die Kommunisten sind keine besondere Partei gegenüber den andern Arbeiterparteien.

Sie haben keine von den Interessen des ganzen Proletariats getrennten Interessen.

Sie stellen keine besonderen Prinzipien auf, wonach sie die proletarische Bewegung modeln wollen.

Die Kommunisten unterscheiden sich von den übrigen proletarischen Parteien nur dadurch, daß einerseits sie in den verschiedenen nationalen Kämpfen der Proletarier die gemeinsamen, von der Nationalität unabhängigen Interessen des gesamten Proletariats [hervorheben und] zur Geltung bringen; andrerseits dadurch, daß sie in den verschiednen Entwicklungsstufen, welche der Kampf zwischen Proletariat und Bourgeoisie durchläuft, stets das Interesse der Gesamtbewegung vertreten.

Die Kommunisten sind also *praktisch* der entschiedenste, immer weitertreibende Teil der Arbeiterparteien aller Länder; sie haben theoretisch vor der übrigen Masse des Proletariats die Einsicht in die Bedingungen, den Gang und die allgemeinen Resultate der proletarischen Bewegung voraus...

Sie kämpfen also für die Erreichung der unmittelbar vorliegenden Zwecke und Interessen der Arbeiterklasse, aber sie vertreten in der gegenwärtigen Bewegung zugleich die Zukunft der Bewegung."[1]

Das ist die Taktik, die der große Begründer des modernen Sozialismus, Karl Marx, und mit ihm ich und die Sozialisten aller Nationen, die mit uns arbeiteten, seit mehr als vierzig Jahren befolgt haben, die uns überall zum Siege geführt und die es bewirkt hat, daß heute die Masse der europäischen Sozialisten, in Deutschland wie in Frankreich, in Belgien und Holland wie in der Schweiz, in Dänemark und Schweden wie in Spanien und Portugal, als eine einzige große Armee unter einer und derselben Fahne kämpfen.

London, 26. Januar 1887

Friedrich Engels

[1] Vgl. Band 4 unserer Ausgabe, S. 474 und 492

[Vorwort zur deutschen Ausgabe von 1892 der „Lage der arbeitenden Klasse in England"]

Das Buch, das hiemit dem deutschen Publikum aufs neue zugänglich gemacht wird, erschien zuerst im Sommer 1845. Im guten wie im schlechten trägt es den Stempel der Jugend des Verfassers. Damals hatte ich vierundzwanzig Jahre; heute bin ich dreimal so alt, und wie ich diese Jugendarbeit wieder durchlese, finde ich, daß ich mich ihrer keineswegs zu schämen brauche. Ich denke also nicht daran, diesen Stempel der Jugendarbeit irgendwie zu verwischen. Ich lege sie dem Leser unverändert wieder vor. Nur einige nicht ganz klare Stellen habe ich schärfer gefaßt und hier und da eine neue, mit der Jahreszahl *(1892)* bezeichnete, kurze Fußnote hinzugesetzt.

Von den Schicksalen dieses Buches erwähne ich nur, daß es 1885 in New York in englischer Übersetzung (von Frau Florence Kelley Wischnewetzky) erschien und daß diese Übersetzung 1892 in London bei Swan Sonnenschein & Co. neu aufgelegt wurde. Die Vorrede zur amerikanischen Ausgabe liegt der zur englischen, und diese wieder dem gegenwärtigen deutschen Vorwort zugrund. Die moderne große Industrie gleicht die ökonomischen Verhältnisse aller von ihr ergriffnen Länder in so riesigem Maße aus, daß ich dem deutschen Leser kaum etwas andres zu sagen habe als dem amerikanischen und englischen.

Der in diesem Buch beschriebne Stand der Dinge gehört heute – wenigstens was England angeht – größtenteils der Vergangenheit an. Obwohl nicht ausdrücklich in den anerkannten Lehrbüchern mit aufgezählt, ist es doch ein Gesetz der modernen politischen Ökonomie, daß, je mehr die kapitalistische Produktion sich ausbildet, desto weniger sie bestehn kann bei den kleinen Praktiken der Prellerei und Mogelei, die ihre früheren Stufen kennzeichnen. Die kleinlichen Schlaumeiereien des polnischen Juden, des Repräsentanten des europäischen Handels auf seiner niedrigsten Stufe, diese selben Pfiffe, die ihm in seiner eignen Heimat so vortreffliche Dienste leisten und dort allgemein angewandt werden, lassen ihn im Stich, sobald er nach Hamburg oder Berlin kommt. Desgleichen der Kommissionär, Jude oder Christ, der von Berlin oder Hamburg auf die Börse von Manchester kommt, fand wenigstens noch vor nicht zu langer Zeit dies eine aus: Wollte er Garn oder Gewebe wohlfeil kaufen, so mußte er vor allem sich jener, um ein geringes verfeinerten, aber immer noch jammervollen Manöver und Kniffe entledigen, die in seiner Heimat für die Spitze aller Geschäftsklugheit galten. Allerdings soll mit dem Fortschritt der großen Industrie auch in Deutschland sich manches geändert haben, und namentlich seit dem industriellen Jena von Philadelphia sogar der altdeutsche Biedermannsgrundsatz in Verruf kommen: Es kann den Leuten ja nur angenehm sein, wenn wir ihnen erst gute Muster schicken und nachher schlechte Ware! Und in der Tat, diese Kniffe und Pfiffe bezahlen sich nicht mehr in einem großen Markt, wo Zeit Geld ist und wo eine gewisse Höhe der kommerziellen Moralität sich entwickelt, nicht aus Tugendschwärmerei, sondern einfach, um Zeit und Mühe nicht nutzlos zu verlieren. Und genauso ist es in England gegangen im Verhältnis des Fabrikanten zu seinen Arbeitern.

Die Wiederbelebung des Geschäfts nach der Krisis von 1847 war der Anbruch einer neuen industriellen Epoche. Die Abschaffung der Korngesetze und die daraus notwendig sich ergebenden weiteren finanziellen Reformen schufen der Industrie und dem Handel Englands allen erwünschten Ellbogenraum. Gleich darauf kam die Entdeckung der kalifornischen und australischen Goldfelder. Die Kolonialmärkte entwickelten in steigendem Maß ihre Absorptionsfähigkeit für englische Industrieprodukte. Der mechanische Webstuhl von Lancashire schaffte ein für allemal Millionen indischer Handweber aus der Welt. China wurde mehr und mehr eröffnet. Vor allen andern aber entwickelte sich Amerika mit einer selbst für dies Land des Riesenfortschritts unerhörten Schnelligkeit; und Amerika, vergessen wir es nicht, war damals eben nur ein Kolonialmarkt, und zwar der größte von allen, d. h. ein Land, das Rohprodukte lieferte und Industrieprodukte von außen – hier von England – bezog.

Zu alledem kam aber noch, daß die neuen, am Schluß der vorigen Periode eingeführten Verkehrsmittel – Eisenbahnen und ozeanische Dampfschiffe – jetzt auf internationalem Maßstab verwirklicht wurden und damit das tatsächlich herstellten, was bisher nur der Anlage nach bestanden hatte: den *Weltmarkt*. Dieser Weltmarkt bestand damals noch aus einer Anzahl von hauptsächlich oder ausschließlich ackerbauenden Ländern, gruppiert um ein großes Industriezentrum: England. England verbrauchte den größten Teil ihrer überschüssigen Rohprodukte und versorgte sie dafür mit dem größten Teil ihres Bedarfs an Industrieerzeugnissen. Kein Wunder also, daß Englands industrieller Fortschritt kolossal und unerhört war, so sehr, daß der Stand von 1844 uns heute als vergleichsweise unbedeutend und fast waldursprünglich erscheint.

In demselben Grad aber, worin dieser Fortschritt sich darstellte, in demselben Grad wurde auch die große Industrie, dem äußeren Schein nach, moralisch. Die Konkurrenz von Fabrikant gegen Fabrikant, vermittelst kleiner Diebstähle an den Arbeitern, zahlte sich nicht mehr. Das Geschäft war solchen miserablen Mitteln des Geldverdienens entwachsen; der fabrizierende Millionär hatte Beßres zu tun, als seine Zeit zu verlieren mit derlei kleinlichen Kniffen. So etwas war gut genug höchstens für kleine geldbedürftige Leute, die jeden Groschen aufschnappen mußten, wollten sie nicht der Konkurrenz erliegen. So verschwand das Trucksystem aus den Fabrikbezirken; die Zehnstundenbill und eine ganze Reihe kleinerer Reformen ging durch – alles Dinge, die dem Geist des Freihandels und der zügellosen Konkurrenz direkt ins Gesicht schlugen, die aber ebensosehr die Konkurrenz des Riesenkapitalisten gegen seine weniger begünstigten Geschäftskollegen noch überlegner machten.

Ferner. Je größer eine industrielle Anlage, je zahlreicher ihre Arbeiter, um so größer war der Schaden und der Geschäftsverdruß bei jedem Konflikt mit den Arbeitern. Daher kam mit der Zeit ein neuer Geist über die Fabrikanten, namentlich über die größten. Sie lernten unnötige Streitereien vermeiden, sich mit dem Bestand und der Macht der Trades Unions abfinden, und schließlich sogar in Strikes – wenn nur zur richtigen Zeit eingeleitet – ein wirksames Mittel entdecken zur Durchführung ihrer eignen Zwecke. So kam es, daß die größten Fabrikanten, früher die Heerführer im Kampf gegen die Arbeiterklasse, jetzt die ersten waren im Aufruf zu Frieden und Harmonie. Und aus sehr guten Gründen.

Alle diese Konzessionen an die Gerechtigkeit und Menschenliebe waren eben in Wirklichkeit nur Mittel, die Konzentration des Kapitals in den Händen weniger zu beschleunigen und die kleineren Konkurrenten zu erdrücken, die ohne solchen Extraverdienst nicht leben konnten. In den Händen dieser wenigen hatten die kleinen Nebenerpressungen früherer Jahre nicht nur alle Wichtigkeit verloren, sie waren jetzt dem Geschäft auf großem Fuß geradezu im Weg. Und so hat die Entwicklung der kapitalistischen Produktion allein hingereicht, wenigstens in den leitenden Industriezweigen – denn in den weniger wichtigen ist dies keineswegs der Fall – alle jene kleineren Beschwerden zu beseitigen, die in frühern Jahren das Los des Arbeiters verschlimmerten. Und so tritt mehr und mehr in den Vordergrund die große Haupttatsache, daß die Ursache des Elends der Arbeiterklasse zu suchen ist nicht in jenen kleinern Übelständen, sondern *im kapitalistischen System selbst*. Der Arbeiter verkauft dem Kapitalisten seine Arbeitskraft für eine gewisse tägliche Summe. Nach der Arbeit weniger Stunden hat er den Wert jener Summe reproduziert. Aber sein Arbeitsvertrag lautet dahin, daß er nun noch eine weitere Reihe von Stunden fortschanzen muß, um seinen Arbeitstag voll zu machen. Der Wert nun, den er in diesen zusätzlichen Stunden der Mehrarbeit produziert, ist Mehrwert, der dem Kapitalisten nichts kostet, trotzdem aber in seine Tasche fließt. Dies ist die Grundlage des Systems, das mehr und mehr die zivilisierte Gesellschaft spaltet, einerseits in einige wenige Rothschilde und Vanderbilts, die Eigner aller Produktions- und Unterhaltsmittel, und andererseits in eine ungeheure Menge von Lohnarbeitern, Eigner von nichts als ihrer Arbeitskraft. Und daß dies Ergebnis geschuldet ist nicht diesem oder jenem untergeordneten Beschwerdepunkt, sondern einzig dem System selbst – diese Tatsache ist durch die Entwicklung des Kapitalismus in England heute ins grellste Licht gestellt.

Ferner. Die wiederholten Heimsuchungen durch Cholera, Typhus, Pocken und andre Epidemien haben dem britischen Bourgeois die dringende Notwendigkeit eingetrichtert, seine Städte gesund zu machen, falls er nicht mit Familie diesen Seuchen zum Opfer fallen will. Demgemäß sind die in diesem Buch beschriebenen schreiendsten Mißstände heute beseitigt oder doch weniger auffällig gemacht. Die Kanalisation ist eingeführt oder verbessert, breite Straßenzüge sind quer durch viele der schlechtesten unter den „schlechten Vierteln" angelegt. „Klein-Irland" ist verschwunden, die „Seven Dials" kommen demnächst an die Reihe. Aber was heißt das? Ganze Bezirke, die ich 1844 noch als fast idyllisch schildern konnte, sind jetzt, mit dem Anwachsen der Städte, herabgefallen in denselben Stand des Verfalls, der Unwohnlichkeit, des Elends. Die Schweine und die Abfallhaufen duldet man freilich nicht mehr. Die Bourgeoisie hat weitere Fortschritte gemacht in der Kunst, das Unglück der Arbeiterklasse zu verbergen. Daß aber, was die Arbeiterwohnungen angeht, kein wesentlicher Fortschritt stattgefunden hat, beweist vollauf der Bericht der königlichen Kommission „on the Housing of the Poor"[1], 1885. Und ebenso in allem andern. Polizeiverordnungen sind so häufig geworden wie Brombeeren; sie können aber nur das Elend der Arbeiter einhegen, beseitigen können sie es nicht.

Während aber England dem von mir geschilderten Jugendstand der kapitalistischen Ausbeutung entwachsen ist, haben andre Länder ihn eben erst erreicht. Frankreich, Deutschland und vor allem Amerika sind die drohenden Rivalen, die, wie ich 1844 vorhersah, mehr und mehr Englands industrielles Monopol brechen. Ihre Industrie ist jung gegen die englische, aber sie wächst mit weit größrer Geschwindigkeit als diese und ist heute so ziemlich auf derselben Entwicklungsstufe angekommen, worauf die englische 1844 stand. Mit Beziehung auf Amerika ist die Parallele besonders frappant. Allerdings sind die äußern Umgebungen für die amerikanische Arbeiterklasse sehr verschieden, aber dieselben ökonomischen Gesetze sind an der Arbeit, und die Ergebnisse, wenn nicht in jeder Beziehung identisch, müssen doch derselben Ordnung angehören. Daher finden wir in Amerika dieselben Kämpfe für einen kürzeren, gesetzlich festzustellenden Arbeitstag, besonders für Frauen und Kinder in Fabriken; wir finden das Trucksystem in voller Blüte und das Cottagesystem, in ländlichen Gegenden, von den „bosses", den Kapitalisten und ihren Vertretern, ausgebeutet als Mittel der Arbeiterbeherrschung. Als ich 1886 die amerikanischen Zeitungen erhielt mit den Berichten über den großen Strike der pennsylvanischen Bergleute im Distrikt von Connelsville,

[1] „über die Behausungen der Armen"

kam es mir vor, als läse ich meine eigne Schilderung des Ausstands der Kohlengräber in Nordengland 1844. Dieselbe Prellerei der Arbeiter durch falsches Maß; dasselbe Trucksystem; derselbe Versuch, den Widerstand der Grubenleute zu brechen durch das letzte zermalmende Mittel des Kapitalisten: die Ausweisung der Arbeiter aus ihren Wohnungen, die der Zechenverwaltung gehören.

Ich habe weder hier noch in den englischen Ausgaben versucht, das Buch dem heutigen Stand der Dinge anzupassen, d. h. die seit 1844 eingetretenen Änderungen im einzelnen aufzuzählen. Und zwar aus zwei Gründen. Erstens hätte ich den Umfang des Buches verdoppeln müssen. Und zweitens gibt der erste Band des Marxschen „Kapital" eine ausführliche Darstellung der Lage der britischen Arbeiterklasse für die Zeit von etwa 1865, d. h. die Zeit, wo die britische industrielle Prosperität ihren Höhepunkt erreichte. Ich hätte also das von Marx Gesagte wiederholen müssen.

Es wird wohl kaum nötig sein zu bemerken, daß der allgemein theoretische Standpunkt dieses Buchs – in philosophischer, ökonomischer und politischer Beziehung – sich keineswegs genau deckt mit meinem heutigen Standpunkt. Im Jahr 1844 existierte der moderne internationale Sozialismus noch nicht, der seitdem, vor allem und fast ausschließlich durch die Leistungen von Marx, zu einer Wissenschaft ausgebildet worden. Mein Buch repräsentiert nur eine der Phasen seiner embryonalen Entwicklung. Und wie der menschliche Embryo in seinen frühesten Entwicklungsstufen die Kiemenbögen unserer Vorfahren, der Fische, noch immer reproduziert, so verrät dies Buch überall die Spuren der Abstammung des modernen Sozialismus von einem seiner Vorfahren – der deutschen klassischen Philosophie. So wird großes Gewicht gelegt – namentlich am Schluß – auf die Behauptung, daß der Kommunismus nicht eine bloße Parteidoktrin der Arbeiterklasse ist, sondern eine Theorie, deren Endziel ist die Befreiung der gesamten Gesellschaft, mit Einschluß der Kapitalisten, aus den gegenwärtigen einengenden Verhältnissen. Dies ist in abstraktem Sinn richtig, aber in der Praxis meist schlimmer als nutzlos. Solange die besitzenden Klassen nicht nur kein Bedürfnis verspüren nach Befreiung, sondern auch der Selbstbefreiung der Arbeiterklasse sich mit allen Kräften widersetzen, solange wird die Arbeiterklasse nun einmal genötigt sein, die soziale Umwälzung allein einzuleiten und durchzuführen. Die französischen Bourgeois von 1789 erklärten auch die Befreiung der Bourgeoisie für die Emanzipation des gesamten Menschengeschlechts; Adel und Geistlichkeit wollten das aber nicht einsehn; die Behauptung – obwohl damals, soweit der Feudalismus dabei in Betracht kam, eine unleugbare, abstrakte, historische Wahrheit – artete bald aus in pure sentimentale Redensart und verduftete gänzlich im Feuer des revolutionären Kampfs. Heutzutage gibt es auch Leute genug, die den Arbeitern von der Unparteilichkeit ihres höheren Standpunkts einen über allen Klassengegensätzen und Klassenkämpfen erhabenen Sozialismus predigen. Aber sie sind entweder Neulinge, die noch massenhaft zu lernen haben, oder aber die schlimmsten Feinde der Arbeiter, Wölfe im Schafpelz.

Im Text wird die Kreislaufsperiode der großen industriellen Krisen auf fünf Jahre angegeben. Dies war die Zeitbestimmung, die sich aus dem Gang der Ereignisse von 1825 bis 1842 scheinbar ergab. Die Geschichte der Industrie von 1842 bis 1868 hat aber bewiesen, daß die wirkliche Periode eine zehnjährige ist, daß die Zwischenkrisen sekundärer Natur waren und seit 1842 mehr und mehr verschwunden sind. Seit 1868 hat sich die Sachlage wieder verändert; darüber weiter unten.

Ich habe mir nicht einfallen lassen, aus dem Text die vielen Prophezeiungen zu streichen, namentlich nicht die einer nahe bevorstehenden sozialen Revolution in England, wie meine jugendliche Hitze sie mir damals eingab. Ich habe keinen Anlaß, meine Arbeit und mich selbst besser darzustellen, als wir beide damals waren. Das wunderbare ist, nicht daß so viele dieser Prophezeiungen fehlgingen, sondern daß so viele eingetroffen sind und daß die kritische Lage der englischen Industrie, infolge kontinentaler und namentlich amerikanischer Konkurrenz, die ich damals in einer allerdings viel zu nahen Zukunft voraussah, seitdem wirklich eingetreten ist. In Beziehung auf diesen Punkt bin ich verpflichtet, das Buch mit dem heutigen Stand der Dinge in Einklang zu bringen. Ich tue es, indem ich hier einen Artikel reproduziere, der in der Londoner „Commonweal" vom 1. März 1885 englisch und in der „Neuen Zeit" vom Juni desselben Jahres (Heft 6) deutsch erschien.

„Vor 40 Jahren stand England vor einer Krisis, die zu lösen allem Anschein nach nur die Gewalt berufen war. Die ungeheure und rasche Entwicklung der Industrie hatte die Ausdehnung der auswärtigen Märkte und die Zunahme der Nachfrage weit überholt. Alle zehn Jahre wurde der Gang der Produktion gewaltsam unterbrochen durch eine allgemeine Handelskrisis, der, nach einer langen Periode chronischer Abspannung, wenige kurze Jahre der Prosperität folgten, um stets wieder zu enden in fieberhafter Überproduktion und schließlich in neuem Zusammenbruch. Die Kapitalistenklasse verlangte laut nach Freihandel in Korn und drohte, ihn zu erzwingen durch Rücksendung der hungernden Städtebevölkerung in die Landbezirke, woher sie kamen; aber, wie John Bright sagte: ‚nicht wie Bedürftige, die um Brot betteln, sondern wie eine Armee, die sich auf feindlichem Gebiete einquartiert'. Die Arbeitermassen der Städte verlangten ihren Anteil an der politischen Macht – die Volkscharte; sie wurden unterstützt von der Mehrzahl der Kleinbürger, und der einzige Unterschied zwischen beiden war, ob die Charte gewaltsam oder gesetzlich durchgeführt werden sollte. Da kam die Handelskrisis von 1847 und die irische Hungersnot, und mit beiden die Aussicht auf Revolution.

Die französische Revolution von 1848 rettete die englische Bourgeoisie. Die sozialistischen Proklamationen der siegreichen französischen Arbeiter erschreckten das englische Kleinbürgertum und desorganisierten die Bewegung der englischen Arbeiter, die innerhalb engerer, aber mehr unmittelbar praktischer Grenzen vor sich ging. Gerade in demselben Augenblick, wo der Chartismus seine volle Kraft entwickeln sollte, brach er in sich selbst zusammen, schon ehe er am 10. April 1848 äußerlich zusammenbrach. Die politische Tätigkeit der Arbeiterklasse wurde in den Hintergrund gedrängt. Die Kapitalistenklasse hatte auf der ganzen Linie gesiegt.

Die Parlamentsreform von 1831 war der Sieg der gesamten Kapitalistenklasse über die grundbesitzende Aristokratie. Die Abschaffung der Kornzölle war der Sieg der *industriellen* Kapitalisten nicht nur über den großen Grundbesitz, sondern auch über die Fraktionen von Kapitalisten, deren Interessen mehr oder weniger mit denen des Grundbesitzes identisch oder verkettet waren: Bankiers, Börsenleute, Rentiers usw. Freihandel bedeutete die Umgestaltung der gesamten inneren und äußeren Finanz- und Handelspolitik Englands im Einklang mit den Interessen der industriellen Kapitalisten, der Klasse, die jetzt die Nation vertrat. Und diese Klasse machte sich ernstlich ans Werk. Jedes Hemmnis der industriellen Produktion wurde unbarmherzig entfernt. Der Zolltarif und das ganze Steuersystem wurden umgewälzt. Alles wurde einem einzigen Zweck untergeordnet, aber einem Zweck von der äußersten Wichtigkeit für den industriellen Kapitalisten: der Verwohlfeilerung aller Rohstoffe und besonders aller Lebensmittel für die Arbeiterklasse; der Produktion der Rohstoffe und der Niederhaltung, wenn auch noch nicht der Herunterbringung des Arbeitslohnes. England sollte ‚die Werkstatt der Welt werden'; alle anderen Länder sollten für England werden, was Irland schon war – Märkte für seine Industrieprodukte, Bezugsquellen seiner Rohstoffe und Nahrungsmittel. England, der große industrielle Mittelpunkt einer ackerbauenden Welt, mit einer stets wachsenden Zahl Korn und Baumwolle produzierender Trabanten, die sich um die industrielle Sonne drehen. Welch herrliche Aussicht!

Die industriellen Kapitalisten gingen an die Durchführung dieses ihres großen Ziels mit dem kräftigen, gesunden Menschenverstand und der Verachtung überkommener Grundsätze, durch die sie sich immer ausgezeichnet haben vor ihren philisterhafteren Konkurrenten auf dem Kontinent. Der Chartismus war im Aussterben. Die Wiederkehr der Geschäftsblüte, natürlich und fast selbstverständlich, nachdem der Krach von 1847 sich erschöpft hatte, wurde ausschließlich auf Rechnung des Freihandels geschrieben. Infolge beider Umstände war die englische Arbeiterklasse politisch der Schwanz der ‚großen liberalen Partei' geworden, der von den Fabrikanten angeführten Partei. Diesen einmal gewonnenen Vorteil galt es zu verewigen. Und aus der heftigen Opposition der Chartisten nicht gegen den Freihandel, sondern gegen die Verwandlung des Freihandels in die einzige Lebensfrage der Nation, hatten die Fabrikanten begriffen und begriffen täglich mehr, daß die Bourgeoisie nie volle soziale und politische Herrschaft über die Nation erringen kann, außer mit Hülfe der Arbeiterklasse. So veränderte sich allmählich die gegenseitige Haltung der beiden Klassen. Die Fabrikgesetze, einst der Popanz aller Fabrikanten, wurden jetzt nicht nur willig von ihnen befolgt, sondern mehr oder minder auf die ganze Industrie ausgedehnt. Die Trades Unions, vor kurzem noch als Teufelswerk verrufen, wurden jetzt von den Fabrikanten kajoliert und protegiert als äußerst wohlberechtigte Einrichtungen und als ein nützliches Mittel, gesunde ökonomische Lehren unter den Arbeitern zu verbreiten. Selbst Strikes, die vor 1848 in die Acht erklärt worden waren, wurden jetzt gelegentlich recht nützlich befunden, besonders, wenn die Herren Fabrikanten zu gelegener Zeit sie selbst hervorgerufen hatten. Von den Gesetzen, die dem Arbeiter gleiches Recht gegenüber seinem Beschäftiger geraubt hatten, wurden wenigstens die empörendsten abgeschafft. Und die einst so fürchterliche Volkscharte wurde nun der Hauptsache nach das politische Programm derselben Fabrikanten, die ihr bis zuletzt opponiert hatten. Die *Abschaffung des Wählbarkeitszensus* und die *geheime Abstimmung* sind durch Gesetz eingeführt. Die Parlamentsreformen von 1867 und 1884 nähern sich schon stark dem *allgemeinen Stimmrecht*, wenigstens wie es jetzt in Deutschland besteht; die Wahlkreisvorlage, die das Parlament jetzt berät, schafft *gleiche Wahlkreise*, im ganzen wenigstens nicht ungleicher als die in Frankreich oder Deutschland. *Diäten* und kürzere Mandatsdauer, wenn auch nicht gerade *jährlich gewählte Parlamente* kommen in Sicht als unzweifelhafte Errungenschaften der nächsten Zukunft; und dennoch sagen einige Leute, der Chartismus sei tot.

Die Revolution von 1848, wie manche ihrer Vorgänger, hat seltsame Geschicke gehabt. Dieselben Leute, die sie niederwarfen, sind, wie Karl Marx zu sagen pflegte, ihre Testamentsvollstrecker geworden. Louis Napoleon war gezwungen, ein einiges und unabhängiges Italien zu schaffen, Bismarck war gezwungen, Deutschland in seiner Art umzuwälzen und Ungarn eine gewisse Unabhängigkeit wiederzugeben, und die englischen Fabrikanten haben nichts Besseres zu tun, als der Volkscharte Gesetzeskraft zu geben.

Die Wirkungen dieser Herrschaft der industriellen Kapitalisten für England war[en] anfangs staunenerregend. Das Geschäft lebte wieder auf und dehnte sich aus in einem Grade, unerhört selbst in dieser Wiege der modernen Industrie. Alle früheren gewaltigen Schöpfungen des Dampfes und der Maschinerie verschwanden in nichts, verglichen mit dem gewaltigen Aufschwung der Produktion in den zwanzig Jahren von 1850 bis 1870, mit den erdrückenden Ziffern der Ausfuhr und Einfuhr, des in den Händen der Kapitalisten sich aufhäufenden Reichtums und der sich in Riesenstädten konzentrierenden menschlichen Arbeitskraft. Der Fortschritt wurde freilich unterbrochen, wie vorher durch die Wiederkehr einer Krisis alle zehn Jahre; 1857 so gut wie 1866; aber diese Rückschläge galten nun als natürliche unvermeidliche Ereignisse, die man eben durchmachen muß und die schließlich doch auch wieder ins Gleise kommen.

Und die Lage der Arbeiterklasse während dieser Periode? Zeitweilig gab es Besserung, selbst für die große Masse. Aber diese Besserung wurde immer wieder auf das alte Niveau herabgebracht durch den Zustrom der großen Menge der unbeschäftigten Reserve, durch die fortwährende Verdrängung von Arbeitern durch neue Maschinerie und durch die Einwanderung der Ackerbauarbeiter, die jetzt auch mehr und mehr durch Maschinen verdrängt wurden.

Eine dauernde Hebung findet sich nur bei zwei beschützten Abteilungen der Arbeiterklasse. Davon sind die erste die Fabrikarbeiter. Die gesetzliche Feststellung eines, wenigstens verhältnismäßig rationellen, Normalarbeitstages zu ihren Gunsten hat ihre Körperkonstitution relativ wiederhergestellt und ihnen eine, noch durch ihre lokale Konzentration verstärkte, moralische Überlegenheit gegeben. Ihre Lage ist unzweifelhaft besser als vor 1848. Der beste Beweis dafür ist, daß von zehn Strikes, die sie machen, neun hervorgerufen sind durch die Fabrikanten selbst und in ihrem eignen Interesse als einziges Mittel, die Produktion einzuschränken. Ihr werdet die Fabrikanten nie dahin bringen, daß sie sich alle dazu verstehn, kurze Zeit zu arbeiten, mögen ihre Fabrikate noch so unverkäuflich sein. Aber bringt die Arbeiter zum Striken, und die Kapitalisten schließen ihre Fabriken bis auf den letzten Mann.

Zweitens die großen Trades Unions. Sie sind die Organisationen der Arbeitszweige, in denen die Arbeit *erwachsener Männer* allein anwendbar ist oder doch vorherrscht. Hier ist die Konkurrenz weder der Weiber- und der Kinderarbeit noch der Maschinerie bisher imstande gewesen, ihre organisierte Stärke zu brechen. Die Maschinenschlosser, Zimmerleute und Schreiner, Bauarbeiter, sind jede für sich eine Macht, so sehr, daß sie selbst, wie die Bauarbeiter tun, der Einführung der Maschinerie erfolgreich widerstehn können. Ihre Lage hat sich unzweifelhaft seit 1848 merkwürdig verbessert; der beste Beweis dafür ist, daß seit mehr als fünfzehn Jahren nicht nur ihre Beschäftiger mit ihnen, sondern auch sie mit ihren Beschäftigern äußerst zufrieden gewesen sind. Sie bilden eine Aristokratie in der Arbeiterklasse; sie haben es fertiggebracht, sich eine verhältnismäßig komfortable Lage zu erzwingen, und diese Lage akzeptieren sie als endgültig. Sie sind die Musterarbeiter der Herrn Leone Levi und Giffen (und auch des Biedermanns Lujo Brentano), und sie sind in der Tat sehr nette, traktable Leute für jeden verständigen Kapitalisten im besondern und für die Kapitalistenklasse im allgemeinen.

Aber was die große Masse der Arbeiter betrifft, so steht das Niveau des Elends und der Existenzunsicherheit für sie heute ebenso niedrig, wenn nicht niedriger als je. Das Ostende von London ist ein stets sich ausdehnender Sumpf von stockendem Elend und Verzweiflung, von Hungersnot, wenn unbeschäftigt, von physischer und moralischer Erniedrigung, wenn beschäftigt. Und so in allen anderen Großstädten, mit Ausnahme nur der bevorrechteten

Minderheit der Arbeiter; und so in den kleineren Städten und in den Landbezirken. Das Gesetz, das den Wert der Arbeitskraft auf den Preis der notwendigen Lebensmittel beschränkt, und das andere Gesetz, das ihren Durchschnittspreis der Regel nach auf das Minimum dieser Lebensmittel herabdrückt, diese beiden Gesetze wirken auf sie mit der unwiderstehlichen Kraft einer automatischen Maschine, die sie zwischen ihren Rädern erdrückt.

Das also war die Lage, geschaffen durch die Freihandelspolitik von 1847 und durch die zwanzigjährige Herrschaft der industriellen Kapitalisten. Aber dann kam eine Wendung. Der Krisis von 1866 folgte in der Tat ein kurzer und leichter Geschäftsaufschwung gegen 1873, aber er dauerte nicht. Wir haben in der Tat zu der Zeit, wo sie fällig war, 1877 oder 1878, keine volle Krisis durchgemacht, aber wir leben seit 1876 in einem chronischen Versumpfungszustand aller herrschenden Industriezweige. Weder will der vollständige Zusammenbruch kommen noch die langersehnte Zeit der Geschäftsblüte, auf die wir ein Recht zu haben glaubten sowohl vor wie nach dem Krach. Ein tödlicher Druck, eine chronische Überfüllung aller Märkte für alle Geschäfte, das ist der Zustand, den wir seit beinahe zehn Jahren durchmachen. Woher das?

Die Freihandelstheorie hatte zum Grund die eine Annahme: daß England das einzige große Industriezentrum einer ackerbauenden Welt werden sollte, und die Tatsachen haben diese Annahme vollständig Lügen gestraft. Die Bedingungen der modernen Industrie, Dampfkraft und Maschinerie, sind überall herstellbar, wo es Brennstoff, namentlich Kohlen gibt, und andre Länder neben England haben Kohlen: Frankreich, Belgien, Deutschland, Amerika, selbst Rußland. Und die Leute da drüben waren nicht der Ansicht, daß es in ihrem Interesse sei, sich in irische Hungerpächter zu verwandeln, einzig zum größeren Ruhme und Reichtum der englischen Kapitalisten. Sie fingen an zu fabrizieren, nicht nur für sich selbst, sondern auch für die übrige Welt, und die Folge ist, daß das Industriemonopol, das England beinahe ein Jahrhundert besessen hat, jetzt unwiederbringlich gebrochen ist.

Aber das Industriemonopol Englands ist der Angelpunkt des bestehenden englischen Gesellschaftssystems. Selbst während dies Monopol dauerte, konnten die Märkte nicht Schritt halten mit der wachsenden Produktivität der englischen Industrie; die zehnjährigen Krisen waren die Folge. Und jetzt werden neue Märkte täglich seltner, so sehr, daß selbst den Negern am Kongo die Zivilisation aufgezwungen werden soll, die aus den Kattunen von Manchester, den Töpferwaren von Staffordshire und den Metallartikeln von Birmingham fließt. Was wird die Folge sein, wenn kontinentale und besonders amerikanische Waren in stets wachsender Masse hervorströmen, wenn der jetzt noch den englischen Fabriken zufallende Löwenanteil an der Versorgung der Welt von Jahr zu Jahr zusammenschrumpft? Antworte, Freihandel, du Universalmittel!

Ich bin nicht der erste, der darauf hinweist. Schon 1883, in der Versammlung der British Association in Southport, hat Herr Inglis Palgrave, Präsident der ökonomischen Sektion, geradezu gesagt, daß die Tage großer Geschäftsprofite in England vorbei seien und eine Pause eingetreten sei in der Weiterentwicklung verschiedner großer Industriezweige. Man könne fast sagen, daß England im Begriffe sei, in einen nicht länger fortschreitenden Zustand überzugehen.

Aber was wird das Ende von alledem sein? Die kapitalistische Produktion *kann nicht* stabil werden, sie muß wachsen und sich ausdehnen, oder sie muß sterben. Schon jetzt, die bloße Einschränkung von Englands Löwenanteil an der Versorgung des Weltmarkts, heißt Stockung, Elend, Übermaß an Kapital hier, Übermaß an unbeschäftigten Arbeitern dort. Was wird es erst sein, wenn der Zuwachs der jährlichen Produktion vollends zum Stillstand gebracht ist? Hier ist die verwundbare Achillesferse der kapitalistischen Produktion. Ihre Lebensbedingung ist die Notwendigkeit fortwährender Ausdehnung, und diese fortwährende Ausdehnung wird jetzt unmöglich. Die kapitalistische Produktion läuft aus in eine Sackgasse. Jedes Jahr bringt England dichter vor die Frage: Entweder die Nation geht in Stücke oder die kapitalistische Produktion. Welches von beiden muß dran glauben?

Und die Arbeiterklasse? Wenn selbst unter der unerhörten Ausdehnung des Handels und der Industrie von 1848 bis 1868 sie solches Elend durchzumachen hatte, wenn selbst damals ihre große Masse im besten Fall nur eine vorübergehende Verbesserung ihrer Lage erfuhr, während nur eine kleine privilegierte, geschützte Minorität dauernden Vorteil hatte, wie wird es sein, wenn diese blendende Periode endgültig zum Abschluß kommt, wenn die gegenwärtige drückende Stagnation sich nicht nur noch steigert, sondern wenn dieser gesteigerte Zustand ertötenden Druckes der dauernde, der Normalzustand der englischen Industrie wird?

Die Wahrheit ist diese: Solange Englands Industriemonopol dauerte, hat die englische Arbeiterklasse bis zu einem gewissen Grad teilgenommen an den Vorteilen dieses Monopols. Diese Vorteile wurden sehr ungleich unter sie verteilt; die privilegierte Minderheit sackte den größten Teil ein, aber selbst die große Masse hatte wenigstens dann und wann vorübergehend ihr Teil. Und das ist der Grund, warum seit dem Aussterben des Owenismus es in England keinen Sozialismus gegeben hat. Mit dem Zusammenbruch des Monopols wird die englische Arbeiterklasse diese bevorrechtete Stellung verlieren. Sie wird sich allgemein – die bevorrechtete und leitende Minderheit nicht ausgeschlossen – eines Tages auf das gleiche Niveau gebracht sehen wie die Arbeiter des Auslandes. Und das ist der Grund, warum es in England wieder Sozialismus geben wird."

Soweit der Artikel von 1885. In der englischen Vorrede vom 11. Januar 1892 fuhr ich dann fort:

„Dieser Schilderung der Sachlage, wie sie mir 1885 vorkam, habe ich nur wenig zuzufügen. Es ist unnötig zu sagen, daß es heute ‚wirklich wieder Sozialismus in England gibt'; und das massenhaft: Sozialismus aller Schattierungen, Sozialismus bewußt und unbewußt, Sozialismus in Prosa und in Versen, Sozialismus der Arbeiterklasse und der Mittelklasse. Denn wahrlich, dieser Greuel aller Greuel, der Sozialismus, ist nicht nur respektabel geworden, sondern hat sich allbereits in Gesellschaftstoilette geworfen und lungert nachlässig herum auf Salonkauseusen. Das beweist wieder einmal, von welch unheilbarer Unbeständigkeit jener schreckliche Despot der guten Gesellschaft ist: die öffentliche Meinung der Mittelklasse, und rechtfertigt wieder einmal die Verachtung, die wir Sozialisten einer vergangnen Generation stets für diese öffentliche Meinung hegten. Sonst aber haben wir keinen Grund, uns über dies neue Symptom zu beklagen.

Was ich für weit wichtiger halte als diese augenblickliche Mode, in Bourgeoiszirkeln mit einer verwässerten Lösung von Sozialismus großzutun, und selbst wichtiger als den Fortschritt, den der Sozialismus in England im allgemeinen gemacht, das ist das Wiedererwachen des Londoner Ostends. Dies unermeßliche Lager des Elends ist nicht mehr die stagnierende Pfütze, die es vor sechs Jahren noch war. Das Ostend hat seine starre Verzweiflung abgeschüttelt; es ist dem Leben wiedergegeben und ist die Heimat des ‚Neuen Unionismus' geworden, d. h. der Organisation der großen Masse ‚ungelernter' Arbeiter. Diese Organisation mag in mancher Beziehung die Form der alten Unionen von ‚gelernten' Arbeitern annehmen; sie ist dennoch wesentlich verschieden dem Charakter nach. Die alten Unionen bewahren die Traditionen der Zeit, wo sie gegründet wurden; sie sehn das Lohnsystem für eine, ein für allemal gegebne, endgültige Tatsache an, die sie im besten Fall im Interesse ihrer Mitglieder etwas mildern können. Die neuen Unionen dagegen wurden zu einer Zeit gegründet, wo der Glaube an die Ewigkeit des Lohnsystems schon gewaltig erschüttert war. Ihre Gründer und Beförderer waren entweder bewußte oder Gefühlssozialisten; die Massen, die ihnen zuströmten und in denen ihre Stärke ruht, waren roh, vernachlässigt, von der Aristokratie der Arbeiterklasse über die Achsel angesehn. Aber sie haben diesen einen unermeßlichen Vorteil: Ihre Gemüter sind noch jungfräulicher Boden, gänzlich frei von den ererbten, ‚respektablen' Bourgeoisvorurteilen, die die Köpfe der bessergestellten ‚alten Unionisten' verwirren. Und so sehn wir jetzt, wie diese neuen Unionen die Führung der Arbeiterbewegung überhaupt ergreifen und mehr und mehr die reichen und stolzen ‚alten' Unionen ins Schlepptau nehmen.

Unzweifelhaft haben die Leute des Ostends kolossale Böcke gemacht; das taten aber ihre Vorgänger auch, das tun noch heute die doktrinären Sozialisten, die über jene die Nase rümpfen. Eine große Klasse wie eine große Nation lernt nie schneller als durch die Folgen ihrer eignen Irrtümer. Und trotz aller möglichen Fehler in Vergangenheit, Gegenwart und Zukunft bleibt das

Erwachen des Ostends von London eins der größten und fruchtbarsten Ereignisse dieses fin de siècle[1], und froh und stolz bin ich, daß ich es erlebte."

Seit ich Vorstehendes vor sechs Monaten schrieb, hat die englische Arbeiterbewegung wieder einen guten Schritt vorwärts getan. Die Parlamentswahlen, die seit einigen Tagen hinter uns liegen, haben den beiden offiziellen Parteien, den Konservativen wie den Liberalen, die Kundmachung in aller Form zugestellt, daß sie beide von nun an mit einer dritten Partei, der Arbeiterpartei, zu rechnen haben. Diese Arbeiterpartei ist erst in der Bildung begriffen; ihre Elemente sind noch damit beschäftigt, überkommene Vorurteile aller Art – bürgerliche, altgewerkschaftliche, ja selbst schon doktrinär-sozialistische – abzuschütteln, damit sie sich endlich auf dem ihnen allen gemeinsamen Boden zusammenfinden können. Und doch war der sie zusammenführende Instinkt schon jetzt so groß, daß er Wahlresultate erzeugte, wie sie bisher in England unerhört. In London stellen sich zwei Arbeiter zur Wahl, und zwar offen als Sozialisten; die Liberalen wagen nicht, ihnen einen der Ihrigen entgegenzustellen, und die zwei Sozialisten gehn mit überwältigender und unerwarteter Majorität durch. In Middlesbrough tritt ein Arbeiterkandidat auf gegen einen Liberalen und einen Konservativen und wird trotz beider gewählt; die neuen Arbeiterkandidaten dagegen, die mit den Liberalen ein Bündnis abgeschlossen, fallen mit Ausnahme eines einzigen rettungslos durch. Unter den bisherigen sogenannten Arbeitervertretern, d. h. den Leuten, denen man ihre Arbeiterqualität verzeiht, weil sie selbst sie gern im Ozean ihres Liberalismus ertränken möchten, ist der bedeutendste Vertreter des alten Unionismus, Henry Broadhurst, mit Glanz durchgefallen, weil er sich gegen den Achtstundentag erklärt hat. In zwei Wahlkreisen von Glasgow, in einem von Salford, und noch in mehreren anderen traten unabhängige Arbeiterkandidaten auf gegen Kandidaten beider alten Parteien; sie wurden geschlagen, aber die liberalen Kandidaten auch. Kurz, in einer Anzahl großstädtischer und industrieller Wahlkreise haben die Arbeiter sich entschieden von aller Verbindung mit den beiden alten Parteien losgesagt und damit direkte oder indirekte Erfolge erreicht wie bei keiner Wahl vorher. Und die Freude darüber unter den Arbeitern ist namenlos. Zum erstenmal haben sie gesehen und gefühlt, was sie können, wenn sie ihr Wahlrecht im Interesse ihrer Klasse ausnutzen. Der Aberglaube an die „große liberale Partei", der die englischen Arbeiter fast vierzig Jahre beherrscht hat, ist gebrochen. Sie haben an schlagenden Beispielen gesehn, daß sie, die Arbeiter, die entscheidende Macht in England sind, wenn sie nur wollen und wissen, was sie wollen; und die Wahlen von 1892 waren der Anfang des Wissens und des Wollens. Für das übrige wird die kontinentale Arbeiterbewegung sorgen; die Deutschen und Franzosen, die in Parlamenten und Lokalräten schon so reich-

[1] Jahrhundertendes

liche Vertretung besitzen, werden durch weitere Erfolge den Wetteifer der Engländer schon genügend im Gang halten. Und wenn in nicht mehr ferner Zeit sich herausstellt, daß dies neue Parlament nichts mit Herrn Gladstone und Herr Gladstone nichts mit diesem Parlament anfangen kann, dann wird die englische Arbeiterpartei auch wohl hinreichend konstituiert sein, um dem Schaukelspiel der beiden alten, einander an der Regierung ablösenden und eben dadurch die Bourgeoisherrschaft verewigenden Parteien demnächst ein Ende zu machen.

London, 21. Juli 1892 *F. Engels*

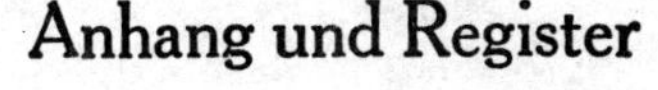

Anhang und Register

Anmerkungen

1 *„Die heilige Familie, oder Kritik der kritischen Kritik. Gegen Bruno Bauer & Consorten"* – das erste gemeinsame Werk von Karl Marx und Friedrich Engels. Diese in der Zeit vom September bis November 1844 geschriebene Arbeit erschien erstmalig Ende Februar 1845 in Frankfurt am Main.

„Die heilige Familie" ist eine scherzhafte Bezeichnung für die Gebrüder Bauer und deren Anhänger, die sich um die „Allgemeine Literatur-Zeitung" gruppierten. In ihrer Auseinandersetzung mit Bauer und anderen Junghegelianern kritisierten Marx und Engels zugleich die idealistische Philosophie Hegels.

Starke Meinungsverschiedenheiten mit den Junghegelianern traten bei Marx schon im Sommer 1842 hervor, als sich in Berlin der Kreis der sogenannten „Freien" gebildet hatte. Nachdem Marx im Oktober 1842 Redakteur der „Rheinischen Zeitung" geworden war, an der auch einige Berliner Junghegelianer mitarbeiteten, wandte er sich gegen die Veröffentlichung der inhaltlosen, anmaßenden Artikel, die aus dem Kreis der vom Leben losgelösten und sich in abstrakten philosophischen Streitereien ergehenden „Freien" stammten. Zwei Jahre nach dem Bruch mit den „Freien" erlangten die theoretischen und politischen Meinungsverschiedenheiten von Marx und Engels einerseits und den Junghegelianern andererseits einen ernsten, unversöhnlichen Charakter. Dies rührte nicht nur daher, daß Marx und Engels vom Idealismus zum Materialismus und vom revolutionären Demokratismus zum Kommunismus übergingen, sondern erklärte sich auch aus der Entwicklung, die die Gebrüder Bauer und ihre Gesinnungsgenossen in dieser Zeit durchmachten. In der „Allgemeinen Literatur-Zeitung" sagten sich Bauer und seine Gruppe von dem „Radikalismus des Jahres 1842" und von der „Rheinischen Zeitung" los. Sie sanken auf die Stufe des abgeschmacktesten, subjektiven Vulgäridealismus hinab und propagierten eine „Theorie", derzufolge nur auserwählte Persönlichkeiten, Träger des „Geistes", der „reinen Kritik", Schöpfer der Geschichte seien, während die Masse, das Volk, lediglich als träges Material, als Ballast im historischen Prozeß diene.

Marx und Engels beschlossen, in einem ersten gemeinsamen Werk diese schädlichen, reaktionären Ideen zu entlarven und darin gleichzeitig ihre neuen materialistischen und kommunistischen Anschauungen zu verteidigen. Als Engels 1844 zehn Tage bei Marx in Paris weilte, kamen beide überein, dieses Werk, das sie zunächst „Kritik der kritischen Kritik. Gegen Bruno Bauer und Consorten" nannten, zu schreiben. Sie teilten die Kapitel auf und schrieben die Vorrede. Engels schrieb seinen Anteil noch vor seiner Abreise aus Paris nieder. Marx arbeitete an seinem umfangreicheren Anteil bis Ende November 1844; er erweiterte dabei wesentlich den vorgesehenen Umfang des Werkes und benutzte für die von ihm übernommenen Abschnitte einen Teil der ökonomisch-philosophischen Manuskripte, an denen er im Frühjahr und Sommer 1844 gearbeitet hatte, sowie, neben einer Reihe anderer Auszüge und Konspekte, seine Untersuchungen zur Geschichte der französischen bürgerlichen Revolution Ende des 18. Jahrhunderts. Während der Drucklegung erweiterte Marx den Titel um die Worte „Die heilige Familie". Im Inhaltsverzeichnis wurde angegeben, welche Kapitel von Marx und welche von Engels stammten (vergleiche das Inhaltsverzeichnis des vorl. Bandes, S. 723–725). Da der Umfang des in Kleinformat gebrachten Buches zwanzig Druckbogen überstieg, unterlag es nach den damals in einigen deutschen Ländern geltenden Vorschriften nicht der Vorzensur. 3

[2] *„Allgemeine Literatur-Zeitung"* – Monatsschrift, von dem Junghegelianer Bruno Bauer in Charlottenburg (Dezember 1843 bis Oktober 1844) herausgegeben. 7

[3] *„Schriften über den Pauperismus"*, Beiträge von Carl Reichardt, die in Heft I und II der „Allgemeinen Literatur-Zeitung" (Dezember 1843 und Januar 1844) veröffentlicht wurden. 9

[4] *Mühleigner* – eine wörtliche Übersetzung des englischen Ausdrucks mill-owner (Fabrikbesitzer, Fabrikant). Engels verspottet hier den Mitarbeiter der „Allgemeinen Literatur-Zeitung" Julius Faucher, der in seinen Artikeln Wörter benutzte, die er nach englischer Art gebildet hatte. 12

[5] *„Englische Tagesfragen"*, ein in Heft VII und VIII der „Allgemeinen Literatur-Zeitung" (Juni und Juli 1844) veröffentlichter Artikel von Julius Faucher. 12

[6] *Spinnmaschinen* – zwischen 1738 und 1835 wurden in England mehrere bedeutende Erfindungen zur Mechanisierung des Spinnens gemacht, die für die Entwicklung des Kapitalismus von großer Bedeutung waren. 1764: Jennymaschine von James Hargreaves, die 1769–1771 von Richard Arkwright vervollkommnet wurde; 1779: Mulemaschine oder Hand-Mule von Samuel Crompton; 1825: Self-acting mule oder self-actor (der Selbsttätige), die automatische Spinnmaschine von Richard Robert. 12 239

[7] *Anti-Corn-Law League* (Anti-Korngesetz-Liga) – eine freihändlerische Vereinigung, die 1838 von den Fabrikanten Cobden und Bright in Manchester gegründet wurde. Die sogenannten Korngesetze, die die Einschränkung bzw. das Verbot der Getreideeinfuhr aus dem Ausland zum Ziel hatten, waren in England im Interesse der dortigen Großgrundbesitzer, der Landlords, eingeführt worden. Die Liga erhob die Forderung nach völliger Handelsfreiheit und kämpfte für die Abschaffung der Korngesetze mit dem Ziel, die Löhne der Arbeiter zu senken und die ökonomischen und politischen Positionen der Grundaristokratie zu schwächen. In ihrem Kampf gegen die Grundbesitzer versuchte die Liga, die Arbeitermassen auszunutzen. Aber gerade zu dieser Zeit schlugen die fortgeschrittensten Arbeiter Englands den Weg zu einer selbständigen, politisch ausgeprägten Arbeiterbewegung (Chartismus) ein. Der Kampf zwischen der industriellen Bourgeoisie und der Grundaristokratie endete 1846 mit der Annahme der Bill über die Abschaffung der Korngesetze. Danach löste sich die Liga auf. 13

[8] Der Kampf um die gesetzliche Beschränkung des Arbeitstages auf 10 Stunden begann in England bereits Ende des 18. Jahrhunderts und erfaßte seit den dreißiger Jahren des 19. Jahrhunderts breite Massen des Proletariats. Da die Vertreter der Grundaristokratie bestrebt waren, diese populäre Losung in ihrem Kampf gegen die industrielle Bourgeoisie auszunutzen, setzten sie sich im Parlament für die Verteidigung der Zehnstundenbill ein; das Haupt der Verfechter dieses Gesetzes im Parlament war seit 1833 der „Toryphilanthrop" Lord Ashley. 14

[9] Worte aus Bruno Bauers Buch „Die gute Sache der Freiheit und meine eigene Angelegenheit", Zürich und Winterthur 1842. 16

[10] Es handelt sich um den mit „J.", dem Anfangsbuchstaben von Jungnitz, gezeichneten Artikel „Herr Nauwerk und die philosophische Fakultät" in der „Allgemeinen Literatur-Zeitung", Heft VI (Mai 1844). 17

[11] *Bonner Entsetzung* – Die preußische Regierung entzog im Oktober 1841 Bruno Bauer seiner religionskritischen Schriften wegen vorübergehend die Lehrerlaubnis an der Bonner Universität. Im März 1842 wurde er ganz aus dem Universitätsdienst entlassen. 17

[12] Engels analysiert und zitiert in diesem Abschnitt die im Heft V der „Allgemeinen Literatur-Zeitung" (April 1844) von Edgar Bauer verfaßte Rezension über Flora Tristans „L'Union ouvrière" [Arbeitervereinigung], Paris 1843. 19

[13] Georg Wilhelm Friedrich Hegel, „Phänomenologie des Geistes". Die erste Ausgabe erschien im Jahre 1807. Für seine Arbeit an der „Heiligen Familie" benutzte Marx Band II der zweiten Auflage der Hegelschen Werke. Berlin 1841. 22

[14] Aus Schillers Gedicht „Das Mädchen aus der Fremde". 23

[15] Pierre-Joseph Proudhon, „Qu'est-ce que la propriété? Ou recherches sur le principe du droit et du gouvernement" [Was ist das Eigentum? Oder Untersuchungen über das Prinzip des Rechts und der Regierung]; die erste Ausgabe erschien 1840 in Paris. Marx zitiert nach der Pariser Ausgabe des Jahres 1841.

Das Buch „Was ist das Eigentum?", das von einem widerspruchsvollen kleinbürgerlichen Standpunkt aus geschrieben ist, erregte bei seinem Erscheinen durch die in ihm enthaltenen scharfen Angriffe auf das Privateigentum starkes Aufsehen. Eine umfassende kritische Beurteilung dieses Buches gab Marx in seinem Artikel „Über P. J. Proudhon", der im Jahre 1865 als Brief an den Redakteur Schweitzer im „Social-Demokrat" veröffentlicht wurde.

Der von Edgar Bauer stammende Artikel „Proudhon", den Marx im vorliegenden Abschnitt der „Heiligen Familie" kritisiert, ist in Heft V der „Allgemeinen Literatur-Zeitung" (April 1844) erschienen. 23

[16] *„Reformisten"* – Anhänger der Pariser Zeitung „La Réforme", eine politische Gruppierung, der kleinbürgerliche Demokraten und Republikaner sowie kleinbürgerliche Sozialisten angehörten. 25

[17] *Merkantilsystem* – eine ökonomische Lehre, die sich im 17. Jahrhundert vor allem in Frankreich und England herausbildete. Das *Monetarsystem* „hat die Produktion für den Weltmarkt und die Verwandlung des Produkts in Ware, daher in Geld, richtig als Voraussetzung und Bedingung der kapitalistischen Produktion verkündet. In seiner Fortsetzung im *Merkantilsystem* entscheidet nicht mehr die Verwandlung des Warenwerts in Geld, sondern die Erzeugung von Mehrwert, aber vom begriffslosen Standpunkt der Zirkulationssphäre aus, und zugleich so, daß dieser Mehrwert sich darstellt in Surplusgeld, im Überschuß der Handelsbilanz" (Marx). Die Merkantilisten lehrten, daß der Mehrwert aus dem Handel entspringe und daß nur der Außenhandel mit aktiver Handelsbilanz den Reichtum eines Landes vermehre. 32

[18] *Physiokraten* – Anhänger einer Lehre der politischen Ökonomie im 18. Jahrhundert in Frankreich (Quesnay, Mercier de la Rivière, Le Trosne, Turgot u. a.). Sie haben – im Gegensatz zum Merkantilsystem – „die Untersuchung über den Ursprung des Mehrwerts

aus der Sphäre der Zirkulation in die Sphäre der unmittelbaren Produktion selbst verlegt und damit die Grundlage zur Analyse der kapitalistischen Produktion gelegt". (Marx.) Die Physiokraten hielten die Grundrente für die einzige Form des Mehrwerts und daher die landwirtschaftliche Arbeit für die einzig produktive Arbeit. 32

[19] Die *„Deutsch-Französischen Jahrbücher"* wurden unter der Redaktion von Karl Marx und Arnold Ruge in deutscher Sprache in Paris herausgegeben. Es erschien nur die erste Doppellieferung im Februar 1844. In ihr wurden veröffentlicht: Karl Marx' Schriften „Zur Judenfrage" und „Zur Kritik der Hegelschen Rechtsphilosophie. Einleitung", ferner Friedrich Engels' Werke „Umrisse zu einer Kritik der Nationalökonomie" und „Die Lage Englands. ‚Past and Present' by Thomas Carlyle" (siehe Band 1 unserer Ausgabe, S. 347–377, 378–391, 499–524, 525–549). Diese Arbeiten zeigen den endgültigen Übergang von Marx und Engels zum Materialismus und Kommunismus. Die Hauptursache dafür, daß die Zeitschrift ihr Erscheinen einstellte, waren die prinzipiellen Meinungsverschiedenheiten zwischen Marx und dem bürgerlichen Radikalen Ruge. 33

[20] Dieser Satz aus Charles Comtes Werk „Traité de la propriété" [Abhandlung über das Eigentum], Bd. I, S. 52, Paris 1834, wird von Proudhon auf Seite 93 seines Buches „Qu'est-ce que la propriété?" [Was ist das Eigentum?] (Ausgabe 1841) angeführt. 46

[21] Es wird hier auf die im Heft VII der „Allgemeinen Literatur-Zeitung" abgedruckte Kritik Szeligas über den Roman „Die Geheimnisse von Paris" des französischen Schriftstellers Eugène Sue angespielt. Der Roman erschien 1842/43 in Paris und erlangte auch außerhalb Frankreichs große Verbreitung. 56

[22] Molière, „Le bourgeois gentilhomme" [Der Bürger als Edelmann], II. Akt, sechste Szene. 57

[23] Die in Frankreich nach der bürgerlichen Revolution von 1830 angenommene konstitutionelle Verfassung (Charte constitutionnelle) bildete das Grundgesetz der Julimonarchie. Charte vérité ist eine ironische Anspielung auf die Schlußworte in der Proklamation Louis-Philippes vom 31. Juli 1830: „... von nun ab wird die Verfassung (Charte) eine Wahrheit (vérité) sein". 58

[24] Marx verwendet hier sinngemäß ein Zitat aus Goethes „Faust", Erster Teil, sechste Szene („Hexenküche"). 65

[25] Zitat aus Charles Fouriers Werk „Theorie de l'unité universelle" [Theorie der universellen Einheit], Bd. III, Teil II, Kap. 3. Die Erstausgabe dieses Werkes erschien im Jahre 1822 unter dem Titel: „Traité de l'association domestique-agricole" [Abhandlung über die hauswirtschaftlich-landwirtschaftliche Vereinigung]. 69

[26] Shakespeare, „Ende gut, alles gut", I. Akt, dritte Szene. 74

[27] Hier sowie im weiteren wird Bruno Bauers Artikel „Neueste Schriften über die Judenfrage" (in Heft I der „Allgemeinen Literatur-Zeitung", Dezember 1843) zitiert; dieser Artikel war die Erwiderung Bauers auf die in der Presse an seiner Schrift „Die Judenfrage" geübte Kritik. 83

[28] Bruno Bauers Schrift „Die Judenfrage" erschien 1843 in Braunschweig; sie stellt den mit einigen Ergänzungen versehenen Nachdruck eines von ihm zum gleichen Thema verfaßten Artikels dar, der (November 1842) in den „Deutschen Jahrbüchern" (siehe Anm. 37) veröffentlicht worden war. 83

[29] Das von Marx zitierte Motto stand unter dem Titel der Wochenschrift „Révolutions de Paris" [Pariser Revolutionen], die in Paris vom Juli 1789 bis Februar 1794 erschien.

Bis September 1790 wurde sie von dem revolutionären Publizisten und Demokraten Elisée Loustalot redigiert. 87

30 Ludwig Feuerbachs „Vorläufige Thesen zur Reformation der Philosophie", die im Januar 1842 geschrieben, aber von der Zensur in Deutschland verboten wurden, erschienen 1843 in der Schweiz im zweiten Band der „Anekdota zur neuesten deutschen Philosophie und Publicistik". 87

31 *Doktrinäre* – eine Gruppe französischer bürgerlicher Politiker während der Restauration (1815–1830). Die Doktrinäre waren konstitutionelle Monarchisten und erbitterte Feinde der demokratischen und revolutionären Bewegung. Sie waren bestrebt, einen Block der Bourgeoisie und des Adels nach englischem Muster zu bilden; die bekanntesten von ihnen waren: der Historiker François Guizot und der Philosoph Pierre-Paul Royer-Collard, dessen Ansichten die philosophische Reaktion auf den französischen Materialismus des 18. Jahrhunderts und die demokratischen Ideen der französischen bürgerlichen Revolution bildeten. 90

32 *Replik Nr. I* – Bruno Bauers Artikel „Neueste Schriften über die Judenfrage" in Heft I der „Allgemeinen Literatur-Zeitung" (Dezember 1843). 91

33 *„Zur Judenfrage"* – Artikel von Karl Marx. Siehe Band 1 unserer Ausgabe, S. 347 bis 377. 92

34 *Vorlesungen des Prof. Hinrichs* – „Politische Vorlesungen", die der Althegelianer Hinrichs 1843 in Halle in zwei Bänden herausgab. Bruno Bauers Rezension des ersten Bandes erschien im Heft I der „Allgemeinen Literatur-Zeitung" (Dezember 1843). Im Abschnitt „Hinrichs Nr. II" ist die im Heft V der gleichen Zeitschrift (April 1844) erschienene, von Bruno Bauer verfaßte Rezension des zweiten Bandes gemeint. 95

35 Dieses und die folgenden Zitate sind dem zweiten Artikel Bruno Bauers entnommen, den er gegen die Kritiker seiner Schrift „Die Judenfrage" schrieb. Dieser Artikel, der ebenso wie der erste mit „Neueste Schriften über die Judenfrage" betitelt ist, wurde im Heft IV der „Allgemeinen Literatur-Zeitung" (März 1844) veröffentlicht. 100

36 *„Was ist jetzt der Gegenstand der Kritik?"* – Überschrift eines Artikels von Bruno Bauer in Heft VIII der „Allgemeinen Literatur-Zeitung" (Juli 1844). Fast alle Zitate aus der „Allgemeinen Literatur-Zeitung", die Marx im Abschnitt „Dritter Feldzug der absoluten Kritik" bringt, entstammen diesem Artikel. 105

37 *„Deutsche Jahrbücher"* – abgekürzt für die literarisch-philosophische Zeitschrift der Junghegelianer: „Deutsche Jahrbücher für Wissenschaft und Kunst". Die Zeitschrift erschien seit Juli 1841 in Leipzig unter der Redaktion von Arnold Ruge. Vorher (1838–1841) war sie unter dem Titel „Hallische Jahrbücher für deutsche Wissenschaft und Kunst" erschienen. Die Verlegung der Redaktion aus der preußischen Stadt Halle nach Sachsen und die Umbenennung der Zeitschrift waren durch das den „Hallischen Jahrbüchern" auf preußischem Gebiet drohende Verbot hervorgerufen worden. Aber auch unter dem neuen Titel konnte sich die Zeitschrift nicht lange halten. Im Januar 1843 wurden die „Deutschen Jahrbücher" von der sächsischen Regierung verboten, und durch Beschluß des Bundestags wurde dieses Verbot auf ganz Deutschland ausgedehnt. 105 139

38 *„Rheinische Zeitung für Politik, Handel und Gewerbe"* – Tageszeitung, die vom 1. Januar 1842 bis zum 31. März 1843 in Köln erschien. Die Zeitung war von Vertretern der rheinischen Bourgeoisie gegründet worden, die dem preußischen Absolutismus gegenüber oppositionell eingestellt waren. Zur Mitarbeit an der Zeitung wurden auch einige Jung-

hegelianer herangezogen. Seit April 1842 war Karl Marx Mitarbeiter der „Rheinischen Zeitung" und seit Oktober des gleichen Jahres ihr Chefredakteur. In der „Rheinischen Zeitung" wurden auch einige Artikel von Friedrich Engels veröffentlicht. Unter der Redaktion von Marx nahm die Zeitung einen immer eindeutigeren revolutionär-demokratischen Charakter an. Diese Richtung der „Rheinischen Zeitung", deren Popularität in Deutschland ständig wuchs, rief Besorgnis und Unzufriedenheit in Regierungskreisen und eine wütende Hetze der reaktionären Presse gegen die Zeitung hervor. Am 19. Januar 1843 erließ die preußische Regierung eine Verordnung, die die „Rheinische Zeitung" mit dem 1. April 1843 verbot und bis dahin eine besonders strenge Zensur über sie verhängte. 105

[39] *„Kritik der evangelischen Geschichte der Synoptiker"*, Bd. I–II, Leipzig 1841, von Bruno Bauer. Synoptiker heißen in der Literatur zur Religionsgeschichte die Verfasser der drei ersten Evangelien. 110

[40] *„Zur Judenfrage"* – Artikel von Karl Marx, in dem er Bruno Bauers Schrift „Die Judenfrage" und dessen Artikel „Die Fähigkeit der heutigen Juden und Christen, frei zu werden" einer scharfen Kritik unterzog. Siehe Band 1 unserer Ausgabe, S. 347–377. 112

[41] Es handelt sich um Bruno Bauers Artikel „Die Fähigkeit der heutigen Juden und Christen, frei zu werden" in: „Einundzwanzig Bogen aus der Schweiz". Dieser Sammelband wurde von dem Dichter Georg Herwegh 1843 in Zürich und Winterthur herausgegeben. 113

[42] *Cercle social* – eine von Vertretern der demokratischen Intelligenz gegründete Organisation, die während der ersten Jahre der französischen bürgerlichen Revolution Ende des 18. Jahrhunderts in Paris hervortrat. In der Geschichte der kommunistischen Ideen wird der Platz des Cercle social dadurch bestimmt, daß sein Ideologe Claude Fauchet die Forderung nach gleichmäßiger Bodenaufteilung, nach Beschränkung des großen Eigentums sowie nach Arbeit für alle arbeitsfähigen Bürger aufstellte. Die Kritik, die Claude Fauchet an der durch die französische Revolution proklamierten formalen Gleichheit übte, hatte das bedeutend kühnere Auftreten Jacques Roux', eines Führers der „Wütenden" (enragés), in dieser Frage zur Folge. 126

[43] *Der achtzehnte Brumaire* – Staatsstreich vom 9. November 1799, der die bürgerliche Konterrevolution in Frankreich zum Abschluß brachte; durch ihn wurde das Direktorium gestürzt und die Diktatur Napoleon Bonapartes errichtet. 130

[44] *Direktorium* – auf Grund der Direktorial-Verfassung gebildete, korrupte, großbürgerliche Regierung in Frankreich 1794 bis 1799; sie fürchtete die Fortsetzung der Revolution ebenso wie eine royalistische Reaktion. 130

[45] Pierre-Jean-Georges Cabanis, „Rapports du physique et du moral de l'homme" [Zusammenhänge des Körperlichen und des Geistigen beim Menschen]. Die erste Ausgabe erschien 1802 in Paris. Ein großer Teil dieser Schrift war schon 1798 und 1799 in den wissenschaftlichen Mitteilungen der Französischen Akademie der Wissenschaften veröffentlicht worden. 133

[46] *Jansenisten* (nach dem niederländischen Theologen Cornelius Jansen) – Anhänger einer oppositionellen Strömung unter den französischen Katholiken des 17. und anbrechenden 18. Jahrhunderts, die die Unzufriedenheit eines Teils der französischen Bourgeoisie mit der feudalen Ideologie des offiziellen Katholizismus zum Ausdruck brachte. 133

[47] Claude-Adrien Helvétius, „De l'homme, de ses facultés intellectuelles et de son éducation" [Vom Menschen, seinen intellektuellen Fähigkeiten und seiner Erziehung]. Dieses Werk wurde erstmals nach dem Tode seines Verfassers im Haag 1773 unter Mitwirkung des russischen Botschafters in Holland Dimitri Alexewitsch Golizyn herausgegeben. 137

[48] „L'homme machine" [Der Mensch – eine Maschine], Leyde 1748. Das in London anonym erschienene Buch La Mettries wurde verbrannt, der Verfasser aus Holland, wohin er 1745 aus Frankreich emigriert war, ausgewiesen. 137

[49] Holbachs Werk „Système de la nature, ou des loix du monde physique et du monde moral" [System der Natur oder von den Gesetzen der physischen und der moralischen Welt] erschien im Jahre 1770; aus konspirativen Gründen wurde als Verfasser des Buches der 1760 verstorbene Sekretär der Académie Française, J. B. Mirabaud, angegeben. 139

[50] Claude-Adrien Helvétius, „De l'esprit" [Vom Geiste], Bd. I–II, Paris 1822. Die 1758 in Paris erschienene anonyme Erstausgabe wurde als staats- und religionsfeindlich Anfang 1759 verbrannt. 140

[51] *„Allgemeine Zeitung"* – 1798 gegründete Tageszeitung; sie erschien von 1810 bis 1882 in Augsburg. 142

[52] Lorenz Stein, „Der Socialismus und Communismus des heutigen Frankreichs", Leipzig 1842. Der Autor dieser Schrift war, wie sich später herausstellte, ein Geheimagent der preußischen Regierung. 142

[53] Um das Jahr 390 v. u. Z. zogen die Gallier gegen Rom. Sie nahmen die Stadt Rom ein mit Ausnahme des Kapitols, dessen Verteidiger – wie die Überlieferung berichtet – bei einem nächtlichen Überraschungsangriff der Feinde rechtzeitig durch das Geschnatter der Gänse der Juno geweckt wurden. 143

[54] Goethe, „Faust", Erster Teil, dritte Szene („Studierzimmer"). 150

[55] *„Zeitschrift für spekulative Theologie"*, herausgegeben von Bruno Bauer, Berlin 1836 bis 1838. Bauer gehörte damals zu den Althegelianern. 151

[56] Aus dem einaktigen Lustspiel des französischen Schriftstellers Jean-François Marmontel „Lucile", vierte Szene. 152

[57] Edgar Bauers Erzählung „Es leben feste Grundsätze!" ist in dem Buch „Berliner Novellen" von Alexander Weill und Edgar Bauer (Berlin 1843) enthalten. 155

[58] *Berliner Couleur* nennt der Korrespondent der „Allgemeinen Literatur-Zeitung" diejenigen Berliner Junghegelianer, die nicht zum Kreis von Bruno Bauer gehörten und die die „Allgemeine Literatur-Zeitung" kleinlicher, privater Dinge wegen angriffen; einer dieser Berliner Junghegelianer war Max Stirner. 157

[59] Marx spricht hier von Bruno Bauers Artikel „Leiden und Freuden des theologischen Bewußtseins" im zweiten Band des Sammelwerkes „Anekdota zur neuesten deutschen Philosophie und Publicistik". 161

[60] *„La Démocratie pacifique"* [Die friedliche Demokratie] – Tageszeitung der Fourieristen, erschien in Paris 1843–1851 unter der Leitung von Victor Considérant. 161

[61] Heine, „Die Nordsee" (2. Zyklus, Gedicht „Fragen"). 166

[62] Aus dem deutschen Volkslied „Die Nonne". 170

[63] Aus dem Volksbuch von den „Sieben Schwaben". 172

[64] Goethe, „Zahme Xenien", IX. 186

[65] *„Journal des Débats“* – Abkürzung für die französische bürgerliche Tageszeitung „Journal des Débats politiques et littéraires“ [Zeitschrift für politische und literarische Debatten], 1789 in Paris gegründet. Während der Julimonarchie Regierungsblatt, Organ der orleanistischen Bourgeoisie. 200

[66] *„Le Siècle“* [Das Jahrhundert] – Tageszeitung, erschien in Paris von 1836 bis 1939. Sie brachte in den vierziger Jahren des 19. Jahrhunderts die Anschauungen jenes Teils der Kleinbourgeoisie zum Ausdruck, der sich auf die Forderung gemäßigter konstitutioneller Reformen beschränkte. 200

[67] *„Petites Affiches de Paris“* [Kleine Anzeigen von Paris] – eine sehr alte französische Zeitung, 1612 in Paris gegründet; eine Art Informationsblatt, in der die verschiedensten Annoncen und Mitteilungen abgedruckt wurden. 200

[68] *„Le Satan“* – bürgerliche Zeitung satirischer Art, die 1840–1844 in Paris erschien. 202

[69] Marx zitiert hier aus folgenden Schriften Charles Fouriers: „Théorie des quatre mouvements et des destinées générales“ [Theorie der vier Bewegungen und der allgemeinen Bestimmungen], 1. Ausgabe, 1808; „Le nouveau monde industriel et sociétaire“ [Die neue Welt der Industrie und der Genossenschaften], 1. Ausgabe, 1829, sowie „Théorie de l'unité universelle“ [Theorie der universellen Einheit], 1822. 208

[70] *Fortunatus* (Der Glückliche) – Held einer deutschen Volkssage, der einen zauberhaften nie versiegenden Geldsäckel und ein Wunschhütlein besaß. 212

[71] *Mediatisierte deutsche Fürsten* – die ihrer Macht beraubten kleinen deutschen Fürsten, deren Länder infolge der territorialen Umbildungen in Deutschland während der napoleonischen Kriege und des Wiener Kongresses 1814/15 den größeren Staaten einverleibt wurden. 215

[72] *Junges England* (Young England) – Gruppe englischer Politiker und Literaten, die der Tory-Partei angehörten; diese Gruppe bildete sich Anfang der vierziger Jahre des 19. Jahrhunderts. Die Vertreter des Jungen Englands, die die Unzufriedenheit der Grundaristokratie mit der zunehmenden wirtschaftlichen und politischen Macht der Bourgeoisie zum Ausdruck brachten, nahmen zu demagogischen Mitteln Zuflucht, um die Arbeiterklasse unter ihren Einfluß zu bekommen und sie für ihren Kampf gegen die Bourgeoisie auszunutzen. Im „Manifest der Kommunistischen Partei“ charakterisieren Marx und Engels deren Ansichten als „feudalen Sozialismus“. 217

[73] Marx zitiert hier mit ironischen Einfügungen aus der von Hirzel geschriebenen „Correspondenz aus Zürich“ in der „Allgemeinen Literatur-Zeitung“, Heft V, April 1844. 222

[74] Friedrichs Engels' Werk „Die Lage der arbeitenden Klasse in England“ wurde Mitte November 1844 bis Mitte März 1845 in Barmen niedergeschrieben. Der fast zweijährige Aufenthalt in England (November 1842 bis August 1844) hatte Engels Gelegenheit zu einem gründlichen Studium der Lebensbedingungen des englischen Proletariats gegeben. Anfangs wollte er diesen Gegenstand als ein Kapitel einer umfassenderen Arbeit über die soziale Geschichte Englands behandeln. Die Erkenntnis von der besonderen Rolle, die dem Proletariat in der bürgerlichen Gesellschaft zufällt, bewog ihn jedoch, der Lage der englischen Arbeiterklasse ein selbständiges Werk zu widmen.

Die erste Ausgabe des Buches erschien 1845 in deutscher Sprache in Leipzig. Eine „Zweite durchgesehene Auflage“, in die Engels die mit *(1892)* gekennzeichneten Fußnoten einfügte, erschien 1892 in Stuttgart. Zu dieser Zeit waren auch zwei autorisierte Übersetzungen des Buches in englischer Sprache herausgekommen (New York 1887 und

London 1892). Die Vorrede zur amerikanischen Ausgabe von 1887 und das Vorwort zur deutschen Ausgabe von 1892, die chronologisch erst in einem späteren Band dieser Ausgabe erscheinen, bringen wir in vorl. Band als Beilagen (S. 629 ff). 225 519

75 Die Widmung „An die arbeitenden Klassen Großbritanniens" schrieb Engels in englischer Sprache, um sie, wie er in seinem Brief an Marx vom 19. November 1844 schreibt, „apart abziehen lassen und an die englischen Parteichefs, Literaten und Parlamentsmitglieder einschicken" zu können. In den 1845 und 1892 erschienenen deutschen Ausgaben der „Lage der arbeitenden Klasse in England" wurde diese Widmung in englischer Sprache gebracht, während sie in der amerikanischen Ausgabe (1887) und in der englischen (1892) nicht enthalten war. 229

76 *Schlesische und böhmische Unruhen* – Weberaufstände des Jahres 1844, die besonders in den großen schlesischen Dörfern Langenbielau und Peterswaldau zum Ausbruch kamen und durch Militär niedergeschlagen wurden. Im gleichen Jahr erstürmten Arbeiter in Böhmen, in den Kreisen von Leitmeritz und Prag, die dortigen Textilfabriken und zerstörten die Maschinen. 233 432 510 547

77 Gegenwärtig lassen sich einige von Engels angeführte Tatsachen präzisieren. So war Arkwright nicht der eigentliche Erfinder der Spinnmaschine, aber er nahm eine Reihe von Verbesserungen an ihr vor. Engels waren ferner einige Entdeckungen und Erfindungen unbekannt, die in anderen Ländern gemacht wurden. So war z. B. die Dampfmaschine in Frankreich, Deutschland und Rußland schon erfunden, als der Engländer James Watt im Jahre 1769 sein Patent auf eine Dampfmaschine erhielt. 242

78 *„Durham Chronicle"* – seit 1820 in Durham (England) erscheinende Wochenzeitung; in den vierziger Jahren des 19. Jahrhunderts vertrat sie eine bürgerlich-liberale Richtung. 247

79 Die *Reformbill* (Gesetz über die Wahlreform) wurde am 7. Juni 1832 vom englischen König Wilhelm IV. bestätigt. Danach wurde 56 Ortschaften mit weniger als zweitausend Einwohnern das Recht genommen, Vertreter ins Unterhaus zu entsenden. Grund- und Hausbesitzer, die im Jahr mindestens 10 Pfund Sterling Steuern zahlten, erhielten das Wahlrecht (daher Zehn-Pfund-Zensus). Die Reform richtete sich gegen die politische Monopolstellung der Grund- und Finanzaristokratie, beseitigte die schlimmsten feudalen Überreste im englischen Wahlrecht und verschaffte den Vertretern der industriellen Bourgeoisie den Zutritt zum Parlament. Proletariat und Kleinbürgertum, die Hauptkraft im Kampf für die Reform, wurden von der liberalen Bourgeoisie betrogen und erhielten kein Wahlrecht. 251 582 586

80 Über die Parlamentssession 1844 siehe auch vorl. Band, S. 395/96, 492/93 u. 500/01. 251

81 Siehe Band 1 unserer Ausgabe, S. 499–524. 254

82 Engels zitiert hier den Bericht des Predigers G. Alston, der zuerst in dem bürgerlich-radikalen Organ „The Weekly Dispatch" und später in der Chartistenzeitung „The Northern Star", Nr. 338, 4. Mai 1844, veröffentlicht wurde. 262

83 *„The Times"* – größte englische Tageszeitung konservativer Richtung; sie wurde am 1. Januar 1785 in London unter dem Namen „Daily Universal Register" gegründet; am 1. Januar 1788 wurde der Titel in „The Times" geändert. 264

84 Der von Engels zitierte Bericht, den das von Bürgern Huddersfields am 19. Juni 1844 gewählte Komitee zur Untersuchung der sanitären Verhältnisse der Stadt gegeben hatte, erschien am 10. August 1844 in „The Northern Star" Nr. 352. 273

[85] *Kersall-Moor* – ein Hügel in der Nähe von Manchester, auf dem Arbeiterversammlungen stattfanden. Engels nennt ihn *Heiligen Berg* analog dem Heiligen Berg im alten Rom, wohin sich nach der Überlieferung 494 v. u. Z. die Plebejer begaben, die sich gegen die Patrizier erhoben hatten. 276

[86] *Insurrektion von 1842* – ein Versuch der englischen Arbeiter, im August 1842 in einer Reihe von Industriebezirken (Lancashire, Yorkshire u. a.) einen Generalstreik durchzuführen. In einigen Orten kam es im Verlaufe des Streiks zu bewaffneten Zusammenstößen mit Truppen und Polizei. 298

[87] *„The Manchester Guardian"* – englische bürgerliche Zeitung, Organ der Anhänger des Freihandels (Free-traders), später Organ der Liberalen Partei; erscheint seit 1821 in Manchester. 300

[88] Der von Engels zitierte Bericht des Geistlichen W. Champneys über die Lage der Londoner Hafenarbeiter erschien zuerst in der Wochenschrift „The Weekly Dispatch" und wurde am 4. Mai 1844 in „The Northern Star" Nr. 338 wiederholt. 316

[89] *„Vital Statistics of Glasgow*, illustrating the Sanitary Condition of the Population" [Geburten- und Sterbestatistik von Glasgow als Illustration des sanitären Zustandes der Bevölkerung]. Dr. R. Cowans Artikel erschien im Oktober 1840 im „Journal of the Statistical Society of London" [Journal der Statistischen Gesellschaft Londons]. 335

[90] *Metropolitan Buildings Act* – ein spezielles Baugesetz für London, das 1844 vom englischen Parlament angenommen wurde. 338

[91] Das Gesetz von 1802 verbot die Nachtarbeit für Lehrlinge im Kindesalter und beschränkte ihre Arbeitszeit auf 12 Stunden am Tag. Dieses Gesetz erstreckte sich nur auf die Baumwoll- und Wollindustrie; es sah keine Kontrolle durch die Fabrikinspektion vor und wurde daher von den Fabrikanten nicht beachtet. 374

[92] Das Gesetz von 1819 verbot die Beschäftigung von Kindern unter 9 Jahren in Baumwollspinnereien und Webereien. Für Kinder und Jugendliche zwischen 9 und 16 Jahren wurde die Nachtarbeit verboten und die tägliche Arbeitszeit auf 12 Stunden ohne Pausen begrenzt. Da die Fabrikanten die Arbeitspausen nach ihrem Gutdünken regelten, dehnte sich der Arbeitstag in Wirklichkeit auf 14 Stunden und mehr aus.

Das Gesetz von 1825 legte fest, daß Pausen für Mahlzeiten insgesamt $1^1/_2$ Stunden nicht übersteigen dürfen, damit der Arbeitstag höchstens $13^1/_2$ Stunden beträgt. Die Gesetze von 1819 und 1825 sahen keine Kontrolle durch die Fabrikinspektion vor und wurden daher von den Fabrikanten nicht befolgt. 391

[93] *„The Fleet Papers"* – eine Wochenschrift, die Richard Oastler, der sich im Londoner Schuldgefängnis in der Fleet Street befand, 1841–1844 als Pamphlete in Briefform herausgab. 395

[94] *„The Northern Star"* – englische Wochenzeitung, Hauptorgan der Chartisten; erschien von 1838 bis 1852, anfangs in Leeds und ab November 1844 in London. Begründer und Redakteur der Zeitung war Feargus Edward O'Connor; in den vierziger Jahren wurde sie von George Julian Harney redigiert. Engels war von September 1845 bis März 1848 Mitarbeiter dieser Zeitung. 402

[95] Edward P. Meads Gedicht „König Dampf" wurde von Friedrich Engels übersetzt; der englische Text dieses Gedichts, das am 11. Februar 1843 in „The Northern Star" Nr. 274 erschien, enthält noch zwei weitere Strophen. 405

[96] *„Revue des deux Mondes"* [Rundschau beider Welten] – eine seit 1829 in Paris erscheinende bürgerliche Halbmonatsschrift für Geschichte, Politik, Literatur und Kunst. 417

[97] In ihren ersten Schriften sprechen Marx und Engels noch vom Verkauf der *Arbeit*. Später hat Marx nachgewiesen, daß der Arbeiter nicht seine Arbeit, sondern seine *Arbeitskraft* verkauft. Siehe dazu die Erläuterung in Engels' Einleitung zur Neuausgabe der Marxschen Schrift „Lohnarbeit und Kapital", Berlin 1891 (Karl Marx/Friedrich Engels, Ausgewählte Schriften in zwei Bänden, Dietz Verlag, Berlin 1955, Bd. I, S. 59 bis 66). 418

[98] *Geld aufwerfen* [tossing coins] – ein Glücksspiel, bei dem eine Geldmünze hochgeworfen wird. 422

[99] Nach der Überlieferung wurde der römische Patrizier Menenius Agrippa 494 v. u. Z. zu den aufständigen Plebejern gesandt, die sich auf den Heiligen Berg begeben hatten. Es gelang ihm, eine Aussöhnung herbeizuführen durch die Parabel von den Gliedern des Leibes, die dem Magen, als müßigem Verzehrer der Nahrung, den Dienst verweigerten, sich selbst aber dadurch den größten Schaden zufügten. 440

[100] *Polizei-Emeuten* (spy outbreaks) nannte man die von Provokateuren hervorgerufenen Zusammenstöße zwischen Chartisten und Polizei in Sheffield, Bradford und anderen Städten. Die Folge dieser Zusammenstöße waren zahlreiche Verhaftungen von Führern und Teilnehmern der Bewegung. 446

[101] *Heimatskolonien* (Home Colonies) – so nannte Robert Owen seine kommunistischen Mustergesellschaften. 451

[102] *Mechanics' Institutions* – Abendschulen, in denen Arbeiter in einigen allgemeinbildenden und technischen Fächern unterrichtet wurden; in England wurden 1823 in Glasgow und 1824 in London die ersten Mechanics' Institutions errichtet. Zu Beginn der vierziger Jahre des 19. Jahrhunderts wurden mehr als 200 solcher Schulen – vorwiegend in den Fabrikstädten von Lancashire und Yorkshire – gezählt. Die Bourgeoisie nutzte diese Schulen dazu aus, die für die Industrie notwendigen qualifizierten Arbeiter auszubilden und sie in ihrem Sinne zu beeinflussen. 453

[103] *„The Mining Journal"* – Wochenschrift für Bergbau, Verkehr und Handel, gegründet in London 1835. 464

[104] Dieses Gesetz, das die Untertagearbeit aller Frauen sowie die von Kindern unter 10 Jahren verbot, wurde vom Parlament am 10. August 1842 angenommen. 465

[105] *Court of Queen's Bench* (Gerichtshof der Königin) – eines der ältesten Gerichte Englands; im 19. Jahrhundert (bis 1873) war es das selbständige oberste Gericht, das Straf- und Zivilsachen überprüfte und das Revisionsrecht für Urteile einer Reihe niederer Instanzen besaß. 468

[106] *Writ of Habeas Corpus* – das Recht des Verhafteten auf Überprüfung der Rechtmäßigkeit seiner Inhaftierung. Nach Überprüfung der Inhaftierung kann das Gericht zu folgenden Entscheidungen kommen: I. der Verhaftete wird entlassen, II. er wird ins Gefängnis zurückgeschickt oder III. das Gericht setzt den Verhafteten gegen Kaution oder Bürgschaft auf freien Fuß. Das Writ of Habeas Corpus, das durch das Gesetz von 1679 geregelt ist, kann durch Parlamentsbeschluß zeitweilig aufgehoben werden; bei Anklagen wegen Hochverrats findet es keine Anwendung. 468

[107] *Repeal-Agitation* – Repeal (Widerruf) war die Forderung nach Aufhebung der Union zwischen Irland und Großbritannien. Die Anglo-Irische Union wurde Irland von der englischen Regierung nach der Niederschlagung des irischen Aufstandes von 1798 aufgezwungen. Die Union, die am 1. Januar 1801 in Kraft trat, beseitigte die letzten Spuren

der Autonomie Irlands und löste das irische Parlament auf. Die Forderung nach Aufhebung der Union (Repeal of Union) wurde seit den zwanziger Jahren des 19. Jahrhunderts zu der populärsten Losung in Irland; 1840 wurde die Repeal Association (Vereinigung der Gegner der Anglo-Irischen Union) gegründet. Ihr Führer O'Connell wurde 1843 verhaftet, nach einem Prozeß im Februar 1844 wegen „Unruhstiftung" zu 1 Jahr Gefängnis und £ 2000 verurteilt; im September 1844 wurde das Urteil vom Oberhaus aufgehoben. 485

108 Siehe Band I unserer Ausgabe, S. 525–549. 486

109 *laissez-faire, laissez-aller* (laßt machen, laßt gehn) – Grundsatz bürgerlicher Ökonomen, die für Freihandel und Nichteinmischung des Staates in Wirtschaftsangelegenheiten eintraten. 487

110 *Tisch* (oder Festmahl) *des Barmekiden* – aus der „Geschichte des sechsten Bruders des Barbiers" in „Tausendundeine Nacht". Hier spottet der reiche Barmekide über den hungernden Armen, er täuscht ein Festmahl vor und bewirtet den Hungernden nur mit Worten und Gesten. 503

111 *Neunter Thermidor* (27. Juli 1794) ist der Tag des Sturzes Robespierres und der Jakobinerdiktatur während der Französischen Revolution. Der konterrevolutionäre Umsturz war der Beginn des Weges, der zur Errichtung der Militärdiktatur der napoleonischen Regierung führte, die die Französische Revolution abwürgte und nur jene Ergebnisse der Revolution bestehen ließ, die der Großbourgeoisie von Vorteil waren. 506 568

112 Der Artikel „Sozialismus auf dem Kontinent" erschien in „The New Moral World" mit der redaktionellen Anmerkung, daß es sich hier um Auszüge aus einem Brief handelt, welcher der „New Moral World" von einem früheren Korrespondenten aus Barmen in Preußen zugesandt wurde. 507

113 *„The New Moral World"* – eine 1834 von Robert Owen gegründete Wochenzeitung utopischer Sozialisten, die bis 1846 erschien; zunächst wurde sie in Leeds und ab 1. Oktober 1841 in London herausgegeben. Friedrich Engels war von November 1843 bis Mai 1845 Mitarbeiter der Zeitung. 507

114 Als das marokkanische Volk die Freiheitsbewegung in Algerien gegen die koloniale Expansion Frankreichs unterstützte, kam es 1844 zum Krieg zwischen Marokko und Frankreich. 507

115 *„Vorwärts!"* – eine in Paris von Januar bis Dezember 1844 zweimal wöchentlich herausgegebene Zeitung in deutscher Sprache. Unter dem Einfluß von Marx, der ab Sommer 1844 an der Redaktion der Zeitung beteiligt war, begann sie eine kommunistische Haltung einzunehmen; sie entfaltete eine scharfe Kritik an den reaktionären Zuständen in Preußen. Die Zeitung enthielt Beiträge von Karl Marx und Friedrich Engels (siehe Band I unserer Ausgabe, S. 392–409 und 550–592). Auf Verlangen der preußischen Regierung verfügte das Ministerium Guizot im Januar 1845 die Ausweisung von Marx und einigen anderen Mitarbeitern der Zeitung aus Frankreich. 507 509

116 *„Débat Social"* – belgische republikanische Zeitung, gegründet von A. Bartels und L. Gottrand. Sie erschien in Brüssel von 1844 bis 1849. 508

117 *„La Démocratie pacifique"* (Friedliche Demokratie) – eine nach ihrer Zeitung so genannte kleinbürgerliche Richtung im französischen Sozialismus der vierziger Jahre des vorigen Jahrhunderts (siehe auch Anm. 60). 508

[118] Edgar Bauers Schrift „Der Streit der Kritik mit Kirche und Staat" wurde von der preußischen Regierung beschlagnahmt und der Verfasser zu einer Gefängnisstrafe verurteilt. 508

[119] *... die erste sozialistische Schrift* – es handelt sich um die von Karl Marx und Arnold Ruge herausgegebenen „Deutsch-Französischen Jahrbücher" (siehe dazu Anm. 19). 509

[120] *„Trier'sche Zeitung"* – wurde 1757 in Trier gegründet und erschien seit 1815 unter diesem Titel; die Zeitung war zu Beginn der vierziger Jahre des 19. Jahrhunderts ein bürgerlich-radikales Blatt; sie begann Mitte der vierziger Jahre unter anderem Artikel über den Sozialismus zu bringen, Beiträge ihres ständigen Mitarbeiters Karl Grün, der bald ein Hauptvertreter des „wahren" Sozialismus wurde. 509

[121] *„Der Sprecher oder: Rheinisch-Westphälischer Anzeiger"* – eine 1798 in Dortmund gegründete Zeitung, erschien ab 1841 in Wesel; von 1842 bis November 1844 war Karl Grün Redaktionsmitglied. 509

[122] Es handelt sich hier um den Artikel „Ein ‚socialistischer' Spuk", der ohne Unterschrift in der Beilage der „Kölnischen Zeitung" Nr. 314 vom 9. November 1844 erschien. 511

[123] *Harmony* – eine kommunistische Ansiedlung, die von englischen utopischen Sozialisten – Robert Owen und seinen Anhängern – 1841 in Hampshire (England) gegründet wurde. Die Ansiedlung bestand bis Anfang 1846. 512

[124] *Heines Weberlied* – Wir bringen hier die vom Dichter revidierte und berühmt gewordene Fassung, wie sie zum erstenmal im „Album", herausgegeben von H. Püttmann, Borna 1847, veröffentlicht wurde. Engels hatte das Gedicht nach der im „Vorwärts!" vom 10. Juli 1844 veröffentlichten älteren Fassung übersetzt, die nur aus vier Strophen bestand. 512

[125] Hermann Püttmann gab in Darmstadt eine Schriftensammlung unter dem Titel „Deutsches Bürgerbuch für 1845" heraus. Das Jahrbuch enthält außer einer Anzahl von Beiträgen der „wahren" Sozialisten auch Arbeiten solcher revolutionären Demokraten wie F.W.Wolff und Georg Weerth. Außerdem wurde auch eine Beschreibung kommunistischer Ansiedlungen in Amerika und der owenistischen Ansiedlung *Harmony* in diesem Sammelband abgedruckt. Diese von Engels verfaßte Beschreibung (siehe vorl. Band, S. 521–535) stützt sich auf Veröffentlichungen in „The New Moral World", „The Northern Star" und „The Morning Chronicle". Das „Deutsche Bürgerbuch für 1846", das im Sommer 1846 in Mannheim herauskam, enthält ein von Engels übersetztes „Fragment Fouriers über den Handel" mit einer Einleitung und einem Nachwort (siehe vorl. Band, S. 604–610). 514 518

[126] Die *„Rheinischen Jahrbücher zur gesellschaftlichen Reform"* wurden von H. Püttmann herausgegeben. Es erschienen nur zwei Bände, der erste im August 1845 in Darmstadt, der zweite Ende 1846 in dem kleinen Ort Belle-Vue bei Konstanz, an der deutsch-schweizerischen Grenze. In dem Bestreben, Stützpunkte für die Propaganda ihrer kommunistischen Anschauungen in Deutschland zu gewinnen, hielten Marx und Engels es für notwendig, die Zeitschrift für diesen Zweck auszunutzen. Der erste Band enthält die Reden von Engels auf den Versammlungen in Elberfeld am 8. und 15. Februar 1845 (Elberfelder Reden) und der zweite Band den Artikel „Das Fest der Nationen in London" (siehe vorl. Band, S. 536–557 und 611–624). Die allgemeine Richtung der Jahrbücher wurde jedoch durch die beteiligten Vertreter des „wahren" Sozialismus bestimmt; in diesem Zusammenhang haben Marx und Engels die „Jahrbücher" in der „Deutschen Ideologie" (1845/46) scharf kritisiert. 514

127 Diese Monatsschrift erschien unter dem Titel „*Gesellschaftsspiegel*. Organ zur Vertretung der besitzlosen Volksklassen und zur Beleuchtung der gesellschaftlichen Zustände der Gegenwart". Engels, der sich anfangs an den Vorbereitungen für die Herausgabe dieser Zeitschrift beteiligte, wurde nicht Redaktionsmitglied. Sie erschien in Elberfeld unter der Leitung von Moses Heß und brachte vornehmlich Artikel von „wahren" Sozialisten. Insgesamt wurden 12 Hefte herausgegeben (1845/46). 514

128 Engels schreibt hier über die von Marx geplante Arbeit „Kritik der Politik und Nationalökonomie". Den mit dem Verleger Leske abgeschlossenen Vertrag über Herausgabe eines zweibändigen Werkes unter diesem Titel unterschrieb Marx am 1. Februar 1845. Marx hatte sich seit Ende 1843 mit dem Studium der politischen Ökonomie beschäftigt und stellte sich bereits im Frühjahr 1844 die Aufgabe, eine Kritik an der bürgerlichen Nationalökonomie vom Standpunkt des Materialismus und Kommunismus zu veröffentlichen. Von den damals verfaßten Manuskripten ist nur ein Teil erhalten geblieben, der unter dem Titel „Ökonomisch-philosophische Manuskripte aus dem Jahre 1844" bekannt ist. Seine Arbeit an der Schrift „Die heilige Familie" unterbrach vorübergehend die Beschäftigung mit der politischen Ökonomie, und erst im Dezember 1844 konnte er sich diesem Studium wieder zuwenden. Es sind zahlreiche von Marx in den Jahren 1845 und 1846 angefertigte Konspekte, Auszüge und Anmerkungen erhalten geblieben, die während des Studiums englischer und französischer Ökonomen entstanden sind. Jedoch gelang es Marx auch diesmal nicht, sein Vorhaben auszuführen. Über die Gründe, die ein zweites Mal einen Aufschub bewirkten, schrieb er selbst am 1. August 1846 an Leske: „Es schien mir nämlich sehr wichtig, eine polemische Schrift gegen die deutsche Philosophie und gegen den seitherigen *deutschen Sozialismus* der *positiven* Entwicklung *vorherzuschicken*. Es ist notwendig, um das Publikum auf den Standpunkt meiner Ökonomie, welche schnurstracks der bisherigen deutschen Wissenschaft sich gegenüberstellt, vorzubereiten." Unter „polemischer Schrift" versteht Marx hier die von ihm gemeinsam mit Engels geschriebene „Deutsche Ideologie" (1845/46). Der Vertrag über die Herausgabe der „Kritik der Politik und Nationalökonomie" wurde im Februar 1847 vom Verleger gekündigt. 514 519

129 *Weitlings „Garantien"* – Wilhelm Weitling, „Garantien der Harmonie und Freiheit", Vivis 1842. 515

130 Siehe den in den „Deutsch-Französischen Jahrbüchern" erschienenen Artikel von Karl Marx „Zur Kritik der Hegelschen Rechtsphilosophie. Einleitung" (Band 1 unserer Ausgabe, S. 378–391.) 515

131 Siehe Band 1 unserer Ausgabe, S. 480–496 und 497–498. 516

132 Siehe vorl. Band, S. 536–557. 517

133 *Mr. Finchs Briefe* – John Finchs Briefe erschienen zwischen Januar und September 1844 in „The New Moral World" unter dem Titel „Notes of Travel in the United States" [Aufzeichnungen über eine Reise in den Vereinigten Staaten]. Von den 29 erschienenen Artikeln behandeln 14 die kommunistischen Ansiedlungen jener Zeit in Amerika. 518

134 *„Einer, der hinter dem Pfluge gepfiffen hat"* (One who has whistled at the Plough) – unter diesem Pseudonym erschien in „The Morning Chronicle" vom 13. Dezember 1842 ein Artikel von Alexander Somerville mit einer ausführlichen Beschreibung der von Robert Owen gegründeten kommunistischen Ansiedlung *Harmony* in Hampshire (England). 518 532

[135] *„Das Westphälische Dampfboot"* – eine Monatsschrift, die von dem „wahren" Sozialisten Otto Lüning herausgegeben wurde; sie erschien von Januar 1845 bis Dezember 1846 in Bielefeld und von Januar 1847 bis März 1848 in Paderborn. 518

[136] *„Volksblatt"* in Köln – „Allgemeines Volksblatt. Populärer Monatsbericht über die wichtigsten Zeitfragen", erschien von Januar 1845 bis Anfang 1846 in Köln. Mitherausgeber war der mit Marx und Engels befreundete Demokrat D'Ester. 518

[137] Siehe „Die heilige Familie" im vorl. Band, S. 7–223. 519

[138] Hier ist die Rede von dem Sammelband „Neue Anekdota", der Ende Mai 1845 in Darmstadt erschien. Dieser Sammelband enthielt von der Zensur verbotene Zeitungsartikel von Moses Heß, Karl Grün, Otto Lüning und anderen, die vorwiegend in die erste Hälfte des Jahres 1844 fallen. Wie aus einem Brief Grüns an Heß hervorgeht, machten Marx und Engels bald nach Erscheinen des Bandes eine Reihe sehr kritischer Bemerkungen über dessen Inhalt. 519

[139] *Zwei Reden in Elberfeld* – trug Engels im Februar 1845 in zwei von den drei Diskussionsversammlungen über Kommunismus vor, die unter Leitung von Moses Heß in Elberfeld stattfanden. Über diese Versammlungen schreibt Engels am 22. Februar 1845 an Marx: „Hier in Elberfeld geschehen Wunderdinge. Wir haben gestern im größten Saale und ersten Gasthof der Stadt unsre dritte kommunistische Versammlung abgehalten. Die erste 40, die zweite 130, die dritte wenigstens 200 Menschen stark." Diese beiden Reden hat Engels zur Veröffentlichung in den von Hermann Püttmann herausgegebenen „Rheinischen Jahrbüchern zur gesellschaftlichen Reform" weiter ausgearbeitet. Näheres über die Versammlungen in Elberfeld schreibt Engels in seinem Artikel in „The New Moral World" vom 10. Mai 1845 (siehe vorl. Band, S. 515–520). 536

[140] Im Jahre 1892 kommt Engels nochmals auf die Kreislaufperiode der Krisen im Anfang des 19. Jahrhunderts zurück, die verschiedentlich mit fünf Jahren angegeben ist. Im Vorwort zur 2. Auflage der „Lage der arbeitenden Klasse in England" schreibt er 1892: „Im Text wird die Kreislaufsperiode der großen industriellen Krisen auf fünf Jahre angegeben. Dies war die Zeitbestimmung, die sich aus dem Gang der Ereignisse von 1825 bis 1842 scheinbar ergab. Die Geschichte der Industrie von 1842 bis 1868 hat aber bewiesen, daß die wirkliche Periode eine zehnjährige ist, daß die Zwischenkrisen sekundärer Natur waren und seit 1842 mehr und mehr verschwunden sind." (Siehe vorl. Band, Beilagen, S. 642.) 538

[141] Siehe den Artikel „Rechtfertigung des ††-Korrespondenten von der Mosel" von Karl Marx in der „Rheinischen Zeitung", Januar 1843 (Band 1 unserer Ausgabe, S. 172–199). 549

[142] *der deutsche Zollverein* – der Preußisch-deutsche Zollverein war eine wirtschaftspolitische Vereinigung deutscher Einzelstaaten unter preußischer Führung zur Beseitigung der Binnenzölle und zur gemeinsamen Regelung der Grenzzölle. Er wurde am 1. Januar 1834 von Preußen und anderen Mitgliedstaaten des Deutschen Bundes gebildet. 550

[143] Die protektionistischen Ansichten des deutschen Ökonomen Friedrich List sind dargelegt in dem Buch „Das nationale System der politischen Oekonomie", Stuttgart und Tübingen 1841. 551

[144] Nach Beendigung des sogenannten ersten Opiumkrieges, den die englischen Kolonisatoren gegen China führten, zwang man China den ungerechten Nanking-Vertrag (1842) auf; eine der Bedingungen des Vertrages war die Öffnung von fünf chinesischen Häfen (Kanton, Amoy, Schanghai, Ningpo und Futschou) für den englischen Handel. 554

145 *Das Gemetzel in Leipzig* entstand durch den Feuerüberfall sächsischen Militärs auf eine Volksdemonstration am 12. August 1845. Anläßlich einer Militärparade, die für den in Leipzig weilenden Kronprinzen Johann stattfand, protestierte eine Massendemonstration gegen die Verfolgung der deutschkatholischen Bewegung und eines ihrer Führer, des Pfarrers Johannes Ronge, durch die sächsische Regierung. Die Bewegung der Deutschkatholiken, die 1844 in einigen deutschen Staaten aufkam, ergriff bedeutende Schichten der Bourgeoisie und des Kleinbürgertums. Die Deutschkatholiken lehnten die Oberhoheit des römischen Papstes sowie viele Glaubensartikel und Riten der katholischen Kirche ab und waren bestrebt, den Katholizismus den Belangen der aufsteigenden deutschen Bourgeoisie anzupassen. 558

146 *Peterloo-Metzelei* – Am 16. August 1819 versammelten sich auf dem Sankt Petersfelde bei Manchester 60000 Menschen, hauptsächlich Arbeiter, die für allgemeines Wahlrecht, bessere Arbeitsbedingungen und höhere Löhne demonstrierten. Sie wurden von Husaren blutig auseinandergetrieben; es waren die gleichen Husaren, die bei Waterloo gekämpft hatten, deshalb erhielt das Gemetzel auf dem Petersfelde unter den Zeitgenossen den Namen „Peterloo". 558 572

147 „*Hölle*" – erster Teil von Dantes „Göttlicher Komödie". 558

148 *Glorreiche Revolution* (Glorious Revolution) nennt die englische bürgerliche Geschichtsschreibung den Staatsstreich von 1688. Dieser Staatsstreich brachte mit dem Oranier Wilhelm III. „die grundherrlichen und kapitalistischen Plusmacher zur Herrschaft" (Marx) und festigte die konstitutionelle Monarchie, die auf einem Kompromiß der Grundaristokratie mit der Finanzbourgeoisie beruhte. 560

149 *Heiliges Römisches Reich deutscher Nation* – die im späten Mittelalter entstandene Bezeichnung für das alte Deutsche Reich seit der Krönung des Kaisers Otto I. zum römischen Kaiser (962); bestand bis 1806. 564

150 Der Kampf um die *Unabhängigkeit der Schweiz* setzte schon im 13. und 14. Jahrhundert ein. Die Unabhängigkeit besteht seit dem zwischen der Schweiz und dem Heiligen Römischen Reich deutscher Nation abgeschlossenen Baseler Frieden (1499). 565

151 Das *Reichskammergericht* war bis zu seiner Auflösung im Jahre 1806 neben dem Reichshofrat das höchste Gericht in Deutschland. Es wurde 1495 errichtet und hatte zunächst seinen Sitz an verschiedenen Orten; von 1525 an tagte es ständig in Speyer und von 1693 bis 1806 in Wetzlar. 565

152 Die Verfassung von 1791 wurde von der Konstituierenden Versammlung angenommen und machte Frankreich zur konstitutionellen Monarchie. Sie wurde durch den Volksaufstand vom 10. August 1792, der den König stürzte, beseitigt. 567

153 *Girondisten* – die Vertreter der Handels- und Industriebourgeoisie, wurden wegen ihres Versuchs, die Revolution zu beenden, in den Tagen vom 31. Mai bis zum 2. Juni 1793, von dem revolutionärsten Teil der französischen Bourgeoisie, der Partei der Jakobiner, gestürzt. 568

154 Unter dem Druck der in ganz Frankreich aufflammenden Bauernaufstände hob die Konstituierende Nationalversammlung in der Nacht des 4. August 1789 einige Feudalrechte der Adligen auf. 568

155 Der *Krieg mit England*, den Napoleon I. führte, dauerte von 1803 bis 1815. Um die englische Bourgeoisie vom europäischen Markt zu verdrängen, verhängte Napoleon I. 1806 die Kontinentalsperre. In dem Dekret, das er in Berlin herausgab, heißt es unter anderem: „Die britischen Inseln befinden sich im Blockadezustand ... der Handel mit den

britischen Inseln und jegliche Beziehungen zu ihnen sind verboten." Diesem Dekret folgten alle Vasallenstaaten Frankreichs und seine Verbündeten. Die Kontinentalsperre fiel nach der Niederlage Napoleons in Rußland. 569

156 Die Artikelserie „Deutsche Zustände" war gegen die reaktionär-nationalistische Auslegung der deutschen Geschichte, insbesondere des Krieges 1813–1815 mit dem napoleonischen Frankreich, gerichtet. Diesen nationalistischen Standpunkt kritisierend, gibt Engels hier eine einseitige Einschätzung des Krieges. In diesem Krieg wurde der nationale Befreiungskampf der Volksmassen gegen die räuberische Politik Napoleons I. von den herrschenden Klassen und regierenden Dynastien dazu ausgenutzt, die feudalen Verhältnisse in Europa wiederherzustellen. Engels schrieb später, als er in seiner Arbeit „Die Rolle der Gewalt in der Geschichte" (1888) erneut diese historische Periode beurteilte: „Der allgemeine Völkerkrieg gegen Napoleon war der Rückschlag des bei allen Völkern von Napoleon mit Füßen getretenen Nationalgefühls." 569

157 *Legitimisten* – Anhänger der „legitimen" Bourbonenmonarchie, die in Frankreich von 1589 bis 1793 und während der Restaurationszeit von 1814 bis 1830 an der Macht war. 570

158 Die *Heilige Allianz* war ein Bund der konterrevolutionären Mächte gegen alle fortschrittlichen Bewegungen in Europa. Sie wurde am 26. September 1815 auf Initiative des Zaren Alexander I. von den Siegern über Napoleon geschaffen. Ihr schlossen sich, neben Österreich und Preußen, fast alle europäischen Staaten an. Die Monarchen verpflichteten sich zur gegenseitigen Unterstützung bei der Unterdrückung von Revolutionen, wo immer sie ausbrechen sollten. 572

159 Die *Bundesakte*, die den deutschen Bund bestätigte, aber die Zersplitterung Deutschlands konservierte, wurde auf dem Wiener Kongreß am 8. Juni 1815 angenommen. Das in Artikel 13 gegebene Versprechen, allen im Deutschen Bund vereinigten Staaten eine Verfassung zu geben, wurde nicht erfüllt. 576

160 *Vendée* – eine französische Provinz, in der während der französischen bürgerlichen Revolution (im Frühjahr 1793) ein gegenrevolutionärer Aufstand unter der Führung des Adels ausbrach, der sich auf die Bauernschaft dieses ökonomisch rückständigen Gebietes stützte. Vendée wird daher verallgemeinert für konterrevolutionäre Strömungen gebraucht. 577

161 *Korngesetze von 1815* – Um die hohen Getreidepreise der Kriegszeit zu halten, hatten die englischen Großgrundbesitzer 1815 im Parlament ein Gesetz durchgebracht, das die Korneinfuhr nach England aus Gebieten des europäischen Festlandes verbot. Nur im Falle einer Mißernte in England war die Korneinfuhr gestattet, aber auch nur dann, wenn der Preis des Weizens über 80 Shilling für ein Quarter (291 Liter) steigen würde. (Siehe darüber Friedrich Engels: „Geschichte der englischen Korngesetze" im vorl. Band, S. 585–590.) 578

162 Es handelt sich um die bürgerliche Revolution in Spanien, die im Januar 1820 begann, und um die revolutionären Aufstände in Neapel und Palermo im Juli 1820, in Portugal im August 1820 und in Piemont im März 1821. Diese revolutionäre Bewegung wurde durch die Intervention der Heiligen Allianz unterdrückt, die nach Spanien französische und nach Italien österreichische Truppen schickte. 581

163 Die französische Geheimgesellschaft der Carbonari (La Charbonnerie) wurde um die Jahreswende 1820/21 nach dem Vorbild der gleichnamigen italienischen Gesellschaft gegründet. Die französischen Carbonari, die in ihren Reihen Vertreter der verschiedensten politischen Richtungen vereinigten, stellten sich die Aufgabe, die Bourbonen zu

stürzen. Im Jahre 1822 wurde eine Verschwörung organisiert, die in den Militärgarnisonen mehrerer Städte (Belfort, La Rochelle und anderen) gleichzeitig einen Aufstand durchführen sollte. Nach dem Mißlingen der Verschwörung und der Hinrichtung einiger Führer der Gesellschaft stellten die Carbonari ihre Tätigkeit ein. 582

164 *Reformbewegung in England* – Es handelt sich hier um den Aufschwung der demokratischen Massenbewegung in den Jahren 1816–1819, die für eine Wahlrechtsreform eintrat. 582

165 Im Jahre 1821 erhob sich das griechische Volk gegen die jahrhundertealte Türkenherrschaft und verkündete am 13. Januar 1822 seine Unabhängigkeit. Der Befreiungskampf selbst zog sich bis zur Niederlage der Türkei in ihrem Krieg gegen Rußland (1828/29) hin. Im Frieden zu Adrianopel (September 1829) erkannte die Türkei die volle Unabhängigkeit Griechenlands an. 582

166 *drei Tage in Paris* – bezieht sich auf die bürgerliche Julirevolution von 1830 in Frankreich, die am 27. Juli begann und am 29. Juli mit dem Sieg des Volkes endete. 582 617

167 Die *aristokratische polnische Revolution* brach am 29. November 1830 aus. Sie richtete sich gegen den Zarismus und hatte nicht die Lösung brennender sozialer Fragen zum Ziel. Da das demokratische Element zu schwach war, lag die Führung des Aufstandes in den Händen des polnischen Adels. „Der Aufstand 1830 war weder eine nationale Revolution (sie schloß drei Viertel von Polen aus) noch eine soziale oder politische Revolution: sie änderte nichts an der Lage des Volkes im Innern; sie war eine konservative Revolution" (Engels). 582

168 Im Schlußprotokoll vom 12. Juni 1834 der Wiener Ministerkonferenz verpflichteten sich die deutschen Fürsten zu gegenseitiger Unterstützung im Kampf gegen die liberale und demokratische Bewegung. Dieses Dokument wurde von dem liberalen Publizisten K. T. Welcker in „Wichtige Urkunden für den Rechtszustand der deutschen Nation", Mannheim 1844, veröffentlicht. 583

169 Der englische Innenminister Sir James Graham rief die Empörung demokratischer Kreise hervor, als er im Jahre 1844 den Postbehörden die Anweisung gab, Briefe italienischer revolutionärer Emigranten vor der Zustellung zu öffnen und ihren Inhalt der österreichischen Regierung mitzuteilen. Es wird allgemein angenommen, daß auf diese Weise die Brüder Bandiera, italienische Offiziere in der österreichischen Armee, verraten wurden. Für ihren Plan, Neapel zu befreien, wurden sie hingerichtet. 584

170 *sliding-scale* (gleitende Skala) – ein in England und anderen Ländern angewandtes System zur Festsetzung der Getreidezölle, bei dem der Zoll bei steigendem Preis des Getreides fällt und bei sinkendem Preis steigt. Das Projekt einer sliding-scale wurde von dem Tory-Ministerium Canning 1827 ausgearbeitet und in etwas abgeänderter Form 1828 als Gesetz von dem Tory-Ministerium Wellington eingeführt. 586

171 *„The Anti-Bread-Tax-Circular"* (Rundschreiben gegen den Brotzoll) – Organ der Anti-Korngesetz-Liga, hieß ursprünglich „The Anti-Corn-Law Circular" (Das Anti-Korngesetz-Rundschreiben); es erschien von April 1839 bis September 1843 vierzehntäglich in Manchester. 586

172 *Volkscharte* (peoples charter) – eine Urkunde, die die Forderungen der Chartisten enthielt; sie wurde am 8. Mai 1838 als Gesetzentwurf, der im Parlament eingebracht werden sollte, veröffentlicht und bestand aus sechs Punkten: Allgemeines Wahlrecht (für Männer über 21 Jahre), jährliche Parlamentswahlen, geheime Abstimmung, Ausgleichung der Wahlkreise, Abschaffung des Vermögenszensus für die Kandidaten zu den Parlaments-

wahlen, Diäten für die Abgeordneten. Nach diesem Dokument erhielt der Chartismus, der eine revolutionäre, aber keine sozialistische Bewegung war, seinen Namen. Über die Bedeutung des Chartismus, der nach 1848 zerfiel, sagte Lenin, daß England „der Welt die erste wirkliche, breite, politisch ausgeprägte, proletarisch-revolutionäre Massenbewegung" gab. (Lenin, Ausgewählte Werke in zwei Bänden, Bd. II, S. 551.) 588

173 *Van Diemens Land* (Vandiemensland) – englische Sträflingskolonie, 1853 umbenannt in Tasmanien. 592

174 Die Übersetzung „Ein Fragment Fouriers über den Handel" war Bestandteil eines umfassenderen Planes, nach dem Marx und Engels die besten Schriften des französischen und englischen utopischen Sozialismus in Deutschland popularisieren wollten. In der Einleitung und dem Nachwort zu der oben erwähnten Übersetzung aus Fourier unterzog Friedrich Engels die „wahren" Sozialisten erstmalig einer öffentlichen Kritik. Das hochmütige, verächtliche Verhalten der „wahren" Sozialisten zu den bedeutendsten Vertretern des sozialistischen Gedankens in Frankreich und England, ihr Bestreben, den „wahren deutschen Sozialismus" zu loben, zeigte sich besonders kraß in Karl Grüns Buch „Die soziale Bewegung in Frankreich und Belgien", das August 1845 in Darmstadt erschienen war. Eine ausführliche Kritik an Karl Grün, einem typischen Vertreter des „wahren" Sozialismus, wird von Marx und Engels in dem Werk „Die deutsche Ideologie" gegeben. 604

175 In Fouriers Schriften sind phantastische Schilderungen jener Veränderungen enthalten, die angeblich später in der Natur vor sich gehen werden: die Veränderung des unangenehmen Geschmacks des Meerwassers, das Auftauchen von wärmestrahlenden Sonnenkränzen über dem Nord- und Südpol, die Verwandlung von wilden Raubtieren in nützliche Haustiere usw. 605

176 Weiter folgt Engels' Übersetzung eines Textes von Fourier, der in der vorliegenden Ausgabe nicht gebracht wird. Der von Engels ausgewählte Auszug umfaßt die ersten 7 Kapitel der unvollendeten Arbeit Fouriers „Über die drei äußeren Einheiten", die erst nach seinem Tode in „La Phalange", der Zeitschrift der Fourieristen, veröffentlicht wurden. Diese Kapitel befassen sich mit der allgemeinen Bestimmung des Handels und der Beschreibung der verschiedenen Arten des Bankrotts. Einzelne Stellen, die textlich mit dem Abschnitt „Über eine unbeschränkte Handelsfreiheit" in Fouriers Werk „Théorie des quatre mouvements et des destinées générales" [Theorie der vier Bewegungen und der allgemeinen Bestimmungen] zusammenfallen, wurden bei der Veröffentlichung des Manuskripts in „La Phalange" durch Auslassungspunkte gekennzeichnet. Diese Stellen sind von Engels in seine Übersetzung einbezogen worden. Was Engels wegließ, waren die phantastischen Abschweifungen Fouriers in die Zukunft, einige unaktuell gewordene Anspielungen sowie Stellen, die wegen der eigenartigen Terminologie Fouriers schwerverständlich sind. 606

177 Der von Engels Ende 1845 geschriebene Artikel *„Das Fest der Nationen in London"* wurde Ende 1846 im 2. Band der „Rheinischen Jahrbücher" veröffentlicht. Die in ihm enthaltene Schilderung der Versammlung vom 22. September 1845 in London und der Text der dort gehaltenen Reden wurde von Engels nach dem Bericht in „The Northern Star" Nr. 411 vom 27. September 1845 gegeben. Diese Versammlung legte den Grundstein für die internationale demokratische Gesellschaft Fraternal Democrats (Brüderliche Demokraten), der sich die Vertreter des linken Flügels der Chartisten, deutsche Arbeiter (Mitglieder des Bundes der Gerechten) und in London lebende revolutionäre

Emigranten anderer Nationalitäten anschlossen. Engels maß diesem Ereignis, an dessen Vorbereitung er und Marx beteiligt waren, große Bedeutung bei, die er durch seinen Artikel unterstrich. Im ersten Absatz dieses Artikels wiederholte Engels ironisierend die Argumentation, die typisch für eine Reihe „wahrer" Sozialisten (Grün, Lüning, u. a.) war, bei denen sich die nihilistische Einstellung zu anderen Nationen mit nationalistischen Phrasen von der Überlegenheit der deutschen Nation verband. Engels kritisierte diese Anschauungen und stellte ihnen die Idee der Einheit der Interessen der Proletarier aller Länder entgegen. 611

178 Aus Heines Gedicht „Zur Beruhigung", in welchem er das Philistertum und die Trägheit des deutschen Bürgers geißelt und ihm die Größe der Republikaner des alten Roms entgegenhält. 612

179 *Carmagnole* – Revolutionslied, entstanden während der französischen bürgerlichen Revolution 1792; der Text ist im Verlauf der politischen Ereignisse geändert und ergänzt worden. 612

180 Die *Konstitution von 1793*, die in den ersten Monaten der Jakobinerdiktatur in Frankreich ausgearbeitet wurde, gehört zu den demokratischsten bürgerlichen Verfassungen. Die ihr vorausgegangene Deklaration der Menschen- und Bürgerrechte verkündete die Souveränität des Volkes, das Recht des Volkes auf Revolution gegen eine Regierung, die die Macht gewaltsam an sich gerissen hat, und verpflichtete die Gesellschaft, den Besitzlosen Arbeit zu sichern und für Arbeitsunfähige Sorge zu tragen. Die Verfassung beseitigte den Vermögenszensus und führte das allgemeine Wahlrecht ein. Gleichzeitig erklärte sie das Privateigentum für unantastbar. Die Konstitution von 1793 ist infolge des Bürgerkriegs und der konterrevolutionären Intervention nicht in Kraft getreten und wurde nach dem 9. Thermidor 1794 (siehe Anm. 111) durch die zur Macht gelangte konterrevolutionäre Großbourgeoisie beseitigt. 612

181 Bei *Jemappes* (6. November 1792) und bei *Fleurus* (26. Juni 1794) schlug die französische Revolutionsarmee die Truppen der ersten Koalition der konterrevolutionären europäischen Monarchien. 614

182 Als Marx und Engels in der zweiten Augusthälfte 1845 in London weilten, wirkten sie unmittelbar für die Annäherung zwischen Vertretern der englischen Arbeiterbewegung und polnischen Emigranten; sie nahmen an einer Beratung von Chartisten und Führern der Londoner Gemeinde des Bundes der Gerechten mit Vertretern der demokratischen und revolutionären Bewegung verschiedener Länder teil, welche nach Mitteilung des „Northern Star" vom 23. August 1845 folgende von Engels befürwortete Resolution annahm: „Es ist eine öffentliche Versammlung der in London lebenden Demokraten sämtlicher Nationalitäten einzuberufen, um die Frage der Gründung einer Gesellschaft zu erörtern, die das Ziel hat – durch gemeinsame periodische Zusammenkünfte –, die in jedem einzelnen Land für die gemeinsame Sache betriebene Bewegung gegenseitig kennenzulernen." An dieser Versammlung, die am 22. September stattfand, konnten Marx und Engels wegen ihrer Abreise aus London nicht teilnehmen. 616

183 Thomas Coopers Epos „Fegefeuer der Selbstmörder. Gefängnispoem in 10 Büchern" ist in Nachahmung von Byrons „Childe Harold's pilgrimage" [Ritter Harold's Pilgerfahrt] verfaßt und erschien 1845 in London. 616

184 *„L'Union"* – Monatsschrift, erschien in Paris von Dezember 1843 bis September 1846; sie wurde von einer Gruppe von Arbeitern herausgegeben, die unter dem Einfluß saintsimonistischer Ideen stand. 616

185 Am 10. August 1792 stürmten die bewaffneten Pariser die Tuilerien, das königliche Schloß in Paris; die Erstürmung hatte die Suspension Ludwigs XVI. und die Berufung des Nationalkonvents zur Folge. 618

186 Der *April-Prozeß* richtete sich gegen 167 Führer der französischen republikanischen und Arbeiterbewegung, die im Zusammenhang mit dem Aufstand in Lyon und den revolutionären Kundgebungen in Paris und anderen Städten im April 1834 des Hochverrats beschuldigt wurden. Unter den Angeklagten befanden sich auch leitende Mitglieder der republikanischen Geheimgesellschaft für Menschen- und Bürgerrechte. Über die meisten Angeklagten fällte das Gericht 1835 harte Urteile: Verbannung in die Kolonien und langjährige Kerkerstrafen. Ein Teil der Angeklagten, darunter 28 Personen, die während des Prozesses geflüchtet waren, wurden in Abwesenheit verurteilt. 622

187 *„Rheinischer Beobachter"* – Tageszeitung; erschien in Köln von 1844 bis Anfang 1848. 625

Literaturverzeichnis

einschließlich der von Marx und Engels erwähnten Schriften

Bei den von Marx und Engels zitierten Schriften werden, soweit sie sich feststellen ließen, die vermutlich von ihnen benutzten Ausgaben angegeben. In einigen Fällen, besonders bei allgemeinen Quellen- und Literaturhinweisen, werden neuere Ausgaben der Schriften angeführt. Einige Quellen konnten nicht ermittelt werden. Zeitungen und Zeitschriften werden hier nur angeführt, soweit sie als Quellen benutzt wurden.

„*An Act for the further Amendment* of the Laws relating to the Poor in England" [Parlamentsakte zur weiteren Verbesserung der Armengesetzgebung in England], (7 & 8 Vict. cap. 101), 1844. 502

„*An Act for Regulating the Construction* and the Use of Buildings in the Metropolis and its Neighbourhood" [Gesetz zur Lenkung der Errichtung und Verwendung von Gebäuden in der Hauptstadt und ihrer Umgebung], (7 & 8 Vict. cap. 84), 1844. 338

„*An Act for the Reliefs of the Poor*" [Gesetz zur Armenunterstützung], (43rd Elizabeth, Cap. 2), 1601. 494

Alison, Archibald „The Principles of Population, and their Connection with Human Happiness" [Die Bevölkerungsprinzipien und ihr Zusammenhang mit dem menschlichen Glück], Vol. I–II, London 1840. 243–246 320 329 330 344 347–349 353 355 483

Alison, William Pulteney „Notes on the Report of the Royal Commissioners ..." siehe „*Journal of the Statistical Society of London*", *vol. VII*

– „Observations on the Management of the Poor in Scotland, and its Effects on the Health of the great Towns" [Betrachtungen über die Behandlung der Armen in Schottland und ihre Auswirkung auf die Gesundheit in den großen Städten], Edinburgh 1840. 265–267 329

„*Allgemeine Literatur-Zeitung*". Monatsschrift, hg. von Bruno Bauer, Charlottenburg 1843/44. 7 12 15 20 81 95 105 113 147 151 156 159 160 162 165 167 222 223

„*Anekdota zur neuesten deutschen Philosophie und Publicistik*" von Bruno Bauer, Ludwig Feuerbach, Friedrich Köppen, Karl Nauwerck, Arnold Ruge und einigen Ungenannten; hg. von Arnold Ruge, 2 Bände, Zürich und Winterthur 1843. 87 161 203 204

„*The Artizan*". A Monthly Journal of the Operative Arts [Der Handwerker. Eine Monatsschrift der Handwerke], (Oktoberheft 1843), London. 267–269 271 272 327 336

Baines, Edward „History of the Cotton Manufacture in Great Britain ..." [Geschichte der Baumwollmanufaktur in Großbritannien ...], London [1835]. 241 242 360 365 378

Bauer, Bruno „Das entdeckte Christenthum. Eine Erinnerung an das achtzehnte Jahrhundert und ein Beitrag zur Krisis des neunzehnten", Zürich und Winterthur 1843. 107 112 114 144 148

– „Die Fähigkeit der heutigen Juden und Christen, frei zu werden". In: „Einundzwanzig Bogen aus der Schweiz", hg. von Georg Herwegh. Erster Theil, Zürich und Winterthur 1843 (siehe auch Anm. 41). 92 113 114 116

– „Die Judenfrage", Braunschweig 1843 (siehe auch Anm. 28). 83 91 92 95 112 113 119 122 124 125 144

– (anonym) „Hinrichs, politische Vorlesungen. Band I, p. 332. Halle 1843. Bei Schwetzschke und Sohn". In: „Allgemeine Literatur-Zeitung", Heft I, Dezember 1843 (siehe auch Anm. 34). 95 96 97

– (anonym) „Hinrichs, politische Vorlesungen. Zweiter Band, Halle 1843. 489 S.". In: „Allgemeine Literatur-Zeitung", Heft V, April 1844. 97 98

– „Kritik der evangelischen Geschichte der Synoptiker", Bd. 1–2, Leipzig 1841; Bd. 3, Braunschweig 1842 (siehe auch Anm. 39). 110 114 144–147 176 177

– „Die evangelische Landeskirche Preussens und die Wissenschaft", Leipzig 1840. 118

– (anonym) „Leben und Wirken Friedrich von Sallet's, nebst Mittheilungen aus dem literarischen Nachlasse Desselben". Herausgegeben von einigen Freunden des Dichters. Mit Sallet's Bildniss. Breslau 1844. Verlag von A. Schulz. P. 384. In: „Allgemeine Literatur-Zeitung", Heft VIII, Juli 1844. 147

– „Leiden und Freuden des theologischen Bewußtseins". In: „Anekdota zur neuesten deutschen Philosophie und Publicistik", Zweiter Band. 161 203 204

– „Die gute Sache der Freiheit und meine eigene Angelegenheit", Zürich und Winterthur 1842. 14 83 109 119 144

– (anonym) „Neueste Schriften über die Judenfrage". In: „Allgemeine Literatur-Zeitung", Heft I, Dezember 1843; Heft IV, März 1844 (siehe auch Anm. 27 32 35). 83–89 91–94 99–104 113–115 117 118 121 125

– „Staat, Religion und Parthei", Leipzig 1843. 95 113 119 144

– (anonym) „Was ist jetzt der Gegenstand der Kritik?". In: „Allgemeine Literatur-Zeitung", Heft VIII, Juli 1844 (siehe auch Anm. 36). 105–108 110–113 120 121 123–126 128–132 142 143

Bauer, Edgar „Es leben feste Grundsätze!". In: „Berliner Novellen", von A. Weill und Edgar Bauer, Berlin 1843 (siehe auch Anm. 57). 155

– (anonym) „Béraud über die Freudenmädchen". In: „Allgemeine Literatur-Zeitung", Heft V, April 1844. 20–23

– (anonym) „Die drei Biedermänner. In drei Capiteln". In: „Allgemeine Literatur-Zeitung", Heft III–V, Februar-April 1844. 165

– (anonym) „Proudhon". In: „Allgemeine Literatur-Zeitung", Heft V, April 1844. 18 21 23–31 34–36 38–43 45–50 52–56

– (anonym) „Die Romane der Verfasserin von Godwie Castle". In: „Allgemeine Literatur-Zeitung", Heft II, Januar 1844. 21 22

– (anonym) „Union ouvrière. Par Mme. Flora Tristan. Edition Populaire. Paris 1843" [Arbeitervereinigung. Von Flora Tristan. Volksausgabe. Paris 1843]. In: „Allgemeine Literatur-Zeitung", Heft V, April 1844 (siehe auch Anm. 12). 19 20 166

Becker, August „Was wollen die Kommunisten?“, Lausanne 1844. 520

Benda, Daniel Alexander „Katechismus für wahlberechtigte Bürger Preußens, oder Geist und Bedeutung der Städte-Ordnung vom 19. November 1808“, Berlin 1843. 10

Bentham, Jérémie „Théorie des peines et des récompenses ...“ [Theorie der Strafen und der Belohnungen ...], 3ième éd., T. II, Paris 1826. 141 189 199

Béraud, F.F.A. „Les filles publiques de Paris et la police qui les régit“ [Die Freudenmädchen von Paris und die Polizei, die sie beaufsichtigt], T. I–II, Paris et Leipzig 1839. 20

Blanc, Louis „Révolution française. – Histoire de dix ans. 1830–1840“ [Die französische Revolution – Geschichte der zehn Jahre 1830–1840], T. I–V, Paris 1841–1844. 622 623

Buchez, P.J.B., et P.C.Roux „Histoire parlementaire de la Révolution française, ou Journal des Assemblées Nationales, depuis 1789 jusqu'en 1815, ...“ [Parlamentarische Geschichte der Französischen Revolution oder Journal der Nationalversammlung von 1789 bis 1815, ...], 40 vols., Paris 1834–1838 (siehe Robespierre, Maximilien und Saint-Just, Louis).

„*Bürgerbuch*“ siehe „*Deutsches Bürgerbuch* ...“

Cabanis, P.-J.-G. „Rapports du physique et du moral de l'homme“ [Zusammenhänge des Körperlichen und des Geistigen beim Menschen], T. I–II, Paris 1843 (siehe auch Anm. 45). 133

Carlyle, Thomas „Chartism“ [Der Chartismus], London 1840. 299 320 321 345 346 439 502 503

– „Past and Present“ [Vergangenheit und Gegenwart], London 1843 (siehe auch Anm. 108). 486 487

Chaptal, J.-A.-C. „De l'industrie françoise“ [Über die französische Industrie], T. I–II, Paris 1819. 212

„*Children's Employment Commission*; Appendix to the second report of the Commissioners: Trades and Manufactures, Part I. Reports and Evidence from Sub-Commissioners. Presented to both Houses of Parliament by command of Her Majesty“ [Kommission zur Untersuchung der Kinderarbeit; Zusatz zum zweiten Bericht der Kommissäre: Handwerk und Fabriken, Teil I. Berichte und Beweismaterial der Unterkommissäre. Gerichtet an die beiden Häuser des Parlaments auf Befehl Ihrer Majestät], London 1842 (Nr. 431). 411–414 418 419 423 470

Comte, Charles „Traité de la propriété“ [Abhandlung über das Eigentum], T. I–II, Paris 1834 (siehe auch Anm. 20). 46–48

Condillac, E.-B. „Essai sur l'origine des connoissances humaines“ [Versuch über den Ursprung der menschlichen Erkenntnis], Amsterdam 1746. 137

Cooper, Thomas „The Purgatory of Suicides. A Prison-Rhyme in Ten Books“ [Fegefeuer der Selbstmörder. Gefängnispoem in zehn Büchern], Third Edition, London 1853 (siehe auch Anm. 183). 616

„*Corpus iuris civilis*“, Volumen Prius [Sammlung des bürgerlichen Rechts, Bd. 1], Berolini 1872. 30

Cowan, Robert „Vital Statistics ...“ siehe „*Journal of the Statistical Society of London*“, *vol. III*

[*Croker, John Wilson*] „Sketch of the State of Ireland, Past and Present“. A New Edition [Eine kurze Schilderung über den Zustand Irlands, früher und heute. Eine Neuausgabe], London 1822. 484

„Dante Alighieri's goettliche Comoedie. Metrisch übertragen und mit kritischen und historischen Erläuterungen versehen von Philalethes [Prinz Johann von Sachsen]", Dresden 1833; zweite Auflage, Dresden und Leipzig 1839. 558

„Deutsche Jahrbücher für Wissenschaft und Kunst", hg. von Arnold Ruge und Theodor Echtermeyer, Leipzig 1841–1843 (siehe auch Anm. 37). 105 113

„Deutsches Bürgerbuch für 1845", hg. von H. Püttmann, Darmstadt 1845 (siehe auch Anm. 125). 518 535

„Deutsches Bürgerbuch für 1846", (Zweiter Jahrgang), hg. von H. Püttmann, Mannheim 1846 (siehe auch Anm. 125). 610

„Deutsch-Französische Jahrbücher", hg. von Arnold Ruge und Karl Marx, 1-ste und 2-te Lieferung, Paris 1844 (siehe auch Anm. 19). 33 92 112–115 117 119 120 254 486

Disraeli, Benjamin „Sybil; or, the Two Nations" [Sybille, oder die beiden Nationen], Leipzig 1845. 351

„The Edinburgh Medical and Surgical Journal: Exhibiting a concise view of the Latest and most Important Discoveries in Medicine, Surgery, and Pharmacy". Volume sixty-second 1811 [Das Edinburgher Ärzte- und Chirurgen-Journal: gibt eine gedrängte Übersicht über die neuesten und bedeutendsten Entdeckungen auf dem Gebiet der Medizin, Chirurgie und Pharmazie. Bd. 62, 1844], Edinburgh 1844. 267

Egidius, H. L. „Emigranten und Märtyrer. Ein Beitrag zur Charakteristik der ‚deutsch-französischen Jahrbücher'". In: „Konstitutionelle Jahrbücher", hg. von Dr. Karl Weil, Jahrgang 1844, Bd. II, Stuttgart 1844. 172

„Einundzwanzig Bogen aus der Schweiz", hg. von Georg Herwegh, Zürich und Winterthur 1843 (siehe auch Anm. 41). 113 114

Engels, Friedrich „Die Lage der arbeitenden Klasse in England. Nach eigner Anschauung und authentischen Quellen", Leipzig 1845 (siehe auch Anm. 74). 518

– „Umrisse zu einer Kritik der Nationalökonomie". In: „Deutsch-Französische Jahrbücher" (siehe auch Anm. 19). 33 254

Erlach, Friedrich Karl Freiherr von „Die Volkslieder der Deutschen", 5 Bände, Mannheim 1834–1836. Bd. 4, 1835 (siehe auch Anm. 62). 170

„Extracts from the Information received by His Majesty's Commissioners, as to the Poor Laws". Published by Authority [Auszüge aus dem Bericht der Kommissäre Seiner Majestät, betreffend die Handhabung und Wirksamkeit der Armengesetze. Mit amtlicher Erlaubnis veröffentlicht], London 1833. 495

Factories Inquiry Commission „First Report of the Central Board of His Majesty's Commissioners appointed to collect Information in the Manufacturing Districts, as to the Employment of Children in Factories, and as to the Propriety and Means of Curtailing the Hours of their Labour: with Minutes of Evidence, and Reports by the District commissioners" [Kommission zur Untersuchung der Lage in den Fabriken. Erster Bericht des Zentralen Ausschusses der Kommissäre Seiner Majestät, die dazu ernannt wurden, um in den Industriegebieten Informationen über die Kinderarbeit in den Fabriken und die Möglichkeiten und Mittel zur Verkürzung ihrer Arbeitszeit zu sammeln: mit Protokollen des Beweismaterials und Berichten der Distriktkommissäre], 28. June 1833 (Nr. 450). 297 363 372 375 376 378 381–388 400

Factories Inquiry Commission „Second Report of the Central Board of His Majesty's Commissioners appointed to collect Information in the Manufacturing Districts, as to the

Employment of Children in Factories, and as to the Propriety and Means of Curtailing the Hours of their Labour: with Minutes of Evidence, and Reports by the Medical Commissioners" [Kommission zur Untersuchung der Lage in den Fabriken. Zweiter Bericht des Zentralen Ausschusses der Kommissäre Seiner Majestät, die dazu ernannt wurden, um in den Industriegebieten Informationen über die Kinderarbeit in den Fabriken und die Möglichkeiten und Mittel zur Verkürzung ihrer Arbeitszeit zu sammeln: mit Protokollen des Beweismaterials und Berichten der Gesundheitskommissäre], 15th July 1833 (Nr. 519). Von Engels zitiert als Factories Inquiry Commission's Report oder unter dem Namen der Kommissäre: Barry, Cowell, Drinkwater, Hawkins, Horner, Loudon, Mackintosh, Power, Stuart, Tufnell. 297 332 363 367–369 371–373 375–388 392-394 398 400 409–411

Faucher, Julius „Englische Tagesfragen". In: „Allgemeine Literatur-Zeitung", Heft VII, Juni 1844 (siehe auch Anm. 5). 12 13 14 16 85

– „Englische Tagesfragen. (Fortsetzung.) Lord Ashley's Amendement". In: „Allgemeine Literatur-Zeitung", Heft VIII, Juli 1844. 15 16 85

Faucher, Léon „Etudes sur l'Angleterre" siehe *„Revue des deux Mondes"*

Feuerbach, Ludwig „Grundsätze der Philosophie der Zukunft", Zürich und Winterthur 1843. 97 149

„Fifth Annual Report of the Registrar General of Births, Deaths and Marriages in England" [Fünfter Jahresbericht des Generalregistrators über Geburten, Sterbefälle und Eheschließungen in England], 2nd ed., London 1843. 334

Finch, John „Notes of Travel in the United States" [Aufzeichnungen über eine Reise in den Vereinigten Staaten], In: „The New Moral World", 13. I. bis 19. X. 1844 (siehe auch Anm. 133). 518 523 524 526–531

„First Report of the Commissioners for inquiring into the State of Large Towns and Populous Districts" [Erster Bericht der Untersuchungskommission über den Zustand der großen Städte und dichtbevölkerten Gebiete], 2 vol., London 1844. 335 336 439

„The Fleet Papers; being letters to Thomas Thornhill Esqu. of Riddlesworth in the county of Norfolk, from Richard Oastler, his prisoner in the Fleet. With occasional communications from Friends" [Die „Fleet Papers"; Briefe an Thomas Thornhill, Esquire von Riddlesworth in der Grafschaft Norfolk, von Richard Oastler, seinem Gefangenen im „Fleet" (Schuldgefängnis). Mit gelegentlichen Mitteilungen von Freunden], 3 vol., London 1841–1843 (siehe auch Anm. 93). 395

Fleischhammer, Emil „Correspondenz aus Breslau". In: „Allgemeine Literatur-Zeitung", Heft IV, März 1844. 153 154

Fourier, Charles „Le nouveau monde industriel et sociétaire, ..." [Die neue Welt der Industrie und der Genossenschaften, ...], Paris 1829 (siehe auch Anm. 69). 207 208

– „Théorie de l'unité universelle". In: „Œuvres complètes" [Theorie der universellen Einheit. In: Sämtliche Werke], T. IV, Vol. III, Paris 1841 (siehe auch Anm. 25 69). 207 208

– „Théorie des quatre mouvements et des destinées génerales". In: „Œuvres complètes" [Theorie der vier Bewegungen und der allgemeinen Bestimmungen. In: Sämtliche Werke], T. I, 2de éd., Paris 1841 (siehe auch Anm. 25 69). 69 207 208 606 607

Friedrich Wilhelm III. „Proklamation vom 22. Mai 1815" siehe *„Verordnung über die zu bildende Repräsentation des Volks ..."*

Froment, M. „La police dévoilée, depuis la restauration et notamment sous messieurs Franchet et Delavau" [Die entschleierte Polizei seit der Restauration, namentlich unter den Herren Franchet und Delavau], T. I–III, Paris 1829. 78

Gaskell, Peter „The Manufacturing Population of England, its Moral, Social and Physical Conditions, and the Changes which have arisen from the use of Steam Machinery; with an Examination of Infant Labour" [Die Fabrikarbeiterbevölkerung Englands, ihre sittliche, soziale und physische Lage und die durch die Anwendung von Dampfmaschinen verursachten Veränderungen. Nebst einer Untersuchung der Kinderarbeit], London 1833. 237–241 295–297 299 300 332 333 354 357 358 437 502

„*Gesellschaftsspiegel*". Organ zur Vertretung der besitzlosen Volksklassen und zur Beleuchtung der gesellschaftlichen Zustände der Gegenwart, 2 Bde., Elberfeld 1845/46 (siehe auch Anm. 127). 514

Gilbert's Act „An Act for the Better Relief and Employment of the Poor" [Gesetz zur besseren Unterstützung und zur Beschäftigung der Armen], (22. George III. cap. 83), 1782. 500

Goethe, Johann Wolfgang von „Faust. Der Tragödie erster Teil". In: „Goethes Werke", ... hg. von Karl Heinemann. Kritisch durchges. und erläuterte Ausg., Bd. 1–30, Leipzig und Wien: Bibliographisches Institut. Band 5 (siehe auch Anm. 24 54). 65 150

– „Götz von Berlichingen mit der eisernen Hand". Ein Schauspiel, ebendort, Band 7. 567

– „Zahme Xenien", IX, ebendort, Band 3 (siehe auch Anm. 64). 186

Graham, George siehe „*Fifth Annual Report of the Registrar General of Births...*"

Gruppe, O. F. „Bruno Bauer und die akademische Lehrfreiheit", Berlin 1842. 166

„*Hallische Jahrbücher für deutsche Wissenschaft und Kunst*", hg. von Arnold Ruge und Theodor Echtermeyer, Leipzig 1838–1841 (siehe auch Anm. 37). 139

„*Hansard's Parliamentary Debates*: Third Series; Commencing with the Accession of William IV. Vol. LXVII. Comprising the Period from the twenty-eighth Day of February, to the twenty-fourth Day of March, 1843" [Hansards parlamentarische Debatten: 3. Serie; beginnend mit der Thronbesteigung von William IV. Band LXVII. Umfassend die Periode vom 28. Februar bis 24. März 1843], London 1843. 353

– „... Vol. LXX. Comprising the Period from the sixteenth Day of June, to the twenty-eighth Day of July, 1843" [Band LXX. Umfassend die Periode vom 16. Juni bis 28. Juli 1843], London 1843. 395

– „... Vol. LXXII. Comprising the Period from the first Day of February, to the twenty-first Day of February, 1844" [Band LXXII. Umfassend die Periode vom 1. Februar bis 21. Februar 1844], London 1844. 395

– „... Vol. LXXIII. Comprising the Period from the twenty-second Day of February, to the second Day of April, 1844" [Band LXXIII. Umfassend die Periode vom 22. Februar bis 2. April 1844, London 1844. 366–369 371 382 383

– „... Vol. LXXV. Comprising the Period from the thirtieth Day of May, to the twenty-sixth Day of June, 1844" [Band LXXV. Umfassend die Periode vom 30. Mai bis 26. Juni 1844], London 1844. 465 466 471

Hegel, Georg Wilhelm Friedrich „Encyclopädie der philosophischen Wissenschaften im Grundrisse", Dritte Ausgabe, Heidelberg 1830. 83

– „Grundlinien der Philosophie des Rechts, oder Naturrecht und Staatswissenschaft im Grundrisse", hg. von Eduard Gans. In: „Georg Wilhelm Friedrich Hegel's Werke". Vollst.

Ausgabe durch einen Verein von Freunden des Verewigten, Bd. VIII, Berlin 1833. 41 42 92

– (anonym) „Phänomenologie des Geistes", hg. von Johann Schulze. Zweite unveränderte Aufl., Berlin 1841 (siehe auch Anm. 13). 22 23 109 139 146 149 203 205

– „Vorlesungen über die Geschichte der Philosophie", hg. von Karl Ludwig Michelet. In: „Georg Wilhelm Friedrich Hegel's Werke". Vollst. Ausgabe durch einen Verein von Freunden des Verewigten, Bd. XIII–XV, Berlin 1833–1836. 139 178

– „Wissenschaft der Logik", hg. von Leopold von Henning. In: „Georg Wilhelm Friedrich Hegel's Werke". Vollst. Ausgabe durch einen Verein von Freunden des Verewigten, 2-te Auflage, Bd. V, Berlin 1841. 146

Heine, Heinrich „Die Nordsee", zweiter Zyklus, Gedicht „Fragen". In: „Werke". Ausgewählt und hg. von Hermann Wendel, Bd. 1–5, Berlin 1925–1926. Band 1, 1925 (siehe auch Anm. 61). 166

– „Die schlesischen Weber", Gedicht, ebendort, Band 2, 1925 (siehe auch Anm. 124). 512 513

Helvétius, Claude-Adrien „De l'esprit" [Vom Geiste], T. I–II, Paris 1822 (siehe auch Anm. 50). 140

– „De l'homme, de ses facultés intellectuelles et de son éducation" [Vom Menschen, seinen intellektuellen Fähigkeiten und seiner Erziehung], T. I–II, Londres 1775 (siehe auch Anm. 47). 137

Heß, Moses „Ueber die Noth in unserer Gesellschaft und deren Abhülfe". In: „Deutsches Bürgerbuch für 1845", Darmstadt 1845. 519

– „Die letzten Philosophen", Darmstadt 1845. 519

Hirzel „Correspondenz aus Zürich". In: „Allgemeine Literatur-Zeitung", Heft IV, März 1844; Heft V, April 1844 (siehe auch Anm. 73). 153–155 222

d'Holbach, Paul-Henri-Dietrich „Système social, ou principes naturels de la morale et de la politique, ..." [Gesellschaftssystem, oder natürliche Grundsätze der Moral und der Politik, ...], T. I–II, Paris 1822. 140 141

– (anonym) „Système de la nature, ou des loix du monde physique et du monde moral" [System der Natur, oder von den Gesetzen der physischen und der moralischen Welt] par M. Mirabaud. Partie 1–2, Londres 1770 (siehe auch Anm. 49). 137 140

[*Hood, Thomas*] „The Song of the Shirt". In: „Punch, or the London Charivari" [Das Lied vom Hemde. In: Punch oder der Londoner Charivari], Bd. V, London 1843. 428

Horner, Leonard siehe „*Reports of the Inspectors of Factories ...*"

„*Journal of the Statistical Society of London*" [Journal der Statistischen Gesellschaft Londons], Vol. II (S. 397–424): „Report upon the Condition of the Town of Leeds and of its Inhabitants". By a Statistical Committee of the Town Council, October 1839 [Bericht über den Zustand der Stadt Leeds und die Lage seiner Einwohner. Von einem Statistischen Komitee des Stadtrats, Oktober 1839], London 1839. 271 272 329 357

– Vol. III (S. 257–292): Robert Cowan, „Vital Statistics of Glasgow, illustrating the Sanitary Condition of the Population" [Geburten- und Sterbestatistik von Glasgow als Illustration des sanitären Zustandes der Bevölkerung], London 1840 (siehe auch Anm. 89). 335

„*Journal of the Statistical Society of London*" [Journal der Statistischen Gesellschaft Londons], Vol. VI (S. 17–27): „On the Condition of the Working Classes in the Inner Ward of St. George's Parish, Hanover Square". By C. R. Weld [Über die Lage der arbeitenden Klassen im inneren Bezirk der Gemeinde St. George's Parish, Hanover Square. Von C. R. Weld], London 1843. 261

– Vol. III (S. 14–24): „Report of a Committee of the Statistical Society of London, on the State of the Working Classes in the Parishes of St. Margaret and St. John, Westminster" [Bericht eines Komitees der Statistischen Gesellschaft Londons zur Lage der arbeitenden Klassen in den Gemeinden St. Margaret und St. John, Westminster], London 1840. 261

– Vol. VI (S. 60–72): „Real Property, Population, and Pauperism in England and Wales" [Grundbesitz, Bevölkerung und Pauperismus in England und Wales], London 1843. 318

– Vol. VI (S. 218–240): „Progress of Crime in the United Kingdom: abstracted from the Criminal Returns for 1842, ..." By Joseph Fletcher [Zunahme der Verbrechen im Vereinigten Königreich: hergeleitet aus den Kriminalstatistiken von 1842, ... von Joseph Fletcher], London 1843. 357

– Vol. VII (S. 316–318): J. P. Alison, „Notes on the Report of the Royal Commissioners on the Operation of the Poor Laws in Scotland, 1844" [Bemerkungen zum Bericht der Königlichen Kommissäre über das Wirken der Armengesetze in Schottland, 1844], London 1844. 329

J[ungnitz, Ernst] „Herr Nauwerk und die philosophische Facultät". In: „Allgemeine Literatur-Zeitung", Heft VI, Mai 1844 (siehe auch Anm. 10). 17 18

Kay [Shuttleworth], James Philipps „The Moral and Physical Condition of the Working Classes employed in the Cotton Manufacture in Manchester", Second Edition enlarged: and containing an introductory Letter to the Rev. Thomas Chalmers [Die sittliche und physische Lage der in der Baumwollfabrikation in Manchester beschäftigten arbeitenden Klassen. Zweite erweiterte Ausgabe, enthält einen einleitenden Brief an Pfarrer Thomas Chalmers], London 1832. 282 292 293 295 296 321 322 328 398

La Mettrie, Julien Offroy de „L'homme machine" [Der Mensch – eine Maschine], London 1751 (siehe auch Anm. 48). 137

Leach, James „Stubborn Facts from the Factories by a Manchester Operative". Published and dedicated to the working classes by Wm. Rashleigh, M. P. [Unumstößliche Tatsachen aus den Fabriken, von einem Fabrikarbeiter aus Manchester. Von Wm. Rashleigh, Parlamentsmitglied, veröffentlicht und den arbeitenden Klassen gewidmet], London 1844. 361 362 399 400 401 413–416

Locke, John „An Essay Concerning Humane Understanding" [Abhandlung über den menschlichen Verstand], London 1690. 135

Lovett, William, and Francis Place, „The People's Charter; being the Outline of an Act to provide for the Just Representation of the People of Great Britain in the Commons' House of Parliament. Embracing the principles of Universal Suffrage, No Property Qualification, Annual Parliaments, Equal Representation, Payment of Members, and Vote by Ballot. Prepared by a committee of twelve persons, six members of Parliament and six members of the London Working Men's Association, and addressed to the People of the United Kingdom" [Die Volkscharte: Entwurf einer Gesetzesvorlage zum Zwecke der Einführung einer gerechten Vertretung des Volkes in Großbritannien im Unterhaus des Parlaments. Umfaßt die Prinzipien des allgemeinen Stimmrechts, Abschaffung des Vermögenszensus, einjährige Legislaturperioden, gleiche Größe der Wahldistrikte, Diäten für

Parlamentsmitglieder und Wahlen durch Ballotage (geheime Abstimmung). Ausgearbeitet von einer zwölfköpfigen Kommission, bestehend aus sechs Parlamentsmitgliedern und sechs Mitgliedern der Londoner Arbeiterassoziation, gerichtet an das Volk des Vereinigten Königreichs], London 1838. 444 445

Malthus, Thomas Robert „An Essay on the Principle of Population, as it affects the Future Improvement of Society, with Remarks on the Speculations of W.Godwin, M.Condorcet, and other Writers" [Abhandlungen über das Bevölkerungsprinzip und dessen Einfluß auf die künftige Verbesserung der Gesellschaft, mit Bemerkungen zu den Spekulationen von W. Godwin, M. Condorcet und anderen Verfassern], London, Erstausg. 1798. 311 312 493 494 495 496

Mandeville, Bernard de „The Fable of the Bees: or, Private Vices, Publick Benefits" [Die Fabel von den Bienen, oder private Laster, öffentliche Wohltaten], London 1714. 138

Marmontel, J.-F. „Lucile". In: „Œuvres complètes" [Lucile. In: Sämtliche Werke], T. IX, Paris 1819 (siehe auch Anm. 56). 152

Marx, Karl „Zur Judenfrage". In: „Deutsch-Französische Jahrbücher", hg. von Arnold Ruge und Karl Marx, 1-ste und 2-te Lieferung, Paris 1844 (siehe auch Anm. 19 33). 92 112

McCulloch, John Ramsay „A Statistical Account of the British Empire, exhibiting its Extent, Physical Capacities, Population, Industry and civil and religious Institutions" [Eine Statistik des Britischen Weltreichs, die ein Bild seiner Ausdehnung, natürlichen Reichtümer, Bevölkerung, Industrie sowie seiner staatlichen und kirchlichen Einrichtungen vermittelt], 2 vol., London 1837. 243 503

Miles' „Bill for Enlarging the powers of justices in determining complaints between masters, servants and artificers". Bill no. 58 of 1844. Hansard's Parliamentary Debates, vols. LXXIII and LXXIV [Bill zur Erweiterung der Macht der Richter bei der Entscheidung von Streitfällen zwischen Herren, Dienern und Handwerkern. Bill Nr. 58 von 1844. Hansards parlamentarische Debatten, Band LXXIII und LXXIV]. 251 493

Mirabaud, Jean-Baptiste „Système de la nature ..." [System der Natur ...] siehe *d'Holbach, Paul-Henri-Dietrich*

Molière, Jean-Baptiste „Le bourgeois gentilhomme". In: „Œuvres complètes", Tome septième [Der Bürger als Edelmann. In: Sämtliche Werke, Band 7], Paris 1825 (siehe auch Anm. 22). 57

Monteil, Amans-Alexis „Histoire des Français des divers états aux cinq derniers siècles" [Geschichte der Franzosen der verschiedenen Stände in den letzten fünf Jahrhunderten], T. I–X, Paris 1828–1844. 74

Nicholls, George „Poor Laws – Ireland. Three reports by George Nicholls, Esq., to Her Majesty's Principal Secretary of State for the Home Department" [Armengesetze – Irland. Drei Berichte von George Nicholls, Esq., an den Innenminister Ihrer Majestät], London 1838. 482 483

Oastler, Richard siehe *„Fleet Papers"*

Owen, Robert „Manifesto of Robert Owen, the Discoverer, Founder, and Promulgator of the Rational System of Society, and of the Rational Religion. Sixth Edition. To which are added a Preface and also an Appendix, ..." [Manifest von Robert Owen, dem Entdecker, Begründer und Verkünder der Vernunftsgesellschaft und der Vernunftsreligion. 6. Ausgabe, der ein Vorwort und ein Anhang beigefügt ist, ...], London 1840. 391

Owen, Robert „Observations on the Effect of the Manufacturing System: with hints for the improvement of those parts of it which are most injurious to health and morals" [Bemerkungen über die Wirkungen des Fabriksystems: mit Hinweisen zur Verbesserung jener Teile des Fabriksystems, die für Gesundheit und Sitten äußerst schädlich sind], 2nd Edition, London 1817. 391

Parkinson, Richard „On the present Condition of the Labouring Poor in Manchester, ..." [Über die gegenwärtige Lage der arbeitenden Armen in Manchester, ...], 3rd ed., London and Manchester 1841. 352

Parny, E. D. „Poésies érotiques". In: „Poésies complètes" [Erotische Dichtungen. In: Sämtliche Dichtungen], Paris 1887. 72

„*La Phalange*". Revue de la science sociale. XIVe année, 1re Série. Tome 1re: „Publication des Manuscrits de Fourier ‚Section ébauchée des trois unités externes'" [Die Phalanx. Zeitschrift für Sozialwissenschaft. XIV. Jahrgang, 1. Serie, Band 1: Veröffentlichung der Manuskripte Fouriers „Entwurf des Abschnitts über die drei äußeren Einheiten"], Paris 1845. 606 607

„*The Physical and Moral Condition* of the Children and Young Persons employed in Mines and Manufactures. Illustrated by Extracts from the Reports of the Commissioners for Inquiring into the Employment of Children and Young Persons in Mines and Collieries, and in the Trades and Manufactures in which Numbers of them work together, not being included under the Terms of the Factories' Regulation Act" [Die körperliche und sittliche Verfassung der in Bergwerken und Fabriken beschäftigten Kinder und Jugendlichen. Veranschaulicht durch Auszüge aus Berichten der Kommissäre für die Untersuchung der Beschäftigung der Kinder und Jugendlichen in Bergwerken und Kohlengruben und in den Handwerken und Industrien, in denen viele zusammenarbeiten, die nicht unter das Fabrikordnungsgesetz fallen], London 1833. Von Engels zitiert als „Children's Employment Commission's Report" [Bericht der Kommission zur Untersuchung der Kinderarbeit] oder unter den Namen der Kommissäre: Burns, Frank, Grainger, Horne, Leifchild, Mitchel, Southwood, Scriven, Smith, Symons, Tancred. 282 287 338–342 408–414 418–427 457–465

Polidori Vergilii Urbinatis „De rerum inventoribus" [Von den Erfindern der Dinge], Lugduni Batavorum 1644. 75

Porter, George Richardson „The Progress of the Nation, in its various Social and Economical Relations from the Beginning of the Nineteenth Century to the Present Time" [Der Fortschritt der Nation in ihren verschiedenen sozialen und ökonomischen Beziehungen vom Beginn des 19. Jahrhunderts bis zur Gegenwart], 3 vol., London 1836–1843. 242–249 357

Proudhon, Pierre-Joseph „Avertissement aux propriétaires, ou Lettre à M. Considérant, rédacteur de la Phalange, sur une défense de la propriété" [Warnung an die Eigentümer, oder Brief an Herrn Considérant, Redakteur der „Phalange", über eine Verteidigung des Eigentums], Paris 1841. 53

– „Qu'est-ce que la propriété? Ou recherches sur le principe du droit et du gouvernement". Premier mémoire [Was ist das Eigentum? Oder Untersuchungen über das Prinzip des Rechts und der Regierung. Erste Abhandlung], Paris 1841 (siehe auch Anm. 15). 23–34 39 40 42 44–51 53 55 455

– „Qu'est-ce que la propriété? Deuxième mémoire. Lettre à M. Blanqui, professeur d'économie politique au conservatoire des arts et métiers. Sur la propriété" [Was ist das Eigentum?

Zweite Abhandlung. Brief an Herrn Blanqui, Professor der politischen Ökonomie am Konservatorium der Künste und Gewerbe. Über das Eigentum], Paris 1841. 143

R[eichardt], *C[arl]* „Katechismus für wahlberechtigte Bürger in Preußen. Von Dr. A. Benda. Berlin, 1843 bei Springer". In: „Allgemeine Literatur-Zeitung", Heft VI, Mai 1844. 10

– „Preußens Beruf in der deutschen Staats-Entwickelung, und die nächsten Bedingungen zu seiner Erfüllung. Von C. Brüggemann. Berlin, 1843, bei Besser". In: „Allgemeine Literatur-Zeitung", Heft VI, Mai 1844. 9 10

– „Schriften über den Pauperismus. Die Gründe des wachsenden Pauperismus von A. T. Wöniger". In: „Allgemeine Literatur-Zeitung", Heft II, Januar 1844. 9

– „Schriften über den Pauperismus. Publicistische Abhandlungen: von Wöniger, Doctor beider Rechte und der Philosophie. 1843. Berlin bei Hermes". In: „Allgemeine Literatur-Zeitung", Heft I, Dezember 1843 (siehe auch Anm. 3). 9

„*Report from Committees*: 1831–2. Vol. XV. Factories. No. 706. Report from the Select Committee on the ‚Bill to regulate the Labour of Children in the Mills and Factories of the United Kingdom'. – With the Minutes of Evidence, Appendix and Index" [Berichte von Kommissionen: 1831–2. Bd. XV. Fabriken. Nr. 706. Bericht der Sonderkommission für das ‚Gesetz zur Regelung der Kinderarbeit in den Spinnereien und Fabriken des Vereinigten Königreiches'. – Mit den Protokollen des Beweismaterials, sowie Anhang und Register]. Von Engels zitiert als Sadler'scher Bericht. 391 392

„*Report of Commission* of Inquiry into the Employment of Children and Young Persons in Mines and Collieries and in the Trades and Manufactures in which Numbers of them work together, not being included under the terms of the Factories' Regulation Act" [Bericht der Untersuchungskommission über die Beschäftigung von Kindern und Jugendlichen in Bergwerken und Kohlengruben und in den Handwerken und Industrien, in denen viele zusammenarbeiten, die nicht unter das Fabrikordnungsgesetz fallen], First Report 1841; Second Report 1843. Von Engels benutzt in der Bearbeitung „The Physical and Moral Condition of Children and Young Persons employed in Mines and Manufactures" und zitiert als „Children's Employment Commission's Report" [Erster Bericht 1841; zweiter Bericht 1843. Von Engels benutzt in der Bearbeitung „Die körperliche und sittliche Verfassung der in Bergwerken und Fabriken beschäftigten Kinder und Jugendlichen" und zitiert als „Bericht der Kommission zur Untersuchung der Kinderarbeit"]. 333 334 381

„*Report to the Home Secretary ...*" siehe „*Report to Her Majesty's Principal Secretary ...*"

„*Report to Her Majesty's Principal Secretary* of State for the Home Department, from the Poor Law Commissioners, on an Inquiry into the Sanitary Condition of the Labouring Population of Great Britain; with Appendices". Presented to both Houses of Parliament, by Command of Her Majesty, July, 1842 [Bericht der Armengesetz-Kommissäre an den Innenminister Ihrer Majestät über eine Untersuchung der sanitären Lage der arbeitenden Bevölkerung Großbritanniens; mit Anhang. Beiden Häusern des Parlaments auf Befehl Ihrer Majestät vorgelegt, Juli 1842], London 1842. 267 272 296 327 328 336

„*Reports of the Inspectors* of Factories to Her Majesty's Principal Secretary of State for the Half-Year ending 31st December 1843. Presented to both Houses of Parliament by Command of Her Majesty" [Berichte der Fabrikinspektoren an den Staatssekretär Ihrer Majestät über das zweite Halbjahr 1843. Beiden Häusern des Parlaments auf Befehl Ihrer Majestät vorgelegt], London 1844. 366 394

„Révolutions de Paris. Dédiées à la Nation et au District des Petits-Augustins" [Revolutionen von Paris. Der Nation und dem Distrikt der kleinen Augustiner gewidmet], 1789–1794 (siehe auch Anm. 29). 87

„Revue des deux Mondes". 1829–1866. Léon Faucher, „Etudes sur l'Angleterre", T. 4, 13ième année. Nouvelle Série, Paris; 1.X.1843 „White-Chapel"; 1.XI.1843 „Saint-Giles"; 1.XII.1843 „Liverpool", Première partie; 15.XII.1843 „Liverpool", Dernière Partie; T. 5, 14ième année, 15. III. 1844 „Manchester", Première partie; T. 6, 1. IV. 1844 „Manchester", Dernière partie; 15. V. 1844 „La Ville de Leeds", Première partie; 15. VI. 1844 „La Ville de Leeds", Dernière partie; T. 7, 15.VII.1844 „Birmingham" [Rundschau beider Welten. 1829–1866. Léon Faucher „Studien über England", Bd. 4, 13. Jahrg. Neue Serie, Paris; 1. 10. 1843 „White-Chapel"; 1. 11. 1843 „Saint-Giles"; 1. 12. 1843 „Liverpool", Erster Teil; 15. 12. 1843 „Liverpool", Schluß; Bd. 5, 14. Jahrg. 15. 3. 1844 „Manchester", Erster Teil; Bd. 6, 1. 4. 1844 „Manchester", Schluß; 15. 5. 1844 „Die Stadt Leeds", Erster Teil; 15. 6. 1844 „Die Stadt Leeds", Schluß; Bd. 7, 15. 7. 1844 „Birmingham"]. 12–14 16 85 417

Robespierre, Maximilien „Rapport sur les principes de morale politique qui doivent guider la Convention nationale dans l'administration intérieure de la République, fait au nom du comité de salut public, à la séance du 5 février (17 pluviôse) 1794" [Bericht über die Grundsätze der politischen Moral, die den Nationalkonvent in der inneren Verwaltung der Republik leiten sollen, erstattet im Namen des Ausschusses für öffentliche Wohlfahrt in der Sitzung vom 5. Februar (17. Pluviôse) 1794]. In: P. J. B. Buchez et P. C. Roux, „Histoire parlementaire de la Révolution française, ou Journal des Assemblées Nationales depuis 1789 jusqu'en 1815, ..." [Parlamentarische Geschichte der Französischen Revolution oder Journal der Nationalversammlung von 1789 bis 1815, ...], Tome 31, Paris 1837. 128

Robinet, Jean-Baptiste „De la nature" [Über die Natur], Nouv. éd. T. I–IV, Amsterdam 1763–1766. 138

Sadler'scher Bericht siehe *„Report from Committees: 1831–2"*

Saint-Just, Louis „Au nom des comités de salut public et de sûreté générale. Convention nationale. Séance du 31 mars (11 germinal) 1794" [Im Namen der Ausschüsse für öffentliche Wohlfahrt und für allgemeine Sicherheit. Nationalkonvent, Sitzung vom 31. März (11. Germinal) 1794]. In: P. J. B. Buchez et P. C. Roux, „Histoire parlementaire de la Révolution française ..." [Parlamentarische Geschichte der Französischen Revolution ...], Tome 32, Paris 1837. 129

– „Rapport sur la police générale. – Du 26 germinal an 2 (15 avril 1794)" [Bericht über die allgemeine Polizei. – Vom 26. Germinal des Jahres 2 (15. April 1794)]. In: P. J. B. Buchez et P. C. Roux, „Histoire parlementaire de la Révolution française ..." [Parlamentarische Geschichte der Französischen Revolution ...], Tome 32, Paris 1837. 129

Saunders, Robert John siehe *„Reports of the Inspectors of Factories..."*

Say, Jean-Baptiste „Traité d'économie politique, ou simple exposition de la manière dont se forment, se distribuent et se consomment les richesses" [Abhandlung über politische Ökonomie, oder einfache Darstellung, wie die Reichtümer geschaffen, verteilt und verbraucht werden], T. I–II, 3ième éd., Paris 1817. 32 45

Schiller, Friedrich von „Das Mädchen aus der Fremde", Gedicht. In: „Schillers Werke". Neue Ausgabe in 6 Bänden. Einl. von Franz Mehring, Berlin 1927. Band 1 (siehe auch Anm. 14). 23

Schiller, Friedrich von „Die Räuber", ebendort, Band 2. 567

Senior, Nassau William „Letters on the Factory Act, as it affects the Cotton Manufacture, addressed to the Right Honourable the President of the Board of Trade, to which are appended, a Letter to Mr. Senior from Leonard Horner, Esq. and Minutes of a Conversation between Mr. Edmund Ashworth, Mr. Thomson and Mr. Senior" [Briefe über das Fabrikgesetz, soweit es die Baumwollindustrie beeinflußt, gerichtet an den sehr ehrenwerten Präsidenten des Handelsamtes, denen ein Brief an Herrn Senior von Leonard Horner, Esq., und Protokolle einer Unterredung zwischen Herrn Edmund Ashworth, Herrn Thomson und Herrn Senior beigefügt sind], London 1837. 295

Shakespeare, William „Ende gut, Alles gut". In: „Shakespeare's dramatische Werke nach der Uebersetzung von August Wilhelm Schlegel und Ludwig Tieck", 2. aufs neue durchges. Aufl., Bd. 1–12, Berlin 1876–1877; Band 11 (siehe auch Anm. 26). 74

Sieyès, E. J. „Qu'est-ce que le tiers-état?" [Was ist der dritte Stand?], Bordeaux 1789. 33

Smith, Adam „An Inquiry into the Nature and Causes of the Wealth of Nations" [Untersuchung über das Wesen und die Ursachen des Reichtums der Nationen], London 1776. 51

– „An Inquiry into the Nature and Causes of the Wealth of Nations". With a Life of the Author, an introductory Discourse, Notes, and supplemental Dissertations. By J. R. McCulloch [Untersuchung über das Wesen und die Ursachen des Reichtums der Nationen. Mit einer Biographie des Autors und einer einleitenden Abhandlung sowie Anmerkungen und ergänzenden Auseinandersetzungen. Von J. R. McCulloch], 4 vol., Edinburgh 1828. 51 310 311 347

„The State of Ireland" siehe *Croker, John Wilson*

Stein, Lorenz „Der Socialismus und Communismus des heutigen Frankreichs". Ein Beitrag zur Zeitgeschichte, Leipzig 1842 (siehe auch Anm. 52). 142 604 608

Stirner, Max „Der Einzige und sein Eigenthum", Leipzig 1845. 257 488

Strauß, David Friedrich „Das Leben Jesu", 4. Aufl., Bd. 1–2, Tübingen 1840. 455

„Stubborn Facts from the Factories" siehe *Leach, James*

Sue, Eugène „Le Juif errant" [Der ewige Jude], T. I–X, Paris 1844/1845. 202

– „Les mystères de Paris" [Die Geheimnisse von Paris], T. I–XIV, Bruxelles 1843 (siehe auch Anm. 21). 56 57 59 60 65 69 70 72 77 78 173–176 179–188 190–193 195–200 205 207 213–221

Symons, Jelinger Cookson „Arts and Artisans at Home and Abroad: with Sketches of the Progress of Foreign Manufactures" [Handwerke und Handwerker im In- und Ausland, mit Abrissen über den Fortschritt der ausländischen Industrie], Edinburgh 1839. 269 270 343 364 432

Szeliga „Eugen Sue: Die Geheimnisse von Paris, Kritik". In: „Allgemeine Literatur-Zeitung", Heft VII, Juni 1844 (siehe auch Anm. 21). 56–59 64–81 172 173 176–178 191 197 198 202 203 205 207 212 214 221

„Telegraph für Deutschland", Hamburg, Nr. 193 und 194 vom Dezember 1845. 585 587

Ure, Andrew „The Cotton Manufacture of Great Britain. Systematically investigated, and illustrated ..." [Die Baumwollmanufaktur Großbritanniens. Systematisch untersucht und erläutert ...], 2 vol. London 1836. 237 240–246 360

– „The Philosophy of Manufactures: or, an Exposition of the Scientific, Moral, and Commercial Economy of the Factory System of Great Britain". Third Ed. [Die Philosophie der Manufakturen: oder Darlegung der wissenschaftlichen, moralischen und kommerziellen Ökonomie des Fabriksystems in Großbritannien. Dritte Aufl.], London 1861. 349 366 389–391 439 440

Vaughan, Robert „The Age of Great Cities: or, Modern Society Viewed in its Relation to Intelligence, Morals, and Religion" [Das Zeitalter der Großstädte: oder die moderne Gesellschaft in ihrem Verhältnis zur Intelligenz, Moral und Religion], London 1843. 347

„*Verordnung über die zu bildende Repräsentation des Volks.* Vom 22sten Mai 1815" (No. 290). In: „Gesetz-Sammlung für die Königlichen Preußischen Staaten", No. 9 (Ausgegeben zu Berlin den 8ten Juli 1815.). 576

Wade, John „History of the Middle and Working Classes; with a Popular Exposition of the Economical and Political Principles ...". Third Edition [Geschichte der Mittel- und arbeitenden Klassen; mit einer volkstümlichen Erklärung der ökonomischen und politischen Prinzipien ... Dritte Aufl.], London 1835. 337

Wakefield, Edgar Gibbon „Swing, Unmasked; or, the Causes of Rural Incendiarism" [Der entlarvte Swing; oder: Die Ursachen der ländlichen Brandstiftungen], London 1831. 476

Weitling, Wilhelm „Garantien der Harmonie und Freiheit", Vivis 1842 (siehe auch Anm. 129). 515

„*Zeitschrift für spekulative Theologie,* in Gemeinschaft mit einem Verein von Gelehrten herausgegeben von Bruno Bauer", Bd. I–III, Berlin 1836 bis 1838 (siehe auch Anm. 55). 151

Zerrleder „Correspondenz aus Bern". In: „Allgemeine Literatur-Zeitung", Heft III, Februar 1844; Heft VI, Mai 1844. 153 154

Verzeichnis der Zeitungen und Zeitschriften

„*Allgemeine Literatur-Zeitung*" (Charlottenburg) (siehe Anm. 2). 7 12 15 20 81 95 96 105 113 147 151 155 156 159 160 162 165–167 222 223

„*Allgemeine Zeitung*" (Augsburg) (siehe Anm. 51). 142

„*Allgemeines Volksblatt.* Populärer Monatsbericht über die wichtigsten Zeitfragen" (Köln) (siehe Anm. 136). 518

„*The Anti-Bread-Tax-Circular*" (Manchester) (siehe Anm. 171). 586

„*The Artizan*". A Monthly Journal of the Operative Arts (London). 267–269 271 327 336

„*Débat Social*" (Brüssel) (siehe Anm. 116). 507

„*La Démocratie pacifique*" (Paris) (siehe Anm. 60). 161 508

„*Deutsche Jahrbücher für Wissenschaft und Kunst*" (Leipzig) (siehe Anm. 37). 105 113

„*Deutsch-Französische Jahrbücher*" (Paris) (siehe Anm. 19). 33 92 112–115 117 119 120 254 509

„*Durham Chronicle*" (siehe Anm. 78). 247

„*The Edinburgh Medical and Surgical Journal*" (Edinburgh). 267

„*The Examiner*" (London). 450

„*The Fleet Papers*" (London) (siehe Anm. 93). 395

„*Gesellschaftsspiegel*". Organ zur Vertretung der besitzlosen Volksklassen und zur Beleuchtung der gesellschaftlichen Zustände der Gegenwart (Elberfeld) (siehe Anm. 127). 514 518

„*Halifax Guardian*". 403

„*Hallische Jahrbücher für deutsche Wissenschaft und Kunst*" (siehe Anm. 37). 139

„*The Illuminated Magazine*" (London). 259 498

„*Journal des Débats politiques et littéraires*" (Paris) (siehe Anm. 65). 200

„*Journal of the Statistical Society of London*" (London). 261 271 272 318 335 357

„*Kölnische Zeitung*" (siehe Anm. 122). 511

„*The Leeds Mercury*". 402

„*Literatur-Zeitung*" siehe „*Allgemeine Literatur-Zeitung*"

„*Liverpool Mercury*". 301

„*The Manchester Guardian*" (siehe Anm. 87). 300–303 334 358 368 387 399 402 464 465 488 489
„*The Miner's Advocate*" (Newcastle-upon-Tyne). 467
„*The Mining Journal*" (London) (siehe Anm. 103). 464
„*The Morning Chronicle*" (London). 409 410 480 481 532
„*The New Moral World:* and Gazette of the Rational Society" (London) (siehe Anm. 113). 507 509 513 515
„*North of England Medical and Surgical Journal*" (London und Manchester). 385
„*The Northern Star and Leeds General Advertiser*" (siehe Anm. 94). 261 262 272 273 316 402 403 441 478 479 558 562–564 571 577 600 616 623
„*Petites Affiches de Paris*" (siehe Anm. 67). 200
„*Pfennig-Magazin*" (Penny Magazine). 528
„*La Phalange.* Revue de la science sociale" (Paris). 606 607
„*Pittsburg Daily Advocate and Advertiser*". 528
„*Punch, or the London Charivari*" (London). 428
„*Révolutions de Paris*" (Paris) (siehe Anm. 29). 87
„*Revue des deux Mondes*" (Paris) (siehe Anm. 96). 417
„*Rheinische Zeitung für Politik, Handel und Gewerbe*" (Köln) (siehe Anm. 38). 105 113 549
„*Rheinischer Beobachter*" (Köln) (siehe Anm. 187). 625
„*Le Satan*" (Paris) (siehe Anm. 68). 202
„*Le Siècle*" (Paris) (siehe Anm. 66). 200
„*Der Sprecher oder Rheinisch-Westphälischer Anzeiger*" (Wesel) (siehe Anm. 121). 509
„*Statistical Journal*" siehe „*Journal of the Statistical Society of London*"
„*Sun*" (London). 403
„*Telegraph für Deutschland*" (Hamburg). 585 587
„*The Times*" (London) (siehe Anm. 83). 264 265 358 476 503
„*Trier'sche Zeitung*" (siehe Anm. 120). 509 625
„*L'Union.* Bulletin des ouvriers, rédigé et publié pareux-mêmes" (Paris) (siehe Anm. 184). 166 616
„*Volksblatt*" siehe „*Allgemeines Volksblatt*"
„*Vorwärts!*" Pariser deutsche Zeitschrift (siehe Anm. 115). 507 512
„*The Weekly Chronicle*" (London). 450
„*The Weekly Dispatch*" (London). 261 262 297 303 316 338 427 428 450
„*Das Westphälische Dampfboot*" (Bielefeld) (siehe Anm. 135). 518 603
„*Zeitschrift für spekulative Theologie*" (Berlin) (siehe Anm. 55). 151

Karl Marx und Friedrich Engels
Daten aus ihrem Leben und ihrer Tätigkeit
(August 1844 bis April 1846)

1844

Ende August bis Anfang September	Historische Begegnung von Karl Marx und Friedrich Engels in Paris – Beginn ihrer schöpferischen Zusammenarbeit, ihrer gemeinsamen wissenschaftlichen Tätigkeit und ihres revolutionären Kampfes für die Sache des Proletariats. Es stellt sich ihre vollständige „Übereinstimmung auf allen theoretischen Gebieten" (Engels) heraus. Die Begründer des wissenschaftlichen Sozialismus beginnen ihre erste gemeinsame Arbeit, die sie ursprünglich „Kritik der kritischen Kritik gegen Bruno Bauer und Consorten" nennen wollen. Während seines zehntägigen Aufenthaltes in Paris schreibt Engels sieben kleine Kapitel und Abschnitte für dieses Buch. Marx gewinnt Engels für die Mitarbeit am „Vorwärts!", an dessen Redaktion er selbst stark beteiligt ist. Engels macht sich mit der französischen Arbeiterbewegung bekannt; er besucht Versammlungen der Sozialisten und Kommunisten und trifft sich auch mit den russischen Politikern Michail Alexandrowitsch Bakunin und Grigori Michailowitsch Tolstoi.
31. August bis 19. Oktober	Im „Vorwärts!" erscheinen Engels' Artikel „Die Lage Englands. Das achtzehnte Jahrhundert" und „Die Lage Englands. Die englische Konstitution", die er im Februar und März 1844 in England geschrieben hatte und die damals für die „Deutsch-Französischen Jahrbücher" vorgesehen waren.
Etwa 6. September	Engels reist von Paris nach Barmen.
September bis November	Marx setzt in Paris die Arbeit an der „Kritik der kritischen Kritik" fort; er erweitert wesentlich den mit Engels entworfenen ursprünglichen Plan und benutzt für die Schrift einen Teil seiner ökonomischen und philosophischen Manuskripte wie auch Konspekte und Aufzeichnungen über die Geschichte der französischen bürgerlichen Revolution Ende des 18. Jahrhunderts.

September 1844 bis Januar 1845	Marx unterhält Verbindung mit französischen Demokraten und Sozialisten, mit den Leitern des Bundes der Gerechten in Paris und mit den Führern der meisten französischen geheimen Arbeitergesellschaften; er besucht häufig die Versammlungen der deutschen und französischen Arbeiter und Handwerker.
Zweite Hälfte September 1844 bis März 1845	Engels arbeitet in Barmen an seinem Werk „Die Lage der arbeitenden Klasse in England". Engels nimmt aktiven Anteil an der sozialistischen Propaganda und an der Organisierung der demokratischen und sozialistischen Bewegung in der Rheinprovinz; er stellt die Verbindung mit Sozialisten aus Barmen, Elberfeld, Köln, Düsseldorf, Bonn und anderen Städten her, tritt in Versammlungen auf, in denen er die Ideen des Kommunismus propagiert, und beteiligt sich an der Herausgabe sozialistischer Schriften.
Anfang Oktober	Engels schreibt Marx einen Brief über die sozialistische Propaganda in Deutschland und über die dringende Notwendigkeit einer Darlegung der materialistischen und kommunistischen Prinzipien in zwei bis drei Büchern als theoretische Grundlage für die sozialistische Bewegung.
Nach dem 18. Oktober	Weitling schreibt aus London einen Brief an Marx, in dem er ihn bittet, mit ihm in Briefwechsel zu treten. Engels arbeitet an der „Beschreibung der in neuerer Zeit entstandenen und noch bestehenden kommunistischen Ansiedlungen". Dieser Aufsatz ist zum Teil eine deutsche Übersetzung von Veröffentlichungen in der englischen Presse. Der Aufsatz erscheint im Dezember 1844 anonym in „Deutsches Bürgerbuch für 1845".
Oktober 1844 bis Anfang April 1845	Engels setzt die Mitarbeit an „The New Moral World", dem Organ der englischen sozialistischen Owenisten, fort; in ihm erscheinen seine Korrespondenzen über die Verbreitung sozialistischer und kommunistischer Ideen in Deutschland.
19. November	In einem Brief an Marx kritisiert Engels das Buch „Der Einzige und sein Eigenthum" des Junghegelianers Max Stirner.
Zweite Hälfte November	Marx hat die Arbeit an der „Kritik der kritischen Kritik" beendet und sendet das Manuskript an den Verleger nach Frankfurt am Main. Während der Drucklegung fügt Marx dem Titel des Buches die Worte „Die heilige Familie" hinzu.
Dezember	Marx liest Max Stirners „Der Einzige und sein Eigenthum"; er beabsichtigt, darüber eine Kritik für den „Vorwärts!" zu schreiben.
Ende 1844 bis Januar 1845	Marx setzt in Paris das Studium der Werke der englischen und französischen Ökonomen des 18. und der ersten Jahrzehnte des 19. Jahrhunderts fort.

1845

Mitte Januar	Unter dem Druck Preußens verfügt die französische Regierung die Ausweisung von Karl Marx und anderer Mitarbeiter des „Vorwärts!" aus Frankreich.

1. Februar Marx schließt mit dem in Paris weilenden Darmstädter Verleger Leske einen Vertrag über die Herausgabe eines zweibändigen ökonomischen Werkes „Kritik der Politik und Nationalökonomie" ab.

Etwa 2. Februar Marx trifft sich in Paris mit dem französischen utopischen Kommunisten Étienne Cabet.

3. Februar Marx, aus Paris ausgewiesen, übersiedelt nach Brüssel.

Februar bis Juli Marx setzt in Brüssel die Arbeit an seinem ökonomischen Werk fort.

Februar bis Dezember Marx steht in Briefwechsel mit deutschen demokratischen und sozialistischen Funktionären in Paris und mit den Leitern der Pariser Gemeinden des Bundes der Gerechten.

8., 15. und 22. Februar Engels beteiligt sich in Elberfeld führend an Versammlungen, in denen die sozialistischen und kommunistischen Ideen einem größeren Hörerkreis vorgetragen werden. Engels' Reden vom 8. und 15. Februar werden im ersten Band der „Rheinischen Jahrbücher" August 1845 veröffentlicht.

Etwa 24. Februar „Die heilige Familie, oder Kritik der kritischen Kritik. Gegen Bruno Bauer und Consorten" von Friedrich Engels und Karl Marx erscheint.

28. Februar Engels erhält eine amtliche Verfügung des Oberbürgermeisters von Elberfeld, in der jegliche Versammlung in Elberfeld verboten wird, die sich mit sozialistischer und kommunistischer Thematik befaßt.

15. März Friedrich Engels hat die Arbeit an der „Lage der arbeitenden Klasse in England" beendet und sendet das Manuskript an den Verleger in Leipzig.

Frühjahr Karl Marx schreibt die Thesen über Feuerbach – „das erste Dokument, worin der geniale Keim der neuen Weltanschauung niedergelegt ist" (Engels).

März bis Mai Marx und Engels führen Verhandlungen über die Herausgabe einer „Bibliothek sozialistischer Schriftsteller des Auslandes" mit Übersetzungen der besten Werke von Fourier, Owen, Morelly, der Saint-Simonisten usw.

Etwa 5. April Engels schreibt für „The New Moral World" einen Bericht über die Versammlungen in Elberfeld, der am 10. Mai 1845 erscheint. Damit endet die Mitarbeit von Engels an dem Organ der englischen Owenisten.

Nach dem 5. April Engels, der sich bisher in Barmen aufhielt, übersiedelt nach Brüssel zu Marx.

April bis Dezember Marx und Engels treten in Verbindung mit belgischen demokratischen und sozialistischen Funktionären und mit Vertretern der polnischen revolutionären Emigration.

Ende Mai In Leipzig erscheint Friedrich Engels' Werk „Die Lage der arbeitenden Klasse in England".

Etwa 12. Juli Marx und Engels reisen gemeinsam nach London und Manchester, um die englische ökonomische Literatur zu studieren und das ökonomische

	und politische Leben Englands sowie die englische Arbeiterbewegung kennenzulernen.
Zweite Hälfte Juli bis erste Hälfte August	Während ihres Aufenthaltes in Manchester besuchen Marx und Engels die öffentlichen Bibliotheken und studieren die Werke der englischen Ökonomen.
Mitte August	Marx und Engels treffen in London mit George Harney, einem der Redakteure des „Northern Star" (Polarstern) und mit den Leitern der Londoner Gemeinden des Bundes der Gerechten Karl Schapper, Josef Moll und anderen zusammen.
Etwa 20. August	Marx und Engels beteiligen sich an einer Besprechung, an der Chartisten, Leiter des Bundes der Gerechten und Funktionäre der revolutionären und demokratischen Bewegung verschiedener Länder teilnehmen. In dieser Besprechung wird eine von Engels unterstützte Resolution angenommen, in London eine Gesellschaft der Demokraten aller Nationen für die gegenseitige Information über die demokratische und revolutionäre Bewegung in den einzelnen Ländern zu schaffen.
Etwa 24. August	Marx und Engels kehren aus England nach Brüssel zurück.
Zwischen dem 8. und 11. September	Friedrich Engels schreibt den Artikel „Das kürzliche Gemetzel in Leipzig – Die deutsche Arbeiterbewegung". Mit diesem am 13. September erschienenen Artikel beginnt seine Mitarbeit an „The Northern Star", dem Hauptorgan der Chartisten.
September	Marx und Engels beginnen mit der gemeinsamen Arbeit an der „Deutschen Ideologie", die eine wichtige Etappe bei der Ausarbeitung der theoretischen, philosophischen Grundlagen der kommunistischen Partei war. Marx unterbricht deshalb die Arbeit am Manuskript des ersten Bandes der „Kritik der Politik und Nationalökonomie".
15. Oktober	Friedrich Engels schreibt den ersten Artikel seiner Artikelreihe „Deutsche Zustände", der in „The Northern Star" vom 25. Oktober veröffentlicht wird.
8. November	In „The Northern Star" erscheint der zweite Artikel von Friedrich Engels über „Deutsche Zustände".
1. Dezember	Nachdem Marx erfahren hatte, daß die preußische Regierung von der belgischen Regierung seine Ausweisung erwirken wollte, gibt er seine preußische Staatsangehörigkeit auf.
Ende 1845	Da sich für die Herausgabe einer „Bibliothek sozialistischer Schriftsteller des Auslandes" kein Verleger fand, veröffentlicht Engels im „Deutschen Bürgerbuch für 1846" das von ihm ins Deutsche übertragene „Fragment Fouriers über den Handel" mit Einleitung und Nachwort. Mit dieser Publikation tritt Engels zum erstenmal gegen den „wahren" Sozialismus auf. Engels schreibt den Artikel „Das Fest der Nationen in London", der aber erst Ende 1846 im zweiten Band der „Rheinischen Jahrbücher" erscheint.

1846

Anfang 1846 Marx und Engels gründen in Brüssel ein kommunistisches Korrespondenz-Komitee, um den ideologischen und organisatorischen Zusammenschluß der Sozialisten und fortschrittlichen Arbeiter der verschiedenen Länder zu fördern. Sie bereiten den Boden zur Gründung einer internationalen proletarischen Partei vor und unternehmen Schritte zur Bildung von Korrespondenz-Komitees in London, Paris und einigen Städten Deutschlands.

18. Januar In einer „Erklärung" widerlegt Marx die im „Rheinischen Beobachter" Nr. 18 vom 18. Januar 1846 erschienene Meldung, daß er Mitarbeiter der „Trier'schen Zeitung" sei.

20. Februar Engels schreibt für „The Northern Star" den dritten Artikel über „Deutsche Zustände".

30. März In einer Sitzung des Brüsseler kommunistischen Korrespondenz-Komitees üben Marx und Engels in Anwesenheit von Weitling und anderen scharfe Kritik am „wahren" Sozialismus und an dem groben Gleichheitskommunismus Weitlings.

4. April In „The Northern Star" erscheint der dritte Artikel von Friedrich Engels über „Deutsche Zustände".

Ende April Marx und Engels lernen Wilhelm Wolff kennen, der aus Deutschland emigriert und kurz vorher in Brüssel eingetroffen ist. Sie schließen bald enge Freundschaft mit ihm und nehmen ihn in das Brüsseler kommunistische Korrespondenz-Komitee auf, wo Wolff zu ihrem treuen Mitarbeiter wird.
Marx und Engels setzen ihre Arbeit an der „Deutschen Ideologie" fort.

Personenverzeichnis

Aaron Gestalt aus dem Alten Testament. 341

Abraham Gestalt aus dem Alten Testament. 10 107 112 114

Adam Gestalt aus dem Alten Testament. 341

Ainsworth & Crompton Textilfabrikanten in Bolton (England). 437

Albert Francis Charles Augustus Emanuel (1819–1861) Prinzgemahl der Königin Victoria. 563

Alexander I. (1777–1825) russischer Zar (1801–1825). 217

Alison, Sir Archibald (1792–1867) englischer Historiker und Ökonom; Tory. 14 266 320 344 347–349 353 355 357 482 483

Alison, Dr. William Pulteney (1790–1859) Bruder des vorigen, Professor der Medizin an der Universität in Edinburgh; Tory. 266 320 329

Alston, G. Prediger von St. Philips, Bethnal Green, London. 261

Anaxagoras aus Klazomenä in Kleinasien (etwa 500–428 v. u. Z.) griechischer materialistischer Philosoph. 135

Antonius, Marcus (83–30 v. u. Z.) römischer Volkstribun und Feldherr, Parteigänger Julius Cäsars. 129

Aristides (etwa 540–467 v. u. Z.) griechischer Politiker und Feldherr, Vertreter einer gemäßigt-demokratischen Strömung in Athen. 128

Arkwright, Sir Richard (1732–1792) englischer Unternehmer in der Periode der industriellen Revolution; Konstrukteur und Erbauer verschiedener Spinnmaschinen. 12 241 242

Arnauld, Antoine (1612–1694) französischer Philosoph, Anhänger der idealistischen Erkenntnistheorie Descartes'; Metaphysiker. 134

Ashley, Anthony siehe *Shaftesbury, Earl of*

Ashton, Thomas Fabrikant in Hyde bei Manchester. 406

Ashton, Thomas Sohn des vorigen, 1831 während der Arbeiterunruhen erschossen. 437

Ashworth, Edmund (1801–1881) Fabrikant in Lancashire, bekämpfte aktiv die Korngesetze und die Arbeiterassoziationen. 383 406 440

Babeuf, François-Noël (Gracchus) (1760 bis 1797) französischer Revolutionär, utopischer Kommunist, Organisator der Verschwörung der „Gleichen". 49 126 612 614 620

Bacon, Francis, Viscount of Saint Albans und Baron of Verulam (Baco von Verulam) (1561–1626) englischer Philosoph, Naturforscher und Historiker. „Der wahre Stammvater des englischen Materialismus und aller modernen experimentierenden Wissenschaft ist Baco" (Marx). 135 136

Badinot Gestalt aus dem Roman „Les mystères de Paris" von Eugène Sue. 215 216

Bailey, William Fabrikant in Stalybridge. 447

Baines, Sir Edward (1800–1890) englischer bürgerlicher Ökonom, Liberaler, Herausgeber des „Leeds Mercury". 360

Barbaroux, Charles-Jean-Marie (1767–1794) Mitglied des Konvents, Girondist. 618

Bardsley, Samuel Argent (1764–1851) 1790 bis 1823 Arzt im Städtischen Krankenhaus in Manchester. 352

Barham, Charles Foster (1804–1884) englischer Arzt, 1841 Mitglied der Kommission zur Untersuchung der Kinderarbeit. 457

Barmekiden altpersisches Geschlecht, von großem Einfluß am Hofe der Abbasiden. 503

Barry, Sir David (1780–1835) englischer Arzt und Physiologe. 377–380 384–386

Bauer, Bruno (1809–1882) deutscher idealistischer Philosoph, Religionshistoriker und Publizist, Junghegelianer; nach 1866 Nationalliberaler. 7 40 42 82 83 85 89–97 99 100 105–119 122 124 125 139 142–152 154–157 159 162–167 176 203–205 223 519

Bauer, Edgar (1820–1886) Bruder des vorigen, deutscher Publizist, Junghegelianer. 19 21–25 34 35 38–43 45 51 52 54–56 82 91 155 165 166 200 223 508

Bäumler (Bäumeler, Bimeler), Joseph Michael (etwa 1778–1853) Weber, dann Lehrer in Württemberg, sagte sich von der lutheranischen Kirche los, ging 1817 nach Amerika und gründete dort die kommunistische Siedlung Zoar (Ohio). 527 528

Bayle, Pierre (1647–1706) französischer Philosoph, Skeptiker, Kritiker des religiösen Dogmatismus. 134 135

Beaumont de la Bonninière, Gustave-Auguste (1802–1866) französischer bürgerlicher Publizist und Politiker, Verfasser von Büchern über die Sklaverei und über die Strafanstalten in den USA. 198

Beaumont, Thomas (gest. 1859) Wundarzt in Bradford. 377 380

Becker, August (1814–1871) in den vierziger Jahren Anhänger Weitlings, leitete nach dessen Verhaftung (1842) die kommunistische Handwerkerbewegung in der Schweiz; Verfasser von „Was ist ein Kommunist?" (1844) und „Was wollen die Kommunisten?" (1844). 520

Benda, Daniel Alexander (1786–1870) liberaler Publizist. 10

Benedix, Roderich (1811–1873) deutscher Literat und Lustspieldichter, leitete 1845 das neue Theater in Elberfeld. 516

Bentham, Jeremy (1748–1832) englischer bürgerlicher Soziologe, Theoretiker des Utilitarismus: „Ein Genie in der bürgerlichen Dummheit" (Marx). 139–141 189 199 205 455

Bentley & White Besitzer einer Sägemühle in Bury, Lancashire. 438

Béraud, F.-F.-A. Pariser Polizeikommissar, schrieb ein Buch über die Prostitution. 20 165

Berrier-Fontaine, Camille (geb. etwa 1806) französischer Arzt, Republikaner, kam nach dem Aprilprozeß 1834 ins Gefängnis St. Pélagie, von wo er 1835 entwich; Teilnehmer der Revolution 1848/49. 620 622 623

Birley Fabrikant in Manchester; Tory. 443 448

Blackstone, Sir William (1723–1780) englischer Jurist und Parlamentarier; Verteidiger der englischen konstitutionell-monarchischen Ordnung. 207

Blanc, Louis (1811–1882) französischer kleinbürgerlicher Sozialist, Journalist und Historiker; 1848 Mitglied der provisorischen Regierung, predigte die „Versöhnung" der Klassen sowie der Arbeit mit dem Kapital. 622 623

Bodz, Boz siehe *Dickens, Charles*

Böhme, Jakob (1575–1624) von Beruf Schuhmacher, mystischer Philosoph. 135

Borthwick, Peter (1804–1852) englischer Politiker, Tory, Mitglied der Gruppe Junges England, kritisierte das Fabriksystem vom reaktionären Standpunkt der feudalen Aristokratie. 502

Bourbonen Dynastie französischer Könige (1589–1792, 1814–1815 und 1815–1830). 86 131

Bouverie, William Pleydell, Earl of Radnor (1779–1869) englischer Politiker; Whig. 480

Bowers Fabrikant. 402

Bradamanti siehe *Polidori*

Bras rouge (Rotarm), Gestalt aus dem Roman „Les mystères de Paris“ von Eugène Sue. 77

Braunschweig siehe *Friedrich Wilhelm, Herzog von Braunschweig*

Bridgewater, Francis Egerton, Duke of (1736 bis 1803) englischer Großgrundbesitzer. 249

Brindley, James (1716–1772) englischer Ingenieur. 249

Brocklehurst, J. (1788–1870) Seidenfabrikant und Bankier, Parlamentsmitglied für Macclesfield 1832–1866; Liberaler. 415

Brougham, Henry Peter (Lord Brougham and Vaux) (1778–1868) englischer Jurist und Staatsmann, Lordkanzler; Whig. 402

Brüggemann, Karl Heinrich (1810–1887) Nationalökonom und liberaler Publizist; 1846–1855 Chefredakteur der „Kölnischen Zeitung“ 10

Bruno siehe *Bauer, Bruno*

Brutus, Marcus Junius (etwa 85–42 v. u. Z.) römischer Staatsmann, einer der Initiatoren der aristokratisch-republikanischen Verschwörung gegen Julius Cäsar. 128 129

Buchez, Philippe-Joseph-Benjamin (1796 bis 1865) Schüler Saint-Simons; französischer Politiker und Historiker, bürgerlicher Republikaner, einer der Ideologen des neukatholischen Sozialismus; 1848 Präsident der provisorischen Regierung. 127 223

Buckingham, James Silk (1786–1855) englischer Schriftsteller und Reisender, 1832 bis 1837 Parlamentsmitglied, trat für soziale Reformen ein; lebte 1837–1840 in Amerika. 530

Buonarroti, Filippo Michele (1761–1837) italienischer Revolutionär, Teilnehmer an der revolutionären Bewegung in Frankreich Ende des 18., Anfang des 19. Jahrhunderts; utopischer Kommunist, Mitkämpfer Babeufs. Buonarrotis Buch „Conspiration pour l'égalité dite de Babeuf“ [Babeuf und die Verschwörung für die Gleichheit] (1828) diente der Wiedererweckung der Babeufschen Traditionen in der revolutionären Arbeiterbewegung. 126 620

Bürgers, Heinrich (1820–1878) radikaler Publizist; Mitglied des Bundes der Kommunisten (1847–1852), später Nationalliberaler. 519

Burns Mitglied der Kommission zur Untersuchung der Kinderarbeit. 413

Bussey, Peter Wirt in Bradford, Chartist; Delegierter zum Chartistenkonvent 1839, wo er den Standpunkt der „physischen Gewalt“ vertrat. 446

Byron, George Noël Gordon, Lord (1788 bis 1824) englischer Dichter, Vertreter der revolutionären Romantik. 455

Cabanis, Pierre-Jean-George (1757–1808) französischer Arzt und materialistischer Philosoph. 133

Cabet, Étienne (1788–1856) französischer Jurist und Publizist, utopischer Kommunist, Verfasser des utopischen Romans „Voyage en Icarie“ [Reise nach Ikarien] (1842). 139 623

Cabrion Gestalt aus dem Roman „Les mystères de Paris“ von Eugène Sue. 79 80

Canning, George (1770–1827) englischer Staatsmann und Diplomat; Tory; 1808 bis 1809 und 1822–1827 Außenminister. 586

Carlyle, Thomas (1795–1881) englischer Schriftsteller, Historiker und idealistischer Philosoph; Verfechter des Heroenkults; vertrat Auffassungen, die dem feudalen Sozialismus der vierziger Jahre nahekamen; nach 1848 offener Feind der Arbeiterbewegung. 14 299 320 321 345 346 439 484 486 502 619

Carter Totenbeschauer in Surrey (Stadtteil im Süden Londons). 262

Cartwright, Edmund (1743–1823) Erfinder des mechanischen Webstuhls. 242

Cäsar, Gajus Julius (etwa 100–44 v. u. Z.) römischer Feldherr und Staatsmann. 128 129

Cassius, Gajus Longinus (gest. 42 v. u. Z.) römischer Politiker, Volkstribun; einer der Initiatoren der aristokratisch-republikanischen Verschwörung gegen Julius Cäsar. 129

Catilina, Lucius Sergius (etwa 108–62 v.u.Z.) römischer Politiker, Patrizier, Organisator der nach ihm benannten Verschwörung gegen die aristokratische Republik. 128 129

Cato, Marcus Porcius („Cato der Jüngere") (95–46 v. u. Z.) römischer Staatsmann, Haupt der aristokratisch-republikanischen Partei; Stoiker; nach dem Fall der Republik machte er seinem Leben selbst ein Ende. 129

Cecily Gestalt aus dem Roman „Les mystères de Paris" von Eugène Sue. 71 72 217

Chadwick, Edwin (1800–1890) Sekretär der Armengesetz-Kommission, Mitglied einiger Parlamentskommissionen für Fragen der Fabrikgesetzgebung. 267

Champneys, William Weldon (1807–1875) englischer Prediger; bürgerlicher Philanthrop. 316

Chaptal, Jean-Antoine-Claude (1756–1832) französischer Chemiker, bürgerlicher Politiker. 212

Chatelain Gestalt aus dem Roman „Les mystères de Paris" von Eugène Sue. 212

Chouette (Eule), Gestalt aus dem Roman „Les mystères de Paris" von Eugène Sue. 191–197 199

Chourineur Gestalt aus dem Roman „Les mystères de Paris" von Eugène Sue. 173 bis 176 179 191 193 197 218 219

Clodius Pulcher, Publius (gest. 52 v. u. Z.) römischer Volkstribun, Parteigänger Julius Cäsars. 128

Cobden, Richard (1804–1865) englischer Fabrikant, Liberaler, Anhänger des Freihandels, einer der Gründer der Anti-Corn-Law League (Antikorngesetzliga). 595 613 614

Codrus (Kodros) angeblich letzter König von Athen, der, nach der Überlieferung, durch freiwilligen Tod sein Vaterland rettete. 129

Collins, Anthony (1676–1729) englischer materialistischer Philosoph. 136

Collins, John Anderson (gest. nach 1879) englischer, nach Amerika ausgewanderter Fourierist, Gegner der Negersklaverei, gründete 1843 eine kommunistische Siedlung in Skaneateles N.Y. Herausgeber und Redakteur des „Communist". 530

Comte, François-Charles-Louis (1782–1837) französischer liberaler Publizist, Vulgärökonom. 25 46–48

Condillac, Étienne-Bonnot de (1715–1780) französischer Philosoph, Deist und Sensualist, Anhänger Lockes. 134 137

Condorcet, Marie-Jean-Antoine-Nicolas, marquis de (1743–1794) französischer bürgerlicher Soziologe, Aufklärer; zur Zeit der französischen bürgerlichen Revolution Ende des 18. Jahrhunderts schloß er sich den Girondisten an. 618

Cooper, Thomas (1805–1892) englischer Dichter und Journalist, Anfang der vierziger Jahre Chartist, später Methodistenprediger. 616

Couthon, Georges-Auguste (1755–1794) Jakobiner, enger Mitarbeiter Robespierres. 619

Cowan, Robert Arzt, Verfasser der „Vital Statistics of Glasgow". 335

Coward, William (etwa 1656–1725) englischer Arzt, materialistischer Philosoph. 136

Cowell, S. W. 1833 Mitglied der Kommission zur Untersuchung der Fabrikarbeit. 372 373 377 382 384–386

Crémieux, Isaac-Moïse, dit Adolphe (1796 bis 1880) französischer Advokat und Politiker, in den vierziger Jahren bürgerlicher Liberaler. 122

Crompton, Samuel (1753–1827) englischer Mechaniker, Erfinder einer Spinnmaschine. 12 241

Dante, Alighieri (1265–1321). 558

Danton, Georges-Jacques (1759–1794) Advokat in Paris, Politiker der französischen bürgerlichen Revolution Ende des 18. Jahrhunderts; Führer des rechten Flügels der Jakobiner. 128 129 614

Darthé, Augustin-Alexandre (1769–1797) französischer Revolutionär, Anhänger Babeufs. 620

David Gestalt aus dem Roman „Les mystères de Paris" von Eugène Sue. 72 174 188 217 219

Davy, Sir Humphry (1778–1829) englischer Chemiker und Physiker. 248 463

Demokrit (Demokritos) von Abdera (etwa 460–370 v. u. Z.) altgriechischer Philosoph; einer der Begründer der Atomistik, gab als erster ein materialistisches Weltbild, das durch viele Schüler weiterentwickelt wurde. 133 135

Demosthenes (384–322 v. u. Z.) Redner des griechischen Altertums, stritt in seinen antimakedonischen Reden (Philippiken) für Griechenlands Unabhängigkeit. 128

Descartes, René (1596–1650) französischer Philosoph, Mathematiker und Naturforscher (Physiker). 132–134 137 138 140

Destutt de Tracy, Antoine-Louis-Claude, comte de (1754–1836) französischer Vulgärökonom, sensualistischer Philosoph; Anhänger der konstitutionellen Monarchie. 34

Dézamy, Théodore (1803–1850) französischer Publizist, Vertreter der revolutionären Richtung des utopischen Kommunismus. 139

Dickens, Charles (Pseudonym: *Boz*) (1812 bis 1870) englischer realistischer Schriftsteller. 9

Diderot, Denis (1713–1784) französischer Philosoph, Vertreter des mechanischen Materialismus, Atheist; einer der Ideologen der französischen revolutionären Bourgeoisie, Aufklärer. 138 454

Diergardt, Friedrich (1795–1869) Textil-Großfabrikant im Rheinland, Landtagsabgeordneter, später Herrenhausmitglied. 613 614

Disraeli (D'Israeli), Benjamin, Earl of Beaconsfield (1804–1881) englischer Politiker und Schriftsteller, in den vierziger Jahren schloß er sich der Gruppe Junges England an; später Führer der Konservativen Partei; Premierminister (1868 und 1874–1880). 351 502

Dodwell, Henry (the younger) (gest. 1784) englischer materialistischer Philosoph, Deist. 136

Don Quijote (Quichotte) Gestalt aus dem gleichnamigen Roman von Cervantes. 221

Douglas Fabrikant in Pendleton (Manchester). 377

Drinkwater 1833 Mitglied der Kommission zur Untersuchung der Fabrikarbeit. 377 379 400

Duncombe, Thomas Slingsby (1796–1861) englischer Politiker, bürgerlicher Radikaler, in den vierziger Jahren Teilnehmer an der Chartistenbewegung. 251 471 493 623

Duns Scotus, John (etwa 1265–1308) franziskanischer Scholastiker, Vertreter des Nominalismus, der im Mittelalter der erste Ausdruck des Materialismus war. 135

Dupuis, Charles-François (1742–1809) französischer Philosoph, Aufklärer. 138

Duquesnoy, Ernest-Dominique (1748–1795) Mitglied des Konvents. 620

Duroy, Jean-Michel (1753–1795) Mitglied des Konvents, Montagnard. 620

Edgar siehe *Bauer, Edgar*

Egidius, H. L. siehe *Weil, Carl*

Eleonore Gestalt aus den „Poésies érotiques" von Parny. 72

Elizabeth (1533–1603) Königin von England (1558–1603). 494

Ellis, William Führer der Chartistenorganisation in Staffordshire; wegen Teilnahme am Aufstand im August 1842 zu 20 Jahren Deportation nach Australien verurteilt. 623

Engels, Friedrich (1820–1895) (siehe Daten seines Lebens und seiner Tätigkeit). 8 33 231 234 254 481 512 514 516–519 610 624

Epikur (etwa 341 bis etwa 270 v. u. Z.) griechischer materialistischer Philosoph, Atheist. 133

Faraday, Michael (1791–1867) englischer Physiker und Chemiker. 471

Faucher, Julius (Jules) (1820–1878) deutscher Vulgärökonom und Schriftsteller, Junghegelianer; Anhänger des Freihandels in Deutschland. 7 12 39 42 82 85 91

Faucher, Léon (1803–1854) französischer bürgerlicher Publizist und Politiker, gemäßigter Liberaler, erbitterter Feind der Arbeiterbewegung. 417

Ferrand, Jacques Gestalt aus dem Roman „Les mystères de Paris" von Eugène Sue. 72–74 218 221

Ferrand, William Bushfield englischer Grundeigentümer; Tory. 493 502

Feuerbach, Ludwig (1804–1872). 41 58 87 97–99 132 134 147 149 155 233 507 515 604

Fichte, Johann Gottlieb (1762–1814). 127 147 567

Fielden, John (1784–1849) englischer Fabrikant, Philanthrop, Anhänger der Fabrikgesetzgebung. 502

Finch, John englischer Journalist, Mitarbeiter der „New Moral World", Anhänger Owens. 518 523 526 528 529

Fleischhammer, Emil Breslauer Mitarbeiter der „Allgemeinen Literatur-Zeitung". 153 154

Fleur de Marie (Marien-Blume), Gestalt aus dem Roman „Les mystères de Paris" von Eugène Sue. 173 176–187 191 193 194 197 199 206 216 217 220 221

Fontaine, Dr. siehe *Berrier-Fontaine*

Forster, Johann Georg (1754–1794) deutscher Naturforscher und Schriftsteller, Demokrat, Anhänger der Französischen Revolution; gründete 1793 in Mainz die erste demokratische Republik auf deutschem Boden. 577

Fourier, François-Marie-Charles (1772 bis 1837). 32 85 88 92 139 205 207 208 213 511 555 603–607

Foy, Maximilien-Sébastien (1775–1825) französischer General und liberaler Abgeordneter. 78

Franks Berichterstatter an die Kommission zur Untersuchung der Kinderarbeit. 425

Friedrich Ferdinand Leopold Erzherzog von Österreich. 563

Friedrich Wilhelm Herzog von Braunschweig (1771–1815). 617

Friedrich Wilhelm III. (1770–1840) König von Preußen (1797–1840). 559 572 576 578 582

Froment, M. Pariser Polizeibeamter während der Restauration. 78

Frost, John (1784–1877) englischer kleinbürgerlicher Radikaler, trat 1838 der Chartistenbewegung bei; wegen Organisierung des Bergarbeiteraufstandes in Wales 1839 zu lebenslänglicher Deportation nach Tasmanien verurteilt; er wurde 1856 amnestiert und kehrte nach England zurück. 446 623

Galway, Ann Londoner Arbeiterin, starb 1843 den Hungertod. 262

Gans, Eduard (etwa 1797–1839) Professor der Rechtswissenschaft in Berlin, Hegelianer, Herausgeber von Hegels „Grundlinien der Philosophie des Rechts" und „Vorlesungen über die Philosophie der Geschichte". 190

Gaskell, Peter Arzt in Manchester, bürgerlicher Publizist; Liberaler. 14 297 332 354 358 502

Gassendi, Pierre (1592–1655) französischer materialistischer Philosoph, Physiker und Mathematiker. 133

Gay, Jules (1807 bis nach 1876) französischer utopischer Kommunist, Verleger des Journals „Le Communiste" (1849). 139

George, Madame Gestalt aus dem Roman „Les mystères de Paris" von Eugène Sue. 181 182 184 217 218

Germain Gestalt aus dem Roman „Les mystères de Paris" von Eugène Sue. 175 209 217

Gibson schottischer Bauarbeiter. 598

Gilbert, Thomas (1720–1798) englischer Politiker, Mitglied des Parlaments, Armengesetzreformer. 500

Ginal deutscher Prediger in Philadelphia, Gründer einer Siedlung in Pennsylvania. 530

Girard, Philippe-Henri de (1775–1845) französischer Ingenieur, Erfinder der Flachsspinnmaschine. 245

Godwin, William (1756–1836) englischer kleinbürgerlicher Schriftsteller und Publizist, Rationalist, einer der Begründer des Anarchismus. 455

Goethe, Johann Wolfgang von (1749–1832). 186 567

Graham ein Streikbrecher. 438

Graham, George General-Registrator. 334

Graham, Sir James Robert George (1792 bis 1861) englischer Staatsmann; von 1841 bis 1846 Innenminister der Tory-Regierung Peel. 14 16 395 396

Grainger, Richard Dugard (1801–1865) Anatom und Physiologe, 1841 Inspektor der Kinderkrankenhäuser, Mitglied der Kommission zur Untersuchung der Kinderarbeit. 333 340 409 411 412 419

Graun Gestalt aus dem Roman „Les mystères de Paris" von Eugène Sue. 214–217 219

Greg, Robert Hyde (1795–1875) Fabrikant, Liberaler, Vorsitzender der Handelskammer von Manchester. 382 406

Grotius, Hugo (Huigh de Groot) (1583–1645) niederländischer Staatsrechtslehrer, Jurist, einer der Begründer des neueren bürgerlichen Völkerrechts. 50

Grün, Karl (1817–1887) kleinbürgerlicher Publizist, in den vierziger Jahren einer der Hauptvertreter des „wahren" Sozialismus. 512

Gruppe, Otto Friedrich (1804–1876) Publizist und idealistischer Philosoph, Antihegelianer, trat 1842 mit einem Pamphlet gegen Bruno Bauer auf. 166

Hahnemann Gestalt aus dem Volksbuch „Die sieben Schwaben". 172

Hamilton, Alexander, Duke of (1767–1852) Besitzer von Kohlengruben in Schottland, Parlamentsmitglied; Whig. 465

Hardenberg, Karl August, Fürst von (1750 bis 1822) seit 1810 preußischer Staatskanzler; um den preußischen Staat zu festigen, führte er 1810–1813 eine Reihe unvollkommener bürgerlicher Reformen durch; nach dem Wiener Kongreß vertrat er die reaktionäre Politik der Heiligen Allianz. 573

Hargreaves, James (gest. 1778) Erfinder der Spinnmaschine Jenny. 12 239

Harney, George Julian (1817–1897) einflußreicher Funktionär der englischen Arbeiterbewegung, Führer des linken Flügels der Chartisten; Redakteur des Hauptorgans der Chartisten „The Northern Star"; Freund von Marx und Engels. 616 623

Hartley, David (1705–1757) englischer Arzt und materialistischer Philosoph. 136

Harun al Raschid (765–809) Kalif von Bagdad (786–809). 190

d'Harville, Clémence, Marquise Gestalt aus dem Roman „Les mystères de Paris" von Eugène Sue. 66 205 206 217

Haslam, Messrs., Besitzer der Pentrich-Kohlenzeche. 468

Hawkins, Francis Bisset (1796–1894) Arzt und medizinischer Schriftsteller, 1833 Fabrikinspektor, 1836 Gefängnisinspektor. 336 368 371–373 377 381 384 385 392 398

Heathcote, John (1783–1861) erfand 1809 die Bobbin-net-Maschine. 243

Hébert, Jacques-René (1757–1794) französischer Revolutionär, Führer des linken Flügels der Jakobiner. 120

Hegel, Georg Wilhelm Friedrich (1770–1831). 12 18 20 22 23 41 59 62 63 83 89 90 92 94 96 97 109 114 120 132 138 139 145–147 149 177 178 190 203–205 213 233 567 604 605 607 611

Heine, Heinrich (1797–1856). 512

Helvétius, Claude-Adrien (1715–1771) französischer Philosoph, Vertreter des mechanischen Materialismus, Atheist, einer der Ideologen der französischen revolutionären Bourgeoisie. 134 137 139 140 454

Henfrey Bauunternehmer in Manchester. 598 599

Hennen, John (1779–1828) Militärarzt, oberster Amtsarzt für Schottland. 267

Herkules (Herakles) Held der griechischen Mythologie, Sohn des Zeus; Verkörperung der Kraft und Ausdauer. 171 213

Heß, Moses (1812–1875) deutscher Publizist, Mitbegründer und Mitarbeiter der „Rheinischen Zeitung"; Mitte der vierziger Jahre einer der Hauptvertreter des „wahren" Sozialismus; später Lassalleaner. 512 514 516–519

Hey, William (bei Engels irrtümlich *Hay* und *Kay*) (1772–1844) englischer Arzt in Leeds, Berichterstatter an die Kommission zur Untersuchung der Fabrikarbeit 1833. 376 377

Higby (Hizby) E. L. Teilhaber der Eisenfabrik King, Higby & Anderson zu Pittsburg, Gründer einer kommunistischen Siedlung. 530

Hindley, Charles Fabrikant aus Ashton, Radikaler, unterstützte die Fabrikgesetzgebung. 502

Hinrichs, Hermann Friedrich Wilhelm (1794 bis 1861) Althegelianer, Professor der Philosophie in Halle. 95–98 103 109 115 145 146 148 149

Hirsch, Samuel (1809–1889) Rabbiner in Dessau, Religionsschriftsteller. In seinen Schriften machte er den Versuch, die jüdische Religionslehre philosophisch zu begründen. 92 93

Hirzel, Konrad Melchior (1793–1843) Schweizer Staatsmann und Publizist, Züricher Mitarbeiter der „Allgemeinen Literatur-Zeitung". 153–156 222

Hizby siehe *Higby*

Hobbes, Thomas (1588–1679) englischer Philosoph, Vertreter des mathematisch-mechanischen Materialismus. 133 136

Hobhouse, John Cam, Baron Broughton de Gyfford (1786–1869) englischer liberaler Politiker. 391 394

Hobson, Joshua englischer Journalist, Chartist. Herausgeber des „Northern Star". 616

Hofer, Andreas (1767-1810) Tiroler Bauer („Sandwirt"), Anhänger des Hauses Habsburg, 1809 Führer des Tiroler Aufstandes gegen Frankreich und Bayern. 577

Holbach, Paul-Heinrich-Dietrich baron d' (1723–1789) französischer Philosoph, Vertreter des mechanischen Materialismus, Atheist, Ideologe der französischen revolutionären Bourgeoisie. 137 140 454

Holland, P. H. Arzt in Manchester. 335

Homer legendärer epischer Dichter der griechischen Antike, dem die Epen „Ilias" und „Odyssee" zugeschrieben werden. 49 200

Hood, Thomas (1799–1845) englischer realistischer Dichter und Schriftsteller, kleinbürgerlicher Demokrat; Mitarbeiter und Herausgeber verschiedener Zeitschriften. 428

Horne, Richard Henry (1803–1884) englischer Dichter, Schriftsteller und Dramatiker, 1841 Mitglied der Kommission zur Untersuchung der Kinderarbeit. 340 341 366 420 421

Horner, Leonard (1785–1864) englischer Geologe, staatlicher Fabrikinspektor, Mitglied der Kommission zur Untersuchung der Fabrikarbeit 1833 und der Kinderarbeit 1841. 394

Hübner, Karl (1814–1879) deutscher realistischer Maler, bekannt durch sein Gemälde vom Leben der schlesischen Weber und andere Schilderungen des sozialen Elends. 510

Hunt, Thomas gründete mit englischen Sozialisten die Ansiedlung „Equality" im Staate Wisconsin. 530

Huntsman, Benjamin (1704–1776) englischer Erfinder. 247

Huskisson, William (1770–1830) englischer Politiker, Tory; Handelsminister (1823 bis 1827), trat für ökonomische Zugeständnisse an die Industrie-Bourgeoisie ein. 586

Ibbetson Fabrikant in Sheffield. 437

Jeremias jüdischer Prophet, ihm werden die Klagelieder über den Untergang Jerusalems zugeschrieben. 347

St. Johann Gestalt aus dem Neuen Testament. 341

Johann (1801–1873) Prinz von Sachsen, ab 1854 König von Sachsen. 558 559

Johns, William Arzt, Oberregistrator des Manchester-Distrikts. 369

Johnson Arbeiter bei Pauling & Henfrey. 600

Jones, William Uhrmacher, Chartist, einer der Organisatoren des Bergarbeiteraufstandes in Wales 1839; zusammen mit Frost und Williams zu lebenslänglicher Deportation nach Tasmanien verurteilt. 623

Jungnitz, Ernst (gest. 1848) Publizist, Junghegelianer, Mitarbeiter der „Allgemeinen Literatur-Zeitung". 17

Kaiser, Heinrich Wilhelm Verfasser von „Die Persönlichkeit des Eigenthums", Bremen 1843. 608

Kant, Immanuel (1724–1804). 190 567

Karl V. (1500–1558) Habsburger, König von Spanien (1516–1555) und deutscher Kaiser (1519–1556). 565

Karl I. (1600–1649) König von Großbritannien und Irland (1625–1649); wurde während der englischen bürgerlichen Revolution des 17. Jahrhunderts hingerichtet. 555

Karl II. (1630–1685) König von Großbritannien und Irland (1660–1685). 500

Kay-Shuttleworth, James Phillipps (1804 bis 1877) englischer Arzt in einem Armendistrikt von Manchester. 282 292 293 295 bis 297 321 398

Kennedy, John (1769–1855) Textilfabrikant in Manchester. 399

Kitchen Fabrikant in Sheffield. 438

Knight Arzt in Sheffield. 421 422

Köchlin 1845 Direktor einer Spinnerei in Eßlingen (Württemberg), Protektionist. 613 614

Köttgen (Koettgen) Gustav Adolf (1805 bis 1882) Maler und Dichter; nahm in den vierziger Jahren an der Arbeiterbewegung teil; stand dem „wahren" Sozialismus nahe. 516 517

Krug, Wilhelm Traugott (1770–1842) philosophischer Schriftsteller. 158

Kurfürst von Hessen siehe *Wilhelm IX.*

Lachtaube siehe *Rigolette*

Lafayette (La Fayette), Marie-Joseph-Paul, marquis de (1757–1834) französischer Staatsmann und General; nahm am Amerikanischen Unabhängigkeitskrieg teil; zur Zeit der Französischen Revolution Befehlshaber der Nationalgarde; 1830 einer der Wegbereiter für die Thronbesteigung Louis-Philippes. 617 618

Laffitte, Jacques (1767–1844) französischer Bankier und Politiker, Vertreter der Finanzbourgeoisie. 582

Lamettrie (La Mettrie), Julien Offray de (1709–1751) französischer Arzt und Philosoph, konsequenter Vertreter des mechanischen Materialismus. 133 137

Laporte Gestalt aus dem Roman „Les mystères de Paris" von Eugène Sue. 181 bis 184

Law, John, of Lauriston (1671–1729) schottischer Ökonom und Finanzier, Generalkontrolleur der Finanzen in Frankreich (1719–1720); bekannt durch seine Spekulationsaffären bei der Herausgabe von Papiergeld, die 1720 mit einem gewaltigen Krach endeten. 133

Leach, James Baumwollweber, in den vierziger Jahren Chartistenführer. 361 363 400 401 413 415 416 595

Leclerc, Théophile (geb. 1771) in der französischen bürgerlichen Revolution führendes Mitglied der „Wütenden", der äußersten Linken im Konvent, die die Interessen der ärmsten Schichten der Werktätigen in Stadt und Land vertraten. 126

Lee, John (1779–1859) Prediger, ab 1840 Rektor der Universität Edinburgh. 266

Lehon Pariser Notar. 74

Leibniz, Gottfried Wilhelm Freiherr von (1646–1716) deutscher Mathematiker und idealistischer Philosoph. 104 132 134 137 138

Leifchild, John Roby Mitglied der Kommission zur Untersuchung der Kinderarbeit. 425

Leon, Graf (Bernhard Müller) deutscher Kolonist in Amerika, betrog die Siedler der Kolonie Neu-Harmony und gründete mit etwa 250 Anhängern die Gemeinde Neu-Jerusalem in Philippsburg. Nach deren Auflösung starb er als Landstreicher. 526

Le Roy (De Roy), Henry (1598–1679) holländischer Arzt, Philosoph. 133

Lessing, Karl Friedrich (1808–1880) deutscher Maler. 511

Lindley Erfinder der Point-net-Maschine. 243

List, Friedrich (1789–1846) deutscher Ökonom, der theoretische Vertreter der aufsteigenden Bourgeoisie vor 1848; Anhänger des Protektionismus. 551 552

Locke, John (1632–1704) englischer sensualistischer Philosoph, bürgerlicher Ökonom. 132 135–138 140

Londonderry siehe *Steward, Charles William*

Lot Gestalt aus dem Alten Testament. 9

Loudon, Charles (1801–1844) englischer Arzt und sozialpolitischer Schriftsteller, 1833 Mitglied der Kommission zur Untersuchung der Fabrikarbeit. 376–378 381 383 385 386

Loustalot, Elisée (1762–1790) französischer Publizist, demokratischer Revolutionär. 87

Lovett, William (1800–1877) englischer kleinbürgerlicher Radikaler, Teilnehmer an der Chartistenbewegung, Anhänger der „Moralischen Kraft" und der Zusammenarbeit mit der Bourgeoisie. 444

Lucenay, Herzogin von Gestalt aus dem Roman „Les mystères de Paris" von Eugène Sue. 66

Ludwig XIV. (1638–1715) König von Frankreich (1643–1715). 58

Lüning, Otto (1818–1868) Arzt und Publizist, seit 1844 Vertreter des „wahren" Sozialismus, Herausgeber des „Weserdampfboots" (1844), des „Westphälischen Dampfboots" (1845–1848) und der demokratischen „Neuen Deutschen Zeitung" (1848–1850); nach 1866 Nationalliberaler. 512 518

Lyell, Charles (1797–1875) englischer Geologe. 471

Lykurg legendärer Gesetzgeber Spartas, lebte nach der Überlieferung im 9. Jahrhundert v. u. Z. 128 129

MacAdam (McAdam), John Loudon (1756 bis 1836) englischer Straßeninspektor, Spezialist für Landstraßenbau. 248

MacCulloch (McCulloch), John Ramsay (1789–1864) englischer bürgerlicher Ökonom, Apologet der kapitalistischen Ordnung, Vulgarisator der Lehre Ricardos. 243 503

MacDurt, Thomas Arbeiter. 384

MacGregor, Sarah Gestalt aus dem Roman „Les mystères de Paris" von Eugène Sue. 66 68 69 218–221

MacKellar Arzt in Pencaithland. 462

Mackintosh Mitglied der Kommission zur Untersuchung der Fabrikarbeit 1833. 378 383 386 392

MacPherson Mutter einer Streikbrecherin, wurde ermordet. 438

MacQuarry ein Streikbrecher. 438

Maître d'école (Schulmeister), Gestalt aus dem Roman „Les mystères de Paris" von Eugène Sue. 173 175 187–199 214 217–219

Malebranche, Nicolas de (1638–1715) französischer idealistischer Philosoph, Metaphysiker. 132 134 137 138

Malthus, Thomas Robert (1766–1834) englischer Geistlicher und Ökonom, Verfasser der reaktionären Theorie von der Übervölkerung, die das Elend der Werktätigen rechtfertigen soll. 310 311 364 493–496

Mandeville, Bernard de (1670–1733) englischer Arzt, Satiriker und Ökonom; verspottete die bürgerlichen Enthaltsamkeits- und Moralheuchler „unendlich kühner und ehrlicher als die philisterhaften Apologeten der bürgerlichen Gesellschaft" (Marx). 138

Manners, Lord John James Robert (1818 bis 1906) Tory, Mitglied der Gruppe Junges England. 502

Marat, Jean-Paul (1743–1793) französischer Revolutionär und Publizist, in der französischen bürgerlichen Revolution Ende des 18. Jahrhunderts einer der konsequentesten Führer des Jakobinerklubs; Herausgeber des „Ami du peuple" [Freund des Volkes]. 86 614 619

Martin du Nord, Nicolas-Ferdinand-Marie-Louis-Joseph (1790–1847) Generalprokurator beim Gerichtshof in Paris; Justizminister (1840). 122 124

Martineau, Harriet (1802–1876) englische Schriftstellerin, trat für soziale Reformen ein. 530

Marx, Karl (1818–1883) (siehe Daten seines Lebens und seiner Tätigkeit). 512 514 515 519 625

Mathew, Theobald (1790–1856) irischer katholischer Priester, Mäßigkeitsapostel. 355

Maude, Daniel Friedensrichter in Manchester. 594–600 602 603

Mead, Edward P. englischer Arbeiterdichter, seine Gedichte erschienen in der Chartistenzeitung „The Northern Star". 405

Melish, John (1771–1822) Schriftsteller, Geograph und Reisender, besuchte und beschrieb kommunistische Ansiedlungen in Amerika. 530

Mellor alter Arbeiter in der Fabrik von Pauling & Henfrey. 598

Menenius, Agrippa (gest. 493 v. u. Z.) römischer Patrizier. 440

Menzel, Wolfgang (1798–1873) reaktionärer Schriftsteller und Literaturkritiker. 162

Miles Name der alten keltischen Könige von Irland. 320

Miles, William (1797–1878) englischer Bankier, „ein ganz obskures Parlamentsmitglied" (Engels). 493

Miller Hauptmann, Polizeisuperintendent von Glasgow. 270

Miltiades (gest. 489 v. u. Z.) athenischer Feldherr und Staatsmann, unter seiner Führung siegten die Athener in der Schlacht bei Marathon (490 v. u. Z.) über die Perser. 128

Minerva römische Göttin der Weisheit. 440

Mirabeau, Honoré-Gabriel-Victor Riqueti, comte de (1749–1791) Politiker der französischen bürgerlichen Revolution Ende des 18. Jahrhunderts, Verfechter der Interessen der Bourgeoisie und des verbürgerlichten Adels. 619

Mitchell, James (etwa 1786–1844) veröffentlichte eine Reihe populärwissenschaftlicher Arbeiten; 1841 Mitglied der Kommission zur Untersuchung der Kinderarbeit. 457 458

Molière, (eigtl. *Jean-Baptiste Poquelin*) (1622 bis 1673) französischer Komödiendichter. 57

Moll, Joseph (1812–1849) Uhrmacher aus Köln, führendes Mitglied des Bundes der Gerechten und der Londoner Zentralbehörde des Bundes der Kommunisten; fiel während des badischen Aufstandes am 29. Juni 1849 im Gefecht an der Murg. 620

Monier de la Sizeranne, Paul-Jean-Ange-Henri, comte (1797–1878) französischer Publizist und Dramatiker. 78

Monk Londoner Jurist. 598–600

Monteil (Montheil), Amans-Alexis (1769 bis 1850) französischer Historiker. 74

Montyon, Jean-Baptiste-Antoine Auget, baron de (1733–1820) französischer Philanthrop, stiftete einen großen Teil seines Vermögens für einen jährlich auszuteilenden „Tugendpreis". 200

Morel Gestalt aus dem Roman „Les mystères de Paris" von Eugène Sue. 58

Morel, Louise Gestalt aus dem Roman „Les mystères de Paris" von Eugène Sue. 207

Moses Gestalt aus dem Alten Testament. 341

Müller, Wilhelm (Pseudonym: *Wolfgang Müller von Königswinter*) (1816–1873), deutscher Arzt und Dichter. 517

Münzer, Thomas (etwa 1490–1525). 577

Murph Gestalt aus dem Roman „Les mystères de Paris" von Eugène Sue. 80 175 213–219

Napoleon I. Bonaparte (1769–1821) Kaiser der Franzosen (1804–1814 und 1815). 11 86 129–131 341 568–574 576–578 619

Nauwerck (Nauwerk), Karl Ludwig Theodor (1810–1891) Publizist und Politiker; Mitarbeiter an den „Hallischen Jahrbüchern", den „Deutschen Jahrbüchern", den „Anekdota" und der „Rheinischen Zeitung"; er gehörte zum Kreis der Freien; Mitglied der Frankfurter Nationalversammlung (äußerste Linke). 16–18

Nelson, Horatio, Viscount (1758–1805) englischer Admiral, volkstümlicher englischer Seeheld. 341

Newton, Sir Isaac (1642–1727) englischer Physiker, Astronom und Mathematiker. 133

Oastler, Richard (1789–1861) englischer Politiker und Sozialreformer, Tory; im Kampf gegen die Freihandels-Bourgeoisie trat er für die gesetzliche Beschränkung des Arbeitstages ein. 369 394 395 446

O'Connell, Daniel (1775–1847) irischer Advokat und Politiker, Führer des rechten liberalen Flügels der nationalen Befreiungsbewegung (Repeal-Association). 484

O'Connor, Feargus Edward (1794–1855) einer der Führer des linken Flügels der Chartistenbewegung, Gründer und Redakteur des „Northern Star"; nach 1848 Reformist. 298 616 623

Origenes aus Alexandria (etwa 185–254) christlicher Theologe, einer der sogenannten „Kirchenväter". 168 189

Owen, Robert (1771–1858) englischer utopischer Sozialist. 88 139 199 391 451 512 526 531 545 604

Paalzow, Henriette von (1788–1847) deutsche Romanschriftstellerin. 21

Padgin Sägenfabrikant in Sheffield. 437

Paine, Thomas (1737–1809) englisch-amerikanischer Publizist, Republikaner, Vorkämpfer der nordamerikanischen Unabhängigkeit und der französischen bürgerlichen Revolution Ende des 18. Jahrhunderts. 247 577 623

Parkinson, Richard (1797–1858) Kanonikus von Manchester, christlich-philanthropischer Publizist. 352

Parny, Evariste-Désiré, vicomte de (1753 bis 1814) französischer Dichter. 72

Patteson, Sir John (1790–1861) englischer Jurist, Richter am Court of Queen's Bench. 468

Pauling & Henfrey Bauunternehmer in Manchester. 442 592 593 596–603

Paulus Gestalt aus dem Neuen Testament. 341

Peel, Sir Robert (1750–1830) englischer Baumwollfabrikant, Parlamentsmitglied, Tory. 374 391

Peel, Sir Robert (1788–1850) englischer Staatsmann, gemäßigter Tory, Führer der „Peeliten"; Premierminister (1841 bis 1846); nach ihm wurde das Bankgesetz von 1844 benannt; führte mit Unterstützung der Liberalen die Aufhebung der Korngesetze durch (1846). 396 471 502 586 587 589 595

Percival, Thomas (1740–1804) englischer Arzt, Vorkämpfer der Gesetzgebung zum Schutze arbeitender Kinder. 374

St. Petrus Gestalt aus dem Neuen Testament. 341 [107

Pharao Titel der altägyptischen Könige. 166

Philippson, Gustav (1814–1880) Pädagoge und Publizist. 92

Pilling, Richard (geb. 1800) Chartist, Baumwollarbeiter; einer der Führer des Streiks in Ashton und Stalybridge 1842. 594

Pipelet, Alfred Gestalt aus dem Roman „Les mystères de Paris" von Eugène Sue. 75 77–81

Pipelet, Anastasia Gestalt aus dem Roman „Les mystères de Paris" von Eugène Sue. 65 75 77 78

Piso(n), Lucius Calpurnius (geb. 101 v. u. Z.) Teilnehmer an der Verschwörung des Catilina, Anhänger Julius Cäsars, 58 v. u. Z. römischer Konsul. 128

Pitkeithley, Lawrence Chartist, besuchte 1842 die kommunistische Ansiedlung Neu-Libanon in Amerika. 524

Pitt, William (1759–1806) englischer Staatsmann; 1783–1801 Premierminister; einer der Organisatoren des Interventionskrieges gegen das revolutionäre Frankreich; führte eine Reihe reaktionärer Maßnahmen gegen die Arbeiterbewegung durch. 617

Planck, Karl Christian (1819–1880) protestantischer Theologe, idealistischer Philosoph. 109

Plato(n) (etwa 427 bis etwa 347 v. u. Z.) altgriechischer idealistischer Philosoph; Ideologe der Sklavenhalteraristokratie. 190

Polidori Gestalt aus dem Roman „Les mystères de Paris" von Eugène Sue. 74–76 213

Polydorus Virgilius (etwa 1470 1555) englischer Historiker italienischer Herkunft. 75

Porter, George Richardson (1792–1852) englischer bürgerlicher Ökonom und Statistiker. 242

Pounder, Robert Arbeiter in Leeds. 369

Power 1833 Mitglied der Kommission zur Untersuchung der Fabrikarbeit. 369 373 377 380 409

Priestley, Joseph (1733–1804) englischer Chemiker und Physiker, materialistischer Philosoph. 136

Prometheus nach einer griechischen Sage raubte er Zeus das Feuer für den Menschen und wurde dafür an einen Felsen geschmiedet. 440

Proudhon, Pierre-Joseph (1809–1865) französischer Publizist, Ideologe des Kleinbürgertums, einer der theoretischen Begründer des Anarchismus. 23–36 39–56 165 166 455 608

Püttmann, Hermann (1811–1894) deutscher radikaler Dichter und Journalist; in der Mitte der vierziger Jahre einer der Hauptvertreter des „wahren" Sozialismus. 512 514 518 519

Radnor, Graf siehe *Bouverie, William Pleydell*

Rapp, Johann Georg (1757–1847) Weber aus Württemberg, ging Anfang des 19. Jahrhunderts nach Nordamerika und gründete die Ansiedlungen Harmony und Economy. 525–527

Rashleigh, William Parlamentsmitglied, Herausgeber von „Stubborn Facts from the Factories". 361

Read Arbeiter in der Fabrik von Pauling & Henfrey. 602

Reichardt, Carl Ernst Buchbindermeister in Berlin, Anhänger Bruno Bauers, Mitarbeiter der „Allgemeinen Literatur-Zeitung". 9 10 39 82

Ricardo, David (1772–1823) englischer Ökonom, Vertreter der klassischen bürgerlichen politischen Ökonomie. 32 34

Riesser, Gabriel (1806–1863) deutscher Publizist, kämpfte für die bürgerliche Gleichberechtigung der Juden. 100–103 120

Rigolette (Lachtaube) Gestalt aus dem Roman „Les mystères de Paris" von Eugène Sue. 78 80

Ripley, George (1802–1880) amerikanischer unitarischer Prediger, einer der Gründer der Ansiedlung und Schule zu Brook-Farm Massachusetts (1841); seit 1849 Literaturkritiker der „New-York-Tribune"; gab zusammen mit Charles A. Dana 1858–1863 die „New American Cyclopaedia" heraus, an der Marx und Engels mitarbeiteten. 530

Roberton, John (1797–1876) Arzt in der Manchester Entbindungsanstalt. 336 385

Roberts, William Prowting (1806–1871) englischer Jurist, Advokat der Chartisten und Generalanwalt der Gewerkschaften. 467 468 470–472 492 493 597–603

Robespierre, Maximilien-Marie-Isidor de (1758–1794) Politiker der französischen bürgerlichen Revolution Ende des 18. Jahrhunderts, Führer der Jakobiner und 1793/94 Haupt der revolutionären Regierung. 127–130 612 619 620

Robinet, Jean-Baptiste-René (1735–1820) französischer Philosoph und Naturforscher. 138

Robson, George Insasse des Arbeitshauses in Coventry, starb 1843. 498

Rohmer, Friedrich (1814–1856) philosophischer und politischer Schriftsteller. 223

Rohmer, Theodor (1820–1856) Publizist, Bruder und Mitarbeiter von Friedrich Rohmer. 223

Roland de la Platière, Jean-Marie (1734 bis 1793) französischer Politiker, Girondist; 1792–1793 Innenminister. 618

Roland de la Platière, Jeanne-Manon (1754 bis 1793) Frau des vorigen, hatte großen Einfluß auf die Girondistenführer. 618

Roland, Madame, Gestalt aus dem Roman „Les mystères de Paris" von Eugène Sue. 74

Romme, Charles-Gilbert (1750–1795) Mitglied des Konvents, Montagnard. 620

Ronge, Johannes (1813–1887) Geistlicher, Gründer und Führer der deutsch-katholischen Bewegung, die den Katholizismus den Belangen der deutschen Bourgeoisie anpassen wollte. 558

Rothschild, Nathan Mayer (1777–1836) Gründer des Londoner Bankhauses Rothschild. 613

Rottek, Karl Wenzeslaus von (1775–1840) Historiker und liberaler Politiker. 130

Roux-Lavergne, Pierre-Célestin (1802–1874) französischer Historiker, idealistischer Philosoph. 223

Roux, Jacques (1752–1794) der „Sansculottenprediger", Führer der „Wütenden", die die Interessen der ärmsten Schichten der Werktätigen in Stadt und Land vertraten; setzte nach Marats Tod die Herausgabe des „Ami du peuple" fort. 126

Rudolph, Fürst von Geroldstein (Gerolstein) Gestalt aus dem Roman „Les mystères de Paris" von Eugène Sue. 65 66 78 81 172–177 179–192 194 196–200 203 205 bis 222

Ruge, Arnold (1802–1880) deutscher Publizist, Junghegelianer; 1844 mit Marx Herausgeber der „Deutsch-Französischen Jahrbücher"; kleinbürgerlicher Demokrat, nach 1866 Nationalliberaler. 164

Russell, John, Lord (1792–1878) englischer Staatsmann, Führer der Partei der Whigs, Premierminister (1846–1852 und 1865 bis 1866). 15

Rymarkiewicz, Leon (geb. etwa 1825) und *Maximilian* (geb. etwa 1832) zwei Brüder aus Posen, die wegen Teilnahme an einer revolutionären Verschwörung polnischer Patrioten (1844/45) verfolgt wurden. 520

Sack, Karl Heinrich (1789–1875) protestantischer Theologe, Professor in Bonn. 215

Sadler, Michael Thomas (1780–1835) englischer Politiker, Tory, Sozialreformer und Publizist. 391 392 394

Saint-Just, Louis-Antoine-Léon (1767–1794) französischer Revolutionär, führender Jakobiner, engster Vertrauter Robespierres. 128 129 614 619

Saint-Simon, Claude-Henri de Rouvroy, comte de (1760–1825) französischer utopischer Sozialist. 32 604

Salmon alter Arbeiter in der Fabrik von Pauling & Henfrey. 596–598

Salomo(n) (etwa 970–930 v. u. Z.) König von Israel. 341

Sarah siehe *MacGregor, Sarah*

Saunders, Robert John englischer Fabrikinspektor in den vierziger Jahren des 19. Jahrhunderts. 394

Say, Jean-Baptiste (1767–1832) französischer Vulgärökonom. 32 45

Scharnhorst, Gerhard Johann David von (1755–1813) preußischer General; war an der Reorganisation der preußischen Armee unter Gneisenau führend beteiligt. 573

Schelling, Friedrich Wilhelm Joseph von (1775–1854) deutscher Philosoph, Vertreter des deutschen Idealismus Ende des 18., Anfang des 19. Jahrhunderts. 100 162

Schiller, Friedrich von (1759–1805). 214 567

Schlöffel, Friedrich Wilhelm (1800–1870) Fabrikant in Schlesien, Demokrat, Mitglied der Frankfurter Nationalversammlung. 520

Schön, Heinrich Theodor von (1773–1856) preußischer Staatsmann, Liberaler. 573

Schuriman siehe *Chourineur*

Scott alter Arbeiter in der Fabrik von Pauling & Henfrey. 598

Scriven, Samuel S. Mitglied der Kommission zur Untersuchung der Kinderarbeit. 425

Senior, Nassau William (1790–1864) englischer Vulgärökonom, Apologet des Kapitalismus, „der Wortführer des gebildeten Bourgeois" (Marx). 295

Shaftesbury, Anthony Ashley Cooper, Earl of (1801–1885) englischer Politiker, einer der Führer der aristokratischen philanthropischen Bewegung für das Zehnstundengesetz. 14 354 367 368 371 383 394 396 465 502

Shakespeare, William (1564–1616). 74 468 476

Sharp, Francis Wundarzt in Leeds. 376 377 380

Sharp, William junior (1805–1896) Wundarzt in Bradford. 381

Sharp, Roberts & Co. Maschinenfabrikanten. 440

Sharps Teilhaber der Firma Pauling & Henfrey. 601 602

Shelley, Percy Bysshe (1792–1822) englischer Dichter, Vertreter der revolutionären Romantik, Atheist. 455

Sheppard, John (Jack) (geb. 1702) Verbrecher, erzogen im Armenhaus zu Bishopsgate, 1724 in London gehängt. 341

Sieyès, Emmanuel-Joseph (1748–1836) französischer Abbé, Politiker der französischen bürgerlichen Revolution Ende des 18. Jahrhunderts, Vertreter der Großbourgeoisie. 33

Simson Gestalt aus dem Alten Testament. 341

Sismondi, Jean-Charles-Léonard Simonde de (1773–1842) Schweizer Ökonom und Historiker. Kritisierte den „Kapitalismus vom Standpunkt des Kleinbürgers" (Lenin) und idealisierte die Kleinproduktion. 34

Skelett Gestalt aus dem Roman „Les mystères de Paris" von Eugène Sue. 175

Smellie, James Wundarzt in Glasgow. 383

Smith ein Streikbrecher, starb 1837. 438

Smith, Adam (1723–1790) englischer Ökonom; Vertreter der klassischen bürgerlichen politischen Ökonomie. 32 34 51 310 311 347

Smith, Thomas Southwood (1788–1861) Arzt in London, Sanitätsreformer, 1841 Mitglied der Kommission zur Untersuchung der Kinderarbeit. 303 328 462

Somerville, Alexander (Pseudonym: *„Einer der hinter dem Pfluge gepfiffen hat"*) (1811 bis 1885) englischer bürgerlich-radikaler Journalist. 480

Soubrany, Pierre-Amable de (1752–1795) Mitglied des Konvents, Montagnard. 620

Spinoza, Benedictus de (Baruch) (1632 bis 1677) holländischer materialistischer Philosoph, Atheist. 131 132 134 135 137–139

Stein, Karl, Reichsfreiherr vom und zum (1757–1831) leitender Minister (1807 bis 1808), begann eine unvollkommene Reform des preußischen Staats; wurde von Napoleon verfolgt. 10 573

Stein, Lorenz von (1815–1890) Hegelianer, Professor der Philosophie und des Staatsrechts an der Universität Kiel, Geheimagent der preußischen Regierung. 142 604 608

Stephens, Joseph Rayner (1805–1879) englischer Geistlicher, Sozialreformer, 1837 bis 1839 aktiver Teilnehmer der Chartistenbewegung in Lancashire. 445 446 504

Steward, Charles William, Marquis of Londonderry (1778–1854) englischer Großgrundbesitzer, Eigentümer bedeutender Kohlengruben in Durham. 470

Stirner, Max (Pseudonym von *Johann Caspar Schmidt*) (1806–1856) Philosoph und Schriftsteller, einer der Ideologen des bürgerlichen Individualismus und Anarchismus; Verfasser des Buches „Der Einzige und sein Eigenthum". 257 488 519

Strauß, David Friedrich (1808–1874) deutscher Philosoph und Publizist, Junghegelianer; nach 1866 Nationalliberaler. 92 109 145 147 150 455

Stuart, James (1775–1849) Mediziner, Publizist, Whig; 1833 Fabrikinspektor. 375 378 383 386 388

Stumm-Halberg, Karl Ferdinand, Freiherr von (1836–1901) Großindustrieller, als „König Stumm" einflußreichste Persönlichkeit im Saargebiet, Konservativer; erbitterter Feind der Arbeiterbewegung. 470

Sturge, Joseph (1793–1859) englischer Politiker, bürgerlicher Radikaler, Freihändler; schloß sich den Chartisten an, um die Arbeiterklasse unter dem Einfluß der Bourgeoisie zu halten. 449

Sue, Eugène (1804–1857) französischer Schriftsteller, Verfasser spießbürgerlich-sentimentaler Romane mit sozialen Themen. 57–59 63–65 69–72 74 77 78 80 174 176 178 181 191–194 196–200 202 209 213–215

Swing Captain. 476 478

Symons, Jelinger Cookson (1809–1860) englischer liberaler Publizist, Regierungskommissar bei den Untersuchungen über die Lage der Handweber und der Grubenarbeiter; 1841 Mitglied der Kommission zur Untersuchung der Kinderarbeit. 269 270 341 343 364 423 432 460

Szeliga siehe *Zychlinski*

Tancred, Thomas Mitglied der Kommission zur Untersuchung der Kinderarbeit. 425

Taylor, John (1804–1841) englischer Arzt, gehörte zum linken Flügel der Chartistenbewegung. 446

Thomson, Charles Edward Poulett, Baron Sydenham (1799–1841) englischer Staatsmann, Whig. 295

Thornhill, Thomas (bei Engels irrtümlich *Thornley*), Gutsbesitzer, Whig. 395

Tocqueville, Alexis-Charles-Henri-Maurice Clérel de (1805–1859) französischer bürgerlicher Historiker und Politiker. 198

Tortillard (der kleine Lahme), Gestalt aus dem Roman „Les mystères de Paris" von Eugène Sue. 192 199

Tristan, Flora (1803–1844) französische Schriftstellerin, Vertreterin eines kleinbürgerlichen utopischen Sozialismus. 19 20 200

Tufnell Mitglied der Kommission zur Untersuchung der Fabrikarbeit 1833. 369 372 376 377 382 383

Turpin, Richard (Dick) (1706–1739) ein Straßenräuber, wurde 1739 gehängt. 341

Ure, Andrew (1778–1857) englischer Chemiker, Vulgärökonom, Freihändler. 349 360 366 389 390 393 407 439 440

Vaughan, Robert (1795–1868) englischer Geistlicher, bürgerlicher Historiker und Publizist. 347

Vetter-Köchlin siehe *Köchlin*

Victoria (1819–1901) Königin von Großbritannien und Irland (1837–1901). 264 562

Vidocq, François-Eugène (1775–1857) französischer Kriminalverbrecher; Geheimagent der Polizei, dann Chef der Sicherheitspolizei in Paris; ihm werden die „Memoiren Vidocqs" zugeschrieben; sein Name wurde zum Inbegriff für die Charakterisierung eines geschickten Häschers und Spitzbuben. 77 173

Vincent Streikführer der Zimmerleute. 563

Volney, Constantin-François Chasseboeuf, comte de (1757–1820) Vertreter der französischen bürgerlichen Aufklärung; Philosoph. 138

Voltaire, de (eigtl. *François-Marie Arouet*) (1694 bis 1778) französischer deistischer Philosoph, satirischer Schriftsteller, Historiker, Vertreter der bürgerlichen Aufklärung des 18. Jahrhunderts. 133

Voß, Johann Heinrich (1751–1826) deutscher Dichter und Philolog, übersetzte Homer, Vergil und andere Dichter der Antike. 200

Wade, John (1788–1875) englischer Publizist, Ökonom und Historiker. 337

Wakefield, Edward Gibbon (1796–1862) englischer Publizist, Ökonom und Kolonialpolitiker. 476

Watt, James (1736–1819) englischer Ingenieur und Erfinder, Konstrukteur der Dampfmaschine. 158 242

Wedgwood, Josiah (1730–1795) englischer Industrieller, vervollkommnete die keramische Produktion in England. 247

Weil, Carl (1806–1878) (Pseudonym *Egidius, H. L.*) liberaler Publizist, Herausgeber der „Constitutionellen Jahrbücher" 1842–1846; später trat er in den Dienst der österreichischen Regierung. 172

Weitling, Christian Wilhelm (1808–1871) von Beruf Schneider; einer der Theoretyker des utopischen Gleichheitskommunismus. 515 605 606 620–623

Welcker, Karl Theodor (1790–1869) badischer Jurist und Publizist, Liberaler, Mitglied der Frankfurter Nationalversammlung. 130

Wellington, Arthur Wellesley, Duke of (1769 bis 1852) englischer Feldherr, reaktionärer Staatsmann, Tory, Premierminister (1828 bis 1830), unterstützte Peel bei der Aufhebung der Kornzölle. 341

Wesley, John (1703–1791) einer der Begründer des Methodismus. 341

Wightman, Sir William (1784–1863) englischer Jurist, seit 1841 Richter am Court of Queen's Bench. 468

Wilhelm IX. (1743–1821) Landgraf (1785 bis 1803) und als Wilhelm I. Kurfürst von Hessen (1803–1821). 575

Williams, Sir John (1777–1846) englischer Jurist, Liberaler, seit 1834 Richter am Court of Queen's Bench. 468

Williams, Zephania (etwa 1794–1874) Chartist, einer der Organisatoren des Bergarbeiteraufstandes in Wales 1839; zu lebenslänglicher Deportation nach Tasmanien verurteilt. 623

Willis Gestalt aus dem Roman „Les mystères de Paris" von Eugène Sue. 72 217

Wolf(f), Christian, Freiherr von (1679–1754) deutscher idealistischer Philosoph, Metaphysiker. 70

Wood, James und *Francis* Fabrikanten in Bradford. 381 439

Wright Fabrikaufseher in Macclesfield. 377

Zerrleder wahrscheinlich Pseudonym für *Bruno Bauer*. 153 154

Zychlinski, Franz Zychlin von (1816–1900) preußischer Offizier, Junghegelianer, unter dem Namen *Szeliga* Mitarbeiter (1843 bis 1845) der „Allgemeinen Literatur-Zeitung" und der „Norddeutschen Blätter" Bruno Bauers. 7 56–60 62–70 72 73 75–81 91 172 173 175–178 187–189 191 197 202 203 205 207 214 220 221

Erklärung der Fremdwörter, der fremdsprachigen und seltenen Ausdrücke

Abbé Geistlicher ohne bestimmtes Amt; eine Art Weltgeistlicher (kath.), ursprünglich mit Abt gleichbedeutend
abortieren fehlgebären, abtreiben
Absolution Freisprechung, Vergebung von Sünden
absorbieren aufsaugen, aufzehren, in sich aufnehmen
Absurdität Unsinn, Widersinnigkeit, Unvernunft
Act oder *Akt* Gesetz
adäquat angemessen, übereinstimmend, entsprechend
Addition Hinzufügung, Zusammenzählung
adoptieren annehmen
Affekt Gemütsbewegung, stärkere Erregung
Affektion Erregung, Reizung, krankhafte Veränderung
Affirmation Bejahung
affizieren reizen, erregen, krankhaft verändern
Aggregat Anhäufung, Vereinigung von Teilen zu einem Ganzen
Ägide Schutzherrschaft, Schild, Obhut
agieren handeln, wirken
Agiotage Preis- und Börsenspekulation
Agioteur Preis- und Börsenspekulant
Akkaparation wucherischer Aufkauf, Hamstern, Rafferei
Akkommodation Angleichung, Anpassung
Akquisition Erwerbung; Errungenschaft
akzedieren beitreten, beistimmen
Akzidenz äußerlich Hinzukommendes; Zufälliges; unwesentliche Eigenschaft
Akzise Steuer
alert munter, frisch
Alimentation Unterhaltskosten
Allegorie Sinnbild, Gleichnis
allegorisch sinnbildlich, gleichnishaft
Allianz Bündnis, Verbindung
al pari auf gleicher Stelle
amalgamieren sich amalgamieren: eine innige Verbindung eingehen, verschmelzen
Amaurose Erblindung
Anachronismus den Zeitläuften nicht Entsprechendes, Zeitwidrigkeit
animalisch tierisch; sinnlich
Animosität Gereiztheit, Erbitterung, Feindseligkeit
Anomalie Abweichung vom Normalen; Regelwidrigkeit
Antagonismus unversöhnlicher, unüberbrückbarer Gegensatz
Anti-Corn-Law League Anti-Korngesetz-Liga (siehe darüber Anm. 7)
Antipathie Abneigung, Widerwille
antiquiert veraltet
Antithese Gegenbehauptung, Gegensatz
antizipieren vorwegnehmen, vorgreifen
Aorta Hauptschlagader
Apathie Teilnahmslosigkeit, Gleichgültigkeit; geistige Stumpfheit

aphoristisch kurz, abgerissen; prägnant geformt, treffend und geistvoll
Apologet Verfechter, Verteidiger
apostolisch von den Aposteln herrührend
Apotheose Vergötterung, Verherrlichung
Applikant Bewerber, Bittsteller, Anwärter
Appropriation Aneignung, Besitzergreifung
Aquädukt Brücke, auf der in Rohren, Rinnen oder Kanälen Wasser über Täler und Schluchten geleitet wird; altrömische Wasserleitung
Äquivalent Gegenwert, Ersatz, Entschädigung
Arkaden Bogengang, Bogenhalle
Arrangement Anordnung, Veranstaltung, Abmachung
Arrondissement kleinerer Verwaltungsbezirk in Frankreich
asketisch streng enthaltsam, entsagend
aspirieren hauchen, mit Hauchlaut aussprechen
Assise(n) Schwurgericht [in Frankreich und in der Schweiz]
Associé Teilhaber
Assoziation Vereinigung, Genossenschaft
assoziieren verbinden, verknüpfen, vereinigen
Atheismus Verneinung der Existenz Gottes
Attachement Anhänglichkeit, Verbundenheit, Zuneigung
Attribut Merkmal, Sinnbild, Eigenschaft eines Dinges
Augiasstall Bezeichnung für große Unordnung, verrottete Zustände
autokratisch selbstherrlich, unumschränkt
Automaton etwas Selbsttätiges, ohne menschliches Zutun Geschehendes; etwas sich von selbst Vollziehendes

Bagno Strafverbüßungsort für Schwerverbrecher, Verbannungsort
Bai Meeresbucht
Ballotage Abstimmung durch Kugeln
Baronet Stufe des niederen englischen Adels
Bastille festes Schloß; Staatsgefängnis in Paris (am 14. 7. 1789 vom Volk erstürmt)
biderb bieder; plump
bigott frömmelnd, scheinheilig, blindgläubig
Bigotterie Scheinheiligkeit, Blindgläubigkeit
Bill Gesetz, Gesetzentwurf, Gesetzesvorschlag
Bizarrerie Seltsamkeit, Ungewöhnlichkeit
Brogue irische Aussprache des Englischen; irischer Akzent
Brouillon schriftlicher Entwurf, Konzept

Cancan frivoler Tanz im 19. Jahrhundert
Centime kleine Münze in Frankreich und Belgien (1/100 Franc)
cf. = *confer* vergleiche
Charlatan Prahlhans, Schwätzer
Charte (auch *Charta*) Verfassungsurkunde, Grundgesetz, Verfassung
Chartismus revolutionäre Bewegung der englischen Arbeiter in der ersten Hälfte des vorigen Jahrhunderts
Chimäre Trugbild, Hirngespinst
chimärisch trügerisch, ungewiß
Chronologie Zeitrechnung, Zeitfolge, Zeitkunde
chronologisch zeitlich geordnet, in zeitlicher Reihenfolge
Citoyen Bürger, Staatsbürger (Anrede zur Zeit der Französischen Revolution)
Constable (Konstabler) Schutzmann, Polizist [in England und den USA]
credo (Kredo) Glaube, Glaubensbekenntnis
Couleur Farbe; Farbe einer Studentenverbindung; auch die Verbindung selbst

Dandy Geck, Stutzer, Modenarr
Debet Soll, Schuld
Debüt erstes öffentliches Auftreten eines Künstlers, Redners
Deduktion Ableitung des Besonderen aus dem Allgemeinen
deduzieren abziehen
Degradation Herabsetzung, Erniedrigung
Deismus Glaube an einen Gott, der die Welt schuf, sie dann aber ihren eigenen Gesetzen überließ
Denouement Ausgang einer Sache, Entscheidung, Lösung des Knotens in einem Drama
Deportation Zwangsverschickung, Verbannung
Depositum hinterlegter Betrag

Depravation Verderbnis, Entartung, Verschlechterung
desavouieren nicht anerkennen, für unbefugt erklären
Desperado Bandit; ein zu jeder Verzweiflungstat Fähiger
Despotie Gewalt- und Willkürherrschaft
destruktiv zerstörend
Detachement für besondere Aufgaben zusammengestellte Truppenabteilung
Detention Haft; Gewahrsam
devot ergeben, unterwürfig
Devotion Unterwürfigkeit; Gottergebenheit
dezimieren große Verluste beibringen, stark vermindern; eigentlich: jeden Zehnten töten
diabolisch teuflisch
Diakon Helfer in der evangelischen Gemeindearbeit, besonders in der Inneren Mission; Verwalter
didaktisch belehrend, lehrhaft
Dilettantismus Oberflächlichkeit, Halbkönnen, Halbwissen
Diskretion Verschwiegenheit, Schonung
Dislokation Verschiebung, Verlagerung
disponibel verfügbar
Disquisition beurteilende Untersuchung
dissentieren anderer Meinung sein
Distinktion Unterscheidung
Distribution Verteilung, Austeilung
Dithyrambe (Dithyrambus) schwärmerisches Loblied
Dogberries wörtlich: Hundsbeeren; übertragen: eifrige, aber beschränkte Unterbeamte (nach dem Gerichtsdiener gleichen Namens in Shakespeares „Viel Lärm um nichts")
Donquichotterie zum Scheitern verurteiltes, ans Lächerliche grenzendes Unternehmen (nach der Romanfigur Don Quichotte [Don Quijote] von Cervantes)
Douanier Zollbeamter, Zöllner
Dualismus Zweiheitslehre, Zwiespältigkeit
dublieren verdoppeln

ecru (ekrü) roh; ungebleicht, naturfarben
eklatant aufsehenerregend, glänzend
eklektisch unschöpferisch, zusammengestückelt; auswählend
Eklektizismus prinzipienloses, mechanisches Verschmelzen verschiedener Systeme; Stilgemisch
eliminieren ausschalten, tilgen, ausscheiden
Eloge Lob; Lobeserhebung
Emanation Ausströmen, Ausstrahlung (in geistiger Beziehung)
Emanzipation Erhebung aus Knechtschaft, Befreiung aus einem Zustand der Abhängigkeit
emendieren verbessern, einen Schrifttext berichtigen
Emeute Aufstand, Meuterei
eminent hervorragend, außerordentlich
Emotion Gemütsbewegung
Empirie [wissenschaftliche] Erfahrung
empirisch aus der Erfahrung gewonnen, auf sie gegründet, erfahrungsgemäß
enthusiasmieren begeistern, entzücken
Epigramm Sinn- oder Spottgedicht
epikureisch dem Lebensgenuß ergeben, genießerisch
Epikureismus Lehre des griechischen Philosophen Epikur, Glückseligkeitsstreben
episch erzählend
Epitheton Beiwort, Zusatz
Epos große, meist sagenhaft erzählende Dichtung, Heldengedicht
equipieren ausstatten, ausrüsten
Eskamotage Taschenspielerei, Zauberkunst
esoterisch nur für Eingeweihte bestimmt; geheim
Esquire Wohlgeboren; ursprünglich englischer Adelstitel
etablieren festsetzen, gründen, begründen; sich etablieren: sich selbständig machen, sich niederlassen
Etablissements Einrichtungen, Fabrikanlagen
Evidenz Augenscheinlichkeit, vollständige Klarheit, überzeugende Gewißheit
exaltiert überspannt, aufgeregt
Exeget gelehrter Bibelausleger
Exekution Ausführung, Vollstreckung eines Urteils, Hinrichtung
Exekutor Vollstrecker
exilieren verbannen

Existentialgrund die reale Existenz einer Sache, konstituierender Grund; Ursache
exkommunizieren aus der Kirchengemeinschaft ausschließen
exoterisch für weitere Kreise bestimmt und verständlich
Expektoration Erklärung; Herzensergießung; med.: Schleimauswurf
expektorieren aushusten, ausspeien; sein Herz ausschütten
extemporieren aus dem Stegreif [reden, gestalten, schreiben]
extrahieren einen Auszug machen, herausziehen
exzeptionell außergewöhnlich, einen Ausnahmefall bildend

Faktor Leiter einer Handelsniederlassung
fallieren zahlungsunfähig werden
Fallissement Zahlungseinstellung, Konkurs
Farce Posse, lustiges Nachspiel
Farthing die kleinste englische Münze
fashionable vornehm, elegant
Felonie Untreue, Verrat
Femerichter Blutrichter; Feme = mittelalterliches (geheimes) Blutgericht
Feudallehen Grundbesitz oder „Gerechtsame" (Zölle u. ä.), deren Nutznießung einem Lehensmann vom Lehnsherrn für gewisse Gegenleistungen (bs. Kriegsdienst) überlassen wurde; Basis des Feudalismus
Fiber Faser
fiktiv erdichtet, angenommen
flagrant ins Auge fallend, offenkundig
fluktuieren zu- und abströmen, schwanken, schnell wechseln
föderiert verbündet
Fokus Brennpunkt
formidabel furchtbar, schrecklich
Fortunatussäckel ein Zaubersäckel, der sich immer wieder von selbst füllt
Fourierismus Lehre des französischen utopischen Sozialisten Charles Fourier
Fraternisierung Verbrüderung
frenetisch rasend, toll
frequentieren häufig besuchen; ein- und ausgehen, verkehren
Fronde (auch Frondienste) dauernde Verpflichtung, dem Grundherrn Dienste zu leisten, die, ursprünglich als Abgeltung gedacht, später zu einer dem Grund und Boden anhaftenden Reallast wurde; die daraus stammenden Einkünfte
Fuß (foot) englisches Längenmaß (= 12 englische Zoll = 30,5 cm)

Gallone englisches und nordamerikanisches Hohlmaß von 4 Quarts (4,55 Liter)
Gourmanderie Naschhaftigkeit
Grisette junge Pariser Arbeiterin, meist Putzmacherin, Näherin

Harem die Frauenräume des islamitischen Hauses, streng abgeschlossen und nur dem Hausherrn zugänglich; auch: Gesamtheit der Frauen darin
Harmonist Mitglied der kommunistischen Ansiedlung Neu-Harmony
Hebetismus Abstumpfung; Verdummung
hektisch fieberhaft erregt, schwindsüchtig
Heloten Staatssklaven im alten Sparta
heterodox irrgläubig
Hieroglyphe heiliges Zeichen; Zeichen der altägyptischen Bilderschrift; rätselhaftes, schwer zu entzifferndes oder unleserliches Schriftzeichen
Hydra neunköpfiges schlangenartiges Ungeheuer
Hypertrophie Erweiterung, auch: Überernährung
Hypochondrie Schwermut, Krankheitswahn
Hypothese Voraussetzung, noch unbewiesene Annahme

Idiosynkrasie Überempfindlichkeit, unüberwindliche Abneigung gegen bestimmte Stoffe
i. e. = *id est* das ist, das heißt
imaginär scheinbar, vermeintlich, nicht wirklich vorhanden
immanent innewohnend, einbegriffen
Indigestion Verdauungsstörung
Indignation Entrüstung, Unwille, Mißfallen
indignieren Unwillen verursachen

Indolenz Unempfindlichkeit, Gleichgültigkeit, Trägheit
influieren einwirken
Ingredienz Zutat, Bestandteil
inhärent innewohnend, anhaftend
Inkarnation Fleischwerdung, Verkörperung
inkonstitutionell nicht verfassungsmäßig
Inkorporation Einverleibung; Aufnahme
inkriminieren beschuldigen, anschuldigen, zur Last legen
Inquisition mit grausamen Mitteln durchgeführte Untersuchung; strenges Verhör
Insolenz Anmaßung, Ungebühr
Insurrektion Erhebung, bewaffneter Aufruhr
Integrität Vollständigkeit, Unversehrtheit, Unantastbarkeit, Reinheit
interdizieren ausschließen, untersagen, verwehren
Interpretation Auslegung, Erläuterung, Erklärung
Intimidation Einschüchterung, Abschreckung
Invektive Anzüglichkeit, Schmährede, Beleidigung
involvieren nach sich ziehen, im Gefolge haben
Irritation Störung, Reizung, Erregung

Janitscharen Soldaten der infanteristischen Kerntruppe der alten Türkei
jansenistisch siehe Anmerkung 46
Jargon Sprechweise bestimmter sozialer, beruflicher und ähnlicher Gruppen innerhalb einer Nationalsprache
Jurisprudenz Rechtswissenschaft
juste-milieu die richtige Mitte, günstige Mitte; Schlagwort für das lavierende Regierungssystem Louis-Philippes

kajolieren liebkosen, schmeicheln
Kalif eigentlich Nachfolger Mohammeds; Titel mohammedanischer Herscher
Kalkül Berechnung, Überschlag, Rechnung
Kanonikus Dom- oder Stiftsherr
kapabel fähig
Kapitol Tempelburg des alten Rom
kapriziös eigensinnig, launisch
kardieren aufrauhen von Stoffen
kartesisch von dem französischen Philosophen und Mathematiker Descartes herrührend, nach ihm benannt
Kasuistik Spitzfindigkeit
Katechumen am kirchlichen Unterricht teilnehmender Taufbewerber; Konfirmandenschüler
Klerisei Geistlichkeit
Kodex Gesetzbuch, Gesetzsammlung
Kohorte Rotte, altrömische Soldatenabteilung
kolliquativ zersetzend, verzehrend, schwächend
Kommunikation Verbindung, Verkehr
Kommutation Veränderung, Vertauschung
Kompendium Abriß, Lehrbuch, Handbuch
Komponente Bestandteil; Teil eines Ganzen
konditioniert bedingt; beschaffen sein
Konföderation Verbindung, Bündnis, Staatenbund
konfrontieren gegenüberstellen
Kongruenz Übereinstimmung, Gleichheit, Folgerichtigkeit
Konklave Ort der Sammlung der Kardinäle zur Papstwahl; auch diese Versammlung selbst
Konklusion Schlußfolgerung
Konsistenz Zusammenhang, Dichte, Dauerhaftigkeit, Zähigkeit
Konstipation Verstopfung, Hartleibigkeit
konstituieren begründen, bilden, einrichten, bestimmen
Kontingent Beitrag, Anteil, Menge, Betrag
kontrahieren einen Vertrag schließen
Kontraktion Zusammenziehung
kontrastieren von etwas abstechen, auffällig verschieden sein
Kontribution Beitrag, Spende, Unterstützung, Geldleistung
Konvent Versammlung; hier: die französische Nationalversammlung 1792 bis 1795
Konvulsion Zuckung
konzessionieren genehmigen, zulassen
Korona Kranz, Krone, Strahlenkranz um die Sonne
Korporation Körperschaft; auch: Studentenverbindung

kosmologisch die Kosmologie, Lehre von der Entwicklung und dem Bau der Welt, betreffend
Kosmopolitismus in ursprünglichem Sinne: Weltbürgertum; Denkweise, die den Menschen vornehmlich als Glied der Menschheit und nicht einer bestimmten Nation betrachtet
Kreation Schöpfung
Kurant Münze eines Landes, deren Metallwert dem staatlich verbürgten Nennwert entspricht

Laudanum Opium; Schlafmittel
l. c. = *loco citato* am angeführten Ort
legislativ gesetzgebend
Legislatur Gesetzgebung; auch gesetzgebende Körperschaft
Lethargie Stumpfheit, tiefste Gleichgültigkeit
linguistisch sprachwissenschaftlich

malkontent unzufrieden, mißvergnügt
Manipulation [richtige] Handhabung, Verfahren, Geschäftskniff, Machenschaft
mediatisieren der Hoheitsgewalt für verlustig erklären
mesenterisch gekröseartig
Mestize Mischling zwischen Weißen und Indianern
methodistisch dem Methodismus gemäß; von England im 18. Jahrhundert ausgegangene freikirchliche Bewegung
miasmatisch giftgeschwängert
Mirakel Wunder, Wunderwerk
Misère Elend, Not, trauriger Zustand
Modifikation Veränderung, Abwandlung
Modus Art und Weise
molestieren belästigen
Moloch Götze, dem Menschen geopfert wurden; Sinnbild für das Unersättliche, Allesverschlingende
Monade unteilbare Einheit; Urkörperchen; einfache Wesen
moros mürrisch, verdrießlich
Mortalität Sterblichkeit
moslemitisch (moslemisch) die Anhänger des Islams betreffend
Motion Bewegung; Vorschlag, Antrag
Mysterien Geheimnisse; geheime Götterkulte des Altertums
mystisch geheimnisvoll, in Dunkel gehüllt

Nemesis Gottheit der strafenden Gerechtigkeit in der griechischen Sage
Nominalismus philosophische Richtung (im Mittelalter), nach der die allgemeinen Begriffe lediglich Produkte der Abstraktion, des Denkens, nicht wirkliche Dinge (Realien) sind
Notabilität Berühmtheit, angesehene Person
Nukleus (Nucleus) Zellkern, Kern

obskur dunkel, unbekannt; verdächtig
Oligarch ein in Gemeinschaft mit wenigen über das Volk Herrschender
Ophthalmologie Augenheilkunde
outrieren übertreiben, dick auftragen

p. = *pagina* Seite
Pairs in England und Frankreich: Angehörige des politisch bevorrechteten Hochadels
Pamphlet Flug-, Streit-, Schmähschrift
Pandämonium Aufenthaltsort der bösen Geister; Gesamtheit der bösen Geister
Pandekten Sammlung von Sprüchen aus dem römischen Recht
paralysieren lähmen, unwirksam machen, schwächen
Paraphrase erweiternde verdeutlichende Umschreibung, Erklärung, Erläuterung
Parasitismus Schmarotzertum
Paria Angehöriger der niedrigsten Kaste in Indien; Unterdrückter, Entrechteter
partiell teilweise
partizipieren teilnehmen, sich beteiligen
Pasquill Schmähschrift, Spottschrift
Pathos feierlich-schwungvolle Darstellungsweise, Leidenschaft, überbetontes Ergriffensein
Patriarch Erzvater, Haupt einer Familie; höchste geistliche Würde der griechisch-orthodoxen Kirche
Patriarchat Vaterherrschaft; Amtsbereich eines Patriarchen

Patron Herr, Meister; Schutzherr, Vorsteher
Pauper Notleidender, Bedürftiger, Armer
Pauperismus Zustand größter Verelendung, Massenarmut
Pendant Gegenstück, Ergänzung
Penny, Pence englische Münze (1/12 Shilling)
Perikardium Herzbeutel
permanent fortdauernd, anhaltend
persiflieren versteckt, geistvoll spotten, auf eine feine Art lächerlich machen
Pestilenz Pest, bösartige Seuche
Petition Bittschrift, Gesuch, Eingabe
Phalanx geschlossene Schlachtreihe; fest geschlossene Schar
Phänomen außergewöhnliche Erscheinung, seltenes, auffallendes Ereignis
Phantasmagorie Trugbild
Phantom Schein-, Trugbild, Hirngespinst
pharisäisch heuchlerisch
Pharo Kartenglücksspiel
Philanthropie Menschenliebe, Menschenfreundlichkeit
Philister Spießbürger
Phraseologie Lehre oder Sammlung von den einer Sprache eigentümlichen Redensarten; leere geschraubte Redeweise
Physiognomie äußere Erscheinung eines Lebewesens, besonders der Gesichtsausdruck
Piedestal Sockel von Säulen und Bildwerken
Pietät Frömmigkeit; Achtung, Ehrfurcht
Plagiarius einer, der Diebstahl an geistigem Eigentum begeht
Pliesterer Stuckarbeiter
Plutokratie Geldherrschaft
Point Punkt; Stich, Spitze
Point d'honneur Ehrgefühl, Ehrensache
Popanz Schreckgespenst, Trugbild, Vogelscheuche
Postulat Forderung
Potentat Machthaber; regierender Fürst
Potenz Macht, Leistungsfähigkeit; hier: Potenz als mathematischer Begriff bzw. Rechnungsart gebraucht
prädestinieren vorherbestimmen
Präfekt in Frankreich seit 1800 oberster Verwaltungsbeamter eines Departements
pragmatisch sachlich, fach-, geschäftskundig, den ursächlichen Zusammenhang darlegend
Präliminarunterricht Vorbereitungsunterricht
Prämisse Voraussetzung
prästabiliert vorher festgesetzt, vorher bestimmt
Prätension, Prätention Anspruch, Anmaßung, Dünkel
Prätext Vorwand; Scheingrund
Präventivmittel Verhütungsmittel
prekär unsicher, schwankend, mißlich, heikel, bedenklich
profan unheilig, unkirchlich, weltlich, alltäglich
prohibieren verhindern, verbieten
Prohibitivsystem Ein- oder Ausfuhrsperre durch sehr hohe Zölle und andere handelspolitische Maßnahmen
Prokrustesbett Prokrustes: Unmensch der griechischen Sage, der bei ihm einkehrende Wanderer durch Strecken oder Abschlagen der Glieder in eine Bettstelle einpaßte, daher: Prokrustesbett, bildlich für ungerechtfertigtes, gewaltsames Einzwängen
promovieren befördern, ernennen, zu einer akademischen Würde gelangen
prononciert scharf ausgeprägt, betont
Pronunziamiento Aufstandserklärung; Aufruf
proportionieren ins richtige Verhältnis setzen
Prosperität Wohlstand, Wirtschaftsblüte, Aufschwung
Protektion Gönnerschaft, Begünstigung, Förderung
Protestation Einspruch, Widerspruch, Verwahrung
Proteus wandelbarer, wetterwendischer Mensch (nach der griechischen Sagengestalt)
Pubertät Geschlechtsreife
Puritaner Gesamtbezeichnung für die Anhänger der kirchlichen Reformbewegungen des 16. Jahrhunderts in England; übertragen: Bezeichnung für übertrieben sittenstrenge Menschen

Pygmäe Zwerg
pythisch dunkel, orakelhaft

Quäker Angehörige einer freikirchlichen Bewegung mit bürgerlich-philanthropischer Tendenz (besonders in England und den USA)
Quarter englisches Hohlmaß (290,79 l)

Ranküne Groll, Rachsucht
Räsonnement vernünftige Beurteilung, Überlegung, Erwägung
Rationalist Vertreter des Rationalismus = erkenntnistheoretische Richtung, die die Vernunft als einzige Erkenntnisquelle anerkennt; Verstandesmensch
realiter in Wirklichkeit, in der Tat
Reflexion Betrachtung, Erwägung; auch Widerschein, Rückstrahlung
Regalien Hoheits- und Nutzungsrechte
Rekurs Berufung, Einspruch, Anspruch
Reminiszenz Erinnerung, Anklang
Renommage Aufschneiderei, Prahlerei, Großtuerei
replizieren entgegnen, erwidern
Repräsentation würdiges Auftreten, Stellvertretung; gesellschaftlicher Aufwand
Repräsentativstaat Staat mit Vertretungskörperschaft
Reproduktion Nachbildung; Wiederholung des Produktionsprozesses, Wiedererzeugung, Darstellung
Residuum (Pl. *Residuen*) Überrest, Bodensatz, Rückstand
Respiration Atmung
Ressourcen Hilfsmittel und Rohstoffquellen; Erwerbsquellen
Restauration Zeit der „Wiederherstellung; besonders Wiedereinsetzung der Bourbonendynastie in Frankreich nach 1814
Retina Netzhaut (des Auges)
Revenant Gespenst, Spukgeist
Revenue Einkommen, Einkünfte
revozieren widerrufen
rudimentär rückgebildet, zurückgeblieben
Rudimente Anfangsgründe, Überbleibsel

Sabbat der siebente, im Alten Testament als Ruhetag verordnete Wochentag
Sakrilegium Vergehen gegen Heiliges; Gotteslästerung
Salär Gehalt, Arbeitslohn
Satisfaktion Genugtuung; Ehrenerklärung
sc. = *scilicet* nämlich
Schematisierung in ein Schema bringen
Schibboleth Losungswort, Erkennungszeichen
Schilling, Shilling, sh. englische Währungseinheit (1/20 Pfund Sterling)
Scholastiker Vertreter der Scholastik; Schulweisheit; mittelalterliche Philosophie im Sinne der Kirchenlehre
scholastisch die Scholastik betreffend; auch: spitzfindig, schulmeisterlich
Selbstapologie Selbstverteidigung
Selfactor-Mule automatische Spinnmaschine
Sensualismus philosophische Lehre, die als alleinige Erkenntnisquelle die Sinneswahrnehmungen anerkennt
Separatist gebraucht für: Mitglied einer kommunistischen Ansiedlung
Serenissimus ursprünglich: Titel regierender Fürsten; meist scherzhaft-ironische Titulierung des Fürsten eines ehemaligen deutschen Kleinstaates
Sermon Predigt, Strafpredigt; langweilige Rede
servil unterwürfig, kriecherisch, knechtisch
Session Sitzungsperiode von Parlamenten; auch: Gerichtssitzung
Sheriff Verwaltungsbeamter mit richterlichen Befugnissen (in England und den USA)
Signalement genaue Personenbeschreibung; Kennzeichnung
sinister widerwärtig, unheilvoll
Sisyphus sagenhafter König von Korinth; mußte in der Unterwelt zur Strafe für seine Ungerechtigkeiten einen Felsblock, der immer wieder herabrollte, einen steilen Berg hinaufwälzen
Skeptizismus philosophische Richtung, die die Möglichkeit der sicheren Erkenntnis bezweifelt; grundsätzlich zweiflerische Haltung

Skribent Schreiberling, Vielschreiber, unqualifizierter Schriftsteller

Skrofeln oder *Skrofulose* tuberkulöse Haut-, Schleimhaut- und Drüsenerkrankung bei Kindern

Sophisma Trugschluß; ausgeklügelte Erfindung; Spitzfindigkeit

Sophistik Kunst spitzfindiger Beweisführung, Wortverdreherei, Spitzfindigkeit

sophistisieren durch Scheinbeweise in die Irre führen

Sottise Dummheit, Grobheit, freche Bemerkung

Sou früher kleinste französische Münze

Sozietät Gesellschaft

Spekulation bloßes Gedankengebäude, über das Erfahrbare hinauszielend; gewagtes Geschäft

spekulativ nachsinnend, grübelnd, mit Wagnis verbunden; spekulative Philosophie: rein gedankliche Philosophie

Spinozismus Lehre des Philosophen Spinoza

Spiritualismus philosophische Lehre, nach der die Wirklichkeit geistig-seelischer Natur ist und das Materielle nur als Produkt oder Erscheinungsweise des Geistes gilt; Spielart des objektiven Idealismus

Spontaneität (Spontanität) Handeln aus innerem Antrieb; Selbsttätigkeit

Square viereckiger Platz

Squire in England: Gutsherr, der zugleich Friedensrichter ist; Titel des niederen englischen Adels

status quo der bisherige, der bestehende Zustand

Stilett kurzer Dolch

Stimulus Anreiz, Anregungsmittel

Stockjobber Börsenspekulant

stoisch gleichmütig, unerschütterlich

Strafsermon Strafpredigt

Subalterne der bzw. die Untergebene; Untergeordnete

Subjektivität alles zum Subjekt gehörende; durch das eigene Ich bestimmte Einstellung

sublim erhaben, fein; nur einem geläuterten Verständnis oder Empfinden zugänglich

sublimieren etwas ins Erhabene steigern; läutern; verfeinern; in der Chemie: unmittelbar vom festen in den gasförmigen Zustand übergehen

Subordination Unterordnung; Dienstgehorsam

Subsistenzmittel Mittel, auf die jemand seine Existenz gründet, Mittel für den Lebensunterhalt

Subskriptionen Unterzeichnungen; Unterschriftensammlungen für Zahlung einer Geldsumme zu irgendeinem Zweck

Substantialität Eigenschaft und Bereich einer Substanz

Substanzialitätstheorie Lehre, welche die Seele als Ding, als Substanz betrachtet

Supplementargesetz Ergänzungsgesetz

suspendieren aufschieben, vertagen, aussetzen, zeitweilig aufheben

sympathetisch geheimwirkend, geheimkräftig; gleichempfindend

Symptom Anzeichen, Kennzeichen

synonym gleichbedeutend

Synoptiker die Evangelisten Matthäus, Markus und Lukas

Tapet Teppich, Tischdecke; etwas aufs Tapet bringen: etwas zur Sprache bringen

temperieren mildern, mäßigen

Terrorismus Schreckensherrschaft

Testimonium Zeugnis

testimonium paupertatis Armutszeugnis

Theismus Glaube an einen außerweltlichen persönlichen Gott

Throstle die erste Spinnmaschine, die auf mechanische Triebkraft berechnet war

Tirade Wortschwall, leeres Geschwätz

Tophet ein verunreinigter Ort (aus dem Alten Testament)

Tory Anhänger der Konservativen Partei in England

Transportation hier: Verbannung, Verschikkung

transzendent Bewußtsein und Erfahrung überschreitend, jenseitig, überweltlich, übersinnlich

Transzendenz das Überschreiten der angeblichen Erfahrungsgrenzen, das jenseits der Erfahrung Liegende, das Übersinnliche
travestieren ins Lächerliche umdichten; ins Lächerliche ziehen
tributär abgabepflichtig; zufließend
Trichotomie Dreiteilung; Haarspalterei
Trivialität abgedroschene Redensart, Plattheit, Alltäglichkeit
Turnout (Turn-out) Ausstand, Streik
Tutel Vormundschaft

Ukas Erlaß, Gesetz, Verordnung
unitarisch Unitarier = Vertreter eines undogmatischen überkonfessionell aufgefaßten Christentums, heute besonders in den USA und in England
usurpieren sich widerrechtlich Macht aneignen, widerrechtlich Besitz ergreifen, an sich reißen
Uterus Gebärmutter
Utilisierung Nutzbarmachung

vakant unbesetzt, offen
Vampir Wucherer, Blutsauger
varikos krampfadrig
Vegetabilien Pflanzenstoffe, pflanzliche Nahrungsmittel
Verdikt Strafurteil, eigentlich Wahrspruch
Viadukt Talbrücke, Überführung
Viktualien Lebensmittel
Vindikation Anspruch, Inanspruchnahme
vindizieren zuschreiben, zueignen
Visionär Geisterseher, Schwärmer
Vitriol Schwefelsäuresalz
voluminös umfangreich
Votum Urteil, Gutachten, Stimme bei einer Abstimmung

Whig Anhänger der um 1830 entstandenen liberalen Partei der englischen Bourgeoisie
Whiggismus politische Anschauungen der Whigs
Wischnu indische Gottheit

Yard englisches Längenmaß (= 0,92 m)
Yeoman freier Kleinbauer im feudalistischen England

Zensus Volkszählung; Vermögenseinschätzung; [im alten Rom] Einstufung der Bürger nach Vermögen, Geburt und sittlicher Führung
Zertifikat Beglaubigung, Bestätigungsschreiben
Zider Obst-, besonders Apfelwein
Zitadelle Kern einer größeren Festung; Burg, befestigtes Schloß

Inhalt

Vorwort V

FRIEDRICH ENGELS/KARL MARX. Die heilige Familie oder Kritik der kritischen Kritik. Gegen Bruno Bauer und Konsorten . 3

Vorrede 7

I. Kapitel. „Die kritische Kritik in Buchbindermeister-Gestalt" oder die kritische Kritik als Herr Reichardt (von Engels) 9

II. Kapitel. „Die kritische Kritik" als „Mühleigner" oder die kritische Kritik als Herr Jules Faucher (von Engels) 12

III. Kapitel. „Die Gründlichkeit der kritischen Kritik" oder die kritische Kritik als Herr J. (Jungnitz?) (von Engels) 17

IV. Kapitel. „Die kritische Kritik" als die Ruhe des Erkennens oder die „kritische Kritik" als Herr Edgar 19

1. „Die Union ouvrière" der Flora Tristan (von Engels) 19

2. Béraud über die Freudenmädchen (von Engels) 20

3. Die Liebe (von Marx) 20

4. Proudhon (von Marx) 23

Charakterisierende Übersetzung Nr. I 24

Kritische Randglosse Nr. I 32

Kritische Randglosse Nr. II 35

Charakterisierende Übersetzung Nr. II 39

Kritische Randglosse Nr. III 40

Charakterisierende Übersetzung Nr. III ... 45
Kritische Randglosse Nr. IV ... 50
Charakterisierende Übersetzung Nr. IV ... 53
Kritische Randglosse Nr. V ... 54

V. Kapitel. Die „kritische Kritik" als Geheimniskrämer oder die „kritische Kritik" als Herr Szeliga (von Marx) ... 57

1. „Das Geheimnis der Verwilderung in der Zivilisation" und „das Geheimnis der Rechtslosigkeit im Staate" ... 58
2. Das Geheimnis der spekulativen Konstruktion ... 59
3. „Das Geheimnis der gebildeten Gesellschaft" ... 63
4. „Das Geheimnis der Rechtschaffenheit und Frömmigkeit" ... 73
5. „Das Geheimnis ein Spott" ... 75
6. Lachtaube (Rigolette) ... 79
7. Der Weltzustand der Geheimnisse von Paris ... 80

VI. Kapitel. Die absolute kritische Kritik oder die kritische Kritik als Herr Bruno ... 82

1. Erster Feldzug der absoluten Kritik (von Marx) ... 82
   a) Der „Geist" und die „Masse" ... 82
   b) Die Judenfrage Nr. I. Die Stellung der Fragen ... 91
   c) Hinrichs Nr. I. Geheimnisvolle Andeutungen über Politik, Sozialismus und Philosophie ... 95

2. Zweiter Feldzug der absoluten Kritik ... 97
   a) Hinrichs Nr. II. Die „Kritik" und „Feuerbach". Verdammung der Philosophie (von Engels) ... 97
   b) Die Judenfrage Nr. II. Kritische Entdeckungen über Sozialismus, Jurisprudenz und Politik (Nationalität) (von Marx) ... 99

3. Dritter Feldzug der absoluten Kritik (von Marx) ... 105
   a) Selbstapologie der absoluten Kritik. Ihre „politische" Vergangenheit ... 105
   b) Die Judenfrage Nr. III ... 112
   c) Kritische Schlacht gegen die französische Revolution ... 125
   d) Kritische Schlacht gegen den französischen Materialismus ... 131
   e) Schließliche Niederlage des Sozialismus ... 142
   f) Der spekulative Kreislauf der absoluten Kritik und die Philosophie des Selbstbewußtseins ... 144

VII. Kapitel. Die Korrespondenz der kritischen Kritik 152

1. Die kritische Masse (von Marx) 152

2. Die „unkritische Masse“ und die „kritische Kritik“ 157

a) Die „verstockte Masse“ und die „unbefriedigte Masse“ (von Marx) 157

b) Die „weichherzige“ und „erlösungsbedürftige“ Masse (von Engels) 160

c) Der Gnadendurchbruch der Masse (von Marx) 163

3. Die unkritisch-kritische Masse oder *die* Kritik und die „Berliner Couleur“ (von Marx) 164

VIII. Kapitel. Weltgang und Verklärung der „kritischen Kritik“ oder „die kritische Kritik“ als Rudolph, Fürst von Geroldstein (von Marx) 172

1. Kritische Verwandlung eines Metzgers in einen Hund oder der Chourineur... 173

2. Enthüllung des Geheimnisses der kritischen Religion oder Fleur de Marie.... 176

a) Die spekulative „Marien-Blume“ 176

b) Fleur de Marie 178

3. Enthüllung der Geheimnisse des Rechts 187

a) Der maître d'école oder die neue Straftheorie. Das enthüllte Geheimnis des Zellularsystems. Medizinische Geheimnisse 187

b) Belohnung und Strafe. Die doppelte Justiz, nebst Tabelle 199

c) Aufhebung der Verwilderung innerhalb der Zivilisation und der Rechtslosigkeit im Staate 202

4. Das enthüllte Geheimnis des „Standpunktes“ 203

5. Enthüllung des Geheimnisses von der Utilisierung der menschlichen Triebe oder Clémence d'Harville 205

6. Enthüllung des Geheimnisses der Emanzipation der Weiber oder Louise Morel 207

7. Enthüllung der nationalökonomischen Geheimnisse 208

a) Theoretische Enthüllung der nationalökonomischen Geheimnisse 208

b) „Die Armenbank“ 209

c) Musterwirtschaft zu Bouqueval 211

8. Rudolph, „das enthüllte Geheimnis aller Geheimnisse“ 213

IX. Kapitel. Das kritische jüngste Gericht (von Marx) 222

Historische Nachrede 223

FRIEDRICH ENGELS. Die Lage der arbeitenden Klasse in England. Nach eigner Anschauung und authentischen Quellen 225

An die arbeitenden Klassen Großbritanniens 229

Vorwort 232

Einleitung[1] 237

Zustand der Arbeiter vor der industriellen Revolution (237) – Die Jenny (239) – Entstehung des industriellen, des Ackerbauproletariats (240) – Die Throstle, die Mule, der mechanische Webstuhl, die Dampfmaschine (241/42) – Sieg der Maschinen über die Handarbeit (242) – Entwicklung der industriellen Macht (242) – Baumwollenindustrie (242) – Strumpfwirkerei (243) – Spitzenfabrikation (243) – Bleicherei, Druckerei, Färberei (244) – Wollenindustrie (244) – Leinenindustrie (245) – Seidenindustrie (245) – Eisenproduktion und Verarbeitung (246) – Kohlenbergwerke (247) – Töpfereien (247) – Ackerbau (248) – Straßen, Kanäle, Eisenbahnen, Dampfschiffe (248/49) – Zusammenfassung (249) – Entwicklung des Proletariats zu nationaler Bedeutung (250) – Ansicht der Bourgeoisie vom Proletariat (251)

Das industrielle Proletariat 253

Klassifikation der Arbeiter (253) – Zentralisation des Besitzes (254) – Die Hebel der modernen Industrie (254) – Zentralisation der Bevölkerung (254)

Die großen Städte 256

Unmittelbarer Eindruck von London (256) – Sozialer Krieg und universelles Plünderungssystem (257) – Los der Armen dabei (257) – Die schlechten Viertel im allgemeinen (259) – Von *London*: St. Giles und Umgegend (259) – Whitechapel (261) – Das Innere der Proletarierwohnungen (261) – Obdachlose in den Parks (263) – Nachtasyle (263) – *Dublin* (265) – *Edinburgh* (266) – *Liverpool* (268) – Die Fabrikstädte: *Nottingham*, *Birmingham*, *Glasgow*, *Leeds*, *Bradford*, *Huddersfield* (268) – Lancashire: allgemeine Bemerkungen (273) – *Bolton* (274) – *Stockport* (274) – *Ashton*-under-Lyne (275) – *Stalybridge* (275) – Detaillierte Schilderung von *Manchester*: allgemeine Bauart (276) – Die Altstadt (281) – Die Neustadt (286) – Bauart der Arbeiterviertel (287) – Höfe und Hintergassen (287) – Ancoats (289) – Klein-Irland (292) – Hulme (293) – Salford (293) – Resumé (294) – Logierhäuser (295) – Gedrängtheit der Bevölkerung (296) – Kellerwohnungen (296) – Kleidung der Arbeiter (297) – Nahrung (299) – Schlechtes Fleisch (299) – Warenfälschungen (300) – Falsche Maße etc. (302) – Zusammenfassung (304)

Die Konkurrenz 306

Konkurrenz der Arbeiter unter sich, die das Minimum, Konkurrenz der Besitzenden unter sich, die das Maximum des Lohns feststellt (306) – Der Arbeiter, Sklave der Bourgeoisie, muß sich täglich und stündlich selbst verkaufen (310) –

[1] Von hier an bis zum Schluß der Schrift (S. 506) wurden die Inhaltsangaben von Friedrich Engels für die Erstausgabe von 1845 verfaßt. Die Seitenzahlen beziehen sich auf den vorliegenden Band.

Überflüssige Bevölkerung (311) – Handelskrisen (312) – Reserve von Arbeitern (314/15) – Die Schicksale dieser Reserve in der Krisis von 1842 (317)

Die irische Einwanderung 320

Ursachen und Anzahl (320) – Schilderung nach Carlyle (320/21) – Unreinlichkeit, Roheit, Trunksucht der Irländer (321) – Wirkung der irischen Konkurrenz und Nachbarschaft auf den englischen Arbeiter (323)

Resultate 324

Einleitende Bemerkungen (324) – Wirkung der obigen Umstände auf *die körperliche Lage der Arbeiter* (325) – Einfluß der großen Städte, der Wohnungen, der Unreinlichkeit etc. (326) – Stand der Tatsachen (327) – Schwindsucht (327) – Typhus, besonders in London, Schottland und Irland (328) – Unterleibsbeschwerden (332) – Folgen der Trunksucht (332) – Quacksalber (332) – „Godfrey's Cordial" (333) – Sterblichkeit im Proletariat, speziell unter kleinen Kindern (334) – Anklage des sozialen Mordes gegen die Bourgeoisie (338) – Folgen für die *intellektuelle und moralische Lage* (338) – Mangel an Bildungsmitteln (338) – Unzulänglichkeit von Abend- und Sonntagsschulen (339) – Unwissenheit (340) – Ersatz für den Arbeiter in seinen Lebensverhältnissen (342) – Sittliche Vernachlässigung der Arbeiter (342) – Das Gesetz, der einzige Sittenlehrer (343) – Veranlassung für den Arbeiter in seiner Lage, sich über Gesetz und Sitte hinwegzusetzen (343) – Einfluß der Armut (343) – des Proletariats und der Unsicherheit der Stellung (344) – der Verdammung zur Zwangsarbeit (346) – der Zentralisation der Bevölkerung (347) – der irischen Einwanderung (350) – Unterschied zwischen dem Charakter des Bourgeois und des Proletariers (351) – Vorzüge des Proletariers vor dem Bourgeois (352) – Nachteilige Seiten des proletarischen Charakters (353) – Trunksucht (353) – Zügellosigkeit des Geschlechtsverkehrs (355) – Auflösung der Familie (356) – Nichtachtung der sozialen Ordnung (356) – Verbrechen (356) – Schilderung des sozialen Kriegs (359)

Die einzelnen Arbeitszweige. Die Fabrikarbeiter im engeren Sinne 360

Wirkung der Maschinerie (360) – Handweber (362) – Verdrängung von Männern (362) – Arbeit der Weiber, Auflösung der Familie (366) – Umkehrung aller Familienverhältnisse (369) – Moralische Folgen der Zusammendrängung vieler Weiber in Fabriken (372) – Jus primae noctis (373) – Arbeit der Kinder (374) – Lehrlingssystem (374) – Spätere Einrichtung (374/75) – Schilderung nach dem Fabrikbericht (375) – Lange Arbeitszeit (375) – Nachtarbeit (375) – Verkrüppelung (376) – Kleinere äußere Übel (376) – Charakter der Arbeit (378) – Allgemeine Schwächung der Konstitution (379) – Spezielle Übel (380) – Zeugnisse (380) – Frühes Alter (382/83) – Spezielle Folgen für die weibliche Konstitution (383) – Einzelne besonders schädliche Arbeitszweige (385) – Unglücksfälle (386) – Urteil der Bourgeoisie über das Fabriksystem (387) – Fabrikgesetzgebung und Zehnstundenagitation (390) – Geisttötender und abstumpfender Charakter der Arbeit (397) – Sklaverei (398) – Fabrikregeln (398/99) – Trucksystem (401) – Cottagesystem (403) – Parallele zwischen dem Leibeignen von 1145 und dem freien Arbeiter von 1845 (404)

Die übrigen Arbeitszweige 408

Die Strumpfwirker (408) – Spitzenfabrikation (410) – Kattundrucker (413) – Samtscherer (414) – Seidenweber (415) – Metallwaren (417) – Birmingham (417) Staffordshire (419) – Sheffield (421) – Maschinenfabriken (423) – Die Töpfereien von Nord-Staffordshire (423) – Glasfabriken (425) – Die Handwerker (426) – Die Londoner Putzmacherinnen und Nähterinnen (426)

Arbeiterbewegungen 430

Einleitendes (430) – Verbrechen (431) – Aufstände gegen Maschinerie (432) – Verbindungen, Arbeitseinstellung (432) – Wirkung der Verbindungen und Turnouts (434) – Verbrechen infolge derselben (437) – Charakter der Kämpfe des englischen Proletariats gegen die Bourgeoisie (439) – Gefecht in Manchester, Mai 1843. Die Achtung vor dem Gesetz dem Proletariat fremd (443) – *Chartismus* (444) – Geschichte der Chartistenbewegung (444) – Insurrektion von 1842 (447) – Entschiedne Trennung des proletarischen Chartismus vom Radikalismus der Bourgeoisie (450) – Soziale Tendenz des Chartismus (451) – *Sozialismus* (451) – Allgemeiner Standpunkt der Arbeiter (453)

Das Bergwerksproletariat 456

Die Bergleute von *Cornwall* (456) – *Alston Moor* (457) – *Eisen- und Kohlenbergwerke* (458) – Die Arbeit der Männer, Weiber und Kinder (459) – Eigentümliche Krankheiten (460) – Arbeit in niedrigen Stollen (463) – Unglücksfälle, Explosionen etc. (463) – Stand der Bildung (464) – der Moralität (464) – Bergwerksgesetze (465) – Systematische Ausbeutung der Grubenarbeiter (466) – Bewegungen unter ihnen (466) – Die „Union" (467) – Der große Feldzug von 1844 im Norden von England (467) – Roberts und der Feldzug gegen die Friedensrichter und das Trucksystem (467) – Resultate des Kampfes (469)

Das Ackerbauproletariat 473

Historisches (473) – Pauperismus auf dem Lande (474) – Lage der Ackerbautaglöhner (475) – Brandstiftungen (478) – Gleichgültigkeit gegen die Korngesetzfrage (479) – Irreligiosität (480) – *Wales:* die kleinen Pächter (481) – Rebekka-Unruhen (481) – *Irland:* die Parzellierung des Grundbesitzes (482) – Pauperisierung der Nation (483) – Verbrechen (485) – Repeal-Agitation (485)

Die Stellung der Bourgeoisie zum Proletariat 486

Sittliche Verderbtheit der englischen Bourgeoisie (486) – Geldsucht (487) – Ökonomie und freie Konkurrenz (487) – Heuchelei der Wohltätigkeit (488) – der Ökonomie und Politik in der Korngesetzfrage (489) – Die Gesetzgebung und Justiz der Bourgeoisie (491) – Die Bourgeoisie im Parlament (492) – Masters- and Servants-Bill (493) – Malthussche Theorie (493) – Das alte Armengesetz (494) – Das neue Armengesetz (496) – Beispiele von Arbeitshaus-Brutalität (497) – Aussichten Englands für die Zukunft (501)

Aus: „The New Moral World“

Friedrich Engels · Sozialismus auf dem Kontinent 507

Friedrich Engels · Rascher Fortschritt des Kommunismus in Deutschland. I–III 509

Aus: „Deutsches Bürgerbuch für 1845“

Friedrich Engels · Beschreibung der in neuerer Zeit entstandenen und noch bestehenden kommunistischen Ansiedlungen 521

Aus: „Rheinische Jahrbücher zur gesellschaftlichen Reform“

Friedrich Engels · Zwei Reden in Elberfeld 536

Aus: „The Northern Star“

Friedrich Engels · Das kürzliche Gemetzel in Leipzig – Die deutsche Arbeiterbewegung 558

Friedrich Engels · Victorias Besuch – Die „Königshäuser“ im Streit – Krach zwischen Vic und der deutschen Bourgeoisie – Die Verurteilung der Pariser Zimmerleute 562

Friedrich Engels · Deutsche Zustände. I–III 564

Aus: „Telegraph für Deutschland“

Friedrich Engels · Geschichte der englischen Korngesetze 585

Aus: „Das Westphälische Dampfboot“

Friedrich Engels · Nachträgliches über die Lage der arbeitenden Klassen in England. Ein englischer Turnout 591

Aus: „Deutsches Bürgerbuch für 1846“

Friedrich Engels · Ein Fragment Fouriers über den Handel [Einleitung und Nachwort] 604

Aus: „Rheinische Jahrbücher zur gesellschaftlichen Reform“

Friedrich Engels · Das Fest der Nationen in London.................... 611

Aus: „Trier'sche Zeitung“

Karl Marx · Erklärung 625

Beilagen

Friedrich Engels · Die Arbeiterbewegung in Amerika. Vorwort zur amerikanischen Ausgabe der „Lage der arbeitenden Klasse in England" 629

Friedrich Engels · Vorwort zur deutschen Ausgabe von 1892 der „Lage der arbeitenden Klasse in England" 637

Anhang und Register

Anmerkungen 653

Literaturverzeichnis 674

Verzeichnis der Zeitungen und Zeitschriften 688

Karl Marx und Friedrich Engels – Daten aus ihrem Leben und ihrer Tätigkeit (1844–1846) 690

Personenverzeichnis 695

Erklärung der Fremdwörter, der fremdsprachigen und seltenen Ausdrücke 712

Abbildungen

Titelseite der Erstausgabe von Engels' und Marx' Schrift „Die heilige Familie" .. 5

Umschlag der Erstausgabe von Engels' Schrift „Die Lage der arbeitenden Klasse in England" 227

Erste Seite der Widmung Friedrich Engels' „An die arbeitenden Klassen Großbritanniens" 235

Plan von Manchester und seinen Vorstädten 277

Eine Seite aus dem Bericht des Children's Employment Commission ··· gegenüber S. 464

„The New Moral World" (Zeitungstitel) 507

Schluß des Artikels „Rascher Fortschritt des Kommunismus in Deutschland" mit Engels' Übersetzung des Gedichts „Die schlesischen Weber" von Heinrich Heine gegenüber S. 512

„The Northern Star" (Zeitungstitel) 558